资治通鉴

全本全注全译

第十七册

唐纪

[宋]司马光　编著
张大可　韩兆琦　等　注译

浙江人民出版社

图书在版编目（CIP）数据

资治通鉴全本全注全译. 第十七册 / (宋) 司马光编著 ; 张大可等注译. -- 杭州 : 浙江人民出版社, 2024. 10（2025. 6重印）. -- ISBN 978-7-213-11682-7

Ⅰ. K204. 3

中国国家版本馆CIP数据核字第20247TR794号

资治通鉴全本全注全译　第十七册

ZIZHI TONGJIAN QUANBEN QUANZHU QUANYI

［宋］司马光　编著　　张大可　韩兆琦　等　注译

出版发行：浙江人民出版社（杭州市环城北路 177 号　邮编　310006）
市场部电话：（0571）85061682　85176516
选题策划：胡俊生
项目统筹：潘海林　魏　力
责任编辑：尚　婧　王子佳
营销编辑：杨　悦
责任校对：杨　帆　陈　春
责任印务：程　琳　幸天骄
封面设计：北京之江文化传媒有限公司
电脑制版：北京之江文化传媒有限公司
印　　刷：浙江新华数码印务有限公司
开　　本：710 毫米 ×1000 毫米　1/16　　印　　张：45
字　　数：878 千字　　插　　页：4
版　　次：2024 年 10 月第 1 版　　印　　次：2025 年 6 月第 2 次印刷
书　　号：ISBN 978-7-213-11682-7
定　　价：124.00 元

目　录

卷第一百八十五　唐纪一

雍摄提格（戊寅，公元六一八年）正月，尽七月，不满一年。

【题解】

本卷记事起公元六一八年正月，迄七月，共七个月史事，当唐高祖武德元年。本卷详细记载了宇文化及背叛隋朝，弑杀隋炀帝的过程。这一事件，直接导致了隋朝的灭亡。三月十一日，隋炀帝被弑；五月十四日，李渊即皇帝位，建立唐朝。五月二十四日隋东都越王杨侗即皇帝位，改元皇泰，史称杨侗为皇泰主。宇文化及北上欲返东都，李密遭到夹击，皇泰主利用这一形势招安李密，册封李密为魏国公。李密率众阻击宇文化及，取得大胜，将入朝皇泰主。此时，东都发生内讧，王世充诛杀元文都，专擅大权，阻挡了李密入朝，形势一朝突变，隋朝彻底灭亡不可逆转。萧梁后裔萧铣乘势而起，割据了荆襄以及交州，在长江中游又兴起了一个政权，占有今两湖及两广地区。西北割据政权，河西李轨、陇右薛举、陕北梁师都，加固割据活动，薛举与唐室交战，取得一时胜利。

【原文】

高祖神尧大圣光孝皇帝[①]上之上

武德元年（戊寅，公元六一八年）

春，正月丁未朔[②]，隋恭帝诏唐王剑履上殿[③]，赞拜不名[④]。

唐王既克长安[⑤]，以书谕诸郡县，于是东自商洛[⑥]，南尽巴、蜀[⑦]，郡县长吏及盗贼渠帅，氐、羌[⑧]酋长争遣子弟入见请降。有司复书，日以百数。

王世充[⑨]既得东都[⑩]兵，进击李密[⑪]于洛北[⑫]，败之，遂屯巩[⑬]北。辛酉[⑭]，世充命诸军各造浮桥度洛击密，桥先成者先进，前后不一。虎贲郎将[⑮]王辩[⑯]破密外栅[⑰]，密营中惊扰，将溃。世充不知，鸣角[⑱]收众，密因帅敢死士乘之，世充大败，争桥溺死者万余人。王辩死，世充仅自免[⑲]，洛北诸军皆溃。世充不敢入东都，北趣[⑳]河阳[㉑]。

【语译】

高祖神尧大圣光孝皇帝上之上

武德元年（戊寅，公元六一八年）

春，正月初一日丁未，隋恭帝下诏令唐王可以佩剑穿鞋上殿，行赞拜礼仪时不用报上名字。

唐王李渊攻克长安之后，利用书信劝谕各郡县，于是东面从商洛县，南面到整个巴、蜀，郡县的官长属吏以及盗贼首领，氐族、羌族的部落酋长争相派遣子弟入朝觐见，请求归顺。主事的官员回复书信，每日有数百封。

王世充得到东都的兵马后，在洛水北岸进攻李密，打败了他，于是屯驻巩县北面。正月十五日辛酉，王世充命令各部队分头建造浮桥渡过洛水攻打李密，先建好浮桥的部队先进攻，各部的行动前后不一。虎贲郎将王辩攻破李密的外围栅栏，李密军营中惊恐慌乱，行将崩溃。王世充不知道这一情况，吹号角收兵，李密乘机率领敢死队反攻，王世充大败，部众争桥过河，溺死的有一万余人。王辩死去，王世充仅自己逃脱，洛水北岸的各部队全部崩溃。王世充不敢进入东都，北赴河阳。这

是夜，疾风寒雨，军士涉水沾湿，道路冻死者又以万数。世充独与数千人至河阳，自系狱请罪㉒。越王侗㉓遣使赦之，召还东都，赐金帛、美女以安其意。世充收合亡散，复[1]得万余人，屯含嘉城㉔，不敢复出。

密乘胜进据金墉城㉕，修其门堞㉖、庐舍而居之，钲鼓㉗之声，闻于东都。未几㉘，拥兵三十余[2]万，陈于北邙㉙，南逼上春门㉚。乙丑㉛，金紫光禄大夫㉜段达㉝、民部尚书㉞韦津㉟出兵拒之。达望见密兵盛，惧而先还，密纵兵乘㊱之，军遂溃，韦津死。于是偃师㊲、柏谷㊳及河阳都尉㊴独孤武都㊵、检校㊶河内㊷郡丞㊸柳燮㊹、职方郎㊺柳续㊻等各举所部降于密。窦建德㊼、朱粲㊽、孟海公㊾、徐圆朗㊿等并遣使奉表劝进，密官属裴仁基(51)等亦上表请正位号(52)。密曰："东都未平，不可议此。"

戊辰(53)，唐王以世子建成(54)为左元帅(55)，秦公世民(56)为右元帅，督诸军十余万人救东都。

东都乏食，太府卿(57)元文都(58)等募守城不食公粮者进(59)散官(60)二品，于是商贾执象(61)而朝者不可胜数。

【段旨】

以上为第一段，写李密兵围东都大败王世充。

【注释】

①高祖神尧大圣光孝皇帝：唐代开国皇帝李渊（公元五六六至六三五年），字叔德，陇西成纪（今甘肃秦安西北）人，一说陇西狄道（今甘肃临洮）人，自云西凉太祖李嵩七世孙，渊父虎自武川（今内蒙古武川西南）徙家长安。公元六一八至六二六年在位。②丁未朔：一月初一。③剑履上殿：据《隋书·礼仪志》，开皇十二年（公元五九二年）始制朝会应登殿坐者，须解佩剑和脱履。恭帝优礼唐王，故诏其升殿时可以带剑着履。履，鞋。④赞拜不名：臣子朝拜君王时，则曰某官某。不名，不需称名，这亦是一种崇高的礼遇。⑤唐王既克长安：据上卷，李渊于恭帝义宁元年（公元六一七年）十

天夜里，风疾雨寒，士兵们涉水过河，身上全被打湿，一路上冻死的又以万数。王世充只与数千人到达河阳，自己拘禁下狱向越王请罪。越王杨侗派遣使臣赦免了他，召他返回东都，赏赐金帛、美女来安抚其心。王世充收拢逃散的士兵，又得到一万余人，驻扎在含嘉城，不敢再次出战。

李密乘胜进军占领了金墉城，修缮城门城墙堞口和城内的房屋，驻扎了下来，钲鼓之声，东都的人都可听到。不久，李密拥有士兵三十多万，列阵北邙山，向南逼近东都上春门。正月十九日乙丑，隋金紫光禄大夫段达、民部尚书韦津出兵抗击。段达望见李密兵力强盛，害怕而先行撤回，李密纵兵乘势反攻，隋军便崩溃了，韦津战死。于是偃师、柏谷及河阳都尉独孤武都、检校河内郡丞柳爕、职方郎柳续等都各率所部投降李密。窦建德、朱粲、孟海公、徐圆朗等都派使节上表劝说李密称帝，李密的下属裴仁基等也上表请他登基称帝。李密说："东都没有平定，不能讨论这件事。"

正月二十二日戊辰，唐王李渊任命世子李建成为左元帅，任命秦公李世民为右元帅，督率各军十余万人援救东都。

东都缺乏粮食，太府卿元文都等招募守城而不吃公粮的人加封二品散官，于是商人为官执笏进宫朝见的人多得不可胜数。

一月九日攻克长安。至是，渊据京师已五十三日。克，攻下。长安，隋、唐国都，在今陕西西安。⑥商洛：县名，县治在今陕西商洛。武德二年（公元六一九年）移治今陕西商洛。⑦巴、蜀：郡名，巴郡治所在今重庆市，蜀郡治所在今四川成都。⑧氐、羌：中国古代民族名，主要分布在今陕、甘、青、川一带。⑨王世充（？至公元六二一年）：隋末割据者，字行满，祖籍西域。传见《隋书》卷八十五、《旧唐书》卷五十四、《新唐书》卷八十五。⑩东都：洛阳（今河南洛阳）。⑪李密（公元五八二至六一九年）：隋末瓦岗起义军领袖，字玄邃，一字法主。传见《隋书》卷七十、《旧唐书》卷五十三、《新唐书》卷八十四。⑫洛北：洛水（今洛河）之北。⑬巩：县名，县治在今河南巩义市东巩县老城。⑭辛酉：正月十五日。⑮虎贲郎将：武官名，掌宿卫事。中央十二卫，各置大将军一人统领，每卫设护军四人，为大将军副贰，正四品，隋炀帝大业三年（公元六〇七年）改称为虎贲郎将。⑯王辩（公元五六二至六一八年）：字警略，冯翊蒲城（今陕西蒲城）人，少习兵书，善骑射，累官大都督、车骑将军、鹰扬郎将、虎贲郎

将。传见《隋书》卷六十四。⑰栅：栅栏。军营外部构筑的防御工事。⑱角：画角。以竹木或皮革制成，似今军号，故又称号角。与鼓结合，曰鼓角。用以报时、警众，或发号施令。⑲仅自免：仅能自己脱身免难。因王辩死战，王世充才得以脱逃。⑳趣：通“趋”，快步急行。㉑河阳：县名，县治在今河南孟州南。㉒自系狱请罪：自缚入狱请求治罪。㉓越王侗（？至公元六一九年）：隋炀帝孙，大业二年，封越王。炀帝死，即位于东都，改元皇泰，史称“皇泰主”。在位十一月，为王世充所弑，王世充谥为恭皇帝。传见《隋书》卷五十九。㉔含嘉城：隋仓城名，遗址在今洛阳市区东北。㉕金墉城：城名，三国魏明帝时筑，今称故址为阿斗城，遗址在今河南洛阳东北十五公里，位于汉、魏洛阳故城西北隅。㉖堞：又称女墙，城上的矮墙。㉗钲鼓：古代行军时用的钲和鼓两种乐器。后人言兵事，常以钲鼓并称。㉘未几：不久。㉙陈于北邙：陈，“阵”的本字。邙山东段，即北邙山，在今河南洛阳北。㉚上春门：隋洛阳城（今河南洛阳）东城最北门。㉛乙丑：正月十九日。㉜金紫光禄大夫：官名，汉制光禄大夫带银印青绶，魏晋以后，有特加金印紫绶者，称金紫光禄大夫。始置掌顾问应对，后为加官或褒赠之官。㉝段达（？至公元六二一年）：隋朝大臣，武威姑臧（今甘肃武威）人，累官左骁卫大将军、开府仪同三司、纳言。在周袭爵襄垣县公，隋末封陈国公。后媚事王世充，唐平东都，达坐诛。传见《北史》卷七十九、《隋书》卷八十五。㉞民部尚书：官名，即户部尚书，尚书省六部长官之一，掌全国土地、户籍、赋税、财政收支等事。㉟韦津（？至公元六一八年）：隋大臣，京兆杜陵（今陕西西安东北）人。事迹见《隋书》卷四十七。㊱乘：追逐。㊲偃师：县名，县治在今河南洛阳市偃师区东。㊳柏谷：古坞名，又名钩锁坞，在今河南偃师东南洛河南岸。㊴都尉：官名，地位略低于将军的武官。㊵独孤武都（？至公元六一八年）：两《唐书·窦琮传》作“独孤武”。隋室外戚，姑母为隋文帝皇后。武都潜谋投唐，事觉，为王世充杀害。传见《北史》卷六十一。㊶检校：代

【原文】

二月己卯[62]，唐王遣太常卿[63]郑元璹[64]将兵出商洛，徇[65]南阳[66]，左领军府[67]司马安陆马元规[68]徇安陆[69]及荆、襄[70]。

李密遣房彦藻[71]、郑颋[72]等东出黎阳[73]，分道招慰州县。以梁郡[74]太守杨汪[75]为上柱国[76]、宋州总管[77]，又以手书与之曰：“昔在雍丘[78]，曾相追捕，射钩斩袂[79]，不敢庶几[80]。”汪遣使往来通意，密亦羁

理官称。㊷ 河内：郡名，治所在今河南沁阳。㊸ 郡丞：官名，郡守佐官，掌兵马。㊹ 柳燮：隋地方官，河东解县（今山西运城西南解州镇）人，降李密后，复说密投唐。仕唐至都官郎中。㊺ 职方郎：官名，隶兵部，掌管地图与四方职贡。㊻ 柳续：隋官出身，河东解县人，降唐后，擢仪曹郎中。事迹略见《新唐书》卷八十四等篇。㊼ 窦建德（公元五七三至六二一年）：隋末河北地区义军领袖，清河漳南（今山东武城东北）人，公元六一八年于乐寿建立国号为夏的地方政权。后为李世民所败，俘至长安被杀。传见《旧唐书》卷五十四、《新唐书》卷八十五。㊽ 朱粲（？至公元六二一年）：隋末起事于豫南地区。传见《旧唐书》卷五十六、《新唐书》卷八十七。㊾ 孟海公（？至公元六二一年）：隋末曹州义军领袖。事迹见《旧唐书》卷五十四、《新唐书》卷八十五。㊿ 徐圆朗（？至公元六二三年）：隋叛将。传见《旧唐书》卷五十五、《新唐书》卷八十六。51 裴仁基（？至公元六二一年）：隋叛将。传见《隋书》卷七十。52 请正位号：劝请即位称帝。53 戊辰：正月二十二日。54 世子建成（公元五八九至六二六年）：李渊长子。世子，天子、诸侯的嫡长子。55 元帅：唐代战时最高统帅，多以皇子、亲王充任。56 秦公世民（公元五九九至六四九年）：李渊次子。时封秦国公。后称帝，史称唐太宗，公元六二六至六四九年在位。57 太府卿：太府寺长官，掌库藏出纳、贸易商税等事务。58 元文都（？至公元六二〇年）：隋末大臣。传见《隋书》卷七十一。59 进：加官；晋职。60 散官：表示官员阶品但无职事的官号。61 象：象牙制作的朝笏之略称。

【校记】

［1］复：原无此字。据章钰校，十二行本、乙十一行本、孔天胤本皆有此字，今据补。［2］余：原无此字。据章钰校，十二行本、乙十一行本、孔天胤本皆有此字，今据补。

【语译】

二月初四日己卯，唐王李渊派太常卿郑元璹率兵从商洛出发，攻占南阳，派左领军府司马安陆人马元规攻占安陆及荆、襄地区。

李密派遣房彦藻、郑颋等向东从黎阳出发，分路招抚各州县。任命梁郡太守杨汪为上柱国、宋州总管，又把亲笔书信送给他，说：“过去在雍丘时，你曾追捕我，管仲射中齐桓公带钩而后来被任命为国相、寺人披斩断晋文公衣袖而文公不怨的事，我不敢说与他们相比差不多。”杨汪派使者来来往往表达想法，李密也笼络他。

縻[81]待之。彦藻以书招窦建德，使来见密。建德复书，卑辞厚礼，托以罗艺[82]南侵，请捍御北垂[83]。彦藻还，至卫州[84]，贼帅王德仁[85]邀杀之。德仁有众数万，据林虑山[86]，四出抄掠，为数州之患。

【段旨】

以上为第二段，写唐王李渊出兵南阳，李密招抚东方未遂。

【注释】

⑥己卯：二月初四。⑥太常卿：官名，太常寺长官，掌祭祀礼乐之事。⑥郑元璹（？至公元六四六年）：字德芳，隋沛国公郑译之子。隋大业末任文城郡守，李渊起兵攻拔其城，俘郑元璹释之，授太常卿。传见《旧唐书》卷六十二、《新唐书》卷一百。⑥徇：攻取。⑥南阳：郡名，隋炀帝改邓州为南阳郡，治所在今河南邓州。⑥左领军府：禁军官署名，隋禁军置有左、右领军府，各掌十二军籍账、差科、词讼等事。不置将军，以长史、司马等综理军府事。⑥马元规（？至公元六一八年）：安陆（今湖北安陆）人，初从李渊征伐，曾持节下南阳得兵万余，后无谋败死。事迹见《旧唐书》卷一百八十七上、《新唐书》卷一百九十一《吕子臧传》。⑥安陆：县名，县治在今湖北安陆。⑦荆、襄：荆州（治所在今湖北荆州）和襄阳郡（治所在今湖北襄阳）的略称。⑦房彦藻（？至公元六一八年）：隋末瓦岗军将领。事迹见《隋书》卷七十、《旧唐书》卷五十三、《新唐书》卷八十四《李密传》。⑦郑颋（？至公元六二一年）：瓦岗

【原文】

三月己酉[87]，以齐公元吉[88]为镇北将军、太原道行军元帅[89]、都督十五郡[90]诸军事，听以便宜从事[91]。

隋炀帝[92]至江都[93]，荒淫益甚，宫中为百余房，各盛供张[94]，实以美人，日令一房为主人。江都郡丞赵元楷[95]掌供酒馔，帝与萧后[96]及幸姬[97]历就宴饮，酒卮[98]不离口，从姬千余人亦常醉。然帝见天下危

房彦藻写信招抚窦建德，让他来见李密。窦建德回信，言辞谦卑，礼品丰厚，借口罗艺南侵，请求捍卫北方边境。房彦藻返回，到达卫州，贼寇首领王德仁拦截杀死了他。王德仁有兵数万人，占据林虑山，四出抢掠，成为几个州的祸患。

军将领。事迹见新、旧《唐书·李密传》和《新唐书》卷八十五《王世充传》等。⑦③黎阳：县名，县治在今河南浚县东北。⑦④梁郡：郡名，炀帝改宋州置，治所在今河南商丘。⑦⑤杨汪（？至公元六二一年）：王世充亲信。事迹见《旧唐书》卷五十四、《新唐书》卷八十五《王世充传》。⑦⑥上柱国：勋官号，隋置，以酬功勋。隋大业三年（公元六〇七年）罢。唐高祖武德七年（公元六二四年）置为十二转勋官。⑦⑦总管：官名，掌一州的军政。⑦⑧雍丘：县名，县治在今河南杞县。⑦⑨射钩斩袪：春秋时，管仲曾射中齐桓公衣带钩，但桓公不念旧恶，用以为相；晋寺人披曾斩断晋文公的衣袖，但文公不怨。袪，衣袖。⑧⓪不敢庶几：意谓不敢说与齐桓、管仲之事差不多。语含自谦之意。李密表明自己绝不加害于过去的仇人杨汪。⑧①羁縻：谓笼络使不生异心。⑧②罗艺（？至公元六二七年）：隋末割据者，字子延，襄州襄阳（今湖北襄阳）人，降唐后，封燕王，赐姓李。贞观初，因叛唐被诛。传见《旧唐书》卷五十六、《新唐书》卷九十二。⑧③北垂：北边。垂，同“陲”，即边陲。⑧④卫州：郡名，治所在今河南淇县东。⑧⑤王德仁（？至公元六二一年）：隋末义军首领，据林虑山（在今河南林州西），活动于魏郡（治今河北临漳西南）、上党郡（治今山西长治）一带。后降唐复反，附王世充，兵败为李世民诛杀。事迹散见《新唐书》卷八十五《王世充传》等处。⑧⑥林虑山：山名，又称隆虑山。在今河南林州境内。

【语译】

三月初四日己酉，任命齐公李元吉为镇北将军、太原道行军元帅、都督十五郡诸军事，允许他根据情况自行决断采取行动。

炀帝到达江都，更加荒淫，宫中建有一百多所卧房，各房大量布置帷帐等用物，让美人住在里面，每天让其中一房为主人。江都郡丞赵元楷掌管供奉酒食，炀帝与萧后及宠幸的美姬前往宴饮，酒杯不离口，随从的美姬一千多人也经常喝醉。但炀帝见

乱，意亦扰扰[99]不自安，退朝则幅巾[100]短衣，策杖[101]步游，遍历台馆，非夜不止，汲汲[102]顾景[103]，唯恐不足。

帝自晓占候卜相[104]，好为吴语[105]，常夜置酒，仰视天文[106]，谓萧后曰："外间大有人图侬[107]。然侬不失为长城公[108]，卿[109]不失为沈后[110]，且共乐饮耳！"因引满[111]沈醉。又尝引镜自照，顾谓萧后曰："好头颈，谁当斫[112]之？"后惊问故，帝笑曰："贵贱苦乐，更迭[113]为之，亦复何伤！"

帝见中原已乱，无心北归，欲都丹阳[114]，保据江东[115]，命群臣廷议之。内史侍郎[116]虞世基[117]等皆以为善，右候卫大将军[118]李才极陈不可，请车驾还长安，与世基忿争而出。门下录事[119]衡水李桐客曰："江东卑湿，土地险狭，内奉万乘[120]，外给三军，民不堪命，恐亦将[3]散乱耳。"御史[121]劾[122]桐客谤毁朝政，于是公卿皆阿意[123]言："江东之民望幸[124]已久，陛下过江，抚而临之，此大禹[125]之事也。"乃命治丹阳宫，将徙都之。

时江都粮尽，从驾骁果[126]多关中[127]人，久客思乡里，见帝无西意，多谋叛归。郎将[128]窦贤遂帅所部西走，帝遣骑追斩之，而亡者犹不止，帝患之。虎贲郎将扶风司马德戡[129]素有宠于帝，帝使领骁果屯于东城。德戡与所善虎贲郎将元礼、直阁[130]裴虔通[131]谋曰："今骁果人人欲亡，我欲言之，恐先事受诛，不言，于后事发，亦不免族灭，奈何？又闻关内沦没，李孝常[132]以华阴叛，上囚其二弟，欲杀之。我辈家属皆在西，能无此虑乎！"二人皆惧，曰："然则计将安出？"德戡曰："骁果若亡，不若与之俱去。"二人皆曰："善！"因转相招引，内史舍人[133]元敏[134]，虎牙郎将赵行枢，鹰扬郎将孟秉，符玺郎[135]李覆[4]、牛方裕，直长[136]许弘仁[137]、薛世良，城门郎[138]唐奉义，医正[139]张恺，勋侍[140]杨士览等皆与之同谋，日夜相结约，于广座明论叛计，无所畏避。有宫人[141]白[142]萧后曰："外间人人欲反。"后曰："任汝奏之。"宫人言于帝，帝大怒，以为非所宜言，斩之。其后宫人复白后，后曰："天下事一朝至此，无可救者，何用言之，徒令帝忧耳！"自是无复言者。

赵行枢与将作少监[143]宇文智及[144]素厚，杨士览，智及之甥也，二人以谋告智及，智及大喜。德戡等期以三月望日[145]结党西遁，智及曰：

天下危急动乱，心里也慌乱而不得安宁，退朝后就以绢束发，身穿短衣，拿着手杖徒步漫游，走遍每一处台馆，不到黑夜不停止，急切地想多看些风景，唯恐没有看够。

炀帝自己也懂得占候卜相，喜欢说吴地方言，经常夜里摆下酒菜，仰观天文，对萧皇后说："外面想害我的大有人在。但我就算不当皇帝也能像陈叔宝一样当个长城公，你也能像陈叔宝的皇后沈皇后一样当我的夫人，还是一起高高兴兴地喝酒吧！"于是倒酒满杯喝得烂醉。又曾拿起镜子照自己，回头对萧皇后说："一副好头颈，当是谁来砍掉它？"萧皇后吃惊地询问缘故，炀帝笑着说："贵贱苦乐，互为更替，又有什么可伤心的！"

炀帝见中原已乱，无心北还都城，想建都丹阳，据守江东，命群臣在朝廷上商议此事。内史侍郎虞世基等都以为这个想法好，右候卫大将军李才则极力说明不可建都丹阳，请炀帝车驾返回长安，他与虞世基愤怒地争辩，气得出去了。门下录事衡水人李桐客说："江东低洼潮湿，疆域险阻而狭窄，对内要供奉皇上，对外要供给三军，百姓承受不了这些负担，恐怕也将会逃散作乱啊。"御史弹劾李桐客谤毁朝政，于是公卿大臣都迎合炀帝的想法说："江东百姓很久就盼望皇上驾临了，陛下过长江，驾临此地进行安抚，这是大禹当年做过的事情啊。"于是炀帝命令建造丹阳宫，准备迁都丹阳。

当时江都没有粮食，跟随炀帝的骁果兵多是关中人，长期客居江南，思念故乡，看到炀帝没有西归的意思，很多人谋划叛逃返回关中。郎将窦贤于是率领部下西去，炀帝派骑兵追上斩杀了他，但仍然阻止不了逃亡的人，炀帝对此非常忧虑。虎贲郎将扶风人司马德戡一向受炀帝宠信，炀帝派他率领骁果兵屯驻东城。司马德戡与关系亲近的虎贲郎将元礼、直阁裴虔通商量说："如今骁果兵人人都想逃亡，我想告诉皇上，怕在事前就被诛杀，不告诉皇上，日后事情发生了，也免不了灭族之罪，怎么办？又听说关内沦陷，李孝常在华阴反叛，皇上囚禁了他的两个弟弟，想要杀死他们。我们的家属都在西方关中，能没有这样的忧虑吗！"两人都很害怕，说："那么又有什么好计策呢？"司马德戡说："骁果兵如果逃亡，不如和他们一起离去。"二人都说："好！"于是人们相互串联，内史舍人元敏，虎牙郎将赵行枢，鹰扬郎将孟秉，符玺郎李覆、牛方裕，直长许弘仁、薛世良，城门郎唐奉义，医正张恺，勋侍杨士览等人都与司马德戡同谋，日夜联系相互约定，在众人聚会的场合也公开讨论叛逃的方法，无所畏惧回避。有宫女告诉萧皇后说："外面人人都想造反。"萧皇后说："任随你上奏此事。"宫女告诉炀帝，炀帝大怒，认为这不是她该说的话，杀了宫女。其后别的宫女又告诉萧皇后，萧皇后说："天下事一旦到了这种地步，无可挽救了，还用得着说吗，说了只能让皇帝担忧罢了！"从此再也没有人报告了。

赵行枢和将作少监宇文智及一向情深意厚，杨士览又是宇文智及的外甥，二人把众人谋划叛逃的事告诉宇文智及，宇文智及非常高兴。司马德戡等人约定在三月

"主上虽无道，威令尚行，卿等亡⑭⑥去，正如窦贤取死耳。今天实丧隋，英雄并起，同心叛者已数万人，因行大事，此帝王之业也。"德戡等然之⑭⑦。行枢、薛世良请以智及兄右屯卫将军⑭⑧许公化及⑭⑨为主。结约既定，乃告化及。化及性驽怯⑮⓪，闻之，变色流汗，既而从之。

德戡使许弘仁、张恺入备身府⑮①，告所识者云："陛下闻骁果欲叛，多酝⑮②毒酒，欲因享会⑮③，尽鸩杀之，独与南人留此。"骁果皆惧，转相告语，反谋益急。

乙卯⑮④，德戡悉召骁果军吏，谕以所为，皆曰："唯将军命！"是日，风霾⑮⑤昼昏。晡⑮⑥后，德戡盗御厩⑮⑦马，潜厉兵刃⑮⑧。是夕，元礼、裴虔通直阁下，专主殿内，唐奉义主闭城门，与虔通相知⑮⑨，诸门皆不下键⑯⓪。至三更，德戡于东城集兵得数万人，举火与城外⑯①相应。帝望见火，且闻外喧嚣，问何事。虔通对曰："草坊失火，外人共救之耳。"时内外隔绝，帝以为然。智及与孟秉于城外集千余人，劫候卫虎贲⑯②冯普乐布兵分守衢巷⑯③。燕王倓⑯④觉有变，夜，穿芳林门⑯⑤侧水窦⑯⑥而入，至玄武门⑯⑦，诡奏⑯⑧曰："臣猝⑯⑨中风，命悬俄顷⑰⓪，请得面辞。"裴虔通等不以闻⑰①，执⑰②囚之。

丙辰⑰③，天未明，德戡授虔通兵，以代诸门卫士⑰④。虔通自门将数百骑至成象殿，宿卫者⑰⑤传呼有贼，虔通乃还，闭诸门，独开东门，驱殿内宿卫者令出，皆投仗⑰⑥而走。右屯卫将军⑰⑦独孤盛⑰⑧谓虔通曰："何物兵？形[5]势太异⑰⑨！"虔通曰："事势已然，不预⑱⓪将军事，将军慎毋动！"盛大骂曰："老贼，是何物语⑱①！"不及被甲，与左右十余人拒战，为乱兵所杀。盛，楷⑱②之弟也。千牛⑱③独孤开远⑱④帅殿内兵数百人诣玄览门，叩阁⑱⑤请曰："兵仗尚全，犹堪破贼。陛下若出临战，人情自定，不然，祸今至矣！"竟无应者，军士稍⑱⑥散。贼执开远，义而释之。先是，帝选骁健官奴⑱⑦数百人置玄武门，谓之给使⑱⑧，以备非常，待遇优厚，至以宫人赐之。司宫⑱⑨魏氏为帝所信，化及等结之使为内应。是日，魏氏矫诏悉听给使出外，仓猝之际[6]无一人在者。

十五日结伙西逃，宇文智及说："皇上虽然无道，但他的威令还能施行，你们逃走，正如窦贤一样是自寻死路。如今上天确实要灭亡隋，英雄并起，一心要背叛的人已有数万，乘此机会干大事，这才是帝王的大业。"司马德戡等人都赞同这个主意。赵行枢、薛世良请求让宇文智及的哥哥右屯卫将军许公宇文化及担任干大事的首领。大家约定之后，就告诉了宇文化及。宇文化及无能而又胆小，听说这件事，吓得脸色大变，流下了虚汗，但过后也就同意了。

司马德戡派许弘仁、张恺进入左右备身府，告诉认识的人："陛下听说骁果兵想叛逃，酿了许多毒酒，想趁宴会喝酒之时，把骁果兵全都毒死，只让自己与南方人留下来。"骁果兵都很害怕，相互转告，更加迅速地谋反。

三月初十日乙卯，司马德戡召集骁果兵的所有军吏，宣告了自己的计划，骁果军吏们都说："唯将军之命是从！"这一天，刮起大风，尘土蔽日，白天都十分昏暗。下午五时后，司马德戡偷出御厩中的马匹，暗中磨砺兵器。这天晚上，元礼、裴虔通在宫内值班，负责炀帝寝殿的守卫，唐奉义负责关闭皇宫的城门，与裴虔通相互通气，皇宫的各城门宫殿门都不插上门闩。到了三更，司马德戡在东城集合士兵，得到数万人，举起火把与宫城外的军队相互呼应。炀帝看见火光，又听到宫外一片嘈杂喧嚣，问发生了什么事。裴虔通回答说："草坊失火，外面的人一起在救火。"当时皇宫内外消息隔绝，炀帝信以为真。宇文智及和孟秉在宫城之外集合了一千多人，劫持了候卫虎贲冯普乐，分兵把守大街小巷。燕王杨倓觉察有事变发生，夜里，穿过芳林门旁的水洞进入皇宫，到了玄武门，谎报说："臣突然中风，性命就在片刻之间，请求向皇上当面告辞。"裴虔通等人不为他通报，把他逮捕囚禁起来。

三月十一日丙辰，天未亮，司马德戡给裴虔通派了一些士兵，用来代替各门的卫兵。裴虔通从宫门率数百骑兵来到成象殿，守卫宫殿的士兵递相高喊有贼，裴虔通便退了回来，关闭了皇宫的各个城门，只开东门，驱赶殿内的卫兵，让他们出去，卫兵们都扔下兵器逃走。右屯卫将军独孤盛对裴虔通说："这些兵士是什么人？形势太不寻常了！"裴虔通说："事势已是如此，不关将军的事，将军小心不要乱动！"独孤盛大骂说："你这老贼，说什么鬼话！"来不及披上盔甲，和身边的十几个卫兵进行抵抗，被乱兵杀死。独孤盛是独孤楷的弟弟。千牛卫队长独孤开远率领宫内卫兵数百人来到玄览门，敲打炀帝的寝殿门，请求说："兵器还完备，尚能打败叛兵。陛下如果出来临阵作战，人心自会稳定下来，不然的话，大祸就要临头了！"竟然没有人回应，所率军士渐有离散。叛兵抓住独孤开远，后来认为他忠义而释放了他。在此之前，炀帝挑选骁勇强健的官家奴隶数百人部署在玄武门，称为给使，用来防备非常事变，待遇优厚，甚至把宫女赏赐给他们。司宫魏氏被炀帝信任，宇文化及等串通他作为内应。这一天，魏氏谎称皇帝诏令听任给使全部外出，突发事变之时，给使没有一个人在玄武门。

德戡等引兵自玄武门入，帝闻乱，易服逃于西阁。虔通与元礼进兵排左阁[190]，魏氏启[191]之，遂入永巷[192]，问："陛下安在？"有美人[193]出，指之。校尉[194]令狐行达拔刀直进，帝映窗扉[195]谓行达曰："汝欲杀我邪？"对曰："臣不敢，但欲奉陛下西还耳！"因扶帝下阁。虔通，本帝为晋王时亲信左右也，帝见之，谓曰："卿非我故人[196]乎？何恨而反？"对曰："臣不敢反，但将士思归，欲奉陛下还京师耳！"帝曰："朕方欲归，正为上江[197]米船未至，今与汝归耳！"虔通因勒兵[198]守之。

至旦[199]，孟秉以甲骑[200]迎化及，化及战栗不能言，人有来谒[201]之者，但俯[202]首据鞍称罪过。化及至城门[203]，德戡迎谒，引入朝堂，号为丞相[204]。裴虔通谓帝曰："百官悉在朝堂，陛下须亲出慰劳。"进其从骑[205]，逼帝乘之。帝嫌其鞍勒弊[206]，更易新者，乃乘之。虔通执辔[207]挟刀出宫门，贼徒喜噪动地。化及扬言曰："何用持此物出，亟还与手[208]！"帝问："世基何在？"贼党马文举曰："已枭首[209]矣！"于是引帝还至寝殿[210]，虔通、德戡等拔白刃[211]侍立。帝叹曰："我何罪至此？"文举曰："陛下违弃宗庙[212]，巡游不息，外勤征讨，内极奢淫，使丁壮[213]尽于矢刃，女弱填于沟壑[214]，四民[215]丧业，盗贼蜂起，专任佞谀[216]，饰非拒谏[217]，何谓无罪！"帝曰："我实负百姓，至于尔辈[218]，荣禄兼极，何乃如是[219]！今日之事，孰[220]为首邪？"德戡曰："溥[221]天同怨，何止一人！"化及又使封德彝[222]数帝罪，帝曰："卿乃士人[223]，何为亦尔？"德彝赧然[224]而退。帝爱子赵王杲[225]年十二，在帝侧，号恸不已[226]，虔通斩之，血溅御服。贼欲弑帝，帝曰："天子死自有法，何得加以锋刃！取鸩酒[227]来！"文举等不许，使令狐行达顿帝令坐。帝自解练巾[228]授行达，缢[229]杀之。初，帝自知必及于难，常以罂[230]贮毒药自随，谓所幸诸姬曰："若贼至，汝曹[231]当先饮之，然后我饮。"及乱，顾索药，左右皆逃散，竟不能得。萧后与宫人撤漆床板为小棺，与赵王杲同殡[232]于西院流珠堂。

帝每巡幸，常以蜀王秀[233]自随，囚于骁果营。化及弑帝，欲奉秀立之。众议不可，乃杀秀及其七男。又杀齐王暕[234]及其二子并燕王倓[235]，隋氏宗室外戚，无少长皆死。唯秦王浩[236]素与智及往来，且以计全之。

司马德戡等人领兵从玄武门入宫，炀帝听说发生了叛乱，换了衣服逃入西阁。裴虔通和元礼进兵推西阁门，魏氏把殿门打开了，于是叛兵进入永巷，问道："陛下在哪里？"有美人出来指着西阁。校尉令狐行达拔刀直冲向前，炀帝的身影映在窗扉上，对令狐行达说："你想杀我吗？"令狐行达回答："臣不敢，只是想奉侍陛下西归关中而已！"于是搀扶炀帝走下西阁。裴虔通本是炀帝当晋王时的身边亲信，炀帝看见他，对他说："你不是我的老部下吗？有什么仇恨要来谋反？"裴虔通回答："臣不敢反叛，只是将士思归，想奉侍陛下返回京师罢了！"炀帝说："朕正想西还长安，只是因为上江运米的船没有到来，现在就和你们一起回去吧！"裴虔通于是部署士兵守着炀帝。

到了早晨，孟秉率领披甲骑兵迎接宇文化及，宇文化及吓得浑身颤抖说不出话，有人来晋见他，他只是低头靠着马鞍自称罪过。宇文化及来到皇宫城门，司马德戡迎接晋见，带他进入朝堂，称为丞相。裴虔通对炀帝说："百官全在朝堂了，陛下应亲自出来慰劳。"拉过自己的随行坐骑，逼炀帝坐上马。炀帝嫌他的马鞍和马络头破旧，换了新的，这才坐上马。裴虔通拉着马缰，提刀走出宫门，叛兵噪动，欢声震地。宇文化及大声说："何必把这东西拿出来，赶快回去下手！"炀帝问："虞世基在哪里？"叛兵同党马文举说："已砍头示众了！"于是拉着炀帝回到寝殿，裴虔通、司马德戡等人拔出利刃站在炀帝身旁。炀帝叹气说："我有什么罪过竟到了这一步？"马文举说："陛下抛弃宗庙，巡游不止，对外忙于发兵征讨，对内极为奢侈荒淫，使得强壮男丁全都死于箭矢刀刃之下，妇女老弱死亡填于沟壑，士农工商四民丧失生业，盗贼蜂起，陛下专信重用佞谀小人，文过饰非，拒绝劝谏，怎么说没有罪！"炀帝说："我确实有负于百姓，但对于你们这些人，荣华爵禄都达到极点，为何还这样对我！今日之事，谁为首领呢？"司马德戡说："普天同怨，何止一人！"宇文化及又让封德彝列数炀帝的罪过，炀帝说："卿乃士人，为何也这样？"封德彝深感惭愧，红着脸退了下去。炀帝的爱子赵王杨杲十二岁，跟在炀帝身旁，号啕痛哭不止，裴虔通杀了他，鲜血溅到炀帝的御服上。叛兵想杀死炀帝，炀帝说："天子死亡自有法度，怎能用利刃相加！取鸩酒来！"马文举等人不允许，让令狐行达强按着炀帝坐下。炀帝自己解下练巾交给令狐行达，令狐行达用练巾勒死了炀帝。当初，炀帝自知必遭祸难，经常自己随身用小瓶装着毒药，对临幸的妃姬说："如果贼兵来了，你们应该先喝了毒药，然后我再喝。"等到叛乱发生时，回头找药，身边的人都逃散了，最终还是没有找到。萧皇后与宫女拆下漆制床板当作小棺材，把炀帝和赵王杨杲一起殡殓在西院的流珠堂。

炀帝每次巡幸，经常让蜀王杨秀跟随，当时他被囚禁在骁果营中。宇文化及杀死炀帝，想要尊奉杨秀为帝。大家商议认为不可，于是杀了杨秀和他的七个儿子。又杀了齐王杨暕和他的两个儿子以及燕王杨倓，隋王朝的宗室外戚，不论年长年少全被杀死。只有秦王杨浩一向与宇文智及来往，智及用计保全了他。齐王杨暕一向

齐王暕素失爱于帝，恒相猜忌，帝闻乱，顾[237]萧后曰："得非阿孩邪？"化及使人就第[238]诛暕，暕谓帝使收[239]之，曰："诏使[240]且缓儿，儿不负国家！"贼曳[241]至街中，斩之。暕竟不知杀者为谁，父子至死不相明。又杀内史侍郎虞世基、御史大夫裴蕴[242]、左翊卫大将军[243]来护儿[244]、秘书监袁充[245]、右翊卫将军宇文协[246]、千牛宇文晶[247]、梁公萧钜[248]等及其子。钜，琮[249]之弟子也。

难将作，江阳长[250]张惠绍驰告裴蕴，与[251]惠绍谋矫诏[252]发郭下兵收化及等，扣门援帝。议定，遣报虞世基。世基疑告反者不实，抑而不许。须臾，难作，蕴叹曰："谋及播郎[253]，竟误人事！"虞世基宗人[254]伋谓世基子符玺郎熙[255]曰："事势已然，吾将济[256]卿南渡，同死何益！"熙曰："弃父背君，求生何地！感尊之怀，自此决[257]矣！"世基弟世南[258]抱世基号泣请以身[7]代，化及不许。黄门侍郎[259]裴矩[260]知必将有乱，虽厮役[261]皆厚遇之，又建策为骁果娶妇[262]。及乱作，贼皆曰："非裴黄门之罪。"既而化及至，矩迎拜马首，故得免。化及以苏威[263]不预朝政，亦免之。威名位素重，往参化及。化及集众而见之，曲加殊礼。百官悉诣朝堂贺，给事郎[264]许善心[265]独不至。许弘仁[266]驰告之曰："天子已崩[267]，宇文将军摄政，阖朝文武咸集，天道人事[268]自有代终，何预于叔而低回[269]若此！"善心怒，不肯行。弘仁反走[270]上马，泣而去。化及遣人就家擒至朝堂，既而[271]释之。善心不舞蹈[272]而出，化及怒曰："此人大负气[273]！"复命擒还杀之。其母范氏年九十二，抚柩[274]不哭，曰："能死国难，吾有子矣！"因卧不食，十余日而卒。唐王之入关也，张季珣[275]之弟仲琰[276]为上洛令，帅吏民拒守，部下杀之以降。宇文化及之乱，仲琰弟琮为千牛左右[277]，化及杀之，兄弟三人皆死国难，时人愧之。

化及自称大丞相，总百揆[278]。以皇后令[279]立秦王浩为帝，居别宫，令发诏画敕书而已，仍以兵监守之。化及以弟智及为左仆射，士及[280]为内史令[281]，裴矩为右仆射。

乙卯[282]，徙秦公世民为赵公。

戊辰[283]，隋恭帝诏以十郡益唐国，仍以唐王为相国，总百揆，唐国

不得炀帝宠爱，双方一直相互猜忌。炀帝听说叛乱，回过头去对萧皇后说："莫非是阿孩杨暕叛乱?"宇文化及派人到杨暕府中杀死他，杨暕以为是炀帝派人来逮捕自己，说："皇上的使节你暂且缓一步杀我，儿子我没有对不起国家!"叛兵把他拖到街上，砍杀了他。杨暕最终也不知道杀他的人是谁，父子至死都没有相互弄明白。又杀了内史侍郎虞世基、御史大夫裴蕴、左翊卫大将军来护儿、秘书监袁充、右翊卫将军宇文协、千牛宇文皛、梁公萧钜等，以及他们的儿子。萧钜是萧琮弟弟的儿子。

祸难即将发生时，江阳县令张惠绍骑马驰报裴蕴，裴蕴和张惠绍计划矫称皇帝诏令调动城外的部队逮捕宇文化及等人，敲开宫门救援炀帝。商议已定，派人报告虞世基。虞世基怀疑揭发叛乱的消息未必真实，压下这个计划没有同意。没一会儿，祸难发生了，裴蕴叹气说："和虞播郎商议，竟误了大事!"虞世基同宗族的人虞伋对虞世基的儿子符玺郎虞熙说："事势已经这样，我要帮你南渡长江，一起死了有什么好处!"虞熙说："抛弃父亲，背离君主，有什么地方可以求得生存！感谢您的心意，我现在就和您诀别吧!"虞世基的弟弟虞世南抱着虞世基号哭，请求用自己代替虞世基去死，宇文化及不答应。黄门侍郎裴矩知道必将有一场叛乱，即使是奴仆也都厚待他们，又向炀帝建议给骁果士兵娶妻。等到叛乱爆发，叛兵们都说："不是裴黄门的罪过。"等到宇文化及到来，裴矩迎拜马前，所以得免于死。宇文化及认为苏威不参与朝政，也免他不死。苏威一向名尊位重，前往参见宇文化及。宇文化及召集众人来见苏威，曲身给予特殊的礼遇。百官全都来到宫内朝堂表示祝贺，只有给事郎许善心不到。许弘仁骑快马前去告诉他说："天子已经驾崩，宇文将军摄理政事，满朝文武全都会集一起。天道人间之事自有替代终结之时，这与叔叔你有什么相干而如此徘徊犹豫!"许善心大怒，不肯启行。许弘仁倒退着走出屋上马，哭泣而去。宇文化及派人到许善心家里把他抓到朝堂，不久又释放了他。许善心不做舞蹈朝拜礼仪就出来了，宇文化及大怒，说："此人太自负了!"又下令抓回来杀了他。许善心的母亲范氏年纪九十二，抚着棺材不哭，说："能死于国难，我有个好儿子!"于是卧床绝食，十多天后死去。唐王李渊在进入关中时，张季珣的弟弟张仲琰任上洛县令，率吏民守城抵抗，部下杀了他投降唐王。宇文化及作乱时，张仲琰的弟弟张琮担任千牛左右备身，宇文化及杀了他，兄弟三人都死于国难，这让当时的人都感到惭愧。

宇文化及自称大丞相，总掌国家各项政务。以皇后的名义下令立秦王杨浩为帝，居住在别宫，让他在发布诏书时画押签字而已，仍然用兵士监管看守着他。宇文化及任命弟弟宇文智及为左仆射，弟弟宇文士及为内史令，裴矩为右仆射。

三月初十日乙卯，徙任秦公李世民为赵公。

三月二十三日戊辰，隋恭帝下诏为唐国再增加十个郡的领地，仍以唐王李渊为相国，总掌各项政务，唐国设置丞相以下官职，又给予唐王九锡的尊崇。唐王对下

置丞相以下官，又加九锡[284]。王谓僚属曰："此谄谀者所为耳。孤[285]秉大政而自加宠锡，可乎！必若循魏、晋之迹[286]，彼皆繁文伪饰，欺天罔人。考其实不及五霸[287]，而求名欲过三王[288]，此孤常所非笑，窃亦耻之。"或曰："历代所行，亦何可废！"王曰："尧、舜、汤、武[289]，各因其时，取与异道，皆推其至诚以应天顺人[290]，未闻夏、商之末必效唐、虞之禅[291]也。若使少帝[292]有知[293]，必不肯为。若其无知，孤自尊而饰让[294]，平生素心[295]所不为也。"但改丞相为相国府，其九锡殊礼，皆归之有司[296]。

宇文化及以左武卫将军[297]陈稜[298]为江都太守，综领留事[299]。壬申[300]，令内外戒严，云欲还长安。皇后六宫[301]皆依旧式为御营，营前别立帐，化及视事[302]其中，仗卫部伍，皆拟乘舆[303]。夺江都人舟楫[304]，取彭城[305]水路西归。以折冲郎将[306]沈光[307]骁勇，使将给使营于禁内[308]。行至显福宫[309]，虎贲郎将麦孟才[310]、虎牙郎[311]钱杰与光谋曰："吾侪[312]受先帝厚恩，今俯首事仇[313]，受其驱帅，何面目视息[314]世间哉！吾必欲杀之，死无所恨。"光泣曰："是所望于将军也。"孟才乃纠合恩旧[315]，帅所将数千人，期以晨起将发时袭化及。语泄[316]，化及夜与腹心[317]走出营外，留人告司马德戡等，使讨之。光闻营内喧，知事觉，即袭化及营，空无所获，值内史侍郎元敏，数[318]而斩之。德戡引兵入围之，杀光，其麾下[319]数百人皆斗死，一无降者，孟才亦死。孟才，铁杖[320]之子也。

武康沈法兴[321]世为郡著姓[322]，宗族数千家。法兴为吴兴[323]太守，闻宇文化及弑逆，举兵以讨化及为名，比至乌程[324]，得精卒六万，遂攻余杭[325]、毗陵[326]、丹阳[327]，皆下之，据江表[328]十余郡，自称江南道大总管，承制[329]置百官。

陈国公窦抗[330]，唐王之妃兄也。炀帝使行长城于灵武[331]，闻唐王定关中，癸酉[332]，帅灵武、盐川[333]等数郡来降。

【段旨】

以上为第三段，详载隋宇文化及背叛，弑杀暴君隋炀帝的过程。

属们说："这是谄媚阿谀之人干的事。我执掌国家大政而自加优宠的九锡，可以吗！一定要仿效魏、晋禅代的做法，他们都是在用烦琐的文辞和虚伪的掩饰，欺骗上天，诬罔人民。考察他们的实情，赶不上春秋五霸，而追求名誉却想超过尧舜禹三代圣王，这是我经常所嘲笑的，内心也以为这是可耻的。"有人说："禅让是历代都施行的制度，哪里可以废除！"唐王说："尧、舜、汤、武，各自根据其当时的情况，获得帝位和禅让帝位都有不同的原则，但都是推其至诚之心以回应天意和顺从人心，从未听说夏、商末期一定要取法唐、虞的禅让。如果少帝有见识，一定不肯这样做。如果少帝没有见识，我是自我尊崇而虚伪推让，按我本心是不会这样做的。"于是只改丞相为相国府，而对封赐的九锡大礼，都归还主管部门。

宇文化及任命左武卫将军陈稜为江都太守，总管留守之事。三月二十七日壬申，下令城内城外戒严，说是想返回长安。皇后及六宫都按原来的制度作为御营，在营前另立帷帐，宇文化及在里面处理政事，他的仪仗警卫都和皇帝的规格相似。他们夺取江都人的船只，取道彭城走水路西返长安。因为折冲郎将沈光骁勇，派他率领给使在宫禁内扎营。走到显福宫，虎贲郎将麦孟才、虎牙郎钱杰与沈光谋划说："吾辈受先帝厚恩，现在俯首奉事仇人，受他的驱使，还有什么面目活在人世间啊！我一定要杀了他，即使死了也无所怨恨。"沈光哭着说："这正是所期望于将军的。"麦孟才就召集有恩情的旧交，率领自己所管辖的数千人，约定在早晨将要出发时袭击宇文化及。计谋泄露，宇文化及在夜里与心腹逃到营外，留人报告司马德戡等，让他们讨伐麦孟才等人。沈光听到营内喧哗，知道事情已被发觉，当即袭击宇文化及的营帐，空无所获，遇到内史侍郎元敏，列举其罪行而杀了他。司马德戡带兵进入营内包围沈光，杀死沈光，沈光的部下数百人全部战死，没有一个投降，麦孟才也战死了。麦孟才是麦铁杖的儿子。

武康人沈法兴世代为本郡的望宗大姓，同宗族的人有数千家。沈法兴任吴兴太守，听说宇文化及弑帝叛逆，以讨伐宇文化及为名起兵。等到达乌程，已有精兵六万，于是攻打余杭、毗陵、丹阳，都攻了下来，占据江南十余郡，自称江南道大总管，按皇帝的制命设置文武百官。

陈国公窦抗，是唐王李渊妃嫔的哥哥。隋炀帝派他在灵武巡视长城，听说唐王李渊平定关中，三月二十八日癸酉，率领灵武、盐川等几个郡前来归降。

【注释】

⑧⑦ 己酉：三月初四。⑧⑧ 齐公元吉（公元六〇三至六二六年）：李渊第四子，时封齐国公。玄武门之变中，为李世民所杀。传见《旧唐书》卷六十四、《新唐书》卷七十

九。⑧⑨太原道行军元帅：太原，郡名，治所在今山西太原。道，行军路线。行军元帅，为战时某一方面军的最高统帅。⑨⓪十五郡：太原等十五郡。⑨①便宜从事：不必请示上司，斟酌事势所宜，自行裁夺处理。⑨②隋炀帝（公元五六九至六一八年）：隋二世皇帝杨广。公元六〇四至六一八年在位。传见《隋书》卷三、四。⑨③江都：郡名，治所在今江苏扬州。炀帝下江南以江都为行都。⑨④供张：同“供帐”，陈设帷帐等用物。⑨⑤赵元楷：天水西县（今陕西勉县西老城东南）人，历事隋炀帝、唐高祖、唐太宗。太宗时为司农少卿，以能聚敛被人羞辱。事迹略见《新唐书》卷九十五《窦静传》等。⑨⑥萧后（？至公元六四八年）：隋炀帝皇后，梁明帝萧岿女。传见《隋书》卷三十六。⑨⑦幸姬：为君王所宠爱的姬妾。⑨⑧卮：杯酒。⑨⑨扰扰：纷乱貌。⑩⓪幅巾：谓不加冠，仅用绢一幅束发，古代男子的一种儒雅闲适的装束。⑩①策杖：策，扶、拄。杖，拐杖。⑩②汲汲：心情急切的样子。⑩③顾景：观景。⑩④占候卜相：占候，根据天象的变化来预测吉凶。卜相，以占卜和观相来预言祸福。⑩⑤吴语：吴地（今江苏）方言。⑩⑥天文：日月星辰等天体现象的通称。⑩⑦侬：吴地方言自称曰“侬”。⑩⑧长城公：即陈后主陈叔宝（公元五五三至六〇四年）。公元五八二至五八九年在位。国破，为隋所俘，封长城公。⑩⑨卿：古代君对臣、长辈对晚辈的称谓，朋友夫妇也以“卿”为爱称。⑪⓪沈后：陈叔宝皇后沈氏。⑪①引满：举饮满杯的酒。⑪②斫：本意为大锄，引申为砍、斩、削。⑪③更迭：交替；轮换。⑪④丹阳：郡名，炀帝改蒋州为丹阳郡，治所在今江苏南京。⑪⑤江东：又称“江左”，地区名，长江在芜湖、南京间略呈南北流向，故古人习惯上称自此以下的长江南岸地区为江东。⑪⑥内史侍郎：官名，内史省长官内史令之副，掌诏书草拟等事。⑪⑦虞世基（？至公元六一八年）：隋大臣，越州余姚（今浙江余姚）人。传见《隋书》卷六十七。⑪⑧右候卫大将军：官名，隋十二卫大将军之一，掌天子车驾出入、巡察营禁、烽候道路等事。⑪⑨门下录事：官名，门下省置有正八品录事六人，掌文簿等事。⑫⓪万乘：周制，天子有兵车万乘，诸侯千乘，故以万乘代指天子。⑫①御史：官名，隋御史台属官，治书侍御史、侍御史均掌纠察官员不法行为，殿中御史掌殿中禁卫。⑫②劾：举发他人罪状。⑫③阿意：曲意迎合。⑫④望幸：盼望天子驾临。⑫⑤大禹：夏王朝的建立者，善治水。据《史记·夏本纪》：“或言禹会诸侯江南。”死后葬会稽（今浙江余杭）。⑫⑥骁果：骁勇果断之士。此指宿卫府兵。⑫⑦关中：地区名，相当于今陕西中部。旧说在东函谷关、西散关、南武关、北萧关等四关之中。⑫⑧郎将：武官名，大业三年（公元六〇七年），隋炀帝广置四至五品的郎将，并分别以鹰扬、鹰击、虎贲、虎牙、备身、折冲、果毅、雄武、武勇等为名号，掌领府兵及宿卫侍从等事。⑫⑨司马德戡（？至公元六一八年）：隋炀帝大业三年为鹰扬郎将，迁武贲郎将，深受宠幸。从炀帝至江都，领左右备身骁果一万人。传见《隋书》卷八十五。⑬⓪直阁：官名，隋炀帝置，正五品，掌左右监门，定员各六人。⑬①裴虔通：初为炀帝所亲信，任监门直阁，叛隋归唐，授徐州总管等职，最终徙岭表而死。传见《隋书》卷八十五。⑬②李孝常（？至公元六二七年）：京兆泾阳（今陕西泾阳）人，李渊入关，其时李孝常为华阴令，以永丰仓降。后因谋反被诛。⑬③内史舍人：官名，正五品。隶内史省，为撰拟诰敕之专官。内史省，原为中书省，隋改称内史省。⑬④元敏（？至公元六一八年）：洛阳人。事迹见《隋书》卷六十三《元寿传》。⑬⑤符玺郎：官名，门下省符玺局长官，掌天子符玺印信。⑬⑥直长：官名，殿内省尚食等六局长官，奉御的副职，掌天子衣食住行之事。⑬⑦许弘仁（？至公元六一九年）：弑炀帝的主要参与者。其事略见《隋书》卷八十五《宇文化及传》。⑬⑧城门郎：官名，门下省城门局长官，掌京城、皇城、宫殿诸门开合、管钥出纳等事。⑬⑨医正：殿内省尚药局属官。⑭⓪勋侍：官名，原称“勋卫”，为左右卫所领三卫之一，炀帝大业三年改称“勋侍”，为三侍（亲、勋、武）之一。⑭①宫人：宫女。⑭②白：禀告。⑭③将作少监：官名，掌工程营建。⑭④宇文智及（？至公元六一九年）：生性狂悖，为弑炀帝主谋之一。传见《隋书》卷八十五。⑭⑤期以三月望日：以三月十五日为约期。望日，阴历十五日。⑭⑥亡：逃亡。⑭⑦然之：表示同意。⑭⑧右屯卫将军：官名，大业三年（公元六〇七年）炀帝改左右领军为左右屯卫，置将军，领羽林兵，掌侍卫。⑭⑨许公化及：宇文化及（？至公元六一九年），袭封许公，为弑炀帝主谋之一。传见《隋书》卷八十五。《隋书》云：“行枢、薛良请以化及为主。”与《通鉴》文字略异。⑮⓪驽怯：谓才能劣下性格怯懦。驽，劣马。怯，懦弱胆小。⑮①备身府：官署名，大业三年，炀帝以诸卫大将军所领左右府为左右备身府，各置备身郎将一人。⑮②酝：酿造。⑮③享会：饮酒聚会。享，通“飨”。⑮④乙卯：三月初十。⑮⑤风霾：因风中挟带大量烟尘而造成的空气浑浊。⑮⑥晡：申时；黄昏。⑮⑦御厩：帝王专用的马厩。⑮⑧潜厉兵刃：偷偷地磨兵器。潜，暗中。厉，同“砺”，磨。兵，兵器。⑮⑨相知：彼此告知。⑯⓪键：门闩。⑯①城外：指江都宫城外。⑯②候卫虎贲：即左右候卫虎贲郎将，主昼夜巡察。⑯③衢巷：大道与胡同；大街小巷。⑯④燕王倓（公元六〇三至六一八年）：炀帝长子杨昭之次子。传见《隋书》卷五十九。⑯⑤芳林门：江都宫外城门。⑯⑥水窦：水洞。⑯⑦玄武门：江都宫城北门。⑯⑧诡奏：编造假话奏报。⑯⑨猝：突然。⑰⓪俄顷：顷刻；一会儿。⑰①不以闻：不把此事上报。⑰②执：捉拿；逮捕。⑰③丙辰：三月十一日。⑰④诸门卫士：守宫城诸门的宿卫府兵。⑰⑤宿卫者：指守卫宫禁的将士。⑰⑥投仗：丢弃兵械。⑰⑦右屯卫将军：官名，掌领羽林卫士。⑰⑧独孤盛（？至公元六一八年）：隋将领。传见《隋书》卷七十一。⑰⑨何物兵二句：意谓“什么兵？形势太异常了”。⑱⓪不预：无关；不牵涉。⑱①何物语：什么话。⑱②楷：本姓李，改姓独孤。为人谨厚，入唐后，为右卫将军。出为益州总管，有惠政，蜀中父老称颂。传见《隋书》卷五十五。⑱③千牛：官名，后魏始置，掌执千牛刀（即御刀），为君主贴身护卫。⑱④独孤开远：文帝独孤皇后侄。事迹见《隋书》卷七十九《独孤罗传》。⑱⑤叩阁：敲打殿阁门。⑱⑥稍：渐渐。⑱⑦骁健官奴：骁勇体健的官府奴隶。⑱⑧给使：取供人役使之意。唐诸州有阉人并送官，配内侍省及东宫坊内，亦名为给使。官奴与阉人均地位卑下，故均以“给使”为名。⑱⑨司宫：官名，初由宦官任职，隋时则以宫中女官充当。⑲⓪排左阁：推西阁门。⑲①启：开。⑲②永巷：宫中深巷。此当指妃嫔住所。⑲美人：妃嫔的一种称号。隋唐时后宫美人为正四品，在贵妃、昭仪、婕妤之下。⑲校尉：官名，隋左右卫府有步兵、越骑、射声、屯骑、长水等校尉，均为卫府将军下属。⑲窗扉：窗门。⑲故人：旧友。此谓旧属。⑲上江：长江夏口（今湖北武汉汉口）以上称上江。⑲勒兵：部署和统领军队。⑲旦：天亮。此指三月十一日之旦。⑳甲骑：披铠甲的骑士。⑳谒：进见。⑳俯：屈身；低头。⑳城门：指宫城门。⑳丞相：官名，朝廷的最高行政官，协助天子处理国家政务。⑳从骑：随行坐骑。⑳鞍勒弊：马鞍和勒（带嚼口的马络头）破旧。⑳辔：驾御牲口的缰绳。⑳亟还与手：赶快下毒手。胡注："与手，魏、齐间人率有是言，言与之毒手而杀之也。"⑳枭首：斩首高悬以示众。⑳寝殿：天子正殿、卧室。㉑白刃：利刃。㉑宗庙：帝王祭祀祖宗的处所。㉑丁壮：壮丁；壮年男子。㉑沟壑：溪谷，引申为野死之处。㉑四民：旧指士、农、工、商。㉑佞谀：善以巧言献媚的人。㉑饰非拒谏：文饰过错，拒绝批评意见。㉑尔辈：你们。㉑何乃如是：为什么这样。㉒孰：谁。㉒溥：通"普"，普遍。㉒封德彝（公元五六八至六二七年）：名伦，字德彝，观州蓨县（今河北景县）人，降唐后，官至宰相。传见《旧唐书》卷六十三、《新唐书》卷一百。㉒士人：士大夫；读书人。㉒赧然：脸红；难为情的样子。㉒赵王杲（公元六〇七至六一八年）：小字季子，萧嫔所生。传见《隋书》卷五十九。㉒号恸不已：大声哭叫不止。㉒鸩酒：毒酒。㉒练巾：白绢巾带。㉒缢：吊死；勒死。㉓罂：小口大腹状盛酒器。㉓汝曹：尔辈；你等。㉓殡：殓而未葬。㉓蜀王秀（？至公元六一八年）：隋文帝杨坚第四子。传见《隋书》卷四十五。㉓齐王暕（公元五八五至六一八年）：小字阿孩，炀帝第二子，萧后生。传见《隋书》卷五十九。㉓燕王倓（公元六〇三至六一八年）：炀帝长子杨昭之子。传见《隋书》卷五十九。㉓秦王浩（？至公元六一八年）：文帝第三子杨俊之子。传见《隋书》卷四十五。㉓顾：视；回头看。㉓第：府第；大住宅。㉓收：逮捕；拘押。㉔诏使：持诏命的差遣官。㉔曳：拖；牵引。㉔裴蕴（？至公元六一八年）：河东闻喜（今山西闻喜）人，历洋、直、棣三州刺史，俱有能名。迁民部侍郎，擢授御史大夫，与裴矩、虞世基参掌机密。传见《隋书》卷六十七。㉔左翊卫大将军：炀帝改左右卫为左右翊卫，其长官翊卫大将军掌宫禁宿卫。㉔来护儿（？至公元六一八年）：隋大将，封荣国公。传见《隋书》卷六十四。㉔袁充（公元五四四至六一八年）：陈郡阳夏（今河南太康）人，好道术，解占候，领太史令，迁内史舍人、秘书少监。以占候之术屡言天象，取媚炀帝。传见《隋书》卷六十九。㉔宇文协（？至公元六一八年）：隋将，河南洛阳人。事迹见《隋书》卷五十《宇文庆传》。㉔宇文晶（？至公元六一八年）：宇文协弟。事迹见《隋书》卷五十《宇文庆传》。㉔萧钜（？至公元六一八年）：萧皇后侄，袭封梁国公。㉔琮：萧琮，后梁主。公元五八五至五八七年在位。传见《隋书》卷七十九。㉕江阳长：江阳县（县治在今江苏扬州）县长。秦汉时，万户以上县置县令，万户以下县置县长。历代沿置。北齐、隋之县分九等，亦设县令、县长。㉕与：胡注，"与"

上应有“蕴”字。㉒矫诏：假托君命，发布诏令。㉓播郎：虞世基小字。㉔宗人：同宗族的人。㉕熙（？至公元六一八年）：虞世基次子。事迹见《隋书》卷六十七《虞世基传》。㉖济：帮助。㉗决：通“诀”，诀别。㉘世南（公元五五八至六三八年）：唐初大臣，封永兴县公。太宗称其“德行”“忠直”“博学”“文辞”“书翰”为“五绝”。传见《旧唐书》卷七十二、《新唐书》卷一百二。㉙黄门侍郎：官名，门下省长官侍中之副，掌机要，备皇帝顾问。㉚裴矩（公元五四七至六二七年）：河东闻喜人，曾官吏部尚书。炀帝时，参与营建东都，又配合炀帝西扩，撰《西域图记》奏上，转民部侍郎，迁黄门侍郎。传见《隋书》卷六十七、《旧唐书》卷六十三、《新唐书》卷一百。㉛厮役：旧指服贱役的人。㉜妇：妻。㉝苏威（公元五四〇至六二一年）：京兆武功（今陕西眉县）人，炀帝以威先朝旧臣，颇受委任，任太常卿，又为纳言，与宇文述、裴矩、裴蕴、虞世基参掌朝政，时人号称“五贵”。传见《隋书》卷四十一。㉞给事郎：官名，门下省要员，侍从皇帝左右，掌献纳得失，驳正文书。㉟许善心（公元五五八至六一八年）：高阳北新城（今河北保定市徐水区）人，博学多识，大业间官礼部侍郎，曾自撰《方物志》，与崔祖璇合撰《灵异记》，又曾继承父业，撰著《梁史》。传见《隋书》卷五十八。㊱许弘仁：许善心的侄儿。㊲崩：旧谓天子死。㊳天道人事：自然法则和人间事情。㊴低回：流连盘桓难以割舍。回，通“徊”。㊵反走：倒退。㊶既而：不久。㊷舞蹈：臣子朝拜皇帝的礼仪。只有特殊恩宠才允许朝见不必舞蹈。㊸负气：恃其意气，不肯屈居人下。㊹柩：灵柩；已盛尸的棺材。㊺张季珣（公元五九〇至六一七年）：隋鹰击郎将，大业末，守洛口仓城，瓦岗军克城后，杀季珣。㊻仲琰：隋上洛县（县治在今陕西商洛市商州区）县令，被部下所杀。其弟琮，被宇文化及所杀。季珣兄弟事迹见《隋书》卷七十一《张季珣传》。㊼千牛左右：官名，即千牛左右备身，掌执千牛刀宿卫侍从。㊽百揆：尧舜时官名，总理国政之官。这里指各种政务。㊾令：皇后、太子之命谓之令。㊿士及（？至公元六四二年）：宇文化及弟，尚炀帝女南阳公主。传见《旧唐书》卷六十三、《新唐书》卷一百，《隋书》卷八十《南阳公主传》亦略述其事。㉑内史令：官名，内史省长官，职任为宰相，掌草拟诏敕等事。㉒乙卯：三月初十。㉓戊辰：三月二十三日。㉔九锡：古帝王赐给有大功或有权势的诸侯大臣的车马、衣服等九种物品。后世权臣篡位之前，辄加九锡。㉕孤：侯王自称。㉖魏、晋之迹：指曹魏代汉、司马晋代魏故事。㉗五霸：一般指春秋时先后称霸的齐桓公、宋襄公、晋文公、秦穆公、楚庄王。一说指齐桓公、晋文公、楚庄王、吴王阖闾、越王句践。㉘三王：夏禹、商汤、周文王。一说指夏禹、商汤和周代文王、武王。㉙尧、舜、汤、武：我国古代早期的四位贤明君王。尧，陶唐氏，名放勋。舜，姚姓，有虞氏，名重华。汤，商朝的建立者。武，周武王姬发，西周王朝的建立者。㉚应天顺人：顺应天命人心。㉛唐、虞之禅：唐尧禅让虞舜。㉜少帝：即隋恭帝。㉝知：见识。㉞饰让：伪装成礼让的样子。㉟素心：本心。㊱有司：指主管官吏。因官吏各有专司，故称。㊲左武卫将军：官名。隋置左右

武卫府，各设大将军、将军主其事，掌管宫廷警卫等。㉙⑧陈稜（？至公元六一九年）：庐江襄安（今安徽无为西南襄安）人，炀帝时为武贲郎将、东莱留守。炀帝至江都，超拜右御卫将军。炀帝死后，宇文化及召为江都太守，后被杜伏威害死。传见《隋书》卷六十四。㉙⑨综领留事：综理滞留未了事宜。㉚⓪壬申：三月二十七日。㉚①六宫：皇后寝宫有六，故曰六宫。统指皇后妃嫔及其住处。㉚②视事：办公；处理政事。㉚③乘舆：本指天子车马，后用为皇帝代称。㉚④舟楫：泛指船只。舟，船。楫，桨。㉚⑤彭城：郡名，治所在今江苏徐州。㉚⑥折冲郎将：炀帝置。掌领骁果禁兵，隶属左右备身府。㉚⑦沈光（公元五九一至六一八年）：吴兴（今福建浦城）人，从炀帝征辽东，骁勇异常，炀帝以为近侍，拜折冲郎将。传见《隋书》卷六十四。㉚⑧使将给使营于禁内：让带领给使（官奴）扎营在禁内，负责警卫。㉚⑨显福宫：炀帝置，在今江苏扬州东北。㉛⓪麦孟才（？至公元六一八年）：隋大将麦铁杖嗣子。事迹见《隋书》卷六十四《麦铁杖传》。㉛①虎牙郎："郎"下当脱"将"字。虎牙郎将为虎贲郎将之副。㉛②侪：同辈。㉛③俯首事仇：低头侍奉仇人。㉛④视息：生存。㉛⑤恩旧：与之有旧恩者。㉛⑥泄：泄露，泄漏，泄密。㉛⑦腹心：亲信；心腹。㉛⑧数：数说；列举罪状。㉛⑨麾下：亦作"戏下"。犹言在主帅的旌麾之下，即部下。㉜⓪铁杖：麦铁杖，始兴（今广东始兴）人，累战有功，封宿国公。传见《隋书》卷六十四。㉜①沈法兴（？至公元六二〇年）：湖州武康（今浙江德清）人。江都乱起，割据江表十余州，自恭帝义宁间至李渊武德间，历时三年败亡。传见《旧唐书》卷五十

【原文】

夏，四月，稽胡㉝④寇富平㉝⑤，将军王师仁击破之。又五万余人寇宜春㉝⑥，相国府谘议参军㉝⑦窦轨㉝⑧将兵讨之，战于黄钦山㉝⑨。稽胡乘高纵火，官军小却㉞⓪。轨斩其部将十四人，拔队中小校代之，勒兵复战。轨自将数百骑居军后，令之曰："闻鼓声有不进者，自后斩之！"既而鼓之，将士争先赴敌，稽胡射之不能止，遂大破之，虏男女二万口。

世子建成等至东都，军于芳华苑㉞①。东都闭门不出，遣人招谕，不应。李密出军争之，小战，各引去。城中多欲为内应者，赵公世民曰："吾新定关中，根本未固，悬军远来[8]，虽得东都，不能守也。"遂

六、《新唐书》卷八十七。㉜ 著姓：土著大姓。㉝ 吴兴：郡名，治所在今浙江湖州市吴兴区南。㉞ 比至乌程：等到达乌程。乌程，县名，县治在今浙江湖州南下菰城。㉟ 余杭：郡名，治所在今浙江杭州。㊱ 毗陵：郡名，郡治在今江苏常州。㊲ 丹阳：郡名，郡治在今江苏南京市江宁区。㊳ 江表：即江东地区。指长江以南地。以地在长江之外，故称。㊴ 承制：秉承君王制命。㊵ 窦抗（？至公元六二一年）：李渊妻窦氏之从兄，袭爵陈国公。传见《旧唐书》卷六十一、《新唐书》卷九十五。㊶ 灵武：郡名，治所在今宁夏灵武西南。㊷ 癸酉：三月二十八日。㊸ 盐川：郡名，盐州改置，治所在今陕西定边。

【校记】

［3］恐亦将：原作“亦恐终”。据章钰校，十二行本、乙十一行本、孔天胤本皆作“恐亦将”，今从改。［4］李覆：原无此二字。据章钰校，十二行本、乙十一行本、孔天胤本皆有此二字，张敦仁《通鉴刊本识误》同，今据补。［5］形：原无此字。据章钰校，十二行本、乙十一行本、孔天胤本皆有此字，张敦仁《通鉴刊本识误》、张瑛《通鉴校勘记》同，今据补。［6］之际：原误作“际制”。据章钰校，十二行本、乙十一行本、孔天胤本皆作“之际”，张敦仁《通鉴刊本识误》、张瑛《通鉴校勘记》同，今据校正。［7］以身：原无此二字。据章钰校，十二行本、乙十一行本、孔天胤本皆有此二字，张敦仁《通鉴刊本识误》同，今据补。

【语译】

夏，四月，稽胡人进犯富平，将军王师仁击败稽胡。又有五万多稽胡人进犯宜春，相国府谘议参军窦轨率兵讨伐，在黄钦山交战。稽胡人乘地势高纵火，官军稍稍退却。窦轨斩杀部将十四人，选拔队中的低级军官代替他们，整顿军队再次交战。窦轨自己率领数百名骑兵在大军之后，命令他们说：“听到鼓声后如果有不前进的，就从后面斩杀他们！”然后击鼓进军，将士争先冲向敌人，稽胡人用箭射他们，也不能阻止，于是大败稽胡，俘虏男女两万人。

唐王世子李建成等到达东都，驻军在芳华苑。东都关闭城门，不肯出兵，派人宣谕招抚，也不回应。李密出兵争夺芳华苑，小战一场，各自引军离去。东都城中很多人想当内应，赵公李世民说：“我军刚刚平定关中，基础没有稳固，孤军远来，

不受。戊寅[342]，引军还。世民曰："城中见吾退，必来追蹑。"乃设三伏[343]于三王陵[344]以待之。段达[345]果将万余人追之，遇伏而败。世民逐北[346]，抵其城下，斩四千余级。遂置新安、宜阳[347]二郡，使行军总管史万宝[348]、盛彦师[349]将兵[9]镇宜阳，吕绍宗[350]、任瓌[351]将兵镇新安而还。

初，五原[352]通守[353]栎阳张长逊[354]以中原大乱，举郡附突厥，突厥以为割利特勒[355]。郝瑗[356]说[357]薛举[358]与梁师都[359]及突厥连兵以取长安，举从之。时启民可汗[360]之子咄苾[361]号莫贺咄设[362]，建牙[363]直五原之北。举遣使与莫贺咄设谋入寇，莫贺咄设许之。唐王使都水监[364]宇文歆[365]赂莫贺咄设，且为陈利害，止其出兵。又说莫贺咄设遣张长逊入朝，以五原之地归之中国，莫贺咄设并从之。己卯[366]，武都、宕渠[367]、五原等郡皆降，王即以长逊为五原太守。长逊又诈为诏书与莫贺咄设，示知其谋。莫贺咄设乃拒举、师都等，不纳其使。

戊戌[368]，世子建成等还长安。

东都号令不出四门，人无固志。朝议郎[369]段世弘等谋应西师[370]，会[371]西师已还，乃遣人招李密，期以己亥[372]夜纳之。事觉，越王命王世充讨诛之。密闻城中已定，乃还。

【段旨】

以上为第四段，写唐王李渊遣世子李建成兵进东都，不胜而还。

【注释】

㉞稽胡：民族名，又称山胡、步落稽，源于匈奴。南北朝时，分布于今山西、陕北山谷间。㉟富平：县名，县治在今陕西富平东北。㊱宜春：当为"宜君"之误。宜君县治在今陕西宜君西南。㊲谘议参军：官名，为诸王、丞相、将军府幕僚，以备诸王等咨询计议。㊳窦轨（？至公元六三〇年）：李渊起兵，窦轨招募千余人归附，从平京师，为大丞相谘议参军。贞观中授右卫大将军，出为洛州都督。传见《旧唐书》卷六十一、《新唐书》卷九十五。㊴黄钦山：又作黄嵚山。在今陕西铜川西北。㊵却：退；

即使得到东都，也不能守住。”于是没有接受内应的要求。四月初四日戊寅，率军返回。李世民说：“城中见我撤退，一定前来追踪。”就在三王陵布下三支伏兵等待追兵。段达果然率领一万多人追来，遇到伏兵后败退。李世民追逐败兵，到达东都城下，斩首四千余级。于是设置新安、宜阳二郡，派行军总管史万宝、盛彦师率兵镇守宜阳，派吕绍宗、任瓌率兵镇守新安，其他部队则返回。

起初，因中原大乱，五原通守栎阳人张长逊率全郡归附突厥，突厥让他做割利特勤。郝瑗劝说薛举和梁师都及突厥合兵攻取长安，薛举听从了这一建议。当时突厥启民可汗之子咄苾，称号为莫贺咄设，正处于五原之北建立牙帐。薛举派使者与莫贺咄设谋划入寇内地，莫贺咄设答应了他。唐王派都水监宇文歆贿赂莫贺咄设，并且说明利害关系，阻止他出兵。又劝说莫贺咄设派遣张长逊进京朝见，把五原地区归还中原，莫贺咄设都听从了。四月初五日己卯，武都、宕渠、五原等郡都向唐王投降，唐王就任命张长逊为五原太守。张长逊又假传诏书送给莫贺咄设，表示已经知道他们的计谋。莫贺咄设便拒绝了薛举、梁师都等人，不再接纳他们的使者。

四月二十四日戊戌，世子李建成等返回长安。

东都越王的命令传达不到四门之外，人们没有坚守的想法。朝议郎段世弘等人谋划接应西方唐王的军队，正好此时唐王的军队已经西还，他们就派人联系李密，约定在四月二十五日己亥的夜里接应李密部队进城。事情被发觉，越王命令王世充击杀段世弘。李密听说东都城中已经平定，于是退军。

退却。㉞芳华苑：即东都西苑。又名会通苑、东都苑、上林苑、神都苑。故址在今洛阳涧西区西苑路。㉟戊寅：四月初四。㊱三伏：三面或三路埋伏。㊲三王陵：周景王、悼王、定王（或言敬王）葬此得名。陵冢高大，气势壮观，俗称“三山”。在今洛阳西南郊三山村附近。㊳段达（？至公元六二一年）：武威姑臧（今甘肃武威）人，身长八尺，善弓马。炀帝时为左骁卫大将军。传见《隋书》卷八十五。㊴逐北：追击败军。北，败军。㊵新安、宜阳：郡名，新安郡治所在今河南新安，宜阳郡治所在今河南宜阳西。㊶史万宝：唐初功臣，封原国公。于隋末号称“长安大侠”，疑为昭武九姓胡居京师者。李渊起兵，万宝率先响应。两《唐书》无传。㊷盛彦师（？至公元六二三年）：唐初大将，封葛国公。传见《旧唐书》卷六十九、《新唐书》卷九十四。㊸吕绍宗：郓州东平（今山东东平东）人，官至右拾遗。事迹见《旧唐书》卷一百五十四《吕元膺传》。㊹任瓌（？至公元六二九年）：唐初功臣，封管国公。传见《旧唐书》卷五十

七、《新唐书》卷九十。㊷五原：郡名，治所在内蒙古五原西南黄河北岸。㊸通守：官名，炀帝置。佐理郡务，职位略低于太守。㊹张长逊（？至公元六三七年）：唐初大将，封息国公。传见《旧唐书》卷五十七、《新唐书》卷八十八。㊺特勒：应为特勤。突厥语可汗子弟官衔曰"特勤"；或为王子称号。㊻郝瑗：隋金城（今甘肃兰州）令，后被薛举引为谋主。㊼说：游说。㊽薛举（？至公元六一八年）：兰州金城（今甘肃兰州西北）人，善射，隋末割据陇西，称帝于兰州，武德初年病死。传见《旧唐书》卷五十五、《新唐书》卷八十六。㊾梁师都（？至公元六二八年）：夏州朔方（今内蒙古杭锦旗西北）人，隋末割据夏州一带，贞观间才被从父弟梁洛仁杀死，前后割据十二年。传见《旧唐书》卷五十六、《新唐书》卷八十七。㊿启民可汗（？至公元六〇九年）：东突厥可汗，姓阿史那，名染干。降隋后被册为意利珍豆启民可汗。[361]咄苾（？至公元六三四年）：启民少子，即后来的颉利可汗。[362]设：又译"察"或"杀"，突厥、回纥典兵者官

【原文】

宇文化及拥众十余万，据有六宫，自奉养一如炀帝。每于帐中南面[373]坐，人有白事[374]者，嘿然[375]不对，下牙[376]，方取启状与唐奉义、牛方裕、薛世良、张恺等参决之[377]。以少主浩付尚书省[378]，令卫士十余人守之，遣令史[379]取其画敕[380]，百官不复朝参[381]。至彭城，水路不通，复夺民车牛得二千两[382]，并载宫人珍宝，其戈甲戎器，悉令军士负之，道远疲剧，军士始怨。司马德戡窃谓赵行枢曰："君大谬误我！当今拨乱，必借英贤，化及庸暗[383]，群小[384]在侧，事将必败，若之何[385]？"行枢曰："在我等耳，废之何难！"初，化及既得政，赐司马德戡爵温国公，加光禄大夫[386]，以其专统骁果，心忌之。后数日，化及署[387]诸将分部士卒，以德戡为礼部尚书[388]，外示美迁，实夺其兵柄。德戡由是愤怨，所获赏赐，皆以赂智及。智及为之言，乃使之将后军万余人以从。于是德戡、行枢与诸将李本[389]、尹正卿[390]、宇文导师[391]等谋，以后军袭杀化及，更立德戡为主。遣人诣孟海公，结为外助，迁延未发，

衔。㊀363建牙：武臣出镇称“建牙”。牙，牙旗，旗杆上饰以象牙，建于军门。364都水监：官名，掌川泽、渠堰等水利事务。365宇文歆：唐初大臣。事迹散见《旧唐书》卷六十二、《新唐书》卷七十九《李元吉传》等。366己卯：四月初五。367武都、宕渠：郡名，武都郡治所在今甘肃武都东南，宕渠郡在今四川渠县。368戊戌：四月二十四日。369朝议郎：隋文帝开皇六年（公元五八六年）吏部置，为文散官，正六品。370西师：指李建成等所统军旅。371会：适逢。372己亥：四月二十五日。

【校记】

［8］悬军远来：原无此四字。据章钰校，十二行本、乙十一行本、孔天胤本皆有此四字，张敦仁《通鉴刊本识误》、张瑛《通鉴校勘记》同，今据补。［9］将兵：原无此二字。据章钰校，十二行本、乙十一行本、孔天胤本皆有此二字，今据补。

【语译】

宇文化及拥兵十余万，把炀帝的六宫据为己有，对自己的奉养完全同炀帝一样。常在营帐中面朝南坐着，有人来禀告事务，沉默不做回答。退出营帐后，才拿着那些奏状文书给唐奉义、牛方裕、薛世良、张恺等人议定处理。他把少主杨浩交给尚书省，命令卫士十余人监守，派令史拿取少主画押签字的奏状文书，文武百官不需再依例朝拜参见。到了彭城，水路不通，又抢夺百姓的牛和车得到两千辆，都用来载着宫女珍宝，而戈甲兵器都让军士背着，路途遥远，极为疲劳，军士们开始抱怨。司马德戡私下对赵行枢说：“你当初主意荒谬，误我不浅！当今拨正乱局，必须借助精英贤才，宇文化及昏庸愚昧，一群小人在他身边，事情必败，怎么办？”赵行枢说：“事权在我们手中，废了他有什么困难！”起初，宇文化及掌握朝政后，赐给司马德戡温国公爵位，加封光禄大夫，因为他专门统率骁果军，宇文化及对他心存猜忌。过后数日，宇文化及重新部署诸将，另行分配士卒，任命司马德戡为礼部尚书，表面迁升美官，实际上夺了他的兵权。司马德戡由此气愤怨恨，得到的赏赐全都用来贿赂宇文智及。宇文智及为他说情，宇文化及才让他率领后军一万余人。此时司马德戡、赵行枢与部下诸将李本、尹正卿、宇文导师等人谋划，准备利用后军袭击杀掉宇文化及，另立司马德戡为首领。他们派人去见孟海公，约定作为外援。但整个行动一直拖着没有实施，等待孟海公的回音。许弘仁、张恺知道了这个阴谋，报告

待海公报。许弘仁、张恺知之，以告化及，化及遣宇文士及阳㊙为游猎，至后军。德戡不知事露，出营迎谒，因执之。化及让㊟之曰："与公㊖戮力㊗共定海内㊘，出于万死。今始事成，方愿共守富贵，公又何反也？"德戡曰："本杀昏主，苦其淫虐。推立足下，而又甚之；逼于物情㊚，不得[10]已也。"化及缢杀之，并杀其支党十余人。孟海公畏化及之强，帅众具牛酒㊛迎之。李密据巩洛㊜以拒化及，化及不得西，引兵向东郡㊝，东郡通守王轨㊞以城降之。

辛丑㊟，李密将井陉王君廓㊠帅众来降。君廓本群盗，有众数千人，与贼帅韦宝、邓豹合军虞乡㊡，唐王与李密俱遣使招之。宝、豹欲从唐王，君廓伪与之同，乘其无备，袭击，破之，夺其辎重㊢，奔李密，密不礼之，复来降，拜上柱国，假河内太守㊣。

【段旨】

以上为第五段，写叛军宇文化及内部不稳，西还东都受阻。

【注释】

㊳南面：帝王之位南向，故称居帝座者为"南面之尊"。㊴白事：禀告事情。㊵嘿然：不言貌。嘿，同"默"。㊶下牙：离开牙帐。㊷方取启状与唐奉义句：启状，报告文书。唐奉义等均为宇文化及心腹左右。参决，共同审议决定。㊸尚书省：中央最高行政机构，掌政令推行。㊹令史：官名，台省均有此官，职位低下的办事人员。此处令史当为门下省属官。㊺画敕：在敕书签字，表示同意照发。㊻朝参：指臣下参拜天子。㊼两：同"辆"。㊽庸暗：庸昧；平庸不明。㊾群小：众小人。㊿若之何：奈何；如何是好。386光禄大夫：官名，隋正二品加官及褒赠之官。387署：部署或任命暂代官职。388礼部尚书：官名，尚书省礼部长官，掌礼仪、祭享、贡举之政。389李本：隋将，谋袭宇文化及的主要人员之一。390尹正卿：隋官，河间（今河北河间）人，为时

宇文化及，宇文化及派宇文士及佯装外出游猎，来到后军。司马德戡不知道事情暴露，出营迎见，宇文士及趁机逮捕了司马德戡。宇文化及责备他说："我与公一起努力，共同平定海内，冒了极大风险，现在大事刚刚成功，正想与公共守富贵，公为何又造反呢?"司马德戡说："本来杀死昏君，是苦于他的淫虐。我们推立足下为首，可你的淫虐更加厉害。迫于众人的情绪，不得不这样。"宇文化及勒死了司马德戡，同时杀死他的党羽十余人。孟海公畏惧宇文化及势力强大，率部下杀牛备酒迎接他。李密占据巩洛来抵抗宇文化及，宇文化及不能西进，率军转向东郡，东郡通守王轨举城投降宇文化及。

四月二十七日辛丑，李密部将井陉人王君廓率其部下前来投降。王君廓原本是盗贼，有队伍数千人，与贼军首领韦宝、邓豹在虞乡合并了军队，唐王李渊和李密都派遣使者招抚他们。韦宝、邓豹想投靠唐王，王君廓假装与他们想法相同，乘其不备，袭击并打败二人，夺了他们的辎重，投奔李密，李密却并不加以礼遇，所以又来投降唐王，被任为上柱国，暂代河内太守。

俊才，名显于世。㊴宇文导师：隋将。李本、尹正卿、宇文导师等人事迹散见《隋书》卷八十五《司马德戡传》等。㊵阳：通“佯”，假装。㊶让：责备。㊷公：对尊长或平辈的敬称。㊸戮力：努力；勉力。㊹海内：四海之内；天下。㊺逼于物情：迫于公众情绪。㊻牛酒：牛和酒，用作赏赐、慰劳、馈赠的物品。㊼巩洛：巩县（今河南巩义东南）和洛口仓城（在今河南巩义境）；或言洛水至巩义市入黄河，故称巩洛。㊽东郡：郡名，治所在今河南滑县旧滑县城。㊾王轨：隋官，京兆霸城（今陕西西安东北）人。事迹散见《隋书》卷五十四《王长述传》、卷八十五《宇文士及传》,《旧唐书》卷五十四、《新唐书》卷八十五《窦建德传》。㊿辛丑：四月二十七日。403王君廓：唐大将，封彭国公，井陉（今河北井陉西北）人。传见《旧唐书》卷六十、《新唐书》卷九十二。404虞乡：县名，县治在今山西运城西南解州镇。405辎重：军用物资如器械、粮草、营帐、服装等的统称。406假河内太守：代理河内郡（治所在今河南沁阳）长官。

【校记】

［10］得：据章钰校，十二行本、乙十一行本、孔天胤本皆作“获”。

【原文】

萧铣[407]即皇帝位，置百官，准梁室故事。谥其从父琮为孝靖皇帝，祖岩[408]为河间忠烈王，父璿[409]为文宪王，封董景珍等功臣七人[410]皆为王。遣宋王杨道生击南郡[411]，下之。徙都江陵，修复园庙[412]。引岑文本[413]为中书侍郎，使典文翰[414]，委以机密。又使鲁王张绣徇岭南[415]，隋将张镇周[416]、王仁寿等拒之。既而闻炀帝遇弑，皆降于铣。钦州[417]刺史甯长真[418]亦以郁林[419]、始安[420]之地附于铣。汉阳[421]太守冯盎[422]以苍梧[423]、高凉[424]、珠崖[425]、番禺[426]之地附于林士弘[427]。铣、士弘各遣人招交趾[428]太守丘和[429]，和不从。铣遣甯长真帅岭南[11]兵自海道攻和，和欲出迎之，司法书佐[430]高士廉[431]说和曰："长真兵数虽多，悬军远至，不能持久，城中胜兵足以当之，奈何望风受制于人！"和从之。以士廉为军司马[432]，将水陆诸军逆击[433]，破之，长真仅以身免，尽俘其众。既而有骁果自江都至，得炀帝凶问[434]，亦以郡附于铣。士廉，劢[435]之子也。

始安郡丞李袭志[436]，迁哲之孙也。隋末，散家财，募士得三千人，以保郡城。萧铣、林士弘、曹武彻[437]迭[438]来攻之，皆不克。闻炀帝遇弑，帅吏民临[439]三日。或说袭志曰："公中州[440]贵族，久临鄙郡[441]，华夷悦服。今隋室无主，海内鼎沸，以公威惠，号令岭表，尉佗[442]之业可坐致也。"袭志怒曰："吾世继忠贞，今江都虽覆，宗社[443]尚存，尉佗狂僭[444]，何足慕也！"欲斩说者，众乃不敢言。坚守二年，外无声援，城陷，为铣所虏。铣以为工部尚书[445]，检校[446]桂州总管。于是东自九江[447]，西抵三峡[448]，南尽交趾，北距汉川[449]，铣皆有之，胜兵四十余万。

【段旨】

以上为第六段，写萧铣割据长江中游地区，荆襄以南，达于岭南。

【语译】

萧铣即皇帝位，设置文武百官，依据梁朝的旧制。给他的叔父萧琮加谥号为孝靖皇帝，给他的祖父萧岩加谥号为河间忠烈王，给他的父亲萧璿加谥号为文宪王，将董景珍等功臣七人都封为王。派宋王杨道生攻打南郡，攻了下来。迁都江陵，修复园林寝庙。任命岑文本为中书侍郎，让他掌管公文信札，机密之事也委托他参与办理。又派鲁王张绣进攻岭南地区，隋朝在岭南的将领张镇周、王仁寿等人加以抵抗。不久听说炀帝被杀，就都投降了萧铣。钦州刺史甯长真也以郁林、始安等地归附萧铣。汉阳太守冯盎以苍梧、高凉、珠崖、番禺等地归附林士弘。萧铣、林士弘各自派人招抚交趾太守丘和，丘和没有答应。萧铣派甯长真率领岭南兵从海路进攻丘和，丘和想要出城迎接，司法书佐高士廉劝说丘和："甯长真兵数虽多，孤军深入而远道来攻，不能持久，城中的兵力足以抵挡他，为何望风而降，受制于人！"丘和听从了这个建议。任命高士廉为军司马，率领水陆诸军迎击，击败了甯长真的军队，甯长真只是自己逃脱了，他的队伍全都被俘获。之后有骁果军中人从江都到达，丘和获悉炀帝被害的消息，也以其郡归附萧铣。高士廉是高劢的儿子。

始安郡丞李袭志，是李迁哲的孙子。隋朝末年，散发家财，招募士兵，得到三千人，用来保卫郡城。萧铣、林士弘、曹武彻相继前来攻城，都不能攻克。听说炀帝遇害，率领吏民为炀帝哭丧三天。有人劝说李袭志说："您是中原的贵族，长期在这边远小郡做官，无论是华人还是夷民，都心悦诚服。如今隋室没了皇帝，海内鼎沸，以您的威严和恩惠，在岭南地区发号施令，当年尉佗称王的事业，可以坐着就得到成功。"李袭志发怒，说："我世世代代承续着忠贞之德，如今江都虽然倾覆，但隋朝的宗庙社稷还在，尉佗是狂妄僭越之人，哪里值得羡慕！"想斩劝说之人，众人于是不敢再提此事。他坚守郡城二年，外无声援，后来郡城被攻陷，他被萧铣俘虏。萧铣任命他为工部尚书，兼检校桂州总管。到这时，东自九江，西至三峡，南方包括整个交趾，北方直到汉川，都被萧铣占有，拥有强兵四十余万。

【注释】

⑰萧铣（公元五八三至六二一年）：后梁宣帝曾孙，义宁二年（公元六一八年）称帝，迁都江陵，割据长江中游等地。后兵败降唐被杀。传见《旧唐书》卷五十六、《新唐书》卷八十七。⑱祖岩：萧铣之祖萧岩，后梁安平王。开皇初降陈，陈亡，隋文帝诛

之。⑲瓘：事迹不详。⑩董景珍等功臣七人：据两《唐书·萧铣传》，功臣七人为董景珍、雷世猛、郑文秀、许玄彻、万瓒、张绣、杨道生。⑪南郡：郡名，治所在今湖北荆州。⑫园庙：园陵寝庙；帝王陵庙及其陵旁庙寝。⑬岑文本（公元五九五至六四五年）：降唐后官至中书令。传见《旧唐书》卷七十、《新唐书》卷一百二。⑭典文翰：掌公文信札的撰写。⑮岭南：地区名，即岭表、岭外。泛指五岭以南。⑯张镇周：《隋书》为张镇州。隋朝请大夫，曾同陈稜率师至琉球（今中国台湾）。事迹见《隋书》卷三《炀帝纪》上。⑰钦州：州名，治所在今广西钦州东北钦江西北岸。⑱甯长真：隋末唐初南平僚族首领，世袭钦州刺史。事迹见《新唐书》卷二百二十二下。⑲郁林：郡名，治所在今广西桂平东南郁江南岸。⑳始安：郡名，治所在今广西桂林。㉑汉阳：郡名，治所在今甘肃礼县西南。㉒冯盎（？至公元六四六年）：岭南越族首领，隋末唐初大将。传见《旧唐书》卷一百九、《新唐书》卷一百十。㉓苍梧：郡名，治所在今广东封开南。㉔高凉：郡名，治所在今广东阳江西。㉕珠崖：郡名，治所在今海南海口市琼山区东南。㉖番禺：县名，治所在今广州。㉗林士弘（？至公元六二二年）：饶州鄱阳（今江西鄱阳）人，隋末占据北起九江、南至番禺之地，曾称帝，国号楚。唐高祖武德间去世。传见《旧唐书》卷五十六、《新唐书》卷八十七。㉘交趾：郡名，治所在今越南河内。㉙丘和（公元五五二至六二七年）：河南洛阳人，隋大业末，海南官吏侵害百姓，因为丘和为官淳厚善良，又有黄门侍郎裴矩推荐，炀帝遂拜丘和为交趾太守。卒年八十六，赠荆州总管，陪葬献陵。传见《旧唐书》卷五十九、《新唐书》卷九十。㉚司法书佐：官名，

【原文】

炀帝凶问至长安，唐王哭之恸[450]，曰：“吾北面[451]事人，失道[452]不能救，敢[453]忘哀乎！”

五月，山南[454]抚慰使[455]马元规击朱粲于冠军[456]，破之。

王德仁既杀房彦藻，李密遣徐世勣[457]讨之。德仁兵败，甲寅[458]，与武安通守袁子幹[459]皆来降。诏以德仁为邺郡[460]太守。

戊午[461]，隋恭帝禅位于唐，逊居代邸[462]。甲子[463]，唐王即皇帝位于太极殿[464]，遣刑部尚书[465]萧造[466]告天于南郊，大赦，改元[467]。罢郡，置州[468]，以太守为刺史。推五运[469]为土德，色尚黄[470]。

郡守佐吏，掌刑法。㊶高士廉（公元五七六至六四七年）：长孙皇后舅父，相太宗。传见《旧唐书》卷六十五、《新唐书》卷九十五。㊷军司马：官名，位次将军，掌综理军府事务，并参与军机大事。㊸逆击：迎击。㊹凶问：噩耗。㊺劢：即高劢，北齐清河王高岳之子。七岁袭爵，后历北周、隋，皆显官。传见《北史》卷五十一、《隋书》卷五十五。㊻李袭志：金州安康（今陕西安康）人，祖迁哲，北周信州总管，封安康郡公。袭志久任桂州（今广西桂林），凡二十八载。传见《旧唐书》卷五十九、《新唐书》卷九十一。㊼曹武彻：隋末桂阳（今湖南郴州）义军首领。㊽迭：轮番；更迭。㊾临：哭吊死者。㊿中州：中原。㊶鄙郡：边远之郡。㊷尉佗：南越王赵佗（？至公元前一三七年）。以佗原为南海尉，故名。秦末，赵佗兼并桂林、南海、象三郡，建立南越国。㊸宗社：宗庙社稷。用以指国家。㊹狂僭：狂妄僭越不守本分。㊺工部尚书：官名，尚书省工部长官，掌工程、工匠、屯田、水利、交通等政令。㊻检校：本指代理官职，后演变为加衔。㊼九江：郡名，治所在今江西九江市。㊽三峡：地名，长江三峡简称。㊾汉川：汉水以南地。

【校记】

［11］岭南：此二字下原有“之”字。据章钰校，十二行本、乙十一行本、孔天胤本皆无“之”字，今从改。

【语译】

隋炀帝被害的消息传到长安，唐王李渊悲恸痛哭，说：“我面向北称臣，奉事皇上，皇上失道，我不能救他，还敢忘记致哀吗！”

五月，山南抚慰使马元规在冠军县打败了朱粲。

王德仁杀死房彦藻之后，李密派徐世勣讨伐王德仁。王德仁兵败，五月初十日甲寅，与武安通守官袁子幹前来向唐王投降。唐王下诏任命王德仁为邺郡太守。

五月十四日戊午，隋恭帝禅让皇位给唐王，退出皇宫住到代邸。二十日甲子，唐王在太极殿即皇帝位，派刑部尚书萧造在南郊祭天，大赦天下，改年号为武德。废除郡一级区划，设置为州，把太守改为刺史。按五德终始的顺序推算，唐朝属于土德，颜色崇尚黄色。

隋炀帝凶问至东都，戊辰[471]，留守[472]官奉越王即皇帝位，大赦，改元皇泰。是日[12]于朝堂宣旨，以时钟金革[473]，公私皆即日大祥[474]。追谥[475]大行[476]曰明皇帝，庙号[477]世祖，追尊元德太子[478]曰成皇帝，庙号世宗，尊母刘良娣[479]为皇太后。以段达为纳言[480]、陈国公[481]，王世充为纳言、郑国公，元文都为内史令、鲁国公，皇甫无逸[482]为兵部尚书、杞国公。又以卢楚[483]为内史令，郭文懿[484]为内史侍郎[485]，赵长文[486]为黄门侍郎，共掌朝政，时人号“七贵”。皇泰主眉目如画，温厚仁爱，风格俨然[487]。

辛未[488]，突厥始毕可汗[489]遣骨咄禄特勒来，宴之于太极殿，奏九部乐[490]。时中国人避乱者多入突厥，突厥强盛，东自契丹[491]、室韦[492]，西尽吐谷浑[493]、高昌[494]诸国，皆臣之，控弦百余万。帝以初起资其兵马，前后饷遗，不可胜纪。突厥恃功骄倨，每遣使者至长安，多暴横，帝优容之。

壬申[495]，命裴寂、刘文静[496]等修定律令[497]。置国子、太学、四门生[498]，合三百余员，郡县学亦各置生员[499]。

六月甲戌朔[500]，以赵公世民为尚书令[501]，黄台公瑗[502]为刑部侍郎[503]，相国府长史[504]裴寂为右仆射[505]、知政事[506]，司马[507]刘文静为纳言，司录[508]窦威[509]为内史令，李纲[510]为礼部尚书、参掌选事[511]，掾[512]殷开山[513]为吏部侍郎[514]，属赵慈景[515]为兵部侍郎，韦义节[516]为礼部侍郎，主簿陈叔达[517]、博陵崔民幹[518]并为黄门侍郎，唐俭[519]为内史侍郎，录事参军裴晞[520]为尚书右[13]丞[521]。以隋民部尚书萧瑀[522]为内史令，礼部尚书窦琎[523]为户部尚书，蒋公屈突通[524]为兵部尚书，长安令独孤怀恩[525]为工部尚书。瑗，上之从子。怀恩，舅子也。

上待裴寂特厚，群臣无与为比，赏赐服玩，不可胜纪。命尚书奉御[526]日以御膳赐寂，视朝必引与同坐，入阁则延之卧内。言无不从，称为裴监[527]而不名。委萧瑀以庶政[528]，事无大小，无不关掌。瑀亦孜孜尽力，绳违举过[529]，人皆惮之，毁之者众，终不自理。上尝有敕而内史不时[530]宣行，上责其迟，瑀对曰：“大业之世，内史宣敕，或前后相违，有司不知所从，其易在前，其难在后，臣在省日久，备见[531]其事。今王业经始[532]，事系安危，远方有疑，恐失机会，故臣每受一敕必勘

隋炀帝被害的消息传到东都，五月二十四日戊辰，隋朝的东都留守官员拥戴越王杨侗即皇帝位，大赦天下，改年号为皇泰。这天在朝堂宣布诏旨，因为时值战乱，公家私人都在当天奉行守丧的大祥之礼。为刚刚死去的皇帝追加谥号为明皇帝，庙号称世祖，追尊元德太子为成皇帝，庙号为世宗，尊奉其母刘良娣为皇太后。任命段达为纳言、陈国公，王世充为纳言、郑国公，元文都为内史令、鲁国公，皇甫无逸为兵部尚书、杞国公。又任命卢楚为内史令，郭文懿为内史侍郎，赵长文为黄门侍郎，一起掌握朝政，当时人号称“七贵”。皇泰主杨侗眉目如画，温厚仁爱，仪容风度庄严稳重。

五月二十七日辛未，突厥始毕可汗派骨咄禄特勒来朝，在太极殿设宴，演奏了《清乐》《西凉》《扶南》《高丽》等九部乐。当时中原民众为了躲避战乱，很多人进入突厥地区，突厥强盛起来，东自契丹、室韦，向西包括吐谷浑、高昌等国，全都臣服突厥，可以拉弓作战的士兵有一百多万。因为自己起兵初期曾经借助过突厥的兵马，所以唐高祖前后赠送突厥的物品，多得无法都记下来。突厥仗恃有功而傲慢无礼，每次派遣使者来长安，多有强暴横行之事，但唐高祖都宽容了他们。

五月二十八日壬申，唐高祖命裴寂、刘文静等人修订审定法律条令。设置国子学、太学、四门生，共三百多人，各郡县学校也各自设置生员。

六月初一日甲戌，任命赵公李世民为尚书令，黄台公李瑗为刑部侍郎，相国府长史裴寂为右仆射，主持政事，司马刘文静为纳言，司录窦威为内史令，李纲为礼部尚书，参掌选事，掾殷开山为吏部侍郎，属员赵慈景为兵部侍郎，韦义节为礼部侍郎，主簿陈叔达、博陵人崔民幹都为黄门侍郎，唐俭为内史侍郎，录事参军裴晞为尚书右丞。任命隋民部尚书萧瑀为内史令，礼部尚书窦琎为户部尚书，蒋公屈突通为兵部尚书，长安令独孤怀恩为工部尚书。李瑗是皇帝的侄子。独孤怀恩是皇帝舅舅的儿子。

高祖对待裴寂特别优厚，群臣中没有人能和他相比，赏赐的服饰和玩赏物品多得无法都记下来。高祖又命尚书奉御每天把皇帝的膳食赏赐给裴寂，上朝时一定让裴寂和自己同坐，回到寝宫就把裴寂请到卧室。裴寂说的，高祖没有不听从的，高祖称裴寂为“裴监”，不称他的名字。高祖把各种政务托付给萧瑀，事情无论大小，全都由萧瑀掌握。萧瑀也孜孜不倦尽心尽力，纠正错误，检举过失，人们都惧怕他，很多人诋毁他，他始终不去自我辩解。高祖曾有诏书而内史没有及时宣布，高祖责备内史迟缓，萧瑀回答说：“大业年间，内史宣布皇帝的诏书，有时前后自相矛盾，主管官员不知所从，就把易行的命令放在前面，难行的命令放在后面，臣子我在内史省时间长久，全都见过这些事。如今陛下的王业刚开始经营，事情关系到朝廷的安危，远方的人们还有疑虑，怕失去机会，所以臣子我每接受一个诏令，必定仔细

审[533]，使与前敕不违，始敢宣行，稽缓之愆[534]，实由于此。"上曰："卿用心如是，吾复何忧！"

初，帝遣马元规慰抚山南，南阳郡丞[535]河东吕子臧[536]独据郡不从。元规遣使数辈谕之，皆为子臧所杀。及炀帝遇弑，子臧发丧成礼，然后请降。拜邓州[537]刺史，封南[538]郡公。

废大业律令[539]，颁新格[540]。

上每视事，自称名，引贵臣同榻[541]而坐。刘文静谏曰："昔王导[542]有言：'若太阳俯同[543]万物，使群生[544]何以仰照！'今贵贱失位[545]，非常久之道。"上曰："昔汉光武与严子陵共寝[546]，子陵加足于帝腹。今诸公皆名德旧齿[547]，平生亲友，宿昔[548]之欢，何可忘也，公勿以为嫌[549]！"

戊寅[550]，隋安阳令吕珉[551]以相州[552]来降，以为相州刺史。

己卯[553]，祔四亲庙主[554]。追尊皇高祖瀛州府君[555]曰宣简公，皇曾祖司空[556]曰懿王，皇祖景王曰景皇帝[557]，庙号太祖，祖妣[558]曰景烈皇后，皇考[559]元王曰元皇帝[560]，庙号世祖，妣[561]独孤氏曰元贞皇后，追谥[562]妃窦氏曰穆皇后。每岁祀昊天上帝[563]、皇地祇[564]、神州地祇[565]，以景帝配[566]，感生帝[567]、明堂[568]，以元帝配。

庚辰[569]，立世子建成为皇太子，赵公世民为秦王，齐公元吉为齐王，宗室黄瓜公白驹[570]为平原王，蜀公孝基[571]为永安王，柱国道玄[572]为淮阳王，长平公叔良[573]为长平王，郑公神通[574]为永康王，安吉公神符[575]为襄邑王，柱国德良[576]为新兴王，上柱国博义[577]为陇西王，上柱国奉慈[578]为勃海王。孝基、叔良、神符、德良，帝之从父弟。博义、奉慈，弟子[579]。道玄，从父兄子也。

癸未[580]，薛举寇泾州[581]。以秦王世民为元帅，将八总管兵以拒之。

遣太仆卿[582]宇文明达招慰山东[583]，以永安王孝基为陕州[584]总管。时天下未定，凡边要之州，皆置总管府，以统数州之兵。

乙酉[585]，奉隋帝为酅国公。诏曰："近世以来，时运迁革，前代亲族，莫不诛夷[586]。兴亡之效[587]，岂伊人力[588]！其隋蔡王智积[589]等子孙，并付所司，量才选用。"

核对审察，让它与前面发布的诏令不相矛盾，才敢宣布施行。迟缓之过，实是由于这个原因。”高祖说：“既然你的用意是这样，那我还有什么忧虑的！”

当初，高祖派马元规慰抚山南地区，南阳郡丞河东人吕子臧据守郡城不肯归随。马元规派出几个使臣劝谕，都被吕子臧所杀。等到炀帝被害，吕子臧为之发丧，尽行臣子之礼，然后请求投降。高祖任命他为邓州刺史，封南郡公。

废除大业年间的法律条令，颁布新的法律条文。

高祖每次上朝处理政务，都自称名字，请位高权重的臣子同坐一榻。刘文静劝谏说：“过去王导有一句话：‘如果太阳俯身与万物一样，那么众生又靠什么在上面照耀它们呢！’如今贵贱失去正常的位置，这不是国家长久之道。”高祖说：“过去汉光武帝与严子陵一起睡觉，严子陵把脚压到汉光武帝的肚子上。如今诸位公卿都是有名望德行的老朋友，平生亲密友爱，往日的欢情，怎能忘怀，您不要有所疑虑！”

六月初五日戊寅，隋安阳令吕珉以相州前来降唐，被任命为相州刺史。

六月初六日己卯，祭祀四代祖先于宗庙。追尊皇上的高祖瀛州府君为宣简公，追尊皇上的曾祖司空为懿王，追尊皇上的祖父景王为景皇帝，庙号为太祖，祖母为景烈皇后，追尊皇上的父亲元王为元皇帝，庙号为世祖，母亲独孤氏为元贞皇后，追谥皇妃窦氏为穆皇后。每年祭祀昊天上帝、皇地祇、神州地祇，以景皇帝配享，祭祀感生帝含枢纽、明堂，以元皇帝配享。

六月初七日庚辰，册立世子李建成为皇太子，赵公李世民为秦王，齐公李元吉为齐王，宗室黄瓜公李白驹为平原王，蜀公李孝基为永安王，柱国李道玄为淮阳王，长平公李叔良为长平王，郑公李神通为永康王，安吉公李神符为襄邑王，柱国李德良为新兴王，上柱国李博义为陇西王，上柱国李奉慈为勃海王。李孝基、李叔良、李神符、李德良，都是高祖的堂弟。李博义、李奉慈是高祖弟弟的儿子。李道玄是高祖堂兄的儿子。

六月初十日癸未，薛举侵扰泾州。任命秦王李世民为元帅，率八总管的军队来抵御他。

高祖派遣太仆卿宇文明达招抚慰问山东地区，任命永安王李孝基为陕州总管。当时天下尚未完全平定，凡是边远重要的州，都设置总管府，用来统率几个州的军队。

六月十二日乙酉，尊奉隋恭帝为酅国公。高祖的诏书说：“近世以来，国家的运数不断变换，前朝的皇室宗族，无不被杀戮消灭。朝代兴亡更替的实现，岂是人力所致！隋朝的蔡王杨智积等王室子孙，都交付有关官署，根据他们的才能选拔任用。”

【段旨】

以上为第七段，写李渊称帝，建立唐王朝，遣使四出招抚，关东多有降附，唐室一派兴旺气象。

【注释】

㊿恸：极度哀痛。451 北面：古代帝王面朝南坐，臣子朝见时面北，故谓称臣于人为“北面”或北面事人。452 失道：无道；违背做人道德。这是唐王表面上的自责之辞。453 敢：不敢、岂敢的省词。454 山南：地区名、道名，此山南当指伏牛山以南豫、鄂交界地区。455 抚慰使：差遣官名，朝廷为安抚某处而临时遣派的官员。456 冠军：县名，县治在今河南邓州西北。457 徐世勣（公元五九四至六六九年）：即李世勣或称李勣。投唐后历事唐初三帝，封英国公，兼将相之任。传见《旧唐书》卷六十七、《新唐书》卷九十三。458 甲寅：五月十日。459 袁子幹：降唐后授洺州（今河北永年东南）总管，不久为窦建德所俘。460 邺郡：郡名，治所在今河南安阳。461 戊午：五月十四日。462 逊居代邸：退居代王府邸。463 甲子：五月二十日。464 太极殿：隋大兴殿改名。西京宫城正殿，朔望视朝之所。465 刑部尚书：官名，尚书省刑部长官，掌刑法。466 萧造：唐初大臣，原隋冯翊太守，李渊入关，封造梁郡公。467 改元：改元武德。468 罢郡二句：大业三年（公元六〇七年）改州为郡，至是复旧。469 五运：谓水、火、木、金、土五种物质德性相生相克周而复始的循环变化。隋为“火德”，“火生土”，故唐为“土德”。470 色尚黄：以黄色为贵。黄色与土德相应。471 戊辰：五月二十四日。472 留守：官名，自隋唐始置，天子离京时指定大臣留守京城，得便宜行事，称京城留守。陪京和行都亦常以地方行政官兼任留守。473 以时钟金革：以时当战乱。钟，当、值。金革，兵革。474 大祥：又称“除灵”，父母丧二周年祭礼。475 谥：封建时代在人死后按其生前事迹评定的以示褒贬的称号。476 大行：古代称初死的皇帝。此指炀帝。477 庙号：皇帝死后，于太庙立室奉祀，特立名号，如某祖某宗等，谓之庙号。478 元德太子（？至公元六〇六年）：名昭，炀帝长子，杨侗生父。传见《隋书》卷五十九。479 刘良娣：又称小刘良娣，元德太子妃，侗生母。480 纳言：官名，门下省长官（宰相），掌出纳王命等事。481 国公：五等爵中最高一级。482 皇甫无逸：隋末唐初大臣，唐封滑国公。传见《隋书》卷七十一、《旧唐书》卷六十二、《新唐书》卷九十一。483 卢楚（？至公元六一九年）：隋大臣，封涿郡公。传见《隋书》卷七十一。484 郭文懿（？至公元六一九年）：隋末大臣。事迹见《隋书》卷八十五《段达传》等。485 内史侍郎：官名，内史令佐官。486 赵长文（？至公元六一九年）：隋末大臣，为王世充所杀。事略见《隋书》卷五十九《越王侗传》。487 俨然：庄严貌。488 辛未：五月二十七日。489 始毕可汗（？至公元六一九年）：东突厥可汗。姓名为阿史那咄吉世。公元六〇九至六一九年在位。490 九部乐：本隋乐九部，唐因隋制，用九

部之乐。据《隋书·音乐志》：大业中，炀帝定《清乐》《西凉》《龟兹》《天竺》《康国》《疏勒》《安国》《高丽》《礼毕》，以为九部。491 契丹：中国古代民族名，源于东胡。北魏以后游牧于今辽河上游一带。492 室韦：中国古代民族名，北魏以后分布于今嫩江流域及黑龙江南北岸地区。493 吐谷浑：中国古代民族名和政权名，本为鲜卑的一支，西晋末西迁今青海、甘肃后与羌人融合形成。其政权后被吐蕃所灭。494 高昌：政权名，在今新疆吐鲁番。495 壬申：五月二十八日。496 裴寂、刘文静：裴寂（公元五七〇至六二九年）、刘文静（公元五六八至六一九年），皆为唐创业功臣，相高祖。传见《旧唐书》卷五十七、《新唐书》卷八十八。497 律令：法令。498 国子、太学、四门生：国子生，由三品以上官子孙充；太学生，五品以上官子孙充；四门生，七品以上官子充。499 生员：唐代国学及郡、县学有学生员额限制的规定，故称这些学校的学生为生员。以后又称秀才、诸生。500 甲戌朔：六月初一。501 尚书令：尚书省最高长官，掌全国政令推行。502 瑗：李瑗，李渊从父兄子，封黄台县公。传见《旧唐书》卷六十、《新唐书》卷七十八。503 刑部侍郎：刑部尚书之副。504 相国府长史：官名，丞相佐官，综理丞相府事。505 右仆射：官名，尚书省长官之一。职位低于尚书令，但亦为宰相。506 知政事：主持政务。507 司马：官名，州、镇皆有司马之职。此处司马为大将军府司马，佐大将军掌理府事。《新唐书》卷八十八《刘文静传》云："唐公乃开大将军府，以文静为司马。"508 司录：官名，威为丞相府司录参军，掌朝章国典制定等事。509 窦威（？至公元六一八年）：唐初大臣、外戚。传见《旧唐书》卷六十一、《新唐书》卷九十五。510 李纲（公元五四七至六三一年）：传见《旧唐书》卷六十二、《新唐书》卷九十九。据本传，李渊平定京师后，任李纲为丞相府司录参军，领选举。李渊即位，李纲任礼部尚书兼太子詹事。511 参掌选事：主持科举选官。512 掾：属官通称。此当指丞相府掾。513 殷开山（？至公元六二二年）：李渊起兵之初，殷开山为大将军掾，迁丞相府掾，由此擢升吏部侍郎。后兵败被罢免，不久出任陕东道行台兵部尚书，迁吏部。传见《旧唐书》卷五十八、《新唐书》卷九十。514 吏部侍郎：吏部尚书之副，掌官员铨选。515 赵慈景（？至公元六一八年）：李渊婿，尚长广公主。事迹见《新唐书》卷八十三《诸帝公主传》。516 韦义节：唐初大臣，京兆杜陵（今陕西长安东）人，封襄城郡公。517 陈叔达（？至公元六三五年）：陈宣帝第十六子，入唐官至宰相。传见《旧唐书》卷六十一、《新唐书》卷一百。518 崔民榦：后避太宗讳，名幹，字道贞，博陵（今河北蠡县）人，封博陵郡公。519 唐俭（公元五七九至六五六年）：唐开国功臣，封莒国公。传见《旧唐书》卷五十八、《新唐书》卷八十九。520 裴晞（？至公元六二一年）：官至深州刺史，为州人所杀。521 尚书右丞：尚书省都省长官之一，掌尚书省机关事务。522 萧瑀（公元五七五至六四七年）：后梁明帝子，隋末官内史侍郎，李渊入京师，被任命为民部尚书。传见《旧唐书》卷六十三、《新唐书》卷一百一。523 窦琎（？至公元六三三年）：唐初大臣，封邓国公。传见《旧唐书》卷六十一、《新唐书》卷九十五。524 屈突通（公元五五七至六二八年）：隋末唐初大臣，封蒋国公。屈突，复姓，源出库莫奚族。传见《旧唐书》卷五十九、《新唐书》卷八十九。㉕独孤怀恩（公元五八五至六二〇年）：隋唐外戚，后谋反被诛。传见《旧唐书》卷一百八十三、《新唐书》卷二百六。㉖尚书奉御："尚书"当为"尚食"。殿中省尚食局长官，掌天子之常馔。㉗裴监：裴寂原为隋晋阳宫副监。㉘庶政：各种行政事务。㉙绳违举过：纠正错误，检举过失。㉚不时：拖延；不按时。㉛备见：全都见过。㉜王业经始：谓李唐王朝刚刚开始。㉝勘审：推究详查。㉞稽缓之愆：稽缓，迟延。愆，过失。㉟郡丞：郡太守之副，掌兵马。㊱吕子臧（？至公元六一八年）：蒲州河东（今山西永济蒲州镇）人，降唐后封南阳郡公。传见《旧唐书》卷一百八十七、《新唐书》卷一百九十一。㊲邓州：州名，治所在今河南邓州。㊳南：据《旧唐书·吕子臧传》，"南"下有"阳"字。㊴大业律令：大业三年（公元六〇七年）所颁法令。㊵格：为唐代法律，即律令格式的表现形式之一。为百官办事规则的规定。㊶榻：床。㊷王导（公元二七六至三三九年）：东晋元帝时为丞相，率南迁士族联合江南士族，稳定东晋政权，为一代重臣。传见《晋书》卷六十五。㊸俯同：低就混同。㊹群生：众生。泛指一切生物。㊺失位：错位；失去旧有地位。㊻昔汉光武与严子陵共寝：事见《后汉书·严光传》。㊼名德旧齿：名德，谓有名望德行。旧齿，谓长久相处。㊽宿昔：又作"夙昔"。从前；旧日。㊾嫌：疑；嫌疑。㊿戊寅：六月初五。551吕珉（？至公元六一九年）：珉后为窦建德所杀。552相州：州名，治所在今河南安阳。553己卯：六月六日。554祔四亲庙主：祔，祭。四亲，指高祖、曾祖、祖、父。庙主，太庙木主。555瀛州府君：指李渊的高祖李熙。556司空：指李渊的曾祖李天锡。557景皇帝：李渊祖父李虎。558祖妣：已故祖母之称。559考：亡父之称。560元皇帝：李渊之父李昺。561妣：亡母之称。562追谥：追加谥号。563昊天上帝：天帝。昊，天之泛称。564皇地祇：亦称"皇祇"，即地神。565神州地祇：神州（中国）地神。566配：祭祀时配享。567感生帝：迷信说法，帝王先祖皆感太

【原文】

东都闻宇文化及西来，上下震惧。有盖琮[590]者，上疏[591]请说李密与之合势拒化及。元文都谓卢楚等曰："今仇耻未雪，而兵力不足，若赦密罪使击化及，两贼自斗，吾徐承其弊[592]。化及既破，密兵亦疲，又其将士利[593]吾官赏，易可离间，并密亦可擒也。"楚等皆以为然，即以琮为通直散骑常侍[594]，赍[595]敕书赐密。

丙申[596]，隋信都[597]郡丞东莱麹稜[598]来降，拜冀州刺史。

微五帝（赤、黄、白、黑、青五帝）之精气以生；赤熛怒由赤帝派生；含枢纽由黄帝派生；白招拒由白帝派生；汁光纪由黑帝派生；灵威仰由青帝派生。故赤熛怒等为感生帝。唐以土德王，祀含枢纽为感生帝。568 明堂：天子宣明政教举行祭祀等大典的地方。又，墓前祭台亦称明堂。569 庚辰：六月初七。570 白驹：李白驹，唐宗室。初封黄瓜县公。疑李白驹即李琼，琼封平原王。事迹见《旧唐书》卷六十四、《新唐书》卷七十上。571 孝基：李孝基（？至公元六一九年），李渊从父弟。572 道玄：李道玄（公元六〇四至六二二年），李渊从父兄子。573 叔良：李叔良（？至公元六二一年），李渊从父弟。574 神通（？至公元六三〇年）：李渊从父弟。初封永康王，不久改封淮安王，官至左武卫大将军、开府仪同三司。575 神符：李神符（公元五七九至六五一年），李神通弟。官至宗正卿、开府仪同三司。576 德良：李德良（？至公元六三七年），李叔良弟。李孝基、道玄、叔良、神通、神符、德良传见《旧唐书》卷六十、《新唐书》卷七十八。577 博义：李博义（？至公元六七一年），李渊兄湛之子。578 奉慈：李奉慈，李博义弟。博义、奉慈传见《旧唐书》卷六十、《新唐书》卷七十八。579 弟子："弟"字误，应作"兄"。580 癸未：六月十日。581 泾州：州名，治所在今甘肃泾川北泾河北岸。582 太仆卿：官名，即太仆寺卿，掌马政。583 山东：地区名，崤山以东地区。584 陕州：州名，治所在今河南三门峡市陕州区。585 乙酉：六月十二日。586 莫不诛夷：没有不遭杀戮的。587 效：征验；实现。588 岂伊人力：岂是人力所致。589 智积：杨智积（？至公元六一六年），隋文帝侄。传见《隋书》卷四十四。

【校记】

［12］日：原作"时"。据章钰校，十二行本、乙十一行本、孔天胤本皆作"日"，今据改。［13］右：原作"左"。据章钰校，十二行本、乙十一行本、孔天胤本皆作"右"，张敦仁《通鉴刊本识误》同，今据改。

【语译】

东都人听说宇文化及西进，上下震惊恐慌。有个叫盖琮的人，上奏章请求游说李密，与李密联兵抵御宇文化及。元文都对卢楚等人说："如今宇文化及弑君之仇未雪，而我们的兵力又不足，如果赦免李密之罪，让他攻击宇文化及，两贼自相争斗，我们慢慢利用他们争斗后出现的疲困，宇文化及既可被打败，李密的部队也会疲惫，再者，他们的将士贪图我们赏赐的官职与钱财，容易被离间，包括李密也是可以活捉的。"卢楚等都认为说得对，立即任命盖琮为通直散骑常侍，携带诏书赐给李密。

六月二十三日丙申，隋信都郡郡丞东莱人麹稜前来投降，被任命为冀州刺史。

丁酉⑤⑨⑨[14]，万年县⑥⑩⑩法曹⑥⑩①武城孙伏伽⑥⑩②上表⑥⑩③，以为："隋以恶闻其过⑥⑩④亡天下。陛下龙飞晋阳⑥⑩⑤，远近响应，未期年⑥⑩⑥而登帝位，徒知得之之易，不知隋失之之不难也。臣谓宜易其覆辙⑥⑩⑦，务尽下情。凡人君言动，不可不慎。窃见⑥⑩⑧陛下今日即位，而明日有献鹞雏⑥⑩⑨者。此乃少年之事，岂圣主所须哉！又，百戏散乐⑥①⑩，亡国淫声⑥①①。近太常⑥①②于民间借妇女裙襦⑥①③五百余袭⑥①④以充妓衣，拟五月五日玄武门游戏，此亦非所以为子孙法也。凡如此类，悉宜废罢。善恶之习，朝夕渐染，易以移人⑥①⑤。皇太子、诸王参僚左右，宜谨择其人，其有门风不能雍睦⑥①⑥，为人素无行义⑥①⑦，专好奢靡，以声色⑥①⑧游猎为事者，皆不可使之亲近也。自古及今，骨肉乖离⑥①⑨，以至败国亡家，未有不因左右离间而然也。愿陛下慎之。"上省表大悦，下诏褒称⑥②⑩，擢为治书侍御史⑥②①，赐帛⑥②②三百匹⑥②③，仍颁示远近。

辛丑⑥②④，内史令延安靖公窦威薨⑥②⑤。以将作大匠⑥②⑥窦抗兼纳言⑥②⑦，黄门侍郎陈叔达判纳言。

宇文化及留辎重于滑台⑥②⑧，以王轨为刑部尚书，使守之，引兵北趣黎阳⑥②⑨。李密将徐世勣据黎阳，畏其军锋，以兵西保仓城⑥③⑩。化及渡河，保黎阳，分兵围世勣。密帅步骑二万，壁于清淇⑥③①，与世勣以烽火相应，深沟高垒⑥③②，不与化及战。化及每攻仓城，密辄⑥③③引兵以掎⑥③④其后。密与化及隔水⑥③⑤而语，密数之曰："卿本匈奴皂隶破野头⑥③⑥耳，父兄子弟并受隋恩，富贵累世，举朝莫二。主上失德，不能死谏，反行弑逆，欲规⑥③⑦篡夺。不追诸葛瞻⑥③⑧之忠诚，乃为霍禹⑥③⑨之恶逆，天地所不容，将欲何之⑥④⑩！若速来归我，尚可得全后嗣。"化及默然，俯视良久，瞋目⑥④①大言曰："与尔⑥④②论相杀事，何须作书语⑥④③邪！"密谓从者曰："化及庸愚如此，忽欲图为帝王，吾当折杖驱之⑥④④耳！"化及盛修攻具⑥④⑤，以逼仓城，世勣于城外掘深沟以固守，化及阻堑⑥④⑥，不得至城下。世勣于堑中为地道，出兵击之，化及大败，焚其攻具。

时密与东都相持日久，又东拒化及，常畏东都议⑥④⑦其后。见盖琮至，大喜，遂上表乞降，请讨灭化及以赎罪，送所获凶党[15]雄武郎将⑥④⑧于洪建⑥④⑨，遣元帅府记室参军⑥⑤⑩李俭、上开府⑥⑤①徐师誉等入见。皇

六月二十四日丁酉，万年县法曹武城人孙伏伽上表，认为："隋朝因为讨厌听到自己的过失而丧失了天下。陛下如龙一样从晋阳起飞，远近响应，不到一年就登上帝位，只知道得天下容易，不知道隋朝失天下也不难。臣认为应当改变隋朝倾覆的老路，务求全面了解下情。凡是人君的言谈行动，不可不谨慎。臣看到陛下今天即位，明天就有人献鹞雏。玩鹞雏是少年人的事，哪里是圣明的君主所需要的呢！还有，杂技和散乐，是亡国的淫声。最近太常寺在民间借了五百多套妇女的裙子短衣用作宫内歌伎的服装，准备于五月五日在玄武门游戏，这也不是可以让子孙效法的事。诸如此类，全部应该废止。善的和恶的习惯，朝夕逐渐熏染，容易改变人的品性。皇太子、诸王身边的属官，应该谨慎挑选人员，如有家风不能和睦、为人一向无行无义、专门喜欢奢侈淫靡、专事声色游猎的人，都不能让他们与皇太子、诸王亲近。从古到今，骨肉亲人反目分离，以至于国破家亡，没有不是因为身边的人离间而使然的。望陛下小心谨慎。"皇上看了上表非常高兴，下诏称美，提升孙伏伽为治书侍御史，赐丝帛三百匹，并宣示远近各处。

六月二十八日辛丑，内史令延安靖公窦威去世。任命将作大匠窦抗兼任纳言，黄门侍郎陈叔达为判纳言。

宇文化及把辎重留在滑台，任命王轨为刑部尚书，让他守护辎重，自己率军北赴黎阳。李密的部将徐世勣占据黎阳，畏惧宇文化及军队的势头，率军西撤据守仓城。宇文化及渡过黄河，占据黎阳，分兵包围徐世勣。李密率领步兵、骑兵两万人，在清淇修筑壁垒，用烽火与徐世勣相互呼应，深挖壕沟，加高营垒，不与宇文化及交战。宇文化及每次进攻仓城，李密就率兵牵制他的后方。李密隔着淇水和宇文化及说话，李密列数宇文化及的罪行说："你本来是匈奴从事贱役的破野头而已，父兄子弟都受到隋朝的恩德，累世富贵，整个朝廷没有第二家。主上失德，你不能以死相谏，反而谋反弑君，又想效法别人篡夺帝位。你不效法诸葛瞻的忠诚，却做出霍禹那样丑恶的叛逆行为。天地所不能容，你还想到什么地方去！如果赶快来归顺我，还可得以保全你的后嗣。"宇文化及默然无语，低头下视好久，瞪眼大声说："和你说打仗相互砍杀的事，哪里用得着说书本上的话！"李密对随从人员说："宇文化及如此昏庸愚昧，忽然想图谋当帝王，我当挫败他，用棍子打他，驱逐他！"宇文化及大量制作攻城的用具，逼近仓城，徐世勣在城外挖了深沟加以固守，宇文化及被深沟阻挡，不能到达城下。徐世勣在壕沟里挖地道，出兵攻打宇文化及，宇文化及大败，徐世勣放火烧了宇文化及的攻城用具。

当时李密与东都对峙日子已久，又要在东方抵御宇文化及，经常担心东都算计他的后方。见到东都盖琮到来，非常高兴，于是上表要求归降，请求攻灭宇文化及以赎罪，并送上他俘获的暴徒雄武郎将于洪建，派元帅府记室参军李俭、上开府徐

泰主命戮洪建于左掖门[652]外，如斛斯政之法[653]。元文都等以密降为诚实，盛饰宾馆于宣仁门[654]东。皇泰主引见俭等，以俭为司农卿[655]，师誉为尚书右丞，使具导从[656]，列铙吹[657]。还馆，玉帛酒馔，中使[658]相望。册拜密太尉[659]、尚书令、东南道大行台[660]行军元帅、魏国公，令先平化及，然后入朝辅政。以徐世勣为右武候大将军。仍下诏称密忠款[661]，且曰："其用兵机略，一禀[662]魏公节度。"

元文都等[16]喜于和解，谓天下可定，于上东门[663]置酒作乐，自段达已下皆起舞。王世充作色谓起居侍郎[664]崔长文曰："朝廷官爵，乃以与贼，其志欲何为邪！"文都等亦疑世充欲以城应化及，由是有隙。然犹外相弥缝[665]，阳为亲善[666]。

秋，七月，皇泰主遣大理卿[667]张权、鸿胪卿[668]崔善福赐李密书曰："今日以前，咸共刷荡[669]，使至以后，彼此通怀[670]。七政[671]之重，伫公匡弼[672]，九伐[673]之利，委公指挥。"权等既至，密北面拜受诏书。既无西虑，悉以精兵东击化及。密知化及军粮且尽，因伪与和。化及大喜，恣其兵食[674]，冀密馈之[675]。会密下有人获罪，亡抵化及，具言其情。化及大怒，其食又尽，乃渡永济渠[676]，与密战于童山[677]之下，自辰达酉[678]。密为流矢[679]所中，堕马闷绝[680]，左右奔散，追兵且至，唯秦叔宝独捍卫之，密由是获免。叔宝复收兵与之力战，化及乃退。化及入汲郡[681]求军粮，又遣使拷掠东郡吏民以责米粟。王轨等不堪其弊[682]，遣通事舍人[683]许敬宗[684]诣密请降。密[17]以轨为滑州[685]总管，以敬宗为元帅府记室[686]，与魏徵[687]共掌文翰[688]。敬宗，善心之子也。房公苏威在东郡，随众降密。密以其隋氏大臣，虚心礼之。威见密，初不言[689]帝室艰危，唯再三舞蹈[690]，称："不图[691]今日复睹圣明！"时人鄙之[692]。化及闻王轨叛，大惧，自汲郡引兵欲取以北诸郡，其将陈智略[693]帅岭南骁果万余人，樊文超帅江淮排矟[694]，张童儿[695]帅江东骁果数千人，皆降于密。文超，子盖[696]之子也。化及犹有众二万，北趣魏县[697]。密知其无能为，西还巩洛，留徐世勣以备之。

师誉等人进入东都晋见。皇泰主杨侗下令在左掖门外处死于洪建，与以前处死斛斯政的方式一样。元文都等人认为李密来降是真心诚意的，在宣仁门东面豪华地装饰好宾馆。皇泰主接见李俭等人，任命李俭为司农卿，徐师誉为尚书右丞，为他们配备了引导和随从之人，还安排了鼓吹乐队。回到宾馆，赏赐美玉丝帛和酒食，宫中派出的使者相望于路。册封李密为太尉、尚书令、东南道大行台行军元帅、魏国公，命他先平定宇文化及，然后入朝辅助国政。任命徐世勣为右武候大将军。并下诏称赞李密的忠诚，并且说："凡是用兵及其谋略，全由魏公李密指挥。"

元文都等人为和李密和解而高兴，认为天下可以平定了，在上东门设酒奏乐，段达以下的官员都起身舞蹈。王世充变了脸色，对起居侍郎崔长文说："朝廷的官位爵号，竟然送给了叛贼，他心里究竟想干什么！"元文都等人也怀疑王世充想以东都响应宇文化及，由此双方有了仇隙，然而外表上还相互弥合，佯作亲善。

秋，七月，皇泰主杨侗派大理卿张权、鸿胪卿崔善福赐给李密书信说："今天以前的事情，全都一起忘记干净，使臣到了以后，彼此胸怀相通。朝廷各项重要政务，等待明公匡正辅弼，征伐各种叛逆的大事，委托给明公指挥。"张权等人到了李密处后，李密面朝北下拜接受了诏书。李密已经没有来自西方的忧虑，就率全部精兵向东攻打宇文化及。李密知道宇文化及的军粮即将吃尽，就假装与宇文化及和谈。宇文化及大为高兴，让其士兵随意饱餐，希望李密会馈送军粮。正好李密部下有人犯罪，逃到宇文化及军中，详细说明了李密的真实意图。宇文化及大怒，此时军中粮食又要吃尽了，便渡过永济渠，在童山下与李密交战，从早晨七八点打到傍晚六七点。李密被流箭射中，落马昏迷不醒，身边的人都逃跑四散，追兵就要到来，只有秦叔宝一人奋战保护他，李密因此得以免于被俘。秦叔宝又收聚兵力与宇文化及力战，宇文化及才撤军。宇文化及进入汲郡寻找军粮，又派使节拷打东郡的官吏百姓，向他们索取粮食。王轨等人不能忍受这种残暴做法，派通事舍人许敬宗前往李密那里请求投降。李密任命王轨为滑州总管，任命许敬宗为元帅府记室，和魏徵一同掌管公文信札。许敬宗是许善心的儿子。房公苏威在东郡，跟随众人投降李密。李密因为他是隋朝大臣，虚心地以礼相待。苏威见到李密，一点也不谈隋朝的艰难危险，只是再三地舞蹈，称颂说："没想到今天又见到圣明之主！"当时的人都鄙视他。宇文化及听说王轨叛变，大为惊恐，从汲郡率军准备夺取汲郡以北各郡，他的部将陈智略率领一万多名岭南骁果兵，樊文超率领江淮排穳兵，张童儿率领数千名江东骁果兵，全部投降了李密。樊文超是樊子盖的儿子。宇文化及还有部众二万人，北赴魏县。李密知道宇文化及不能再有什么作为，就向西回归巩洛，留下徐世勣来防备宇文化及。

【段旨】

以上为第八段，写李密降隋皇泰主，大破宇文化及于河南。

【注释】

⑤⑨⓪盖琮：事迹略见《隋书》卷五十九《越王侗传》。⑤⑨①疏：奏章。⑤⑨②徐承其弊：慢慢利用其疲困。⑤⑨③利：贪图。⑤⑨④通直散骑常侍：官名，隶门下省，掌"部从朝直"，即陪从天子，侍奉规讽，并备顾问应对。⑤⑨⑤赍：带。⑤⑨⑥丙申：六月二十三日。⑤⑨⑦信都：隋郡名，入唐时为冀州，治所在今河北衡水市冀州区。⑤⑨⑧鞠稜：事迹略见《新唐书》卷八十五《窦建德传》。⑤⑨⑨丁酉：六月二十四日。⑥⓪⓪万年县：县名，与长安县同治都城（今陕西西安）中，辖都城东部。⑥⓪①法曹：官名，州县司法官。⑥⓪②孙伏伽（？至公元六五八年）：隋时以小史累劳补万年县法曹，入唐，封乐安县男，迁大理少卿。传见《旧唐书》卷七十五、《新唐书》卷一百三。⑥⓪③表：章奏的一种。⑥⓪④恶闻其过：讨厌有人批评他的过错。⑥⓪⑤龙飞晋阳：龙飞，比喻天子即位。晋阳，县名，县治在今山西太原西南古城营西古城。此言李渊从晋阳龙飞。⑥⓪⑥期年：一整年。⑥⓪⑦覆辙：犹言覆车，比喻失败的教训。⑥⓪⑧窃见：个人认为。⑥⓪⑨鹞雏：鹞，鹰科，俗称鹞子。雏，幼禽。⑥①⓪百戏散乐：古代杂技乐舞的总称。百戏纯为娱乐，散乐不属于正乐。⑥①①淫声：靡靡之音。⑥①②太常：官署名，即太常寺，主持祭祀礼乐事。⑥①③裙襦：裙子和短衣。⑥①④袭：全套衣物。⑥①⑤移人：改变人品性和行为。⑥①⑥雍睦：和睦。⑥①⑦行义：品行、道义。⑥①⑧声色：乐舞女色。⑥①⑨乖离：分离；不合。⑥②⓪褒称：嘉奖、称美。⑥②①治书侍御史：官名，即后来的御史中丞，掌狱案审理、囚徒按覆、御史奏弹等事。⑥②②帛：泛指丝织物。⑥②③匹：织物四丈为匹。⑥②④辛丑：六月二十八日。⑥②⑤薨：唐代二品以上官死称"薨"。⑥②⑥将作大匠：官名，将作监长官，从三品，掌土木工程营建等事。⑥②⑦兼纳言：兼代纳言之职。兼，与下文"判"，均为非正官之称。⑥②⑧滑台：古城名，即今河南滑县东旧滑县。⑥②⑨黎阳：县名，县治在今河南浚县东。⑥③⓪仓城：即黎阳仓城。故址在今浚县西南。⑥③①清淇：隋废县名，故县县治在今河南浚县西。⑥③②高垒：高筑坚固的营垒。⑥③③辄：犹"即"。⑥③④掎：拖住；牵制。⑥③⑤隔水：隔着淇水（今卫河支流）。⑥③⑥匈奴皂隶破野头：据《隋书》卷六十一化及父宇文述本传：本姓破野头，役属于鲜卑俟豆归，遂从其主人姓为宇文氏。匈奴皂隶，即匈奴族出身的从事贱役的人。⑥③⑦规：效法。⑥③⑧诸葛瞻（公元二二七至二六三年）：诸葛亮子。邓艾伐蜀，瞻与之战于绵竹（今属四川），兵败而死。⑥③⑨霍禹：西汉大臣，宣帝时因谋反被族诛。⑥④⓪将欲何之：想往哪里走，意谓走投无路。⑥④①瞋目：瞪大眼睛，表示愤怒。⑥④②尔：你。⑥④③书语：书本上话；字义上的争论。⑥④④折杖驱之：折，折辱、挫折侮辱。杖，用棍拷打。驱，驱使或驱逐。⑥④⑤攻具：攻城器械，如云梯之类。⑥④⑥阻堑：为堑（深沟）所

阻。647 议：图谋。648 雄武郎将：官名，掌统雄武府骁果。649 于洪建：宇文化及亲信。《隋书·李密传》作“于弘达”。650 记室参军：官名，诸王府、元帅府皆置，掌书记并参议军事。651 上开府：官名，全称为上开府仪同三司，隋从三品文散官。652 左掖门：东都皇城南面三门之一。653 如斛斯政之法：据《隋书·斛斯政传》：斛斯政就刑时，被缚于柱，公卿百僚并亲击射，脔割其肉，多有生食其肉者。食后之余烹煮，余骨焚而扬之。斛斯，复姓。源出高车斛斯（唐称斛薛）部。654 宣仁门：东都城东门。655 司农卿：官名，司农寺长官，掌仓储、农林园苑、管理等事务。656 导从：谓前导与后从之人。657 铙吹：军乐，即铙歌乐府《鼓吹曲》的一部。用于激励士气和宴享功臣。658 中使：帝王宫廷中派出的使者，由宦官担任。659 太尉：官名，隋唐时为加官，地位崇高，但无实权。660 大行台：在大行政区代表中央的机构称行台，若任职的人权位特重，则称大行台。661 忠款：忠诚。662 禀：承受；接受。663 上东门：东都城东面三门之一。664 起居侍郎：官名，皇泰帝始置，掌记录天子起居之事。665 外相弥缝：表面上在弥合破裂。666 阳为亲善：佯装友好。667 大理卿：官名，大理寺长官，中央最高法官。668 鸿胪卿：官名，鸿胪寺长官，掌外事接待、少数民族事务及凶丧之仪。669 咸共刷荡：全部洗雪，既往不咎。670 通怀：胸怀相通。671 七政：《尚书·舜典》：“在璇玑玉衡，以齐七政。”七政，指日、月、五星（水、火、木、金、土）。这里借喻朝廷的机要大事。672 伫公匡弼：待公（谓李密）匡正辅佐。673 九伐：据《周礼·夏官·大司马》，天子针对诸侯九种违命行为，实行九种不同的制裁办法，谓之“九伐”。674 恣其兵食：任凭他的军士食用军粮。675 冀密馈之：希望李密接济他军粮。冀，希望。馈，赠送。676 永济渠：大业四年（公元六〇八年），炀帝调发军民百余万，引沁水南达黄河，北通涿郡，全长二千余里，是谓永济渠。677 童山：山名，又名同山。在今河南浚县西南。678 自辰达酉：从早晨到黄昏。辰，七时至九时。酉，十七时至十九时。679 流矢：乱箭。680 闷绝：昏死。681 汲郡：郡名，治所在今河南淇县东。682 弊：弊端。引申为祸害、骚扰。683 通事舍人：官名，隶中书省，掌朝见引纳、承旨劳问等事。684 许敬宗（公元五九二至六七二年）：唐初大臣，相高宗。著述甚多，有文集八十卷。传见《旧唐书》卷八十二、《新唐书》卷二百十三上。685 滑州：州名，治所在今河南滑县东旧滑县。686 记室：官名，诸王、三公、大将军、元帅府属官。亦用为秘书代称。687 魏徵（公元五八〇至六四三年）：唐初杰出的政治家，相太宗。传见《旧唐书》卷七十一、《新唐书》卷九十七。688 文翰：文章、公文信札。689 初不言：从不说。初，从来；根本。690 舞蹈：臣子朝拜天子时的一种仪节。691 不图：未曾料到。692 时人鄙之：同时代的人瞧不起他。693 陈智略：事迹见《隋书·王充传》。694 排矟：矛类兵器。此谓排矟手。695 张童儿：《隋书·李密传》作“张童仁”。张童儿与陈智略等后来又降于王世充。696 子盖：樊子盖，隋大将。传见《隋书》卷六十三。697 魏县：县名，县治在今河北大名西南。

【校记】

[14]丁酉：原无此二字。据章钰校，十二行本、乙十一行本、孔天胤本皆有此二字，张敦仁《通鉴刊本识误》、张瑛《通鉴校勘记》同，今据补。[15]凶党：原无此二字。据

【原文】

乙巳[698]，宣州[699]刺史周超击朱粲，败之。

丁未[700]，梁师都寇灵州[701]，骠骑将军[702]蔺兴粲击破之。

突厥阙可汗[703]遣使内附。初，阙可汗附于李轨[704]，隋西戎使者[705]曹琼据甘州[706]诱之，乃更附琼，与之拒轨，为轨所败，窜于达斗拔谷[707]，与吐谷浑相表里[708]，至是内附，厚加抚慰[18]。寻为李轨所灭。

薛举进逼高墌[709]，游兵至于豳、岐[710]，秦王世民深沟高垒不与战。会世民得疟疾，委军事于长史[711]、纳言刘文静，司马殷开山，且戒之曰："薛举悬军深入，食少兵疲，若来挑战，慎勿应也。俟[712]吾疾愈，为君等破之。"开山退，谓文静曰："王虑公不能办，故有此言耳。且贼闻王有疾，必轻我，宜曜武以威之。"乃陈于高墌西南，恃众而不设备[713]。举潜师掩其后，壬子[714]，战于浅水原[715]，八总管[716]皆败，士卒死者什五六，大将军慕容罗睺[717]、李安远[718]、刘弘基[719]皆没[720]。世民引兵还长安，举遂拔高墌，收唐兵死者为京观[721]。文静等皆坐除名[722]。

乙卯[723]，榆林[724]贼帅郭子和[725]遣使来降，以为灵州总管。

【段旨】

以上为第九段，写陕北割据者梁师都、河西割据者李轨、陇右割据者薛举的活动。

章钰校，十二行本、乙十一行本、孔天胤本皆有此二字，张敦仁《通鉴刊本识误》、张瑛《通鉴校勘记》同，今据补。[16] 等：原无此字。据章钰校，十二行本、乙十一行本、孔天胤本皆有此字，今据补。[17] 密：原无此字。据章钰校，十二行本、乙十一行本、孔天胤本皆有此字，张敦仁《通鉴刊本识误》、张瑛《通鉴校勘记》同，今据补。

【语译】

七月初二日乙巳，宣州刺史周超打败了朱粲。

初四日丁未，梁师都侵犯灵州，骠骑将军蔺兴粲击败了他。

突厥阙可汗派遣使节表示归附朝廷。当初，阙可汗归附李轨，隋西戎使者曹琼占据甘州引诱阙可汗，阙可汗就又归附曹琼，与曹琼一起抵御李轨，被李轨打败，逃窜到达斗拔谷，和吐谷浑互为表里，到此时才归附朝廷，朝廷厚加抚慰。不久被李轨消灭。

薛举进逼高墌，游击部队到达豳州、岐州一带。秦王李世民深挖壕沟，加高城垒，不和薛举交战。适逢李世民得了疟疾，把作战事务委托给长史、纳言刘文静，司马殷开山，并且告诫二人说："薛举孤军深入，粮食不多，士卒疲惫，如果前来挑战，千万不要去应战。等我病好，我为你们打败他。"殷开山退下，对刘文静说："秦王担心你不能指挥作战，所以才有这样的话。再说敌兵听说秦王有病，必定轻视我军，我们应该显示武力来威慑敌人。"于是在高墌西南列阵，仗着人多不加防备。薛举秘密进军偷袭唐军背后，七月初九日壬子，在浅水原交战，八位总管都战败，士卒死去的有十分之五六，大将军慕容罗睺、李安远、刘弘基都被俘。李世民率军返回长安，薛举于是攻克高墌，收殓唐兵尸体筑成京观高台。刘文静等人都坐罪削除官籍。

七月十二日乙卯，榆林贼军首领郭子和派使节前来投降，任命郭子和为灵州总管。

【注释】

⑱乙巳：七月二日。⑲宣州：当为"宜州"。治所在今湖北宜昌西北。⑳丁未：七月四日。㉑灵州：州名，治所在今宁夏灵武西南。㉒骠骑将军：官名，李渊改鹰扬郎

将为军头，不久，改军头为骠骑将军，掌领骠骑将军府。⑰阙可汗：即阙度设。西突厥处罗可汗弟，大业七年（公元六一一年）随处罗内附，次年，炀帝将其部万余口安置于会宁郡（治今甘肃靖远东北）。义宁元年（公元六一七年），自称可汗。⑰李轨（？至公元六一九年）：凉州姑臧（今甘肃武威）人，隋末割据河西一带。传见《旧唐书》卷五十五、《新唐书》卷八十六。⑰西戎使者：官名，炀帝置。⑰甘州：州名，治所在今甘肃张掖。⑰达斗拔谷：一作大斗拔谷、大斗谷。即今甘肃民乐东南甘、青交界处扁都口隘路。⑰相表里：相为表里；相需而成。⑰高墌：古城名，在今陕西长武西北。⑰豳、岐：二州名，豳州治所在今陕西彬州，岐州治所在今陕西宝鸡市凤翔区。⑰长史：官名，刘文静以纳言（宰相）充秦王（西讨元帅）行军长史。⑰俟：等待。⑰恃众而不设备：仗着人多而不构筑防御工事。⑰壬子：七月九日。⑰浅水原：高原名，在今陕西长武境。⑰八总管：指西讨元帅李世民所统八位行军总管。⑰慕容罗睺：唐初大将。事迹见新、旧《唐书·薛举传》。⑰李安远（？至公元六三三年）：唐开国功臣，封广德郡公。

【原文】

李密每战胜，必[19]遣使告捷于皇泰主，隋人皆喜，王世充独谓其麾下曰：“元文都辈，刀笔吏㉖耳。吾观其势，必为李密所擒。且吾军士屡与密战，没其父兄子弟，前后已多，一旦为之下，吾属无类㉗矣！”欲以激怒其众。文都闻之，大惧，与卢楚等谋因㉘世充入朝，伏甲㉙诛之。段达性庸懦，恐其事不就㉚，遣其婿张志以楚等谋告世充。戊午夜三鼓㉛，世充勒兵袭含嘉门㉜。元文都闻变，入奉皇泰主御乾阳殿㉝，陈兵自卫，命诸将闭门拒守。将军跋野纲㉞将兵出，遇世充，下马降之。将军费曜、田暗㉟战于门外，不利。文都自将宿卫兵欲出玄武门以袭其后，长秋监㊱段瑜称求门钥不获，稽留遂久。天且曙㊲，文都复欲引兵[20]出太阳门㊳逆战，还至乾阳殿，世充已攻太阳门得入。皇甫无逸弃母及妻子，斫右掖门㊴，西奔长安。卢楚匿于太官署㊵，世充之党擒之，至兴教门㊶，见世充，世充令乱斩杀之。进攻紫微宫㊷门，皇泰主使人登紫微观㊸，问“称兵欲何为？”世充下马谢曰：

传见《旧唐书》卷五十七、《新唐书》卷八十八。⑲刘弘基（公元五八二至六五〇年）：唐开国功臣，封夔国公。传见《旧唐书》卷五十八、《新唐书》卷九十。⑳没：陷没；被俘。㉑京观：收敌尸积高为冢，以夸耀武功，谓京观。京，立绝高曰京。㉒坐除名：因罪除去官籍。㉓乙卯：七月十二日。㉔榆林：郡名，治所在今内蒙古准格尔旗东北十二连城。㉕郭子和（？至公元六六四年）：同州蒲城（今陕西蒲城）人，初起兵自号永乐王。武德间平刘黑闼有功，拜右武卫将军，赐姓李，封夷国公。传见《旧唐书》卷五十六、《新唐书》卷九十二。

【校记】

［18］厚加抚慰：原无此四字。据章钰校，十二行本、乙十一行本、孔天胤本皆有此四字，张瑛《通鉴校勘记》同，今据补。

【语译】

李密每次作战取胜，一定派遣使臣向皇泰主报捷，隋人都很高兴，只有王世充对部下说："元文都这些人，不过是刀笔吏。我看现在的形势，肯定要被李密活捉。再说我的士卒屡次和李密交战，杀死他的军士的父兄子弟，前前后后已经很多，一旦成为他的下属，我们都活不成了！"想以此激怒他的部下。元文都听到此事，非常恐惧，和卢楚等人谋划，准备趁王世充进朝廷朝见皇泰主时，埋伏甲士杀死王世充。段达性格平庸懦弱，害怕此事不能成功，派他的女婿张志把卢楚等人的谋划告诉了王世充。七月十五日戊午半夜三更时，王世充率兵袭击含嘉门。元文都听说兵变，进入内宫侍奉皇泰主驾临乾阳殿，部署军队自卫，命令各将领关闭宫门防守抵御。将军跋野纲率兵出战，遇上王世充，下马投降王世充。将军费曜、田暗在宫门外与王世充交战，失利。元文都亲自率宿卫禁兵打算出玄武门从后面袭击王世充，长秋监段瑜声称找不到宫门的钥匙，拖延了很长时间。天将破晓，元文都又想领兵出太阳门迎战王世充，回到乾阳殿时，王世充已攻破太阳门进入宫内。皇甫无逸抛下母亲和妻子儿女，砍开右掖门，向西逃往长安。卢楚藏在太官署，被王世充部下抓获，带到兴教门，见到王世充，王世充下令将其乱刀砍死。又进攻紫微宫门，皇泰主派人登上紫微观，问王世充："举兵想干什么？"王世充下马谢罪说：

“元文都、卢楚等横见规图[744]，请杀文都，甘从刑典。”段达乃令将军黄桃树执送文都。文都顾谓皇泰主曰：“臣今朝死，陛下夕及矣！”皇泰主恸哭遣之。出兴教门，乱斩如卢楚，并杀卢、元诸子。段达又以皇泰主命开门纳世充，世充悉遣人代宿卫者，然后入见皇泰主于乾阳殿。皇泰主谓世充曰：“擅相诛杀，曾[745]不闻奏，岂为臣之道乎？至公欲肆其强力，敢及我邪！”世充拜伏流涕，谢曰：“臣蒙先皇采拔，粉骨非报。文都等苞藏祸心，欲召李密以危社稷。疾臣违异[746]，深积猜嫌。臣迫于救死，不暇闻奏。若内怀不臧[747]，违负陛下，天地日月，实所照临，使臣阖门殄灭[748]，无复遗类。”词泪俱发。皇泰主以为诚，引令升殿，与语久之，因与俱入见皇太后[749]。世充被发为誓，称不敢有贰心[750]。乃以世充为左仆射、总督内外诸军事[751]。比及日中[752]，捕获赵长文、郭文懿，杀之。然后巡城，告谕以诛元、卢之意。世充自含嘉城移居尚书省，渐结党援，恣行威福。用兄世恽[753]为内史令，入居禁中[754]，子弟咸典兵马[755]，分政事为十头，悉以其党主之，势震内外，莫不趋附[756]，皇泰主拱手而已[757]。

李密将入朝，至温[758]，闻元文都等死，乃还金墉。

东都大饥[759]，私钱滥恶[760]，太半杂以锡镮[761]，其细如线，米斛[762]直钱八九万。

初，李密尝受业于儒生徐文远[763]。文远为皇泰主国子祭酒[764]，自出樵采，为密军所执。密令文远南面坐，备弟子礼，北面拜之。文远曰：“老夫既荷厚礼，敢不[765]尽言！未审将军之志欲为伊、霍[766]以继绝[767]扶倾乎？则老夫虽迟暮[768]，犹愿尽力。若为莽、卓[769]，乘危邀利[770]，则无所用老夫矣！”密顿首[771]曰：“昨奉朝命，备位上公，冀竭庸虚，匡济国难，此密之本志也。”文远曰：“将军名臣之子[772]，失涂[773]至此，若能不远而复[774]，犹不失为忠义之臣。”及王世充杀元文都等，密复问计于文远。文远曰：“世充亦门人[775]也，其为人残忍褊隘[776]，既乘此势，必有异图，将军前计为不谐[777]矣。非破世充，不可入朝也。”密曰：“始谓先生儒者，不达时事[778]，今乃坐决大计，何其明也！”文远，孝嗣[779]之玄孙也。

"元文都、卢楚等人害我的阴谋暴露，请求杀死元文都，则我甘愿受罚。"段达便下令让将军黄桃树逮捕元文都送交王世充。元文都回过头来对皇泰主说："臣今天早上死，陛下黄昏就要受害了！"皇泰主悲恸大哭，送他出去。元文都出了兴教门，如同卢楚一样，被乱刀砍死，王世充还把卢楚、元文都二人的儿子也全都杀死。段达又以皇泰主的命令打开宫门让王世充进宫，王世充派自己的人完全替代了宿卫禁兵，然后进入乾阳殿觐见皇泰主。皇泰主对王世充说："你们擅自相互诛杀，怎么不来上奏，这难道是做臣的规矩吗？你想炫耀武力，敢来杀我吗！"王世充俯身下拜，谢罪说："臣蒙受先皇选拔，粉身碎骨也无以报答。元文都等人包藏祸心，想召来李密危害邦国社稷。他们疾恨我与他们意见不合，心中深积猜疑。臣迫于自救不死，以致来不及向皇上奏报。如果我心怀恶意，背叛陛下，天地日月都会照察明鉴，让臣下全家灭绝，不再有一人遗留。"声泪俱下。皇泰主以为王世充心意真诚，令人带他登上大殿，和他谈了很久，然后与他一起进入后宫去见皇太后。王世充披头散发起誓，声称不敢有二心。于是任命王世充为左仆射、总督内外诸军事。等到中午，王世充抓获赵长文、郭文懿，杀死了他们。然后巡视城内，说明诛杀元文都、卢楚的原因。王世充从含嘉城移居到尚书省，逐渐结党相援，恣意横行，作威作福。起用兄长王世恽为内史令，入居宫禁，自己的子弟都掌握兵权，把政事分为十类，全都派他的同党把持，势力震动宫廷内外，人们莫不争相趋附，皇泰主拱手听命而已。

李密将要进入东都朝见皇泰主，到达温县，听说元文都等人已死，就返回了金墉城。

东都发生严重饥荒，私人铸钱数量多，质量差，大半都掺锡为环，币环细如线，米一斛价值八九万钱。

当初，李密曾拜儒生徐文远为师读书学习。徐文远担任皇泰主的国子祭酒，自己出城打柴，被李密部下抓获。李密让徐文远面朝南坐，自己尽弟子之礼，面朝北叩拜徐文远。徐文远说："老夫既然受你厚礼，岂敢不有话直说！不知道将军的志向是想做伊尹、霍光，继绝救亡吗？若是如此，则老夫虽然已到暮年，仍愿尽力相助。如果要做王莽、董卓，利用国家危难，为自己谋利，则没有什么用老夫的地方了！"李密磕头说："最近奉朝廷之命，我位列上公，希望竭尽庸弱之力，拯救国家的危难，这是我李密的本来志愿。"徐文远说："将军是名臣之子，迷失了路途才到如此地步，如果能趁走得不太远而及早回头，仍然不失为忠义之臣。"等到王世充杀了元文都等人，李密又向徐文远请教计策。徐文远说："王世充也是我的弟子，他为人残忍而心胸狭隘，既然利用了国家有难的形势，必然有非同寻常的图谋，将军以前的计划与现在的局面已经不相适应了。除非打败王世充，否则不能入朝。"李密说："原先以为先生是儒生，不通时势，如今却能坐在帐中决定大计，是多么明智啊！"徐文远是徐孝嗣的玄孙。

【段旨】

以上为第十段，写隋皇泰主内讧，王世充杀元文都，阻断李密入朝，隋大势去矣。

【注释】

㉖刀笔吏：指办理文书的小吏。㉗吾属无类：我辈无一幸免。㉘因：借；利用。㉙伏甲：埋伏甲士。㉚不就：不能成功。㉛戊午夜三鼓：七月十五日三更。三鼓，即三更，指夜间十二时左右。㉜含嘉门：含嘉仓城（城址在今洛阳老城北）南门。㉝乾阳殿：隋东都皇宫正殿。㉞跋野纲：人名。跋野，复姓。跋野族出铁勒族拔野古部落。㉟田暗：《隋书·王充传》作"田暗世"，当因避讳省"世"。㊱长秋监：官署名，大业三年（公元六〇七年）炀帝改内侍省为长秋监，置令一人，领掖庭等署。㊲曙：破晓的时候。㊳太阳门：东都宫城东门。㊴右掖门：东都皇城南面三门的右门。㊵太官署：在东都东城光禄寺。隶属光禄寺，掌膳食供设。㊶兴教门：东都宫城南面三门之左门，后改称明德门。㊷紫微宫：即东都皇城北宫城。隋曰紫微宫，唐太宗改名洛阳宫，武则天称其宫为太初宫。㊸紫微观：紫微宫门阙。㊹横见规图：暴露阴谋。横见，暴露。规图，谋求、目的。㊺曾：怎；怎么。㊻违异：违拗；不一致。㊼不臧：不善。㊽殄灭：灭绝。㊾皇太后：杨侗生母刘良娣。㊿贰心：背叛之心。[751]总督内外诸军事：总领全国军务。内外，京城和地方。[752]比及日中：待到中午。[753]世恽：王世恽。王世充僭位

【原文】

庚申[780]，诏隋氏离宫游幸之所并废之。

戊辰[781]，遣黄台公瑗安抚山南。

己巳[782]，以隋右武卫将军皇甫无逸为刑部尚书。

隋河间郡丞王琮[783]守郡城以拒群盗，窦建德攻之，岁余不下。闻炀帝凶问，帅吏士发丧，乘城者皆哭。建德遣使吊之，琮因使者请降，建德退舍[784]具馔以待之。琮言及隋亡，俯伏流涕，建德亦为之泣。诸将曰："琮久拒我军，杀伤甚众，力尽乃降，请烹[785]之。"建德曰："琮，忠臣也。吾方赏之以劝事君，奈何杀之！往在高鸡泊为盗，容可妄杀

后，封王世恽为齐王。事迹见《隋书》卷八十五《王充传》、《旧唐书》卷五十四、《新唐书》卷八十五《王世充传》。⑭禁中：宫内。⑮咸典兵马：皆掌管军队。⑯趋附：巴结逢迎。⑰拱手而已：谓大权旁落，只有敛手向人致敬的分儿。⑱温：县名，治所在今河南温县。⑲大饥：严重饥荒。⑳私钱滥恶：私铸铜钱既多且薄恶。㉑太半杂以锡镮：太半，多半。锡镮，以锡为镮，用来滥充铜钱。镮，同“环”，圜形有孔谓之镮。此指钱币外郭。㉒斛：量器名，古代十斗为斛。㉓徐文远：隋末唐初大儒，撰有《左传音》等六十卷。传见《旧唐书》卷一百八十九上、《新唐书》卷一百九十八。㉔国子祭酒：国子监长官，掌儒学训导之政。㉕敢不：岂敢不；不敢不。㉖伊、霍：商初大臣伊尹和西汉大臣霍光。二人皆以辅佐王室著称。㉗继绝：“继绝世”之省称，恢复已断绝的飨祀。㉘迟暮：暮年；晚年。㉙莽、卓：篡夺西汉政权的王莽（公元前四五至公元二三年）和专断东汉末朝政的董卓（？至公元一九二年）。㉚邀利：取利。㉛顿首：磕头。㉜名臣之子：李密父宽，自周及隋，位柱国、蒲山郡公，号为名将。㉝失涂：迷路；走错道路。涂，通“途”。㉞复：回归。㉟门人：门生；弟子。㊱褊隘：心胸狭隘。㊲不谐：不合。㊳不达时事：不通晓时势世事。㊴孝嗣：徐孝嗣，南齐宰相。传见《南齐书》卷四十四。

【校记】

［19］必：据章钰校，十二行本、乙十一行本、孔天胤本皆作“辄”。［20］复欲引兵：据章钰校，十二行本、乙十一行本、孔天胤本皆作“引兵复欲”。

【语译】

七月十七日庚申，下诏把隋代皇帝的离宫与游幸地的行宫全都废除。

二十五日戊辰，派黄台公李瑗安抚山南。

二十六日己巳，任命隋朝右武卫将军皇甫无逸为刑部尚书。

隋河间郡郡丞王琮守卫郡城，抗击成群的盗贼，窦建德进攻郡城，一年多没有攻下。王琮听到炀帝被害的凶讯，率领官吏和士兵为炀帝发丧，登城守卫的人都哭了。窦建德派遣使者吊问，王琮通过使者向窦建德请求投降，窦建德退军备好酒食招待王琮。王琮说到隋朝灭亡，俯身流泪，窦建德也为之哭泣。窦建德的众将领说：“王琮长期抗击我军，杀伤我们很多士兵，力量用尽了才来投降，请用鼎煮了他。”窦建德说：“王琮是忠臣。我正要奖赏他，用来劝勉人们奉侍君主，怎么能杀他！以前我们在高

人。今欲安百姓，定天下，岂得害忠良乎！”乃徇军中曰：“先与王琮有怨敢妄动者，夷三族[786]！”以琮为瀛州[787]刺史。于是河北[788]郡县闻之，争附于建德。

先是，建德陷景城[789]，执户曹[790]河东张玄素[791]，将杀之。县民千余人号泣，请代其死，曰：“户曹清慎无比，大王杀之，何以劝善[792]！”建德乃释之，以为治书侍御史[793]，固辞。及江都败，复以为黄门侍郎[794]，玄素乃起。饶阳[795]令宋正本[796]，博学有才气，说建德以定河北之策，建德引为谋主。建德定都乐寿[797]，命所居曰金城宫，备置百官。

【段旨】

以上为第十一段，写窦建德割据河北。

【注释】

[780]庚申：七月十七日。[781]戊辰：七月二十五日。[782]己巳：七月二十六日。[783]王琮：武德间曾官中书令。此处所载事迹见《旧唐书》卷五十四、《新唐书》卷八十五《窦建德传》等。[784]退舍：军队后退。[785]烹：酷刑之一，以鼎镬煮杀。[786]夷三族：酷刑之一。三族，父母、兄弟、妻子，或父族、母族、妻族。[787]瀛州：州名，治所在今河北河间。[788]河北：地区名，泛指今河南、山东古黄河以北地区。[789]景城：县名，县治在今河北沧州。[790]户曹：官名，县掾之一，掌一县的户口籍账等事。[791]张玄素（？至公元六六四年）：唐初大臣，贞观中以谏诤闻名。传见《旧唐书》卷七十五、《新唐书》卷一百三。[792]劝善：勉励人学好向善。[793]治书侍御史：官名，御史大夫之副，掌监察和部分司法事务。[794]黄门侍郎：官名，门下省长官侍中之副，掌机要，备顾问。[795]饶阳：县名，县治在今河北饶阳东北。[796]宋正本（？至公元六二〇年）：降窦建德后拜纳言（宰相），后建德信谗言杀之。事迹见《旧唐书》卷五十四、《新唐书》卷八十五《窦建德传》。[797]乐寿：县名，县治在今河北献县。

【研析】

隋炀帝被他的叛逆者宇文化及送进了坟墓，隋朝灭亡了。隋朝是怎样灭亡的，鸡泊做强盗，容许妄自杀人。如今准备安定百姓，平定天下，怎么能够杀害忠良呢！”于是遍告军中说：“原先与王琮有仇怨而敢妄自行动者，夷灭三族！”任命王琮为瀛州刺史。这时河北郡县听说此事，争相归附窦建德。

此前，窦建德攻下景城，抓获户曹河东人张玄素，将要杀死他。县里老百姓一千多人号啕大哭，请求代他去死，说：“张户曹清廉谨慎无人可比，大王杀死他，用什么劝人行善！”窦建德就释放了张玄素，任命他为治书侍御史，张玄素坚决推辞。等到炀帝在江都身败，窦建德又任命张玄素为黄门侍郎，张玄素这才起身受命。饶阳令宋正本，博学而有才气，用平定河北的策略游说窦建德，窦建德吸收他做自己的军师。窦建德定都于乐寿，把他居住的地方命名为金城宫，全面设置文武百官。

这是本卷研析的重点。

在中国古代史上，有两个盛大的朝代：一是汉朝，二是唐朝。汉代大一统，由秦奠其基；唐代大一统，由隋奠其基。秦、隋两朝，都是二世而亡。隋唐之际与秦汉之际仿佛是一个历史周期的重演。唐代史家在总结隋亡唐兴的历史经验的时候，就把隋、秦做了比较，并得出这样的结论：“其隋之得失存亡，大较与秦相类。始皇并吞六国，高祖统一九州，二世虐用威刑，炀帝肆行猜毒，皆祸起于群盗，而身殒于匹夫。原始要终，若合符契矣。”（《隋书》卷七十史论）

所谓“群盗”，是对农民大起义的贬称。秦、隋两代，都是用武力削平长期分裂割据的纷乱之世，不仅武力强大，而且甚得民和。秦二世与隋炀帝，蒙故业，践丕基，自矜天命在躬，忽王业之艰难，不务仁道以恤众，外征内作，虐用其民，倏忽之间，天翻地覆，“率土分崩”，“子孙殄灭”，载舟之水，覆了水上之舟。为何历史有这样的重演，值得人们深思！

唐代史臣还把隋朝自身的两代皇帝做了对比。隋文帝开皇之初，只据有北方半个中国，户三百零三万；炀帝继位的大业之初，隋混一戎夏，户八百九十万，号称盛强。前后相较，“度土地之广狭，料户口之众寡，算甲兵之多少，校仓廪之虚实”，真是不可同日而语。“高祖扫江南以清六合”，一战平陈；“炀帝事辽东而丧天下”，三征高丽而折兵。论敌之实力，高丽不强于陈国，而事势何以有如此不同的结果？唐代史臣的答卷认为：“所为之迹同，所用之心异也。”这就是说，隋文帝用兵，进行的是统一战争，故“十有余载，戎车屡动，民亦劳止，不为无事。然其动也，思以安之，其劳也，思以逸之。是以民致时雍，师无怨讟，诚在于爱利，故其兴也勃焉”。

至于隋炀帝穷兵黩武，则是另一回事。他嗣承平之基，守已安之业，肆其淫放，虐用其民，视亿兆如草芥，顾群臣如寇仇，劳近以事远，求名而丧实。兵缠魏阙，阽危弗图，围解雁门，慢游不息。天夺之魄，人益其灾，群盗并兴，百殃俱起，自绝民神之望，故其亡也忽焉。唐代史臣所总结的“高祖之所以兴，而炀帝之所以灭”的这些原因，在今天看来也是十分中肯的（以上均引自《隋书》卷七十史论）。这是因为以魏徵为首的修《隋书》的史臣亲身经历了隋唐之际的大变化，又亲身参与了兴唐的治理恢复实践，故所言皆中的。

秦亡于横征暴敛，戍徭无已。而隋炀帝的横征暴敛，方之秦朝，有过之而无不及。大业元年（公元六〇五年），隋炀帝即位伊始，就营建东都，开运河，两大工程并举。营建东都，务求宏大而督役严急，每月役丁二百万。死者十之四五，有司以车载死丁，东至城皋，北至河阳，相望于道。炀帝开运河，第一期工程挖通济渠就征河南民夫一百万，两千余里、宽四十余步的大运河，督期五个月完成。筑京师、修运河，对于巩固统一的中央王朝和便利交通都是必需的。但如此不惜民力，用集权的主观意志盲目督期工程，那就是一场社会灾难。秦朝如是，隋朝如是，历代集权之主皆如是，这就不难理解隋唐之际的风云突变为重演秦汉之际的历史活剧的内在原因了。

如果说筑京师、修运河还有历史进步意义的话，那么隋炀帝三征高丽、三游江都，发动更大的征役，可以说纯是专制肆虐了。炀帝三次畅游江都（今江苏扬州），每次数千艘的船队，舳舻相接，绵延二百余里，耗费不赀；他为了进攻高丽，先限期在东莱（今山东莱州）督造大船三百艘，民夫日夜劳作于水下，腰下腐烂生蛆，死者十之三四；后又调拨江淮船只，将洛东仓米经永济渠转运涿郡，数十万民夫日夜辗转于运粮路上；同时调发全国青壮年，集中涿郡作为兵员。大业八年进攻高丽时，出兵一百一十三万多人，加上转运粮饷的民夫，近三四百万人。繁重的兵役、徭役和经济上的横征暴敛，永济渠沿岸居民，几乎找不到男丁，劳力缺乏，田园荒芜，再加上一场洪水，粮价上涨，百姓只有靠野菜树皮来艰难度日。齐郡邹平人王薄不堪隋朝统治者的残酷压迫，首义于长白山（今山东济南市章丘区），从此拉开了隋末农民大起义的序幕。紧接着全国各地到处响起了烽火之警，起义农民军达一百多支，参加者数百万之多，“大则跨州连郡，称帝称王；小则千百为群，攻剽城邑”。就这样，隋朝不久也就土崩瓦解了！

秦二世死于贼臣赵高之手，隋炀帝死于叛逆宇文化及之手，两者竟然也相似。秦二世与隋炀帝临近末日，完全醉生梦死，已知大势已去，整日心惊胆战，不允许任何人说叛乱，是地地道道的孤家寡人。隋炀帝一表人才，感慨他的好头颅不知谁来砍，他万万没有想到要他命的，恰恰是他的心腹。因为心腹整日伴君如伴虎，深知昏暴君主脾性，已被权力异化成了虎狼之性，全没了人性。昏暴之君的心腹因耳濡目染，同样被异化成了虎狼之性，他们也时时刻刻在觊觎孤家寡人的宝座，因此昏暴之君豢养叛逆之臣也是必然的规律。隋炀帝走了秦二世的老路，得了同样的下场，也就是自然的了。

卷第一百八十六　唐纪二

起著雍摄提格（戊寅，公元六一八年）八月，尽十二月，不满一年。

【题解】

本卷记事起公元六一八年八月，迄当年十二月，凡五个月史事，当唐高祖武德元年。数月间，全国军阀混战发生大逆转，最强势力李密因与强敌宇文化及和王世充连续作战，左右开弓而又轻敌，偃师之战遭到灭顶之灾，被迫降唐，寻又反唐而被诛戮。李密部众一部分降王世充，智能之士皆降唐，于是唐室势力大增。其间李世民平定陇右，解了后顾之忧，坐观关东军阀混战而养精蓄锐，占据了全局的主动权。王世充虽然得胜而受重创。窦建德在河北得势，但偏于一隅，不足为唐室之忧。全国各地的割据者，只是苟安一时。李密失败后，形成了唐王室、王世充、窦建德逐鹿中原、三足鼎立之势，而以唐王室最强。为了生存，王世充与窦建德合力抗唐已是必然之势。

【原文】

高祖神尧大圣光孝皇帝上之中

武德元年（戊寅，公元六一八年）

八月，薛举遣其子仁果①进围宁州②，刺史③胡演击却之。郝瑗言于举曰："今唐兵新破，关中骚动，宜乘胜直取长安。"举然之，会有疾而止。辛巳④，举卒⑤。太子仁果立，居于折墌城⑥，谥举曰武帝。

上欲与李轨共图秦、陇⑦，遣使潜诣凉州⑧，招抚之，与之书，谓之从弟⑨。轨大喜，遣其弟懋入贡。上以懋为大将军，命鸿胪少卿⑩张俟德⑪册拜轨为凉州总管，封凉王。

初，朝廷以安阳⑫令吕珉⑬为相州⑭刺史，更以相州刺史王德仁⑮为岩州⑯刺史。德仁由是怨愤，甲申⑰，诱山东⑱大使⑲宇文明达入林虑山⑳而杀之，叛归王世充。

己丑㉑，以秦王世民为元帅㉒，击薛仁果。

【语译】

高祖神尧大圣光孝皇帝上之中

武德元年（戊寅，公元六一八年）

八月，薛举派他儿子薛仁果进军围攻宁州，唐宁州刺史胡演打退了薛仁果。郝瑗对薛举说："现在唐兵刚刚战败，关中骚动不安，应当乘胜直取长安。"薛举同意他的看法，遇上自己有病而作罢。初九日辛巳，薛举去世。太子薛仁果继位，居住在折墌城，追谥薛举为武帝。

唐高祖想和李轨共同谋取秦、陇地区，派使节暗中前往凉州，招抚李轨，带书信给他，信中称李轨为堂弟。李轨大为高兴，派他的弟弟李懋前来长安进贡。唐高祖任命李懋为大将军，命令鸿胪少卿张俟德册封李轨为凉州总管，封为凉王。

当初，朝廷任命安阳令吕珉为相州刺史，改命相州刺史王德仁为岩州刺史。王德仁因此而怨愤，八月十二日甲申，他引诱山东大使宇文明达进入林虑山，杀死了他，背叛唐朝，归附了王世充。

八月十七日己丑，唐高祖任命秦王李世民为元帅，攻打薛仁果。

丁酉㉓，临洮㉔等四郡来降。

隋江都太守陈稜求得炀帝之柩㉕，取宇文化及所留辇辂鼓吹㉖，粗备天子仪卫㉗，改葬于江都宫㉘西吴公台㉙下。其王公以下，皆列瘗㉚于帝茔㉛之侧。

宇文化及之发江都㉜也，以杜伏威㉝为历阳太守。伏威不受，仍上表㉞于隋，皇泰主㉟拜伏威为东道大总管㊱，封楚王。

沈法兴㊲亦上表于皇泰主，自称大司马㊳、录尚书事㊴、天门公，承制置百官，以陈杲仁为司徒㊵，孙士汉为司空㊶，蒋元超为左仆射，殷芊为左丞，徐令言为右丞㊷，刘子翼为选部侍郎㊸，李百药㊹为府掾㊺。百药，德林之子也。

【段旨】

以上为第一段，写江都太守陈稜安葬隋炀帝。唐高祖忙于安集背后陇右，没有大举东出，隋室仍有相当影响力，杜伏威、沈法兴等归服皇泰主。

【注释】

①仁果：薛举长子。传见《旧唐书》卷五十五、《新唐书》卷八十六。新、旧《唐书》均为“仁杲”。②宁州：州名，治所在今甘肃宁县。③刺史：官名，秦代始置。原为朝廷派往各郡检举不法的官员。隋代以刺史为一州的行政长官。④辛巳：八月初九。⑤举卒：《旧唐书·高祖纪》武德元年（公元六一八年）文作“八月壬午，薛举死”，二书相差一日。⑥折墌城：城名，西魏筑，在今甘肃泾川东北。⑦秦、陇：古泛指今陕西西部与甘肃东部。⑧凉州：州名，治所在今甘肃武威。⑨从弟：堂弟。年纪小于自己的伯父或叔父的儿子。⑩鸿胪少卿：官名，从四品下。佐鸿胪卿掌宾客及凶仪之事，常受册出使诸蕃。⑪张俟德：唐初大臣，高祖武德初为鸿胪少卿。⑫安阳：县名，县治在今河南安阳。⑬吕珉（？至公元六一九年）：初为安阳令，后任相州刺史，被窦建德所杀。事迹见《旧唐书》卷五十四《窦建德传》。⑭相州：州名，治所在今河南安阳。⑮王德仁（？至公元六二一年）：隋末群雄之一，起于邺（今河南北部），号太公。后降唐，除岩州刺史。不久又叛归王世充。武德四年被秦王李世民所杀。事迹见《新唐书》卷一《高祖纪》。⑯岩州：州名，治所在今四川松潘西北。⑰甲申：八月十二日。⑱山东：太行山以东地区。⑲大使：官名，特派巡视各地的使节。⑳林虑山：一名隆虑山。在今河南

八月二十五日丁酉，临洮等四郡前来向唐朝投降。

隋朝的江都太守陈稜寻找到隋炀帝的灵柩，拿来宇文化及所留下的皇帝车驾和乐器，大体备齐了天子的仪仗，把隋炀帝改葬在江都宫西面的吴公台下。那些一同遇难的王公以下大臣，都排列埋葬在隋炀帝墓侧。

宇文化及从江都出发时，任命杜伏威为历阳太守。杜伏威不接受任命，仍然上表称臣于隋，皇泰主任命杜伏威为东道大总管，封为楚王。

沈法兴也向皇泰主上表，自称大司马、录尚书事、天门公，按皇帝旨意设置百官，任命陈杲仁为司徒，孙士汉为司空，蒋元超为左仆射，殷芊为左丞，徐令言为右丞，刘子翼为选部侍郎，李百药为府掾。李百药是李德林的儿子。

林州西。㉑己丑：八月十七日。㉒元帅：武官名，全军的统帅。㉓丁酉：八月二十五日。㉔临洮：郡名，治所在今甘肃临潭。㉕柩：装着尸体的棺材。㉖辇辂鼓吹：辇辂，辇车。辇，古时用人拉的车，指皇帝坐的车。辂，古代的一种大车。鼓吹，古代奏演鼓吹乐的乐队。㉗仪卫：仪仗侍卫。㉘江都宫：隋炀帝置，在今江苏扬州西。㉙吴公台：又名鸡台，在今江苏扬州西北。据传，此为陈吴明彻进攻广陵时所筑弩台，从上射击城中。㉚瘗：掩埋；埋葬。㉛茔：墓地。㉜宇文化及之发江都：宇文化及弑隋炀帝，立恭帝杨侑，旋即夺江都人舟楫，取彭城水路西归。㉝杜伏威（？至公元六二四年）：齐州章丘（今属山东）人，隋末在江淮地区起事反隋。传见《旧唐书》卷五十六、《新唐书》卷九十二。㉞上表：给皇帝送奏章。㉟皇泰主：指隋越王侗。皇泰为越王杨侗年号。㊱大总管：官名，地方军政长官。隋及唐初在各州设总管，边镇或大州设大总管。㊲沈法兴（？至公元六二〇年）：隋末割据者，湖州五康（今浙江德清西）人。传见《旧唐书》卷五十六、《新唐书》卷八十七。㊳大司马：官名，各朝职掌不同。秦汉时以大司马、大司徒、大司空并称三公，为共同负责的政务长官。隋唐仍有此官，但为虚衔。㊴录尚书事：官名，独揽大权，无所不总，位在三公上。隋以后废此职。录，总领之意。㊵司徒：官名，初为主管教化的官。隋唐时作为高官之加官，仅是一种崇高的虚衔。㊶司空：官名，初为主管建筑工程、制造车服器械、监督手工业奴隶的官。隋唐时作为高官之加官，仅是一种崇高的虚衔。㊷右丞：官名，此为尚书右丞。上句“左丞”指尚书左丞。据《隋书·百官志》载：尚书左丞、尚书右丞，从四品。其职是辅佐尚书令及左右仆射，分别管理尚书省事。㊸选部侍郎：官名，选部，即吏部，掌管全国官吏的任免、考课、升降、调动之事。长官为吏部尚书，副长官为侍郎。㊹李百药（公元五六五至六四八年）：唐初史学家，字重规，安平（今属河北）人，唐时，历任中书舍人、散骑常侍。传见《旧唐书》卷七十二、《新唐书》卷一百二。㊺府掾：府内属官。

【原文】

九月，隋襄国[46]通守[47]陈君宾来降，拜邢州[48]刺史。君宾，伯山[49]之子也。

虞州[50]刺史韦义节攻隋河东[51]通守尧君素，久不下，军数不利。壬子[52]，以工部尚书独孤怀恩代之。

初，李密既杀翟让[53]，颇自骄矜，不恤士众。仓粟虽多，无府库钱帛，战士有功，无以为赏。又厚抚初附之人[54]，众心颇怨。徐世勣尝因宴会刺讥其短，密不怿[55]，使世勣出镇黎阳，虽名委任，实亦疏之。

密开洛口仓[56]散米，无防守典当者[57]，又无文券[58]，取之者随意多少。或离仓之后，力不能致，委弃衢路，自仓城至郭门[59]，米厚数寸，为车马所轥践[60]。群盗来就食者并家属近百万口，无瓮盎[61]，织荆筐淘米，洛水[62]十里两岸之间，望之皆如白沙。密喜，谓贾闰甫曰："此可谓足食矣！"闰甫对曰："国以民为本，民以食为天[63]。今民所以襁负如流而至[64]者，以所天在此故也。而有司曾无爱吝[65]，屑越[66]如此，窃恐一旦米尽民散，明公[67]孰[68]与成大业哉！"密谢之，即以闰甫判[69]司仓参军事[70]。

密以东都[71]兵数败微弱，而将相自相屠灭，谓旦夕[72]可平。王世充既专大权，厚赏将士，缮治器械，亦阴图取密。时隋军乏食，而密军少衣，世充请交易，密难之。长史邴元真等各求私利，劝密许之。先是，东都人归密者，日以百数[73]。既得食，降者益少，密悔而止。

密破宇文化及还，其劲卒[74]良马多死，士卒疲病。世充欲乘其弊击之，恐人心不壹，乃诈称左军卫士张永通三梦周公[75]，令宣意[76]于世充，当勒兵相助[77]击贼。乃为周公立庙，每出兵，辄先祈祷。世充令巫宣言周公欲令仆射急讨李密，当有大功，不即[78]兵皆疫死。世充兵多楚人[79]，信妖言，皆请战。世充简练精锐得二万余人，马二千余匹。壬子[80]，出师击密，旗幡之上皆书"永通"字[81]，军容甚盛。癸丑[82]，至偃师，营于通济渠[83]南，作三桥于渠上。密留王伯当[84]守金墉[85]，自引精兵出偃师，阻邙山[86]以待之。

【语译】

九月，隋襄国通守陈君宾前来投降唐朝，被任命为邢州刺史。陈君宾是陈伯山的儿子。

唐虞州刺史韦义节攻打隋河东通守尧君素，很久没有攻下，军队数次失利。九月初十日壬子，任命工部尚书独孤怀恩代替韦义节。

当初，李密杀死翟让后，自己颇为骄傲，不体恤士卒。仓库的粮食虽然很多，但没有府库钱帛，战士有了战功，没有东西用来赏赐。又对刚来归附的人厚施抚慰，大家心里颇为怨恨。徐世勣曾借宴会讥刺李密的短处，李密心里不高兴，让徐世勣出镇黎阳，名义上虽然是委以重任，实际上是疏远他。

李密打开洛口仓散发粮食，没有防卫和主管人员，分发粮米又没有凭证，领取粮米的人随意取多少。有的人离开粮仓之后，没有力量背走粮食，就丢弃在街上，从仓城到外城门，米有几寸厚，被车马践踏。成群的盗贼前来就食的连同家属有近百万人，没有瓮盆，就编成荆条筐淘米，洛水十里两岸之内，看上去都像白沙。李密很高兴，对贾闰甫说："这可以说是足够吃的了！"贾闰甫回答："国以民为本，民以食为天。现在老百姓所以背着婴儿像流水一样到来，是因为他们所依赖的天在这里的缘故。而有关官府却不曾爱惜，这样随意糟蹋抛弃，我私下担心一旦粮食光了，百姓散去，明公和谁来完成大业啊！"李密对他表示感谢，当即任命贾闰甫为判司仓参军事。

因为东都的军队数次战败，兵力弱小，而将相之间自相残杀，李密认为旦夕之间可以平定东都。王世充专掌大权后，重赏将士，修整器械，也暗中筹划攻取李密。当时隋军缺粮，而李密的军队缺少衣服，王世充请求交换，李密感到为难。长史邴元真等人各自谋求私利，劝李密答应王世充。在此之前，东都归附李密的，每天有几百人。王世充得到粮食之后，投降的人日益减少，李密后悔了，停止了交换。

李密打败宇文化及后返回，他的劲卒良马大多战死，士兵疲惫生病。王世充打算趁着李密军队疲弊而攻击他，又怕人心不一，于是谎称左军卫士张永通三次梦到周公，让他把周公的意思转告给王世充，应该部署军队互相协助打击敌人。于是为周公建立庙宇，每次出兵，总要先到庙里祈祷。王世充命祭祀的巫师声称周公想让仆射紧急讨伐李密，当会建立大功，不然的话，士兵都会染上瘟疫死去。王世充的士兵大多是楚地人，相信巫师的妖言，都请求出战。王世充挑选精锐士卒得到二万多人，战马二千多匹。九月初十日壬子，出兵攻打李密，旗帜上都写上"永通"字样，阵容极为盛大。十一日癸丑，到达偃师，在通济渠南边扎营，在渠上建造了三座桥梁。李密留下王伯当守卫金墉城，自己带领精兵从偃师出发，以邙山作为屏障，等候王世充的军队。

密召诸将会议，裴仁基[87]曰："世充悉众而至，洛[88]下必虚，可分兵守其要路，令不得东[89]。简精兵三万，傍河西出以逼东都。世充还，我且按甲[90]；世充再出，我又逼之。如此，则我有余力，彼劳奔命，破之必矣。"密曰："公言大善。今东都兵有三不可当：兵仗精锐，一也；决计深入，二也；食尽求战，三也。我但乘城[91]固守，蓄力以待之。彼欲斗不得，求走无路，不过十日，世充之头可致麾下[92]。"陈智略、樊文超、单雄信皆曰："计世充战卒甚少，屡经摧破，悉已丧胆。《兵法》曰'倍则战[93]'，况不啻[94]倍哉！且江、淮新附之士，望因此机展其勋效[95]，及其锋[96]而用之，可以得志。"于是诸将喧然[97]，欲战者什七八。密惑[98]于众议而从之。仁基苦争不能得，击地叹曰："公后必悔之。"魏徵言于长史郑颋曰："魏公虽骤胜[99]，而骁将锐卒多死，战士心怠[100]，此二者难以应敌。且世充乏食，志在死战，难与争锋，未若深沟高垒以拒之。不过旬月[101]，世充粮尽，必自退，追而击之，蔑[102]不胜矣。"颋曰："此老生之常谈耳。"征曰："此乃奇策，何谓常谈！"拂衣而起。

程知节[103]将内马军[104]与密同营[105]在北邙山上，单雄信将外马军营于偃师城北。世充遣数百骑渡通济渠攻雄信营，密遣裴行俨与知节助之。行俨先驰赴敌，中流矢，坠于地。知节救之，杀数人，世充军披靡，乃抱行俨重骑[106]而还。为世充骑所逐，刺槊[107]洞过[108]，知节回身捩折[109]其槊，兼斩追者，与行俨俱免。会日暮，各敛兵还营。密骁将孙长乐等十余人皆被重创。

密新破宇文化及，有轻世充之心，不设壁垒[110]。世充夜遣二百余骑潜入北山[111]，伏溪谷[112]中，命军士皆秣马蓐食[113]。甲寅[114]旦[115]，将战，世充誓众曰："今日之战，非直[116]争胜负，死生之分，在此一举。若其捷也，富贵固所不论；若其不捷，必无一人获免。所争者死，非独为国，各宜勉之！"迟明[117]，引兵薄[118]密。密出兵应之，未及成列，世充纵兵击之。世充士卒皆江、淮剽勇，出入如飞。世充先索得一人貌类密者，缚而匿[119]之。战方酣[120]，使牵以过陈前，噪曰："已获李密矣！"

李密召集各位将领开会商议，裴仁基说：“王世充调动全部军队来到这里，洛阳城下必然空虚，我们可以分兵把守王世充军队将要经过的要道，让他不能东进。我们挑选三万精兵，沿黄河西进以逼东都。王世充如果返回，我们暂时按兵不动；王世充再次进军，我们再次逼近东都。这样，我们行有余力，他们疲于奔命，打败王世充是必然的。”李密说：“公所言甚好。但现在东都的军队有三点不可抵挡：武器精良，这是一；决心深入我方，这是二；粮食吃完了，求一死战，这是三。我们只要登城固守，积蓄力量等待敌军。他们想交战却打不成，寻找退兵机会又无路可走，不过十天，王世充的头就可以送到我们帐下。”陈智略、樊文超、单雄信都说：“估计王世充能作战的士兵很少，屡经摧毁，全已吓破了胆。《兵法》说‘己方兵力是对方的一倍就可以交战’，何况不止一倍呢！况且江、淮刚降附的士兵，希望乘此机会展示自己的功绩，趁着他们有这样的锐气而用他们作战，就可以成功。”于是众将哗然，想作战的占了十之七八。李密受到大家议论的迷惑，听从了他们的意见。裴仁基苦苦争辩，没有说服大家，他用力击地叹息说：“你以后一定后悔。”魏徵对长史郑颋说：“魏公虽然迅速获胜，但是精兵骁将大多战死，士兵心身倦怠，有这两种情况，就难以应敌。况且王世充缺粮，志在拼死作战，很难和他争锋决战，不如挖深壕沟，加高壁垒抵御他。不过十天半月，王世充粮食光了，必会自己退兵，那时再追踪攻击他，没有不取胜的道理。”郑颋说：“这是老生常谈罢了。”魏徵说：“这是奇策，怎么说是老生常谈！”拂袖起身而去。

程知节带领内马军与李密一起扎营在北邙山上，单雄信带领外马军驻扎在偃师城北。王世充派遣几百名骑兵渡过通济渠攻打单雄信的营寨，李密派遣裴行俨和程知节援助单雄信。裴行俨率先驰马奔向敌军，被流箭射中，从马上坠落到地上。程知节救起裴行俨，杀死数人，王世充的军队退缩，程知节于是抱着裴行俨两人骑一马返回。程知节被王世充的骑兵追赶时，长矛刺穿了他的身体，程知节反身折断刺在身上的长矛，又杀了追兵，和裴行俨一起脱身。正好天色已暗，双方各自收兵回营。李密手下的猛将孙长乐等十多人都受了重伤。

李密刚刚打败宇文化及，心中有些轻视王世充，不设置壁垒。王世充夜里派遣二百多名骑兵潜入北邙山，埋伏在溪谷中，命令士兵都喂好马匹，坐在草垫上吃饱饭。九月十二日甲寅清晨，即将交战，王世充誓师说：“今天的作战，不只是争胜负，生与死的命运，在此一举。如果战胜，荣华富贵固然不用说；如果不胜，必定没有一个人脱身。是与死在相争，不只是为了国家，各位应该努力了！”天将亮，率兵逼近李密部队。李密出兵应战，没等到排好阵势，王世充就纵兵攻击。王世充的士兵都是长江、淮河流域的剽悍勇猛之人，出入如飞。王世充事先找到一个貌似李密的人，捆起来藏着他。战斗正激烈时，让人牵着这个人走过阵前，大声鼓噪说：“已经抓获李密了！”士兵

士卒皆呼万岁。其伏兵发，乘高而下，驰压[121]密营，纵火焚其庐舍[122]。密众大溃，其将张童仁[123]、陈智略[124]皆降，密与万余人驰向洛口[125]。

世充夜围偃师。郑颋守偃师，其部下翻城纳世充[126]。初，世充家属在江都，随宇文化及至滑台，又随王轨[127]入李密。密留于偃师，欲以招世充。及偃师破，世充得其兄世伟，子玄应、虔恕[1]、琼等，又获密将佐[128]裴仁基、郑颋、祖君彦等数十人。世充于是整兵向洛口，得邴元真[129]妻子、郑虔象[130]母及密诸将子弟，皆抚慰之，令潜[131]呼其父兄。

初，邴元真为县吏，坐赃亡命[132]，从翟让于瓦冈[133]。让以其尝为吏，使掌书记。及密开幕府[134]，妙选时英[135]，让荐元真为长史，密不得已用之，行军谋画，未尝参预。密西拒世充，留元真守洛口仓。元真性贪鄙，宇文温[136]谓密曰："不杀元真，必为公患。"密不应。元真知之，阴谋叛密。杨庆[137]闻之，以告密，密固疑[138]焉。至是，密将入洛口城，元真已遣人潜引世充矣。密知而不发，因与众谋，待世充兵半济[139]洛水[140]，然后击之。世充军至，密候骑[141]不时觉[142]，比将[143]出战，世充军悉已济矣。单雄信[144]等又勒兵自据。密自度不能支，帅麾下轻骑奔虎牢[145]，元真遂以城降。

初，雄信骁捷，善用马槊，名冠诸军，军中号曰"飞将"。彦藻[146]以雄信轻于去就[147]，劝密除之。密爱其才，不忍也。及密失利，雄信遂以所部降世充。

密将如黎阳[148]，或曰："杀翟让之际，徐世勣几死[149]，今失利而就之，安可保乎！"时王伯当弃金墉保河阳，密自虎牢归之，引诸将共议。密欲南阻河[150]，北守太行[151]，东连黎阳，以图进取。诸将皆曰："今兵新失利，众心危惧，若更停留，恐叛亡不日而尽。又人情不愿，难以成功。"密曰："孤[152]所恃者众也，众既不愿，孤道穷矣！"欲自刎以谢众。伯当抱密号绝[153]，众皆悲泣。密复曰："诸君幸不相弃，当共归关中[154]，密身虽无功，诸君必保富贵。"府掾[155]柳燮曰："明公与唐公[156]同族，兼有畴昔[157]之好，虽不陪起兵，然阻东都，断隋归路，使

们都高呼万岁。那些埋伏的骑兵出击，从高处冲下来，快马压向李密营地，放火焚烧李密营中的房屋。李密部队大量溃散，他的将领张童仁、陈智略都投降了，李密和一万多人骑马奔向洛口。

王世充在夜里包围了偃师。郑颋守卫偃师，他的部下翻过城墙，让王世充入城。当初，王世充的家属在江都，随宇文化及到达滑台，又跟随王轨进入李密军营中。李密把他们留在偃师，想以此招引王世充。等到偃师被攻破，王世充找到了他的兄长王世伟，儿子王玄应、王虔恕、王琼等人，又抓获了李密的将佐裴仁基、郑颋、祖君彦等几十人。王世充于是整顿军队向洛口进发，获得邴元真的妻子儿女、郑虔象的母亲以及李密诸将的子弟，对他们都进行安抚宽慰，让他们暗中招引还在李密军中的父兄亲人。

当初，邴元真担任县吏，犯有贪污罪而出奔逃命，跟随翟让到了瓦岗。翟让因为他曾经当过县吏，让他掌管军中文书。等到李密设置幕府，精心挑选当时彦俊之士，翟让推荐邴元真为长史，李密不得已，任用了他，行军谋划，未曾参与。李密西进抵抗王世充时，留下邴元真守卫洛口的粮仓。邴元真性情贪婪卑鄙，宇文温对李密说："不杀邴元真，必然成为你的祸患。"李密没有回应。邴元真知道了此事，阴谋背叛李密。杨庆听说了，向李密告密，李密本来就对邴元真有疑心。到这时，李密将要进入洛口城，邴元真已经派人暗中引来王世充的军队了。李密知道了而没有行动，乘机和众人谋划，等到王世充的军队在洛水行至半途时，然后攻击对方。王世充军队到了洛水，李密的侦察骑兵没有及时发现，等到将要出击时，王世充的军队已经全部渡过了洛水。单雄信等人又部署自己的军队自守。李密自己估计支撑不住，便率领部下轻骑兵奔往虎牢，邴元真于是拿洛口城投降了王世充。

当初，单雄信骁勇敏捷，善于马上使用长枪，名冠诸军，军中号称他为"飞将"。房彦藻认为单雄信来去轻率，劝李密除掉他。李密爱惜单雄信的才能，不忍心下手。等到李密这次失利，单雄信便率领他所辖部众投降了王世充。

李密将要去黎阳，有人说："杀翟让的时候，徐世勣几乎被杀死，现在失利了，到他那里，怎么能保险呢！"当时王伯当丢弃了金墉城据守河阳，李密从虎牢回到河阳，召集诸将共同商议。李密想南面以黄河为险阻，北面守住太行山，东面联合黎阳，再设法进取。众将都说："现在军队刚刚失利，人心危惧，如果再作停留，恐怕用不了几天人就叛逃光了。再者，人心不愿意如此，事情难以成功。"李密说："孤所依靠的就是大家，大家既然不愿意，孤的路就走到头了！"打算自刎来向众人谢罪。王伯当抱住李密号啕大哭而昏厥，大家也都悲伤哭泣。李密又说："诸位幸而不抛弃我，应当一起归附关中，密虽然自身没有功劳，诸位必能保有富贵。"府掾柳燮说："明公和唐公是同一宗族，加上过去的友好关系，虽然没有陪同唐公起兵，但是阻截东都，切断隋军的归路，使唐公不用作战就占据了长安，这也是明

唐公不战而据长安，此亦公之功也。”众咸[158]曰：“然。”密又谓王伯当曰：“将军[159]室家重大[160]，岂复与孤俱行哉？”伯当曰：“昔萧何[161]尽帅子弟以从汉王[162]，伯当恨不兄弟俱从，岂以公今日失利遂轻去就乎！纵身份原野[163]，亦所甘心！”左右莫不感激，从密入关者凡二万人。于是密之将帅、州县多降于隋。朱粲亦遣使降隋，皇泰主以粲为楚王。

【段旨】

以上为第二段，写李密轻敌为王世充所大破，困迫降唐。

【注释】

㊻襄国：郡名，治所在今河北邢台。㊼通守：官名，隋炀帝时设置，管理一郡军民事务，职位略低于太守。㊽邢州：郡名，治所在今河北邢台。㊾伯山：陈文帝之子。㊿虞州：州名，治所在今山西运城东北。51河东：郡名，治所在今山西永济西南蒲州镇。52壬子：九月初十。53翟让（？至公元六一七年）：隋末瓦岗军首领，东郡韦城（今河南滑县东南）人。李密投奔翟让后，取得全军领导权，重用隋降官降将，于义宁元年（公元六一七年）十一月杀害翟让，致使部众离心。事迹见《旧唐书》卷五十三《李密传》、《新唐书》卷八十四《李密传》。54初附之人：刚刚归附的人。55怿：喜悦。56洛口仓：一名兴洛仓。隋大业二年（公元六〇六年）筑，在今河南巩义东北。57无防守典当者：没有防卫仓库和主管发粮的人。58文券：凭证；凭据。59仓城至郭门：从洛口仓城到外城门。60蹂践：碾压、践踏。61瓮盎：瓦器。62洛水：一作雒水。即今河南洛河。63民以食为天：比喻粮食是百姓赖以生存的最重要的东西。64襁负如流而至：背着婴孩像流水般到来。65爱吝：爱惜。66屑越：形容糟蹋抛弃，狼藉遍地。67明公：对于位尊者之敬称。此指李密。68孰：疑问代词，谁。69判：高位兼低职或京官带职出任地方官称为判。70司仓参军事：官名，掌管公廨、度量、庖厨、仓库、租赋征收、田园、市肆等事。71东都：隋大业五年改东京洛阳为东都。72旦夕：比喻时间短。73日以百数：每天有几百人。74劲卒：强兵。75周公：周公旦，又称叔旦，周武王之弟，采邑在周（今陕西岐山北），故称周公。曾助武王灭商，成王时一度摄政，平定叛乱，制礼作乐，巩固了西周政权。事见《史记·鲁周公世家》。76宣意：宣明心意。77当勒兵相助：谓周公当率兵相助。78不即：不然的话。79楚人：楚在西周时都丹阳（今湖北秭归东南）。此处的楚人，当指湖南人。80壬子：九月初十。81皆书“永通”字：以张永通

公的功劳。”大家都说：“的确是这样。”李密又对王伯当说：“将军的家室庞大，难道还与孤一起走吗？”王伯当说：“过去萧何率领全部子弟随从汉王，伯当恨不得兄弟们全都相随，怎么能因为明公今天的失利就轻易离去呢！即使分尸原野，也心甘情愿！”李密身边的人无不感动，跟随李密入关的共有二万人。在这时，李密的将帅、州县大多投降了隋朝。朱粲也派使者向隋朝投降，皇泰主任命朱粲为楚王。

宣周公之意，故旗幡书“永通”字，以表神助。⑧² 癸丑：九月十一日。⑧³ 通济渠：隋大业元年凿，唐改名广济渠。当时又习称西段为漕渠或洛水，东段为汴水或汴渠。⑧⁴ 王伯当（？至公元六一八年）：荥阳浚仪（今河南开封）人，隋末为瓦岗军将领。事迹见新、旧《唐书·李密传》。⑧⁵ 金墉：城名，三国魏明帝时筑，在今河南洛阳东北魏、晋洛阳故城西北隅。唐贞观后城废。⑧⁶ 邙山：山名，在今河南洛阳北。⑧⁷ 裴仁基（？至公元六一九年）：字德本，河东（今山西永济西）人，隋朝大臣，后归李密。密败，为王世充所虏，署为礼部尚书。仁基谋归唐，被世充所杀。传见《隋书》卷七十。⑧⁸ 洛：州名，唐初改河南郡置，治所在洛阳县（今河南洛阳东北）。⑧⁹ 令不得东：使其军队不能东进。⑨⁰ 按甲：按兵不动。⑨¹ 乘城：登城。⑨² 麾下：旗下。⑨³ 倍则战：超过一倍的军力就可以攻战。⑨⁴ 不啻：不只。⑨⁵ 展其勋效：表现其功绩。⑨⁶ 及其锋：趁这股锋锐。⑨⁷ 喧然：哗然。⑨⁸ 惑：迷惑。⑨⁹ 骤胜：急速取胜。⑩⁰ 心怠：身心倦怠。⑩¹ 旬月：十天以至一月。⑩² 蔑：无。⑩³ 程知节（？至公元六六五年）：程咬金，唐初将领，济州东阿（今属山东）人。传见《旧唐书》卷六十八、《新唐书》卷九十。⑩⁴ 内马军：《旧唐书·程知节传》载：时密于军中简勇士尤异者八千人，隶四骠骑，分为左右以自卫，号为“内军”。⑩⁵ 同营：一起扎营。⑩⁶ 重骑：二人共骑一马。⑩⁷ 槊：古代兵器，杆比较长的矛。⑩⁸ 洞过：通过。⑩⁹ 捩折：拗而折之。⑪⁰ 壁垒：营垒。⑪¹ 北山：即北邙山。⑪² 溪谷：地面上向一定方向倾斜的低凹地。⑪³ 秣马蓐食：秣马，喂马。蓐食，坐在草垫上吃饭。⑪⁴ 甲寅：九月十二日。⑪⁵ 旦：早晨。⑪⁶ 直：只。⑪⁷ 迟明：黎明。⑪⁸ 薄：迫近。⑪⁹ 匿：藏。⑫⁰ 战方酣：战斗正激烈。⑫¹ 驰压：快马迫近。⑫² 庐舍：房舍。⑫³ 张童仁（？至公元六二一年）：即张童儿，为宇文化及部将，后归李密，又降王世。武德四年（公元六二一年）被李世民所杀。事迹见《旧唐书》卷五十三《李密传》、《新唐书》卷八十四《李密传》。⑫⁴ 陈智略：原为宇文化及部将，化及败，归李密。后被李世民所擒。事迹见新、旧《唐书·李密传》。⑫⁵ 洛口：地名，在今河南巩义东北。⑫⁶ 翻城纳世充：翻过城墙以迎纳王世充。⑫⁷ 王轨（？至公元六一九年）：原为宇文化及所署刑部尚书，留守东都，后降李密。武德二年被奴所杀。事迹见新、旧《唐书·李密传》。⑫⁸ 将佐：部将。武

官的通称。[129]郈元真：原为隋县吏，后投奔翟让、李密。[130]郑虔象：李密部下。郈元真与郑虔象事迹均见新、旧《唐书·李密传》。[131]潜：暗地。[132]坐赃亡命：因犯贪赃罪而出奔逃命。[133]瓦冈：瓦岗寨。在今河南滑县南。[134]幕府：古代将帅办公的地方。[135]妙选时英：精选当时彦俊之士。[136]宇文温：李密部将。[137]杨庆：隋朝宗室，河间王杨弘之子，袭封郇王。降唐，为宜州刺史、郇国公。传见《隋书》卷四十三、《北史》卷七十一。[138]固疑：本来就怀疑。[139]半济：渡到河中间。[140]洛水：河南洛河。[141]候骑：放哨侦察的骑兵。[142]不时觉：未及时发觉。[143]比将：及将。[144]单雄信（？至公元六二一年）：曹州（今山东曹县西北）人，李密将，后降王世充，为大将。东都平，斩于洛阳。事迹见新、旧《唐书·李密传》。[145]虎牢：地名，在今河南荥阳西北汜水镇西。[146]彦藻：即李密部将房彦藻。是年二月彦藻死，此为追叙日前事。[147]轻于去就：指容易背叛。去就，离去来就。[148]将如黎阳：即将前往黎阳。黎阳，郡名，治所在今河南浚县东北。[149]徐世勣几死：指义宁元年十一月李密杀翟让时，徐世勣也差一点被杀。[150]南阻河：南面以黄河为阻。[151]太行：今山西、河北、河南三省交界处的太行山。[152]孤：我。王公自谦之

【原文】

甲寅[164]，秦州[165]总管[166]窦轨击薛仁果，不利。骠骑将军刘感镇泾州，仁果围之。城中粮尽，感杀所乘马以分将士。感一无所啖[167]，唯煮马骨取汁和木屑食之，城垂陷[168]者数矣。会长平王叔良[169]将士[170]至泾州，仁果乃扬言食尽，引兵南去。乙卯[171]，又遣高墌[172]人伪以城降。叔良遣感帅众赴之。己未[173]，至城下，扣门[174][2]，城中人曰："贼已去，可逾城入。"感命烧其门，城上下水灌之。感知其诈，遣步兵先还，自帅精兵为殿[175]。俄而城上举三烽[176]，仁果兵自南原[177]大下，战于百里细川[178]，唐军大败，感为仁果所擒。仁果复围泾州，令感语城中云："援军已败，不如早降。"感许之，至城下，大呼曰："逆贼饥馁[179]，亡在旦夕。秦王帅数十万众，四面俱集，城中勿忧，勉之！"仁果怒，执感，于城旁埋之至膝，驰骑射之[180]，至死，声色逾厉。叔良婴城[181]固守，仅能自全。感，丰生[182]之孙也。

庚申[183]，陇州[184]刺史陕人常达击薛仁果于宜禄川[185]，斩首千余级。

称。⑬ 号绝：因痛哭而昏过去。⑭ 关中：地区名，相当于今陕西中部。旧说在东函谷关、南武关、西散关、北萧关等四关之中。⑮ 府掾：府内属官。⑯ 唐公：指袭封唐公的李渊。⑰ 畴昔：从前。⑱ 咸：都。⑲ 将军：官名，高级军事长官。此为对王伯当之尊称。⑳ 室家重大：家室庞大。㉑ 萧何（？至公元前一九三年）：西汉初大臣，沛（今江苏沛县）人，秦二世元年（公元前二〇九年）佐刘邦起义。楚汉相争，萧何悉率子弟诣刘邦，是高祖刘邦的得力谋臣。事见《史记》卷五十三《萧相国世家》、《汉书》卷三十九《萧何传》。㉒ 汉王：汉高祖刘邦。㉓ 身份原野：分尸原野。

【校记】

［1］虔恕：当作"玄恕"，《旧唐书》卷五十四《王世充传》，《新唐书》卷八十五《王世充传》、卷一百九十八《陆元朗传》皆载世充有子名玄恕，世充僭号，封子玄应为太子，子玄恕为汉王。

【语译】

九月十二日甲寅，唐秦州总管窦轨进攻薛仁果，作战不利。唐骠骑将军刘感镇守泾州，薛仁果包围了他。泾州城中粮食没有了，刘感杀了坐骑把马肉分给将士。自己一点也不吃，只用煮马骨头的汤拌着木屑吃，泾州城数次濒临陷落。适逢唐长平王李叔良率兵来到泾州，薛仁果就扬言粮食吃光了，带兵南去。十三日乙卯，薛仁果又派高墌人假装以城池投降。李叔良派遣刘感率部下前往高墌。十七日己未，刘感来到高墌城下，敲城门，城里的人说："贼军已经离开，你们可以翻过城墙进城。"刘感下令火烧高墌城门，城上的人从上往下浇水灭火。刘感知道高墌人是假装投降，让步兵先返回，自己带领精兵殿后。不一会儿，城上举起三处烽火，薛仁果的军队从南原大量冲过来，双方在百里细川交战，唐军大败，刘感被薛仁果俘获。薛仁果又包围了泾州，命令刘感告诉城中人说："援军已经战败，不如尽早投降。"刘感答应了薛仁果，到了城下，大声呼喊说："叛贼饥饿，灭亡就在旦夕。秦王率领数十万军队，从四面八方一起聚集，城里的人不要担心，努力啊！"薛仁果大怒，捉住刘感，在城旁把刘感活埋到膝盖，骑马奔驰，射击刘感，一直到死，刘感的喊声更高，脸色更为壮烈。李叔良环城固守，仅能保住城池。刘感是刘丰生的孙子。

九月十八日庚申，唐陇州刺史陕人常达在宜禄川攻击薛仁果，斩首一千多级。

上遣从子⑱襄武公琛、太常卿⑱郑元璹以女妓遗突厥[3]始毕可汗⑱。壬戌⑱，始毕复遣骨咄禄特勒⑲来。

癸亥⑲，白马⑲道士傅仁均⑲造《戊寅历》⑲成，奏上，行之。

薛仁果屡攻常达⑲，不能克，乃遣其将仵士政以数百人诈降，达厚抚之。乙丑⑲，士政伺隙以其徒劫达，拥⑲城中二千人降于仁果。达见仁果，词色不屈，仁果壮而释之⑲。奴贼帅张贵谓达曰："汝识我乎？"达曰："汝逃死奴贼耳！"贵怒，欲杀之，人救之，得免。

辛未⑲，追谥隋太上皇为炀帝。

宇文化及至魏县⑳，张恺⑳等谋去之，事觉，化及杀之。腹心稍尽⑳，兵势日蹙⑳，兄弟更无他计，但相聚酣宴，奏女乐。化及醉，尤⑳智及⑳曰："我初不知，由汝为计，强来立我。今所向无成，士马日散，负弑君之名，天下所不容。今者灭族，岂不由汝乎！"持⑳其两子而泣。智及怒曰："事捷之日，初不赐尤，及其将败，乃欲归罪，何不杀我以降窦建德！"数相斗阋⑳，言无长幼，醒而复饮，以此为恒⑳。其众多亡，化及自知必败，叹曰："人生固当死，岂不⑳一日为帝乎！"于是鸩杀⑳秦王浩⑳，即皇帝位于魏县，国号许⑳，改元天寿，署置百官。

【段旨】

以上为第三段，写唐高祖遣兵争陇右，宇文化及穷途末路称帝。

【注释】

⑯甲寅：九月十二日。⑯秦州：州名，治所在今甘肃天水市。⑯总管：官名，督军之官，即地方军政长官，隋及唐初在各州设总管，边镇或大州设大总管。镇守一方者，谓之某州总管，出任征讨者，则称某道行军总管。⑯啖：吃。⑯垂陷：将陷。⑯长平王叔良（？至公元六二一年）：唐高祖从父弟。武德元年（公元六一八年）拜刑部侍郎，进爵为王。率军御薛举，遭伏击，败绩。武德四年在抵御突厥入侵时战死。传见《旧唐书》

唐高祖派他的侄子襄武公李琛、太常卿郑元璹把舞女歌伎送给突厥始毕可汗。二十日壬戌，始毕又派遣骨咄禄特勒来唐。

九月二十一日癸亥，白马县的道士傅仁均编成《戊寅历》，奏呈朝廷，朝廷颁行《戊寅历》。

薛仁果多次进攻常达，没有攻克，于是派他的将领仵士政带领几百人诈降，常达优厚地抚慰仵士政。九月二十三日乙丑，仵士政伺机带领他的部下劫持了常达，聚集城中的二千人投降薛仁果。常达见到薛仁果，言辞脸色都不屈服，薛仁果认为他豪壮，释放了常达。原为常达奴仆的张贵此时当了薛仁果的将领，他对常达说："你还认识我吗?"常达说："你是逃跑的该死的奴才盗贼而已!"张贵大怒，打算杀了常达，有人救下他，得以免死。

九月二十九日辛未，唐高祖为隋太上皇追加谥号为炀帝。

宇文化及到了魏县，张恺等人谋划离开他，事情被发觉，宇文化及杀了张恺等人。宇文化及的心腹逐渐没了，兵力日益吃紧，宇文化及兄弟再无其他计策，只是相聚畅饮，演奏歌舞。宇文化及喝醉后，埋怨宇文智及说："我当初不了解情况，由你决定了大计，强行立我为首。如今四向征战一事无成，兵马日益逃散，背负弑君的名声，为天下所不容。如今诛灭全族，难道不是因为你吗!"拉着两个儿子哭泣。宇文智及生气地说："事情成功的时候，最初也不责怪我，等到即将失败，才想归罪于我，何不杀了我投降窦建德!"二人一再相互争斗，说话全无长幼，酒醒了再饮酒，以此为常事。宇文化及的部下大多逃跑，他自知必定失败，叹息说："人生本来是要死的，难道不当一天皇帝吗!"于是用毒酒害死秦王杨浩，自己在魏县即皇帝位，国号为许，改年号为天寿，设置百官。

卷六十、《新唐书》卷七十八。⑰将士：胡三省注云，"'士'，当作'兵'"。⑱乙卯：九月十三日。⑲高墌：高墌城，在今陕西长武西北。⑳己未：九月十七日。㉑扣门：敲打城门。㉒殿：行军走在最后的。㉓举三烽：烽为烽火，古代用以报警。举三烽，表示至为紧急。㉔南原：城南高原之地。古代陕西境内多以原为名。㉕百里细川：百里，即今甘肃灵台西南百里镇。细川，即今甘肃泾川县、灵台一带平川。㉖饥馁：饥饿。㉗驰骑射之：骑马飞驰射击刘感。㉘婴城：环城。㉙丰生：刘丰（？至公元五四九年），字丰生，北齐将领。传见《北齐书》卷二十七。㉚庚申：九月十八日。㉛陇州：州名，治所在今陕西陇县。㉜宜禄川：在邠州与泾州之间。㉝从子：侄子，从父的儿子。㉞太常卿：官名，为九卿之一，掌宗庙礼仪，兼掌选试博士。㉟始毕可汗（？至公元六一九年）：东突厥可汗，名咄吉世。传见《旧唐书》卷一百九十四上、《新唐书》卷二百十五

上。[189] 壬戌：九月二十日。[190] 骨咄禄特勒（？至公元六九一年）：一作骨笃禄，东突厥可汗，唐高宗、中宗时，屡扰并、岚、妫等州。传见《旧唐书》卷一百九十四上、《新唐书》卷二百十五上。[191] 癸亥：九月二十一日。[192] 白马：县名，县治在今河南滑县。[193] 傅仁均：滑州白马（今河南滑县）人，唐初历法家。传见《旧唐书》卷七十九、《新唐书》卷二百四。[194]《戊寅历》：唐朝建国，岁在戊寅，故以名历。[195] 常达：陕州（今河南三门峡市陕州区）人，拜陇州刺史。传见《旧唐书》卷一百八十七、《新唐书》卷一百九十一。[196] 乙丑：九月二十三日。[197] 拥：聚集。[198] 壮而释之：称赞其勇敢而释放他。[199] 辛未：九月二十九日。[200] 魏县：县名，县治在今河北大名西南。[201] 张恺：宇文化及弑炀帝的同党，被化及所杀。事迹见《隋书》卷八十五《宇文化及传》。[202] 腹心稍尽：心腹之人渐被除尽。[203] 日蹙：日益紧迫；日益吃紧。[204] 尤：责怨；归咎。[205] 智及：即宇文智及，

【原文】

冬，十月壬申朔[213]，日有食之。

戊寅[214]，宴突厥骨咄禄，引骨咄禄升御坐以宠之。

李密将至，上遣使迎劳，相望于道[215]。密大喜，谓其徒[216]曰："我拥众百万，一朝解甲[217]归唐，山东连城[218]数百，知我在此，遣使招之，亦当尽至。比于窦融[219]，功亦不细[220]，岂不以一台司[221]见处[222]乎！"己卯[223]，至长安，有司供待稍薄，所部兵累日[224]不得食，众心颇怨。既而以密为光禄卿[225]、上柱国[226]，赐爵邢国公[227]。密既不满望[228]，朝臣又多轻之，执政者或来求贿[229]，意甚不平。独上亲礼之，常呼为弟，以舅子[230]独孤氏妻之。

庚辰[231]，诏右翊卫大将军[232]淮安王神通为山东道安抚大使[233]，山东诸军并受节度，以黄门侍郎崔民幹[234]为副。

邓州[235]刺史吕子臧[236]与抚慰使马元规[237]击朱粲，破之。子臧言于元规曰："粲新败，上下危惧，请并力击之，一举可灭。若复迁延[238]，其徒稍集，力强食尽，致死于我，为患方深。"元规不从。子臧请独以所部兵击之，元规不许。既而粲收集余众，兵复大振，自称楚帝于

宇文化及弟。传见《隋书》卷八十五。㉖持：拉着。㉗斗阋：争斗；争吵。㉘以此为恒：以此为常事。㉙岂不：何不；难道不。㉚鸩杀：用毒酒杀害。㉛秦王浩：杨浩（？至公元六一八年），隋文帝第三子秦孝王杨俊之子。宇文化及弑炀帝，立浩为帝。后被宇文化及所杀。传见《隋书》卷四十五。㉜国号许：宇文化及袭封许公，因以为国号。

【校记】

［2］扣门：原无"门"字。据章钰校，十二行本、乙十一行本、孔天胤本皆有"门"字，张敦仁《通鉴刊本识误》、张瑛《通鉴校勘记》同，今据补。［3］突厥：此二字原无。据章钰校，十二行本、乙十一行本、孔天胤本皆有此二字，张敦仁《通鉴刊本识误》、张瑛《通鉴校勘记》同，今据补。

【语译】

冬，十月初一日壬申，发生日食。

初七日戊寅，唐高祖宴请突厥骨咄禄，带着骨咄禄登上皇帝的宝座表示恩宠。

李密即将到达长安，唐高祖派遣使者迎接慰问，在路上前后相望。李密大为高兴，对他的部下说："我拥有部众百万，一朝脱下盔甲归顺唐朝，崤山以东相互连接的城邑几百座，知道我在这里，派遣使者召唤他们，也应当全部前来归顺。这与窦融相比，功劳也不比他小，难道不用一个台省的长官职位来安置我吗！"十月初八日己卯，李密到了长安，有关官衙对他的招待供应逐渐减少，李密所辖士兵数日没有饭吃，大家心里颇多怨气。不久，高祖任命李密为光禄卿、上柱国，赐爵为邢国公。李密既没有完全达到原来的期望，朝廷大臣们又大多轻视他，有掌权的人向李密索取财货，李密内心大为不平。唯有唐高祖对他表示亲热和礼遇，经常称他为弟，把舅舅的女儿独孤氏嫁给他为妻。

初九日庚辰，唐高祖下诏任命右翊卫大将军淮安王李神通为山东道安抚大使，山东各路军队都受他的指挥，任命黄门侍郎崔民幹做他的副使。

邓州刺史吕子臧和抚慰使马元规打败了朱粲。吕子臧对马元规说："朱粲刚刚战败，上上下下感到危险而恐惧，请合兵攻击他，可一举消灭他。如果又拖延下去，他的部队逐渐聚集，军力强大，粮食吃光，与我们拼死作战，就会成为大患。"马元规不肯听从。吕子臧要求让他独自率领自己的部队攻打朱粲，马元规不同意。不久，朱粲收拢他的余部，兵力再次大为振作，在冠军县自称楚帝，改年号为昌达，进攻

冠军[239]，改元昌达，进攻邓州。子臧抚膺[240]谓元规曰："老夫今坐公死矣[241]！"粲围南阳，会霖雨城坏[242]，所亲[243]劝子臧降。子臧曰："安有天子方伯[244]降贼者乎！"帅麾下赴敌而死[245]。俄而城陷，元规亦死。

癸未[246]，王世充收李密美人、珍宝及将卒十余万人还东都，陈于阙[247]下。乙酉[248]，皇泰主大赦。丙戌[249]，以世充为太尉、尚书令、总督[4]内外诸军事，仍使之开太尉府，备置官属，妙选人物。世充以裴仁基父子骁勇，深礼之。徐文远[250]复入东都，见世充，必先拜。或问曰："君倨[251]见李密而敬王公，何也？"文远曰："魏公，君子也，能容贤士。王公，小人也，能杀故人[252]，吾何敢不拜！"

李密总管李育德[253]以武陟[254]来降，拜陟州[255]刺史。育德，谔[256]之孙也。其余将佐刘德威[257]、贾闰甫[258]、高季辅[259]等，或以城邑，或帅众，相继来降。

初，北海[260]贼帅綦公顺[261]帅其徒三万攻郡城，已克其外郭[262]，进攻子城[263]。城中食尽，公顺自谓克在旦夕，不为备。明经[264]刘兰成[265]纠合城中骁健百余人袭击之，城中见兵继之[266]，公顺大败，弃营走，郡城获全。于是郡官及望族分城中民为六军，各将之，兰成亦将一军。有宋书佐[267]者，离间诸军曰："兰成得众心，必为诸人不利，不如杀之。"众不忍杀，但夺其兵[268]以授宋书佐。兰成恐终及祸，亡奔公顺。公顺军中喜噪[269]，欲奉以为主，固辞，乃以为长史[270]，军事咸听焉。居五十余日，兰成简军中骁健者百五十人，往抄[271]北海。距城四十里，留十人，使多芟草[272]，分为百余积[273]。二十里，又留二十人，各执大旗。五六里，又留三十人，伏险要。兰成自将十人，夜，距城一里许潜伏。余八十人分置便处[274]，约闻鼓声即抄取人畜亟[275]去，仍一时[276]焚积草。明晨，城中远望无烟尘，皆出樵牧[277]。日向中[278]，兰成以十人直抵城门，城上钲[279]鼓乱发，伏兵四出，抄掠杂畜千余头[5]及樵牧者而去。兰成度抄者已远，徐步而还。城中虽出兵，恐有伏兵，不敢急追。又见前有旌旗、烟火，遂不敢进而还。既而城中知兰成前者[280]众少，悔不穷追。居月余，兰成谋取郡城，更以二十

邓州。吕子臧捶着胸口对马元规说：“老夫我今天要因为你而死了！”朱粲围攻南阳，适逢连绵大雨冲毁了城墙，亲信都劝吕子臧投降。吕子臧说：“哪有天子的方伯会向叛贼投降的！”便率领部下冲向敌人而死。城池很快陷落，马元规也死了。

十月十二日癸未，王世充收罗了李密的美女、珍宝及其将卒十几万人返回东都，排列在宫阙之下。十四日乙酉，皇泰主宣布大赦。十五日丙戌，皇泰主任命王世充为太尉、尚书令、总督内外诸军事，仍让他设置太尉府，全面设置各种官属，精选人才。王世充认为裴仁基父子骁勇，深为礼遇。徐文远又进入东都，见到王世充，必定先行拜见礼。有人问他说：“您见李密时很傲慢，却这样尊敬王公，是为什么？”徐文远说：“魏公李密，是君子，能够容纳贤士。王公，是小人，能杀故旧，我哪里敢不行拜礼！”

李密的总管李育德率武陟前来唐朝投降，朝廷封他为陟州刺史。李育德是李谔的孙子。李密的其他的将领刘德威、贾闰甫、高季辅等人，有的率城邑，有的率部众，相继前来唐朝投降。

当初，北海郡的叛军首领綦公顺率领他的部众三万人进攻郡城，已经攻陷郡城的外城，进攻内城。城中粮食没有了，綦公顺自认为早晚之间就能攻下内城，因此不做防备。明经刘兰成集合了城中骁勇强健的士兵一百多人偷袭綦公顺，城中现有的士兵跟在后面一同进攻，綦公顺大败，放弃营地逃走，郡城得以保全。于是郡里的官员和大族把城里的百姓分编为六军，各自统领一军，刘兰成也率领一军。有个姓宋的书佐，在各军之间挑拨离间说：“刘兰成得军心，必定对诸位不利，不如杀了他。”大家不忍心杀害刘兰成，只是夺取了他的兵众给予宋书佐。刘兰成担心最终遭遇祸患，就逃跑投奔綦公顺。綦公顺的军中欢喜喧噪，想拥戴刘兰成为首领，刘兰成坚决推辞，于是綦公顺任命他为长史，军事行动全都听从刘兰成指挥。过了五十多天，刘兰成挑选军中骁勇健壮的士兵一百五十人，前往北海郡城抢掠。离城四十里，留下十人，让他们多割草，分成一百多堆。离城二十里，又留下二十人，让各自举一面大旗。离城五六里，又留下三十人，埋伏在险要的地方。刘兰成自己带领十个人，夜里，在离城一里左右的地方潜伏。其余八十人分别布置在方便之处，约定听到鼓声立即抢夺人员牲畜赶快离去，并且同时点燃草堆。第二天清晨，城中远远望去没有兵马行动带起的烟尘，于是全都出城砍柴放牧。接近中午时，刘兰成率领十人直接抵达城门，城上铜钲战鼓匆忙乱敲，刘兰成的伏兵四处出击，抄掠各种牲畜一千多头，以及砍柴放牧的人，然后撤走了。刘兰成估计抢劫牲畜与人口的人已经走远，这才不慌不忙地往回退。城里虽然出兵，但是怕有伏兵，不敢急追。又看到前方有旌旗、烟火，于是不敢前进而返回城中。不久，城里知道刘兰成前来的人很少，后悔没有追击到底。过了一个多月，刘兰成谋划攻取北海郡城，改而率领二十人直接抵达城门，城里的人竞相出城追逐，走了不到十里，綦公顺率领大军一

人直抵城门。城中人竞出逐之，行未十里，公顺将大兵总至。郡兵奔驰还城，公顺进兵围之。兰成一言招谕[281]，城中人争出降。兰成抚存老幼，礼遇郡官，见宋书佐，亦礼之如旧，仍资送出境，内外安堵[282]。

时海陵[283]贼帅臧君相闻公顺据北海，帅其众五万来争之。公顺众少，闻之大惧。兰成为公顺画策曰："君相今去此尚远，必不为备，请将军倍道[284]袭击其营。"公顺从之，自将骁勇五千人，赍[285]熟食，倍道袭之。将至，兰成与敢死士二十人前行，距君相营五十里，见其抄者负担[286]向营，兰成亦与其徒负担蔬米、烧器[287]，诈为抄者，择空而行听察[288]，得其号[289]及主将姓名。至暮，与贼比肩而入，负担巡营，知其虚实，得其更号[290]。乃于空地燃火营食，至三鼓，忽于主将幕前交刀乱下，杀百余人，贼众惊扰。公顺兵亦至，急攻之，君相仅以身免，俘斩数千，收其资粮甲仗以还，由是公顺党众大盛[291]。及[292]李密据洛口，公顺以众附之。密败，亦来降。

隋末群盗起，冠军司兵[293]李袭誉[294]说[295]西京[296]留守[297]阴世师[298]遣兵据永丰仓[299]，发粟以赈贫乏，出库物赏战士，移檄[300]郡县，同心讨贼。世师不能用[301]。乃求募兵山南[302]，世师许之。上克长安，自汉中[303]召还，为太府少卿[304]。乙未[305]，附袭誉籍于宗正[306]。袭誉，袭志[307]之弟也。

【段旨】

以上为第四段，写李密及其部众纷纷降唐，唐王朝力量大增。

【注释】

⑵⒀ 壬申朔：十月初一。⑵⒁ 戊寅：十月初七。⑵⒂ 相望于道：络绎于道途中。⑵⒃ 其徒：李密的部众。⑵⒄ 解甲：脱去铠甲而不事武职。⑵⒅ 连城：每邑一城，故连城即连邑。⑵⒆ 窦融（公元前一六至公元六二年）：东汉初将领，字周公，扶风平陵（今陕西咸阳西

齐来到。郡里的军队奔驰回城，綦公顺进军包围了郡城。刘兰成说了一句劝谕的话，城里的人就争相出城投降。刘兰成存抚老幼，对郡里的官员以礼相待，见到宋书佐，还像过去一样以礼相待，还给予费用，送他出境，北海郡内外平安无事。

当时海陵叛军首领臧君相听说綦公顺占领了北海，率领他的部众五万人前来争夺郡城。綦公顺的兵少，听到消息大为恐惧。刘兰成为綦公顺出谋划策说："臧君相现在离这里还远，一定不做防备，请将军兼程行军袭击他的军营。"綦公顺听从了他的建议，亲自带领骁勇的士兵五千人，携带着熟食，日夜兼程前去袭击臧君相。即将到达时，刘兰成和二十名敢死兵士在前面行进，距离臧君相营地五十里时，看到臧君相部下抄掠的人肩挑背扛着物品向营地走去，刘兰成也和他的部众背负着蔬菜粮食、炊具，伪装成外出抄掠的人，找空隙前行以偷听侦察，得知了敌军的口令暗号以及主将的姓名。到了傍晚，就与对方的士兵并肩进入营地，背负着东西在营内巡视，了解了敌营的虚实，得到了他们的持更信号。于是在空地点火扎营吃饭，到了三更，忽然在主将帐前挥刀乱砍，杀了一百多人，敌军惊扰。綦公顺的部队这时也到达了，发动急攻，臧君相仅仅单身逃脱。綦公顺的部队俘虏加上杀死的敌人有几千人，缴获了臧君相的物资粮食盔甲兵器后返回，从此綦公顺的部队大为强盛。等到李密占据洛口，綦公顺率部下归附了李密。李密失败后，也来向唐降附。

隋朝末年成群盗贼四起，冠军司兵李袭誉劝说西京留守阴世师派兵占据永丰仓，发放粮食救济贫困百姓，拿出府库里的物品赏给士兵，传檄各郡县，一起讨伐叛贼。阴世师不能采纳，于是李袭誉请求在山南召募士兵，阴世师答应了他。唐高祖攻陷长安，从汉中召李袭誉返回长安，任命他为太府少卿。十月二十四日乙未，把李袭誉的族籍列于宗正。李袭誉是李袭志的弟弟。

北）人，累世为河西官吏。窦融以河西归汉光武帝。传见《后汉书》卷二十三。⑳细：小。㉑台司：唐代尚书省为中台，门下省为东台，中书省为西台，总称台省。台司即指这三省之长官令卿而言。㉒见处：见为助词，处即处置、安排。此指待遇。㉓己卯：十月初八。㉔累日：数日。㉕光禄卿：官名，专掌皇室祭品、膳食及招待酒宴之官。㉖上柱国：官名，唐宋以上柱国为武官勋级中的最高级，柱国次之。历代沿用。㉗国公：封爵名，古代五等爵中有公，位第一。隋之国公，位次郡王而在郡公之上。其后历代相沿。㉘不满望：未完全达到希望。㉙求贿：求索财货。㉚舅子：子，古代兼指男女而言。此处为舅父之女。㉛庚辰：十月初九。㉜翊卫大将军：官名，唐代十六卫皆领府

兵，府兵分内府与外府。翊卫大将军为内府中最高将领。㉝安抚大使：官名，隋仁寿四年（公元六〇四年）置安抚大使，由行军主帅兼任。唐前期派大臣巡视遭受战争或灾害地区，以安定社会秩序，称安抚大使或安抚使。㉞崔民幹：又名崔幹，唐初大臣。事迹见《旧唐书》卷六十五《高士廉传》。㉟邓州：州名，治所在今河南邓州。㊱吕子臧（？至公元六一八年）：蒲州（今山西永济西南蒲州镇）人，仕隋，后归唐，拜邓州刺史。传见《旧唐书》卷一百八十七、《新唐书》卷一百九十一。㊲马元规（？至公元六一八年）：安陆（今湖北安陆）人，隋末从李渊征战。武德元年（公元六一八年）与吕子臧共击朱粲，被朱粲所杀。传见《新唐书》卷一百九十一。㊳迁延：拖延。㊴冠军：县名，县治在今河南邓州西北。㊵抚膺：抚胸。㊶坐公死矣：因你而死了。㊷会霖雨城坏：碰巧下大雨，城墙毁坏。㊸所亲：亲近的人。㊹方伯：谓诸侯或主政一方的高官。㊺赴敌而死：冲向敌人战死。㊻癸未：十月十二日。㊼阙：皇宫正门两边对称的阙楼。㊽乙酉：十月十四日。㊾丙戌：十月十五日。㊿徐文远：名旷，字文远，洛州偃师（今河南洛阳市偃师区）人，唐高祖授国子博士，封东莞县男。传见《旧唐书》卷一百八十九上、《新唐书》卷一百九十八。(251)倨：骄傲；傲慢。(252)故人：故旧；老朋友。(253)李育德：赵州（今河北赵县）人，隋末地方豪富。降唐后，拜陟州刺史。后被王世充所杀。传见《新唐书》卷一百九十一。(254)武陟：县名，县治在今河南武陟南。(255)陟州：州名，治所在今河南获嘉。(256)谔：李谔，隋朝治书侍御史。传见《隋书》卷六十六。(257)刘德威（公元五八二至六五二年）：初仕隋，降唐后官至刑部尚书。传见《旧唐书》卷七十七、《新唐书》卷一百六。(258)贾闰甫：李密部属，任司仓。(259)高季辅（公元五九五至六五三年）：名冯，字季辅，蓨县（今河北景县）人，随李密降唐，先后拜监察御史、中书舍人、吏部尚书、侍中。传见《旧唐书》卷七十八、《新唐书》卷一百四。(260)北海：郡名，治所在今山东青州。(261)綦公顺：隋末群雄之一，据青、莱起兵，后归李密，武德二年降唐。(262)郭：古代在城的外围加筑的一道城墙。(263)子城：即内城。(264)明经：隋炀帝置明经进士二科以取士，以经义取者为明经。(265)刘兰成：隋末北海郡人，从綦公顺、李密。李密败，降于唐。(266)见兵继之：现有的士兵继踵其后。见，通“现”。(267)宋书佐：谓姓宋的书佐。书佐，官名，炀帝改郡诸曹参军为书佐。(268)夺其兵：夺取了刘兰成的兵众。(269)喜噪：因欢

【原文】

丙申(308)，朱粲寇淅州(309)，遣太常卿郑元璹(310)帅步骑一万击之。

是月，纳言窦抗(311)罢为左武候大将军(312)。

十一月乙巳(313)，凉王李轨(314)即皇帝位，改元安乐。

喜而大声呼叫。㉗⓪长史：官名，历代职掌不同。此指负责军事之官。㉗①抄：掠夺。㉗②芟草：割草。㉗③积：堆。㉗④分置便处：分别布置在方便的地方。㉗⑤亟：急迫地。㉗⑥一时：同时。㉗⑦樵牧：打柴放牧。㉗⑧日向中：接近中午。㉗⑨钲：古代行军时用的打击乐器，有柄，形状像钟，但比钟狭而长，用铜制成。㉘⓪前者：前次。㉘①招谕：招诱告谕。㉘②安堵：安居。㉘③海陵：县名，县治在今江苏泰州。㉘④倍道：昼夜兼程。㉘⑤赍：带着。㉘⑥负担：背着、挑着。㉘⑦烧器：炊具锅釜之类。㉘⑧择空而行听察：寻找空隙前行打听观察。㉘⑨号：军号；暗号。㉙⓪更号：持更信号。㉙①大盛：大为强盛。㉙②及：等到。㉙③冠军司兵：官名，即冠军府司兵，从六品。㉙④李袭誉：唐初大臣，字茂实，狄道（今甘肃临洮）人。传见《旧唐书》卷五十九、《新唐书》卷九十一。㉙⑤说：劝说；说服。㉙⑥西京：隋炀帝建洛阳为东京，因称长安为西京。㉙⑦留守：官名，古代帝王巡幸、出征时，以亲王或重臣镇守京师，处理政务，称京城留守。㉙⑧阴世师（？至公元六一七年）：武威（今甘肃武威）人，炀帝时为左翊卫将军。与代王留守京师，城陷被杀。事迹散见《旧唐书·高祖纪》等处。㉙⑨永丰仓：隋大业初以广通仓改名，在今陕西华阴东北渭河入黄河口处。㉚⓪移檄：用公文通令。移，传。檄，官文书之通称。㉚①世师不能用：阴世师对李袭誉的建议不加采纳。㉚②山南：道名，山南道为唐初十道之一。㉚③汉中：秦汉时郡名，隋改为梁州，又改为汉川郡。唐武德元年改为褒州。治所在今陕西汉中。㉚④太府少卿：官名，太府寺副长官，从四品，掌库藏财物。㉚⑤乙未：十月二十四日。㉚⑥附袭誉籍于宗正：李袭誉之先辈，亦出于陇西，与李唐祖先籍贯相同，故附之属籍表示亲重。宗正，官名，是王室亲族事务机关的长官。唐以其机构为宗正寺，掌天子族亲属籍。㉚⑦袭志：唐初大臣，李袭誉之兄。字重光，陇西狄道（今甘肃临洮）人。传见《旧唐书》卷五十九、《新唐书》卷九十一。

【校记】

［4］总督：此二字原脱。据章钰校，十二行本、乙十一行本、孔天胤本皆有“总督”二字，张敦仁《通鉴刊本识误》、张瑛《通鉴校勘记》同，今据补。胡三省注认为当有“总督”二字。［5］千余头：“千”字原误作“十”。据章钰校，十二行本、乙十一行本、孔天胤本皆作“千”，当是，今据校正。

【语译】

十月二十五日丙申，朱粲侵犯淅州，唐派太常卿郑元璹率领步兵、骑兵一万人攻打朱粲。

这个月，唐纳言窦抗罢免原职，改任左武候大将军。

十一月初四日乙巳，凉王李轨登基称帝，改年号为安乐。

戊申[315]，王轨以滑州来降。

薛仁果之为太子也，与诸将多有隙，及即位，众心猜惧。郝瑗[316]哭举得疾，遂不起，由是国势浸弱[317]。秦王世民至高墌，仁果使宗罗睺[318]将兵拒之。罗睺数挑战，世民坚壁不出。诸将咸请战，世民曰："我军新败，士气沮丧，贼恃胜而骄，有轻我心，宜闭垒以待之。彼骄我奋[319]，可一战而克也。"乃令军中曰："敢言战者斩！"相持六十余日，仁果粮尽，其将梁胡郎等帅所部来降。世民知仁果将士离心，命行军总管[320]梁实营于浅水原以诱之。罗睺大喜，尽锐[321]攻之。梁实守险不出，营中无水，人马不饮者数日。罗睺攻之甚急。世民度贼已疲，谓诸将曰："可以战矣！"迟明[322]，使右武候大将军庞玉陈于浅水原。罗睺并兵击之，玉战，几不能支，世民引大军自原北出其不意，罗睺引兵还战。世民帅骁骑数十先陷陈，唐兵表里[323]奋击，呼声动地，罗睺士卒大溃，斩首数千级。世民帅二千余骑追之，窦轨叩马[324]苦谏曰："仁果犹据坚城，虽破罗睺，未可轻进，请且按兵[325]以观之。"世民曰："吾虑之久矣，破竹之势，不可失也，舅勿复言！"遂进。仁果陈于城下，世民据泾水[326]临之。仁果骁将浑幹等数人临陈来降。仁果惧，引兵入城拒守。日向暮，大军继至，遂围之。夜半，守城者争自投下[327]。仁果计穷，己酉[328]，出降，得其精兵万余人，男女五万口。

诸将皆贺，因问曰："大王一战而胜，遽舍[329]步兵，又无攻具，轻骑直造[330]城下，众皆以为不克，而卒取之，何也？"世民曰："罗睺所将皆陇外[331]之人，将骁卒悍，吾特出其不意而破之，斩获不多。若缓之[332]，则皆入城，仁果抚而用之，未易克也。急之，则散归陇外。折墌虚弱，仁果破胆，不暇[333]为谋，此吾所以克也。"众皆悦服。世民所得降卒，悉使仁果兄弟及宗罗睺、翟长孙等将之，与之射猎，无所疑间[334]。贼畏威衔恩，皆愿效死。

世民闻褚亮[335]名，求访，获之，礼遇甚厚，引为王府文学[336]。

上遣使谓世民曰："薛举父子多杀我士卒，必尽诛其党，以谢冤

初七日戊申，王轨以滑州前来降唐。

薛仁果做太子时，和各位将领多有矛盾，等到即位为皇帝，大家心中猜疑恐惧。郝瑗因薛举去世而哭得生了病，便不能起身，因此国势逐渐衰弱。秦王李世民到达高墌，薛仁果派宗罗睺领兵抵抗。宗罗睺多次挑战，李世民坚守营垒不出战。各位将领都来请战，李世民说："我军刚刚战败，士气沮丧，贼军仗着得胜而骄傲，心里轻视我军，我们应当紧闭营垒等待时机。他们骄傲，我军振奋，可以一仗战胜他们。"于是命令全军说："有敢说作战的斩首！"双方相持六十多天，薛仁果粮食没有了，他的将领梁胡郎等人率领所辖部队前来投降。李世民知道薛仁果的将士都有叛离之心，命令行军总管梁实在浅水原引诱薛仁果。宗罗睺大为高兴，出动全部精锐攻打梁实。梁实把守险要，不出营地，营中没有水，兵士与马匹几天没有水喝。宗罗睺进攻得非常猛烈。李世民估计敌人已经疲乏，对各位将领说："可以出战了！"快天亮时，李世民派右武候大将军庞玉在浅水原布阵。宗罗睺集合部队攻击庞玉，庞玉交战，几乎支持不住，李世民率领大军出其不意出现在浅水原之北，宗罗睺带军回来与李世民交战。李世民率领几十名骁勇骑兵率先冲入敌阵，唐军内外奋力搏斗，呼声动地，宗罗睺的士兵大规模崩溃，唐军斩首几千级。李世民率领二千多骑兵追击宗罗睺，窦轨拦住李世民的战马苦苦劝谏说："薛仁果还占据着坚固的城池，虽然打败了宗罗睺，但不可轻率进军，请暂且按兵不动，观察敌人。"李世民说："我考虑得很久了，现在这破竹之势，不可丧失，舅舅不要再说了！"于是向前进军。薛仁果在城下布阵，李世民占据泾河，与薛仁果对峙。薛仁果手下的骁将浑幹等数人临阵前来投降。薛仁果害怕了，带兵进城拒守。天快黑时，唐朝大军相继到达，于是包围了薛仁果。半夜，守城的人争相下城投降。薛仁果计谋已尽，十一月初八日己酉，出城投降，唐朝得到薛仁果精兵一万多人，男女五万人。

各位将领全都祝贺，于是问李世民说："大王一战就胜利了，突然舍弃了步兵，又没有攻城的器具，轻骑兵直抵城下，大家都认为不能攻克城池，却很快就取得此城，是什么原因呢？"李世民说："宗罗睺所率领的都是陇山之西的人，将领骁勇，士卒剽悍，我只是出其不意打败他，斩杀和俘虏并不多。如果迟缓而不追击，那么他们都进入城内，薛仁果对他们进行抚慰，再使用他们，就不容易攻克城池了。如果急速攻击，那么他们逃散回到陇山之西。高墌城虚弱，薛仁果吓破了胆，没有时间谋划，这就是我所以取胜的原因。"大家都心悦诚服。李世民所获得的投降士兵，全部让薛仁果兄弟及宗罗睺、翟长孙等人统领，和他们一起打猎，无所猜疑隔阂。敌人畏惧李世民的威严，又感怀受到恩德，都愿意以死效劳。

李世民听说褚亮的名声，寻求查访，得到了褚亮，对他的礼遇非常丰厚，让他担任秦王府的文学。

唐高祖派遣使者对李世民说："薛举父子杀了我们很多士卒，一定杀光他们的同

魂。”李密谏曰：“薛举虐杀无辜，此其所以亡也，陛下何怨焉！怀服之民[337]，不可不抚。”乃命戮其谋首，余皆赦之。

上使李密迎秦王世民于豳州，密自恃智略功名，见上犹有傲色，及见世民，不觉惊服，私谓殷开山曰：“真英主也。不如是，何以定祸乱乎！”

诏以员外散骑常侍[338]姜谟[339]为秦州刺史。谟抚以恩信[340]，盗贼悉归首[341]，士民安之。

【段旨】

以上为第五段，写李世民平定陇右，灭薛仁果。

【注释】

⑱丙申：十月二十五日。⑲淅州：州名，治所在今河南淅川县西南。⑳郑元璹（？至公元六四六年）：唐初大臣，字德芳，郑州荥泽（今河南郑州）人。传见《旧唐书》卷六十二、《新唐书》卷一百。㉑窦抗（？至公元六二一年）：唐初大臣，字道生，岐州（今陕西宝鸡市凤翔区）人。传见《旧唐书》卷六十一、《新唐书》卷九十五。㉒左武候大将军：官名，隋代左右武卫、左右武候各置大将军，为禁军高级武官。㉓乙巳：十一月初四。㉔李轨（？至公元六一九年）：隋末地方割据者，字处则，凉州姑臧（今甘肃武威）人。传见《旧唐书》卷五十五、《新唐书》卷八十六。㉕戊申：十一月初七。㉖郝瑗：薛举部将。事迹见《旧唐书》卷五十五、《新唐书》卷八十六《薛举传》。㉗浸弱：

【原文】

徐世勣据李密旧境，未有所属。魏徵随密至长安，久不为朝廷所知[6]，乃自请安集[342]山东。上以为秘书丞[343]，乘传[344]至黎阳，遗[345]徐世勣书，劝之早降。世勣遂决计西向，谓长史阳翟[346]郭孝恪[347]曰：“此民众土地，皆魏公[348]有也，吾若上表献之，是利主之败[349]，自为功以邀

党，以告慰死去的冤魂。”李密进谏说：“薛举残杀无辜，这是他灭亡的原因，陛下怨恨什么呢！已经在内心顺服的百姓，不能不安抚。”于是下令杀掉薛举的主谋，其余的人全部赦免。

唐高祖派李密在豳州迎接秦王李世民，李密自恃智略和功名，晋见唐高祖时还有傲慢的神色，等到见了李世民，不觉十分惊叹佩服，私下对殷开山说：“真是英明的君主。如果不是这样，怎么能平定天下的祸乱呢！”

唐下诏任命员外散骑常侍姜谟为秦州刺史。姜谟用恩惠和诚信对秦州进行安抚，盗贼全都归附自首，百姓安定下来。

渐弱。⑱宗罗睺：薛举部将。事迹见新、旧《唐书·薛举传》。⑲奋：奋发。⑳行军总管：官名，督军之官。隋唐时在各州设总管，边镇或大州设大总管，镇守一方者，谓之某州总管，出任征讨者，则称某道行军总管。㉑尽锐：派出所有精兵。㉒迟明：黎明。㉓表里：内外。㉔叩马：拦马。㉕按兵：使军队暂不行动，等待时机。㉖泾水：水名，发源于甘肃，流入陕西。㉗投下：于城下投降。㉘己酉：十一月初八。㉙遽舍：突然舍去。㉚造：至。㉛陇外：即陇西、陇右。㉜缓之：缓而不追。㉝不暇：没时间。㉞疑间：猜疑隔阂。㉟褚亮（公元五六〇至六四七年）：唐初学者，字希明，原籍阳翟（今河南禹州），徙居钱塘（今浙江杭州），历陈、隋、唐三朝。贞观中，官至散骑常侍。传见《旧唐书》卷七十二、《新唐书》卷一百二。㊱文学：官名，汉代于州郡及诸侯国置文学，略如后世的教官。隋唐亲王府有文学。㊲怀服之民：内心归服之民。㊳员外散骑常侍：官名，在皇帝左右规谏过失，以备顾问。㊴姜谟：上邽（今甘肃天水市）人，隋末为晋阳长，高祖引入司功参军。及平薛仁果，擢秦州刺史。传见《旧唐书》卷五十九、《新唐书》卷九十一。㊵恩信：恩德和诚信。㊶归首：归附自首。

【语译】

徐世勣占据李密原有的地区，没有隶属于哪一方。魏徵随从李密到达长安，长期不被朝廷所了解，于是自己请求前去安抚潼关以东地区。唐高祖任命他为秘书丞，乘驿车到达黎阳，送信给徐世勣，劝他早日投降。徐世勣于是决定西去投顺唐朝，他对长史阳翟人郭孝恪说：“这里的百姓和土地，都是属于魏公李密的，我如果上表奉献这些百姓土地，就是利用主人的失败作为自己的利益，以此作为自己的功

富贵也，吾实耻之。今宜籍[350]郡县户口士马之数以启[351]魏公，使自献之。”乃遣孝恪诣[352]长安，又运粮以饷淮安王神通。上闻世勣使者至，无表[353]，止有启与密，甚怪之。孝恪具言[354]世勣意，上乃叹曰：“徐世勣不背德[355]，不邀功，真纯臣也！”赐姓李。以孝恪为宋州[356]刺史，使与世勣经略虎牢以东，所得州县，委之选补[357]。

癸丑[358]，独孤怀恩攻尧君素[359]于蒲反[360]。行军总管赵慈景尚[361]帝女桂阳公主，为君素所擒，枭首[362]城外，以示无降意。

癸亥[363]，秦王世民至长安，斩薛仁果于市，赐常达帛三百段[364]。赠刘感[365]平原郡公[366]，谥忠壮。扑杀[367]仵士政于殿庭。以张贵尤淫暴，腰斩之。上享劳将士，因谓群臣曰：“诸公共相翊戴[368]以成帝业，若天下承平[369]，可共保富贵。使王世充得志，公等岂有种[370]乎！如[371]薛仁果君臣，岂可不以为前鉴也！”己巳[372]，以刘文静为户部尚书，领陕东[373]道行台左仆射，复殷开山爵位[374]。

李密骄贵日久，又自负[375]归国之功，朝廷待之不副本望[376]，郁郁不乐。尝遇大朝会，密为光禄卿，当进食[377]，深以为耻。退[378]，以告左武卫大将军[379]王伯当。伯当心亦怏怏，因谓密曰：“天下事在公度内[380]耳。今东海公[381]在黎阳，襄阳公[382]在罗口[383]，河南兵马，屈指可计[384]，岂得久如此也！”密大喜，乃献策于上曰：“臣虚蒙荣宠，安坐京师，曾无报效。山东之众皆臣故时麾下，请往收而抚之。凭借国威，取王世充如拾地芥[385]耳！”上闻密故将士多不附世充，亦欲遣密往收之。群臣多谏曰：“李密狡猾好反，今遣之，如投鱼于泉，放虎于山，必不反[386]矣！”上曰：“帝王自有天命，非小子所能取[387]。借使[388]叛去，如以蒿箭射蒿中[389]耳！今使二贼交斗[390]，吾可以坐收其弊。”辛未[391]，遣密诣山东，收其余众之未下者[392]。密请与贾闰甫偕行，上许之。命密及闰甫同升御榻[393]，赐食，传饮卮[394]酒曰：“吾三人同饮是酒，以明同心，善建功名，以副朕意。丈夫一言许人，千金不易。有人确执[395]不欲弟行，朕推赤心于弟，非他人所能间也。”密、闰甫再拜受命。上又以王伯当为密副而遣之。

劳以求富贵，我实在是以为耻的。现在应当登记各郡县的户口、士兵及马匹的数目，上报魏公，让魏公自己献给唐朝。”于是派遣郭孝恪前往长安，又运送粮食供给淮安王李神通。唐高祖听说徐世勣的使者到了，没有奏表，只有书信给李密，非常奇怪。郭孝恪详细说明了徐世勣的想法，唐高祖于是感叹说：“徐世勣不违背道德，不邀求功劳，真是纯正的臣子呀！”于是赐徐世勣姓李。任命郭孝恪为宋州刺史，让他和李世勣经营虎牢以东地区，所得州县，委任他们自行选补官吏。

十一月十二日癸丑，独孤怀恩在蒲反县攻打尧君素。行军总管赵慈景娶了唐高祖的女儿桂阳公主为妻，被尧君素擒获，尧君素把他斩首挂在城外示众，表示没有投降唐朝的意思。

二十二日癸亥，秦王李世民到达长安，在街市把薛仁果斩首，赏赐常达三百段丝帛。追赠刘感为平原郡公，谥号忠壮。在宫殿庭院中击杀仵士政。因为张贵尤其荒淫残暴，腰斩了他。唐高祖宴请慰劳将士，于是对群臣说：“诸位共同辅助拥戴我，使我成就了帝王之业，如果天下太平，可以共同保有富贵。如果让王世充得志，你们难道还有后辈子孙传吗！像薛仁果君臣，难道能不作为我们的前车之鉴吗！”二十八日己巳，任命刘文静为户部尚书，兼任陕东道行台左仆射，恢复了殷开山的爵位。

李密长期以来骄狂而富贵，又自恃归唐的功劳，朝廷给他的待遇不符合他本来的愿望，因此郁闷不乐。曾经碰上朝廷的大型聚会，李密作为光禄卿，应当供应食物，他以为自己来做此事大为耻辱。罢宴后，把此事告诉了左武卫大将军王伯当。王伯当心里也怏怏不乐，于是对李密说：“天下的事情都在主公的计划之中。现在东海公徐世勣在黎阳，襄阳公在罗口，黄河以南的兵马屈指可数，怎能长期这样下去！”李密大为高兴，于是向唐高祖献策说：“臣白白地承受朝廷的荣宠，安坐京师，不曾报效朝廷。山东的众多将领都是臣下旧时的部下，请让臣子前往山东招抚他们。凭借国家的威严，拿下王世充就像拾取地上的草芥而已！”唐高祖听说李密过去的将士大多不服王世充，也想派遣李密前往收服他们。群臣很多人劝谏唐高祖说：“李密狡猾，喜好背叛，现在派他去山东，犹如放鱼于泉，放虎于山，他必定不回来了！”唐高祖说：“帝王自有天命，不是小人所能取得的。假使他背叛离去，就像把蒿秆箭射到蒿草中而已！现在让李、王二贼互相争斗，我们可以坐收他们自相残杀的好处。”辛未日，派李密前往崤山以东地区，收服他尚未归附的余部。李密请求和贾闰甫一同前往，唐高祖答应了他的请求。临行前皇上让李密和贾闰甫一起登上自己的坐榻，赐给他们食物，拿一杯酒三人传喝，并说：“我们三人同饮这杯酒，以此来表明我们三人同心，二位好好地建功扬名，以符合朕的心意。大丈夫许诺别人一句话，千金也不能改变。有人坚持不让我同意老弟前去，朕以赤诚之心对待老弟，不是别人能够离间的。”李密、贾闰甫两次下拜接受使命。唐高祖又任命王伯当为李密的副手，派他同去山东。

【段旨】

以上为第六段，写唐高祖在徐世勣降唐的情况下，遣李密东行招抚旧部，其实是故意纵虎归山，李密不安本分而中其圈套，无所作为是必然的。

【注释】

㉝安集：安定聚集。㉞秘书丞：官名，秘书省的副长官，从五品上，掌判省事。㉟乘传：乘驿车。㊱遗：赠送；给予。㊲阳翟：县名，县治在今河南禹州。㊳郭孝恪（？至公元六四八年）：阳翟（今河南禹州）人，秦王李世民用其谋平窦建德，迁上柱国。历贝、赵、江、泾四州刺史，贞观中拜昆丘道副大总管。传见《旧唐书》卷八十三、《新唐书》卷一百十一。㊴魏公：李密建国，称魏公。㊵利主之败：利用主人的失败作为自己的利益。㊶宜籍：应该登记。㊷启：古代文书的一种。唐时，凡下达上，其制有六：表、状、笺、启、辞、牒。㊸诣：到。㊹无表：无上天子的表疏。㊺具言：备言；详细说明。㊻不背德：不违背有恩德之人。即不忘恩德。㊼宋州：州名，治所在今河南商丘。㊽委之选补：指委任选派官吏。㊾癸丑：十一月十二日。㊿尧君素（？至公元六一八年）：汤阴（今河南汤阴东）人，炀帝时累迁鹰击郎将，大业末署河东通守。传见《隋书》卷七十一。360蒲反：县名，县治在今山西永济西南蒲州镇。反，通“坂”“阪”。361尚：娶公主为妻。362枭首：旧时的刑罚，把人头砍下并悬挂起来示众。363癸亥：十一月二十二日。364赐常达帛三百段：唐制：凡赐十段，其率绢三匹，布三端，绵四屯。若杂彩十段，则丝布二匹，绸二匹，绫二匹，缦四匹。365刘感：凤泉（今陕西眉县东南）人，武德初以骠骑将军戍泾州。传见《旧唐书》卷一百八十七、

【原文】

有大鸟五集于乐寿396，群鸟数万从之，经日乃去。窦建德以为己瑞，改元五凤。宗城397人有得玄圭398献于建德者，宋正本399及景城400丞401会稽402孔德绍403皆曰："此天所以赐大禹也，请改国号曰夏404。"建德从之。以正本为纳言，德绍为内史侍郎。

初，王须拔405掠幽州406，中流矢死，其将魏刀儿407代领其众，据深泽408，掠冀、定409之间，众至十万，自称魏帝。建德伪与连和，刀儿弛备410，建德袭击破之，遂围深泽。其徒执刀儿降，建德斩之，尽并其众。

《新唐书》卷一百九十一。㊱郡公：爵名，晋始定郡公制度，历代因之。唐代郡公为正二品。㊲扑杀：击杀。㊳翊戴：辅佐拥戴。㊴承平：太平。㊵种：后代子孙。㊶如：像。㊷己巳：十一月二十八日。㊸陕东：指今河南三门峡市陕州区以东黄河下游地区。㊹复殷开山爵位：殷开山（？至公元六一九年），名峤，字开山，鄠县（今陕西西安市鄠邑区）人，仕隋太谷长。唐高祖起兵，召补大将军掾。随太宗征讨薛举，因违背太宗告诫，兵败除名。后从平薛仁果，复其爵位。传见《旧唐书》卷五十八、《新唐书》卷九十。㊺自负：自恃。㊻不副本望：不符合本来的愿望。㊼当进食：依职掌当供给膳馐。㊽退：罢宴之后。㊾武卫大将军：官名，魏文帝置武卫将军以主禁旅。隋唐武卫为十六卫之一，分左、右，各置大将军一人、将军二人统领。㊿度内：计划之中。㉛东海公：李密封徐世勣为东海公。㉜襄阳公：胡三省注，“襄阳公，未知为谁。按密将张善相时为伊州刺史，据襄城，自襄城北出则罗口。盖李密封善相为襄城公，伯当指言之也。‘襄阳公’，疑当作‘襄城公’”。㉝罗口：即罗口城。在今河南巩县西南。㉞屈指可计：弯着指头可以计算出。㉟拾地芥：谓俯而拾之，极易得到。地芥，地上的草芥。㊱反：通“返”。㊲非小子所能取：不是小人所能取得的。小子，对人的贬称。㊳借使：假使。㊴以蒿箭射蒿中：蒿为贱而无用之物。剡蒿为箭，射之蒿中，言其无用而不足惜。㊵交斗：相斗。㊶辛未：十一月无此日。应为十二月初一。㊷未下者：指没有归附唐朝的人。㊸御榻：天子所用之榻。㊹卮：卮为古代一种盛酒器。㊺确执：坚持。

【校记】

［6］久不为朝廷所知：此句原无。据章钰校，十二行本、乙十一行本、孔天胤本皆有此句，张敦仁《通鉴刊本识误》同，今据补。

【语译】

有五只大鸟落在乐寿，数万只成群的鸟跟着这五只大鸟，过了一整天才离去。窦建德以为这是自己称帝的瑞兆，改年号为五凤。宗城有人得到了黑色的玉圭献给窦建德，宋正本和景城丞会稽人孔德绍都说：“这是上天用来赐给大禹的，请把国号改称夏。”窦建德听从了这一建议。任命宋正本为纳言，孔德绍为内史侍郎。

当初王须拔抢掠幽州时，被流箭射中死去，他的部将魏刀儿代替他率领军队，占据了深泽，在冀州、定州之间抢掠，部众达到十万人，自称魏帝。窦建德假装与魏刀儿联合，魏刀儿放松了戒备，窦建德偷袭并打败了魏刀儿，于是包围了深泽。魏刀儿的部下抓住了魏刀儿前来投降，窦建德斩杀了魏刀儿，全部兼并了他的部众。

易[411]、定等州皆降，唯冀州刺史麹稜[412]不下。稜婿崔履行[413]，暹[414]之孙也，自言有奇术，可使攻者自败，稜信之。履行命守城者皆坐，毋得妄斗，曰："贼虽登城，汝曹勿怖，吾将使贼自缚。"于是为坛，夜设章醮[415]，然后自衣衰绖[416]，杖竹登北楼恸哭，又令妇女升屋四面振裙[417]。建德攻之急，稜将战，履行固止之。俄而城陷，履行哭犹未已。建德见稜曰："卿忠臣也！"厚礼之，以为内史令[418]。

十二月壬申[419]，诏以秦王世民为太尉、使持节[420]、陕东道大行台[421]，其蒲州[422]、河北诸府[423]兵马并受节度。

癸酉[424]，西突厥曷娑那[425]可汗自宇文化及所来降。

隋将尧君素守河东，上遣吕绍宗、韦义节、独孤怀恩相继攻之，俱不下。时外围严急，君素为[426]木鹅，置表于颈[427]，具论事势，浮之于河。河阳守者得之，达于东都。皇泰主见而叹息，拜君素金紫光禄大夫。庞玉[428]、皇甫无逸[429]自东都来降，上悉遣诣城下，为陈利害，君素不从。又赐金券，许以不死。其妻又至城下，谓之曰："隋室已亡，君何自苦！"君素曰："天下名义[430]，非妇人所知！"引弓射之，应弦而倒。君素亦自知不济[431]，然志在守死，每言及国家，未尝不歔欷[432]。谓将士曰："吾昔事主上于藩邸[433]，大义不得不死。必若隋祚[434]永终，天命有属，自当断头以付诸君，听[435]君等持取[436]富贵。今城池甚固，仓储丰备，大事犹未可知，不可横生[437]心也！"君素性严明，善御[438]众，下莫敢叛。

久之，仓粟尽，人相食；又获[439]外人，微知[440]江都倾覆。丙子[441]，君素左右薛宗、李楚客杀君素以降，传首长安。君素遣朝散大夫[442]解[443]人王行本[444]将精兵七百在他所[445]，闻之，赴救不及，因捕杀君素者党与[446]数百人，悉诛之，复乘城[447]拒守。独孤怀恩引兵围之。

丁丑[7]，隋襄平太守[448]邓暠[449]以柳城[450]、北平[451]二郡来降，以暠为营州[452]总管。

辛巳[453]，太常卿郑元璹击朱粲于商州[454]，破之。

初，宇文化及遣使招罗艺，艺曰："我隋臣也。"斩其使者，为炀

易州、定州等地都投降了窦建德，只有冀州刺史麹稜没有降服。麹稜的女婿崔履行是崔暹的孙子，自称有奇异法术，可以让进攻的人自己失败，麹稜相信了他。崔履行命令守城的士兵都坐下来，不得随意作战，他说："敌人即使登上了城墙，你们不用害怕，我将会让敌兵自我捆绑。"于是筑起法坛，夜里在坛上举行法事，然后自己穿上丧服，拄着竹杖登上北楼恸哭，又让妇女登上屋顶，在四面抖动裙子。窦建德急攻冀州城，麹稜将要迎战，崔履行坚决阻止他。不一会儿城池陷落，崔履行恸哭还没有停止。窦建德见了麹稜说："你是忠臣！"用优厚的礼节对待他，任命他为内史令。

十二月初二日壬申，唐高祖下诏任命秦王李世民为太尉、使持节、陕东道大行台，蒲州和黄河以北各总管府的兵马都受他指挥。

初三日癸酉，西突厥曷娑那可汗从宇文化及处前来投降。

隋将领尧君素守卫河东，高祖派吕绍宗、韦义节、独孤怀恩相继攻击他，都没有攻下。当时，城外包围很严，攻城很急，尧君素制作了一只木头鹅，把表章放在鹅颈中，详细论述形势，放到黄河上漂走。守卫河阳的人得到木鹅，送到东都。皇泰主看了表章而叹息，拜尧君素金紫光禄大夫。庞玉、皇甫无逸从东都前来投降，唐高祖都派往河东城下，向尧君素陈述利害关系，尧君素不听。唐高祖又赐给尧君素金券，答应他不被处死。他的妻子又来到城下，对尧君素说："隋王室已经灭亡，夫君何必自讨苦吃！"尧君素说："天下的名分和原则，不是妇人所知道的！"说完就拉弓射他妻子，妻子随着弓弦声响而倒下。尧君素自己也知道事情不能成功，但是志在守城至死，每当说到朝廷，未尝不哽咽。他对将士们说："我过去在藩邸侍奉皇上，按照君臣大义我不能不死。如果隋的命运一定永远完结，天命另有所属，我自会砍了自己的头交给各位，听任你们拿着我的头去换取富贵。现在城池极为坚固，仓库储备丰足，天下大事还不能预料，不能乱生二心啊！"尧君素性格严厉而能明察，善于统御部下，部下没有敢反叛的。

时间长了，仓库里的粮食没有了，以至于人吃人。又俘虏了外面的人，大概知道江都的隋王室已经覆灭。十二月初六日丙子，尧君素的身边亲随薛宗、李楚客杀死尧君素投降唐军，把尧君素的头颅传送到长安。尧君素派朝散大夫解县人王行本率领精兵七百人在其他地方，王行本听说尧君素被杀的消息后，来不及赶去救援，于是逮捕杀害尧君素的同党几百人，全部杀死，又登城防守。独孤怀恩又带兵包围了河东。

十二月初七日丁丑，隋襄平太守邓暠带领柳城、北平二郡前来投降唐朝，唐高祖任命邓暠为营州总管。

十一日辛巳，太常卿郑元璹在商州打败了朱粲。

当初，宇文化及派使节招降罗艺，罗艺说："我是隋朝的大臣。"杀了宇文化及

帝发丧，临三日[455]。窦建德、高开道各遣使招之，艺曰："建德、开道，皆剧[456]贼耳。吾闻唐公已定关中，人望[457]归之。此真吾主也，吾将从之，敢沮议[458]者斩！"会张道源慰抚山东，艺遂奉表，与渔阳[459]、上谷[460]等诸郡皆来降。癸未[461]，诏以艺为幽州总管。薛万均，世雄[462]之子也，与弟万彻俱以勇略为艺所亲待，诏以万均为上柱国、永安郡公，万彻为车骑将军[463]、武安县公[464]。

窦建德既克冀州，兵威益盛，帅众十万寇幽州。艺将逆战[465]，万均曰："彼众我寡，出战必败，不若使羸兵[466]背城阻水为陈[467]，彼必渡水击我。万均请以精骑百人伏于城旁，俟其半渡击之，蔑[468]不胜矣。"艺从之。建德果引兵渡水，万均邀击，大破之。建德竟不能至其城下，乃分兵掠霍堡[469]及雍奴[470]等县，艺复邀击，败之。凡相拒百余日，建德不能克，乃还乐寿[471]。

艺得隋通直谒者[472]温彦博[473]，以为司马。艺以幽州归国，彦博赞成之，诏以彦博为幽州总管府长史。未几，征为中书侍郎[474]。兄大雅，时为黄门侍郎，与彦博对居近密[475]，时人荣[476]之。

以西突厥曷娑那可汗为归义王[477]。曷娑那献大珠，上曰："珠诚至宝，然朕宝王赤心[478]，珠无所用。"竟还之。

乙酉[479]，车驾幸周氏陂[480]，过故墅[481]。丁亥，还宫[8]。

初，羌[482]豪旁企地[483]以所部附薛举，及薛仁果败，企地来降，留长安。企地不乐，帅其众数千叛，入南山[484]，出汉川[485]，所过杀掠。武候大将军庞玉击之，为企地所败。行至始州[486][9]，掠女子王氏，与俱醉卧野外。王氏拔其佩刀，斩首送梁州[487]，其众遂溃。诏赐王氏号为崇义夫人。

壬辰[488]，王世充帅众三万围谷州[489]，刺史任瓌拒却之。

【段旨】

以上为第七段，写唐平定河东，窦建德得势于河北。

的使者，为隋炀帝发丧，哭丧三天。窦建德、高开道各自派遣使者招降罗艺，罗艺说："建德、开道，都是巨贼罢了。我听说唐公已经平定关中，众望所归。这才是我的真正主君，我将要跟随他，有敢于阻止败坏这一意见的人，斩首！"恰逢唐高祖派张道源抚慰山东，罗艺便奉上表章，与渔阳、上谷等郡全都前来降服。十二月十三日癸未，唐高祖下诏任命罗艺为幽州总管。薛万均是薛世雄的儿子，和弟弟薛万彻都因为有勇有谋被罗艺信任和重用，唐高祖下诏任命薛万均为上柱国、永安郡公，薛万彻为车骑将军、武安县公。

窦建德攻克冀州后，兵势更加强盛，他率领十万人侵犯幽州。罗艺即将应战，薛万均说："彼众我寡，出战必败，不如用老弱士兵背后依城，利用河水之险，摆开阵势，对方一定渡河攻击我军。我请求用精锐骑兵一百人埋伏在城边，待他们渡到河中央时发动攻击，没有不胜的。"罗艺听从了他的建议。窦建德果然带兵渡河，薛万均半途截击，大败敌军。窦建德最终未能靠近幽州城下。于是分兵抢掠霍堡及雍奴等县，罗艺又派兵截击，打败了窦建德的军队。总共相互攻战一百多天，窦建德不能攻下幽州，于是返回乐寿。

罗艺得到隋通直谒者温彦博，任命他为司马。罗艺以幽州归附唐朝，温彦博助成此事，唐高祖下诏任命温彦博为幽州总管府长史。不久，征调为中书侍郎。温彦博的兄长温大雅，当时任黄门侍郎，与温彦博任职的衙门相对而居，当时的人都认为兄弟俩非常荣耀。

唐高祖任命西突厥曷娑那可汗为归义王。曷娑那献上大珍珠，唐高祖说："珍珠确实是顶级的宝物，但朕以王的赤诚之心为宝，珍珠没有什么用处。"最后把珍珠归还了曷娑那可汗。

十二月十五日乙酉，唐高祖驾临周氏陂，经过故墅宫。十七日丁亥，返回皇宫。

当初，羌族豪强旁企地率领所属部落归附薛举，等到薛仁果失败后，旁企地前来降唐，留在长安。旁企地不高兴，率领部众数千人反叛，进入南山，再出汉川，所经之处杀戮抢掠。唐武候大将军庞玉攻打旁企地，被旁企地打败。旁企地走到始州，抢了女子王氏，与她一起醉卧野外。王氏拔出旁企地的佩刀，割下旁企地的头送到梁州，旁企地的部下便溃散了。唐高祖下诏赐号王氏为崇义夫人。

十二月二十二日壬辰，王世充率领三万人包围谷州，刺史任瓌击退了王世充。

【注释】

㊱乐寿：县名，县治在今河北献县西南。㊲宗城：县名，县治在今河北威县东。㊳玄圭：黑色的玉器。据说大禹治水，天赐之玄圭，终告成功。㊴宋正本（？至公元六二

〇年）：窦建德部将。㊵景城：县名，县治在今河北沧州西。㊶丞：官名，多作为辅佐官员的称号。隋唐时，县置令、丞。此处之丞即指县丞。㊷会稽：郡名，治所在今浙江绍兴。㊸孔德绍：隋朝著名文学之士，后从窦建德。宋正本、孔德绍事迹，均见《旧唐书》卷五十四、《新唐书》卷八十五《窦建德传》。㊹改国号曰夏：窦建德初称长乐王。㊺王须拔：隋末于河北起事反隋，上谷（今河北易县）人。事迹见新、旧《唐书·窦建德传》。㊻幽州：州名，治所在今北京市。㊼魏刀儿（？至公元六一八年）：隋末于河北起事反隋。事迹见新、旧《唐书·窦建德传》。㊽深泽：县名，县治在今河北深泽。㊾冀、定：均为州名，冀州治所在今河北衡水市冀州区，定州治所在今河北定州。㊿弛备：放松守备。⑪易：易州，州名，治所在今河北易县。⑫麹稜（？至公元六二一年）：唐初冀州刺史，后被刘黑闼所杀。事迹见《新唐书》卷八十五《窦建德传》。⑬崔履行：麹稜之婿，崔暹之孙。⑭暹：指崔暹（？至公元五五九年），字季伦，安平（今山东淄博市临淄区）人，北齐大臣，累迁至尚书右仆射。为官有盛名。传见《北齐书》卷三十。⑮设章醮：道家所作之法事。⑯自衣衰绖：自己穿上丧服。⑰振裙：将裙向空中振抖。⑱内史令：官名，隋初改中书省为内史省，中书令为内史令。内史令正三品，为事实上的宰相。⑲壬申：十二月初二。⑳使持节：魏晋以后，掌地方军政的官往往加使持节的称号，给以诛杀中级以下官吏之权。次一等的称持节，再次称假节。㉑大行台：东汉以后，朝廷政务由三公改归台阁（尚书），习惯上遂称朝廷为“台”。晋以后，朝官称台官，军称台军。在地方代表朝廷行尚书省事的机构称行台。由军事征伐而设置，若任职的人权位特重，则称大行台。唐初亦置行台。㉒蒲州：州名，治所在今山西永济西南蒲州镇。㉓诸府：指诸总管府。㉔癸酉：十二月初三。㉕曷娑那：处罗可汗。因从炀帝征高丽，赐号为曷娑那可汗。炀帝被杀，从宇文化及至河北。化及败，故从其所来，归长安，高祖封归义郡王。传见《旧唐书》卷一百九十四、《新唐书》卷二百十五。㉖为：制作。㉗置表于颈：将表疏置于木鹅的脖子上。㉘庞玉：泾阳（今陕西泾阳）人，初仕隋，后降于唐。累官至梁州总管。事迹见《旧唐书》卷二《太宗纪》。㉙皇甫无逸：字仁俭，安定（今甘肃泾川县）人，初仕隋，入唐为御史大夫、益州大都督。传见《旧唐书》卷六十二、《新唐书》卷九十一。㉚天下名义：天下的名分和原则。㉛不济：不成。㉜歔欷：哽咽；抽噎。㉝昔事主上于藩邸：《隋书·尧君素传》，炀帝为晋王，君素以左右从。㉞祚：命运。㉟听：听任。㊱持取：换取。㊲横生：乱生。㊳御：统帅；驾御。㊴获：俘虏。㊵微知：稍知。㊶丙子：十二月初六。㊷朝散大夫：官名，从五品。隋置，赐文武官员中德高望重者。唐因之。㊸解：县名，县治在今山西运城西南解州镇。㊹王行本：隋河东守将。尧君素死后，据蒲州拒守。武德三年（公元六二〇年）降唐。事迹见《旧唐书》卷一百八十三《独孤怀恩传》等。㊺在他所：驻扎他地。㊻捕杀君素者党与：逮捕杀害尧君素的同党。㊼乘城：凭城。㊽太守：官名，为一郡之最高行政长官。㊾邓暠：隋襄平（今辽宁辽阳）太守，武德元年降唐，署为营州总管。事迹见《旧唐书》卷五十六、《新唐书》卷九十二《罗艺传》。㊿柳城：郡名，治所在今辽宁朝阳。451北平：郡名，治所在今河北卢龙。452营州：州名，治所在今辽宁朝阳。453辛巳：十二月十一日。454商州：州名，治所在今陕西商州。455临三日：哭三日。456剧：凶烈；厉害。457人望：众望。458沮议：阻止这一意见。459渔阳：郡名，治所在今天津市蓟州区。460上谷：郡名，治所在今河北易县。461癸未：十二月十三日。462世雄：薛世雄（公元五五五至六一七年），隋将领，字世英，河东汾阴（今山西万荣西）人，炀帝时，官至左御卫大将军、涿郡留守。其子万淑、万均、万彻、万备均为唐朝立下战功。四子传均见《旧唐书》卷六十九、《新唐书》卷九十四。463车骑将军：官名，为诸卫郎将之职，正五品。464县公：爵名，唐代县公为从二品。465逆战：迎战。466羸兵：弱兵。467背城阻水为陈：背后依城，利用河水之险，摆开阵势。陈，通"阵"。468蔑：无。469霍堡：当乱世时，霍氏宗党筑堡以自固，因以为名。470雍奴：县名，县治在今天津市武清西北。471乐寿：县名，县治在今河北献县西南。472谒者：始置于春秋、战国，为国君掌管传达之事。南北朝时常引见臣下，传达使命。隋置通事谒者，唐为通事舍人。473温彦博（公元五七五至六三七年）：唐初大臣，字大临，并州祁县（今山西祁东南）人，官至中书令，封虞国公，进尚书右仆射。传见《旧唐书》卷六十一、《新唐书》卷九十一。474中书侍郎：官名，晋代始置，为中书省长官中书监、令之副职。唐初曾改称西台侍郎、凤阁侍郎。唐宋多以中书侍郎"同中书门下平章事"为宰相之职衔。因中书令不轻易授人，故中书侍郎亦等于中书省的长官。475对居近密：黄门侍郎居门下省，谓之东省；中书侍郎居中书省，谓之西省，故曰对居近密。476荣：荣耀。477归义王：即处罗可汗，随从炀帝征高丽，赐号为曷娑那可汗。炀帝遇害，随宇文化及至河北。化及败，归长安降唐，唐高祖封为归义王。事见《旧唐书》卷一百九十四《突厥传下》、《新唐书》卷二百十五下。《旧唐书》云封为归义郡王，《新唐书》与《通鉴》同。478宝王赤心：以王的忠心为宝。479乙酉：十二月十五日。480周氏陂：地名，在今陕西咸阳东北。481故墅：地名，在今陕西高陵西。皇上旧所居，武德六年改名为龙跃宫。482羌：中国古代少数民族名，主要分布在今甘、青、川一带。483旁企地：人名，为羌族部众首领。旁为羌姓。484南山：或名终南山、中南山、周南山。即今陕西秦岭山脉。485汉川：郡名，治所在今陕西汉中。486始州：州名，治所在今四川剑阁。487梁州：州名，唐改隋之汉川郡为梁州。治所在今陕西汉中。488壬辰：十二月二十二日。489谷州：州名，治所在今河南新安。

【校记】

［7］丁丑：原作"丁酉"。据章钰校，十二行本、乙十一行本、孔天胤本皆作"丁丑"，张敦仁《通鉴刊本识误》同，今据改。丁丑，十二月初七。［8］丁亥，还宫：此四字原无。据章钰校，十二行本、乙十一行本、孔天胤本有此四字，今据补。丁亥，十二月十七日。［9］行至始州：此谓企地行至始州，张敦仁《通鉴刊本识误》"行至"上有"企地"二字。

【原文】

上使李密分其麾下之半留华州[490]，将其半出关[491]。长史张宝德预在行中[492]，恐密亡去，罪相及，上封事[493]，言其必叛。上意乃中变[494]，又恐密惊骇，乃降敕书劳来，令密留所部徐行，单骑入朝，更受节度。

密至稠桑[495]，得敕，谓贾闰甫曰："敕遣我去，无故复召我还，天子向云[496]'有人确执不许'，此谮行矣[497]。吾今若还，无复生理[498]，不若破桃林县[499]，收其兵粮，北走渡河，比信达熊州[500]，吾已远矣。苟得至黎阳，大事必成。公意如何?"闰甫曰："主上待明公甚厚，况国家姓名，著在图谶[501]，天下终当一统。明公既已委质[502]，复生异图；任瓌、史万宝据熊、谷二州，此事朝举[503]，彼兵夕至，虽克桃林，兵岂暇集[504]，一称叛逆，谁复容人！为明公计，不若且应朝命，以明元无[505]异心，自然浸润[506]不行。更欲出就山东[507]，徐思其便[508]可也。"密怒曰："唐使吾与绛、灌[509]同列，何以堪之！且谶文之应，彼我所共[510]。今不杀我，听使东行，足明王者不死[511]。纵使唐遂定关中，山东终为我有。天与不取[512]，乃欲束手投人[513]！公，吾之心腹，何意如是[514]！若不同心，当斩而后行！"闰甫泣曰："明公虽云应谶，近察天人[515]，稍已相违。今海内分崩，人思自擅，强者为雄，明公奔亡甫尔[516]，谁相听受?且自翟让受戮之后，人皆谓明公弃恩忘本，今日谁肯复以所有之兵束手委公[517]乎?彼必虑公见夺，逆相拒抗，一朝失势，岂有容足之地哉！自非荷恩殊厚[518]者，讵[519]肯深言不讳乎！愿明公熟思之，但恐大福不再。苟明公有所措身[520]，闰甫亦何辞就戮[521]！"密大怒，挥刃欲击之。王伯当等固请，乃释之。闰甫奔熊州。伯当亦止密，以为未可，密不从。伯当乃曰："义士之志，不以存亡易心[522]。公必不听，伯当与公同死耳，然恐终无益也。"

密因执使者，斩之。庚子旦[523]，密绐[524]桃林县官曰："奉诏暂还京师，家人请寄县舍。"乃简骁勇数十人，着妇人衣，戴羃䍦[525]，藏刀裙下，诈为妻妾，自帅之入县舍。须臾，变服突出，因据县城，驱掠徒

【语译】

唐高祖让李密分出他的一半部下留在华州，率领另一半出关。长史张宝德与军队一同出发，他怕李密逃走，相连获罪，就呈上密封奏章，说李密必定反叛。唐高祖这才中途改变了想法，又怕李密受到惊吓，于是颁下敕书慰劳李密，命令李密所率的部队停留，缓慢前进，让李密单独骑马入朝，另外接受部署。

李密到达稠桑，接到唐高祖的敕书，对贾闰甫说："敕书派我去山东，无缘无故又召我回去，天子以前曾经说'有人坚持不同意让我东出'，这是谗言在起作用了。我现在如果回去，没有再活命的道理，不如攻下桃林县，获取县里的军队和粮食，向北渡过黄河。等消息传到熊州，我们已经走远了。假如能到黎阳，大事必定成功。您的想法如何?"贾闰甫说："皇上对待明公非常优厚，何况国家属于李姓，已经明白地写在图谶中，天下最终应该统一。明公既然已经委质归顺，又出现不同的意图，任瓌、史万宝占据熊、谷二州，此事早晨发动，晚上他们的军队就会赶到，虽然攻下桃林，军队哪有时间召集起来，一旦被称为叛逆，谁还会容纳您！为明公筹划，不如暂且服从朝廷的命令，以表明本无异心，谗言自然不能渐渐得逞。如果还想出关前往山东，以后可以慢慢考虑适宜的机会。"李密生气说："唐让我处于绛侯周勃、灌婴一样的地位，这怎么受得了！况且与谶文相应的，他和我都是一样。现在他不杀我，听任我东去，足以证明王者是不会死的。纵使唐平定了关中，山东终究为我所有。上天给予而不拿取，却想束手投降别人！你是我的心腹，为什么这样想！如果不能同心，该斩了你然后前进!"贾闰甫哭着说："明公您虽然说与图谶相应，但近来观察天道与人事，已经逐渐相违背。现在海内分崩离析，人人都想自己专擅称帝，强大的人称雄，明公您如此逃亡，谁能听从接受您呢？况且自从翟让遭戮以后，人人都说明公弃恩忘本，今天谁肯再把自己的军队束手交给明公呢？他们必定认为明公被剥夺了兵权，反过来要加以抗拒，一朝失去权势，哪里有立足之地呢！如果不是受过您的特殊而优厚恩典的人，哪里愿意深说而没有忌讳呢！希望明公仔细考虑这个事情，只怕大福不会再有了。如果明公有安身之处，闰甫我哪里会找借口被戮呢!"李密大怒，挥刀要砍贾闰甫。王伯当等人坚持为贾闰甫求情，李密这才放了贾闰甫。贾闰甫跑往熊州。王伯当也阻止李密，认为不能反叛，李密不听。王伯当于是说："义士的志向，不会因为存亡而改变心志。明公一定要不听从，伯当和明公同死而已，但恐怕最终也于事无补。"

李密于是逮捕唐王朝派来的使者，斩杀了他。十二月三十日庚子清晨，李密欺骗桃林县官说："我奉诏暂时返回京师，请让我的家人寄居在县衙。"于是挑选了骁勇的士兵数十人，穿上妇女的服装，戴着面罩，把刀藏在裙子下，冒充李密的妻妾，李密亲自率领这些人进入县衙。一会儿，换了服装的人突然冲出，乘机占领了县城，

众，直趣[526]南山，乘险而东，遣人驰告故将伊州[527]刺史襄城[528]张善相，令以兵应接。

右翊卫将军[529]史万宝镇熊州，谓行军总管盛彦师[530]曰：“李密，骁贼[531]也，又辅以王伯当，今决策而叛，殆[532]不可当也。”彦师笑曰：“请以数千之众邀[533]之，必枭其首。”万宝曰：“公以何策能尔？”彦师曰：“兵法尚诈，不可为公言之。”即帅众逾熊耳山[534]南，据要道，令弓弩夹路乘高，刀楯伏于溪谷[535]，令之曰：“俟[536]贼半渡，一时俱发。”或问曰：“闻李密欲向洛州[537]，而公入山，何也？”彦师曰：“密声言向洛，实欲出人不意走襄城，就[538]张善相耳。若贼入谷口，我自后追之，山路险隘，无所施力，一夫殿后[539]，必不能制。今吾先得入谷，擒之必矣。”

李密既度陕，以为余不足虑，遂拥众徐行，果逾山南出。彦师击之，密众首尾断绝，不得相救，遂斩密及伯当，俱传首长安。彦师以功赐爵[540]葛国公，拜武卫将军[10]，仍领[541]熊州。

李世勣在黎阳，上遣使以密首示之，告以反状。世勣北面拜伏号恸，表请收葬，诏归其尸[542]。世勣为之行服[543]，备君臣之礼。大具[544]仪卫，举军缟素，葬密于黎阳山[545]南。密素得士心，哭者多欧血[546]。

【段旨】

以上为第八段，写李密叛唐，不得士众心的悲剧结局。

【注释】

[490]华州：州名，治所在今陕西渭南市华州区。[491]关：此指潼关。[492]预在行中：与军队同行。[493]封事：古时臣下上书奏事，防有泄露，以袋封缄，称为封事。上封事，即奏上密表。[494]上意乃中变：皇上的心意才中途改变。[495]稠桑：驿名，在今河南灵宝北黄河南岸。[496]向云：以前说。[497]此谮行矣：这是谗言起作用了。谮，说坏话诬陷别人。[498]无复生理：没有再活命的理由。[499]桃林县：县名，县治在今河南灵宝北老城。[500]比信达熊州：等消息传到熊州。熊州，州名，治所在今河南宜阳西。[501]图谶：方士、巫师编造的隐语或预言叫谶。谶附有图，因此叫“图谶”。[502]委质：把身躯生命交给了君主，表示归

驱赶抢掠县里百姓，直奔南山，凭借险要东进，派人骑马奔驰前来通报从前的将领伊州刺史襄城人张善相，命令他派兵接应。

右翊卫将军史万宝镇守熊州，对行军总管盛彦师说："李密是个骁勇的敌人，又有王伯当辅助，现在决策反叛，大概是不可抵挡的。"盛彦师笑着说："请用几千部队拦截他，必能斩首悬挂示众。"史万宝说："你用什么计策能做到这样？"盛彦师说："兵法尚诈，不能对你说出来。"随即率兵翻过熊耳山来到山南，占据来往的要道，命令弓弩手登上高处夹道埋伏，持刀盾的士卒埋伏在溪谷，命令他们说："等到贼军渡河到河中央时，一起发起攻击。"有人问道："听说李密想往洛州，而你率军进山，这是为什么？"盛彦师说："李密声称去洛州，实际想出人不意，奔往襄城，到张善相那里而已。如果贼军进入谷口，我们从后面追赶，山路险隘，无处用力，一个敌人殿后，我们必定不能制服。现在我们抢先进入山谷，活捉他们是必然的了。"

李密过了陕州后，认为其他地方都不值得担忧，于是率领部队慢慢行进，果然翻过山向南面进军。盛彦师发动攻击，李密的部队首尾断绝联系，不能互相救援，于是杀了李密和王伯当，二人的首级都传送到长安。盛彦师因功被赐爵葛国公，担任武卫将军，仍然镇守熊州。

李世勣在黎阳，唐高祖派使者拿李密的首级给他看，告诉他李密反叛的情况。李世勣面朝北伏地下拜号啕痛哭，上表请求收葬李密，唐高祖下诏将李密的尸体送给李世勣。李世勣为李密穿戴丧服，尽到了君臣之间的礼节。盛备仪仗卫队，全军穿戴白色孝服，把李密埋葬在黎阳山南面。李密平时能得军心，痛哭的人很多吐了血。

顺效命。503 朝举：早上反叛。504 兵岂暇集：哪里有时间聚集兵士。505 元无：本无。506 浸润：谮人之言，如水之浸润，渐以成之。507 更欲出就山东：还再想出关到山东。508 徐思其便：慢慢考虑适当的机会。509 绛、灌：指汉初大臣周勃、灌婴。周勃（？至公元前一六九年），汉初大臣，沛县（今江苏沛县）人，封绛侯。灌婴，睢阳（今河南商丘南）人，与周勃共立文帝，任丞相。传见《汉书》卷四十一。510 谶文之应二句：谶文说姓李的当为天子，而李密与唐均为李姓。511 王者不死：为王的不会中途死亡。512 天与不取：老天给予而不取。513 束手投人：束缚双手而投降于人。514 何意如是：为什么这样想。515 天人：天道和人事。516 奔亡甫尔：如此逃亡。517 委公：委身于公。518 荷恩殊厚：蒙受特殊恩惠。519 讵：副词，表示反问，相当于现代汉语的"难道""哪里"。520 有所措身：有安身之处。521 就戮：被戮。522 不以存亡易心：不以存亡之故而变易其心志。523 庚

子旦：十二月三十日早晨。㉔绐：哄骗；欺骗。㉕羃䍦：《旧唐书·舆服志》，"武德、贞观之时，宫人骑马者，依齐隋旧制，多著幂䍦，虽发自戎夷，而全身障蔽，不欲途路窥之。王公之家亦同此制"。可知羃䍦为古代的一种头巾，用以遮盖头脸，不使人看到。羃，通"幂"。㉖趣：趋向；奔赴。㉗伊州：州名，治所在今河南嵩县东北。㉘襄城：地名，在今河南襄城。㉙翊卫将军：官名，侍卫之官。隋始置，唐因之。㉚盛彦师（？至公元六二三年）：宋州虞城（今河南虞城）人，隋末为澄城长，归唐授行军总管。传见《旧唐书》卷六十九、《新唐书》卷九十四。㉛骁贼：骁勇的贼寇。㉜殆：副词，大概、恐怕。㉝邀：拦截。㉞熊耳山：山名，在今河南卢氏南。㉟令弓弩夹路乘高二句：让弓箭手守在路的两旁高地，持刀楯的埋伏在溪谷。楯，通"盾"，盾牌。㊱俟：等到。㊲洛州：州名，治所在今河南洛阳东北。㊳就：从；靠近。㊴殿后：行军走在最后的。㊵爵：

【原文】

隋右武卫大将军李景守北平[547]，高开道围之，岁余不能克。辽西[548]太守邓暠将兵救之，景帅其众迁于柳城。后将还幽州，于道为盗所杀。开道遂取北平，进陷渔阳郡，有马数千匹，众且万，自称燕王，改元始兴，都渔阳。

怀戎[549]沙门[550]高昙晟，因县令设斋[551]，士民大集，昙晟与僧五千人拥斋众而反，杀县令及镇将，自称大乘[552]皇帝，立尼静宣为邪输皇后，改元法轮[553]。遣使招开道，立为齐王。开道帅众五千人归之，居数月，袭杀昙晟，悉并其众。

有犯法不至死[554]者，上特命杀之。监察御史[555]李素立[556]谏曰："三尺法[557]，王者所与天下共[558]也。法一动摇，人无所措手足。陛下甫创洪业[559]，奈何弃法！臣忝法司[560]，不敢奉诏。"上从之。自是特承恩遇，命所司授以七品清要官[561]。所司拟雍州[562]司户[563]，上曰："此官要而不清。"又拟秘书郎[564]，上曰："此官清而不要。"遂擢[565]授侍御史[566]。素立，义深[567]之曾孙也。

上以舞胡[568]安比奴[11]为散骑侍郎[569]。礼部尚书李纲谏曰："古者周代爵位有五等：公、侯、伯、子、男。三国以后，历代封爵制度不尽相同，但同姓封王却是一致的。异姓一般分公、侯、伯、子、男。㊶领：当作“镇”，《旧唐书》卷六十九、《新唐书》卷九十四《盛彦师传》皆作“镇”。㊷诏归其尸：诏命将李密的尸体归李世勣处理。㊸行服：着丧服。㊹大具：盛备。㊺黎阳山：即黎山。在今河南浚县东南。㊻欧血：吐血。

【校记】

［10］拜武卫将军：此句原无。据章钰校，十二行本、乙十一行本、孔天胤本皆有此句，张敦仁《通鉴刊本识误》、张瑛《通鉴校勘记》同，今据补。《旧唐书》卷六十九《盛彦师传》亦云“拜武卫将军”，《新唐书》卷九十四《盛彦师传》“拜”作“授”。

【语译】

隋右武卫大将军李景守卫北平，高开道包围了北平，一年多没有攻下。辽西太守邓暠率军救援，李景带领他的部下转移到柳城。后来准备返回幽州，在路上被强盗杀死。高开道于是攻取了北平，进军攻陷渔阳郡，拥有马数千匹，部众近万人，自称燕王，改年号为始兴，建都渔阳。

怀戎县的僧人高昙晟，趁着县令设斋举行法事，士民百姓大量聚集，与五千名僧人率领斋众反叛，杀了县令以及镇守的将领，自称大乘皇帝，封立尼姑静宣为邪输皇后，改年号为法轮。派遣使者招纳高开道，把高开道立为齐王。高开道率领五千人归附高昙晟，过了几个月，高开道发动袭击杀死高昙晟，全部兼并了他的部众。

有一个犯法但罪不至死的人，唐高祖特意下令杀死了他。监察御史李素立劝谏说：“法律，是帝王和天下人应该共同遵守的。法律一旦动摇，人们就会手足无措。陛下刚刚开创了帝王大业，怎么可以抛弃法律！臣忝列法律部门，不敢奉行这个诏命。”唐高祖听从了他的规劝。从此李素立特别受到高祖的恩遇，命令有关部门授予他七品清要官。有关部门把他注拟为雍州司户，高祖说：“这个官职虽然重要，但不清雅。”又注拟为秘书郎，高祖说：“这个官职虽然清雅，却不重要。”于是提拔任命为侍御史。李素立是李义深的曾孙。

唐高祖任命跳舞的胡人安比奴为散骑侍郎。礼部尚书李纲劝谏说：“古代乐工不

乐工不与士齿[570]，虽贤如子野、师襄[571]，皆终身继世，不易其业[572][12]。唯齐末[573]封曹妙达为王，安马驹为开府[574]，有国家者以为殷鉴[575]。今天下新定，建义功臣[576]，行赏未遍，高才硕学，犹滞草莱[577]，而先擢舞胡为五品，使鸣玉曳组[578]，趋翔廊庙[579]，非所以规模[580]后世也。”上不从，曰：“吾业已[581]授之，不可追也。”

陈岳[582]论曰：“受命之主，发号出令，为子孙法[583]，一不中理[584]，则为厉阶[585]。今高祖曰‘业已授之，不可追’，苟授之而是，则已；授之而非，胡[586]不可追欤[587]！君人之道[588]，不得不以‘业已授之’为诫哉！”

李轨吏部尚书[589]梁硕有智略[590]，轨常倚之以为谋主。硕见诸胡浸盛[591]，阴[592]劝轨宜加防察[593]，由是与户部尚书安脩仁有隙。轨子仲琰尝诣[594]硕，硕不为礼，乃与脩仁共谮硕于轨，诬以谋反。轨鸩[595]硕，杀之。有胡巫谓轨曰：“上帝当遣玉女自天而降。”轨信之，发民筑台以候玉女，劳费甚广。河右[596]饥，人相食，轨倾家财以赈之，不足，欲发仓粟，召群臣议之。曹珍等皆曰：“国以民为本，岂可爱仓粟而坐视其死乎！”谢统师[597]等皆故隋官，心终不服，密与群胡为党，排轨故人，乃诟[598]珍曰：“百姓饿者自是羸弱，勇壮之士终不至此。国家仓粟以备不虞[599]，岂可散之以饲羸弱！仆射苟悦[600]人情，不为国计，非忠臣也。”轨以为然，由是士民离怨。

【段旨】

以上为第九段，写高开道割据幽州；唐高祖纳谏；李轨不恤民而衰败。

能与士人并列，虽然贤明得如同子野、师襄，也全是终生继承，不改变他的职业。只有北齐末年封曹妙达为王，封安马驹为开府，凡是拥有国家的人，都以此作为亡国之鉴。现在天下刚刚平定，首先举义起兵的功臣，没有全部论功行赏，有高深才能的人和博识的学者，还滞留在民间，却要先来提拔跳舞的胡人当五品官，让他佩戴玉器，拖着绶带，来往行走于庙堂之上，这可不是用来规范后世的啊。”唐高祖不听，说：“我已经授予他官衔了，不能追回成命了。”

陈岳评论说：“接受了天命的君主，发号施令，应成为子孙后代的榜样，一个号令不合乎道理，就会成为祸端。现在高祖说‘已经授予官职了，不能追回成命’，如果授予官职是正确的，就作罢了；如果授予官职是错误的，怎么不可以追回成命呢！君主治理民众的方法，不能不把‘已经授予’作为鉴戒啊！”

李轨的吏部尚书梁硕有智慧谋略，李轨经常依靠他作为自己的谋主。梁硕看到各部胡人逐渐强盛，暗中劝说李轨应当加强预防和观察，因此与户部尚书安脩仁有了隔阂。李轨的儿子李仲琰曾前往梁硕那里，梁硕对他不以礼相待，李仲琰就和安脩仁一起向李轨谮毁梁硕，诬告他谋反。李轨让梁硕喝毒酒，杀害了他。有一个胡人巫师对李轨说：“上帝要派玉女从天而降。”李轨相信他的话，征发民众修建高台迎候玉女，花费很多劳力和费用。河西各郡发生饥荒，人吃人，李轨拿出全部家财救济饥民，仍然不够，想发放仓库的粮食，召集群臣商议此事。曹珍等人都说：“国家以民为本，怎么可以爱惜仓库的粮食而坐视百姓饿死呢！”谢统师等人都是原来隋朝的官员，心里始终对李轨不服，秘密与各部胡人结成同党，排挤李轨的旧部下，于是诋毁曹珍说：“百姓饿死的，是他们自己瘦弱，勇健强壮的人，最终也不会至于这样。国家仓库的粮食是用来防备意外灾祸的，怎可散发出去喂那些瘦弱的百姓！曹仆射如果要取悦人心，不为国家筹划，就不是忠臣。”李轨认为谢统师说得对，从此士人百姓都对李轨产生了离心和怨恨。

【注释】

㊼北平：县名，县治在今河南方城东南。㊽辽西：郡名，治所在今辽宁朝阳。㊾怀戎：县名，县治在今河北涿鹿西南桑乾河南岸。㊿沙门：佛教称谓。原为古印度反婆罗门教思潮各个派别出家者的通称，佛教盛行后专指佛教僧侣。551斋：舍饭给僧人。552大

乘：一世纪左右形成的佛教派别，亦名大乘佛教。553法轮：佛教名称。对佛法的喻称。554不至死：不及死罪。555监察御史：官名，唐代御史台分为三院，其中监察御史属察院，职掌“分察百僚，巡按郡县，纠视刑狱，肃整朝仪”(《唐六典》)，品秩低而权限广。556李素立：高邑（今属河北）人，武德初擢监察御史，后擢侍御史，贞观中转扬州大都督府司马。后历绵州、蒲州刺史。传见《旧唐书》卷一百八十五上、《新唐书》卷一百九十七。557三尺法：指法律。古时把法律条文写在三尺长的竹简上，故称为“三尺法”，也简称“三尺”。558王者所与天下共：法律是君王与天下人共守的准则。559甫创洪业：刚刚创下大业。560臣忝法司：臣忝列司法部门。忝，愧。561清要官：职位清贵，掌控枢要之官。562雍州：州名，治所在今陕西西安西北。563司户：官名，汉、魏以下有户曹掾，主管民户，为郡的佐吏。唐制，在府曰户曹参军，在州曰司户参军，在县曰司户。564秘书郎：官名，魏晋时置，属秘书省，掌管图书经籍的收藏管理事务。565擢：提拔。566侍御史：官名，掌推鞫、弹劾、举荐等。567义深：李义深（公元四九五至五五二年），赵郡高邑（今河北柏乡北）人，仕北齐，为梁州刺史。传见《北齐书》卷二十二。568舞胡：胡人中善歌舞者。569散骑侍郎：官名，魏晋时置，其后或置或省。唐武德初，置之作为加官。贞观初，改置为散骑常侍，为职事官，隶属门下省，作为加官。570不与士齿：不与士为伍。齿，并列、排列。571子野、师襄：子野，晋乐师旷的字。襄，鲁乐师。572终身继世二句：子孙世袭为乐工。573齐末：指齐后主。574开府：原指设置府署，自选僚属。汉代仅三公、大将军、将军可以开府，魏晋以后开府的逐渐增多，因此有“开府仪同三司”（开府置官，援照三公成例的名号）。575有国家者以为殷鉴：统治者拿他做殷鉴。殷鉴，《诗·荡》：“殷鉴不远，在夏后之世。”原谓殷人灭

【研析】

本卷研析李密之死，并对其进行评价。

李密是一位悲剧英雄。不过他的落幕太令人齿冷。

李密字玄邃，祖籍辽东襄平人，后徙为京兆长安人，是关陇贵族世家。曾祖父李弼为北魏司徒，祖父李曜为北周太保、魏国公。父亲李宽，骁勇善战，号为名将，从北周到隋，位至上柱国、蒲山公。李密出身于这样一个贵族家庭，自幼长于谋略，才兼文武，志气雄远，素有以天下大事为己任的情怀。隋文帝时李密袭父爵为蒲山公，轻财好士，赈赡亲故，养客礼贤，交游甚广。炀帝大业初年，李密任左亲侍，在宫廷上侍卫，隋炀帝见了生畏，李密便称病辞官，闭门谢客，专心读书。有一天，李密在路上遇见了宰相杨素出行，杨素见李密骑在一头黄牛上，一边走一边在看书，

夏，殷的子孙应以夏的灭亡作为鉴戒。后泛称可作借鉴的往事。⑯建义功臣：首先举义起兵的功臣。⑰高才硕学二句：有高深才能的人和博识学者，还滞留在民间。草莱，野草荒地。⑱鸣玉曳组：鸣玉是说佩玉行走时相撞而鸣。曳组，拖着绶带。组即绶，一种彩色的丝带，用来系官印。⑲趋翔廊庙：出入朝廷。趋翔，趋行张拱如鸟之舒翼。⑳规模：规范。㉑业已：已经。㉒陈岳：唐末人，曾任江南西道观察使钟传的判官。著有《唐统纪》《折中春秋》《大唐实录撰圣记》。㉓法：榜样。㉔中理：合理。㉕厉阶：祸端。㉖胡：何。㉗欤：句末语气词，表示疑问或感叹。㉘君人之道：治理民众的方法。㉙吏部尚书：官名，隋唐尚书省下设六部，吏部为其首，主管全国官吏的任免、考课、升降、调动等事务。长官为吏部尚书。㉚智略：智慧谋略。㉛浸盛：渐盛。㉜阴：暗中。㉝防察：预防观察。㉞尝诣：曾经前去。㉟鸩：毒酒。㊱河右：指河西诸郡而言。㊲谢统师：隋虎贲郎将，被李轨所俘，李轨以其为太仆卿。㊳诟：诋毁。㊴不虞：出乎意料的事。㊵苟悦：苟且取悦。

【校记】

[11] 安比奴：严衍《通鉴补》改“比”作“叱”。〖按〗《旧唐书》卷六十二、《新唐书》卷九十九《李纲传》皆作“叱”。[12] 皆终身继世不易其业：此二句原无“终身继”三字。据章钰校，十二行本、乙十一行本、孔天胤本皆有此三字，张敦仁《通鉴刊本识误》、张瑛《通鉴校勘记》同，今据补。〖按〗《旧唐书·李纲传》作“皆身终子继，不易其业”，《新唐书·李纲传》作“皆继世不易业”。

好生奇怪，就把李密请到家中交谈，非常赏识李密的才干。杨素介绍自己的儿子杨玄感等与李密相见，并对儿子们说：“我看李密的识度，你们远远不及。”于是杨玄感深结李密，两人成了刎颈之交。

大业九年（公元六一三年），隋炀帝第二次征伐高丽，杨玄感屯驻黎阳（今河南浚县）负责粮运，举兵反隋。李密赶到黎阳为杨玄感的谋主，提出了上中下三策。上策建议杨玄感占据幽州，卡断隋炀帝退路，不过旬月，隋军粮草俱尽，必然溃散，隋炀帝将被活捉。中策是轻骑疾行，占据关中，居高以争天下，这是万全之策。下策是兵围东都，一旦得手，可号令天下。但若东都有备，久攻不下，勤王之军四面而来，就是死路一条。杨玄感选用了下策，很快败亡。李密遭通缉，屡经厄难，投身瓦岗寨，成为翟让的谋主，在李密的运筹下，瓦岗军屡败隋军，迅速壮大，到了大业十三年，瓦岗军一举攻占了兴洛仓（在今河南巩义东），声势大振。兴洛仓是隋朝积蓄的最大粮仓，瓦岗军开仓放赈，饥民蜂拥而至，大批加入起义军，号称百万。此时瓦岗军是全国最大的反隋力量。李密声望日隆，翟让让贤，推举李密为瓦岗军首领，于是李密称魏公、行军元帅，建元永平，封翟让为司徒、东郡公，设官授职，建立政权。瓦岗军拥有大批的豪杰英雄，徐世勣、秦叔宝、程知节、王伯当、单雄信等，谋臣武将，知名当时。李密兵围东都，连战皆捷，瓦岗势力达于鼎盛。

在这大好形势下，瓦岗军发生内讧。翟让的部属有人不满李密，劝翟让夺回兵权，翟让没有同意。这却引起了李密的猜忌，又做出了不妥的策略，在大业十三年十一月设宴诛杀翟让，混乱中砍伤徐世勣，单雄信伏地求饶，幸免于难。这场火并，将士离心，大大削弱了瓦岗军的战斗力。武德元年（公元六一八年）正月，李密大败东都王世充。王世充的七万军队只剩下了几千人，王世充召集残兵败将仅一万余人，退守东都含嘉城（在今河南洛阳市老城北），不敢出战。李密乘胜攻占偃师，率领三十万大军进驻金墉城（在今洛阳东），钲鼓之声，闻于东都。此时，“东至海岱，南至江淮，郡县莫不遣使归密”（《旧唐书·李密传》）。窦建德、朱粲、孟海公、徐圆朗、周法明等多股起义军表示拥戴李密称帝，李密的部属也劝进。而李密认为“东都未平，不可此议”，可谓明智。瓦岗军势力复振。

不久，宇文化及弑隋炀帝，率领十余万江都兵北上。如果李密让开大路，引宇文化及这股祸水到东都，或许是一上策。当瓦岗久攻东都不下之时，大业十三年，柴孝和建言李密进兵关中为根据地，这样“业固兵强，然后东向以平河洛，传檄而天下定矣”。这是李密当年替杨玄感谋划的策略之一，这更是一条上策。李密均未采用。为了避免两线作战，李密接受皇泰主招安，放下义旗，降为隋臣，已是大为失计。随后拼了全力，打败宇文化及，瓦岗军丧失精兵良将，没有休整，又连续与王世充进行主力决战，是更大的失计。得胜而骄，骄兵必败，李密犯忌，遭了劫数，因当年火并翟让，伤了徐世勣而不敢去投奔，率众投唐，又是一大失误。由于投唐，李密丧失了东山再起的资本，到了这时再回头谋反，只有死路一条。贤如李密，有如此之多的失误，他不是一个真龙天子，也就不奇怪了。

李密初到瓦岗，义军只有一万多人，不到半年就发展到十多万人，接着进兵东都，两年间，驰骋中原，叱咤风云，号称百万之众，大有夺取天下之势，其兴何其骤也。可是正当瓦岗连战皆捷，如日中天之时，却因偃师一战，全军覆没，顷刻瓦解，其败又何其速也。李密骤兴骤灭，如同一场暴风骤雨，比之楚汉相争时的项羽，大有类似。项羽灭秦，李密覆隋，扫荡旧世界，这是他们名垂千秋的业绩，也是可称为一个英雄的理由。两人骤兴骤灭，也大有类似，都是悲剧英雄，两人最大的不同，项羽之死，何其悲壮，生为人杰，死为鬼雄；李密之死，叛逆被诛，难免被钉在历史的耻辱柱上。李密最后落幕，显示出反复无常的小人嘴脸，着实可悲。

卷第一百八十七　唐纪三

起屠维单阏（己卯，公元六一九年）正月，尽十月，不满一年。

【题解】

本卷记事起公元六一九年正月，迄十月，凡十个月史事，当唐高祖武德二年。这一时期，唐高祖平定了河西，李轨败亡。晋北刘武周引突厥南下。朔方梁师都亦不时扰边，两股势力牵制了唐兵东出。王世充乘机篡逆称帝，部属不愿从逆者，西向降唐。罗士信、秦叔宝、程知节皆降唐为大将。窦建德在河北灭了宇文化及，势力达于极盛。江南杜伏威降唐。荆襄萧铣仍为南方最大割据势力。

【原文】

高祖神尧大圣光孝皇帝上之下

武德二年（己卯，公元六一九年）

春，正月壬寅[①]，王世充悉取隋朝显官、名士为太尉府官属[②]，杜淹[③]、戴胄[④]皆预[⑤]焉。胄，安阳人也。隋将军王隆帅屯卫将军张镇周、都水少监[⑥]苏世长[⑦]等以山南兵始至东都[⑧]。王世充专总朝政，事无大小，悉关[⑨]太尉府，台省[⑩]监署，莫不阒[⑪]然。世充立三牌于府门外：一求文学才识，堪济时务[⑫]者；一求武勇智略，能摧锋陷敌者；一求身有冤滞，拥抑不申[⑬]者。于是上书陈事日有数百，世充悉引见，躬自省览[⑭]，殷勤慰谕。人人自喜，以为言听计从，然终无所施行。下至士卒厮养[⑮]，世充皆以甘言悦之，而实无恩施。

【语译】

高祖神尧大圣光孝皇帝上之下

武德二年（己卯，公元六一九年）

春，正月初二日壬寅，王世充以隋朝全部显要官员、名士担任太尉府的官吏，杜淹、戴胄也在其中。戴胄是安阳人。隋将军王隆统率屯卫将军张镇周、都水少监苏世长等人带领山南的军队刚到达东都。王世充专权总揽朝政，事情无论大小，都要报告太尉府，隋朝的台、省、监、署各官府，都寂静无人。王世充在太尉府的门外树立了三块牌子：一块牌子寻求文学才识之士，即能够办理现实政务的人；一块牌子寻求武勇智略的人才，即能够摧毁敌人兵锋、攻陷敌人军阵的人；一块牌子寻求自身遭受冤屈，受到压抑而不能申诉的人。于是上书论事的人每天有几百，王世充全都接见，亲自阅视奏章，诚恳地对他们加以慰问和告谕。人人都自感欣喜，以为王世充言听计从，但是最终什么事都没有办。对于最下层的士兵伙夫，王世充全都用甜言蜜语取悦他们，而实际上没有施舍恩惠。

隋马军总管独孤武都为世充所亲任，其从弟[16]司隶大夫[17]机与虞部郎[18]杨恭慎，前勃海郡[19]主簿[20]孙师孝，步兵总管刘孝元、李俭、崔孝仁谋召唐兵，使孝仁说武都曰："王公徒为儿女之态以悦下愚[21]，而鄙隘贪忍[22]，不顾亲旧，岂能成大业哉！图谶之文，应归李氏，人皆知之。唐起晋阳，奄有[23]关内[24]，兵不留行[25]，英雄景附[26]。且坦怀待物[27]，举善责功[28]，不念旧恶，据胜势以争天下，谁能敌之！吾属托身非所[29]，坐待夷灭[30]。今任管公[31]兵近在新安[32]，又吾之故人也，若遣间使[33]召之，使夜造[34]城下，吾曹[35]共为内应，开门纳之，事无不集[36]矣。"武都从之。事泄，世充皆杀之。恭慎，达之子也。

癸卯[37]，命秦王世民出镇长春宫[38]。

宇文化及攻魏州[39]总管元宝藏[40]，四旬不克。魏徵往说之，丁未[41]，宝藏举州[42]来降。

戊午[43]，淮安王神通击宇文化及于魏县，化及不能抗，东走聊城[44]。神通拔魏县，斩获二千余人，引兵追化及至聊城，围之。

甲子[45]，以陈叔达为纳言。

丙寅[46]，李密所置伊州刺史张善相来降。

朱粲有众二十万，剽掠汉、淮[47]之间，迁徙无常。每破州县，食其积粟未尽，复他适[48]。将去，悉焚其余资[49]，又不务稼穑，民馁[50]死者如积[51]。粲无可复掠，军中乏食，乃教士卒烹妇人、婴儿啖[52]之，曰："肉之美者无过于人，但使[53]他国有人，何忧于馁！"隋著作佐郎[54]陆从典、通事舍人[55]颜愍楚，谪官[56]在南阳，粲初引为宾客，其后无食，阖家皆为所啖。愍楚，之推[57]之子也。又税[58]诸城堡细弱[59]以供军食，诸城堡相帅叛之。

淮安[60]土豪杨士林、田瓒[61]起兵攻粲，诸州皆应之。粲与战于淮源[62]，大败，帅余众数千奔菊潭[63]。士林家世蛮酋，隋末，士林为鹰扬府校尉[64]，杀郡官而据其郡。既逐朱粲，己巳[65]，帅汉东[66]四郡遣使诣信州[67]总管庐江王瑗请降，诏以为显州道[68]行台[69]。士林以瓒为长史。

初，王世充既杀元、卢[70]，虑人情未服，犹媚事皇泰主，礼甚谦

隋马军总管独孤武都被王世充亲近和任用，独孤武都的堂弟司隶大夫独孤机与虞部郎杨恭慎，前勃海郡主簿孙师孝，步兵总管刘孝元、李俭、崔孝仁谋划招来唐兵，让崔孝仁劝独孤武都说："王世充只是做出儿女亲爱的姿态取悦底层的愚民，实际上鄙陋狭隘贪婪残忍，并不关照以前的部下与亲信，怎么能成就大业啊！根据图谶之文，天下应归李氏，人人都知道这一情况。唐从晋阳起事，囊括关内地区，军队一路顺利进军，各路英雄归附。并且唐主坦诚待人，任用善人，要求人们建立功业，不念旧恶，占据了优势来争夺天下，谁能与之对抗呢！我们这些人托身到不该托身的地方，坐等被人诛灭。现在任管公的军队近在新安，又是我们的老朋友，假如派一秘密使者前去把他们招来，让他们夜里来到城下，我们一起作为内应，打开城门放他们进来，事情没有不成功的。"独孤武都听从了这一建议。但事情泄露，王世充把他们全都杀死了。杨恭慎是杨达的儿子。

正月初三日癸卯，唐高祖命令秦王李世民出京镇守长春宫。

宇文化及攻打魏州总管元宝藏，四十天没有攻下。魏徵前往游说，初七日丁未，元宝藏率全州前来投降。

正月十八日戊午，淮安王李神通在魏县攻打宇文化及，宇文化及抵挡不住，东逃聊城。李神通攻取魏县，杀死、俘虏两千多人，率军追赶宇文化及到聊城，包围了他。

二十四日甲子，唐高祖任命陈叔达为纳言。

二十六日丙寅，李密所设伊州刺史张善相前来降唐。

朱粲拥有部众二十万人，抢掠汉水、淮河之间，迁徙无常。每次攻破州县，当地的积粮还没有吃光，就又去其他地方。将要离开当地时，把剩余的粮食与物资全部焚毁，又不从事耕种，百姓饿死的聚成了堆。朱粲没有可以掠夺的地方，军队缺乏粮食，他就教士兵煮妇女、小孩吃，并说："最好吃的肉，莫过于人肉，只要其他城镇里有人，何必为挨饿发愁！"隋著作佐郎陆从典、通事舍人颜愍楚，被贬官在南阳，朱粲最初迎来做宾客，其后朱粲没有粮食，二人全家都被朱粲部队吃掉。颜愍楚是颜之推的儿子。朱粲又征收各城堡的小孩和体弱的人供给军队为军粮，各城堡相率背叛朱粲。

淮安土豪杨士林、田瓒起兵攻打朱粲，各州县都响应他们。朱粲在淮源和他们交战，大败，率领余部数千人跑往菊潭。杨士林家族世代都是蛮族首领，隋朝末年，杨士林担任鹰扬府校尉，杀了郡里的官员而占据了郡城。在驱逐了朱粲以后，正月二十九日己巳，杨士林率领汉东四郡派遣使者前往唐信州总管庐江王李瑗处请求投降，唐高祖下诏任命杨士林为显州道行台。杨士林任命田瓒为长史。

当初，王世充杀掉元文都、卢楚之后，担心人心未服，仍然谄媚地奉侍隋皇泰敬。又请为刘太后假子[71]，尊号曰圣感皇太后。既而渐骄横，尝赐食于禁中，还家大吐，疑遇毒，自是不复朝谒[72]。皇泰主知其终不为臣，而力不能制，唯取内库彩物[73]大造幡花[74]，又出诸服玩[75]，令僧散施贫乏以求福。世充使其党张绩、董濬守章善、显福二门[76]，宫内杂物，毫厘不得出。

是月，世充使人献印及剑。又言河水[77]清，欲以耀众[78]，为己符瑞[79]云。

【段旨】

以上为第一段，写王世充加紧篡逆步伐，以及宇文化及、朱粲拥众顽抗。

【注释】

①壬寅：正月初二。②太尉府官属：时世充为太尉，太尉府官属，即世充的僚属。③杜淹（？至公元六二八年）：字执礼，杜如晦叔父，京兆杜陵（今陕西西安东）人，高祖时，官至吏部尚书。传见《旧唐书》卷六十六、《新唐书》卷九十六。④戴胄（？至公元六三三年）：字玄胤，安阳（今河南安阳东南）人，太宗时为尚书左丞、检校吏部尚书。传见《旧唐书》卷七十、《新唐书》卷九十九。⑤预：参与。⑥都水少监：官名，都水监为官署名，主官称使者，少监为其副。职掌河渠、津梁、堤堰等事务。⑦苏世长：京兆武功（今陕西武功）人，唐初拜谏议大夫。秦府开文学馆，引为学士。后出为巴州（今四川巴中）刺史。传见《旧唐书》卷七十五、《新唐书》卷一百三。⑧东都：隋大业五年（公元六〇九年）改东京洛阳为东都。⑨悉关：都要报告。⑩台省：唐代一度称尚书省为中台，门下省为东台，中书省为西台，总称台省。⑪阒：寂静。⑫时务：当前事务。⑬拥抑不申：受压抑不能申诉。⑭躬自省览：亲自阅视。⑮厮养：指伙夫。析薪为厮，炊烹为养。⑯从弟：堂弟。⑰司隶大夫：官名，隋设司隶台，长官为司隶大夫，掌管诸巡察，正四品。⑱虞部郎：官名，隋初为虞部侍郎，属工部，炀帝改为虞部郎。唐于工部置虞部司，虞部郎中为其长官，从五品上，掌山泽、苑囿及草木、薪炭供顿等事。⑲勃海郡：郡名，治所在今河北沧州东南。⑳主簿：官名，为中央和地方郡县官署主管文书簿籍和印鉴的官吏，为掾吏之首。㉑徒为儿女之态以悦下愚：只用儿女亲

主，礼节非常谦卑恭敬。又请求做刘太后的干儿子，尊称刘太后为圣感皇太后。后来王世充渐渐骄横，皇泰主曾在宫中赐食王世充，他回到家里呕吐不止，怀疑遭遇毒物，从此不再上朝拜谒皇泰主。皇泰主知道王世充最终不会称臣，而自己的力量又不能控制，只能从宫内仓库中取出各种绫罗锦绢大量制作求佛保佑的幡花，又拿出各种装饰玩物，令僧人施舍给贫穷的人来求福。王世充派他的党羽张绩、董濬守住章善、显福二门，宫内的杂物，一丝一毫都不能拿出去。

这个月，王世充让人向他献上印玺和宝剑。又说黄河水变清，想以此向众人炫耀，作为自己称帝的符瑞。

爱的姿态取悦底层的愚民。㉒鄙隘贪忍：卑鄙、狭隘、贪婪、残忍。㉓奄有：包有；囊括。㉔关内：秦、汉、隋、唐等王朝定都今西安，通称古函谷关（今河南灵宝东北）或今潼关以西王畿附近地区为关内，又称关中。㉕兵不留行：意谓军队进军顺利，毫无停留。㉖英雄景附：各路英雄归附。景附，如影随形，形容归附。景，“影”的本字。㉗坦怀待物：坦诚待人。㉘举善责功：任用善人，要求人们建立功业。责，要求。㉙托身非所：投靠错了地方。㉚夷灭：诛灭。㉛任管公：任瓌以谷州刺史镇新安，封管国公。㉜新安：县名，治所在今河南新安。㉝间使：暗中派出的使者。㉞造：至。㉟吾曹：我辈。㊱集：成功。㊲癸卯：正月初三。㊳长春宫：北周武帝置，在今陕西大荔朝邑镇西北。㊴魏州：州名，治所在今河北大名东北。㊵元宝藏：原隋武阳郡丞。大业末，举兵归李密。武德二年（公元六一九年）因魏徵劝说而降唐。事迹见《旧唐书》卷七十一《魏徵传》。㊶丁未：正月初七。㊷举州：全州。举，全。㊸戊午：正月十八日。㊹聊城：县名，县治在今山东聊城东北。㊺甲子：正月二十四日。㊻丙寅：正月二十六日。㊼汉、淮：指汉水、淮水。㊽他适：到其他地方。㊾余资：主要指余粮。㊿馁：饥饿。51积：堆垛。52啖：吃。53但使：只要。54著作佐郎：官名，唐代设著作郎，主管著作局，职掌撰拟文字。著作郎下有著作佐郎、校书郎、正字等属官。55通事舍人：官名，掌引见臣下，传达使命。56谪官：贬官。57之推：颜之推（公元五三一至约五九五年），北朝北周文学家，字介，琅邪临沂（今属山东）人，官至黄门侍郎。著有《颜氏家训》传于世。传见《北齐书》卷四十五、《北史》卷八十三。58税：征纳。59细弱：羸弱的人。60淮安：郡名，治所在今河南泌阳。61杨士林、田瓒：均为淮安郡土豪。62淮源：县名，县治在今河南信阳西北。63菊潭：县名，县治在今河南内乡北。64鹰扬府校尉：武官名，隋炀帝大业三年改骠骑府为鹰扬府，其长官为鹰扬郎将，正五品。隶属于

各卫，统领府兵。校尉在隋唐时为武散官。太宗贞观十年（公元六三六年），正式确定军府名称，由隋之鹰扬府改为折冲府。唐折冲府以三百人为团，团有校尉。⑥⑤己巳：正月二十九日。⑥⑥汉东：郡名，治所在今湖北随县。⑥⑦信州：郡名，治所在今重庆市奉节东白帝。⑥⑧显州道：道名，治所在今河南泌阳。⑥⑨行台：东汉以后，朝廷政务由三公改归台阁（尚书），习惯上称朝廷为“台”。晋以后，朝官称台官，在地方代表朝廷行尚书省事的机构称行台。由军事征伐而设置，若任职的人权位特重，则称大行台。⑦⓪元、卢：

【原文】

上遣金紫光禄大夫武功[80]靳孝谟安集[81]边郡，为梁师都所获。孝谟骂之极口[82]，师都杀之。二月，诏追赐爵武昌县公，谥曰忠。

初定租、庸、调法[83]，每丁租二石，绢二匹，绵三两，自兹以外，不得横有[84]调敛。

丙戌[85]，诏：“诸宗姓[86]居官者，在同列之上；未仕者，免其徭役。每州置宗师[87]一人以摄总，别为团伍。”

张俟德至凉，李轨召其群臣廷议曰：“唐天子，吾之从兄[88]，今已正位京邑[89]。一姓不可自争天下，吾欲去帝号，受其封爵，可乎？”曹珍曰：“隋失其鹿，天下共逐之，称王称帝者，奚啻[90]一人！唐帝关中，凉帝河右[91]，固不相妨。且已为天子，奈何复自贬黜[92]！必欲以小事大，请依萧詧事魏故事[93]。”轨从之。戊戌[94]，轨遣其尚书左丞[95]邓晓入见，奉书称“皇从弟大凉皇帝臣轨”，而不受官爵。帝怒，拘晓不遣，始议兴师讨之。

初，隋炀帝自征[96]吐谷浑[97]，吐谷浑可汗伏允以数千骑奔党项[98]。炀帝立其质子[99]顺为主，使统余众，不果[100]入而还。会中国丧乱，伏允复还收其故地。上受禅，顺自江都还长安，上遣使与伏允连和，使击李轨，许以顺还之。伏允喜，起兵击轨，数遣使入贡请顺，上遣之。

指元文都、卢楚。武德二年被王世充所杀。⑪假子：义子。假子之风，隋唐时颇为流行。⑫朝谒：朝拜谒见。⑬彩物：各种绫罗锦绢。⑭幡花：用绵帛做的花。⑮服玩：装饰玩物。⑯章善、显福二门：东都宫城南面有三门：中为应天，左为兴教，右为光政。兴教门内有会昌门，它的北面是章善门；光政门内有广运门，北面是显福门。⑰河水：黄河。⑱耀众：向民众炫耀。⑲为己符瑞：是自己的符应祥瑞。

【语译】

唐高祖派金紫光禄大夫武功人靳孝谟带兵安辑边地郡县，靳孝谟被梁师都俘虏。靳孝谟极口大骂，梁师都杀死了他。二月，唐高祖下诏追赐靳孝谟爵位为武昌县公，谥号为忠。

初次制定租、庸、调法，一年每个成年男丁纳租二石，绢二匹，绵三两，除此之外，不得滥有征调。

二月十六日丙戌，唐高祖下诏："各与皇室同宗同祖而居官任职的，品位在同等官员之上；没有入仕的，免除他们的徭役。每州设立宗师一人来总管宗族，另外编为军队的团伍。"

张俟德到达凉州，李轨召集群臣在朝廷上讨论说："唐朝的天子，是我的堂兄，现在已正式在京城即天子之位。同为一姓不可自家争夺天下，我想去掉帝号，接受唐朝的封爵，可以吗？"曹珍说："隋朝丧失政权，天下人共同追逐帝位，称王称帝的，岂止一人！唐主在关中称帝，凉王在河右称帝，本来不相妨碍。况且您已经做了天子，何必又自我贬黜呢！一定想以小事大，就请依照萧詧侍奉北魏的旧例。"李轨听从这个建议。二月二十八日戊戌，李轨派遣他的尚书左丞邓晓入朝晋见唐高祖，奉上的书信中自称"皇帝的堂弟大凉国皇帝臣李轨"，而不接受唐朝的官爵。唐高祖很生气，拘押了邓晓，不送他回去，开始商议出兵讨伐李轨。

当初，隋炀帝亲自征讨吐谷浑，吐谷浑的可汗伏允率领几千骑兵跑往党项。隋炀帝扶立吐谷浑的质子顺为吐谷浑君主，让顺统率吐谷浑剩余的民众，但顺最后没有回到吐谷浑而返回了中原。适逢中原战乱，伏允又返回吐谷浑收复了他的原有领地。唐高祖即位时，顺从江都回到长安，唐高祖派使者与伏允讲和，派他攻打李轨，答应把顺还给伏允。伏允很高兴，发兵攻打李轨，多次派遣使者入朝进贡，请求归还顺，唐高祖遣送顺返回吐谷浑。

【段旨】

以上为第二段，写唐高祖安集西北，始议兴师讨李轨。

【注释】

⑧⓪武功：县名，县治在今陕西武功西北武功镇。⑧①安集：安辑。⑧②极口：极力称道或诋毁。⑧③租、庸、调法：唐代中期以前向受田课丁（人丁）征派的田租、力庸、户调等三种赋役的合称。源于北魏到隋以均田制为基础的租、调、力役制度。武德二年（公元六一九年）制定，名租庸调法。武德七年又做详明规定，每丁每年缴租粟二石；调随乡土所产缴纳，绢、绫二丈，布加五分之一，缴绫、绢、𫄨的加绵三两，缴布的加麻三斤；庸是代替力役的赋税。人丁每年有二十日力役，不服役的每日折纳绢三尺。因事加役十五日的免调，三十日的租、调都免。但连正役不得超过五十日。⑧④横有：滥

【原文】

闰月[101]，朱粲遣使请降，诏以粲为楚王，听自置官属，以便宜从事。

宇文化及以珍货[102]诱海曲[103]诸贼，贼帅王薄[104]帅众从之，与共守聊城。

窦建德谓其群下[105]曰："吾为隋民，隋为吾君，今宇文化及弑逆，乃吾仇也，吾不可以不讨。"乃引兵趣聊城。

淮安王神通攻聊城，化及粮尽请降，神通不许。安抚副使[106]崔世幹[107]劝神通许之，神通曰："军士暴露日久[108]，贼食尽计穷，克在旦暮。吾当攻取以示国威，且散其玉帛以劳将士。若受其降，将何以为军赏乎！"世幹曰："今建德方至，若化及未平，内外受敌，吾军必败。夫不攻而下之[109]，为功甚易，奈何贪其玉帛而不受乎！"神通怒，囚世幹于军中。既而宇文士及自济北[110]馈之[111]，化及军稍振，遂复拒战[112]。神通督兵攻之，贝州[113]刺史赵君德[114]攀堞先登[115]。神通心害[116]其功，收兵不战，君德大诟[117]而下，遂不克。建德军且至，神通引兵退。

有。㉟丙戌：二月十六日。㊱宗姓：同祖的人。㊲宗师：官名，宗师本指受人尊重堪为师表的人。王莽摄政，诏各郡国设置宗师，训导宗室子弟，为宗师定为官职的开始。㊳从兄：堂兄。㊴正位京邑：正式在京城即天子之位。㊵奚啻：何止。㊶河右：即河西。㊷贬黜：贬退。㊸萧詧事魏故事：魏恭帝初，宇文泰令柱国于谨伐江陵，萧詧以兵会之。及江陵平，泰立詧为梁主，居江陵东城。詧乃称皇帝于其国，唯上疏则称臣，奉正朔。㊹戊戌：二月二十八日。㊺尚书左丞：官名，唐代尚书省有左、右丞。尚书省左丞总辖吏、户、礼三部，右丞总辖兵、刑、工三部。㊻自征：亲征。㊼吐谷浑：亦作吐浑。我国古代西北部的一个民族，是鲜卑族的一支。㊽党项：我国古代民族名，羌人的一支。南北朝时，分布在今青海省东南部河曲和四川松潘以西山谷地带。唐前期，大部分党项人迁徙到今甘肃、宁夏、陕北一带。据本书卷一百八十一记载，大业五年（公元六〇九年），吐谷浑伏允使其子顺来朝，炀帝留顺不遣。伏允败走，无以自资，率领数千骑客于党项。㊾质子：以子为人质。⑩不果：没有结果。

【语译】

闰二月，朱粲派使者到唐朝请求投降，高祖下诏立朱粲为楚王，听凭朱粲自己设置官属，视方便办事。

宇文化及用珍宝财物引诱海曲县的各路贼众，贼帅王薄率领贼众跟随了宇文化及，与宇文化及一起守卫聊城。

窦建德对其部下说："我是隋朝百姓，隋是我的君主，现在宇文化及叛逆杀了皇帝，就是我的仇人，我不能不讨伐。"于是带兵奔向聊城。

淮安王李神通攻打聊城，宇文化及的粮食光了，请求投降，李神通不答应。安抚副使崔世幹劝李神通答应宇文化及投降，李神通说："军队士卒长期在野外风餐露宿，敌人粮尽计穷，攻克他们就在朝夕之间。我应当攻下聊城以展示国家的威势，并且散发他们的玉帛来慰劳将士。如果接受他们投降，将用什么东西赏赐军队呢！"崔世幹说："现在窦建德就要到达，如果宇文化及没有平定，我们里外受敌，我军必然失败。不用攻城而使其投降，得到成功非常容易，为什么贪图他们的玉帛而不接受投降呢！"李神通很生气，把崔世幹囚禁在军中。不久，宇文士及从济北郡运送粮草给宇文化及，宇文化及的军队逐渐振作起来，于是又来抵抗作战。李神通督率军队攻城，贝州刺史赵君德攀上城堞首先登上城墙。李神通心中嫉妒他的功劳，收兵不战，赵君德大骂，从城上退下，于是没有攻克聊城。窦建德的军队即将抵达，李神通带兵退去。

建德与化及连战，大破之，化及复保聊城。建德纵兵四面急攻，王薄开门纳之。建德入城，生擒⑱化及，先谒隋萧皇后，语皆称臣，素服哭炀帝尽哀，收传国玺⑲及卤簿⑳仪仗，抚存隋之百官，然后执逆党宇文智及、杨士览、元武达、许弘仁、孟景，集隋官而斩之㉑，枭首军门㉒之外。以槛车㉓载化及并二子承基、承趾至襄国㉔，斩之。化及且死，更无余言㉕，但云："不负夏王㉖！"

建德每战胜克城，所得资财，悉以分将士，身无所取。又不啖肉，常食蔬，茹粟饭㉗。妻曹氏，不衣纨绮㉘，所役婢妾，才十许人。及破化及，得隋宫人千数，实时散遣之。以隋黄门侍郎裴矩㉙为左仆射，掌选事，兵部侍郎崔君肃㉚为侍中㉛，少府令㉜何稠㉝为工部尚书㉞，右司郎中㉟柳调㊱为左丞，虞世南㊲为黄门侍郎，欧阳询㊳为太常卿。询，纥之子也。自余㊴随才授职，委以政事。其不愿留，欲诣关中及东都者亦听之，仍给资粮，以兵援之㊵出境。隋骁果尚近万人，亦各纵遣，任其所之㊶。又与王世充结好，遣使奉表于隋皇泰主，皇泰主封为夏王。建德起于群盗，虽建国，未有文物法度㊷，裴矩为之定朝仪，制律令。建德甚悦，每从之谘访㊸典礼。

【段旨】

以上为第三段，写窦建德讨平宇文化及。

【注释】

⑩闰月：闰二月。⑩珍货：珍宝财物。⑩海曲：县名，县治在今山东日照西。⑩王薄：齐郡邹平（今山东邹平北）人，隋末起兵反隋。事迹见《隋书》卷七十一《张须陀传》。⑩群下：僚属。⑩安抚副使：官名，隋仁寿四年（公元六〇四年）设安抚大使，由行军主帅兼任。唐代各州如有水旱灾害，就派遣巡察、安抚或存抚等使节巡视抚恤，倘由节度使兼任，另有副使。⑩崔世幹：武德元年（公元六一八年）十月，遣李神通安抚山东，书崔民幹为副，当为一人。⑩暴露日久：暴露于风雨中很久。⑩不攻而下之：不攻打而能使其投降。⑪济北：郡名，治所在今山东茌平西南。⑪馈之：馈

窦建德和宇文化及连续交战，大败宇文化及，宇文化及又退守聊城。窦建德纵兵四面猛攻，王薄打开城门把窦建德的军队放进城内。窦建德进入城内，活捉了宇文化及，先去拜谒隋朝的萧皇后，话中都自称臣下，身着白色丧服，哭吊隋炀帝尽哀，收得隋朝的传国玉玺及车驾仪仗，安抚隋朝的文武百官，然后抓住叛逆同党宇文智及、杨士览、元武达、许弘仁、孟景，集合隋朝官员当面斩杀这些人，割下首级悬挂于军营门外示众。用槛车拉着宇文化及连同他的两个儿子宇文承基、宇文承趾到达襄国，把他们杀了。宇文化及临死时，再没有说多余的话，只是说："没有辜负夏王！"

窦建德每次打了胜仗，攻陷城池，所获得的物资财产，全部用来分给将士，自己不拿任何东西。他又不吃肉，经常吃蔬菜，吃去壳带糠的米饭。他的妻子曹氏，不穿绫绢绸缎，所役使的婢妾才十几个人。等到打败宇文化及，获得隋朝的宫女上千名，当时就遣散了她们。窦建德任命隋黄门侍郎裴矩为左仆射，掌管选择官吏的事务，任命隋兵部侍郎崔君肃为侍中，少府令何稠为工部尚书，右司郎中柳调为左丞，虞世南为黄门侍郎，欧阳询为太常卿。欧阳询是欧阳纥的儿子。其余的隋朝官员根据才能授予官职，把朝廷的政事委任给他们。其中不愿意留下的，想前往关中或东都的人，也都听任他们前往，还给予路费和粮食，派兵护送他们出境。隋朝的骁果兵还有近万人，也都分别放行遣返，任凭他们到哪里去。窦建德又与王世充交好，派遣使者向东都的隋朝皇泰主奉上表章，皇泰主封窦建德为夏王。窦建德出身于群盗，虽然建立了国家，但没有典章制度和法令，裴矩为他制定典章制度政策法令。窦建德非常高兴，经常向裴矩咨询礼仪典章之事。

送粮食。⑫ 拒战：抗战。⑬ 贝州：州名，治所在今河北清河县西北。⑭ 赵君德：隋末群雄之一，起于清河（今河北清河县），后归李密。随李密降唐，为贝州刺史。事迹见《旧唐书》卷五十三《李密传》、卷六十《淮安王神通传》。⑮ 攀堞先登：攀上城堞先行登城。⑯ 心害：嫉妒。⑰ 大诟：大骂。⑱ 生擒：活捉。⑲ 传国玺：秦以后历代帝王相传的玉玺。传为秦始皇所作，方圆四寸，上纽交五龙，正面刻李斯所写篆文："受命于天，既寿永昌。"秦亡归汉。后代帝王争以得玺为符应。⑳ 卤簿：古代帝王出外时在其前后的仪仗队。自汉以后，后、妃、太子、王公、大臣皆有卤簿，各有定制，并非为天子所专有。㉑ 集隋官而斩之：谓集中隋朝官员，当面斩杀了宇文智及等人。㉒ 军门：领兵将帅的营门，亦即辕门。㉓ 槛车：古代运送囚犯的车。㉔ 襄国：郡名，治所在今河北邢台。㉕ 余言：其他的话。㉖ 夏王：夏王为窦建德的称号。㉗ 茹粟饭：吃去壳带糠的米饭。㉘ 衣纨绮：穿带花纹的细绢。㉙ 裴矩（公元五四七至六二七年）：字弘大，河

东（今山西闻喜）人，仕隋为吏部侍郎。唐初任殿中侍御史、民部尚书等。传见《旧唐书》卷六十三、《新唐书》卷一百。⑬⓪崔君肃：郑州新郑（今河南新郑）人，仕隋为兵部侍郎。后归窦建德，署为侍中。唐武德初为黄门侍郎、鸿胪卿。事迹见《旧唐书》卷五十四、《新唐书》卷八十五《窦建德传》。⑬①侍中：官名，门下省长官，负责传达皇帝诏敕。⑬②少府令：隋代少府监的长官，始称少府监，后改少府令，领尚方、织染等署。⑬③何稠：字桂林，性聪敏，善营造。隋末为少府令。后归窦建德，署为工部尚书。建德败，归唐，授将作少匠。传见《隋书》卷六十八、《北史》卷九十。⑬④工部尚书：官名，正三品，职掌天下百工、屯田、山泽事宜。⑬⑤右司郎中：官名，隋炀帝于尚书都司置左右司郎各一人，掌都省之职。品同诸曹郎，从五品。⑬⑥柳调：河东解（今山西运城

【原文】

甲辰[144]，上考第[145]群臣，以李纲、孙伏伽为第一，因置酒高会[146]，谓裴寂等曰："隋氏以主骄臣谄[147]亡天下，朕即位以来，每虚心求谏，然惟李纲差尽忠款[148]，孙伏伽可谓诚直，余人犹踵敝风[149]，俯眉[150]而已，岂朕所望哉！朕视卿如爱子，卿当视朕如慈父，有怀必尽[151]，勿自隐也！"因命舍君臣之敬[152]，极欢而罢。

遣前御史大夫段确使于朱粲。

初，上为隋殿内少监[153]，宇文士及为尚辇奉御[154]，上与之善。士及从化及至黎阳，上手诏召之。士及潜遣家僮间道诣长安，又因使者献金环[155]。化及至魏县，兵势日蹙[156]，士及劝之归唐，化及不从，内史令[157]封德彝说士及于济北征督军粮以观其变。化及称帝，立士及为蜀王。化及死，士及与德彝自济北来降。时士及妹为昭仪[158]，由是授上仪同[159]。上以封德彝隋室旧臣，而谄巧不忠，深诮[160]责之，罢遣就舍[161]。德彝以秘策干上[162]，上悦，寻拜内史舍人，俄迁侍郎。

甲寅[163]，隋夷陵[164]郡丞安陆许绍帅黔安[165]、武陵[166]、澧阳等诸郡来降。绍幼与帝同学，诏以绍为峡州[167]刺史，赐爵安陆公。

丙辰[168]，以徐世勣为黎州[169]总管。

丁巳[170]，骠骑将军张孝珉以劲卒百人袭王世充汜水城[171]，入其郛[172]，

西南）人，仕隋为秘书郎、侍御史、尚书左司郎等，后归窦建德，署为尚书左丞。传见《隋书》卷四十七、《北史》卷六十七。⑬⑦虞世南（公元五五八至六三八年）：唐初杰出书法家，字伯施，越州余姚（今浙江余姚）人，官至秘书监。传见《旧唐书》卷七十二、《新唐书》卷一百二。⑬⑧欧阳询（公元五五七至六四一年）：唐初杰出书法家，字信本，潭州临湘（今湖南长沙）人，官至太子率更令。传见《旧唐书》卷一百八十九、《新唐书》卷一百九十八。⑬⑨自余：其余。⑭⓪援之：护送。⑭①任其所之：任凭他们到哪里去。⑭②文物法度：典章制度政策法令。⑭③谘访：请教；咨询。

【语译】

闰二月初四日甲辰，唐高祖考核评定群臣的等级，以李纲、孙伏伽为第一等级，于是摆下酒席举行盛大宴会，对裴寂等人说："隋朝因为君主骄横臣子谄媚而丧失天下，朕即位以来，经常虚心寻求劝谏，但是只有李纲稍能尽忠心，孙伏伽可以说是忠诚正直，其余的人还是沿袭坏风气，俯首而已，这难道是朕所希望的吗！朕看待你们就像自己心爱的儿子，你们应当视朕如同慈父，有想法一定全说出来，不要自己隐藏在心！"于是下令免去君臣之间的礼敬，极尽欢乐才罢宴。

唐派遣前任御史大夫段确出使朱粲。

当初，唐高祖为隋殿内少监，宇文士及为尚辇奉御，唐高祖与他相友善。宇文士及随宇文化及到达黎阳后，唐高祖亲笔写诏书要宇文士及归顺。宇文士及暗中派家童从小路前往长安，又通过使者献上金环。宇文化及到达魏县，兵力日益吃紧，宇文士及劝他归顺唐朝，宇文化及不听，内史令封德彝劝宇文士及在济北郡征收督运军粮静观时势变化。宇文化及称帝，立宇文士及为蜀王。宇文化及死后，宇文士及和封德彝从济北前来降唐。当时宇文士及的妹妹是唐高祖的昭仪，因此授予宇文士及上仪同之衔。封德彝是隋朝旧臣，却谄媚佞巧不忠诚，唐高祖对他深加讽刺和斥责，罢免了他的官职遣返回家。封德彝献上秘策求皇上，唐高祖很高兴，不久任命封德彝为内史舍人，没多长时间升迁为侍郎。

闰二月十四日甲寅，隋朝夷陵郡郡丞安陆人许绍带领黔安、武陵、澧阳等郡前来降唐。许绍幼年时曾与唐高祖一起读书，唐高祖下诏任命许绍为峡州刺史，赐爵安陆公。

十六日丙辰，唐高祖任命徐世勣为黎州总管。

十七日丁巳，唐骠骑将军张孝珉率领劲卒一百人袭击王世充的汜水城，进入汜

沈[173]米船百五十艘。

己未[174]，世充寇谷州。世充以秦叔宝[175]为龙骧大将军，程知节为将军，待之皆厚。然二人疾世充多诈，知节谓叔宝曰："王公器度[176]浅狭而多妄语，好为咒[177]誓，此乃老巫妪[178]耳，岂拨乱[179]之主乎!"世充与唐兵战于九曲[180]，叔宝、知节皆将兵在陈[181]，与其徒数十骑西驰百许步，下马拜世充曰："仆荷公殊礼[182]，深思报效。公性猜忌，喜信谗言，非仆托身之所。今不能仰事[183]，请从此辞。"遂跃马来降，世充不敢逼。上使事[184]秦王世民。世民素闻其名，厚礼之，以叔宝为马军总管，知节为左三统军[185]。时世充骁将又有骠骑武安[186]李君羡、征南将军[187]临邑[188]田留安，亦恶世充之为人，帅众来降。世民引君羡置左右，以留安为右四统军。

王世充囚李育德之兄厚德于获嘉[189]，厚德与其守将赵君颖逐殷州[190]刺史段大师，以城来降。以厚德为殷州刺史。

窦建德陷邢州，执总管陈君宾。

上遣殿内监[191]窦诞[192]、右卫将军宇文歆助并州[193]总管齐王元吉守晋阳。诞，抗[194]之子也，尚帝女襄阳公主。元吉性骄侈，奴客婢妾数百人，好使之被甲，戏为攻战，前后死伤甚众，元吉亦尝被伤。其乳母陈善意苦谏，元吉醉，怒，命壮士殴杀之。性好田猎，载罔罟[195]三十车，尝言："我宁三日不食，不能一日不猎。"常与诞游猎，蹂践人禾稼。又纵左右夺民物，当衢[196]射人，观其避箭。夜，开府门，宣淫他室[197]。百姓愤怨，歆屡谏不纳，乃表言其状。壬戌[198]，元吉坐免官。

癸亥[199]，陟州刺史李育德攻下王世充河内堡聚[200]三十一所。乙丑[201]，世充遣其兄子君廓侵陟州，李育德击走之，斩首千余级。李厚德归省亲疾[202]，使李育德守获嘉。世充并兵攻之。丁卯[203]，城陷，育德及弟三人皆战死。

己巳[204]，李公逸[205]以雍丘[206]来降，拜杞州[207]总管，以其族弟善行为杞州刺史。

隋吏部侍郎杨恭仁[208]从宇文化及至河北，化及败，魏州总管元宝藏获之，己巳[209]，送长安。上与之有旧，拜黄门侍郎，寻以为凉州总管。恭仁素习边事，晓羌、胡情伪[210]，民夷悦服，自葱岭[211]已东，并入朝贡。

水城的外城，把对方的一百五十艘运米船沉入水中。

闰二月十九日己未，王世充侵犯谷州，任命秦叔宝为龙骧大将军，程知节为将军，对待二人都很优厚。但是二人憎恨王世充多诈，程知节对秦叔宝说：“王公度量狭隘浅薄而言多狂妄，喜欢咒语发誓，这乃是老巫婆而已，哪里是拨乱反正的君主呢！”王世充在九曲与唐军交战，秦叔宝、程知节都率兵在阵中，和他们的部下几十名骑兵向西奔跑一百多步，下马朝王世充拜谢说：“我们承蒙您的特别礼遇，非常想报效主公。但主公性情猜忌，喜欢听信谗言，不是我们的托身之处。如今不能奉事主公，请让我们从此分别。”于是跳上马前来降唐，王世充不敢逼迫。唐高祖让二人在秦王李世民属下做事。李世民一向听说他们的名声，对他们厚加礼遇，任命秦叔宝为马军总管，程知节为左三统军。当时王世充的骁勇将领还有骠骑将军武安人李君羡、征南将军临邑人田留安，也讨厌王世充的为人，带领部众前来投降。李世民把李君羡安置在身边，任命田留安为右四统军。

王世充把李育德的哥哥李厚德囚禁在获嘉县，李厚德与获嘉县的守将赵君颖驱逐了殷州刺史段大师，以城池降唐。唐任命李厚德为殷州刺史。

窦建德攻陷了邢州，抓住了邢州总管陈君宾。

唐高祖派遣殿内监窦诞、右卫将军宇文歆协助并州总管齐王李元吉守卫晋阳。窦诞是窦抗的儿子，娶唐高祖的女儿襄阳公主为妻。李元吉性情骄狂奢侈，奴仆、宾客、婢妾数百人，喜欢让这些人穿上盔甲，进行相互攻打的游戏，前后死伤了很多人，李元吉也曾受伤。李元吉的奶妈陈善意苦苦劝谏，李元吉醉酒，对奶妈很生气，命令壮士打死了陈善意。李元吉生性喜欢游猎，装载着三十车网，他曾经说：“我宁可三天不吃饭，也不能一天不打猎。”常常和窦诞游猎，践踏百姓的庄稼。又放纵身边人抢夺民众的财物，在大街上射人，观看人们躲避箭矢。夜里，他打开王府大门，四出淫秽别人家妇女。百姓又气愤又怨恨，宇文歆一再规劝却不听从，于是上表报告李元吉不轨的行为。闰二月二十二日壬戌，李元吉因罪免官。

闰二月二十三日癸亥，唐陟州刺史李育德攻下王世充在河内地区的三十一座村堡聚落。二十五日乙丑，王世充派遣他哥哥的儿子王君廓侵犯陟州，李育德打跑了他，斩首一千多级。李厚德回乡探视患病的父母，让李育德守卫获嘉城。王世充集中兵力攻打获嘉。二十七日丁卯，城池陷落，李育德与三个弟弟全部战死。

二十九日己巳，李公逸率雍丘县前来降唐，被任命为杞州总管，任命他的同族弟弟李善行为杞州刺史。

隋朝吏部侍郎杨恭仁跟随宇文化及到达河北，宇文化及失败后，唐魏州总管元宝藏抓获了杨恭仁，闰二月二十九日己巳，把他押送长安。唐高祖与他有旧交情，任命他为黄门侍郎，不久任命为凉州总管。杨恭仁一向熟悉边境情况，了解羌、胡各族的真假虚实，凉州的汉民与羌、胡各族人都心悦诚服，自葱岭以东，各国都来朝拜进贡。

突厥始毕可汗将其众渡河至夏州[212]，梁师都发兵会之，以五百骑授刘武周[213]，欲自句注[214]入寇太原。会始毕卒，子什钵苾幼，未可立，立其弟俟利弗设为处罗可汗。处罗以什钵苾为尼步设[215]，使居东偏，直[216]幽州之北。先是，上遣右武候将军高静奉币使于突厥，至丰州[217]，闻始毕卒，敕纳于所在之库[218]。突厥闻之，怒，欲入寇，丰州总管张长逊遣高静以币出塞为朝廷致赙[219]，突厥乃还。

【段旨】

以上为第四段，写王世充部属纷纷降唐。

【注释】

⑭甲辰：闰二月初四。⑮考第：考核而评其等级。⑯高会：大会。⑰主骄臣谄：皇帝骄横，臣下谄媚。⑱差尽忠款：稍稍尽了忠心。⑲犹踵敝风：仍沿承坏风气。⑳俯眉：俯首，意谓顺从而不敢进谏。[151]有怀必尽：有想法一定全说出来。[152]舍君臣之敬：去掉君臣间的礼敬。[153]殿内少监：官名，隋殿内省唐改为殿中省，掌诸供奉，领尚食、尚药、尚衣、尚舍、尚乘、尚辇六局，有监一人，从三品，少监二人，从四品上，丞二人，从五品上。[154]尚辇奉御：官名，隋炀帝于殿内省置尚辇局，其主官为奉御，掌乘舆。[155]献金环：暗示回还长安。[156]蹙：紧迫。[157]内史令：官名，隋初改中书省为内史省，中书令为内史令。[158]昭仪：女官名，汉元帝时始置，位视丞相，爵比诸侯王，为妃嫔中的第一级。[159]上仪同：《旧唐书·百官志》，“开府仪同三司，从第一品”。开府仪同三司即上仪同。[160]诮：责备；讥讽。[161]罢遣就舍：罢官遣返回家。[162]干上：求皇上。[163]甲寅：闰二月十四日。[164]夷陵：郡名，治所在今湖北宜昌。[165]黔安：郡名，治所在今重庆市彭水。[166]武陵：郡名，治所澧阳，在今湖南澧县。[167]峡州：州名，治所在今湖北宜昌。[168]丙辰：闰二月十六日。[169]黎州：州名，治所在今河南浚县东北。[170]丁巳：闰二月十七日。[171]汜水城：县名，县治在今河南荥阳西北汜水镇。[172]郛：郭城。[173]沈：同“沉”。[174]己未：闰二月十九日。[175]秦叔宝（？至公元六三八年）：名琼，字叔宝，齐州历城（今山东济南）人，官至左武卫大将军，封翼国公。死后陪葬昭陵，改封胡国公。传见《旧唐书》卷六十八、《新唐书》卷八十九。[176]器度：度量。[177]咒：宗教或巫术中的密语。[178]老巫妪：老巫婆。[179]拨乱：平乱。[180]九曲：城名，北齐时筑，在今河南宜阳西北。[181]陈：同“阵”。[182]仆荷公殊礼：我承蒙您特殊礼遇。仆，自谦之词。[183]仰事：向上而侍奉之。仰为谦恭语。[184]上使事：皇上让他们侍奉。[185]统军：官名，唐北衙禁军有左右龙武军、左右神武军、左右神

突厥始毕可汗带领他的部众渡过黄河到达夏州，梁师都出动军队和始毕可汗会合，把五百骑兵交给刘武周，打算从句注入侵太原。适逢始毕可汗去世，儿子什钵苾年幼，不能立为可汗，突厥人就把始毕的弟弟俟利弗设立为处罗可汗。处罗任命什钵苾为尼步设，让他处在东部边境，正当幽州的北面。在此之前，唐高祖派遣右武候将军高静携带礼物出使突厥，到达丰州，听说始毕去世，朝廷敕令把所带的礼物收进当地的仓库。突厥听说了，很生气，打算入侵内地，丰州总管张长逊派高静带这些礼物出塞，代朝廷向突厥赠送帮助办理始毕丧事的礼物，突厥这才返回。

策军，号六军，各置统军一人，位次于大将军。左三统军即左龙武军、左神武军和左神策军的统军。⑱⑹武安：郡名，治所在今河北永年东南。⑱⑺征南将军：官名，三国时，魏武官设置四征将军：征东、征西、征南、征北。其中征南将军统领荆、豫二州，屯驻新野（今河南新野）。⑱⑻临邑：县名，县治在今山东济南市济阳区西南。⑱⑼获嘉：县名，县治在今河南获嘉。⑲⓪殷州：州名，治所在今河南新乡西南。⑲①殿内监：官名，炀帝时，殿内省置监，掌诸供奉，正四品。⑲②窦诞：窦静弟。从太宗征薛举，为元帅府司马。累迁太常卿。传见《旧唐书》卷六十一、《新唐书》卷九十五。⑲③并州：州名，治所在今山西太原西南。⑲④抗：窦抗，窦诞之父，皇后之兄。⑲⑤罔罟：罔、罟均为网。⑲⑥衢：大路。⑲⑦宣淫他室：淫秽别人的家室。⑲⑧壬戌：闰二月二十二日。⑲⑨癸亥：闰二月二十三日。⑳⓪河内堡聚：河内郡的村堡聚落。河内，郡名，治所在今河南沁阳。堡，小城、村堡。聚，聚落。⑳①乙丑：闰二月二十五日。⑳②省亲疾：探视父母的病。⑳③丁卯：闰二月二十七日。⑳④己巳：闰二月二十九日。⑳⑤李公逸：雍丘（今河南杞县）人，始附王世充，后归高祖，拜杞州总管，封阳夏郡公。传见《旧唐书》卷一百八十七、《新唐书》卷一百九十一。⑳⑥雍丘：县名，县治在今河南杞县。⑳⑦杞州：州名，治所在今河南杞县。⑳⑧杨恭仁（？至公元六三九年）：隋仁寿中为甘州刺史，归唐封观国公，为凉州总管，后迁洛州都督。传见《旧唐书》卷六十二、《新唐书》卷一百。⑳⑨己巳：闰二月二十九日。㉑⓪情伪：真假虚实。㉑①葱岭：今帕米尔高原与喀喇昆仑山脉的总称。㉑②夏州：州名，治所在今陕西靖边东北白城则村。㉑③刘武周（？至公元六二二年）：隋末割据者，河间景城（今河北献县东北）人，迁马邑（今山西朔州），任马邑鹰扬府校尉。大业十三年（公元六一七年）杀太守王仁恭，自称太守，遣使附突厥，受封为定扬可汗，自称皇帝，年号天兴。传见《旧唐书》卷五十五、《新唐书》卷八十六。㉑④句注：山名，又名陉岭、西陉山。在今山西代县西北。㉑⑤设：突厥、回纥典兵官衔。㉑⑥直：当；处。㉑⑦丰州：州名，治所在今内蒙古五原西南黄河北岸。㉑⑧敕纳于所在之库：诏命纳于当地的财库。㉑⑨以币出塞为朝廷致赙：拿币出塞作为朝廷送去助丧的财物。赙，用财物帮助别人办理丧事。

【原文】

三月庚午[220]，梁师都寇灵州，长史杨则击走之。

壬申[221]，王世充寇谷州，刺史史万宝战不利。

庚辰[222]，隋北海[223]通守郑虔符、文登[224]令方惠整及东海[225]、齐郡[226]、东平[227]、任城[228]、平陆[229]、寿张[230]、须昌[231]贼帅王薄等并以其地来降。

王世充之寇新安也，外示攻取，实召文武之附己者议受禅[232]。李世英深以为不可，曰："四方所以奔驰归附东都者，以公能中兴隋室故也。今九州之地，未清其一[233]，遽正位号[234]，恐远人[235]皆思叛去矣！"世充曰："公言是也。"长史韦节、杨续等曰："隋氏数穷[236]，在理昭然。夫非常之事，固不可与常人议之。"太史令[237]乐德融曰："昔岁长星出[238]，乃除旧布新之征。今岁星[239]在角、亢[240]，亢，郑之分野[241]。若不亟[242]顺天道，恐王气衰息。"世充从之。外兵曹[243]参军戴胄言于世充曰："君臣犹父子也，休戚[244]同之。明公莫若竭忠徇国，则家国俱安矣。"世充诡辞称善而遣之。世充议受九锡[245]，胄复固谏，世充怒，出为郑州[246]长史，使与兄子行本镇虎牢。乃使段达等言于皇泰主，请加世充九锡。皇泰主曰："郑公近平李密，已拜太尉。自是以来，未有殊绩。俟天下稍平，议之未晚。"段达曰："太尉欲之。"皇泰主熟视[247]达曰："任公！"辛巳[248]，达等以皇泰主之诏命世充为相国[249]，假黄钺[250]，总百揆[251]，进爵郑王，加九锡，郑国置丞相以下官。

初，宇文化及以隋大理卿[252]郑善果[253]为民部尚书，从至聊城，为化及督战，中流矢。窦建德克聊城，王琮获善果，责之曰："公名臣之家[254]，隋室大臣，奈何为弑君之贼效命，苦战伤痍[255]至此乎！"善果大惭，欲自杀，宋正本驰往救止之。建德复不为礼，乃奔相州[256]，淮安王神通送之长安。庚午[1]，善果至，上优礼[257]之，拜左庶子[258]、检校[259]内史侍郎。

齐王元吉讽[260]并州父老诣阙留己。甲申[261]，复以元吉为并州总管。

戊子[262]，淮南[263]五州皆遣使来降。

辛卯[264]，刘武周寇并州。

壬辰[265]，营州[266]总管邓暠击高开道，败之。

【语译】

三月初一日庚午，梁师都侵犯灵州，灵州长史杨则击退了他。

初三日壬申，王世充侵犯谷州，谷州刺史史万宝迎战不利。

十一日庚辰，隋朝北海郡的通守郑虔符、文登县令方惠整，以及东海、齐郡、东平、任城、平陆、寿张、须昌的叛贼首领王薄等人都以各自的属地前来降唐。

王世充侵犯新安时，对外表示要攻取城池，实际上召集文武官员中附和自己的人商议受禅。李世英强烈认为不可以这样做，他说："四方之所以奔驰而来归附东都，是因为主公能够中兴隋王朝。如今九州之地，还没有肃清一州，急于正位建号，恐怕远方的人都想叛离了！"王世充说："你的话是对的。"长史韦节、杨续等人说："隋朝的历数已尽，这在天理已是非常清楚。说到那些非同寻常的事情，本来就不能与一般人商量它。"太史令乐德融说："往年长星出现在天空，这是除旧布新的征兆。现在岁星处在角宿、亢宿，亢宿是郑的分野。如果不赶紧顺应天道，恐怕帝王之气就会衰竭。"王世充听从了这种意见。外兵曹参军戴胄对王世充说："君臣就像父子，双方休戚与共。明公不如为国家竭尽忠诚，则个人和国家都会平安了。"王世充说假话，称赞戴胄的意见很好，而把他打发走了。王世充让群臣商议接受九锡，戴胄又坚决劝谏，王世充很生气，把他外放为郑州长史，派他和王世充哥哥的儿子王行本镇守虎牢。于是王世充让段达等人对皇泰主说，请加授王世充九锡。皇泰主说："郑公近来平定了李密，已经官拜太尉。从此以后，没有特别的功勋。等到天下逐渐平定，再讨论此事也不晚。"段达说："太尉想要主上给他加赐九锡。"皇泰主端详了段达好久，说："随你意！"三月十二日辛巳，段达等人用皇泰主的诏书命王世充为相国，赐给黄金大钺，总理国家各项政务，爵位晋升为郑王，加赐九锡，郑王在自己的王国中可以设置丞相以下官员。

当初，宇文化及任用隋大理卿郑善果为民部尚书，郑善果跟随宇文化及到了聊城，为宇文化及督战，身中流箭。窦建德攻下聊城，王琮俘获郑善果，责备他说："公出身于名臣之家，是隋王室的大臣，怎么替弑君的贼子效命，拼命苦战受伤到如此程度！"郑善果大为惭愧，想要自杀，宋正本跑去制止而救了他。窦建德对他还是不以礼相待，于是郑善果跑往相州，唐淮安王李神通把他送往长安。庚午日，郑善果到达长安，唐高祖对他给予优厚礼遇，拜为左庶子、检校内史侍郎。

齐王李元吉暗示并州的父老前往宫阙要求留他在并州。三月十五日甲申，唐高祖又任命李元吉为并州总管。

十九日戊子，淮南的五个州都派遣使者前来降唐。

二十二日辛卯，刘武周侵犯并州。

二十三日壬辰，唐营州总管邓暠进攻高开道，打败了他。

甲午[267]，王世充遣其将高毗寇义州[268]。

东都道士桓法嗣献《孔子闭房记》于王世充，言相国当代隋为天子。世充大悦，以法嗣为谏议大夫[269]。世充又罗取杂鸟，书帛系颈[270]，自言符命而纵之。有得鸟来献者，亦拜官爵。于是段达以皇泰主命加世充殊礼，世充奉表三让[271]。百官劝进，设位于都堂[272]。纳言苏威年老，不任朝谒[273]。世充以威隋氏重臣，欲以眩耀士民，每劝进，必冠威名[274]。及受殊礼之日，扶威置百官之上，然后南面正坐受之。

夏，四月，刘武周引突厥之众军于黄蛇岭[275]，兵锋甚盛。齐王元吉使车骑将军张达以步卒百人[2]尝寇[276]，达辞以兵少不可往。元吉强遣之，至则俱没。达忿恨，庚子[277]，引武周袭榆次[278]，陷之。

散骑常侍段确性嗜酒，奉诏慰劳朱粲于菊潭。辛丑[279]，乘醉侮粲曰："闻卿好啖人，人作何味？"粲曰："啖醉人正如糟藏彘肉[280]。"确怒，骂曰："狂贼入朝，为一头奴[281]耳，复得啖人乎！"粲于座收确及从者数十人，悉烹之，以啖左右。遂屠菊潭，奔王世充，世充以为龙骧[282]大将军。

王世充令长史韦节、杨续等及太常博士[283]衡水[284]孔颖达[285]造禅代仪[286]，遣段达、云定兴等十余人入奏皇泰主曰："天命不常，郑王功德甚盛，愿陛下遵唐、虞之迹[287]。"皇泰主敛膝据按[288]，怒曰："天下，高祖之天下。若隋祚未亡，此言不应辄发[289]；必天命已改，何烦禅让！公等或祖祢[290]旧臣，或台鼎高位[291]，既有斯言，朕复何望！"颜色凛冽[292]，在廷者皆流汗。退朝，泣对太后。世充更使人谓之曰："今海内未宁，须立长君，俟四方安集，当复子明辟[293]，必如前誓[294]。"癸卯[295]，世充称皇泰主命，禅位于郑，遣其兄世恽幽皇泰主于含凉殿，虽有三表陈让及敕书敦劝[296]，皇泰主皆不知也。遣诸将引兵入清宫城，又遣术人以桃汤苇火祓除[297]禁省。

隋将帅、郡县及贼帅前后继有降者，诏以王薄为齐州[298]总管，伏德为济州[299]总管，郑虔符为青州[300]总管，綦公顺为淮州[301]总管，王孝师为沧州[302]总管。

甲辰[303]，遣大理卿新乐[304]郎楚之安抚山东，秘书监夏侯端[305]安抚淮左。

二十五日甲午，王世充派遣他的将领高毗侵犯义州。

东都的道士桓法嗣向王世充献上《孔子闭房记》，说相国王世充应当取代隋朝为天子。王世充大为高兴，任命桓法嗣为谏议大夫。王世充又网罗各种鸟，在丝帛上写上字，系在鸟颈，自称这是自己要当皇帝的符命，放飞这些鸟。有人得到这些鸟前来献给王世充，也拜官授爵。于是段达利用皇泰主的命令，加授王世充特殊的礼仪，王世充上表三次谦让。文武百官劝王世充称帝，在都堂设下皇帝座位。纳言苏威年老，不能承受入朝拜见。王世充认为苏威是隋朝的重臣，想利用他的名望来向百姓炫耀，每次百官劝进，必定把苏威的名字写在第一位。等到了接受皇泰主加赐特殊礼仪的日子，王世充扶着苏威，站在百官之前，然后面朝南方坐在皇帝座位上接受这些礼仪。

夏，四月，刘武周引导突厥的军队驻扎在黄蛇岭，兵势非常强盛。齐王李元吉让车骑将军张达率步兵一百人试敌，张达推辞说士兵太少不可前往。李元吉强行派他出兵，士兵到了敌阵就全部阵亡。张达很愤恨，初二日庚子，引来刘武周袭击榆次城，把它攻陷了。

唐散骑常侍段确生性嗜好喝酒，奉诏在菊潭慰劳朱粲。四月初三日辛丑，段确趁着酒醉侮辱朱粲说："听说你喜欢吃人肉，人肉是什么滋味?"朱粲说："吃醉酒人的肉正像吃酒糟腌的猪肉。"段确很生气，骂道："狂贼入朝，是一个奴仆头目而已，还能吃人肉吗!"朱粲在席间把段确和几十名随从抓起来，全部烹煮了，让身边的人吃了。于是朱粲对菊潭进行屠城，投奔了王世充，王世充任命他为龙骧大将军。

王世充命令长史韦节、杨续等人以及太常博士衡水人孔颖达制定禅代的礼仪，派段达、云定兴等十几个人进宫禀告皇泰主说："天命不会永恒不变，郑王的功德极为隆盛，希望陛下遵循唐尧、虞舜进行禅位的旧事。"皇泰主收起双膝，手撑案几，发怒说："天下，是高祖的天下。如果隋的国运尚未丧亡，这种话不应随便说出来；如果天命已经改变，何必麻烦使用禅让的仪式！你们或者是先祖旧臣，或者是身居宰辅高位，既然说出这种话，朕还指望什么!"神色非常严厉，在殿廷上的人都流出了汗。退朝后，皇泰主面对着太后流泪。王世充又派人对皇泰主说："如今天下没有安宁，需要立年长的人做君主，待到天下安宁了，就会恢复您的帝位，一定像以前的誓言一样。"四月初五日癸卯，王世充声称皇泰主之命，在郑受禅帝位，派他的哥哥王世恽把皇泰主幽禁在含凉殿，虽然举行禅让时有王世充三次上表陈言辞让以及皇泰主下敕书敦促劝进，实际上皇泰主全都不知道。王世充派遣众将领带兵进入皇宫进行清理，又派术士用桃汤和苇子火在禁中和台省祓除不祥。

隋朝的将帅、郡县以及贼帅有前后相继降唐的，唐高祖下诏任命王薄为齐州总管，伏德为济州总管，郑虔符为青州总管，綦公顺为淮州总管，王孝师为沧州总管。

四月初六日甲辰，派遣大理卿新乐人郎楚之安抚山东地区，派遣秘书监夏侯端安抚淮河以东地区。

乙巳[306]，王世充备法驾[307]入宫，即皇帝位。丙午[308]，大赦，改元开明[309]。

丁未[310]，隋御卫将军[311]陈棱以江都来降，以棱为扬州[312]总管。

戊申[313]，王世充立子玄应为太子，玄恕为汉王，余兄弟宗族十九人皆为王。奉皇泰主为潞国公。以苏威为太师[314]，段达为司徒，云定兴为太尉，张仅为司空[315]，杨续为纳言，韦节为内史[316]，王隆为左仆射，韦霁为右仆射，齐王世恽为尚书令，杨汪为吏部尚书，杜淹[317]为少吏部[318]，郑颋为御史大夫。世恽，世充之兄也。又以国子助教[319]吴人陆德明[320]为汉王师，令玄恕就其家行束脩礼[321]。德明耻之，服巴豆散[322]，卧称病，玄恕入跪床下，对之遗利[323]，竟不与语。德明名朗，以字行。

世充于阙[324]下及玄武门[325]等数处皆设榻，坐无常所，亲受章表。或轻骑历衢市，亦不清道[326]，民但避路而已。世充按辔[327]徐行，语之曰："昔时天子深居九重[328]，在下事情无由闻彻[329]。今世充非贪天位[330]，但欲救恤时危，正如一州刺史，亲览庶务，当与士庶共评朝政，尚恐门有禁限[331]，今于门外设坐听朝，宜各尽情。"又令西朝堂[332]纳冤抑，东朝堂[333]纳直谏。于是献策上书者日有数百，条流既烦[334]，省览难遍，数日后，不复更出。

【段旨】

以上为第五段，写王世充篡逆称帝。

【注释】

[220]庚午：三月初一。[221]壬申：三月初三。[222]庚辰：三月十一日。[223]北海：郡名，治所在今山东青州。[224]文登：县名，县治在今山东威海市文登区。[225]东海：郡名，治所在今江苏连云港市海州区。[226]齐郡：郡名，治所在今山东济南。[227]东平：郡名，治所在今山东郓城东。[228]任城：县名，县治在今山东济宁。[229]平陆：县名，县治在今山东汶上西北。[230]寿张：县名，县治在今山东梁山县西北。[231]须昌：县名，县治在今山东东平西北。[232]禅：禅位。[233]未清其一：连一州尚未肃清。[234]遽正位号：急于正位建号。[235]远人：远方的人。[236]数穷：历数已尽。[237]太史令：官名，专掌天文、历法。[238]长星出：隋

初七日乙巳，王世充备好全套皇帝的车驾进入皇宫，登上皇帝之位。初八日丙午，大赦，改年号为开明。

初九日丁未，隋御卫将军陈稜率江都前来降唐，唐高祖任命陈稜为扬州总管。

四月初十日戊申，王世充立他的儿子王玄应为太子，王玄恕为汉王，其余兄弟、同宗族的十九人都封为王。把皇泰主改为潞国公。任命苏威为太师，段达为司徒，云定兴为太尉，张仅为司空，杨续为纳言，韦节为内史，王隆为左仆射，韦霁为右仆射，齐王王世恽为尚书令，杨汪为吏部尚书，杜淹为吏部侍郎，郑颋为御史大夫。王世恽是王世充的哥哥。又任命国子助教吴人陆德明为汉王王玄恕的老师，命令汉王王玄恕到陆德明家中送上拜师礼金。陆德明感到耻辱，服用了巴豆散，卧床说有病，王玄恕进入房内跪在陆德明床下，陆德明对着王玄恕排泄痢疾，最终没有和王玄恕说话。陆德明，名朗，以字行于世。

王世充在皇宫前的阙门下及玄武门等几个地方都摆了坐榻，坐在哪里并不固定，亲自接受章表。有时骑马轻装穿行街市，也不清除道上行人，民众只是躲避路旁而已，王世充则拉着马缰缓慢行进，对身边人说："过去天子深居于重重的宫殿中，下层的事情无法通达。现在我不是贪图皇位，只是想拯救现实的危难，正如同一个州的刺史，亲自过问众多政务，应当与士人百姓共同评议朝政，还怕为门禁所阻，现在在宫门外摆下坐榻听理朝政，你们应当各自倾尽衷情。"又命令西厢朝堂用来接纳民众冤情，东厢朝堂接受人们的直言劝谏。于是来向他献策上书的人每天都有数百名，分类文件非常麻烦，难以全部阅览，几天之后，王世充就不再出宫听政。

大业十三年（公元六一七年）六月，有星孛于太微五帝座，色黄赤，长三四尺许。㊴岁星：我国古代指木星。因为木星每十二年在空中绕行一周，每年移动周天的十二分之一，古代以木星所在的位置，作为纪年标准，所以叫岁星。㊵角、亢：星官名，又称角宿、亢宿，均为二十八宿之一。分别为青龙七宿的第一宿和第二宿。㊶郑之分野：郑之分野属兖州（治所在今山东济宁兖州区）。㊷亟：赶紧。㊸外兵曹：官名，隋官无此制。王世充取魏、晋以来官制而置之。㊹休戚：甘苦。㊺九锡：旧时天子赐诸侯中有大功者衣物等凡九事，谓九锡。㊻郑州：州名，治所在今河南荥阳西北汜水镇。㊼熟视：仔细端详甚久。㊽辛巳：三月十二日。㊾相国：官名，即宰相。唐以后多用作对实际任宰相者的尊称。㊿假黄钺：黄钺，以黄金为饰的斧，古代为帝王所专用。帝王特赐给专主征伐的重臣，称为假黄钺。(251)总百揆：总理国家各项政务。(252)大理卿：官名，掌刑法之事。(253)郑善果（？至公元六二九年）：荥泽（今河南郑州西北）人，仕隋为沂

州刺史，入唐累迁检校大理卿，后任刑部尚书。传见《北史》卷九十一、《旧唐书》卷六十二、《新唐书》卷一百。㉔公名臣之家：郑善果父诚，讨尉迟回，以力战死，为隋名臣。㉕痍：创伤。㉖相州：州名，治所在今河南安阳。㉗优礼：殊礼；高规格的礼仪。㉘左庶子：官名，唐时设左右春坊，属东宫。春坊官有庶子，正四品上。㉙检校：官名，唐代的检校官有两种含义，唐前期多为代理某官。唐后期多指地方使职带台省官衔者。这里应是代理的意思。㉖⓪讽：用含蓄的话暗示。㉖①甲申：三月十五日。㉖②戊子：三月十九日。㉖③淮南：道名，辖境相当今淮河以南，长江以北，东至海，西至今湖北随州、应城、汉川市等一带。㉖④辛卯：三月二十二日。㉖⑤壬辰：三月二十三日。㉖⑥营州：州名，治所在今湖南道县西。㉖⑦甲午：三月二十五日。㉖⑧义州：州名，治所在今河南卫辉西南。㉖⑨谏议大夫：官名，隋唐隶属门下省，掌侍从规谏，凡四人。㉗⓪书帛系颈：书字于帛，系于鸟颈之上。㉗①三让：三次谦让。㉗②都堂：唐之政事堂，为宰相理政事的地方。㉗③不任朝谒：不能承受入朝拜见。㉗④必冠威名：将苏威之名，列于第一位。㉗⑤黄蛇岭：地名，在今山西榆次市榆次区北。㉗⑥尝寇：试敌。㉗⑦庚子：四月初二。㉗⑧榆次：县名，县治在今山西榆次。㉗⑨辛丑：四月初三。㉘⓪糟藏彘肉：酒糟腌的猪肉。㉘①一头奴：一个奴仆头目。㉘②龙骧：军队的名号。㉘③太常博士：官名，职掌礼仪，从七品。㉘④衡水：县名，县治在今河北衡水市西。㉘⑤孔颖达（公元五七四至六四八年）：唐代著名经学家，字冲远，冀州衡水（今属河北）人。传见《旧唐书》卷七十三、《新唐书》卷一百九十八。㉘⑥造禅代仪：造作禅代的仪式。㉘⑦遵唐、虞之迹：指唐尧、虞舜让位的故事。㉘⑧敛膝据按：收起双膝，手撑案几。按，通“案”。㉘⑨辄发：随便发出。㉙⓪祖祢：先祖。祢，生称父，死称考，入庙称祢。㉙①台鼎高位：官居宰辅高位。㉙②凛冽：严厉。㉙③复子明辟：恢复您的君位。㉙④必如前誓：指去年（公元六一八年）七月王世充对皇泰主披发而誓，所谓“不敢有贰心”的表白。㉙⑤癸卯：四月初五。㉙⑥敦劝：敦促劝进。㉙⑦祓除：扫除。㉙⑧齐州：州名，治所在今山东济南。㉙⑨济州：州名，治所在今山东聊城市茌平区西南。㉚⓪青州：州名，治所在今山东青州。㉚①淮州：《新唐书》卷一《高祖纪》大业十三年云“綦公顺据青、莱”，綦公顺任总管之地当是潍州。潍州系由青州之北海、营丘、下密组成，而淮州并非綦公顺所据之地。潍州治所在今山东潍坊西。㉚②沧

【原文】

窦建德闻王世充[3]自立，乃绝之，始建天子旌旗，出警入跸㉟，下书称诏，追谥隋炀帝为闵帝。齐王暕之死也，有遗腹子㊱政道，建德立以为郧公，然犹依倚突厥以壮其兵势。隋义成公主遣使迎萧皇后

州：州名，治所在今河北沧州东南。㉚甲辰：四月初六。㉛新乐：县名，县治在今河北新乐东北。㉜夏侯端：寿春（今安徽寿春）人，仕隋为大理司直。唐高祖拜秘书监，出为梓州刺史。传见《旧唐书》卷一百八十七、《新唐书》卷一百九十一。㉝乙巳：四月初七。㉞法驾：天子的车驾。㉟丙午：四月初八。㊱开明：隋末王世充年号（公元六一九至六二一年）。⑩丁未：四月初九。⑪御卫将军：将军名，左右御卫的首领称左右御卫将军，从三品。⑫扬州：州名，治所在今江苏扬州。⑬戊申：四月初十。⑭太师：官名，西周始置，原为军队的最高统帅。春秋时成为辅弼国君的官。历代相沿以太师、太傅、太保为三公，多为大官加衔，表示恩宠，无实际职务。⑮司空：官名，西周始置，春秋战国沿置，掌管工程。汉成帝时改御史大夫为大司空，后去“大”字，称司空。魏为三公官，参议国事，隋唐沿用。⑯内史：官名，负责政务。炀帝时改内史为内书。⑰杜淹（？至公元六二八年）：字执礼，隋文帝时累擢御史中丞。唐高祖时为吏部尚书。传见《旧唐书》卷六十六、《新唐书》卷九十六。⑱少吏部：即吏部侍郎。⑲国子助教：官名，晋武帝立国子学，置助教，掌佐博士分经教授。⑳陆德明（约公元五五〇至六三〇年）：名元朗，吴县（今江苏苏州）人，高祖时为国子博士。著有《经典释文》。传见《旧唐书》卷一百八十九、《新唐书》卷一百九十八。㉑束脩礼：弟子事师之礼。脩，干肉。十脩为束。古时初次拜见长辈必执贽以为礼，后人引为致送塾师的礼金。㉒巴豆散：一种有毒性的药，能使人拉痢。㉓遗利：即拉痢。利，通“痢”。㉔阙：宫门前两边供瞭望的楼，也用来泛指帝王的住所。㉕玄武门：这里的玄武门指洛阳宫城北门。㉖清道：帝王或大官外出，清除道路，驱逐行人。㉗按辔：拉着缰绳。㉘九重：古代传说天有九重。㉙彻：通达。㉚天位：天子的位子。㉛门有禁限：为门禁所阻。㉜西朝堂：唐代的中书省。㉝东朝堂：唐代的门下省。㉞条流既烦：条疏很繁杂。

【校记】

［1］庚午：张瑛《通鉴校勘记》改作“壬午”，为三月十三日。［2］百人：此二字原无。据章钰校，十二行本、乙十一行本、孔天胤本皆有此二字，张敦仁《通鉴刊本识误》、张瑛《通鉴校勘记》同，今据补。

【语译】

窦建德听说王世充自立为帝，于是与王世充断绝关系，自己也开始建置天子的旌旗，出入都要设警卫实行清道回避，下达的文书称为诏，为隋炀帝追加谥号为闵帝。隋朝齐王杨暕死的时候，有遗腹子杨政道，窦建德把他立为郧公，但是仍然依靠突厥来壮大自己的声势。隋朝的义成公主派人来迎接隋朝的萧皇后和南阳公主，

及南阳公主，建德遣千余骑送之，又传宇文化及首以献义成公主。

丙辰[337]，刘武周围并州，齐王元吉拒却之[338]。戊午[339]，诏太常卿李仲文将兵救并州。

王世充将军丘怀义居门下内省，召越王君度、汉王玄恕、将军郭士衡杂妓妾饮博[340]，侍御史张蕴古[341]弹[342]之。世充大怒，令散手[343]执君度、玄恕，批其耳数十。又命引入东上阁[344]，杖之各数十。怀义、士衡不问。赏蕴古帛百段，迁太子舍人[345]。君度，世充之兄子也。

世充每听朝，殷勤诲谕[346]，言词重复，千端万绪[347]。侍卫之人不胜倦弊，百司奏事，疲于听受。御史大夫苏良谏曰："陛下语太多而无领要[348]，计云尔[349]即可，何烦许辞[350]也！"世充默然良久，亦不罪良。然性如是，终不能改也。

王世充数攻伊州，总管张善相[351]拒之。粮尽，援兵不至，癸亥[352]，城陷，善相骂世充极口而死。帝闻，叹曰："吾负善相，善相不负吾也！"赐其子爵[4]襄城郡公。

五月，王世充陷义州，复寇西济州[353]。遣右骁卫大将军刘弘基[354]将兵救之。

李轨将安脩仁兄兴贵仕长安，表请说轨，谕以祸福。上曰："轨阻兵恃险，连结吐谷浑、突厥[355]，吾兴兵击之，尚恐不克，岂口舌所能下乎！"兴贵曰："臣家在凉州，奕世豪望[356]，为民夷所附。弟脩仁为轨所信任，子弟在机近[357]者以十数。臣往说之，轨听臣固善，若其不听，图之肘腋[358]易矣！"上乃遣之。

兴贵至武威[359]，轨以为左右卫大将军。兴贵乘间说轨曰："凉地不过千里，土薄民贫。今唐起太原，取函秦[360]，宰制[361]中原，战必胜，攻必取，此殆天启[362]，非人力也。不若举河西归之，则窦融[363]之功复见于今日矣！"轨曰："吾据山河之固，彼虽强大，若我何！汝自唐来，为唐游说耳。"兴贵谢曰："臣闻富贵不归故乡，如衣绣夜行。臣阖门受陛下荣禄，安肯附唐！但欲效[364]其愚虑，可否在陛下[365]耳。"于是退与脩仁阴结诸胡起兵击轨，轨出战而败，婴城自守。兴贵徇曰[366]："大唐遣我来诛李轨，敢助之者夷三族！"城中人争出就兴贵。轨计穷，与妻

窦建德派遣一千多名骑兵护送，又传送宇文化及的首级献给义成公主。

四月十八日丙辰，刘武周包围并州，齐王李元吉打退了他。二十日戊午，唐下诏命太常卿李仲文率军救援并州。

王世充的将军丘怀义在门下内省，叫来越王王君度、汉王王玄恕、将军郭士衡和歌伎侍女混杂在一起饮酒博戏，侍御史张蕴古弹劾了他们。王世充大怒，命令散手仗卫士抓了王君度、王玄恕，打他们几十个耳光。又命令带入东上阁，各打几十大板。对丘怀义、郭士衡不加追究。赏给张蕴古一百段丝帛，升迁为太子舍人。王君度是王世充哥哥的儿子。

王世充每次听朝，对大臣殷勤教诲，言辞重复，千头万绪。侍卫之人疲倦得受不了，各部门官吏上奏政事，疲于听取训示。御史大夫苏良劝谏说："陛下的话太多而没有要点，指出计策应如何就行了，何用费许多话！"王世充沉默了很长时间，也不怪罪苏良。但他的性格就是这样，最终也不能改变。

王世充多次攻打伊州，唐伊州总管张善相进行抵抗。粮食吃光，援军没有到来，四月二十五日癸亥，城池陷落，张善相极力痛骂王世充而被处死。唐高祖听说了，感叹地说："我对不起善相，善相没有对不起我！"赐给张善相的儿子襄城郡公爵位。

五月，王世充攻陷义州，又侵犯西济州。唐派右骁卫大将军刘弘基带兵救援。

李轨将领安脩仁的哥哥安兴贵在长安做官，上表请求劝说李轨，晓谕祸福关系。唐高祖说："李轨仗恃着军队，凭借险要，联合吐谷浑、突厥，我起兵攻打他，还怕不能取胜，哪里是口舌就可以说服的！"安兴贵说："臣下家在凉州，累世为豪门望族，为百姓和胡夷所归附。我弟弟安脩仁受到李轨的信任，十几个子弟在机要近密部门任职，臣前去劝说他，李轨听从臣下劝谕当然很好，如果他不听从，在他的身边加以解决就很容易了！"于是唐高祖派他前往凉州。

安兴贵到达武威，李轨任命他为左右卫大将军。安兴贵乘机劝李轨说："凉州地域不过千里，土地瘠薄，百姓贫困。如今唐从太原起兵，夺取了函谷关内的秦地，控制了中原，每战必胜，攻则必取，这大概是上天给他的启示，不是人力所能做到的。不如率河西地区归附唐朝，那么窦融的功勋又会重现于今天了！"李轨说："我凭据着山河的险要牢固，唐朝虽然强大，能把我怎么样！你从唐朝来，是为唐朝游说而已。"安兴贵谢罪说："我听说富贵了不返回家乡，就像穿着锦绣衣服在夜间行走。臣全家享受陛下的荣禄，怎么肯归附唐朝！只不过想献上我的愚蠢想法，可行还是不可行由陛下决定而已。"于是退下，和安脩仁暗中联合各部胡人起兵攻打李轨，李轨出战失败，环城自守。安兴贵宣告说："大唐派我来诛灭李轨，敢帮助他的人，诛杀三族！"城中的人争相出城投奔安兴贵。李轨计谋穷尽，和妻子儿女登上玉女台，

子登玉女台[367]，置酒为别。庚辰[368]，兴贵执之以闻，河西悉平。

邓晓在长安，舞蹈称庆。上曰："汝为人使臣，闻国亡，不戚[369]而喜，以求媚于朕，不忠于李轨，肯为朕用乎！"遂废之终身。

轨至长安，并其子弟皆伏诛。以安兴贵为右武候大将军、上柱国、凉国公，赐帛万段，安脩仁为左武候大将军、申国公。

隋末，离石[370]胡刘龙儿拥兵数万，自号刘王，以其子季真为太子。虎贲郎将[371]梁德击斩龙儿。至是，季真与弟六儿复举兵为乱，引刘武周之众攻陷石州[372]，杀刺史王俭。季真自称突利可汗[373]，以六儿为拓定王。六儿遣使请降，诏以为岚州[374]总管。

壬午[375]，以秦王世民为左武候大将军，使持节凉、甘[376]等九州[377]诸军事，凉州总管，其太尉、尚书令、雍州牧、陕东道行台[378]并如故。遣黄门侍郎杨恭仁[379]安抚河西。

丙戌[380]，刘武周陷平遥[381]。

癸巳[382]，梁州总管、山东道安抚副使陈政为麾下所杀，携其首奔王世充。政，茂[383]之子也。

王世充以礼部尚书裴仁基、左辅大将军裴行俨有威名，忌之。仁基父子知之，亦不自安，乃与尚书左丞宇文儒童、儒童弟尚食直长[384]温、散骑常侍[385]崔德本谋杀世充及其党，复尊立皇泰主。事泄，皆夷三族。齐王世恽言于世充曰："儒童等谋反，正为皇泰主尚在故也，不如早除之。"世充从之，遣兄子唐王仁则及家奴梁百年鸩皇泰主。皇泰主曰："更为请[386]太尉，以往者之言[387]，未应至此。"百年欲为启陈，世恽不许。又请与皇太后辞诀[388]，亦不许。乃布席[389]焚香礼佛[390]："愿自今已往，不复生帝王家！"饮药，不能绝，以帛缢杀之，谥曰恭皇帝。世充以其兄楚王世伟为太保[391]，齐王世恽为太傅，领尚书令。

摆下酒宴诀别。五月十三日庚辰，安兴贵捉住李轨上报唐朝，河西于是全部平定。

李轨的使者邓晓在长安，对唐高祖行舞蹈礼表示祝贺。高祖说："你身为人家的使臣，听说自己的国家灭亡，不悲戚，反而高兴，向朕献媚，不忠于李轨，难道还能为朕所用吗！"于是把他废黜终身。

李轨到了长安，连同他的儿子兄弟全部被诛杀。唐高祖任命安兴贵为右武候大将军、上柱国、凉国公，赐给丝帛一万段，安脩仁为左武候大将军、申国公。

隋朝末年，离石胡人刘龙儿拥兵数万，自称刘王，让他的儿子刘季真为太子。唐虎贲郎将梁德击杀了刘龙儿。到这个时候，刘季真与弟弟刘六儿又起兵作乱，引来刘武周的军队攻陷石州，杀了唐石州刺史王俭。刘季真自称突利可汗，以刘六儿为拓定王。刘六儿派使者请求投降，唐高祖下诏任命他为岚州总管。

五月十五日壬午，唐任命秦王李世民为左武候大将军，使持节凉、甘等九州诸军事，凉州总管，他的太尉、尚书令、雍州牧、陕东道行台等官职一并依旧。派遣黄门侍郎杨恭仁安抚河西地区。

五月十九日丙戌，刘武周攻陷平遥。

二十六日癸巳，唐梁州总管、山东道安抚副使陈政被部下所杀，部下携带他的首级投奔王世充。陈政是陈茂的儿子。

礼部尚书裴仁基、左辅大将军裴行俨素有威望名声，王世充很忌恨他们。裴仁基父子知道此情后，内心也不安稳，于是与尚书左丞宇文儒童、宇文儒童的弟弟尚食直长宇文温、散骑常侍崔德本谋划杀死王世充及其党羽，重新尊立皇泰主。事情泄露，都被诛灭三族。齐王王世恽对王世充说："宇文儒童等人谋反，正是因为皇泰主还在的缘故，不如早些除掉皇泰主。"王世充听从这一建议，派他哥哥的儿子唐王王仁则和家奴梁百年去毒死皇泰主。皇泰主说："请你们再替我向太尉请求，按他以前所说的话，不应该到这个地步。"梁百年想为皇泰主向王世充启奏，王世恽不答应。皇泰主又请求与皇太后诀别，王世恽也不答应。于是皇泰主把席子铺在地上，焚香礼佛，说道："愿从今以后，不再生在帝王家！"喝下毒药，没有马上气绝，王世恽等人用丝帛勒死了他，谥号为恭皇帝。王世充任命他的哥哥楚王王世伟为太保，齐王王世恽为太傅，兼尚书令。

【段旨】

以上为第六段，写唐高祖平定河西，以及王世充弑皇泰主。

【注释】

335 出警入跸：出入禁止行人。警，警戒。跸，帝王出行时，开路清道，禁止通行。336 遗腹子：父死时尚未降生的孩子。337 丙辰：四月十八日。338 拒却之：把他打退。339 戊午：四月二十日。340 杂妓妾饮博：与妓女婢妾一起饮酒博戏。341 张蕴古（？至公元六三一年）：相州（今河南安阳）人，敏书传，晓世务，唐初文坛名士。太宗即位，上《大宝箴》以讽谏，擢大理丞。后坐事被诛。传见《旧唐书》卷一百九十上、《新唐书》卷二百一。342 弹：弹劾。343 散手：即散手仗，隋时衙内五卫之一。344 东上阁：东都皇宫正殿曰乾阳殿，殿左曰东上阁，右曰西上阁，阁各有门。345 太子舍人：官名，太子官属，掌管文书。346 般勤诲谕：教诲不厌其详。347 千端万绪：头绪繁多。348 领要：要领。349 计云尔：指出计策应如何。350 何烦许辞：何用费许多话。351 张善相（？至公元六一九年）：襄城（今河南襄城）人，大业末据许州，后归唐授伊州总管。传见《旧唐书》卷一百八十七上、《新唐书》卷一百九十一。352 癸亥：四月二十五日。353 西济州：州名，治所在今河南济源。354 刘弘基（公元五八一至六五〇年）：池阳（今陕西泾阳）人，从高祖举兵太原，引兵先济河，次长安，京师平，功第一，累封夔国公。传见《旧唐书》卷五十八、《新唐书》卷九十。355 突厥：公元六世纪时游牧于中国北部金山（今阿尔泰山）一带的少数民族，广义包括突厥、铁勒各部落，狭义专指突厥。隋开皇二年（公元五八二年）分裂为东突厥和西突厥。356 奕世豪望：累世为豪门望族。357 机近：机要近密。358 肘腋：胳膊肘和胳肢窝。比喻极近的地方。359 武威：郡名，治所在今甘肃武威。360 函秦：函谷关以西全秦之地。361 宰制：控制。362 天启：上天的启示。363 窦融（公元前一六至公元六二年）：字周公，东汉初扶风平陵（今陕西咸阳西北）人，累世为河西官吏。新莽末，降刘玄。刘玄败，他联合酒泉、敦煌等五郡，割据河西。后归刘秀，协助攻灭隗嚣，封安丰侯，任大司空。传见《后汉书》卷二十三《窦融传》。364 效：报效。365 可否在陛下：可否全由陛下决定。366 徇曰：对众宣示说。367 玉女台：李轨于上年筑玉女台。368 庚辰：五月十三日。369 戚：忧愁；悲哀。370 离石：州名，治所在今山

【原文】

六月庚子[392]，窦建德陷沧州。

初，易州贼帅宋金刚有众万余，与魏刀儿连结。刀儿为窦建德所灭，金刚救之，战败，帅众四千西奔刘武周。武周闻其善用兵，得之，甚喜，号曰宋王，委以军事，中分家赀以遗之[393]。金刚亦深自结[394]，出

西吕梁市离石区。隋为离石郡，唐为石州。㊲1 虎贲郎将：武官名，汉置虎贲中郎将、虎贲郎、虎贲校尉等，主宿卫事，历代因之，至唐废。㊲2 石州：州名，治所在今山西吕梁市离石区。㊲3 突利可汗（公元六〇二至六三一年）：突厥酋长，名什钵苾，始毕可汗嫡子。武德时与太宗深相结，贞观时归附唐朝，授右卫大将军，封北平郡王。传见《旧唐书》卷一百九十四、《新唐书》卷二百十五。㊲4 岚州：州名，治所在今山西岚县北之岚城。㊲5 壬午：五月十五日。㊲6 凉、甘：皆州名。凉州，治所姑藏，在今甘肃武威。甘州，治所觚得，在今甘肃张掖。㊲7 九州：凉、甘、瓜、鄯、肃、会、兰、河、廓，均为李轨所据之地。㊲8 行台：晋以后，在地方代表朝廷行尚书省事的机构。㊲9 杨恭仁（？至公元六三九年）：隋仁寿中为甘州刺史。归唐封观国公，为凉州总管。传见《旧唐书》卷六十二、《新唐书》卷一百。㊳0 丙戌：五月十九日。㊳1 平遥：县名，县治在今山西平遥。㊳2 癸巳：五月二十六日。㊳3 茂：陈茂，河东猗氏（今山西临猗）人，事隋文帝，典机密。传见《隋书》卷六十四。㊳4 尚食直长：官名，隋制，尚食局属殿中省，有奉御、有直长，掌膳馐之事。㊳5 散骑常侍：官名，在皇帝左右规谏过失，以备顾问。唐代分隶门下省和中书省。在门下省者称左散骑常侍，在中书省者称右散骑常侍。㊳6 更为请：再替我请求。㊳7 以往者之言：指武德二年（公元六一九年）王世充对皇泰主所许的诺言。据《旧唐书》卷五十四《王世充传》载：世充又使人谓曰，"今海内未定，须得长君，待四方乂安，复子明辟。必若前盟，义不违负。"㊳8 辞诀：诀别。㊳9 布席：把席子铺在地上。㊴0 礼佛：向佛行礼。㊴1 太保：官名，周代三公之一，位次于太傅，与太师、太傅合称三公，共当宰相之任。隋唐仍沿此称，无实际职务，仅作为大臣的最高荣衔。

【校记】

［3］王世充：此下张敦仁《通鉴刊本识误》认为脱"废皇泰主"四字。［4］爵：原无此字。胡三省注云："'子'下当有'爵'字，蜀本然。"据章钰校，十二行本、乙十一行本、孔天胤本"子"字下皆有"爵"字，张敦仁《通鉴刊本识误》同，今据补。

【语译】

六月初三日庚子，窦建德攻陷沧州。

当初，易州叛军首领宋金刚有一万多人马，和魏刀儿联合。魏刀儿被窦建德消灭，宋金刚救援魏刀儿，战败，率领部众四千人向西投奔刘武周。刘武周听说他善于用兵，得到他很高兴，称他为宋王，把军事事务委任给他，分出一半家产送给宋金刚。宋金刚也与刘武周深加交结，休掉原来的妻子，娶了刘武周的妹妹。于是他

其故妻[395]，纳武周之妹。因说武周图晋阳，南向争天下。武周以金刚为西南道大行台，使将兵三万寇并州。丁未[396]，武周进逼介州[397]，沙门道澄以佛幡缒之[398]入城，遂陷介州。诏左武卫大将军姜宝谊[399]、行军总管李仲文击之。武周将黄子英往来雀鼠谷[400]，数以轻兵挑战。兵才接，子英阳[401]不胜而走，如是再三。宝谊、仲文悉众逐之，伏兵发，唐兵大败，宝谊、仲文皆为所虏。既而俱逃归，上复使二人将兵击武周。

己酉[402]，突厥使来告始毕可汗之丧，上举哀于长乐门[403]，废朝三日[404]，诏百官就馆[405]吊其使者。又遣内史舍人郑德挺吊处罗可汗[406]，赙[407]帛三万段。

上以刘武周入寇为忧，右仆射裴寂请自行。癸亥[408]，以寂为晋州[409]道行军总管，讨武周，听以便宜从事。

秋，七月，初置十二军[410]，分关内诸府以隶焉，皆取天星为名，以车骑府[411]统之。每军将、副各一人，取威名素重者为之，督以耕战之务。由是士马精强，所向无敌。

海岱[412]贼帅徐圆朗以数州之地请降，拜兖州[413]总管，封鲁国公。

王世充遣其将罗士信[414]寇谷州，士信帅其众千余人来降。先是，士信从李密击世充，兵败，为世充所得，世充厚礼之，与同寝食。既而得邴元真等，待之如士信，士信耻之。士信有骏马，世充兄子赵王道询欲之，不与，世充夺之以赐道询，士信怒，故来降。上闻其来，甚喜，遣使迎劳，赐帛五千段[5]，廪食其所部，以士信为陕州[415]道行军总管。世充左龙骧将军临泾[416]席辩与同列杨虔安、李君义皆帅所部来降。

丙子[417]，王世充遣其将郭士衡寇谷州，刺史任瓌大破之，俘斩且尽[418]。

甲申[419]，行军总管刘弘基遣其将种如愿袭王世充河阳城，毁其河桥而还。

乙酉[420]，西突厥统叶护可汗[421]、高昌王麴伯雅各遣使入贡。

初，西突厥曷娑那可汗[422]入朝于隋，隋人留之，国人立其叔父，号射匮可汗[423]。射匮者，达头可汗[424]之孙也。既立，拓地东至金山[425]，西至海，遂与北突厥为敌，建庭于龟兹[426]北三弥山。射匮卒，子统叶

劝刘武周攻打晋阳，南下争夺天下。刘武周任命宋金刚为西南道大行台，派他带领三万士兵侵犯并州。六月初十日丁未，刘武周进逼介州。僧人道澄用佛幡从城上把他拉上城墙，于是刘武周攻陷介州。唐高祖诏令左武卫大将军姜宝谊、行军总管李仲文攻打刘武周。刘武周的将领黄子英来往于雀鼠谷，多次用轻装部队向唐军挑战。两军刚一接战，黄子英假装打不赢而逃走，再三地这样做。姜宝谊、李仲文出动全部兵力追击，对方伏兵出击，唐军大败，姜宝谊、李仲文都被俘虏。不久，二人都逃回来，唐高祖又派二人率军攻打刘武周。

六月十二日己酉，突厥使者前来通报始毕可汗的丧讯，唐高祖在长乐门为他举行哀悼仪式，废止上朝听事三天，诏命文武百官到使者居住的客馆进行吊唁。又派内史舍人郑德挺去见处罗可汗进行吊唁，赠送办丧礼物三万段丝帛。

唐高祖对刘武周的入侵感到忧虑，右仆射裴寂请求自己单独前往讨伐。六月二十六日癸亥，唐朝任命裴寂为晋州道行军总管，讨伐刘武周，允许他根据情况临机决断。

秋，七月，唐初次设置十二军，分关内诸府来隶属十二军，全都取用天上星宿的名字作为名称，由车骑府统领十二军。每军设将军、副将各一人，选用素来有很高威望名声的人担任，督管耕战事务。因此，兵马精锐强壮，所向无敌。

瀛海至岱岳地区的贼帅徐圆朗率数州土地请求降唐，任他为兖州总管，封为鲁国公。

王世充派他的将领罗士信侵犯谷州，罗士信带领他的部众一千多人前来投降。此前，罗士信跟随李密攻打王世充，兵败，被王世充俘获，王世充对他给予优厚礼遇，和他一起就寝进餐。不久王世充又俘获邴元真等人，对待他们如对待罗士信一样，罗士信认为这是耻辱。罗士信有一匹骏马，王世充哥哥的儿子赵王王道询想要这匹马，罗士信不给他，王世充夺去这匹马赐给王道询，罗士信很生气，所以前来投降。唐高祖听说罗士信来投降，非常高兴，派使者迎接慰问，赐帛五千段，对他的人马给予军粮，任命罗士信为陕州道行军总管。王世充的左龙骧将军临泾人席辩和同事杨虔安、李君义都率领所辖人马前来降唐。

七月初十日丙子，王世充派遣他的将领郭士衡侵犯谷州，唐谷州刺史任瓌大败郭士衡，郭士衡的人马几乎全被杀死、俘虏。

十八日甲申，唐行军总管刘弘基派遣他的将领种如愿袭击王世充的河阳城，破坏了他们的黄河渡桥然后返回。

七月十九日乙酉，西突厥统叶护可汗、高昌王麹伯雅分别派遣使者入朝纳贡。

当初，西突厥曷娑那可汗到隋朝晋见，隋朝人把他留下，西突厥人把曷娑那的叔父立为可汗，称射匮可汗。射匮是达头可汗的孙子。即位后，开拓疆土东至金山，西到西海，于是就与北突厥为敌，在龟兹以北的三弥山建立王庭。射匮去世，他的

护[6]立。统叶护勇而有谋，北并铁勒㉗，控弦㉘数十万，据乌孙㉙故地，又移庭于石国㉚北千泉。西域诸国皆臣之，叶护各遣吐屯㉛监之，督其征赋。

辛卯㉜，宋金刚寇浩州㉝，浃旬㉞而退。

八月丁酉㉟，酅公薨，谥曰隋恭帝。无后，以族子行基嗣。

窦建德将兵十余万趣洺州㊱，淮安王神通帅诸军退保相州。己亥㊲，建德兵至洺州城下。

丙午㊳，将军秦武通军至洛阳，败王世充将葛彦璋。

丁未㊴，窦建德陷洺州，总管袁子幹降之。

乙卯㊵，引兵趣相州，淮安王神通闻之，帅诸军就李世勣于黎阳。

梁师都与突厥合数千骑寇延州㊶，行军总管段德操兵少不敌，闭壁不战。伺师都稍怠，九月丙寅㊷，遣副总管梁礼将兵击之。师都与礼战方酣，德操以轻骑多张㊸旗帜，掩击其后，师都军溃，逐北二百里，破其魏州，虏男女二千余口。德操，孝先之子也。

萧铣遣其将杨道生寇峡州㊹，刺史许绍㊺击破之。铣又遣其将陈普环帅舟师上峡，规取㊻巴、蜀。绍遣其子智仁及录事参军㊼李弘节等追至西陵㊽，大破之，擒普环。铣遣兵戍安蜀城㊾及荆门城㊿。

先是，上遣开府李靖[451]诣夔州[452]经略[453]萧铣。靖至峡州，阻铣兵，久不得进。上怒其迟留[454]，阴敕[455]许绍斩之。绍惜其才，为之奏请，获免。

己巳[456]，窦建德陷相州，杀刺史吕珉。

民部尚书鲁公刘文静自以才略功勋在裴寂之右而位居其下，意甚不平。每廷议，寂有所是，文静必非之，数侵侮寂，由是有隙。文静与弟通直散骑常侍[457]文起饮，酒酣怨望[458]，拔刀击柱曰："会当斩裴寂首！"家数有妖，文起召巫于星下被发衔刀为厌胜[459]。文静有妾无宠，使其兄上变告之。上以文静属吏，遣裴寂、萧瑀问状。文静曰："建义之初，忝[460]为司马，计与长史位望略同。今寂为仆射，据甲第[461]，臣官赏不异众人，东西征讨，老母留京师，风雨无所庇[462]，实有觖望[463]之心，因醉怨言，不能自保。"上谓群臣曰："观文静此言，反明白矣。"

儿子统叶护即位。统叶护勇猛而有谋略，向北吞并了铁勒，拥有几十万可以骑马拉弓的兵士，占据了乌孙国原来的地域，又把王庭迁移到石国之北的千泉。这时西域各国都向他表示臣服，统叶护分别派遣吐屯监管各国，督促他们征收赋税。

七月二十五日辛卯，宋金刚侵犯浩州，十天后撤退。

八月初一日丁酉，酅公去世，谥号为隋恭帝。他没有后裔，就让他的同族兄弟之子杨行恭继承为后嗣。

窦建德率兵十余万奔向洺州，淮安王李神通率领各路兵马退守相州。八月初三日己亥，窦建德的军队到达洺州城下。

八月初十日丙午，唐将军秦武通的军队到达洛阳，打败了王世充的将领葛彦璋。

十一日丁未，窦建德攻陷洺州，唐总管袁子幹投降了窦建德。

十九日乙卯，窦建德率军向相州前进，淮安王李神通听说后，率领各路兵马到黎阳李世勣那里。

梁师都与突厥合起来数千名骑兵侵犯延州，唐行军总管段德操兵力少，不能抵抗，关闭营垒不战。窥伺梁师都逐渐松懈，九月初一日丙寅，派遣副总管梁礼率军攻击梁师都。梁师都与梁礼战斗正为激烈的时候，段德操率轻骑竖起很多旗帜，从背后掩袭梁师都，梁师都的军队溃败，唐军追击败兵二百里，攻克了梁师都的魏州，俘虏二千多名男女民众。段德操是段孝先的儿子。

萧铣派他的将领杨道生侵犯峡州，唐刺史许绍打败了杨道生。萧铣又派他的将领陈普环率领水军溯江上至峡州，计划夺取巴、蜀。许绍派他的儿子许智仁和录事参军李弘节等人追到西陵，大败萧铣的军队，活捉陈普环。萧铣派兵戍守安蜀城和荆门城。

在此之前，唐高祖派遣开府李靖前往夔州图谋萧铣。李靖到达峡州，被萧铣军队阻挡，长期不能前进。唐高祖对他的停滞不前感到愤怒，暗中下令许绍斩杀李靖。许绍爱惜李靖的才能，替他上奏求情，李靖才得免死。

九月初四日己巳，窦建德攻陷相州，杀死唐相州刺史吕珉。

唐民部尚书鲁公刘文静认为自己的才略功勋在裴寂之上，而职位却在裴寂之下，心里非常愤愤不平。每当在朝堂议政，裴寂表示赞同的，刘文静一定提出非议，多次欺辱裴寂，二人因此有了仇隙。刘文静与弟弟通直散骑常侍刘文起一起喝酒，酒喝得酣畅时发牢骚，拔刀击柱，说道："该当斩下裴寂的脑袋！"他家里多次出现妖异，刘文起召来巫师在星光下披散头发、口中衔刀举行驱邪仪式。刘文静有一个侍妾失宠，她让其兄长向上告发。唐高祖把刘文静交给有关官吏，派裴寂、萧瑀询问情况。刘文静说："在太原刚起兵时，我忝任司马，算起来与长史的职位声望大致相当。现今裴寂为仆射，获得了甲等宅第，臣的官衔与奖赏与一般人没有不同，东征西讨，老母留在京师，不能庇护她躲避风雨，确实有些怨愤不满的心情，因为喝醉了而口出怨言，不能自我保全。"唐高祖对群臣说："看刘文静说的这些话，造反的

李纲、萧瑀皆明其不反。秦王世民为之固请曰："昔在晋阳，文静先定非常之策㊹，始告寂知。及克京城，任遇悬隔㊺，令文静觖望则有之，非敢谋反。"裴寂言于上曰："文静才略实冠时人，性复粗险，今天下未定，留之必贻后患。"上素亲寂，低回久之，卒用寂言。辛未㊻，文静及文起坐死，籍没其家㊼。

【段旨】

以上为第七段，写唐高祖冤杀刘文静，以及全国各地军阀混战。河北窦建德、东都王世充、荆襄萧铣、并州刘武周为最大军阀。

【注释】

㊷庚子：六月初三。㊸中分家赀以遗之：分一半家财送给他。㊹深自结：自己深加交结。㊺出其故妻：休掉自己原来的妻子。㊻丁未：六月初十。㊼介州：州名，治所在今山西介休。㊽以佛幡縋之：用佛幡悬坠之。㊾姜宝谊（？至公元六一九年）：上邽（今甘肃天水）人，从高祖太原起兵，历右武卫大将军、永安县公。传见《新唐书》卷八十八。㊿雀鼠谷：河谷名，即今山西介休西南、霍州之北汾河河谷。㊿阳：佯。㊿己酉：六月十二日。㊿长乐门：长安宫城南面有三门，中曰承天，东曰长乐，西曰永安。㊿废朝三日：重臣死，废朝三日、五日或七日，以示哀悼。此制起于隋唐。废朝，辍朝，即停止参朝，不理政事。㊿就馆：到其客馆。㊿处罗可汗：隋西突厥主，公元六〇三至六一一年为可汗。名达漫，号泥撅处罗可汗。从炀帝征高丽，赐号曷萨那可汗。传见《旧唐书》卷一百九十四、《新唐书》卷二百十五。㊿赙：赠送财物助人办丧事。㊿癸亥：六月十六日。㊿晋州：州名，治所在今山西临汾西南。㊿初置十二军：开始设置十二军。据《新唐书·兵志》，以万年道为参旗军，长安道为鼓旗军，富平道为玄戈军，礼泉道为井钺军，同州道为羽林军，华州道为骑官军，宁州道为折威军，岐州道为平道军，豳州道为招摇军，西麟州道为苑游军，泾州道为天纪军，宜州道为天节军。㊿车骑府：官署名，隋代府兵制，初定地方军府为骠骑府，有时也设立与骠骑府平行的车骑府。其长官为车骑将军。贞观十一年（公元六三七年）改称折冲府。㊿海岱：谓其所跨据之地，东至瀛海，西距岱岳。㊿兖州：州名，治所在今山东兖州。㊿罗士信（公元五九四至六二二年）：齐州历城（今山东济南）人，唐初名将。年十四，助张须陀破敌军于潍水上，后降高祖，拜陕州道行军总管。后以功授绛州总管。传见《旧唐书》卷一百八十七、《新唐

事情就明白了。”李纲、萧瑀都表明刘文静没有谋反之意。秦王李世民替他坚持求情说：“过去在晋阳，刘文静首先拿定了起兵的计划，然后才告知裴寂。等到攻克了京城，任职待遇相差悬殊，使刘文静产生怨恨，那是有的，但他不敢谋反。”裴寂对唐高祖说：“刘文静的才智谋略确实超出现在的人，但他的性情粗疏险恶，如今天下尚未安定，留着他一定遗留后患。”唐高祖一向与裴寂亲近，低头想了很久，最终采纳了裴寂的意见。九月初六日辛未，刘文静与他弟弟刘文起因罪被处死，抄没了全部家产。

书》卷一百九十一。⑮陕州：州名，治所在今河南三门峡市陕州区。⑯临泾：县名，县治在今甘肃镇原。⑰丙子：七月初十。⑱且尽：将尽。⑲甲申：七月十八日。⑳乙酉：七月十九日。㉑统叶护可汗（？至公元六二八年）：西突厥可汗。传见《旧唐书》卷一百九十四下、《新唐书》卷二百十五下。㉒曷娑那可汗：西突厥主。名达漫，号泥撅处罗可汗。传见《旧唐书》卷一百九十四、《新唐书》卷二百十五。㉓射匮可汗（？至公元六一五年）：西突厥达头可汗孙。传见《旧唐书》卷一百九十四。此所述西突厥事见本书卷一百八十一炀帝大业七年（公元六一一年）。㉔达头可汗：西突厥可汗。又称步迦可汗。㉕金山：地名，在今青海西宁西北。㉖龟兹：古西域国名，在今新疆库车一带。㉗铁勒：古族名，汉称丁零。后音变为敕勒、铁勒等。因所用车轮高大，亦称高车。《隋书》记载铁勒各部分布于东至独洛河（今图拉河）以北、西至西海（今里海）的广大地区，分属东、西突厥。其漠北十五部，以薛延陀与回纥为最著。㉘控弦：谓能射之士。㉙乌孙：古族名，西汉时，分布在今伊犁河和伊塞克湖一带，从事游牧。汉武帝时张骞曾使乌孙，与汉关系密切，后属西域都护。南北朝时乌孙已西迁葱岭北。辽以后渐与邻族融合。㉚石国：古国名，故地在今乌兹别克共和国塔什干一带。见《北史》《隋书》《新唐书》各《西域列传》。国王姓石，唐时为昭武诸国之一，一度属唐管辖。㉛吐屯：官名，突厥御史之称。㉜辛卯：七月二十五日。㉝浩州：州名，治所在今山西汾阳。㉞浃旬：一旬。浃，遍及、满。㉟丁酉：八月初一。㊱洺州：州名，治所在今河北永年。㊲己亥：八月初三。㊳丙午：八月初十。㊴丁未：八月十一日。㊵乙卯：八月十九日。㊶延州：州名，治所在今陕西延安城东延河东岸。㊷丙寅：九月初一。㊸张：张设。㊹峡州：州名，治所在今湖北宜昌。㊺许绍：字嗣宗，安陆（今湖北安陆）人，隋末任夷陵通守。后归唐，授陕州刺史。传见《旧唐书》卷五十九、《新唐书》卷九十。㊻规取：计划夺取。㊼录事参军：官名，晋置录事参军，本为公府官，非州郡职。掌总录众曹文簿，举善弹恶。其后刺史领军而开府者亦置，职任甚为亲重，省称为录事。隋唐以录事参军为郡官，相当于汉时州郡主簿之职。㊽西陵：县名，县治在今湖北宜昌

东南。㊾安蜀城：北周筑，在今湖北宜昌西北长江西陵峡口。㊿荆门城：在今湖北宜都西北长江边。安蜀城与荆门城均为荆州西南要地。(451)李靖（公元五七一至六四九年）：唐初军事家，本名药师，京兆三原（今陕西三原东北）人，太宗时历任兵部尚书，兼检校中书令。传见《旧唐书》卷六十七、《新唐书》卷九十三。(452)夔州：州名，治所在今重庆市奉节。(453)经略：筹划经营。(454)迟留：迟缓稽留。(455)阴敕：暗下敕书。(456)己巳：九月初四。(457)通直散骑常侍：官名，在皇帝左右规谏过失，以备顾问。往往预闻要政。隋代属门下省，唐代分隶门下省和中书省。(458)酒酣怨望：酒喝到畅快的时候发牢骚。(459)厌胜：古代方士的一种巫术，谓能以诅咒制服人或物。(460)忝：自谦之词，犹辱。(461)据甲第：据有甲等宅第。(462)庇：庇蔽。(463)觖望：怨望；怨愤不满。(464)文静先定非常之策：指隋恭

【原文】

沈法兴既克毗陵，谓江、淮之南指㧑[468]可定，自称梁王，都毗陵，改元延康，置百官。性残忍，专尚[469]威刑，将士小有过即斩之，由是其下离怨。

时杜伏威据历阳[470]，陈稜据江都，李子通[471]据海陵，俱有窥江表之心[472]。法兴军数败，会子通围稜于江都，稜送质求救于法兴及伏威，法兴使其子纶将兵数万与伏威共救之。伏威军清流[473]，纶军扬子[474]，相去数十里。子通纳言毛文深献策，募江南人诈为纶兵，夜袭伏威营。伏威怒，复遣兵袭纶。由是二人相疑，莫敢先进。子通得尽锐[475]攻江都，克之，稜奔伏威。子通入江都，因纵击纶，大破之，伏威亦引去。子通即皇帝位，国号吴，改元明政。丹阳[476]贼帅乐伯通帅众万余降之，子通以为左仆射。

杜伏威请降。丁丑[477]，以伏威为淮南安抚大使、和州[478]总管。

裴寂至介休[479]，宋金刚据城拒之。寂军于度索原[480]，营中饮涧水，金刚绝之，士卒渴乏。寂欲移营就水，金刚纵兵击之，寂军遂溃，失亡略尽[481]，寂一日一夜驰至晋州。先是，刘武周屡遣兵攻西河[482]，浩州刺史刘赡拒之，李仲文引兵就之，与共守西河。及裴寂败，自晋州以北城镇俱没，唯西河独存。姜宝谊复为金刚所虏，谋逃归，金刚杀之。裴寂上表谢罪，上慰谕之，复使镇抚河东。

帝义宁元年（公元六一七年），刘文静与李世民密谋，乘隋末战乱，举兵反隋，夺取天下之事。㊺任遇悬隔：任职待遇悬殊。㊻辛未：九月初六。㊼籍没其家：登记抄没他的家产。

【校记】

［5］赐帛五千段：原无此句。据章钰校，十二行本、乙十一行本、孔天胤本皆有此句，张敦仁《通鉴刊本识误》、张瑛《通鉴校勘记》同，今据补。［6］统叶护：据章钰校，十二行本、乙十一行本、孔天胤本“护”字下有“可汗”二字。

【语译】

沈法兴攻克毗陵之后，认为江、淮以南的地区只要自己发出指令就可平定，于是自称梁王，建都毗陵，改年号为延康，设置文武百官。沈法兴性情残忍，专门崇尚严刑峻法，将士有一点小过错，立即斩首，因此他的部下产生叛离怨恨之心。

当时杜伏威占据历阳，陈稜占据江都，李子通占据海陵，都有窥伺江南的意图。沈法兴的军队几次战败，适逢李子通在江都包围了陈稜，陈稜送来人质向沈法兴和杜伏威求救，沈法兴派他儿子沈纶率兵数万与杜伏威一起救援陈稜。杜伏威屯驻清流县，沈纶驻扎扬子县，相离数十里。李子通的纳言毛文深献计，招募江南人伪装成沈纶的士兵，夜里袭击杜伏威的军营。杜伏威很生气，又派兵袭击沈纶。由此二人相互猜疑，谁也不敢首先进军。李子通得以倾尽全部精锐攻打江都，攻了下来，陈稜投奔杜伏威。李子通进入江都，乘势纵兵攻打沈纶，把他打得大败，杜伏威也率军离去。李子通登上皇帝之位，国号吴，改年号为明政。丹阳贼帅乐伯通率领部下一万多人投降了李子通，李子通任命他为左仆射。

杜伏威向唐朝请求投降。九月十二日丁丑，唐任命杜伏威为淮南安抚大使、和州总管。

裴寂到达介休，宋金刚占据县城进行抵抗。裴寂驻扎在度索原，军营中饮用山涧的溪水，宋金刚切断了水源，唐军士兵又渴又乏。裴寂想迁移军营靠近水源，宋金刚纵兵进击，裴寂的军队于是溃败，几乎使军队全部损失和伤亡，裴寂奔驰一天一夜到了晋州。在此之前，刘武周屡次派兵攻打西河，唐浩州刺史刘赡抵抗他，李仲文率军与刘赡会合，共同守卫西河。等到裴寂战败，从晋州以北的城镇全部陷落，只有西河一城尚存。姜宝谊又被宋金刚俘虏，谋划逃回，宋金刚杀死了他。裴寂上表谢罪，唐高祖安慰劝导他，又让他镇抚河东。

刘武周进逼并州，齐王元吉给[483]其司马刘德威曰："卿以老弱守城，吾以强兵出战。"辛巳[484]，元吉夜出兵，携其妻妾弃州奔还长安。元吉始去，武周兵已至城下，晋阳土豪薛深以城纳武周。上闻之，大怒，谓礼部尚书李纲曰："元吉幼弱，未习时事，故遣窦诞、宇文歆辅之。晋阳强兵数万，食支十年[485]，兴王之基，一旦弃之。闻宇文歆首画此策，我当斩之！"纲曰："王年少骄逸，窦诞曾无规谏，又掩覆之，使士民愤怨，今日之败，诞之罪也。歆谏，王不悛[486]，寻皆闻奏[487]，乃忠臣也，岂可杀哉！"明日，上召纲入，升御座曰："我得公，遂无滥刑。元吉自为不善，非二人所能禁也。"并诞赦之。卫尉[488]少卿刘政会在太原，为武周所虏，政会密遣人奉[7]表论武周形势。

武周据太原，遣宋金刚攻晋州，拔之，虏右骁卫大将军刘弘基，弘基逃归。金刚进逼绛州[489]，陷龙门[490]。

西突厥曷娑那可汗与北突厥有怨。曷娑那在长安，北突厥遣使请杀之，上不许，群臣皆曰："保一人而失一国，后必为患。"秦王世民曰："人穷来归，我杀之不义。"上迟回[491]久之。不得已，丙戌[492]，引曷娑那于内殿宴饮，既而送中书省[493]，纵北突厥使者使杀之。

礼部尚书李纲领太子詹事[494]，太子建成始甚礼之。久之，太子渐昵近[495]小人，疾秦王世民功高，颇相猜忌。纲屡谏不听，乃乞骸骨[496]。上骂之曰："卿为何潘仁长史，乃耻为朕尚书邪[497]！且方使卿辅导建成，而固求去，何也？"纲顿首曰："潘仁，贼也，每欲妄杀人，臣谏之即止，为其长史，可以无愧。陛下创业明主，臣不才，所言如水投石[498]，言于太子亦然，臣何敢久污天台[499]、辱东朝[500]乎！"上曰："知公直士，勉留辅吾儿。"戊子[501]，以纲为太子少保，尚书、詹事如故。纲复上书谏太子饮酒无节，及信谗慝[502]，疏骨肉。太子不怿[503]，而所为如故。纲郁郁不得志。是岁，固称老病辞职。诏解尚书，仍为少保。

淮安王神通使慰抚使张道源镇赵州[504]。庚寅[505]，窦建德陷赵州，执总管张志昂及道源。建德以二人及邢州刺史陈君宾不早下[506]，欲杀之。国子祭酒凌敬谏曰："人臣各为其主用，彼坚守不下，乃忠臣也。今大

刘武周进逼并州，齐王李元吉欺骗他的司马刘德威说：“你带领老弱守城，我用强兵出城作战。”九月十六日辛巳，李元吉在夜里出兵，携带妻妾放弃并州逃回长安。李元吉刚离开，刘武周的军队已到达城下，晋阳土豪强薛深把城池献给了刘武周。唐高祖听说此事，大怒，对礼部尚书李纲说：“李元吉年幼弱小，不熟悉眼下事务，所以派遣窦诞、宇文歆辅佐他。晋阳有强兵数万，粮食能支撑十年，是王业兴起的根基，一个早上就放弃了。听说宇文歆首先提出这个计策，我当要斩杀他！”李纲说：“齐王年轻，骄狂放逸，窦诞不曾规谏，反而为他掩饰，使百姓怨愤。今天的失败，是窦诞的罪过。宇文歆劝谏，齐王不改，不久把情况全都上奏朝廷，乃是忠臣，怎可杀掉呢！”第二天，唐高祖叫李纲入宫，登上御座说：“我得到了你，才没有滥施刑罚。元吉自己不做善事，不是窦诞、宇文歆二人所能禁止的。”于是连窦诞一起赦免。卫尉少卿刘政会在太原，被刘武周俘虏，刘政会秘密派人上表论说刘武周的形势。

刘武周占据太原，派宋金刚进攻晋州，攻了下来，俘虏了唐右骁卫大将军刘弘基，刘弘基逃回。宋金刚进逼绛州，攻陷龙门县。

西突厥曷娑那可汗与北突厥有仇怨。曷娑那在长安，北突厥派使节前来请求杀死曷娑那，唐高祖不答应，群臣都说：“保护了一个人而失去一个国家，以后必定成为祸患。”秦王李世民说：“别人穷途末路前来投奔，我们杀了他就是不义。”唐高祖犹豫了很久。不得已，九月二十一日丙戌，请曷娑那在内殿宴饮，然后把他送到中书省，听任北突厥的使者，让他杀了曷娑那。

礼部尚书李纲兼太子詹事，太子李建成开始时对他十分礼敬。时间长了，太子逐渐亲近小人，嫉妒秦王李世民功高，相互颇为猜忌。李纲屡次劝谏，李建成不听，于是请求退休。唐高祖骂他说：“你当过何潘仁的长史，现在耻于当朕的尚书吗！况且正让你辅导建成，却坚持要求离去，这是为什么？”李纲磕头谢罪说：“何潘仁，是叛贼，每次想乱杀人，我劝谏了他就停止不杀，做他的长史，可以无愧。陛下是创立帝业的明主，臣无才，说的话如同以石投水，臣对太子的规劝也是这样，臣怎敢长期玷污尚书省，使东宫蒙受耻辱呢！”唐高祖说：“朕知道公是正直之士，请公勉力留下辅导我儿子。”九月二十三日戊子，任命李纲为太子少保，礼部尚书、太子詹事的官职依旧保留。李纲又上书劝谏太子李建成饮酒不要没有节制，不要信任谗毁邪恶之人，疏远骨肉兄弟。太子李建成很不高兴，所作所为依然如故。李纲郁郁不得志。这一年，坚决说自己年老多病，要求辞职。唐高祖下诏解除他的尚书职务，仍然担任太子少保。

淮安王李神通让慰抚使张道源镇守赵州。九月二十五日庚寅，窦建德攻陷赵州，抓住了唐总管张志昂和张道源。窦建德因为他们二人以及邢州刺史陈君宾没有尽早投降，想杀了他们。国子祭酒凌敬劝谏说：“人臣各为其主而效力用命，他们坚

王杀之，何以励群下[507]乎！”建德怒曰：“吾至城下，彼犹不降，力屈就擒，何可舍也！”敬曰：“今大王使大将高士兴拒罗艺于易水[508]，艺才至，兴即降，大王之意以为何如？”建德乃悟，即命释之。

乙未[509]，梁师都复寇延州[510]，段德操击破之，斩首二千余级，师都以百余骑遁去。德操以功拜柱国[511]，赐爵平原郡公。鄜州[512]刺史鄜城壮公梁礼战没。

冬，十月己亥[513]，就加凉州总管杨恭仁纳言，赐幽州总管燕公罗艺姓李氏，封燕郡王。

辛丑[514]，李艺破窦建德于衡水[515]。

癸卯[516]，以左武候大将军庞玉为梁州总管。时集州獠[517]反，玉讨之，獠据险自守，军不得进，粮且尽。熟獠[518]与反者皆邻里亲党，争言贼不可击，请玉还。玉扬言：“秋谷将熟，百姓毋得收刈[519]，一切供军，非平贼吾不返。”闻者大惧，曰：“大军不去，吾曹皆将馁死。”其中壮士乃入贼营，与所亲潜谋，斩其渠帅[520]而降，余党皆散。玉追讨，悉平之。

刘武周将宋金刚进攻浍州[521]，陷之，军势甚锐。裴寂性怯[522]，无将帅之略，唯发使骆驿[523]，趣[524]虞、泰[525]二州居民入城堡，焚其积聚。民惊扰愁怨，皆思为盗。夏县[526]民吕崇茂聚众自称魏王，以应武周。寂讨之，为所败。诏永安王孝基、工部尚书[8]独孤怀恩、陕州总管于筠、内史侍郎唐俭[527]等将兵讨之。

时王行本犹据蒲反[528]未下，亦与武周相应，关中震骇。上出手敕[529]曰：“贼势如此，难与争锋，宜弃大河以东，谨守关西[530]而已。”秦王世民上表曰：“太原，王业所基，国之根本，河东富实，京邑[531]所资，若举而弃之，臣窃愤恨。愿假臣精兵三万，必冀平殄[532]武周，克复汾、晋。”上于是悉发关中兵以益世民所统，使击武周。乙卯[533]，幸华阴[534]，至长春宫[535]以送之。

守城池不投降，乃是忠臣。现在大王杀了他们，用什么来激励群臣呢！”窦建德生气地说：“我到了城下，他们还不投降，力量用尽才被擒，怎么能放过他们！”凌敬说：“现在大王派大将高士兴在易水抵御罗艺，罗艺刚到，高士兴立即投降，大王认为怎么样？”窦建德这才醒悟，立即下令不杀张志昂和张道源。

九月三十日乙未，梁师都又侵犯延州，段德操打败了他，斩首二千余级，梁师都率领一百多名骑兵逃去。段德操因战功拜为柱国，赐予爵位为平原郡公。鄜州刺史鄜城壮公梁礼战死。

冬，十月初四日己亥，唐就地加任凉州总管杨恭仁为纳言，赏赐幽州总管燕公罗艺姓李，封为燕郡王。

初六日辛丑，李艺在衡水打败窦建德。

十月初八日癸卯，唐任命左武候大将军庞玉为梁州总管。当时集州獠民反叛，庞玉讨伐他们，獠民占据险要自守，唐军不能前进，军粮快要没了。靠近边境的獠民与反叛的獠民都是邻里乡亲，争着说反叛的獠民不可攻击，请求庞玉回军。庞玉扬言说：“秋天的庄稼即将成熟，百姓不得收割，全部供给军队，不平定叛贼我不撤军。”听说此言的人大为惊恐，说道：“大军不离去，我们都将饿死。”其中的壮士便进入反叛獠民的营地，与所亲近的人暗中谋划，杀了反叛獠民的头领，投降了唐军，剩余的叛军也全部溃散。庞玉追击讨伐，全部平定了反叛的獠民。

刘武周的将领宋金刚进攻浍州，攻陷了城池，军势极为勇锐。裴寂生性怯懦，没有将帅的谋略，只有络绎不绝地派遣使者，催促虞州、泰州的居民进入城堡，焚毁他们的积蓄。百姓惊扰愁怨，都想做盗贼。夏县的民众吕崇茂聚众自称魏王，响应刘武周。裴寂讨伐他，被吕崇茂打败。唐高祖下诏命令永安王李孝基、工部尚书独孤怀恩、陕州总管于筠、内史侍郎唐俭等人带兵讨伐吕崇茂。

当时王行本还占据着蒲反，未被攻下，也与刘武周相呼应，关中震恐。唐高祖下亲笔敕书说：“叛贼势头到了这种地步，很难与他们争锋，应该放弃黄河以东地区，小心守卫关西地区而已。”秦王李世民上表说：“太原，是帝王大业的根基，国家的根本，河东地区富饶丰实，是京城取资之地，如果一举放弃，臣私下深感愤恨。希望给臣三万精兵，一定期望平定消灭刘武周，收复汾州、晋州。”于是唐高祖全部征发关中的兵力，扩充李世民所辖部队，派他攻打刘武周。十月二十日乙卯，唐高祖驾临华阴，到长春宫为秦王送行。

【段旨】

以上为第八段，写杜伏威降唐，裴寂讨刘武周不利。

【注释】

⑱ 扐：通“挥”。⑲ 专尚：专重；专门崇尚。⑳ 历阳：郡名，治所在今安徽和县。㉑ 李子通（？至公元六二二年）：隋末在江淮地区起事反隋，东海承（今山东枣庄）人。传见《旧唐书》卷五十六、《新唐书》卷八十七。㉒ 窥江表之心：图谋江外之意。㉓ 清流：县名，县治在今安徽滁州。㉔ 扬子：县名，县治在今江苏扬州南扬子桥附近。㉕ 尽锐：以全军精锐之卒。㉖ 丹阳：郡名，治所在今江苏南京。㉗ 丁丑：九月十二日。㉘ 和州：州名，治所在今安徽和县。㉙ 介休：县名，县治在今山西介休。㊵ 度索原：地名，在今山西介休东南介山下。㊶ 失亡略尽：死亡损失殆尽。㊷ 西河：郡名，治所在今山西汾阳。㊸ 绐：欺哄。㊹ 辛巳：九月十六日。㊺ 食支十年：粮食可以支撑十年。㊻ 悛：悔改。㊼ 寻皆闻奏：不久都上奏了。㊽ 卫尉：官名，秦始置，汉时为九卿之一，掌管宫门警卫。魏、晋、南北朝多沿置，北齐称卫尉寺，有卿、少卿各一人。隋时改掌军器、仪仗、帐幕之事。唐因之。㊾ 绛州：州名，治所在今山西闻喜东北。㊿ 龙门：县名，县治在今山西河津东南。491 迟回：踌躇。492 丙戌：九月二十一日。493 中书省：官署名，在唐代，中书省与门下、尚书三省同为中央行政总汇，由中书省决定政策，通过门下省，然后交尚书省执行。494 太子詹事：官名，唐置詹事府，有太子詹事、少詹事，统东宫三寺、十率府之政令。495 昵近：亲近。496 乞骸骨：旧称大臣辞职为乞骸骨。497 耻为朕尚书邪：以做朕的尚书为耻吗。498 所言如水投石：胡注，“言以水投石，虽沾湿而不能受水”。意思是说，自己的话根本不起作用，一点不被采纳。499 天台：即尚书省。500 东朝：即东宫。501 戊子：九月二十三日。502 谗慝：谗毁邪恶之人。503 怿：喜悦。504 赵州：州名，治所在今河北赵县。505 庚寅：九月二十五日。506 不早下：不早投

【原文】

窦建德引兵趣卫州。建德每行军，常为三道，辎重、细弱居中央，步骑夹左右，相去三里许。建德以千骑前行，过黎阳三十里，李世勣遣骑将丘孝刚将三百骑侦[536]之。孝刚骁勇，善马槊[537]，与建德遇，遂击之。建德败走，右方兵救之，击斩孝刚。建德怒，还攻黎阳，克之，虏淮安王神通、李世勣父盖、魏徵及帝妹同安公主。唯李世勣以数百骑走渡河，数日，以其父故，还诣[538]建德降。卫州闻黎阳陷，亦降。建德以李世勣为左骁卫将军，使守黎阳，常以其父盖自随为质。以魏徵为起居舍人[539]。

降。⑤⓪⑦群下：群臣。⑤⓪⑧易水：水名，源出于今河北易县境。⑤⓪⑨乙未：九月三十日。⑤①⓪延州：州名，治所在今陕西延安城东延河东岸。⑤①①柱国：官名，隋设上柱国及柱国，以酬功勋。唐以后为勋官的名称。⑤①②鄜州：州名，治所在今陕西富县。⑤①③己亥：十月初四。⑤①④辛丑：十月初六。⑤①⑤衡水：县名，县治在今河北衡水市西。⑤①⑥癸卯：十月初八。⑤①⑦集州獠：集州治所在今四川南江。獠，通“僚”，中国古代岭南和云、贵、川地区部分少数民族的泛称。⑤①⑧熟獠：靠近唐边境者称为熟獠，远者为生獠。⑤①⑨刈：割。⑤②⓪渠帅：大帅。⑤②①浍州：州名，治所在今山西翼城。⑤②②性怯：生性胆怯。⑤②③发使骆驿：派使者相继不绝。骆驿，同“络绎”。⑤②④趣：催促。⑤②⑤虞、泰：皆为州名，虞州治所在今山西运城东北安邑，泰州治所在今山西河津城东南。⑤②⑥夏县：县名，县治在今山西夏县西北禹王城。⑤②⑦唐俭（公元五七八至六五六年）：字茂约，晋阳（今山西太原）人，初为天策府长史，封莒国公。贞观初为民部尚书。传见《旧唐书》卷五十八、《新唐书》卷八十九。⑤②⑧蒲反：县名，县治在今山西永济西南蒲州镇。⑤②⑨手敕：皇帝亲手所书之敕。⑤③⓪关西：泛指故函谷关（今河南灵宝东北）或今潼关以西地区。⑤③①京邑：京城；京师。⑤③②殄：灭。⑤③③乙卯：十月二十日。⑤③④华阴：县名，治所在今陕西华阴东南。⑤③⑤长春宫：北周武帝置，在今陕西大荔朝邑镇西北。

【校记】

［7］遣人奉：此三字原无。据章钰校，十二行本、乙十一行本、孔天胤本皆有此三字，今据补。［8］工部尚书：此四字原无。据章钰校，十二行本、乙十一行本、孔天胤本皆有此四字，张敦仁《通鉴刊本识误》、张瑛《通鉴校勘记》同，今据补。

【语译】

窦建德带兵奔赴卫州。窦建德每次行军，经常把部队分为三路，辎重、弱小处在中央，步兵、骑兵夹在左右两边，相距三里左右。窦建德率领一千名骑兵走在前面，过了黎阳三十里，李世勣派遣骑兵将领丘孝刚率领三百骑兵侦察窦建德的情况。丘孝刚骁勇，善于骑马使用长枪，和窦建德遭遇，便攻击窦建德。窦建德败逃，右路部队救援窦建德，击杀了丘孝刚。窦建德大怒，回军攻打黎阳，攻下了黎阳城，俘虏了唐淮安王李神通、李世勣的父亲李盖、魏徵以及唐高祖的妹妹同安公主。只有李世勣率数百骑兵逃走渡过黄河，数天后，李世勣因为父亲被俘，返回前往窦建德那里投降。卫州听说黎阳陷落，也投降了窦建德。窦建德任命李世勣为左骁卫将军，让他守卫黎阳，经常把李世勣的父亲李盖作为人质带在身边。任命魏徵为起居舍人。

滑州刺史王轨奴杀轨，携其首诣建德降。建德曰：“奴杀主大逆，吾何为受之！”立命斩奴，返其首于滑州。吏民感悦，即日请降。于是其旁州县及徐圆朗等皆望风归附。己未[540]，建德还洺州，筑万春宫，徙都之。置淮安王神通于下博[541]，待以客礼。

行军总管罗士信帅勇士夜入洛阳外郭，纵火焚清化里而还。壬戌[542]，士信拔青城堡[543]。

王世充自将兵徇地[544]至滑台，临黎阳。尉氏[545]城主时德叡、汴州[546]刺史王要汉、亳州[547]刺史丁叔则遣使降之。以德叡为尉州刺史。要汉，伯当之兄也。

夏侯端至黎阳[548]，李世勣发兵送之，自澶渊[549]济河，传檄[550]州县，东至于海，南至于淮，二十余州，皆遣使来降。行至谯州[551]，会汴、亳降于王世充，还路遂绝。端素得众心，所从二千人，虽粮尽不忍委去。端坐泽中，杀马以飨士，因歔欷谓曰：“卿等乡里皆已从贼，特以[552]共事之情，未能见委[553]。我奉王命，不可从卿，卿有妻子，无宜效我。可斩吾首归贼，必获富贵。”众皆流涕曰：“公于唐室非有亲属，直以忠义，志不图存。某等虽贱，心亦人也，宁肯[554]害公以求利乎！”端曰：“卿不忍见杀，吾当自刎。”众抱持之，乃复同进[555]，潜行五日，馁死及为贼所击奔溃相失[556]者太半[557]，唯余五十二人同走，采璗豆[558]生食之。端持节未尝离身，屡遣从者散，自求生，众又不可。时河南之地皆入世充，唯杞州刺史李公逸为唐坚守，遣兵迎端，馆给之[559]。世充遣使召端，解衣遗[560]之，仍送除书[561]，以端为淮南郡公、尚书少吏部[562]。端对使者焚书毁衣，曰：“夏侯端天子大使，岂受王世充官乎！汝欲吾往，唯可取吾首耳！”因解节旄怀之，置刃于竿，自山中西走，无复蹊径，冒践荆棘，昼夜兼行，得达宜阳[563]。从者坠崖溺水，为虎狼所食，又丧其半，其存者鬓发秃落，无复人状。端诣阙见上，但谢无功，初不自言艰苦。上复以为秘书监。

郎楚之[564]至山东，亦为窦建德所获。楚之不屈，竟得还。

王世充遣其从弟世辨以徐[565]、亳之兵攻雍丘。李公逸遣使求救，上以隔贼境，不能救。公逸乃留其属李善行守雍丘，身帅轻骑入朝，至

唐滑州刺史王轨的奴仆杀死王轨，携带王轨的首级前来投降窦建德。窦建德说：“奴仆杀死主人是大逆，我怎能接受他！”立即下令斩杀这个奴仆，把王轨的首级送回滑州。滑州的官吏和百姓为之感动而喜悦，当天请求投降。于是滑州旁边的州县以及徐圆朗等人都望风归附。十月二十四日己未，窦建德返回洺州，修筑万春宫，把夏国都城迁到洺州。窦建德把唐淮安王李神通安置在下博，用宾客的礼节对待他。

唐行军总管罗士信率领勇士夜晚进入洛阳外城，纵火焚烧清化里后返回。十月二十七日壬戌，罗士信攻取青城堡。

王世充亲自率军略取土地到达滑台，邻近黎阳。唐尉氏城主时德叡、汴州刺史王要汉、亳州刺史丁叔则派使者向王世充投降。王世充任命时德叡为尉州刺史。王要汉，是王伯当的哥哥。

夏侯端到达黎阳，李世勣发兵送他，从澶渊渡过黄河，传檄州县，东至于海，南到达淮河，二十多个州，全都派遣使者前来投降。夏侯端行至谯州，适逢汴州、亳州投降了王世充，返回的道路便断绝了。夏侯端一向能得人心，随从他的两千人，虽然粮食没了，也不忍心丢下他离去。夏侯端坐在沼泽中，杀了马匹犒劳士兵，于是感叹地对他们说：“你们的家乡都已归附了叛贼，只是因为与我共事的情分，未能丢下我。我奉王命，不能随你们去，你们有妻子儿女，不宜效仿我。可以砍下我的首级归降叛贼，一定得到富贵。”大家都流泪说：“公对于唐王室没有亲属关系，只是靠着忠义，立志不求自保。我们虽然卑贱，也有人心，怎能杀害您以求得利益呢！”夏侯端说：“你们不忍心杀我，我当自刎而死。”大家抱住他，于是又一起前进，暗地里行军五天，饿死以及被王世充军队攻击逃散而失去联系的超过了一大半，只剩下五十二个人与他同行，采摘野豆生吃。夏侯端拿着出使的节杖未曾离身，多次遣送随从离开自己，自求生路，大家又不同意。当时河南地区都成了王世充的疆域，只有杞州刺史李公逸为唐朝坚守城池，派兵迎接夏侯端，住在客馆，供给饮食。王世充派使者招降夏侯端，脱下自己的衣服送给他，还送去任命的文书，任命夏侯端为淮南郡公、尚书少吏部。夏侯端当着使者的面焚烧任命文书、毁掉衣服，说：“夏侯端是天子的大使，怎能接受王世充的官职啊！你想我前去，只能取了我的首级而已！”于是解下出使节杖的旄头放入怀中，将刀插在节杖的竿上，从山中向西走，再也没有大小路径，踏着荆棘，昼夜兼程，得以到达宜阳。随行的人坠崖溺水，被虎狼吃掉，又丧失了一半，活下来的人鬓发脱落，不再像人的样子。夏侯端到皇廷来见皇上，只说有罪而没有功劳，丝毫不自言艰苦。唐高祖仍然任命他为秘书监。

郎楚之到达山东，也被窦建德俘获。郎楚之不屈服，最终得以返回长安。

王世充派遣他的堂弟王世辨率领徐州、亳州的军队攻打雍丘。李公逸派使者求救，因为雍丘与关中隔着敌人占领的地区，唐高祖不能救援。李公逸于是留下他的下属李善行守卫雍丘，亲自率领轻骑入朝，到了襄城，被王世充的伊州刺史张殷抓

襄城，为世充伊州刺史张殷所获。世充谓曰："卿越郑[566]臣唐，其说安在[567]？"公逸曰："我于天下，唯知有唐，不知有郑。"世充怒，斩之。善行亦没。上以公逸子为襄邑公。

甲子[568]，上祠华山[569]。

【段旨】

以上为第九段，写夏侯端历尽艰辛还唐。

【注释】

⑤36 侦：侦察。⑤37 马槊：兵器。唐初诸将军于马上常用的马矛。矛长丈八曰槊。⑤38 诣：去；前往。⑤39 起居舍人：官名，隋代于内史省（中书省）设起居舍人二员，唐又于门下省和中书省分别设起居郎和起居舍人分掌侍从皇帝、记录皇帝言行事。⑤40 己未：十月二十四日。⑤41 下博：县名，县治在今河北深州东南。⑤42 壬戌：十月二十七日。⑤43 青城堡：胡三省注，"盖因青城宫为堡"。青城宫在今河南洛阳西北。⑤44 徇地：攻取土地。谓率军队巡行各地，使之降服。⑤45 尉氏：县名，县治在今河南尉氏。⑤46 汴州：州名，治所在今河南开封西北。⑤47 亳州：州名，治所在今安徽亳州市谯城区。⑤48 夏侯端至黎阳：是年四月，遣夏侯端安抚淮左，此时行至黎阳。⑤49 澶渊：县名，县治在今河南濮阳西。⑤50 檄：古代用来征召、声讨的文书。⑤51 谯州：州名，治所在今安徽宿州西。⑤52 特以：只因。⑤53 未能见委：不能放弃（我）。⑤54 宁肯：岂肯；哪肯。⑤55 同进：一同进发。⑤56 相失：相散失。⑤57 太半：大半。⑤58 萱豆：野豆。⑤59 馆给之：使居于客馆并供给其资粮。⑤60 遗：给予；赠送。⑤61 除书：任命的文书，如今天的委任状。⑤62 尚书少吏部：《旧唐书·夏侯端传》作"吏部尚书"，此则为吏部侍郎，两书有异。⑤63 宜阳：县名，县治在今河南宜阳西。⑤64 郎楚之：名颖，字楚之，定州新乐（今河北新乐）人，隋大业中为尚书民曹郎。唐武德初为大理卿，参与撰定律令。受诏招谕山东，被窦建德所获，不为所屈。贞观初卒，年八十。传见《旧唐书》卷一百八十九下、《新唐书》卷一百九十九。⑤65 徐：徐州，治所在今江苏徐州。⑤66 越郑：逾越郑国。⑤67 其说安在：道理何在。⑤68 甲子：十月二十九日。⑤69 华山：山名，五岳之一，在今陕西华阴南。

【研析】

唐朝开国功臣刘文静之死，会带给我们什么样的启迪呢？刘文静，字肇仁，祖籍彭城（今江苏徐州）人，后居京兆武功（今属陕西）。祖父刘懿，北周时历官石州获。王世充对他说："你越过郑国向唐称臣，其道理在哪里？"李公逸说："我对于天下，只知道有唐，不知道有郑。"王世充很生气，杀了李公逸。李善行也战死。唐高祖封李公逸的儿子为襄邑公。

十月二十九日甲子，唐高祖祭祀华山。

（今山西吕梁市离石区），其父刘韶，隋时战没，赠上仪同三司。刘文静十四岁出仕，因其父身死王事，袭仪同三司。史称刘文静"伟姿仪，有器干，倜傥多权略"。四十岁以后，为官晋阳令。

刘文静任晋阳令时，隋王朝已风雨飘摇，刘文静暗结豪杰，察观时变，与晋阳宫副监裴寂深交，时常谈论局势。刘文静对裴寂说："天下乱离，时事可知，你我二人相得，何愁没有一试身手的机会。"显然，刘文静希望成为乱世英雄。

大业十三年（公元六一七年），唐国公李渊被隋炀帝任命为太原留守。李渊认为这是"天下之授"，他对李世民说："今我来斯，是为天与，与而不取，祸将斯及。"所以李渊一到太原就广积恩信，这被刘文静看在眼里。刘文静对裴寂说："我看二郎（指李世民）其人，大度类于汉高，神武同于魏祖，其年虽少，必为匡世之才。"于是刘文静与李渊父子"深自结托"，并带动裴寂赞助李氏父子。李渊晋阳起兵，刘文静居首功。其后，刘文静奉使北连突厥，随征关中，东据潼关，西平陇右，为李唐王朝建立了卓越的功勋。

刘文静首建非常之功，其地位始终在裴寂之下，时间一久，两人产生了矛盾，每次朝议廷争，"寂有所是，文静必非之"，而唐高祖始终亲信裴寂，刘文静于是牢骚满腹，免不了口出怨言。有一次，刘文静与其弟通直散骑常侍刘文起在一起饮酒，酒至半酣，刘文静拔刀击柱说："必当斩裴寂首。"刘文静爱妾失宠，便将此言告诉其兄，妾兄便以谋反罪诬告刘文静，唐高祖派裴寂与萧瑀审案。刘文静直言不讳说："起义之初，忝为司马，计与长史位望略同。今裴寂身居仆射，而臣赏不异众人，东征西讨，家口无托，故有觖望之心，酒后出了怨言。"朝臣李纲、萧瑀为刘文静辩护，秦王李世民也再三替他求情，认为刘文静"定非常之功"，只是口出怨言，而不是谋反。裴寂却说："文静才略实冠时人，性复粗险，忿不思难，丑言悖逆，其状已彰，当今天下未定，外有勍敌，今若赦之，必贻后患。"刘文静教唆李渊反隋，成了李渊的心头之病，刘文静因功未封，本来就是唐高祖疏远的迹象。唐高祖心知刘文静蒙冤，也必杀之。武德二年（公元六一九年），九月初六日，刘文静兄弟被诛杀，其家被籍没。死时，刘文静年五十二岁。

刘文静是李唐建立的一位重要人物，是开国元勋，由于贪恋权位，争宠受谗被冤杀，实在可惜。专制帝王反复，谋反者深受猜忌，刘文静的下场，既可悲，又令人深思。

卷第一百八十八　唐纪四

起屠维单阏（己卯，公元六一九年）十一月，尽重光大荒落（辛巳，公元六二一年）二月，凡一年有奇。

【题解】

本卷记事起公元六一九年十一月，迄公元六二一年二月，凡一年零四个月，当唐高祖武德二年到四年，仅一年有奇而跨三年。这一时期是唐王室秦王李世民建功最得意之时，先是平灭了北方劲敌刘武周，沉重打击了梁师都，随后率领大军东出，与王世充激战东都，唐军连战皆捷，河南郡县大多降唐。王世充告急于窦建德，为了生存，王窦化敌为友，联手对抗唐军。李世勣脱离窦建德，重归唐室。萧铣政权在唐军打击、内部叛离的情况下日益削弱。李子通割据江东。

【原文】

高祖神尧大圣光孝皇帝中之上

武德二年（己卯，公元六一九年）

十一月己卯[①]，刘武周寇浩州[②]。

秦王世民引兵自龙门乘冰坚渡河，屯柏壁[③]，与宋金刚相持。时河东[④]州县，俘掠之余，未有仓廪，人情恇[⑤]扰，聚入城堡，征敛无所得，军中乏食。世民发教[⑥]谕民，民闻世民为帅而来，莫不归附，自近及远，至者日多；然后渐收其粮食，军食以充。乃休兵秣[⑦]马，唯令偏裨[⑧]乘间抄掠，大军坚壁不战，由是贼势日衰。

世民尝自帅轻骑觇[⑨]敌，骑皆四散，世民独与一甲士登丘而寝。俄而贼兵四合，初不之觉，会有蛇逐鼠，触甲士之面，甲士惊寤[⑩]，遂白世民俱上马，驰百余步，为贼所及。世民以大羽箭射殪[⑪]其骁将，贼骑乃退。

【语译】

高祖神尧大圣光孝皇帝中之上

武德二年（己卯，公元六一九年）

十一月十四日己卯，刘武周侵犯浩州。

秦王李世民率军从龙门乘着黄河水冰面坚固渡过黄河，驻扎在柏壁，与宋金刚对峙。当时黄河以东的州县遭到军队的战乱和抢劫之后，没有仓库蓄粮，人心惊扰，进入城堡聚居，军队向民众征收，收不到粮食，军队缺粮。李世民发布告示，晓谕百姓，百姓听说李世民担任统帅前来，无不归顺，由近及远，前来的人日益增多；然后逐渐征收他们的粮食，军粮得以充足。于是休兵秣马，只命偏将的部队乘隙抄掠，大军则坚守壁垒不外出作战，因此宋金刚的势力日益衰弱。

李世民曾经亲自率领轻骑兵侦察敌情，骑兵全都四处走散，李世民只和一名穿铠甲的士卒登上山丘睡觉。不久，敌人四面合围，开始二人没有觉察，正巧有蛇追逐老鼠，碰到了甲士的脸，甲士惊醒，于是向李世民报告，二人一起上马，奔驰一百余步，被敌人追上。李世民用大羽箭射死敌人的骁将，敌人骑兵这才撤退。

李世勣欲归唐，恐祸及其父，谋于郭孝恪。孝恪曰："吾新事窦氏，动则见疑，宜先立效⑫以取信，然后可图也。"世勣从之。袭王世充获嘉⑬，破之，多所俘获，以献建德，建德由是亲之。

初，漳南⑭人刘黑闼⑮，少骁勇狡狯⑯，与窦建德善。后为群盗，转事郝孝德、李密、王世充。世充以为骑将，每见世充所为，窃笑之。世充使黑闼守新乡⑰，李世勣击虏之，献于建德。建德署为将军，赐爵汉东公，常使将奇兵东西掩袭，或潜入敌境觇视虚实。黑闼往往乘间奋击，克获而还。

十二月庚申⑱，上猎于华山。

于筠说永安王孝基⑲急攻吕崇茂⑳，独孤怀恩请先成攻具，然后进，孝基从之。崇茂求救于宋金刚，金刚遣其将善阳㉑尉迟敬德㉒、寻相㉓将兵奄至㉔夏县。孝基表里受敌，军遂大败，孝基、怀恩、筠、唐俭及行军总管刘世让皆为所虏。敬德名恭，以字行。

上征裴寂入朝，责其败军，下吏㉕。既而释之，宠待弥厚㉖。

尉迟敬德、寻相将还浍州㉗，秦王世民遣兵部尚书㉘殷开山㉙、总管秦叔宝等邀之于美良川㉚，大破之，斩首二千余级。顷之，敬德、寻相潜引精骑援王行本于蒲反，世民自将步骑三千从间道夜趋安邑㉛，邀击，大破之。敬德、相仅以身免，悉俘其众，复归柏壁。

诸将咸请与宋金刚战。世民曰："金刚悬军深入，精兵猛将，咸聚于是。武周据太原，倚金刚为捍蔽㉜。金刚[1]军无蓄积，以虏掠为资，利在速战。我闭营养锐，以挫其锋，分兵汾㉝、隰㉞，冲其心腹。彼粮尽计穷，自当遁走。当待此机，未宜速战。"

永安壮王孝基谋逃归，刘武周杀之。

李世勣复遣人说窦建德曰："曹㉟、戴㊱二州，户口完实，孟海公窃有其地，与郑㊲人外合内离㊳，若以大军临之，指期㊴可取。既得海公，以临徐、兖，河南可不战而定也。"建德以为然，欲自将徇㊵河南。先遣其行台曹旦等将兵五万济河，世勣引兵三千会之。

李世勣想归顺唐，害怕使他父亲受害，便和郭孝恪谋划。郭孝恪说："我们新近归附窦建德，动不动就受到怀疑，应当先立功以取得信任，然后可以谋划归唐。"李世勣听从这一建议。于是袭击王世充的获嘉城，攻下城池，俘获很多，拿来献给窦建德，窦建德因此亲近李世勣。

当初，漳南人刘黑闼年轻骁勇而又狡猾，与窦建德关系好。后来结群为盗，先后投奔过郝孝德、李密、王世充。王世充任命他为骑将，刘黑闼经常看到王世充的所作所为，暗地里嘲笑他。王世充派刘黑闼守卫新乡，李世勣进攻并俘虏了刘黑闼，献给窦建德。窦建德任命刘黑闼为将军，赐爵汉东公，常常派他率奇兵四处偷袭，或者潜入敌人境内侦察敌方的虚实。刘黑闼往往乘机奋击，攻克而有俘获之后就返回。

十二月二十五日庚申，唐高祖在华山围猎。

于筠劝说永安王李孝基急攻吕崇茂，独孤怀恩请求先制造好攻城器械，然后进攻，李孝基听从了这一建议。吕崇茂向宋金刚求援，宋金刚派遣他的将领善阳人尉迟敬德、寻相带兵突然到达夏县。李孝基腹背受敌，部队于是大败，李孝基、独孤怀恩、于筠、唐俭以及行军总管刘世让都被宋金刚俘虏。尉迟敬德名恭，通常称他的字。

唐高祖征召裴寂回到朝廷，责备他让军队战败，交给有关部门审问。不久又放了他，对他的宠遇更加优厚。

尉迟敬德、寻相将要返回浍州，秦王李世民派兵部尚书殷开山、总管秦叔宝等人在美良川截击，大败尉迟敬德，斩首二千多级。不久，尉迟敬德、寻相暗中率领精骑在蒲反援救王行本，李世民自己率领三千步兵、骑兵从小路夜里奔赴安邑，截击尉迟敬德，把他打得大败。尉迟敬德、寻相仅单身逃脱，全部俘获了他们的部众，李世民又返回柏壁。

各位将领都请求与宋金刚交战。李世民说："宋金刚孤军深入，精兵猛将，都集中在这里。刘武周占据太原，依仗宋金刚作为屏障。宋金刚的军队没有粮食储备，依靠掠夺作为军资，利于速战。我们关闭营门养精蓄锐，以此来挫伤他的锋芒，分兵攻击汾州、隰州，冲击他的心腹地带。他们粮食吃光，无计可施，自然逃走。应当等待这个机会，不宜速战。"

永安壮王李孝基谋划逃回，刘武周杀死了他。

李世勣又派人劝窦建德说："曹、戴二州，户口齐全充实，孟海公窃有二州的地盘，与郑国貌合神离，如果利用大量的军队进攻他，指日可取。俘获孟海公之后，率兵逼近徐州、兖州，黄河以南可以不用作战就能平定。"窦建德认为这一计策正确，打算亲自领兵掠取河南。先派他的行台曹旦等人率五万兵马渡过黄河，李世勣率兵三千与他们会合。

【段旨】

以上为第一段，写唐秦王李世民率众讨刘武周。

【注释】

①己卯：十一月十四日。②浩州：州名，唐武德元年（公元六一八年）以西河郡改置，治所在今山西汾阳。③柏壁：城名，在今山西新绛西南柏壁村。④河东：泛指大河以东，非专指河东一郡。⑤恇：害怕；惊慌。⑥教：王的命令为教或教令。⑦秣：喂牲口。⑧偏裨：副将。⑨觇：窥视。⑩惊寤：惊醒。⑪殪：杀死。⑫立效：立功效。⑬获嘉：县名，县治在今河南获嘉。⑭漳南：县名，县治在今河北故城东北。⑮刘黑闼：隋末起事反隋，清河漳南人。传见《旧唐书》卷五十五、《新唐书》卷八十六。⑯狡狯：狡诈。⑰新乡：县名，县治在今河南新乡。⑱庚申：十二月二十五日。⑲孝基：李孝基，唐高祖叔伯兄弟。武德元年封永安王。传见《旧唐书》卷六十、《新唐书》卷七十八。⑳吕崇茂：夏县（今山西夏县）人，武德二年杀县令，举兵反，自称魏王。唐军攻之，崇茂求救于刘武周、宋金刚。事迹见《旧唐书》卷六十《宗室传》、卷一百八十三《独孤怀恩传》。㉑善阳：县名，县治在今山西朔州。㉒尉迟敬德（公元五八五至六五八

【原文】

三年（庚辰，公元六二〇年）

春，正月，将军秦武通攻王行本于蒲反。行本出战而败，粮尽援绝，欲突围走，无随之者。戊寅[41]，开门出降。辛巳[42]，上幸蒲州，斩行本。秦王世民轻骑谒上于蒲州。

宋金刚围绛州。

癸巳[43]，上还长安。

李世勣谋俟[44]窦建德至河南，掩袭其营，杀之，冀得其父并建德土地以归唐。会建德妻产[45]，久之不至。

曹旦，建德之妻兄也，在河南多所侵扰[46]，诸贼羁属[47]者皆怨之。贼

年）：唐初大臣，名恭，字敬德，朔州善阳（今山西朔州）人。传见《旧唐书》卷六十八、《新唐书》卷八十九。㉓寻相：武将名，寻为姓。初为刘武周部将，武德三年降唐，不久反叛。事迹见《旧唐书》卷六十八《尉迟敬德传》。㉔奄至：突然到。㉕下吏：下之于吏，命法司鞫讯。㉖弥厚：益厚。㉗浍州：州名，治所在今山西翼城。㉘兵部尚书：官名，兵部为尚书省六部之一，长官为兵部尚书，主管中央及地方武官的选用、考查，以及兵籍、军械、军令等事务。㉙殷开山：名峤，以字行，鄠县（今陕西西安市鄠邑区）人，高祖起兵，召补大将军府掾。从太宗征平薛仁果，讨王世充，有功，终吏部尚书。传见《旧唐书》卷五十八、《新唐书》卷九十。㉚美良川：在今山西夏县北。㉛安邑：县名，县治在今山西运城东北。㉜捍蔽：防御遮蔽，捍，保卫、防御。㉝汾：州名，治所在今山西汾阳。㉞隰：州名，治所在今山西隰县。㉟曹：州名，治所在今山东菏泽市定陶区。㊱戴：州名，治所在今山东成武。㊲郑：王世充的国号。㊳外合内离：貌合神离。㊴指期：可以指出期限，谓为期不远。㊵徇：经略；略取。

【校记】

［1］金刚：此二字原无。据章钰校，十二行本、乙十一行本、孔天胤本皆有此二字，张敦仁《通鉴刊本识误》同，今据补。

【语译】

三年（庚辰，公元六二〇年）

春，正月，唐将军秦武通在蒲反攻打王行本。王行本出城交战战败，粮草没了，救援断绝，打算突围逃走，但没有跟随他的人。十四日戊寅，打开城门出城投降。十七日辛巳，唐高祖来到蒲州，斩了王行本。秦王李世民骑马轻装到蒲州谒见唐高祖。

宋金刚包围绛州。

二十九日癸巳，唐高祖返回长安。

李世勣谋划等窦建德到了河南，就偷袭他的营地，杀死窦建德，希望救回自己的父亲并且占据窦建德的地域归附唐朝。恰巧窦建德的妻子生孩子，很久没有到达河南。

曹旦是窦建德妻子的哥哥，在河南侵扰了很多地方，归附的各路人马都怨恨他。

帅魏郡[48]李文相号李商胡，聚五千余人，据孟津[49]中潬[50]。母霍氏，亦善骑射，自称霍总管。世勣结商胡为昆弟[51]，入拜商胡之母。母泣谓世勣曰：“窦氏无道，如何事之[52]！”世勣曰：“母无忧，不过一月，当杀之，相与归唐[53]耳！”世勣辞去，母谓商胡曰：“东海公[54]许我共图此贼，事久变生，何必待其来，不如速决。”是夜，商胡召曹旦偏裨二十三人，饮之酒，尽杀之。旦别将高雅贤、阮君明尚在河北未济[55]，商胡以巨舟四艘济河北之兵三百人，至中流，悉杀之。有兽医游水得免，至南岸，告曹旦，旦严警为备。商胡既举事，始遣人告李世勣。世勣与曹旦连营[56]，郭孝恪劝世勣袭旦，世勣未决，闻旦已有备，遂与孝恪帅数十骑来奔。商胡复引精兵二千北袭阮君明，破之。高雅贤收众去，商胡追之，不及而还。

建德群臣请诛李盖。建德曰：“世勣，唐臣，为我所虏，不忘本朝，乃忠臣也，其父何罪！”遂赦之。

甲午[57]，世勣、孝恪至长安。曹旦遂取济州，复还洺州。

二月庚子[58]，上幸华阴。

刘武周遣兵寇潞州[59]，陷长子[60]、壶关[61]。潞州刺史郭子武不能御，上以将军河东王行敏助之。行敏与子武不叶[62]，或言子武将叛，行敏斩子武以徇。乙巳[63]，武周复遣兵寇潞州，行敏击破之。

壬子[64]，开州蛮[65]冉肇则陷通州[66]。

甲寅[67]，遣将军桑显和等攻吕崇茂于夏县。

初，工部尚书[68]独孤怀恩攻蒲反，久不下，失亡多，上数以敕书诮让[69]之，怀恩由是怨望。上尝戏谓怀恩曰：“姑之子皆已为天子[70]，次应至舅之子乎[71]？”怀恩亦颇以此自负，或时扼腕[72]曰：“我家岂女独贵乎[73]？”遂与麾下元君宝谋反。会怀恩、君宝与唐俭皆没[74]于尉迟敬德，君宝谓俭曰：“独孤尚书近谋大事，若能早决，岂有此辱哉！”及秦王世民败敬德于美良川，怀恩逃归，上复使之将兵攻蒲反。君宝又谓俭曰：“独孤尚书遂拔难得还[75]，复在蒲反，可谓王者不死[76]！”俭恐怀恩遂成其谋，乃说尉迟敬德，请使刘世让还与唐连和。敬德从之，遂以怀恩反状闻[77]。时王行本已降，怀恩入据其城。上方济河幸怀恩

贼军首领魏郡人李文相号李商胡，聚集了五千多人，占据孟津中潬城。他的母亲霍氏也善于骑马射箭，自称霍总管。李世勣和李商胡结为兄弟，入室拜见李商胡的母亲。霍氏流着泪对李世勣说："窦氏没有道德信义，为何侍奉他！"李世勣说："母亲不要担忧，不过一个月，当会杀了他，一起归顺唐朝！"李世勣告辞离去，霍氏对李商胡说："东海公答应与我们共同杀死窦建德这个贼子，时间长了会发生变化，何必等他来，不如赶快解决他。"当天夜里，李商胡召来曹旦手下的二十三位偏将，让他们喝酒，全部杀死了他们。曹旦的别将高雅贤、阮君明还在黄河北岸没有过河，李商胡使用四艘大船运送黄河北岸的三百士兵过河，船到河中心，将这三百人全部杀死。有一位兽医游水逃脱，到了南岸，向曹旦报告，曹旦严加警戒进行防备。李商胡起事后，才派人告诉了李世勣。李世勣与曹旦的军营相连，郭孝恪劝李世勣袭击曹旦，李世勣没有决定，听说曹旦已有防备，便和郭孝恪率数十骑兵前来投奔唐军。李商胡又带二千精兵北进袭击阮君明，打败了他。高雅贤收拾部队离去，李商胡追赶他，没有追上，折返回来。

窦建德的诸位大臣请求杀掉李盖。窦建德说："李世勣是唐朝大臣，被我俘虏，不忘唐朝，这是忠臣，他父亲有什么罪！"于是赦免了李盖。

正月三十日甲午，李世勣、郭孝恪到达长安。曹旦于是攻取济州，又返回洺州。

二月初六日庚子，唐高祖临幸华阴。

刘武周派兵侵犯潞州，攻陷长子县、壶关县。潞州刺史郭子武抵抗不住刘武周，唐高祖派将军河东人王行敏援助郭子武。王行敏与郭子武不和，有人说郭子武将要反叛，王行敏把郭子武斩首示众。二月十一日乙巳，刘武周又派兵侵犯潞州，王行敏打败了刘武周。

二月十八日壬子，开州蛮族冉肇则攻陷通州。

二十日甲寅，唐派遣将军桑显和等人在夏县攻打吕崇茂。

当初，工部尚书独孤怀恩攻打蒲反，很久不能攻克，伤亡很多，唐高祖多次用敕书斥责他，于是独孤怀恩心生怨恨。唐高祖曾对独孤怀恩开玩笑说："你姑姑的儿子都做了天子，依次应该轮到舅舅的儿子了吗？"独孤怀恩颇为以此自负，有时扼着手腕惋惜地说："我家难道只有女人才尊贵吗？"于是就和部下元君宝谋反。正好此时独孤怀恩、元君宝和唐俭都被尉迟敬德俘虏，元君宝对唐俭说："独孤尚书近来图谋大事，如能早些决定，哪里有这次的屈辱啊！"等到秦王李世民在美良川打败尉迟敬德，独孤怀恩逃回唐朝，唐高祖又让他领兵攻打蒲反。元君宝又对唐俭说："独孤尚书终于从死难中逃脱而得以回到唐朝，又来到蒲反，可以说是王者不死！"唐俭害怕独孤怀恩完成他的阴谋，于是劝说尉迟敬德，请让刘世让回去与唐讲和。尉迟敬德听从了他的建议，于是把独孤怀恩谋反的情况上报。当时王行本已经降唐，独孤怀恩进驻蒲反城。唐高祖正要渡过黄河临幸独孤怀恩的营地，已经上船

营，已登舟矣，世让适至。上大惊曰："吾得免，岂非天也!"乃使召怀恩。怀恩未知事露，轻舟来至，即执以属吏，分捕党与。甲寅，诛怀恩及其党。

【段旨】

以上为第二段，写李世勣设谋脱离窦建德回归唐室；独孤怀恩谋反被诛。

【注释】

㊶戊寅：正月十四日。㊷辛巳：正月十七日。㊸癸巳：正月二十九日。㊹俟：等待。㊺产：生产。㊻侵扰：侵犯骚扰。㊼羁属：羁縻附属。㊽魏郡：郡名，治所在今河南安阳。㊾孟津：地名，在今河南洛阳市孟津区东北。为历代军事要地。㊿中潬：城名，东魏所筑。在今河南孟州西南黄河沙洲上。(51)昆弟：兄和弟的合称。也包括近房的和远房的堂兄弟。(52)如何事之：为何侍奉他。(53)相与归唐：一起归附唐朝。(54)东海公：即李世勣。(55)未济：未渡河。(56)连营：营寨相连接。(57)甲午：正月三十日。(58)庚子：二月初六。(59)潞州：州名，治所在今山西长治。(60)长子：县名，县治在今山西长子。(61)壶

【原文】

窦建德攻李商胡，杀之。建德至[2]洺州劝课农桑(78)，境内无盗，商旅野宿。

突厥处罗可汗迎杨政道(79)，立为隋王。中国士民在北者，处罗悉以配之，有众万人。置百官，皆依隋制，居于定襄(80)。

三月乙丑(81)，刘武周遣其将张万岁寇浩州。李仲文击走之，俘斩数千人。

改纳言为侍中，内史令为中书令，给事郎为给事中(82)。

甲戌(83)，以内史侍郎封德彝(84)为中书令(85)。

王世充将帅、州县来降者，时月相继(86)。世充乃峻其法(87)，一人亡

了，刘世让恰好赶到。唐高祖大惊说："我能够免除灾祸，岂非天意！"于是派人召见独孤怀恩。独孤怀恩不知道事情泄露，轻舟来到唐高祖处，高祖当即将其逮捕，交给有关官员，分头搜捕同党。二月二十日甲寅，诛死独孤怀恩及其同党。

关：县名，县治在今山西壶关西。⑫不叶：不和洽。叶，同"协"。⑬乙巳：二月十一日。⑭壬子：二月十八日。⑮开州蛮：开州的少数民族。开州，州名，治所在今重庆市开州区。蛮，我国古代对南方各族的泛称。⑯通州：州名，治所在今四川达州市达川区。⑰甲寅：二月二十日。⑱工部尚书：官名，工部为尚书省六部之一，长官为工部尚书，主管全国工程、工匠、屯田、水利、交通、营造等事务。⑲诮让：斥责。⑳姑之子皆已为天子：你姑姑的儿子都已是天子（指隋炀帝和唐高祖本人）。隋炀帝与唐高祖之母为姐妹，皆独孤氏。㉑次应至舅之子乎：依次该轮到舅舅的儿子了吧（怀恩为独孤皇后弟弟的儿子）。㉒扼腕：用一手握另一手腕，表示惋惜等情绪。㉓我家岂女独贵乎：我们独孤氏家族难道只有女子显贵吗。周明帝后、隋文帝后及唐高祖之母皆独孤氏。㉔没：陷没。㉕拔难得还：从死难中脱身得以返回唐朝。㉖王者不死：谓天命使为王者，绝不会中途而死。㉗闻：报告皇帝，使皇帝得知。

【语译】

窦建德攻打李商胡，杀死了他。窦建德到了洺州，鼓励督导农耕与蚕桑，境内没有盗贼，商旅野宿于外。

突厥处罗可汗迎接杨政道，立为隋王。中原士民在北方的，处罗把他们全部配给杨政道管理，有一万人。杨政道设置百官，全部依照隋朝制度，居住在定襄郡。

三月初二日乙丑，刘武周派遣他的将领张万岁侵犯浩州。李仲文打退了他，俘虏斩杀数千人。

唐把纳言改称侍中，内史令改为中书令，给事郎改为给事中。

十一日甲戌，任命内史侍郎封德彝为中书令。

王世充的将领、州县前来投降唐朝的，每季每月接连不断。王世充于是从严执

叛，举家无少长就戮，父子、兄弟、夫妇许相告而免之。又使五家为保，有举家亡者，四邻不觉[88]，皆坐诛。杀人益多而亡者益甚，至于樵采[89]之人，出入皆有限数。公私愁窘[90]，人不聊生[91]。又以宫城为大狱，意所忌者[92]，并其家属收系宫中。诸将出讨，亦质其家属[93]于宫中。禁止者常不减万口，馁死者日有数十。世充又以台省官为司、郑、管、原、伊、殷、梁、凑、嵩、谷、怀、德等十二州营田使[94]，丞、郎[95]得为此行者，喜若登仙。

【段旨】

以上为第三段，写王世充倒行逆施，暴虐军民。

【注释】

⑱ 劝课农桑：鼓励督导耕种蚕桑。⑲ 杨政道：隋炀帝第二子齐王杨暕的遗腹子。与萧后同入突厥，处罗可汗立为隋王。突厥灭，归于唐，授员外散骑侍郎。传见《隋书》卷五十九。⑳ 定襄：郡名，治所在今内蒙古和林格尔西北土城子。㉑ 乙丑：三月初二。㉒ 给事中：官名，隋、唐时属门下省。隋初称给事中为给事郎，侍从皇帝左右，掌献纳得失，驳正文书。唐高宗时一度改给事中为东台，旋复旧。其职掌为封还驳正诏书之违失，纠正审理不当之刑狱，权势颇重。㉓ 甲戌：三月十一日。㉔ 封德彝（公元五六八至六二七年）：名伦，以字显，观州蓨（今河北景县）人，初事隋，为杨素所赏识，妻

【原文】

甲申[96]，行军副总管张纶败刘武周于浩州，俘斩千余人。

西河公张纶、真乡公李仲文引兵临石州[97]，刘季真[98]惧而诈降。乙酉[99]，以季真为石州总管，赐姓李氏，封彭山郡王。

蛮酋冉肇则寇信州，赵郡公孝恭[100]与战，不利。李靖将兵八百袭击，斩之，俘五千余人。己丑[101]，复开、通二州。孝恭又击萧铣[102]东平[103]王阇提，斩之。

法，一人叛逃，全家无论老少全部杀死，父子、兄弟、夫妻允许相互告发而免死。又让五家编为一保，有举家逃亡的，四邻没有察觉，都要坐罪处死。杀人越多而逃亡的越多，以至于砍柴的人，出城入城都有限定的次数。官府与私人都愁苦困窘，民不聊生。王世充又把宫城改为大监牢，他心里猜忌的人，连同此人的家属都逮捕囚禁在宫中。诸将出外征讨，也要把家属留在宫中当人质。囚禁的人经常不少于一万人，饿死的每天有几十人。王世充又任命中央台省的官员充当司州、郑州、管州、原州、伊州、殷州、梁州、凑州、嵩州、谷州、怀州、德州等十二州的营田使，台省的丞、郎等官得到这种任职而出行的，欢喜得如同登天做神仙。

以从妹，擢内史舍人。太宗时，累拜尚书右仆射。传见《旧唐书》卷六十三、《新唐书》卷一百。㊹中书令：官名，中书省的长官，为宰相之一。㊺时月相继：每季每月相继不绝。㊻峻其法：从严执法。㊼不觉：不觉察。㊽樵采：打柴采薪。㊾愁窘：愁苦困窘。㊿人不聊生：人们没有东西赖以生活。(92)意所忌者：心有猜忌的。(93)质其家属：以其家属为人质。(94)以台省官为司句：胡三省注，"世充以洛州为司州，汜水为郑州，管城为管州，沁水为原州，襄城为伊州，获嘉为殷州，睢阳为梁州。凑州，阙。《九域志》：郑州古迹有凑水，当置凑州于此。嵩阳为嵩州，大谷为谷州，河内为怀州，武德为德州"。营田使，官名，掌管屯田诸务。(95)丞、郎：尚书左右丞及诸曹郎。

【校记】

［2］至：此字原无。今据张敦仁《通鉴刊本识误》补。

【语译】

三月二十一日甲申，唐行军副总管张纶在浩州打败刘武周，俘虏斩杀一千多人。

西河公张纶、真乡公李仲文带兵来到石州，刘季真害怕而假装投降。二十二日乙酉，唐任命刘季真为石州总管，赐姓李，封为彭山郡王。

蛮族首领冉肇则侵犯信州，赵郡公李孝恭与冉肇则交战，失利。李靖率兵八百袭击冉肇则，杀死了他，俘虏五千多人。三月二十六日己丑，唐收复开州、通州。李孝恭又袭击萧铣的东平王阇提，杀死了他。

夏，四月丙申[104]，上祠华山。壬寅[105]，还长安。

置益州道[106]行台，以益、利、会、鄜、泾、遂[107]六总管隶焉。

刘武周数攻浩州[108]，为李仲文所败。宋金刚军中食尽。丁未[109]，金刚北走[110]，秦王世民追之。

罗士信围慈涧[111]，王世充使太子玄应拒[3]之。士信刺玄应坠马，人救之，得免。

壬子[112]，以显州道行台杨士林为行台尚书令。

甲寅[113]，加秦王世民益州道行台尚书令。

秦王世民追及寻相于吕州[114]，大破之，乘胜逐北，一昼夜行二百余里，战数十合[115]。至高壁岭[116]，总管刘弘基执辔谏曰："大王破贼，逐北至此，功亦足矣，深入不已，不爱身乎[117]！且士卒饥疲，宜留壁[118]于此，俟兵粮毕集，然后复进，未晚也。"世民曰："金刚计穷而走，众心离沮。功难成而易败，机难得而易失，必乘此势取之。若更淹留[119]，使之计立备成，不可复攻矣。吾竭忠徇国，岂顾身乎！"遂策马而进，将士不敢复言饥。追及金刚于雀鼠谷，一日八战，皆破之，俘斩数万人。夜，宿于雀鼠谷西原，世民不食二日，不解甲三日矣。军中止有一羊，世民与将士分而食之。丙辰[120]，陕州总管于筠自金刚所逃来。世民引兵趣介休。金刚尚有众二万，戊午[4]，出西门，背城[121]布陈[122]，南北七里。世民遣总管李世勣与战，小却[123]，为贼所乘。世民帅精骑击之，出其陈后，金刚大败，斩首三千级。金刚轻骑走，世民追之数十里，至张难堡[124]。浩州行军总管樊伯通、张德政据堡自守，世民免胄[125]示之，堡中喜噪且泣。左右告以王不食，献浊酒、脱粟饭[126]。

尉迟敬德收余众守介休，世民遣任城王道宗、宇文士及往谕之，敬德与寻相举介休及永安[127]降。世民得敬德，甚喜，以为右一府统军[128]，使将其旧众八千，与诸营相参。屈突通[129]虑其变，骤以为言[130]，世民不听。

刘武周闻金刚败，大惧，弃并州走突厥。金刚收其余众，欲复战，众莫肯从，亦与百余骑走突厥。

夏，四月初三日丙申，唐高祖祭祀华山。初九日壬寅，返回长安。

唐设置益州道行台，以益州、利州、会州、鄜州、泾州、遂州的六总管隶属于益州道行台。

刘武周多次攻打浩州，被李仲文所败。宋金刚军中粮食没有了。四月十四日丁未，宋金刚北逃，秦王李世民追击他。

罗士信围攻慈涧，王世充派太子王玄应抵抗罗士信。罗士信把王玄应刺下马，有人救了王玄应，才得以逃脱。

四月十九日壬子，唐任命显州道行台杨士林为行台尚书令。

二十一日甲寅，加封秦王李世民为益州道行台尚书令。

秦王李世民在吕州追上了寻相，把他打得大败，乘胜追击逃敌，一昼夜走了二百多里，交战数十回合。到了高壁岭，总管刘弘基抓住马缰绳规劝说："大王打败贼军，追击逃敌到了这里，功劳也足够了，深入不止，不爱惜性命吗！况且士兵饥饿疲惫，应当在此停留修筑壁垒，等到士兵和粮食都齐备了，然后再进攻也不晚。"李世民说："宋金刚计穷而逃，军心涣散。功业难成却容易失败，机会难得而容易丧失，一定要乘着现在的形势拿下他。如果再作滞留，让他确立了对策，完成了防备，就不可以再进攻他了。我竭尽忠诚，以身殉国，岂能顾惜自身啊！"于是策马前进，将士不敢再说饥饿。唐军在雀鼠谷追上了宋金刚，一天八次交战，都打败了宋金刚，俘虏斩杀了数万人。当夜，住宿在雀鼠谷西面的高地上，李世民两天没有吃东西，三天没有解开战袍了。军中只有一只羊，李世民与将士们分着吃了这只羊。四月二十三日丙辰，唐陕州总管于筠从宋金刚军中逃回来。李世民率兵奔赴介休。宋金刚还有部众二万人，二十五日戊午，出了城西门，背对城墙布阵，南北七里。李世民派总管李世勣与宋金刚交战，稍微后退，被宋金刚乘势反攻。李世民率领精锐骑兵攻击宋金刚，出现在宋金刚的阵后，宋金刚大败，唐军斩首三千级。宋金刚轻骑逃走，李世民追赶他数十里，到了张难堡。唐浩州行军总管樊伯通、张德政占据堡垒防守，李世民摘下头盔向他们示意，堡中守军欢呼呐喊，并且流下泪来。李世民的身边人告诉守军秦王没有吃饭，守军献上浊酒、粗米饭。

尉迟敬德收拾残部守住介休，李世民派任城王李道宗、宇文士及前去劝降，尉迟敬德于是和寻相率介休、永安二县投降唐朝。李世民得到尉迟敬德，非常高兴，任命尉迟敬德为右一府统军，并让他仍然统领八千旧部，和各营并列。屈突通担心尉迟敬德叛变，急忙把情况向李世民说了，李世民不听。

刘武周听说宋金刚战败，大为恐惧，放弃并州逃往突厥。宋金刚收拾余下的部众，想要再战，但大家不肯听从，于是宋金刚也和一百多名骑兵逃往突厥。

世民至晋阳，武周所署仆射杨伏念以城降。唐俭封府库以待世民，武周所得州县皆入于唐。

未几，金刚谋走上谷，突厥追获，腰斩之。岚州总管刘六儿从宋金刚在介休，秦王世民擒斩之。其兄季真弃石州，奔刘武周将马邑[131]高满政，满政杀之。

武周之南寇也，其内史令苑君璋谏曰："唐主举一州[132]之众，直取长安，所向无敌，此乃天授，非人力也。晋阳以南，道路险隘，县[133]军深入，无继于后[134]，若进战不利，何以自还！不如北连突厥，南结唐朝，南面称孤，足为长策[135]。"武周不听，留君璋守朔州[136]。及败，泣谓君璋曰："不用君言，以至于此。"久之，武周谋亡归马邑，事泄，突厥杀之。突厥又以君璋为大行台，统其余众，仍令郁射设督兵助镇。

庚申[137]，怀州[138]总管黄君汉击王世充太子玄应于西济州[139]，大破之。熊州[140]行军总管史万宝邀之于九曲[141]，又破之。

辛酉[142]，王世充陷邓州[143]。

上闻并州平，大悦。壬戌[144]，宴群臣，赐缯帛，使自入御府[145]尽力取之。复唐俭官爵，仍以为并州道安抚大使，所籍独孤怀恩田宅资财，悉以赐之。

世民留李仲文镇并州，刘武周数遣兵入寇，仲文辄击破之，下城堡百余所。诏仲文检校并州总管。

五月，窦建德遣高士兴击李艺于幽州，不克，退军笼火城[146]。艺袭击，大破之，斩首五千级。建德大将军王伏宝勇略冠军中，诸将疾[147]之，言其谋反，建德杀之，伏宝曰："大王奈何听谗言，自斩左右手乎！"

初，尉迟敬德将兵助吕崇茂守夏县，上潜遣使赦崇茂罪，拜夏州刺史，使图[148]敬德，事泄，敬德杀之。敬德去，崇茂余党复据夏县拒守。秦王世民引军自晋州还攻夏县，壬午[149]，屠[150]之。

辛卯[151]，秦王世民至长安。

是月，突厥遣阿史那揭多献马千匹于王世充，且求婚。世充以宗女妻之，并与之互市。

李世民到达晋阳，刘武周任命的仆射杨伏念率晋阳城投降。唐俭封存了刘武周的仓库等待李世民，刘武周占据的州县全部并入唐朝。

不久，宋金刚计划逃往上谷，突厥追上抓获了他，把他腰斩了。唐岚州总管刘六儿追随宋金刚在介休，秦王李世民把他抓住斩杀了。刘六儿的哥哥刘季真放弃石州，投奔刘武周的将领马邑人高满政，高满政把他杀了。

刘武周南侵时，他的内史令苑君璋规劝说："唐主以一个州的军力起兵，直接夺取了长安，所向无敌，这是上天所授，并非人力。晋阳以南，道路狭窄险要，孤军深入，后无援军跟进，如果进军攻战不利，自己靠什么返回！不如北面联合突厥，南面与唐结交，即位称王，足为良策。"刘武周不听，留下苑君璋守卫朔州。刘武周失败后，哭着对苑君璋说："不采纳你的话，以至于现在的地步。"很久之后，刘武周策划从突厥逃回马邑，事情泄露，突厥把他杀了。突厥又任命苑君璋为大行台，统领刘武周的余部，仍然令郁射设督兵协助镇守。

四月二十七日庚申，唐怀州总管黄君汉在西济州攻打王世充的太子王玄应，把他打得大败。唐熊州行军总管史万宝在九曲截击王玄应，又打败了他。

二十八日辛酉，王世充攻陷邓州。

唐高祖听说平定了并州，大为高兴。四月二十九日壬戌，宴请群臣，赐给缯帛，让群臣自己进入皇家仓库尽力拿取。恢复了唐俭的官爵，仍然任命他为并州道安抚大使，将没收独孤怀恩的田地房屋物品财产，全部赏赐给唐俭。

李世民留下李仲文镇守并州，刘武周多次派兵入侵，李仲文都把他们打败了，攻下城堡一百多处。唐高祖诏令李仲文检校并州总管。

五月，窦建德派高士兴在幽州攻打李艺，没有取胜，撤军到笼火城。李艺袭击高士兴，把高士兴打得大败，斩首五千级。窦建德的大将军王伏宝勇猛智略为全军之冠，众将领嫉妒他，说他谋反，窦建德杀了王伏宝。王伏宝临死时说："大王为什么听信谗言，自己砍断左右手呢！"

当初，尉迟敬德率军帮助吕崇茂守卫夏县，唐高祖暗中派遣使者赦免吕崇茂的罪过，任他为夏州刺史，让他杀死尉迟敬德，事情泄露，尉迟敬德杀了吕崇茂。尉迟敬德离开夏县后，吕崇茂的余部又占据夏县抗拒唐朝。秦王李世民率军从晋州返回攻打夏县，五月二十日壬午，屠城。

二十九日辛卯，秦王李世民到了长安。

这个月，突厥派遣阿史那揭多向王世充献马一千匹，并且要求通婚。王世充以同宗族的女儿嫁给突厥可汗为妻，并与突厥相互贸易。

【段旨】

以上为第四段，写秦王李世民讨灭刘武周，突厥转而助王世充，继续扰边。

【注释】

⑯甲申：三月二十一日。⑰石州：州名，治所在今山西吕梁市离石区。⑱刘季真：初附刘武周，自号太子王。迭为边害，张纶、李仲文讨之，季真降，诏以为石州总管，赐姓李，封彭山郡王。传见《旧唐书》卷五十六、《新唐书》卷八十七。⑲乙酉：三月二十二日。⑩孝恭：李孝恭（公元五九一至六四〇年），高祖从父兄子，封河间王。贞观初为礼部尚书。传见《旧唐书》卷六十、《新唐书》卷七十八。⑩己丑：三月二十六日。⑩萧铣（公元五八三至六二一年）：隋末割据者，隋炀帝以外戚擢为罗川令。大业十三年（公元六一七年）于巴陵（今湖南岳阳）自称梁王，次年称帝，迁都江陵（今湖北江陵）。后兵败降唐，于长安被杀。传见《旧唐书》卷五十六、《新唐书》卷八十七。⑩东平：郡名，治所在今山东东平东。⑩丙申：四月初三。⑩壬寅：四月初九。⑩益州道：共辖六州，道所在益州。道，唐始置，高于州的行政区域。⑩益、利、会、鄘、泾、遂：益州，州名，治所在今四川成都。利州，州名，治所在今四川广元。会州，州名，治所在今四川茂县西北。鄘州，州名，治所在今陕西富县。泾州，州名，治所在今甘肃泾川县北。遂州，州名，治所在今四川遂宁。⑩浩州：唐置羁縻州，治所在今四川茂县。⑩丁未：四月十四日。⑩走：败逃。⑪慈涧：地名，在今河南新安东三十里。⑫壬子：四月十九日。⑬甲寅：四月二十一日。⑭吕州：州名，治所在今山西霍州。⑮战数十合：交战数十回合。⑯高壁岭：又名韩壁岭，在今山西灵石南。⑰不爱

【原文】

六月壬辰[152]，诏以和州总管、东南道行台尚书令楚王杜伏威为使持节、总管江淮以南诸军事、扬州刺史、东南道行台尚书令、淮南道安抚使，进封吴王，赐姓李氏。以辅公祏[153]为行台左仆射，封舒国公。

丙午[154]，立皇子元景为赵王，元昌为鲁王，元亨为酆王。

显州[155]行台尚书令楚公杨士林虽受唐官爵，而北结王世充，南通萧铣，诏庐江王瑗[156]与安抚使李弘敏讨之。兵未行，长史田瓒为士林所忌，甲寅[157]，瓒杀士林，降于世充。世充以瓒为显州总管。

身乎：不爱惜性命吗。⑱留壁：停留下来修筑壁垒。⑲淹留：滞留。⑳丙辰：四月二十三日。㉑背城：背对城墙。㉒陈：同“阵”。㉓小却：稍退。㉔张难堡：在今山西平遥西南。张难，原为人姓名，筑堡自守，因以名之。㉕免胄：摘下头盔。胄，古代打仗时所戴头盔。㉖脱粟饭：粟仅脱去壳糠，饭很粗粝。㉗永安：县名，县治在今山西孝义。㉘右一府统军：秦王府统军右面第一队。㉙屈突通（公元五五七至六二八年）：长安（今陕西西安西）人，仕隋，累迁左骁卫大将军。唐高祖时，授兵部尚书。从秦王平王世充，论功第一，拜右仆射。贞观初进左光禄大夫。传见《旧唐书》卷五十九、《新唐书》卷八十九。㉚骤以为言：此谓很快把情况向李世民说了。㉛马邑：郡名，治所在今山西朔州。㉜举一州：以一州。㉝县：通“悬”。㉞无继于后：后继无援。㉟长策：良策。㊱朔州：州名，治所在今山西朔州。㊲庚申：四月二十七日。㊳怀州：州名，治所在今河南沁阳。㊴西济州：州名，治所在今河南济源。㊵熊州：州名，治所在今河南宜阳西。㊶九曲：地名，在今河南宜阳西北。㊷辛酉：四月二十八日。㊸邓州：州名，治所在今河南邓州。㊹壬戌：四月二十九日。㊺御府：宫廷中掌管府藏宝货的机构。唐代御府盖属内侍省内府局，长官为内府令。凡遇朝会，皇帝赐予五品以上官绢彩及金银器物，皆内御府供给。㊻笼火城：城名，在今北京市大兴区西北。㊼疾：嫉妒。㊽图：图谋。㊾壬午：五月二十日。㊿屠：屠杀。(151)辛卯：五月二十九日。

【校记】

［3］拒：原作“救”。据章钰校，十二行本、乙十一行本、孔天胤本皆作“拒”，今据改。［4］戊午：原无此二字。据章钰校，十二行本、乙十一行本、孔天胤本皆有此二字，张敦仁《通鉴刊本识误》、张瑛《通鉴校勘记》同，今据补。戊午，四月二十五。

【语译】

六月初一日壬辰，唐下诏任命和州总管、东南道行台尚书令楚王杜伏威为使持节、总管江淮以南诸军事、扬州刺史、东南道行台尚书令、淮南道安抚使，进封吴王，赐姓李。任命辅公祏为东南道行台左仆射，封为舒国公。

十五日丙午，唐立皇子李元景为赵王，李元昌为鲁王，李元亨为酆王。

显州行台尚书令楚公杨士林虽然接受唐的官爵，却向北交结王世充，向南与萧铣来往，唐诏命庐江王李瑗与安抚使李弘敏讨伐杨士林。军队还未出发，长史田瓒被杨士林猜忌，六月二十三日甲寅，田瓒杀死杨士林，投降王世充。王世充任命田瓒为显州总管。

秦王世民之讨刘武周也，突厥处罗可汗遣其弟步利设帅二千骑助唐。武周既败，是月，处罗至晋阳，总管李仲文不能制。又留伦特勒，使将数百人，云助仲文镇守，自石岭[158]以北，皆留兵戍之而去。

上议击王世充，世充闻之，选诸州镇骁勇皆集洛阳，置四镇将军，募人分守四城[159]。秋，七月壬戌[160]，诏秦王世民督诸军击世充。陕东道行台屈突通二子在洛阳，上谓通曰："今欲使卿东征，如卿二子何？"通曰："臣昔为俘囚，分当就死[161]，陛下释缚，加以恩礼。当是之时，臣心口相誓，期以更生[162]余年为陛下尽节[163]，但恐不获死所耳。今得备先驱，二儿何足顾乎！"上叹曰："徇义之士，一至[164]此乎！"

癸亥[165]，突厥遣使潜诣[166]王世充，潞州总管李袭誉邀击，败之，虏牛羊万计。

骠骑大将军可朱浑定远[167]告并州总管李仲文与突厥通谋，欲俟洛阳兵交，引胡骑直入长安。甲戌[168]，命皇太子镇蒲反以备之，又遣礼部尚书唐俭安抚并州，暂废并州总管府，征仲文入朝。

壬午[169]，秦王世民至新安。王世充遣魏王弘烈镇襄阳[170]，荆王行本镇虎牢，宋王泰镇怀州，齐王世恽检校南城，楚王世伟守宝城，太子玄应守东城，汉王玄恕守含嘉城，鲁王道徇守曜仪城[171]，世充自将战兵，左辅大将军杨公卿帅左龙骧二十八府骑兵，右游击大将军[172]郭善才帅内军[173]二十八府步兵，左游击大将军跋野纲帅外军[174]二十八府步兵，总三万人，以备唐。弘烈、行本，世伟之子。泰，世充之兄子也。

梁师都引突厥、稽胡兵入寇，行军总管段德操击破之，斩首千余级。

罗士信将前军围慈涧，世充自将兵三万救之。己丑[175]，秦王世民[5]将轻骑前觇[176]世充，猝与之遇，众寡不敌，道路险厄[177]，为世充所围。世民左右驰射，皆应弦而毙[6]，获其左建威将军燕琪，世充乃退。世民还营，尘埃覆面，军不复识[178]，欲拒之。世民免胄自言，乃得入。旦日[179]，帅步骑五万进军慈涧。世充拔慈涧之戍，归于洛阳。世民遣行军总管史万宝自宜阳南据龙门[180]，将军刘德威[181]自太行东围河内[182]，上谷公王君廓自洛口断其饷道[183]，怀州总管黄君汉自河阴[184]攻

秦王李世民讨伐刘武周时，突厥处罗可汗派他的弟弟步利设率领二千骑兵帮助唐军。刘武周失败后，当月，处罗可汗到达晋阳，唐并州总管李仲文不能控制处罗。处罗留下伦特勒，让他率领数百人，说是帮助李仲文镇守，从石岭关以北，都留下突厥兵戍守，然后离去。

唐高祖讨论攻打王世充，王世充闻讯，选拔各州镇的骁勇士兵都集中到洛阳，设置四镇将军，招募人员，分别守卫洛阳四城。秋，七月初一日壬戌，唐高祖下诏命秦王李世民督率各军攻打王世充。唐陕东道行台屈突通的两个儿子都在洛阳，唐高祖对屈突通说："现在想让你东征洛阳，你的两个儿子怎么办？"屈突通回答道："臣过去作为俘虏囚犯，本该处死，陛下松绑释放了我，施以恩惠和礼遇。在那时，臣的内心和嘴上都发誓，希望在剩余的有生之年为陛下尽忠效力，只怕得不到战死的地方罢了。如今能为先驱部队，两个儿子哪里值得顾虑呢！"唐高祖赞叹说："为义而献身的士人，竟能达到这个地步吗！"

七月初二日癸亥，突厥派使者前往王世充处，唐潞州总管李袭誉截击，打败了突厥使者，掳获牛羊数以万计。

唐骠骑大将军可朱浑定远报告说并州总管李仲文与突厥勾结密谋，打算等到洛阳交战，引导突厥骑兵直入长安。七月十三日甲戌，唐高祖命令皇太子镇守蒲反加以防备，又派遣礼部尚书唐俭安抚并州，暂时废除并州总管府，征召李仲文入朝。

七月二十一日壬午，秦王李世民到达新安。王世充派遣魏王王弘烈镇守襄阳，荆王王行本镇守虎牢，宋王王泰镇守怀州，齐王王世恽指挥南城的防务，楚王王世伟防守宝城，太子王玄应防守东城，汉王王玄恕防守含嘉城，鲁王王道徇防守曜仪城，王世充亲自统率作战军队，左辅大将军杨公卿统率左龙骧二十八府骑兵，右游击大将军郭善才统率内军二十八府步兵，左游击大将军跋野纲统率外军二十八府步兵，总计三万人，用来防备唐的进攻。王弘烈、王行本是楚王王世伟的儿子。王泰是王世充哥哥的儿子。

梁师都引来突厥、稽胡军队入侵唐朝，唐行军总管段德操打败入侵之敌，斩首一千多级。

罗士信率领前锋部队包围慈涧，王世充亲自率领三万兵马救援慈涧。七月二十八日己丑，秦王李世民带领轻骑兵前去侦察王世充军情，突然与王世充部队遭遇，众寡不敌，道路艰险，被王世充包围。李世民左右奔驰射击，敌兵都应弦而倒，抓获了王世充的左建威将军燕琪，王世充这才撤退。李世民返回军营，灰尘覆盖了面孔，军士不再认识他，想把他拒之门外。李世民摘下头盔自己说话，才得以进入军营。第二天，李世民率领五万步兵、骑兵进军慈涧。王世充撤除慈涧的防守，返回洛阳。李世民派遣行军总管史万宝自宜阳向南据守龙门，派将军刘德威自太行向东包围河内，派上谷公王君廓从洛口切断王世充军队的运粮道路，派怀州总管黄君

回洛城[185]。大军屯于北邙，连营以逼之。世充洧州[186]长史繁水[187]张公谨[188]与刺史崔枢以州城来降。

八月丁酉[189]，南宁[190]西爨[191]蛮遣使入贡。初，隋末蛮酋爨玩反，诛，诸子没为官奴，弃其地。帝即位，以玩子弘达[192]为昆州[193]刺史，令持其父尸归葬。益州刺史段纶[194]因遣使招谕其部落，皆来降。

己亥[195]，窦建德共州[196]县令唐纲[197]杀刺史，以州来降。

邓州土豪执王世充所署刺史来降[198]。

癸卯[199]，梁师都[200]石堡[201]留守张举[202]帅千余人来降。

甲辰[203]，黄君汉[204]遣校尉张夜叉以舟师袭回洛城，克之，获其将达奚善定，断河阳南桥[205]而还，降其堡聚[206]二十余。世充使太子玄应[207]帅杨公卿等攻回洛，不克，乃筑月城[208]于其西，留兵戍之。

世充陈于青城宫[209]，秦王世民亦置陈当之。世充隔水谓世民曰："隋室倾覆，唐帝关中，郑帝河南，世充未尝西侵，王忽举兵东来，何也?"世民使宇文士及应之曰："四海皆仰皇风[210]，唯公独阻声教[211]，为此而来!"世充曰："相与息兵讲好，不亦善乎!"又应之曰："奉诏取东都，不令讲好也。"至暮，各引兵还。

上遣使与窦建德连和，建德遣同安长公主[212]随使者俱还。

乙卯[213]，刘德威袭怀州，入其外郭，下其堡聚。

九月庚午[214]，梁师都将刘旻[215]以华池[216]来降，以为林州[217]总管。

癸酉[218]，王世充显州总管田瓒[219]以所部二十五州来降。自是襄阳声问[220]与世充绝。

史万宝进军甘泉宫[221]。丁丑[222]，秦王世民遣右武卫将军王君廓[223]攻轘辕[224]，拔之。王世充遣其将魏隐等击君廓，君廓伪遁，设伏，大破之，遂东徇地，至管城[225]而还。先是，王世充将郭士衡[226]、许罗汉[227]掠唐境，君廓以策击却之。诏劳之曰："卿以十三人破贼一万，自古以少制众，未之有也。"

世充尉州刺史时德叡[228]帅所部杞、夏、陈、随、许、颍、尉七州[229]来降。秦王世民以便宜命州县官并依世充所署，无所变易。改尉州为南汴州[230]，于是河南郡县相继来降。

汉从河阴攻打回洛城。唐的大量军队驻扎在北邙山，把军营连成一片进逼洛阳。王世充的洧州长史繁水人张公谨与洧州刺史崔枢率洧州前来投降唐朝。

八月初七日丁酉，南宁西爨蛮派遣使者入朝进贡。当初，隋朝末年西爨蛮首领爨玩反叛，被朝廷诛杀，几个儿子沦没为官奴，抛弃了他们的领地。唐高祖即位后，任命爨玩的儿子爨弘达为昆州刺史，命他携带父亲的尸骨回乡安葬。唐益州刺史段纶借机派使者招降晓谕西爨蛮的各个部落，各部落全都前来降唐。

八月初九日己亥，窦建德的共州县令唐纲杀了刺史，率共州降唐。

邓州当地的豪强抓获王世充任命的刺史前来降唐。

十三日癸卯，梁师都的石堡留守张举率领一千多人前来降唐。

八月十四日甲辰，唐怀州总管黄君汉派校尉张夜叉利用水军偷袭回洛城，攻克城池，抓获王世充的将领达奚善定，断绝了河阳南桥然后回军，降服了二十余处城堡聚落。王世充派太子王玄应率领杨公卿等人进攻回洛城，没有攻下来，于是在城西修筑月城，留兵戍守。

王世充在青城宫布阵，秦王李世民也布阵对峙。王世充隔着河水对李世民说："隋朝覆灭，唐在关中称帝，郑在河南称帝，世充未曾西侵，秦王您忽然率军东来，这是为什么？"李世民派宇文士及回答说："四海都尊仰唐朝皇帝的声威，只有你独自隔阻皇帝的政令教化，就是为此而来！"王世充说："我们一起息兵讲和，不也是很好吗！"宇文士及又回答说："遵奉诏命来取东都，不令讲和。"到了傍晚，各自率军回营。

唐高祖派遣使者与窦建德联合，窦建德送同安长公主随同使者一起返回长安。

八月二十五日乙卯，唐将军刘德威袭击怀州，进入怀州外城，攻下城外的村堡聚落。

九月初十日庚午，梁师都的将领刘旻率华池县前来降唐，唐任命他为林州总管。

十三日癸酉，王世充显州总管田瓒带领所管辖的二十五个州前来降唐。从此，襄阳的音信就与王世充断绝了。

唐行军总管史万宝进军甘泉宫。九月十七日丁丑，秦王李世民派遣右武卫将军王君廓攻打轘辕，攻取了此城。王世充派他的将领魏隐等人攻打王君廓，王君廓伪装逃跑，设置埋伏，大败魏隐等人，于是向东略取土地，到达管城后返回。在此之前，王世充的将领郭士衡、许罗汉抢掠唐朝境内，王君廓利用计策打退了他们。唐高祖下诏慰问王君廓说："你用十三人破敌一万，自古以来以少胜多，从未有过啊。"

王世充的尉州刺史时德叡率领所管辖的杞州、夏州、陈州、随州、许州、颍州、尉州共七州前来降唐。秦王李世民根据具体情况任命新来归附的州县官吏，都用王世充任命的官员，无所更易。把尉州改为南汴州，于是王世充所属的河南地区的郡县相继前来投降。

【段旨】

以上为第五段，写秦王李世民帅大军东出讨王世充，王世充所属河南郡县纷纷归降。

【注释】

⑫ 壬辰：六月初一。⑬ 辅公祏：隋末于江淮地区起事反隋，齐郡临济（今山东章丘西北）人。杜伏威为总管，辅公祏为长史。传见《旧唐书》卷五十六、《新唐书》卷八十七。⑭ 丙午：六月十五日。⑮ 显州：州名，州治在今山西孝义西。⑯ 瑗：李瑗，高祖从父兄子，字德圭，封庐江王。累迁山南东道行台右仆射，坐罪被诛。传见《旧唐书》卷六十、《新唐书》卷七十八。⑰ 甲寅：六月二十三日。⑱ 石岭：石岭关，即今山西阳曲东北关城。⑲ 四城：指洛阳四城。⑳ 壬戌：七月初一。⑴ 分当就死：本该处死。⑵ 更生：再生。⑶ 尽节：尽自己的节操。⑷ 一至：竟至。⑸ 癸亥：七月初二。⑹ 潜诣：暗中前往。⑺ 可朱浑定远：可朱浑为三字姓，定远为名。⑻ 甲戌：七月十三日。⑼ 壬午：七月二十一日。⑽ 襄阳：郡名，治所在今湖北襄阳。⑾ 齐王世恽检校南城五句：据《唐六典》卷七及胡三省注，东都洛阳皇城在都城之西北隅。皇城又称宝城。以皇城为准，南城在皇城之南，东城在皇城之东，曜仪城在东城之东。含嘉城，即含嘉仓城。⑿ 游击大将军：官名，汉代设游击将军，统兵专征，职权颇重。唐代为武散官。⒀ 内军：李密的自卫军队。⒁ 外军：作战之军队，与近卫军相对而言。⒂ 己丑：七月二十八日。⒃ 觇：窥视；观察。⒄ 险厄：艰险。⒅ 军不复识：军士不再认识。⒆ 旦日：明日。⒇ 龙门：在今河南洛阳南二十五里。⒈ 刘德威（公元五八二至六五二年）：隋末官吏，归附李密。随李密降唐后，授左武候将军，封滕县公，后改彭城县公。贞观中官至刑部尚书。传见《旧唐书》卷七十七、《新唐书》卷一百六。⒉ 河内：县名，县治在今河南沁阳。⒊ 饷道：运粮饷之道。⒋ 河阴：县名，县治在今河南洛阳东北。⒌ 回洛城：在今河南洛阳市孟津区东。⒍ 洧州：州名，治所在今河南鄢陵西北。⒎ 繁水：县名，县治在今河南南乐西北。⒏ 张公谨（？至公元六三二年）：字弘慎，繁水人，贞观初为代州都督，后改襄州都督。传见《旧唐书》卷六十八、《新唐书》卷八十九。⒐ 丁酉：八月初七。⒑ 南宁：州名，治所在今云南曲靖西。⒒ 西爨：中国古代地域名与民族名，系魏晋南北朝时，由今云南东部地区爨氏大姓演变而成。晋宋至隋唐时，爨氏分为东西二部，均在云南东部，大抵以今云南曲靖至建水一带为界。⒓ 弘达：爨弘达，南宁西爨蛮酋长爨玩之子。隋代没为奴，入唐，高祖以其为昆州刺史。事迹见《新唐书》卷二百二十二《南蛮传》。⒔ 昆州：州名，治所在今云南昆明西郊马街附近。⒕ 段纶：隋兵部尚书段文振之子。唐初为工部尚书、杞国公，尚高祖女高密公主。⒖ 己亥：八月初九。⒗ 共州：州名，治所在今河南辉县。⒘ 唐纲：据胡三省注，唐纲当是共城县令。共城县即今河南辉县。⒙ 邓州土豪句：本年五月王世充取邓

州，至此又失邓州。⑲⑨癸卯：八月十三日。⑳⓪梁师都（？至公元六二八年）：隋末地方割据者，夏州朔方（今陕西榆林市横山区西）人。传见《旧唐书》卷五十六、《新唐书》卷八十七。⑳①石堡：在今陕西靖边东。⑳②张举：曾为梁师都大将。其事迹见新、旧《唐书·梁师都传》。⑳③甲辰：八月十四日。⑳④黄君汉：原为隋官吏，后归唐，任行军总管。事迹见《旧唐书》卷六十七《李靖传》。⑳⑤河阳南桥：一名河桥。在今河南孟州西南。是大河南北的交通要津。⑳⑥堡聚：城堡聚落。⑳⑦玄应：王玄应（？至公元六二一年），王世充子。世充称帝，立为太子。武德四年（公元六二一年）王世充败，归唐，因谋反被杀。事迹见《旧唐书》卷五十四《王世充传》。⑳⑧月城：因城如月牙形而得名。⑳⑨青城宫：宫殿名，在东都洛阳城西禁苑之中。㉑⓪皇风：指天子声威。㉑①声教：声威与教化。㉑②同安长公主：高祖同母妹。黎阳之破，没于窦建德。传见《新唐书》卷八十三。㉑③乙卯：八月二十五日。㉑④庚午：九月初十。㉑⑤刘旻：曾为梁师都大将。后降唐，授夏州长史。事迹见《旧唐书》卷五十六《梁师都传》。㉑⑥华池：县名，县治在今甘肃华池县东南。㉑⑦林州：州名，治所在今甘肃华池县东南。㉑⑧癸酉：九月十三日。㉑⑨田瓒：淮安郡（治今河南泌阳）人，原为朱粲部将。后叛附于王世充，署为显州总管。武德三年降唐。事迹见《新唐书》卷八十五《王世充传》。㉒⓪声问：音信。㉒①史万宝进军甘泉宫：史万宝，唐初将领，历任右翊卫将军、行军总管，封原国公。事迹见《旧唐书》卷六十《宗室传》。甘泉宫，又名林光宫、云阳宫，秦置。在今陕西淳化西北甘泉山上。〖按〗史万宝由新安进军洛阳，不应至甘泉宫。胡三省认为史万宝应至河南寿安县之显仁宫，史误为甘泉宫。㉒②丁丑：九月十七日。㉒③王君廓：并州石艾（今山西平定南）人，隋末，初随李密，后率众归唐，历迁右武卫将军，累封彭国公。从战有功。庐江王李瑗反，君廓执之，以功授幽州都督。传见《旧唐书》卷六十、《新唐书》卷九十二。㉒④轘辕：关名，在今河南漯河市偃师区东南轘辕山上。㉒⑤管城：县名，县治在今河南郑州。㉒⑥郭士衡（？至公元六二一年）：王世充部将。武德四年，世充败，被杀。事迹见《旧唐书》卷五十四《王世充传》。㉒⑦许罗汉：王世充部将。㉒⑧时德叡：隋末群雄之一，起兵尉氏（今河南尉氏）。归王世充，署为尉州刺史。武德三年八月降唐。事迹见《新唐书》卷一《高祖纪》。㉒⑨杞、夏、陈、随、许、颍、尉七州：据胡三省注，王世充置杞州于雍丘（今河南杞县），夏州于阳夏（今河南太康），陈州于宛丘（今河南周口市淮阳区）。随州无所考，意洧州（治今河南鄢陵西北）之误。置许州于长社（今河南长葛东北），颍州于汝阴（今安徽阜阳），尉州于尉氏（今河南尉氏）。㉓⓪南汴州：州名，治所在今河南尉氏。

【校记】

［5］世民：此二字原无。据章钰校，十二行本、乙十一行本皆有此二字，张敦仁《通鉴刊本识误》同，今据补。［6］皆应弦而毙：原无此句。据章钰校，十二行本、乙十一行本、孔天胤本皆有此句，张敦仁《通鉴刊本识误》、张瑛《通鉴校勘记》同，今据补。

【原文】

刘武周降将寻相等多叛去。诸将疑尉迟敬德[231]，囚之军中，行台左仆射屈突通、尚书殷开山言于世民曰："敬德骁勇绝伦[232]，今既囚之，心必怨望，留之恐为后患，不如遂杀之。"世民曰："不然。敬德若叛，岂在寻相之后邪？"遽命释之，引入卧内[233]，赐之金，曰："丈夫意气相期[234]，勿以小嫌[235]介意，吾终不信谗言以害忠良，公宜体[236]之。必欲去者，以此金相资，表一时共事之情也。"

辛巳[237]，世民以五百骑行战地[238]，登魏宣武陵[239]。王世充帅步骑万余猝至，围之。单雄信[240]引槊[241]直趋世民，敬德跃马大呼，横刺雄信坠马，世充兵稍却，敬德翼[242]世民出围。世民、敬德更帅骑兵还战，出入世充陈，往反无所碍[243]。屈突通引大兵继至，世充兵大败，仅以身免。擒其冠军[244]大将军陈智略，斩首千余级，获排矟兵[245]六千。世民谓敬德曰："公何相报之速[246]也！"赐敬德金银一箧，自是宠遇日隆。

敬德善避矟，每单骑入敌陈中，敌丛矟刺之，终莫能伤，又能夺敌矟返刺之。齐王元吉以善马矟自负，闻敬德之能，请各去刃相与校胜负。敬德曰："敬德谨当去之，王勿去也。"既而元吉刺之，终不能中。秦王世民问敬德曰："夺矟与避矟，孰难？"敬德曰："夺矟难。"乃命敬德夺元吉矟。元吉操矟跃马，志在刺之，敬德须臾三夺其矟。元吉虽面相叹异[247]，内甚耻之。

叛胡陷岚州[248]。

初，王世充以邴元真为滑州行台仆射。濮州[249]刺史杜才幹，李密故将也，恨元真叛密，诈以其众降之。元真恃其官势，自往招慰。才幹出迎，延入就坐[250]，执而数之[251]曰："汝本庸才[252]，魏公置汝元僚[253]，不建毫发之功，乃构滔天之祸。今来送死，是汝之分[254]！"遂斩之，遣人赍其首至黎阳祭密墓。壬午[255]，以濮州来降。

突厥莫贺咄设寇凉州，总管杨恭仁击之，为所败，掠男女数千人而去。

【语译】

刘武周的降唐将领寻相等人大多背叛离去。唐军诸将怀疑尉迟敬德，将他囚禁在军中，行台左仆射屈突通、尚书殷开山对李世民说："尉迟敬德骁勇绝伦，现在既然囚禁了他，内心必然怨恨，留着恐怕会成为后患，不如干脆杀了他。"李世民说："不是这样。敬德如果要叛逃，难道会在寻相之后吗？"于是下令释放尉迟敬德，把他带入卧室内，赐给他黄金，说："大丈夫以意气相互期许，不要因为小的嫌隙而有所介意，我终究不相信谗言而杀害忠良，公应当体会我的心意。如果一定要离去，用这点金子相助，表明我们曾经一时共事过的心情。"

九月二十一日辛巳，李世民率五百骑兵巡视战场地形，登上北魏宣武帝的墓陵。王世充率领一万多步兵、骑兵突然来到，包围了李世民。单雄信挺着长枪直奔李世民，尉迟敬德跃马大声呼喊，从一旁刺中单雄信使他坠下战马，王世充的军队稍微后退，尉迟敬德护卫着李世民冲出包围。李世民、尉迟敬德又率骑兵返回作战，出入王世充的阵列，往返无阻。屈突通率领大军随后赶到，王世充军队大败，王世充仅仅单身逃脱。唐军活捉了王世充的冠军大将军陈智略，斩首一千多级，俘获六千名成排手持长矛的士兵。李世民对尉迟敬德说："您报答我为什么这么快啊！"赐给尉迟敬德一箱金银，从此，对尉迟敬德的宠遇日益隆盛。

尉迟敬德善于躲避对方的长矛，常常单枪匹马进入敌阵，敌人成群的长矛刺他，始终不能伤害他，又能夺取敌人长矛反刺过去。齐王李元吉以擅长骑马使用长矛自负，听说尉迟敬德的能力，请求各自去掉矛刃较量胜负。尉迟敬德说："敬德自当去掉矛刃，王不用去掉。"然后李元吉用长矛刺尉迟敬德，始终不能刺中。秦王李世民询问尉迟敬德说："夺矛和避矛，哪个更难？"尉迟敬德说："夺矛困难。"于是秦王命令尉迟敬德夺取李元吉的长矛。李元吉手持长矛跃马冲来，目标是刺中尉迟敬德，尉迟敬德转眼之间就把李元吉的长矛夺下来三次。李元吉虽然脸上表示赞叹惊异，内心却深以为耻辱。

反叛的胡人攻陷岚州。

当初，王世充任命邴元真为滑州行台仆射。濮州刺史杜才干是李密的旧将，憎恨邴元真背叛李密，假意率其部下投降邴元真。邴元真仗着他的官位权势，自己前往濮州招降慰问。杜才干出门迎接，请他入内坐下，于是逮捕了邴元真，列数他的罪行说："你本来是个庸才，魏公让你担任长史，你没有建立一丝一毫的功劳，却策划了滔天大祸。今天来送死，这是你应得的命运！"于是斩杀邴元真，派人带着邴元真的首级到黎阳祭奠李密的陵墓。九月二十二日壬午，杜才干率濮州前来降唐。

突厥莫贺咄设侵犯凉州，唐总管杨恭仁攻击他，被突厥人打败，突厥人掠夺几千名男女离去。

丙戌[256]，以田瓒为显州总管，赐爵蔡国公。

冬，十月甲午[257]，王世充大将军张镇周来降。

甲辰[258]，行军总管罗士信袭王世充硖石堡[259]，拔之。士信又围千金堡[260]，堡中人骂之。士信夜遣百余人抱婴儿数十至堡下，使儿啼呼，诈云“从东都来归罗总管”，既而相谓曰：“此千金堡也，吾属误矣。”即去。堡中以为士信已去，来者洛阳亡人[261]，出兵追之。士信伏兵于道，伺其门开，突入，屠之。

【段旨】

以上为第六段，写唐军连战皆捷，紧逼东都。秦王李世民不听谗言，保护了尉迟敬德，立效得报。

【注释】

㉛疑尉迟敬德：怀疑尉迟敬德会叛逃。㉜绝伦：独一无二，没有可以相比的。㉝卧内：寝室之内。㉞意气相期：以意气互相期勉。㉟小嫌：小嫌疑。㊱体：体会；知道。㊲辛巳：九月二十一日。㊳行战地：巡视战地。㊴魏宣武陵：景陵。在洛阳北邙山。魏世宗，谥宣武帝。㊵单雄信（？至公元六二一年）：济阴（今山东曹县西北）人，

【原文】

窦建德之围幽州[262]也，李艺[263]告急于高开道[264]。开道帅二千骑救之，建德兵引去[265]，开道因艺[266]遣使来降。戊申[267]，以开道为蔚州[268]总管，赐姓李氏，封北平郡王。开道有矢镞在颊，召医出之。医曰：“镞深，不可出。”开道怒，斩之。别召一医，曰：“出之恐痛。”又斩之。更召一医，医曰：“可出。”乃凿骨，置楔其间，骨裂寸余，竟出其镞，开道奏妓进膳不辍[269]。

窦建德帅众二十万复攻幽州。建德兵已攀堞[270]，薛万均、万彻[271]帅

九月二十六日丙戌，唐任命田瓒为显州总管，赐爵蔡国公。

冬，十月初五日甲午，王世充的大将军张镇周前来降唐。

十五日甲辰，唐行军总管罗士信袭击王世充的硖石堡，攻取了城堡。罗士信又包围千金堡，堡里的人咒骂罗士信。罗士信夜里派一百多人抱着几十个婴儿到千金堡下，让婴儿啼哭呼叫，谎称“从东都来投奔罗总管”，然后又互相说：“这是千金堡啊，我们搞错了。”立刻离去。堡里的人以为罗士信已经离去，来的人是从洛阳逃亡出来的，派兵出堡追赶。罗士信在路旁布下埋伏，伺察千金堡门打开，突然冲进堡中，屠杀全堡之人。

李密将。后降王世充，为大将。传见《旧唐书》卷五十三、《新唐书》卷八十四。㉛引槊：持槊。㉜翼：帮助；辅佐。㉝无所碍：没有阻碍。㉞冠军：将军名号，唐置冠军大将军，为武散官。㉟排矟兵：谓整排执矟的兵士。矟，同“槊”。㊱公何相报之速：您报答我为什么这么快。㊲面相叹异：脸上表示赞叹惊异。㊳岚州：州名，治所在今山西岚县北。㊴濮州：州名，治所在今山东鄄城北旧城集。㊵延入就坐：请他入内坐下。㊶执而数之：逮捕并列数他的罪过。㊷庸才：平庸之才。㊸魏公置汝元僚：谓李密以你为长史。㊹是汝之分：是你的命运。㊺壬午：九月二十二日。㊻丙戌：九月二十六日。㊼甲午：十月初五。㊽甲辰：十月十五日。㊾硖石堡：在今河南洛阳市孟津区西。㊿千金堡：在今河南洛阳东北。(261)亡人：逃亡的人。

【语译】

窦建德包围幽州的时候，李艺向高开道告急。高开道率二千骑兵救援幽州，窦建德率军离去，高开道通过李艺派遣使者前来降唐。十月十九日戊申，唐任命高开道为蔚州总管，赐他姓李，封为北平郡王。有一枚箭头射在高开道的脸颊上，叫来医生拔出箭头。医生说：“箭头射得太深，不能拔出来。”高开道很生气，杀了医生。另外又叫来一位医生，医生说：“拔出箭头恐怕很痛。”高开道又杀了这个医生。又找来一位医生，医生说：“能拔出来。”于是凿开颊骨，在中间钉入一枚楔子，骨头裂开一寸多，最终拔出了箭头。当时，高开道让妓女演奏，自己吃饭，都没有停止。

窦建德率领部众二十万人再次攻打幽州。窦建德的士兵已经攀上城墙的矮墙，

敢死士百人从地道出其背，掩击[272]之，建德兵溃走，斩首千余级。李艺兵乘胜薄[273]其营，建德陈于营中，填堑[274]而出，奋击，大破之。建德逐北，至其城下，攻之不克而还。

李密之败也，杨庆归洛阳，复姓杨氏[275]。及王世充称帝，庆复姓郭氏。世充以为管州[276]总管，妻以兄女。秦王世民逼洛阳，庆潜遣人请降。世民遣总管李世勣将兵往据其城。庆欲与其妻偕来，妻曰："主上使妾侍巾栉[277]者，欲结君之心也。今君既辜付托[278]，徇利求全[279]，妾将如君何！若至长安，则君家一婢耳，君何用为！愿送至洛阳，君之惠也[280]。"庆不许。庆出，妻谓侍者曰："若唐遂胜郑，则吾家必灭；郑若胜唐，则吾夫必死。人生至此，何用生为[281]！"遂自杀。庚戌[282]，庆来降，复姓杨氏，拜上柱国、郇国公。

时世充太子玄应镇虎牢，军于荥、汴之间[7]，闻之，引兵趣管城，李世勣击却之。使郭孝恪为书说荥州[8]刺史魏陆，陆密请降。玄应遣大将军张志就陆[283]征兵。丙辰[284]，陆擒志等四将，举州来降。阳城[285]令王雄帅诸堡来降，秦王世民使李世勣引兵应之，以雄为嵩州[286]刺史，嵩南之路始通。魏陆使张志诈为玄应书，停其东道之兵，令其将张慈宝且还汴州；又密告汴州刺史王要汉使图慈宝，要汉斩慈宝以降。玄应闻诸州皆叛，大惧，奔还洛阳。诏以要汉为汴州总管，赐爵郳[287]国公。

王弘烈[288]据襄阳，上令金州[289]总管府[290]司马泾阳[291]李大亮[292]安抚樊、邓[293]以图之。十一月庚申[294]，大亮攻樊城镇[295]，拔之，斩其将国大安，下其城栅[296]十四。

萧铣性褊狭[297]，多猜忌。诸将恃功恣横，好专诛杀，铣患之，乃宣言罢兵营农，实欲夺诸将之权。大司马董景珍弟为将军，怨望，谋作乱。事泄，伏诛。景珍时镇长沙[298]，铣下诏赦之，召还江陵[299]。景珍惧，甲子[300]，以长沙来降，诏峡州刺史许绍出兵应之。

云州[301]总管郭子和[302]先与突厥、梁师都相连结，既而袭师都宁朔城[303]，克之。又诇[304]得突厥衅隙[305]，遣使以闻，为突厥候骑[306]所获。处罗可汗[307]大怒，囚其弟子升。子和自以孤危[308]，请帅其民南徙，诏以延州故城处之。

薛万均、薛万彻率领一百人的敢死队从地道中出现在敌军背后，袭击敌军，窦建德军溃逃，唐军斩首一千多级。李艺的军队乘胜逼近窦建德营地，窦建德在营中列阵，填平壕沟出营，奋勇攻击，大败李艺军。窦建德追击败军，直到幽州城下，攻城没有攻下，于是撤军。

李密失败时，杨庆返回洛阳，恢复旧姓杨氏。等到王世充称帝，杨庆又恢复姓郭。王世充任命他为管州总管，把哥哥的女儿嫁给他为妻。秦王李世民进逼洛阳，郭庆暗中派人请求投降。李世民派遣总管李世勣带兵前往占据了管州城。郭庆想和妻子一起归唐，他妻子说："主上让妾来服侍你，是想拴住你的心。现在你既然辜负了主上的托付，寻利求全，妾将对你怎么办呢！如果到了长安，妾不过是你家的一个婢女罢了，你拿我有什么用处！希望送我到洛阳，就是你对我的恩惠了。"郭庆不同意。郭庆出去，妻子对侍女说："如果唐最终胜了郑，那么我家必然灭族；郑如果胜了唐，那么我丈夫必死。人生到了这种地步，活着干什么！"于是自杀。十月二十一日庚戌，郭庆前来降唐，又恢复姓杨，唐封他为上柱国、郇国公。

当时王世充的太子王玄应镇守虎牢，屯驻在荥泽、汴水之间，听说杨庆降唐，带兵前往管城，李世勣打退了他。李世勣让郭孝恪写信劝说荥州刺史魏陆，魏陆秘密请求投降。王玄应派大将军张志到魏陆处调征兵力。十月二十七日丙辰，魏陆抓获张志等四员将领，率全州前来投降。阳城县令王雄率领各个村堡前来降唐，秦王李世民派李世勣带兵接应，任命王雄为嵩州刺史，开始打通了嵩山以南的道路。魏陆让张志伪造王玄应的信，命王玄应的东路兵马停止前进，命令将领张慈宝暂且返回汴州；又秘密通知汴州刺史王要汉，让他杀掉张慈宝，王要汉杀了张慈宝后投降唐朝。王玄应听说各州都叛变了，大为恐惧，逃回洛阳。唐高祖下诏任命王要汉为汴州总管，赐爵郳国公。

王弘烈占据襄阳，唐高祖命令金州总管府司马泾阳人李大亮安抚樊州、邓州，筹划攻取襄阳。十一月初一日庚申，李大亮攻打樊城镇，攻取了它，杀了王弘烈的大将国大安，攻下当地十四座栅寨。

萧铣性格偏颇狭隘，多有猜忌。他的诸位将领倚仗有功，恣肆横行，喜好专擅杀人，萧铣对此很担心，于是宣称罢兵，从事农耕，实际上想夺取诸将的兵权。大司马董景珍的弟弟担任将军，心中怨恨，谋划反叛。事情泄露，被杀死。董景珍当时镇守长沙，萧铣下诏赦免董景珍，叫他返回江陵。董景珍恐惧，十一月初五日甲子，率长沙前来降唐，唐高祖诏令峡州刺史许绍出兵接应董景珍。

云州总管郭子和先是与突厥、梁师都相联合，之后袭击梁师都的宁朔城，把它攻取了。又刺探到突厥内部出现矛盾，派遣使者报告唐朝，被突厥巡逻骑兵抓获。突厥处罗可汗大怒，囚禁了郭子和的弟弟郭子升。郭子和因为自己孤立危险，向唐请求率领他的民众向南迁徙，唐高祖下诏用延州故城安置他们。

张举、刘旻之降[309]也，梁师都大惧，遣其尚书陆季览[310]说突厥处罗可汗曰："比者中原丧乱，分为数国，势均力弱，故皆北面归附突厥。今定杨可汗[311]既亡，天下将悉为唐有。师都不辞灰灭[312]，亦恐次及[313]可汗。不若及其未定，南取中原，如魏道武所为[314]，师都请为乡导。"处罗从之，谋使莫贺咄设[315]入自原州[316]，泥步设与师都入自延州[317]，处罗入自并州[9]，突利可汗与奚、霫、契丹、靺鞨[318]入自幽州，会窦建德之师自滏口[319]西入，会于晋、绛[320]。莫贺咄者，处罗之弟咄苾也。突利者，始毕之子什钵苾也。

处罗又欲取并州[321]以居杨政道[322]，其群臣多谏，处罗曰："我父失国，赖隋得立，此恩不可忘。"将出师而卒。义成公主[323]以其子奥射设丑弱[324]，废之，更立莫贺咄设，号颉利可汗。乙酉[325]，颉利遣使告处罗之丧，上礼之如始毕之丧[326]。

戊子[327]，安抚大使李大亮取王世充沮、华[328]二州。

是月，窦建德济河击孟海公[329]。

初，王世充侵建德黎阳，建德袭破殷州[330]以报之。自是二国交恶，信使[331]不通。及唐兵逼洛阳，世充遣使求救于建德。建德中书侍郎刘彬说建德曰："天下大乱，唐得关西[332]，郑得河南，夏得河北，共成鼎足之势。今唐举兵临郑，自秋涉[333]冬，唐兵日增，郑地日蹙[334]。唐强郑弱，势必不支。郑亡，则夏不能独立矣。不如解仇除忿，发兵救之，夏击其外，郑攻其内，破唐必矣。唐师既退，徐观其变，若郑可取则取之，并二国之兵，乘唐师之老[335]，天下可取也！"建德从之，遣使诣世充，许以赴援。又遣其礼部侍郎[336]李大师[337]等诣唐，请罢洛阳之兵。秦王世民留之，不答。

十二月辛卯[338]，王世充许、亳[339]等十一州皆请降。

壬辰[340]，燕郡王李艺又击窦建德军于笼火城，破之。

辛丑[341]，王世充随州[342]总管徐毅举州降。

癸卯[343]，峡州刺史许绍[344]攻萧铣荆门镇[345]，拔之。绍所部与梁、郑邻接[346]，二境得绍士卒，皆杀之，绍得二境士卒，皆资给遣之。敌人愧感[347]，不复侵掠，境内以安。

张举、刘旻降唐，梁师都大为恐惧，派遣尚书陆季览劝突厥处罗可汗说："近来中原丧乱，分裂成几个国家，彼此势力相当，力量弱小，因此都面向北归附突厥。如今定杨可汗刘武周已经败亡，天下将全部被唐朝据有。师都不怕覆灭，恐怕按次序下一个就会轮到可汗。不如趁唐没有平定天下，南下夺取中原，如北魏道武帝所做的那样，师都请求做您的向导。"处罗可汗听从了他的建议，谋划派莫贺咄设从原州入侵，泥步设和梁师都从延州入侵，处罗可汗从并州入侵，突利可汗与奚、霫、契丹、靺鞨从幽州南下，与窦建德的军队会合，从滏口西进，在晋州、绛州会合。莫贺咄设，是处罗可汗的弟弟咄苾。突利可汗，是始毕可汗的儿子什钵苾。

处罗可汗又想夺取并州来安置杨政道，他的群臣大都劝阻，处罗说："我父亲失去了国家，靠隋朝得以立国，这个大恩不可忘记。"处罗可汗将要出兵时却去世了。义成公主因为处罗的儿子奥射设丑陋孱弱，废掉了奥射设，改立莫贺咄设，号称颉利可汗。十一月二十六日乙酉，颉利派遣使者向唐通报处罗可汗去世的消息，唐高祖采用的礼仪就像对待始毕可汗的丧仪一样。

十一月二十九日戊子，唐安抚大使李大亮夺取了王世充的沮州、华州两个州。

这个月，窦建德渡过黄河攻打孟海公。

当初，王世充侵犯窦建德的黎阳，窦建德袭击攻破殷州来报复王世充。从此郑、夏二国交恶，不再互通信使。等到唐军逼近洛阳，王世充派遣使者向窦建德求救。窦建德的中书侍郎刘彬劝他说："天下大乱，唐得关西，郑得河南，夏得河北，共同构成鼎立之势。现在唐起兵攻郑，从秋到冬，唐军日益增多，郑国地域日益缩减。唐强郑弱，势必不能支撑。郑灭亡了，那么夏不能单独存在了。不如放弃仇恨，发兵救郑，夏从外攻击，郑自内攻击，一定能打败唐军。唐军退兵后，再慢慢观察形势的变化，如果可以攻取郑就攻取它，合并两国的兵力，趁唐军疲劳，就可以夺取天下了！"窦建德听从了这一建议，派人前往王世充那里，答应出师援救。窦建德又派遣礼部侍郎李大师等人前往唐朝，请求撤除进攻洛阳的军队。秦王李世民留下使者，不予答复。

十二月初三日辛卯，王世充境内的许州、亳州等十一州都请求降唐。

初四日壬辰，唐燕郡王李艺在笼火城又攻打窦建德的军队，打败了敌军。

十三日辛丑，王世充的随州总管徐毅率全州降唐。

十二月十五日癸卯，唐峡州刺史许绍攻打萧铣的荆门镇，攻取该镇。许绍所辖与萧铣的梁和王世充的郑相邻接壤，郑、梁得到许绍的士卒，全部杀死，许绍得到郑、梁的士卒，全都发放路费遣返。敌人又羞愧又感激，不再侵掠，峡州境内得以安定。

萧铣遣其齐王张绣[348]攻长沙。董景珍[349]谓绣曰："前年醢彭越，往年杀韩信[350]，卿不见之乎？何为相攻！"绣不应，进兵围之。景珍欲溃围走，为麾下所杀。铣以绣为尚书令，绣恃功骄横，铣又杀之。由是功臣诸将皆有离心，兵势益弱。

王世充遣其兄子代王琬、长孙安世诣窦建德报聘[351]，且乞师[352]。

突厥伦特勒在并州大为民患，并州总管刘世让[353]设策擒之。上闻之，甚喜。张道源[354]从窦建德在河南，密遣人诣长安，请出兵攻洺州以震山东。丙午[355]，诏世让为行军总管，使将兵出土门[356]，趣洺州。

己酉[357]，瓜州[358]刺史贺拔行威[359]执骠骑将军达奚暠[360]，举兵反。

【段旨】

以上为第七段，写王世充与窦建德化敌为友，联合对抗唐军。

【注释】

㉖② 窦建德之围幽州：是年五月，建德兵攻幽州。[263]李艺：罗艺（？至公元六二七年），唐初将领，字子延，襄州襄阳（今湖北襄阳）人，隋大业中，以军功官至虎贲郎将。武德元年（公元六一八年）归唐，赐姓李，封燕郡王。累建战功。后率兵反唐，兵败为部下所杀。传见《旧唐书》卷五十六、《新唐书》卷九十二。[264]高开道（？至公元六二四年）：隋末起事反隋，沧州阳信（今山东阳信南）人。传见《旧唐书》卷五十五、《新唐书》卷八十六。[265]兵引去：率兵离去。[266]因艺：通过李艺的关系。[267]戊申：十月十九日。[268]蔚州：州名，治所在今山西灵丘。[269]奏妓进膳不辍：妓女演奏，自己进食，都不停止。[270]堞：城墙上的矮墙。[271]薛万均、万彻：两兄弟，均为唐初将军，咸阳（今陕西咸阳）人，隋大将薛世雄之子。万均与万彻在唐初战争中屡立战功。万均官至左屯卫大将军，累封潞国公而卒。万彻官右卫将军，高宗初期（公元六五二年），因参与谋反被杀。传见《旧唐书》卷六十九、《新唐书》卷九十四。[272]掩击：袭击。[273]薄：迫；近。[274]填堑：填塞营外的沟堑。[275]复姓杨氏：杨庆冒姓郭氏，见卷一百八十八隋恭帝义宁元年十一月。[276]管州：州名，治所在今河南郑州。[277]侍巾栉：侍候盥沐。《旧唐书·列女杨庆妻王氏传》云"郑国以妾奉箕帚"。奉箕帚谓洒扫。二者皆为妇女侍夫所为之事。[278]辜付托：辜负托付。[279]徇利求全：因利寻求安全。[280]君之惠也：是你的恩惠。[281]何用生为：活着干什么。[282]庚戌：十月二十一日。[283]就陆：至魏陆处。[284]丙辰：

萧铣派他的齐王张绣攻打长沙。董景珍对张绣说："前年醢彭越，往年杀韩信，你没有看到吗？为什么要互相攻杀！"张绣不作回答，进兵包围长沙。董景珍打算突围逃走，被部下杀死。萧铣任命张绣为尚书令，张绣仗着有功而骄傲蛮横，萧铣又杀了张绣。因此梁国的功臣及众将领都有了叛离之心，兵力日益衰弱。

王世充派遣他哥哥的儿子代王王琬和长孙安世前往窦建德处酬答，并且请求出兵支援。

突厥的伦特勒在并州对百姓造成很大祸害，唐并州总管刘世让设计抓获伦特勒。唐高祖听说了，非常高兴。张道源跟随窦建德在河南，秘密派人前往长安，请唐出兵攻打窦建德的都城洺州，以震慑山东地区。十二月十八日丙午，唐下诏任命刘世让为行军总管，让他率军出土门关，进军洺州。

十二月二十一日己酉，瓜州刺史贺拔行威逮捕骠骑将军达奚暠，起兵反叛。

十月二十七日。㉘⑤阳城：县名，县治在今河南登封东南告成镇。㉘⑥嵩州：州名，治所在今河南登封东南告成镇。㉘⑦郳：同"兒"。㉘⑧王弘烈：王世充兄世伟之子。世充称帝，封弘烈为魏王。世充败后，归唐。事迹见《旧唐书》卷七十五《苏世长传》。㉘⑨金州：州名，治所在今陕西安康。㉙⓪总管府：官署名，北周始于地方州治设总管府，掌数州之军政。隋初因之，大业中废。唐初复置，后改为都督府。㉙①泾阳：县名，县治在今陕西泾阳。㉙②李大亮（公元五八六至六四四年）：泾阳（今陕西泾阳）人，太宗时累官剑南道巡省大使。以讨吐谷浑功，拜右卫大将军兼右卫率、工部尚书。传见《旧唐书》卷六十二、《新唐书》卷九十九。㉙③樊、邓：樊城、邓城县。樊城，即今湖北襄阳。邓城县，县名，县治在今河南邓州。㉙④庚申：十一月初一。㉙⑤樊城镇：在今湖北襄阳北。㉙⑥栅：以木所为之营寨。㉙⑦褊狭：气量狭小。㉙⑧长沙：县名，县治在今湖南长沙。㉙⑨江陵：县名，县治在今湖北江陵。㉚⓪甲子：十一月初五。㉚①云州：州名，治所在今山西大同。㉚②郭子和：即李子和，同州蒲城（今属陕西）人，隋大业十三年（公元六一七年）在当地起兵，称永乐王，年号正平。武德元年降唐，历任郡守、总管、都督等职，赐姓李，封夷国公。传见《旧唐书》卷五十六、《新唐书》卷九十二。㉚③宁朔城：宁朔城在宁朔县。宁朔县，县治在今陕西靖边东。㉚④诇：刺探。㉚⑤衅隙：间隙。㉚⑥候骑：放哨的骑兵。㉚⑦处罗可汗：西突厥可汗。公元六〇三至六一一年为汗。泥利可汗子。大业七年率部降隋，后从炀帝至江都。唐初，回长安，唐高祖封他为归义郡王。㉚⑧孤危：孤单危险。㉚⑨张举、刘旻之降：是年八月，张举降。九月，刘旻降。㉛⓪陆季览：梁师都部将，署为尚书。曾受命勾结和怂恿突厥南侵。事迹见《旧唐书》卷五十六《梁师都传》。㉛①定杨可汗：刘武周附于突厥，突厥始毕可汗立他为定杨可汗。㉛②不辞灰灭：不怕覆

灭。⑬次及：依次而殃及。⑭魏道武所为：指率兵南侵，到中原称帝建国。魏道武，北魏的建立者魏道武帝，即拓跋珪（公元三七一至四〇九年）。⑮莫贺咄设：即颉利可汗（？至公元六三四年）。公元六二〇至六三〇年为汗。传见《旧唐书》卷一百九十四、《新唐书》卷二百十五。⑯原州：州名，治所在今宁夏固原。⑰延州：州名，治所在今陕西延安城东。⑱奚、霫、契丹、靺鞨：均为中国古代民族名。奚在南北朝时称库莫奚，分布在饶乐水（今西拉木伦河）流域，以游牧为生。霫在隋唐时居潢水（今西拉木伦河）以北，以射猎为生，风俗与契丹略同。契丹源于东胡，北魏以来，在今辽河上游一带游牧。靺鞨北魏时称勿吉，隋唐时称靺鞨，分布在松花江、牡丹江流域及黑龙江中下游，东至日本海。⑲滏口：滏水之口，太行八陉之一。在今河北磁县西北鼓山。⑳晋、绛：皆州名，晋州治所在今山西临汾，绛州治所在今山西绛县。㉑并州：州名，治所太原，在今山西太原西南。㉒杨政道：隋炀帝之孙，窦建德封为郧公，其时居于定襄。㉓义成公主（？至公元六三〇年）：隋朝宗室女。开皇十九年（公元五九九年），突厥颉利可汗南奔入隋，隋文帝封他为启民可汗，以义成公主下嫁。启民死后，又连嫁启民可汗子始毕可汗、处罗可汗、颉利可汗。贞观四年（公元六三〇年），唐李靖灭突厥，被杀。事迹见《旧唐书》卷一百九十四《突厥传》。㉔丑弱：丑陋孱弱。㉕乙酉：十一月二十六日。㉖礼之如始毕之丧：其葬礼和上年四月始毕可汗死后一样。㉗戊子：十一月二十九日。㉘沮、华：沮州，治所在今湖北南漳。华州，治所在今湖北宜城。㉙孟海公（？至公元六二一年）：隋末起事反隋，济阴（今山东曹县西北）人。事迹见《旧唐书》卷五十三、《新唐书》卷八十四《李密传》。㉚殷州：州名，治所在今河南新乡西南。㉛信使：古称使者为“信”，亦称信使。㉜关西：关中及其以西之地。㉝涉：历。㉞蹙：缩减。㉟老：衰竭；疲怠。㊱礼部侍郎：官名，礼部为尚书省六部之一，长官为礼部尚书，副长官为礼部侍郎，主管典章法度、典礼、祭祀、学校、科举、接待宾客等事务。㊲李大师：字君威，相州（今河南安阳）人，先从窦建德，为礼部侍郎。后归唐。事迹见《新唐书》卷八十五《窦建德传》、《新唐书》卷一百二《李延寿传》。㊳辛卯：十二月初三。㊴许、亳：均为州名，许州治所在今河南许昌，亳州治所在今安徽亳州。㊵壬辰：十二月初四。㊶辛丑：十二月十三日。㊷随州：州名，治所在今湖北随县。㊸癸卯：十

【原文】

是岁，李子通渡江攻沈法兴，取京口[361]。法兴遣其仆射蒋元超[362]拒之，战于庱亭[363]，元超败死。法兴弃毗陵，奔吴郡[364]。于是丹阳、毗陵等郡皆降于子通。子通以法兴府掾[365]李百药为内史侍郎、国子祭酒。

二月十五日。㉞许绍：字嗣宗，安陆（今湖北安陆）人，隋末为夷陵（今湖北宜昌西北）通守。后归唐，授陕州刺史。传见《旧唐书》卷五十九、《新唐书》卷九十。㉟荆门镇：镇名，在今湖北荆门。㊱与梁、郑邻接：峡州北境接郑之襄州，东境接梁之荆门。㊲愧感：又羞愧又感激。㊳张绣：沔州（今湖北武汉）人，隋末地方割据者萧铣的部属。萧铣称帝，拜为尚书令。因专恣被杀。事迹见《旧唐书》卷五十六《萧铣传》。㊴董景珍：隋末地方割据者萧铣的部属。萧铣称帝，封为晋王。后因谋叛被杀。事迹见《旧唐书》卷五十六《萧铣传》。㊵前年醢彭越二句：彭越、韩信均为汉初诸侯王，后为刘邦、吕后所杀。董景珍引汉高祖杀功臣事来劝诫张绣。醢，剁成肉酱。㊶报聘：他国来聘，遣使酬答。㊷乞师：请求派军队支援。㊸刘世让：字符钦，雍州醴泉（今陕西礼泉）人，原为隋官吏。入唐，拜通议大夫。历安定道行军总管、并州总管等职。刘世让忧国忘身，屡次立功，后因突厥施反间计被杀。传见《旧唐书》卷六十九、《新唐书》卷九十四。㊹张道源（？至公元六二四年）：名河，以字显，并州祁（今山西祁县）人，少以孝义著称。唐初遣道源抚慰山东，各地争来款附。封范阳郡公，先后拜大理卿、太仆卿、相州都督等。传见《旧唐书》卷一百八十七、《新唐书》卷一百九十一。㊺丙午：十二月十八日。㊻土门：井陉口。在今河北石家庄西南。㊼己酉：十二月二十一日。㊽瓜州：州名，治所在今甘肃敦煌西。㊾贺拔行威（？至公元六二二年）：瓜州少数民族首领，唐初署为瓜州刺史。武德三年拥兵叛乱，被凉州总管杨恭仁击败，部众执之降唐。事迹见《旧唐书》卷六十二《杨恭仁传》。㊿达奚暠：唐初署为骠骑将军，驻守瓜州。

【校记】

［7］荥、汴之间：谓荥泽、汴水之间。“荥”字原误作“荣”，形近而误。据章钰校，十二行本作“荥”，张敦仁《通鉴刊本识误》同，今据校正。荥泽在今河南郑州西北。［8］荥州：原误作“荣州”。据章钰校，十二行本作“荥州”，尚不误，张敦仁《通鉴刊本识误》同，今据校正。荥州治所在今河南荥阳西北汜水镇。［9］处罗入自并州：此句原无。据章钰校，十二行本、乙十一行本、孔天胤本皆有此句，张敦仁《通鉴刊本识误》、张瑛《通鉴校勘记》同，今据补。

【语译】

这一年，李子通渡过长江攻打沈法兴，夺取京口。沈法兴派遣他的仆射蒋元超抵抗李子通，在庱亭交战，蒋元超战败身亡。沈法兴放弃毗陵，逃往吴郡。于是丹阳、毗陵等郡都投降了李子通。李子通任命沈法兴的府掾李百药为内史侍郎、国子祭酒。

杜伏威遣行台左仆射辅公祏将卒数千攻子通，以将军阚稜、王雄诞为之副。公祏渡江攻丹阳，克之，进屯溧水[366]，子通帅众数万拒之。公祏简精甲[367]千人，执长刀为前锋，又使千人踵其后，曰："有退者即斩之。"自帅余众，复居其后。子通为方陈而前[368]，公祏前锋千人殊死战。公祏复张左右翼以击之，子通败走，公祏逐之，反为所败，还，闭壁不出。王雄诞曰："子通无壁垒，又狃[369]于初胜，乘其无备，击之可破也。"公祏不从。雄诞以其私属[370]数百人夜出击之，因风纵火，子通大败，降其卒数千人。子通食尽，弃江都，保京口，江西之地尽入于伏威，伏威徙居丹阳。

子通复东走太湖[371]，收合亡散，得二万人，袭沈法兴于吴郡，大破之。法兴帅左右数百人弃城走，吴郡贼帅闻人[372]遂安遣其将叶孝辩迎之。法兴中涂而悔，欲杀孝辩，更向会稽[373]，孝辩觉之。法兴窘迫，赴江溺死。子通军势复振，帅其群臣[10]，徙都余杭[374]。尽收法兴之地，北自太湖，南至岭[375]，东包会稽，西距宣城[376]，皆有之。

广、新[377]二州贼帅高法澄、沈宝彻杀隋官，据州，附于林士弘[378]，汉阳太守冯盎[379]击破之。既而宝彻兄子智臣复聚兵于新州，盎引兵击之。贼始合，盎免胄大呼曰："尔识我乎？"贼多弃仗肉袒而拜[380]，遂溃。擒宝彻、智臣等，岭外[381]遂定。

窦建德行台尚书令恒山[382]胡大恩请降。

【段旨】

以上为第八段，写李子通割据江东。

杜伏威派遣行台左仆射辅公祏率数千士卒攻打李子通，任命将军阚稜、王雄诞为辅公祏的副将。辅公祏渡过长江攻打丹阳，攻下了丹阳，进军屯驻溧水，李子通率领数万部众抵抗。辅公祏挑选了一千名精兵，手持长刀为前锋，又命一千人继踵其后，说："有退却的，当即斩杀。"自己带领其余的部众，又在这一千人的后面。李子通列方阵前进，辅公祏的前锋部队一千人拼死作战。辅公祏又张开左右翼来攻击李子通，李子通军败逃跑，辅公祏追逐敌军，反被李子通打败，辅公祏返回军营，坚守壁垒不再出战。王雄诞说："李子通没有壁垒，又满足于初战获胜，我们趁他不加防备，进行攻击，就可以打败他。"辅公祏不听。王雄诞利用自己的私人部队数百名士兵在夜里出击李子通，乘着风势放火，李子通大败，数千士卒向王雄诞投降。李子通粮食没有了，放弃江都，守卫京口，江西地区全部归属杜伏威，杜伏威迁居到丹阳。

李子通又向东逃往太湖，收拢逃亡的散兵，获得二万人，在吴郡袭击沈法兴，把沈法兴打得大败。沈法兴率几百名身边人放弃吴郡郡城逃走，吴郡的贼帅闻人遂安派他的将领叶孝辩迎接沈法兴。沈法兴走到半路后悔了，想杀死叶孝辩，改逃会稽，叶孝辩发觉了这一情况。沈法兴处境窘迫，投江溺死。李子通的兵势又强盛起来，率领他的群臣，把都城迁到余杭，全部接收了沈法兴的地盘，北自太湖，南到五岭，东面包括会稽，西面到达宣城，都据为己有。

广州、新州的贼帅高法澄、沈宝彻杀死隋朝的官吏，占据州城，归附林士弘，隋朝的汉阳太守冯盎打败了高、沈二人。之后沈宝彻哥哥的儿子沈智臣又在新州集结兵力，冯盎率兵攻打沈智臣。贼军刚刚与冯盎的军队交战，冯盎脱下头盔大声呼喊说："你们认识我吗？"贼兵很多人放下兵器赤膊下拜，于是贼兵溃散。擒获了沈宝彻、沈智臣等人，岭南地区于是平定。

窦建德的行台尚书令恒山人胡大恩请求降唐。

【注释】

㊱京口：为长江下游军事重镇，即今江苏镇江。㊲蒋元超：隋末江南割据者沈法兴部属。事迹见《新唐书》卷八十七《沈法兴传》。㊳庱亭：在今江苏丹阳东。㊴吴郡：郡名，治所在今江苏苏州。㊵府掾：府内属官。掾为古代属官的通称。㊶溧水：县名，县治在今江苏南京市溧水区。㊷简精甲：选精兵。简，挑选。㊸为方陈而前：排方阵进兵。陈，通"阵"。㊹狃：拘泥。㊺私属：私属亲兵，名不在军籍。㊻太湖：湖名，在今江苏南部。㊼闻人：复姓。为吴郡著姓。㊽会稽：郡名，治所在今浙江绍兴。㊾余杭：郡名，治所在今浙江杭州。㊿岭：五岭，我国江西、湖南南部一带山脉，泛称五

岭。(376)宣城：郡名，治所在今安徽宣城。(377)广、新：皆为州名，广州治所在今广州，新州治所在今广东新兴。(378)林士弘（？至公元六二二年）：隋末在江西一带起兵反隋，鄱阳（今江西鄱阳）人。传见《旧唐书》卷五十六、《新唐书》卷八十七。(379)冯盎（？至公元六四六年）：字明远，高州良德（今广东高州东北）人，隋末任左武卫大将军。隋亡，奔还岭表。贞观中累平洞寇，封越国公。传见《旧唐书》卷一百九、《新唐书》卷一百十。(380)肉袒而拜：脱去上衣而拜，以示伏罪。(381)岭外：五岭以南，今福建、广东一带。(382)恒山：在今河北曲阳西北，与山西接壤处。

【原文】

四年（辛巳，公元六二一年）

春，正月癸酉[383]，以大恩为代州[384]总管，封定襄郡王，赐姓李氏。代州石岭之北，自刘武周之乱，寇盗充斥，大恩徙镇雁门[385]，讨击，悉平之。

稽胡[386]酋帅[387]刘仚成部落数万，为边寇。辛巳[388]，诏太子建成统诸军讨之。

王世充梁州总管程嘉会以所部来降。

杜伏威遣其将陈正通、徐绍宗帅精兵二千，来会[389]秦王世民击王世充。甲申[390]，攻梁，克之。

丙戌[391]，黔州[392]刺史田世康攻萧铣五州、四镇，皆克之。

秦王世民选精锐千余骑，皆皂衣玄甲[393]，分为左右队，使秦叔宝、程知节、尉迟敬德、翟长孙分将之。每战，世民亲被[394]玄甲帅之为前锋，乘机进击，所向无不摧破，敌人畏之。行台仆射屈突通、赞皇公[395]窦轨引兵按行营屯[396]，猝与王世充遇，战不利。秦王世民帅玄甲[397]救之，世充大败，获其骑将葛彦璋，俘斩六千余人。世充遁[398]归。

李靖说赵郡王孝恭以取萧铣十策，孝恭上之。二月辛卯[399]，改信州为夔州[400]，以孝恭为总管，使大造舟舰，习水战[401]。以孝恭未更军旅[402]，以靖为行军总管，兼孝恭长史，委以军事。靖说孝恭悉召巴、蜀酋长子弟，量才授任[403]，置之左右，外示引擢[404]，实以为质。

王世充太子玄应将兵数千人，自虎牢运粮入洛阳。秦王世民遣将军李君羡[405]邀击，大破之，玄应仅以身免。

【校记】

［10］帅其群臣：此四字原无。据章钰校，十二行本、乙十一行本、孔天胤本皆有此四字，张敦仁《通鉴刊本识误》、张瑛《通鉴校勘记》同，今据补。

【语译】

四年（辛巳，公元六二一年）

春，正月十五日癸酉，唐任命胡大恩为代州总管，封为定襄郡王，赐姓李。代州石岭以北，自从刘武周叛乱后，寇盗充斥，李大恩把州的治所迁到雁门，出兵征讨，把寇盗全部平定了。

稽胡族的酋长刘佡成有几万部落，在唐朝边境寇掠。正月二十三日辛巳，唐高祖下诏命太子李建成统领各军讨伐稽胡。

王世充的梁州总管程嘉会带领部下前来降唐。

杜伏威派遣他的将领陈正通、徐绍宗带领精兵二千，前来与秦王李世民会合攻打王世充。正月二十六日甲申，攻打梁县，攻下了县城。

二十八日丙戌，黔州刺史田世康攻打萧铣的五个州、四个镇，全都攻了下来。

秦王李世民挑选一千多精锐骑兵，全部穿黑衣黑甲，分为左右队，让秦叔宝、程知节、尉迟敬德、翟长孙分别统领。每次作战，李世民亲自披上黑甲率领他们作为前锋，乘机进击，所向无不摧毁，敌人很畏惧这支部队。行台仆射屈突通、赞皇公窦轨带兵巡行军营，突然与王世充的部队遭遇，交战失利。秦王李世民带领黑甲部队救援他们，大败王世充的部队，俘获王世充的骑将葛彦璋，俘虏斩杀六千多人。王世充逃了回去。

李靖用取胜萧铣的十条计策游说赵郡王李孝恭，李孝恭把十条计策上报朝廷。二月初三日辛卯，把信州改为夔州，任命李孝恭为夔州总管，让他大造船舰，练习水战。因为李孝恭未历军旅，任命李靖为行军总管，兼任李孝恭的长史，把军事事务交付李靖。李靖劝说李孝恭征召巴、蜀酋长子弟，量才授职，安置在身边，对外表示提拔，实际上是拿这些人作为人质。

王世充的太子王玄应率领士兵几千人，从虎牢运粮进入洛阳。秦王李世民派遣将军李君羡截击，大败敌军，王玄应仅仅单身逃脱。

世民使宇文士及奏请进围东都。上谓士及曰：“归语尔王[406]：今取洛阳，止于息兵。克城之日，乘舆法物[407]，图籍器械，非私家所须者，委汝收之[408]，其余子女玉帛，并以分赐将士。”

辛丑[409]，世民移军青城宫[410]。壁垒未立，王世充帅众二万自方诸门[411]出，凭故马坊垣堑[412]，临谷水[413]以拒唐兵，诸将皆惧。世民以精骑陈于北邙，登魏宣武陵以望之，谓左右曰：“贼势窘[414]矣，悉众而出，徼幸[415]一战。今日破之，后不敢复出矣！”命屈突通帅步卒五千渡水击之，戒通曰：“兵交则纵烟。”烟作[416]，世民引骑南下，身先士卒，与通合势力战。世民欲知世充陈厚薄[417]，与精骑数十冲之，直出其背，众皆披靡[418]，杀伤甚众。既而限以长堤[419]，与诸骑相失，将军丘行恭独从世民。世充数骑追及之，世民马中流矢而毙。行恭回骑射追者，发无不中，追者不敢前。乃下马以授世民[420]，行恭于马前步执长刀[421]，距跃大呼[422]，斩数人，突陈而出，得入大军。世充亦帅众殊死战，散而复合者数四，自辰[423]至午[424]，世充兵始退。世民纵兵乘之，直抵城下，俘斩七千人，遂围之。骠骑将军段志玄[425]与世充兵力战，深入，马倒，为世充兵所擒，两骑夹持其髻[426]，将渡洛水。志玄踊身而奋[427]，二人俱坠马。志玄驰归，追者数百骑，不敢逼[428]。

初，骠骑将军王怀文为唐军斥候[429]，为世充所获。世充欲慰悦[430]之，引置左右。壬寅[431]，世充出右门[432]，临洛水为陈。怀文忽引槊刺世充，世充衷甲[433]，槊折不能入。左右猝出不意，皆愕眙[434]不知所为。怀文走趣[435]唐军，至写口[436]，追获，杀之。世充归，解去衷甲，袒示[437]群臣曰：“怀文以槊刺我，卒[438]不能伤，岂非天所命乎[439]！”

先是，御史大夫郑颋不乐仕世充[440]，多称疾不预事[441]，至是谓世充曰：“臣闻佛有金刚不坏身[442]，陛下真是[443]也。臣实多幸[444]，得生佛世[445]，愿弃官削发为沙门[446]，服勤精进[447]，以资[448]陛下之神武。”世充曰：“国之大臣，声望[449]素重，一旦入道[450]，将骇物听[451]。俟兵革休息[452]，当从公志。”颋固请，不许。退谓其妻曰：“吾束发从官[453]，志慕名

李世民派宇文士及上奏请求进军包围东都洛阳。唐高祖对宇文士及说："回去告诉你们的秦王：这次攻取洛阳，最终目的在于停止战事。攻陷东都之日，隋朝皇室的车驾仪仗、图书簿籍、兵器战具，不是私人所需要的，委托你收管起来，其余的男女玉帛，都用来分赐给将士。"

二月十三日辛丑，李世民把军队转移到青城宫。壁垒没有建好，王世充率领军队二万人从方诸门出城，凭借旧时马坊的墙垣沟堑，临近谷水来抵御唐军，唐军诸将都很害怕。李世民用精锐骑兵在北邙山列阵，自己登上北魏宣武帝的陵墓观察敌军，对身边的人说："贼军的形势已经困窘了，全军出城，侥幸一战。今天打败他，以后不敢再出城了！"李世民命令屈突通率领五千步兵渡过谷水攻击王世充，并告诫屈突通说："军队交锋就点燃烟火。"烟升起了，李世民带领骑兵南下，身先士卒，与屈突通合并兵力，奋勇作战。李世民想知道王世充兵阵的厚薄程度，就和几十名精锐骑兵冲击敌阵，一直冲出到敌阵背后，王世充的兵士全都溃散，李世民杀伤敌兵非常多。之后又因长堤隔开，李世民和随从的骑兵失去联系，将军丘行恭独自一人跟着李世民。王世充的几名骑兵追上了李世民，李世民的战马被流箭射中倒毙。丘行恭回马射击追赶的敌兵，每射一箭都射中一人，追兵不敢前进。丘行恭于是下马把自己的马给李世民，自己在马前手执长刀步行前进，跳跃大喊，斩杀数名敌兵，冲出敌阵，得以返回唐朝大军。王世充也率领部下殊死战斗，几次部队散了又重新集合起来，从上午八九点钟一直打到午时过后，王世充的军队才开始撤退。李世民纵兵乘势追击，直抵东都城下，俘虏斩杀七千人，于是包围了洛阳。唐骠骑将军段志玄与王世充的部队奋力交战，深入敌阵，战马倒下，段志玄被王世充的士兵俘获，两名骑兵一边一个抓着他的发髻，要渡洛水。段志玄跃身奋起，两名骑兵都从马上坠下。段志玄驱马驰归，追赶的骑兵几百人，不敢逼近。

当初，骠骑将军王怀文为唐军侦察，被王世充抓获。王世充想安慰取悦他，将他安排在自己身边。二月十四日壬寅，王世充从右门出军，在洛水边布阵。王怀文忽然用长矛刺向王世充，王世充内穿铠甲，长矛折断，不能刺入身体。王世充左右的人因为突然出现意外，都惊愕相视，不知所措。王怀文向唐军方向逃走，到了写口，被追兵赶上抓获杀死。王世充回城，脱下衣内铠甲，袒露身体给群臣看，说："王怀文用长矛刺我，终没能伤我，难道不是上天归命于我吗！"

在此之前，御史大夫郑颋不乐意在王世充那里做官，经常称病不参与政事，到这时，他对王世充说："我听说佛有金刚不坏之身，陛下真是金刚不坏之身。我实在是非常幸运，能够生于佛的时代，我愿意放弃官职为僧，勤于修行，精进佛道，以协助陛下的神武。"王世充说："你是国家大臣，声望一向很高，一旦进入佛门，必将惊世骇俗。等到战争停止，当遵从你的志向。"郑颋坚持请求，王世充不答应。郑颋下朝后对他的妻子说："我从成童起就做官，志向就是羡慕名誉节操，不幸遭遇乱世，流落到如

节[454]，不幸遭遇乱世，流离至此，侧身[455]猜忌之朝，累足[456]危亡之地，智力浅薄，无以自全。人生会[457]有死，早晚何殊[458]，姑从吾所好，死亦无憾。"遂削发被僧服。世充闻之，大怒，曰："尔以我为必败，欲苟免邪[459]！不诛之，何以制众！"遂斩颋于市。颋言笑自若，观者壮之[460]。

诏赠王怀文上柱国、朔州刺史。

并州安抚使唐俭密奏："真乡公李仲文[461]与妖僧志觉[462]有谋反语，又娶陶氏之女以应桃李之谣[463]。谄事可汗[464]，甚得其意，可汗许立为南面可汗[465]。及在并州，赃贿狼籍[466]。"上命裴寂、陈叔达、萧瑀杂鞫[467]之。乙巳[468]，仲文伏诛。

庚戌[469]，王泰弃河阳走[470]，其将赵夐等以城来降。别将单雄信、裴孝达与总管王君廓相持于洛口，秦王世民帅步骑五千援之。至轘辕，雄信等遁去，君廓追败之。

壬子[471]，延州总管段德操击刘仚成，破之，斩首千余级。

乙卯[472]，王世充怀州刺史陆善宗以城降。

秦王世民围洛阳宫城，城中守御甚严，大炮飞石重五十斤，掷二百步，八弓弩箭如车辐[473]，镞[474]如巨斧，射五百步。世民四面攻之，昼夜不息，旬余不克。城中欲翻城者凡十三辈[475]，皆不果发[476]而死。唐将士皆疲弊思归，总管刘弘基等请班师[477]。世民曰："今大举而来，当一劳永逸。东方诸州已望风款服[478]，唯洛阳孤城，势不能久，功在垂成[479]，奈何弃之而去！"乃下令军中曰："洛阳未破，师必不还，敢言班师者斩！"众乃不敢复言。上闻之，亦密敕世民使还。世民表称洛阳必可克，又遣参谋[480]军事封德彝入朝面论[481]形势。德彝言于上曰："世充得地虽多，率皆羁属[482]，号令所行，唯洛阳一城而已。智尽力穷，克在朝夕。今若旋师[483]，贼势复振，更相连结，后必难图！"上乃从之。世民遗世充书，谕以祸福[484]，世充不报[485]。

戊午[486]，王世充郑州司兵[487]沈悦遣使诣左武候大将军李世勣请降。左卫将军王君廓夜引兵袭虎牢，悦为内应，遂拔之，获其荆王行本及长史戴胄。悦，君理[488]之孙也。

窦建德克周桥[489]，虏孟海公。

此地步，置身于互相猜忌的朝廷，重足于危亡之地，我智力浅薄，无法保全自身。人生必有一死，死得早晚又有什么差别，姑且顺从我的爱好，死了也没有遗憾。”于是他剃发穿上僧服。王世充听说了此事，大怒，说道：“你以为我必然失败，想侥幸免除灾祸吗！不杀你，用什么来制服众人！”于是在街市上把郑颋斩首。郑颋谈笑自如，观看的人称赞他的壮勇。

唐高祖下诏赠王怀文上柱国、朔州刺史。

并州安抚使唐俭秘密奏报：“真乡公李仲文与妖僧志觉有谋反的言论，李仲文又娶陶氏女子以合乎桃李歌谣。他谄媚突厥可汗，非常合乎可汗的心意，可汗答应把他立为南面可汗。还有，李仲文在并州，贪赃很多。”唐高祖命裴寂、陈叔达、萧瑀共同审讯李仲文。二月十七日乙巳，李仲文伏法。

二月二十二日庚戌，王泰放弃河阳逃走，他的将领赵夐等人率河阳城前来降唐。王世充的别将单雄信、裴孝达和唐总管王君廓在洛口对峙，秦王李世民率五千步兵、骑兵援助王君廓。到达轘辕，单雄信等人逃走，王君廓追击并打败了他们。

二月二十四日壬子，唐延州总管段德操攻打刘仚成，打败了他，斩首一千多级。

二十七日乙卯，王世充的怀州刺史陆善宗献出怀州城降唐。

秦王李世民包围洛阳宫城。城中的防御极为严密，大炮射出的石头有五十斤，投掷到二百步之外，八弓并连的强弩，箭如车辐，箭镞如同大斧，可以射出五百步。李世民四面攻城，昼夜不停，十多天没有攻下。城中有十三批人想翻越城墙，都没有发动成功而被处死。唐军将士都很疲惫，想回关中，总管刘弘基等人请求班师。李世民说：“今天军队大举前来，应当一劳永逸。洛阳以东的各州已经望风归诚，只有洛阳这座孤城，其势不能持久，接近成功之际，怎能放弃而离开呢！”于是下令全军说：“洛阳未破，军队一定不返回，敢言班师的斩首！”大家于是不敢再说班师。唐高祖听说了，也下密诏让李世民返回。李世民上表说洛阳一定可以攻克，又派参谋军事封德彝回朝向唐高祖当面说明战争形势。封德彝对唐高祖说：“王世充得到的土地虽然多，但都是羁縻附属，号令所能施行的地方，只有洛阳一城而已。他智穷力尽，攻下城池就在朝夕之间。现今如果还师，贼军的势力又振作起来，再与各地互相联合，以后必定难以消灭！”唐高祖于是听从李世民的建议。李世民写信给王世充，晓以祸福利害，王世充不回复。

二月三十日戊午，王世充的郑州司兵沈悦派使者前往唐左武候大将军李世勣处请求投降。唐左卫将军王君廓夜里带兵偷袭虎牢，沈悦做内应，于是夺取了虎牢，抓获荆王王行本和长史戴胄。沈悦是沈君理的孙子。

窦建德攻克周桥，俘虏了孟海公。

【段旨】

以上为第九段，写王世充作困兽之斗，秦王李世民劝降王世充，未果。

【注释】

㊳㊳癸酉：正月十五日。㊳㊴代州：州名，治所在今山西代县。㊳㊵雁门：为代州治所，在今山西代县。㊳㊶稽胡：步落稽之简称，为胡之一种。㊳㊷酋帅：此称由酋长、渠帅凝合而成。㊳㊸辛巳：正月二十三日。㊳㊹会：联合。㊳㊺甲申：正月二十六日。㊳㊻丙戌：正月二十八日。㊳㊼黔州：州名，治所在今重庆市彭水。㊳㊽皂衣玄甲：穿黑衣黑甲。皂、玄，皆为黑色。㊳㊾被：披。㊳㊿赞皇公：爵位。窦轨封赞皇县公。㊴㊱引兵按行营屯：带兵巡行营地。㊴㊲帅玄甲：率领玄甲兵。㊴㊳遁：悄悄地溜走。㊴㊴辛卯：二月初三。㊵⓪夔州：州名，治所在今重庆市奉节东。㊵①习水战：操习水战技术。㊵②未更军旅：未历军旅，不懂战事。㊵③授任：授以官职。㊵④引擢：提拔。㊵⑤李君羡：洺州武安（今河北永年）人，初为王世充骠骑。后归唐，太宗引为左右，从讨刘武周、王世充有功。累迁华州刺史，封武连郡公。后坐罪被杀。传见《旧唐书》卷六十九、《新唐书》卷九十四。㊵⑥归语尔王：回去报告你们的王。㊵⑦乘舆法物：车驾仪仗。㊵⑧委汝收之：委任你收起来。㊵⑨辛丑：二月十三日。㊶⓪青城宫：在洛阳城西禁苑之中。㊶①方诸门：东都城西连禁苑，方诸门，出都城而至禁苑之门。㊶②凭故马坊垣堑：依凭旧马坊的墙垣沟堑。㊶③谷水：水名，流经河南三门峡市陕州区、渑池县，至洛阳西南入洛水。㊶④窘：困窘。㊶⑤徼幸：侥幸。㊶⑥烟作：浓烟升起。㊶⑦欲知世充陈厚薄：想知道王世充的兵阵的厚薄程度。㊶⑧披靡：溃散。㊶⑨限以长堤：为长堤所阻隔。㊷⓪下马以授世民：下马以己马授与世民。㊷①步执长刀：步行而执长刀。㊷②距跃大呼：跳跃大喊。㊷③辰：旧式计时法指上午七点到九点钟的时间。㊷④午：指中午十一点至下午一点。㊷⑤段志玄（公元五七九至六四二年）：临淄（今山东淄博东北）人，从太宗有战功，累迁右骁卫大将军，封褒国公。传见《旧唐书》卷六十八、《新唐书》卷八十九。㊷⑥髻：在头顶或脑后盘成各种形状的头发。㊷⑦踊身而奋：跃身奋起。㊷⑧逼：逼进。㊷⑨斥候：侦察，也指侦察敌情的士兵。㊸⓪慰悦：安慰取悦。㊸①壬寅：二月十四日。㊸②右门：此当作“右掖门”。东都城南面三门，中曰端门，左曰左掖门，右曰右掖门。㊸③衷甲：内着铠甲。㊸④愕眙：惊愕相视。㊸⑤走趣：奔往。趣，趋向、奔赴。㊸⑥写口：地名，据胡三省注，因洛阳城中水流至此处，突然倾泻而得名。写，通“泻”，倾注、倾泻。㊸⑦袒示：光身展示。㊸⑧卒：副词，终于。㊸⑨岂非天所命乎：这不是天命吗。所，使如此。㊹⓪不乐仕世充：不愿出任王世充的官。㊹①不预事：不参与政事。㊹②金刚不坏身：指佛身。喻佛身如金刚不坏。㊹③真是：当真是金刚身。㊹④多幸：甚为幸运。㊹⑤得生佛世：能生在佛的世界。㊹⑥削发为沙门：削发，断发。沙门，一作桑门，译作勤息、止息，即勤修众善止息诸恶之义。为出家修佛道的通称。㊹⑦服勤精

进：勤于修行，精进佛道。⑱ 资：协助。⑲ 声望：声誉威望。⑳ 入道：皈依佛门。㊿ 将骇物听：将会惊骇人们的观听。㊲ 兵革休息：战争停止。㊳ 束发从官：谓从成童时起就做官。束发，古代男孩成童时束发为髻，因以为成童的代称。㊴ 名节：名誉节操。㊵ 侧身：置身。㊶ 累足：重足。两足相迭，不敢正立。㊷ 会：必然；一定。㊸ 早晚何殊：早死晚死有什么不一样。㊹ 欲苟免邪：想要侥幸免除灾祸吗。㊺ 观者壮之：观看的人称赞他的壮勇。㊻ 真乡公李仲文（？至公元六二一年）：唐初将领，拜太常少卿、行军总管，封真乡县公。事迹见《旧唐书》卷五十五、《新唐书》卷八十六《刘武周传》。㊼ 志觉：唐初太原尼。《新唐书》卷三十六载："武德四年（公元六二一年），太原尼志觉死，十日而苏。"㊽ 桃李之谣：指"桃李不言，下自成蹊"的谚语。比喻实至名归，尚事实不尚虚声。仲文姓李，娶陶氏。陶与桃谐音，故以应"桃李之谣"。㊾ 可汗：此指突厥可汗。㊿ 南面可汗：因位置在南，故称南面可汗。㊿ 赃贿狼籍：赃货很多。赃贿，贪污受贿的物品。狼籍，杂乱不堪。㊿ 杂鞫：共同审问。㊿ 乙巳：二月十七日。㊿ 庚戌：二月二十二日。㊿ 王泰弃河阳走：去年七月，王世充使王泰守河阳。㊿ 壬子：二月二十四日。㊿ 乙卯：二月二十七日。㊿ 八弓弩箭如车辐：八张弓并连为强弩，箭如车辐。㊿ 镞：箭头。㊿ 辈：放在数字后面，表示同类的人或物的多数。㊿ 果发：举动成功。㊿ 班师：胜利回军。㊿ 款服：纳诚降服。㊿ 垂成：将近成功。㊿ 参谋：官名，唐代节度使的幕僚有参谋之职，掌参议谋划。又，唐代天下兵马元帅之幕僚有行军参谋。胡三省注："参谋之职，盖始于此。"㊿ 面论：当面奏论。㊿ 羁属：羁縻附属。㊿ 旋师：还师。㊿ 谕以祸福：以祸福利害相晓谕。㊿ 不报：不回复。㊿ 戊午：二月三十日。㊿ 司兵：官名，唐制，主管军防、门禁、畋猎、驿传、仪仗等事。在府称兵曹参军，在州称司兵参军，在县称司兵。㊿ 君理：沈君理仕陈为仆射。㊿ 周桥：即今山东定陶。隋大业九年（公元六一三年）孟海公起事于此。

【研析】

本卷研析几个西北割据政权的覆灭，着重评说刘武周。

隋炀帝大业十三年（公元六一七年），全国农民大起义如火如荼，隋朝的一些地方官僚镇将看到隋朝大势已去，纷纷起兵割据称雄。西北地区，太原留守李渊、朔方鹰扬郎将梁师都、马邑鹰扬府校尉刘武周、金城府校尉薛举、武威鹰扬府司马李轨应时而起。李渊起兵，一路顺风进入关中，攻克长安，抢得先机，建立了唐朝。梁师都割据雕阴、弘化、延安等郡，占有陕北、陇东地区。刘武周拥兵马邑，占有山西北部。薛举割据金城，占有陇右。李轨据有河西。梁师都和刘武周都勾结突厥，侵扰北方，成为唐室大患。刘武周、梁师都、薛举、李轨四个割据者中，以刘武周势力最大，一度占有今山西全境，直接威胁唐王室的安全。唐军要大举东出，逐鹿中原，必须消除背后之忧，扫荡这几个割据政权，是唐初发展优先考虑的问题。

刘武周，隋河间景城（今河北献县东北）人，随父迁居马邑（在今山西朔州）。刘武周为人骁悍，擅长骑马射箭，他应征入伍打辽东，有战功，任建节校尉，回到马邑任鹰扬校尉。大业十三年，刘武周杀马邑太守王仁恭，走上割据之路，前后六年，是北方沿边最大的一支封建割据势力。

刘武周起兵马邑，随后攻占雁门、楼烦、定襄，以及隋炀帝行宫汾阳宫。刘武周奉送汾阳宫美女珍宝给突厥始毕可汗，突厥回赠以马匹，并授以“定杨可汗”的封号。于是刘武周自称皇帝，年号天兴。不久，割据上谷的宋金刚被窦建德打败，宋金刚率残部投靠刘武周，刘武周的势力大增。

唐武德二年（公元六一九年），四月，刘武周引突厥之众，以宋金刚为前锋，大举南犯，连克榆次、石州、浩州、介州，又打败唐军晋州道行军总管裴寂，占领晋州（今山西临汾），齐王李元吉弃并州（今山西太原）逃回长安。此时夏县人吕崇茂杀其县令响应刘武周，隋河东守将王行本也配合刘武周。山西全境告急，关中大震。李渊计划放弃太原河东诸地。刘武周成了唐统一的一大障碍。

秦王李世民认为“太原，王业所基，国之根本，河东富实，京邑所资”，决计大举讨伐刘武周。是年十一月，李世民率领精兵三万，从龙门乘冰坚渡过黄河，屯于柏壁与宋金刚对峙。武德三年，四月，宋金刚“军中粮尽”而退逃，李世民乘势猛追，在雀鼠谷（今山西灵石一带）一日八战，大败宋金刚，又穷追宋金刚到介州（今山西介休），杀得宋金刚片甲不留，落荒逃走，率领百余骑逃入突厥。此时唐军又收复了蒲州（今山西永济），刘武周全线败退，也率领五百余残兵逃依突厥，后被突厥所杀。至此，盛极一时的刘武周被覆灭。薛举、李轨先于刘武周被唐军讨灭。最后只有一个梁师都在突厥保护下暂时存在，已无碍大局。一年以后，李世民率领唐军大举东出，征战中原，混一华夏提上了议事日程。

卷第一百八十九　唐纪五

起重光大荒落（辛巳，公元六二一年）三月，尽十二月，不满一年。

【题解】

本卷记事起公元六二一年三月，迄十二月，凡十个月，当唐高祖武德四年。是年，秦王李世民建立了盖世之功，他以少击众，连破河北窦建德之军和王世充东都之众，诛灭了窦建德、王世充这两个枭雄，河南、河北悉平。唐军乘胜扩大战果，江南萧铣授首，淮南、江东为杜伏威所平，北方突厥犯边屡败。唐王室已基本统一了天下。可惜李世民和唐高祖未能宽大窦建德、萧铣、孟海公的部属众将，又收捕窦建德部属过急，以致逼反刘黑闼、徐圆朗，于是战火又起于河北、山东。特别是窦建德优抚唐降将，李世勣、李神通皆不杀，而唐高祖不赦窦建德等，大为失策。罪大恶极之王世充却被赦免，而为仇家所杀，殊不可解。

此时李世民已功高震主，又大肆网罗文武之才，设文学馆，会聚了房玄龄、杜如晦等十八学士，极一时之盛。

【原文】

高祖神尧大圣光孝皇帝中之中

武德四年（辛巳，公元六二一年）

三月庚申[①]，以靺鞨[②]渠帅[③]突地稽为燕州[④]总管。

太子建成获稽胡千余人，释其酋帅数十人，授以官爵，使还，招其余党，刘仚成亦降。建成诈称增置州县，筑城邑，命降胡年二十以上皆集，以兵围而杀之，死者六千余人。仚成觉变，亡奔梁师都。

行军总管刘世让攻窦建德黄州[⑤]，拔之。洺州严备，世让不得进。会突厥将入寇，上召世让还。

窦建德所署普乐[⑥]令平恩[⑦]程名振[⑧]来降，上遥除[⑨]名振永宁[⑩]令，使将兵徇河北。名振夜袭邺[⑪]，俘其男女千余人。去邺八十里，阅妇人乳有湩者[⑫]九十余人，悉纵遣[⑬]之。邺人感其仁，为之饭僧[⑭]。

【语译】

高祖神尧大圣光孝皇帝中之中

武德四年（辛巳，公元六二一年）

三月初二日庚申，唐任命靺鞨人的大首领突地稽为燕州总管。

太子李建成俘获稽胡一千余人，释放了他们的首领数十人，授给他们官爵，让他们返回，招降他们的余党，刘屳成也向唐投降。李建成欺骗他们说增设州县，修筑城邑，命投降的胡人年龄在二十岁以上的都集中起来，用军队包围，杀死了他们，死去的有六千余人。刘屳成发觉事情有变，逃亡投奔梁师都。

唐行军总管刘世让攻打窦建德的黄州，攻取了此城。窦建德的洺州严加防备，刘世让无法前进。适逢突厥将要入侵，唐高祖把刘世让召回。

窦建德任命的普乐县令平恩人程名振前来降唐，唐高祖远程任命程名振为永宁令，让他率兵略地河北。程名振夜里袭击邺城，俘获城中男女一千余人。距离邺城八十里处，检视被俘的妇女乳房里有奶汁的，有九十多人，把她们全部释放遣送回家。邺城人为他的仁爱而感动，就施饭佛僧，为程名振祈福。

突厥颉利可汗承父兄之资[15]，士马雄盛[16]，有凭陵[17]中国之志。妻隋义成公主[18]，公主从弟善经[19]，避乱在突厥，与王世充使者王文素[20]共说颉利曰："昔启民为兄弟所逼，脱身奔隋，赖文皇帝[21]之力，有此土宇[22]，子孙享之。今唐天子非文皇帝子孙，可汗宜奉杨政道[23]以伐之，以报文皇帝之德。"颉利然之[24]。上以中国未宁，待突厥甚厚，而颉利求请无厌[25]，言辞骄慢。甲戌[26]，突厥寇汾阴[27]。

唐兵围洛阳，掘堑筑垒[28]而守之。城中乏食，绢一匹直[29]粟三升，布十匹直盐一升，服饰珍玩，贱如土芥[30]。民食草根木叶皆尽，相与澄取浮泥[31]，投米屑[32]作饼食之，皆病，身肿脚弱[33]，死者相枕倚于道。皇泰主之迁民入宫城[34]也，凡三万家，至是无三千家。虽贵为公卿，糠覈[35]不充；尚书郎[36]以下，亲自负戴[37]，往往馁死。

窦建德使其将范愿[38]守曹州，悉发孟海公[39]、徐圆朗[40]之众，西救洛阳。至滑州，王世充行台仆射韩洪[41]开门纳之。己卯[42]，军于酸枣[43]。

壬午[44]，突厥寇石州[45]，刺史王集击却之。

【段旨】

以上为第一段，写突厥既受唐室羁縻，又不断扰边，援助反唐的割据势力，刘武周败亡后，突厥又策应王世充。

【注释】

①庚申：三月初二。②靺鞨：古族名，北魏时称勿吉，隋唐时称靺鞨。分布在松花江、牡丹江流域及黑龙江中下游，东至日本海。③渠帅：大帅；首领。④燕州：州名，治所在今辽宁朝阳。〖按〗隋炀帝初，突地稽率部来降，在营州境内汝罗故城置辽西郡安置靺鞨降人，其地武德元年（公元六一八年）改称燕州。⑤黄州：州名，治所在今湖北武汉市新洲区。⑥普乐：县名，县治在今河北鸡泽南。⑦平恩：县名，治所在今河北曲周东南。⑧程名振（？至公元六六二年）：洺州平恩（今河北曲周东南）人，隋大业末仕窦建德为普乐令，归唐，授永宁令。历洺州刺史、平壤道行军总管等，号为名

突厥的颉利可汗继承父兄的基业，士马强盛，有了侵陵中原的想法。他的妻子是隋朝的义成公主，公主的堂弟名叫善经，在突厥避乱，与王世充的使者王文素一起劝颉利说："从前启民受到兄弟的逼迫，脱身投奔隋朝。依靠隋文帝的力量，有了这片疆土，子孙享用。现在唐朝天子不是隋文帝的子孙，可汗应该拥戴杨政道去讨伐他们，用以报答隋文帝的恩德。"颉利同意这个建议。唐高祖因为中原尚未安宁，对待突厥非常优厚，但颉利可汗的索求没有满足的时候，言辞傲慢。三月十六日甲戌，突厥侵犯汾阴。

唐军包围洛阳，挖掘堑濠，修筑壁垒，进行坚守。洛阳城中缺乏粮食，一匹绢值三升粟，十匹布值一升盐，服饰珍玩，贱得如同泥土芥草。民众把草根树叶都吃光了，就一起淘取水上浮泥，放进米屑做成饼子吃，人们都病了，身体肿胀，腿脚软弱，饿死的人相互靠着枕着堆积在道路上。皇泰主当初迁徙民众进入宫城时，一共有三万家，至此剩下的没有三千家。虽然贵为公卿，连麦糠都吃不饱；尚书郎以下的官员，亲自肩背头顶，往往饿死。

窦建德让他的将领范愿守卫曹州，全部调发孟海公和徐圆朗的军队，西去救援洛阳。到达滑州，王世充的行台仆射韩洪打开城门让他们进城。三月二十一日己卯，屯驻在酸枣。

三月二十四日壬午，突厥侵犯石州，唐刺史王集击退了突厥。

将。传见《旧唐书》卷八十三、《新唐书》卷一百十一。⑨除：任。⑩永宁：县名，县治在今河南洛宁东。⑪邺：县名，县治在今河南安阳。⑫乳有湩者：乳有乳汁，即可哺乳其婴儿者。湩，乳汁。⑬纵遣：释放并遣归。⑭饭僧：施饭僧人以祈福。⑮颉利可汗承父兄之资：颉利为启民可汗之子，始毕、处罗可汗之弟，故曰承父兄之资。⑯士马雄盛：士兵战马强盛。⑰凭陵：仗势侵犯。⑱义成公主（？至公元六三〇年）：隋朝宗室女，文帝时以她嫁突厥启民可汗。启民死，又连嫁始毕、处罗、颉利可汗。贞观四年（公元六三〇年），李靖灭突厥，被杀。事迹见《隋书》卷八十四《突厥传》。⑲善经：义成公主叔伯兄弟。⑳王文素：王世充部属，曾被世充遣往突厥，怂恿突厥南侵。事迹见《新唐书》卷二百十五《突厥传》。㉑文皇帝：隋朝开国皇帝杨坚（公元五四一至六〇四年），弘农华阴（今陕西华阴）人，公元五八一至六〇四年在位。事见《隋书》卷一。㉒土宇：疆土。㉓杨政道：隋炀帝之孙。当时与萧后同在突厥。事迹见《隋书》卷五十九《齐王暕传》。㉔然之：同意。㉕求请无厌：索求没有满足的时候。㉖甲

戌：三月十六日。㉗汾阴：县名，县治在今山西万荣西南。㉘掘堑筑垒：挖沟堑筑墙垒。㉙直：通“值”。㉚土芥：泥土草芥。㉛浮泥：浮在水上的泥。㉜投米屑：掺以米屑。㉝身肿脚弱：身体肿胀，两脚软弱。㉞迁民入宫城：据本书卷一百八十三，隋义宁元年（公元六一七年）四月，皇泰主迁民入宫城。㉟糠覈：米糠中的粗屑。㊱尚书郎：官名，尚书省各曹的侍郎、郎中等官，通称为尚书郎。㊲负戴：肩背头顶。㊳范愿：窦建德部将。㊴孟海公（？至公元六二一年）：隋末起事反隋，济阴（今山东曹县西北）

【原文】

窦建德陷管州，杀刺史郭士安。又陷荥阳㊻、阳翟㊼等县，水陆并进，泛舟运粮㊽，溯河㊾西上。王世充之弟徐州行台世辩遣其将郭士衡将兵数千会之，合十余万，号三十万，军于成皋㊿之东原，筑宫板渚(51)，遣使与王世充相闻(52)。

先是，建德遗秦王世民书，请退军潼关(53)，返郑侵地(54)，复修前好。世民集将佐议之，皆请避其锋。郭孝恪曰：“世充穷蹙，垂将面缚(55)。建德远来助之，此天意欲两亡之(56)也。宜据武牢(57)之险以拒之，伺间而动，破之必矣。”记室(58)薛收(59)曰：“世充保据东都，府库充实，所将之兵，皆江、淮精锐，即日之患(60)，但乏(61)粮食耳。以是之故(62)，为我所持(63)，求战不得，守则难久。建德亲帅大众，远来赴援，亦当极其精锐(64)，致死于我[1]。若纵之至此，两寇合从(65)，转(66)河北(67)之粟以馈(68)洛阳，则战争方始，偃兵(69)无日，混一(70)之期，殊未有涯(71)也。今宜分兵守洛阳，深沟高垒，世充出兵，慎勿与战。大王亲帅骁锐，先据成皋，厉兵训士(72)，以待其至，以逸待劳(73)，决可克也。建德既破，世充自下，不过二旬，两主就缚(74)矣。”世民善之。收，道衡(75)之子也。

萧瑀、屈突通、封德彝皆曰：“吾兵疲老，世充凭守坚城，未易猝拔(76)。建德席胜(77)而来，锋锐气盛，吾腹背受敌，非完策也。不若退保新安(78)，以承其弊(79)。”世民曰：“世充兵摧(80)食尽，上下离心，不烦力攻(81)，可以坐克。建德新破海公，将骄卒惰(82)。吾据武牢，扼其咽喉。彼若冒险争锋，吾取之甚易。若狐疑(83)不战，旬月之间(84)，世充自溃。

人。事迹见《旧唐书》卷五十四《窦建德传》。㊵徐圆朗（？至公元六二三年）：隋末起事反隋，鲁郡（今山东曲阜）人。传见《旧唐书》卷五十五、《新唐书》卷八十六。㊶韩洪：王世充行台仆射。事迹见《旧唐书》卷五十四《窦建德传》。㊷己卯：三月二十一日。㊸酸枣：县名，县治在今河南延津。㊹壬午：三月二十四日。㊺石州：州名，治所在今山西吕梁市离石区。

【语译】

窦建德攻陷管州，杀死刺史郭士安。又攻陷荥阳、阳翟等县，水陆并进，用舟船运送粮食，逆黄河西进。王世充的弟弟徐州行台王世辩派遣他的将领郭士衡率兵数千与窦建德会合，合起来十余万人，号称三十万，驻军在成皋的东原，在板渚建筑宫殿，派遣使者与王世充互通信息。

在此之前，窦建德送书信给秦王李世民，请求撤军到潼关，返还所侵占的郑国土地，修复以前的友好关系。李世民召集将佐商议此事，全都请求避开窦建德的军锋。郭孝恪说："王世充处境困窘，即将就缚。窦建德远道前来救援他，这是天意让他们两家灭亡。我军应该占据虎牢关的险要之地抵御窦建德，伺机而动，打败他们是必然的了。"记室薛收说："王世充据守东都，府库充盈，所率领的士兵，都是江、淮精锐，目前的忧患，只是缺乏粮食罢了。因为这个缘故，被我军控制，求战不得，守城则难以持久。窦建德亲自率领大军，远道前来救援，也当尽其精锐，与我死战。如果放他到此地，两股敌军联合起来，转运河北的粮食送到洛阳，那么，战争算是刚开始，息兵无日，统一天下的日期，就更没有边际了。现在应该分兵守着洛阳，挖深沟壕，建高壁垒，王世充如果出兵挑战，一定要小心不与他作战。大王亲自率领骁勇精锐士卒，先去占据成皋，训练士卒，以等待窦建德的到来，我们以逸待劳，一定可以战胜他们。击败窦建德之后，王世充自然投降，不超过二十天，两人就会束手就擒了。"李世民认为这个方案非常好。薛收是薛道衡的儿子。

萧瑀、屈突通、封德彝都说："我们的士兵疲惫，王世充据守坚固的城池，不易很快攻取。窦建德乘胜而来，兵锋锐利，士气旺盛。我们腹背受敌，不是完美的策略。不如退守新安，等待他们衰败。"李世民说："王世充兵败粮尽，上下离心，不需用力强攻，可以坐等攻下城池。窦建德刚打败孟海公，将领骄傲，士卒懈惰。我占据虎牢，扼住他的咽喉。他如果冒险前来争锋作战，我击败他非常容易。如果他犹豫不来交战，一个月之间，王世充自然崩溃。洛阳城破，我们兵势强盛，气势自

城破兵强，气势自倍，一举两克，在此行矣。若不速进，贼入武牢，诸城新附，必不能守。两贼并力[85]，其势必强，何弊之承[86]！吾计决矣！”通等又请解围据险以观其变，世民不许。中分麾下[87]，使通等副齐王元吉围守东都，世民将骁勇[88]三千五百人东趣武牢。时正昼[89]出兵，历北邙，抵河阳，趋巩而去[90]。王世充登城望见，莫之测也，竟不敢出。

癸未[91]，世民入武牢。甲申[92]，将骁骑五百，出武牢东二十余里，觇[93]建德之营。缘道[94]分留从骑，使李世勣、程知节、秦叔宝分将之，伏于道旁，才余四骑，与之偕进[95]。世民谓尉迟敬德曰：“吾执弓矢，公执槊相随，虽百万众若我何[96]！”又曰：“贼见我而还，上策也。”去建德营三里所，建德游兵遇之，以为斥候[97]也。世民大呼曰：“我秦王也。”引弓[98]射之，毙其一将。建德军中大惊，出五六千骑逐之，从者咸失色[99]。世民曰：“汝弟前行[100]，吾自与敬德为殿[101]。”于是按辔徐行。追骑将至，则引弓射之，辄毙[102]一人。追者惧而止，止而复来，如是再三，每来必有毙者。世民前后射杀数人，敬德杀十许人，追者不敢复逼。世民逡巡[103]稍却以诱之，入于伏内[104]，世勣等奋击，大破之，斩首三百余级，获其骁将殷秋、石瓒以归。乃为书报建德，谕以“赵、魏之地，久为我有，为足下[105]所侵夺。但以淮安见礼，公主得归[106]，故相与坦怀释怨。世充顷与足下修好，已尝反覆[107]，今亡在朝夕，更饰辞[108]相诱，足下乃以三军之众，仰哺他人[109]，千金之资，坐供外费[110]，良非[111]上策。今前茅[112]相遇，彼遽崩摧[113]，郊劳未通[114]，能无怀愧？故抑止锋锐，冀闻择善[115]，若不获命[116]，恐虽悔难追”。

【段旨】

以上为第二段，写窦建德倾巢出动救王世充。

然加倍增长，一举两得，就在这次行动了。如果不迅速进军，敌军进入虎牢，各地的城池都是刚刚降附的，必不能守住。两股敌军的力量合并起来，其势头必定强盛，有什么弊端可乘！我的计策决定下来了！”屈突通等人又请求撤除包围，占据险要，观形势的变化，李世民不同意。将部下军队分为两部，让屈突通等人辅佐齐王李元吉围守东都洛阳，李世民率骁勇士兵三千五百人东赴虎牢。当时是在大白天出兵，经过北邙山，直抵河阳，向着巩县进军。王世充登上城墙望见唐军行动，无法估计唐军的目的，最终也不敢出城。

三月二十五日癸未，李世民进入虎牢。二十六日甲申，他率领骁骑五百人，出兵到虎牢以东二十余里，侦察窦建德的营地。沿路分兵留下随从的骑兵，让李世勣、程知节、秦叔宝分别率领，埋伏在道旁，只剩下四个骑兵，与李世民一起前进。李世民对尉迟敬德说：“我手执弓箭，你手执长矛跟随我，虽然是百万敌兵，又能拿我怎么样！”又说：“贼兵看见我就回还，这是上策。”离窦建德的营地三里处，窦建德的游兵遇到李世民，以为是唐军的侦察兵。李世民大喊说：“我是秦王。”拉弓射他们，射死一个将领。窦建德的军中大惊，出动五六千骑兵追赶李世民，李世民的随从都吓得面无人色。李世民说：“你们只管前进，我自会与尉迟敬德殿后。”于是拉住马缰徐徐而行。追赶的骑兵即将到达，李世民就拉弓射他们，便射死一人。追兵害怕了，停下来，停一会儿又来追赶，如此多次，每次追来必有人被射死。李世民前后射死数人，尉迟敬德杀死十几人，追兵不敢再来逼近。李世民来回走动稍稍退却以引诱追兵，等追兵进入埋伏圈内，李世勣等人奋起攻击，大破敌军，斩首三百余级，俘获敌军骁将殷秋、石瓒后返回。于是写信给窦建德，劝谕他说：“赵、魏之地，长期以来为我所有，被你侵占夺去。只是因为淮安王李神通受到你的礼遇，同安公主得以回归，所以相互胸怀坦诚，放弃怨仇。王世充近来与你结好，过去曾反复无常，现在他的灭亡就在旦夕，又用花言巧语引诱你，你就率三军之众，仰赖他人之哺，大量钱财，供作在外兴师的费用，实在不是上策。现在前锋部队已经相遇，你军瞬间崩溃，你与王世充不能在郊外相见致礼，能不惭愧吗？所以我暂时停止前锋部队的行动，希望听到你能择善而从，如果不能听到你回复从命的音讯，恐怕你后悔也来不及了。”

【注释】

㊻荥阳：县名，县治在今河南荥阳。㊼阳翟：县名，县治在今河南禹州。㊽泛舟运粮：用船只运粮。㊾溯河：逆流而上。㊿成皋：县名，县治在今河南荥阳西北汜水镇。51板渚：古津渡名，为板城渚口的简称。在今河南荥阳汜水镇东北黄河侧。52相

闻：互通消息。㊿ 潼关：关名，在今陕西潼关县境。54 返郑侵地：返还所侵占的郑的土地。55 面缚：双手反缚于背后。56 两亡之：灭亡他们两位。57 武牢：唐讳虎，改虎牢为武牢。58 记室：官名，掌书记之官。59 薛收（公元五九一至六二四年）：字伯褒，唐初为秦王府主簿，为李世民掌管书檄文案事。又授天策府记室参军。参与平刘黑闼有功，封汾阴县男。传见《旧唐书》卷七十三、《新唐书》卷九十八。60 即日之患：目前之患。61 但乏：只缺。62 以是之故：因为这个原因。63 为我所持：被我军控制。64 极其精锐：尽其精锐。65 合从：联合在一起。66 转：转运。67 河北：泛指黄河以北。68 馈：以物送人。69 偃兵：息兵。70 混一：同一；统一。71 殊未有涯：没有边际。72 厉兵训士：训练士卒。73 以逸待劳：指养精蓄锐，等待痛击远来进犯的疲惫之敌。逸，安闲。劳，疲劳。74 两主就缚：谓世充、建德将被活捉。75 道衡：薛道衡（公元五四〇至六〇九年），隋朝大臣，被炀帝所杀。隋之伐陈，道衡知其必胜。其子薛收亦能审时度势。传见《隋书》卷五十七。76 猝拔：骤然夺取。77 席胜：借胜利之势。78 新安：郡名，治所在今河南新安。79 以承其弊：等待他们衰败。80 兵摧：兵败。81 不烦力攻：不需用力攻击。82 将骄卒惰：将校骄傲，士卒怠惰。83 狐疑：犹豫。84 旬月之间：一个月之间。85 并力：合力。86 何弊之承：有何疲弊可乘。87 中分麾下：平分部下。麾下，将帅的部下。88 骁勇：勇敢之士。89 正昼：大白天。90 趋巩而去：急向巩县而去。巩，县名，县治在今河南巩义东北。巩义市在东都之东。时世民大军据都城西北以临世充而

【原文】

立秦王世民之子泰为卫王。

夏，四月己丑[117]，丰州总管张长逊[118]入朝。时言事者[119]多云长逊久居丰州，为突厥所厚，非国家之利[120]。长逊闻之，请入朝，上许之。会[121]太子建成北伐稽胡[122]，长逊帅所部会之，因入朝，拜右武候将军。益州行台左仆射窦轨帅巴、蜀兵来会秦王击王世充，以长逊检校益州行台右仆射。

己亥[123]，突厥颉利可汗寇雁门，李大恩击走之。

壬寅[124]，王世充骑将杨公卿、单雄信引兵出战。齐王元吉击之，不利，行军总管卢君谔战死。

太子还长安。

围之，故出兵向武牢，历北邙，抵河阳（今河南孟州）而趋巩。91 癸未：三月二十五日。92 甲申：三月二十六日。93 觇：偷看；侦察。94 缘道：沿途。95 偕进：同行；俱进。96 若我何：能将我怎样。97 斥候：侦察敌情的士兵。98 引弓：拉开弓。99 咸失色：都惊骇得面无人色。100 汝弟前行：你只管往前走。弟，副词，只管。101 殿：行军走在最后的。102 辄毙：便毙。103 逡巡：有顾虑而徘徊或退却。104 入于伏内：进入埋伏区。105 足下：对人的敬称。106 淮安见礼二句：武德二年（公元六一九年），窦建德尽取赵魏，虏淮安王神通及同安公主，待淮安以客礼，次年八月，遣公主归。107 世充顷与足下修好二句：王世充近来与您结好，过去曾反复无常。108 饰辞：花言巧语。109 仰哺他人：仰赖他人之哺。意为受制于人。110 千金之资二句：大量的钱财供作在外兴师的费用。《兵法》云：兴师十万，日费千金。外费，兴师在外之费。111 良非：实在不是。112 前茅：这里指先头部队。113 彼遽崩摧：他们立即就会败亡。114 郊劳未通：古时，诸侯相见有郊劳之礼。此指建德来救世充，阻于唐兵，使命不得通。郊劳，到郊外迎接、慰劳。115 冀闻择善：希望听到你能择善而从。116 若不获命：如果不能得到回复从命的音讯。

【校记】

[1] 致死于我：原无此四字。据章钰校，十二行本、乙十一行本、孔天胤本皆有此四字，张敦仁《通鉴刊本识误》、张瑛《通鉴校勘记》同，今据补。

【语译】

唐高祖册立秦王李世民的儿子李泰为卫王。

夏，四月初二日己丑，丰州总管张长逊进京朝见。当时议论政事的人大多说张长逊长期住在丰州，受到突厥的优厚待遇，不利于国家。张长逊听说这种议论，请求进京朝见，唐高祖同意了他的请求。适逢太子李建成北伐稽胡，张长逊率领所辖部队与太子会合，乘机进京朝见，朝廷任命他为右武候将军。益州行台左仆射窦轨率领巴、蜀士卒前来与秦王会合，攻击王世充，唐任命张长逊为检校益州行台右仆射。

四月十二日己亥，突厥颉利可汗侵犯雁门，李大恩打退了他们。

十五日壬寅，王世充骑兵将领杨公卿、单雄信率军出战。齐王李元吉攻击他们，作战失利，行军总管卢君谔战死。

太子李建成返回长安。

王世充平州[125]刺史周仲隐以城来降。

戊申[126]，突厥寇并州。初，处罗可汗与刘武周相表里[127]，寇并州。上遣太常卿郑元璹[128]往谕以祸福，处罗不从。未几，处罗遇疾卒，国人疑元璹毒之，留不遣[129]。上又遣汉阳公瓌[130]赂颉利可汗以金帛，颉利欲令瓌拜，瓌不从，亦留之。又留左骁卫大将军[131]长孙顺德[132]。上怒，亦留其使者。瓌，孝恭之弟也。

甲寅[133]，封皇子元方[134]为周王，元礼[135]为郑王，元嘉[136]为宋王，元则[137]为荆王，元茂[138]为越王。

窦建德迫于武牢不得进，留屯累月[139]，战数不利，将士思归。丁巳[140]，秦王世民遣王君廓将轻骑千余抄其粮运[141]，又破之，获其大将军张青特。

凌敬[142]言于建德曰："大王悉兵济河[143]，攻取怀州、河阳[144]，使重将守之，更鸣鼓建旗，逾太行，入上党[145]，徇汾、晋，趣蒲津[146]，如此有三利：一则蹈[147]无人之境，取胜可以万全；二则拓地[148]收众，形势益强；三则关中震骇，郑围自解。为今之策，无以易此[149]。"建德将从之。而王世充遣使告急相继于道，王琬、长孙安世[150]朝夕涕泣，请救洛阳。又阴以金玉啖[151]建德诸将，以挠其谋。诸将皆曰："凌敬书生，安知战事，其言岂可用也！"建德乃谢敬曰："今众心甚锐[152]，天赞[153]我也。因之决战，必将大捷，不得从公言。"敬固争之。建德怒，令扶出。其妻曹氏谓建德曰："祭酒之言[154]不可违也。今大王自滏口[155]乘唐国之虚，连营渐进以取山北[156]；又因突厥西抄关中，唐必还师自救，郑围何忧不解！若顿兵[157]于此，老师费财[158]，欲求成功，在于何日？"建德曰："此非女子所知。吾来救郑，郑今倒悬[159]，亡在朝夕[160]，吾乃舍之而去，是畏敌而弃信也，不可。"

王世充的平州刺史周仲隐献城降唐。

四月二十一日戊申，突厥侵犯并州。当初，处罗可汗与刘武周里外相应，侵犯并州。唐高祖派遣太常卿郑元璹前往突厥说明祸福利害关系，处罗不听。不久，处罗得病死去，突厥人怀疑是郑元璹毒死处罗，留下郑元璹不送他返回唐朝。唐高祖又派遣汉阳公李瓌用黄金、丝帛贿赂颉利可汗，颉利想让李瓌下拜，李瓌不听从，也把他留下了。又留下了左骁卫大将军长孙顺德。唐高祖很生气，也留下突厥的使者。李瓌是李孝恭的弟弟。

四月二十七日甲寅，唐高祖封皇子李元方为周王，李元礼为郑王，李元嘉为宋王，李元则为荆王，李元茂为越王。

窦建德迫于在虎牢不能前进，停留驻扎好几个月，多次作战失利，将士们都想返回。四月三十日丁巳，秦王李世民派遣王君廓率领轻骑兵一千余人抄袭他的运粮部队，又击败了他们，抓获他的大将军张青特。

凌敬对窦建德说："大王全军渡过黄河，攻取怀州、河阳，派重将防守它们，再敲响战鼓，竖起军旗，越过太行山，进入上党地区，攻占汾州、晋州，奔赴蒲津，这样做有三个好处：第一是踏入无人之境，取得胜利是万无一失的；第二是扩张地盘，聚集士卒，形势就会更加强大；第三是关中震恐，郑国的包围自然解除。作为目前的策略，没有能用来取代这一方案的。"窦建德想要听从这一建议。但王世充派遣使者告急，在路上络绎不绝。王琬、长孙安世早晚哭泣，请求援救洛阳。又暗中用黄金玉器贿赂窦建德的诸位将领，以求阻挠窦建德听从凌敬的计谋。诸将都说："凌敬是个书生，哪里懂得战争之事，他的话怎么可以采用！"窦建德于是谢绝凌敬说："现在军心斗志高昂，是上天在帮助我。利用这种气势进行决战，必将大捷，不能听从你的话。"凌敬进行力争。窦建德很生气，令人把凌敬扶出去。窦建德的妻子曹氏对他说："凌祭酒的话不可不听。现在大王从滏口出击，利用唐国的空虚，连营渐进，夺取山北；又利用突厥在西方抄掠关中，唐必定回师自救，郑国的包围还担心不能解除吗！如果把军队屯驻此地，使军队疲劳，消耗财物，想求得成功，究竟会在哪一天啊？"窦建德说："这种事情不是女人所知道的。我来援救郑国，郑国现在犹如倒悬，亡在旦夕，我却抛弃他而离开，这是畏惧敌人而抛弃信用，不能这样做。"

【段旨】

以上为第三段，写窦建德初战不利而恼羞成怒，拒谏不纳善策，表现了政治上的不成熟。

【注释】

[117] 己丑：四月初二。[118] 张长逊（？至公元六三七年）：栎阳（今陕西西安市临潼区北）人，隋五原太守。入唐，累官遂夔二总管，政以惠称。传见《旧唐书》卷五十七、《新唐书》卷八十八。[119] 时言事者：指当时议论政事的人。[120] 非国家之利：对国家没有好处。[121] 会：正赶上。[122] 稽胡：中国古代民族名，源于南匈奴。南北朝时居今山西、陕西北部山谷间。隋唐以来渐与汉族相融合。[123] 己亥：四月十二日。[124] 壬寅：四月十五日。[125] 平州：胡三省注云，“洛州河阴县，古平阴也。王世充当于此置平州”。治所在今河南洛阳东北。[126] 戊申：四月二十一日。[127] 相表里：谓相互配合，内外相应。表指外，里指内。[128] 郑元璹（？至公元六四六年）：字德芳，郑州荥泽（今河南郑州）人，隋末为郡守。归唐拜太常卿、鸿胪卿。多次充使入蕃，有干略。后为宜州刺史，封沛国公。传见《旧唐书》卷六十二、《新唐书》卷一百。[129] 留不遣：留下不遣回。[130] 汉阳公瓌：李瓌，高祖从父兄子。武德元年（公元六一八年）封汉阳郡公。五年，进爵为王。出使突厥，抚慰岭南，皆有功。贞观四年拜宣州刺史，加散骑常侍。传见《旧唐书》卷六十、《新唐书》卷七十八。[131] 骁卫大将军：将军名号。隋唐置左右骁卫府，置上将军各一人，大将军各一人，将军各二人。[132] 长孙顺德：太宗文德皇后之族叔，素为高祖所亲厚。从征累有战功，高祖拜左骁卫大将军，封薛国公。传见《旧唐书》卷五十八、《新

【原文】

谍者[161]告曰：“建德伺唐军刍[162]尽，牧马于河北[163]，将袭武牢。”五月戊午[164]，秦王世民北济河，南临广武[165]，察敌形势。因留马千余匹，牧于河渚[166]以诱之，夕还武牢。己未[167]，建德果悉众而至，自板渚出牛口[168]置陈，北距大河[169]，西薄[170]汜水[171]，南属鹊山[172]，亘[173]二十里，鼓行而进[174]。诸将皆惧，世民将数骑升高丘[175]而望之，谓诸将曰：“贼起山东，未尝见大敌，今度险而嚣[176]，是无纪律，逼城而陈[177]，有轻我心。我按甲不出[178]，彼勇气自衰，陈久卒饥，势将自退，追而击之，无不克者。与公等约，甫过[179]日中，必破之矣！”

建德意轻唐军，遣三百骑涉汜水，距唐营一里所止。遣使与世民相闻曰：“请选锐士数百与之剧[180]。”世民遣王君廓将长槊二百以应之，

唐书》卷一百五。⑬③ 甲寅：四月二十七日。⑬④ 元方（？至公元六二九年）：唐高祖第九子。⑬⑤ 元礼（？至公元六七二年）：高祖第十子。⑬⑥ 元嘉（公元六一七至六八八年）：高祖第十一子。⑬⑦ 元则（？至公元六五一年）：高祖第十二子。以上诸人传均见《旧唐书》卷六十四、《新唐书》卷七十九。⑬⑧ 元茂：新、旧《唐书》无传。⑬⑨ 留屯累月：停留驻扎连月。⑭⓪ 丁巳：四月三十日。⑭① 抄其粮运：抄掠其运粮队。⑭② 凌敬：窦建德谋臣，为国子祭酒。建德救王世充，凌敬陈解围之策，建德不纳，遂致败。事迹见《旧唐书》卷五十四《窦建德传》。⑭③ 悉兵济河：全军渡河。⑭④ 河阳：县名，县治在今河南孟州南。⑭⑤ 上党：县名，县治在今山西长治。⑭⑥ 蒲津：关名，又称蒲坂津，在今山西永济蒲州镇与陕西大荔朝邑镇之间黄河上。⑭⑦ 蹈：踏。⑭⑧ 拓地：开辟土地；拓展疆域。⑭⑨ 无以易此：没有能用来取代这一方案的。⑮⓪ 长孙安世（？至公元六二一年）：长孙无忌堂兄。仕王世充，署为内史令。东都平，死于狱中。事迹见《旧唐书》卷六十五《长孙无忌传》。⑮① 啖：以利益引诱人。⑮② 甚锐：很锐利。此谓斗志高昂。⑮③ 赞：助。⑮④ 祭酒之言：指窦建德国子祭酒凌敬之言。⑮⑤ 滏口：古隘道名，太行八陉之一，在今河北磁县西北石鼓山。⑮⑥ 山北：胡三省注云，“建德都洺州，时在山南，并、代、汾、晋，皆山北也”。山北当指今山西一带。⑮⑦ 顿兵：屯驻军队。⑮⑧ 老师费财：军队疲怠，财物消耗。老，衰竭、疲怠。⑮⑨ 倒悬：比喻处境的痛苦和危急，像人被倒挂着一样。⑯⓪ 亡在朝夕：言时间之短促。

【语译】

唐军侦探人员报告说：“窦建德伺探唐军刍草没了，在黄河以北牧马，将要袭击虎牢。”五月初一日戊午，秦王李世民向北渡过黄河，南临广武，观察敌方形势。于是留下一千余匹马，在河边放牧以引诱窦建德，晚上返回虎牢。初二日己未，窦建德果然全军到来，从板渚经牛口出来布下军阵，北面到黄河，西面逼近汜水，南面连接鹊山，绵延二十里，击鼓进军。唐军诸将都很害怕，李世民率数名骑兵登上高丘眺望，对诸将说：“贼军自山东兴起，未尝见到强大的敌军。现在越过险要，甚嚣尘上地行军，这是没有纪律的军队。逼近城池布阵，有轻视我方之心。我按兵不出，对方的勇气自然衰减，布阵时间长了，士卒饥饿，势必自行撤退，我军对他们进行追击，没有不胜利的。我与你们约定，中午一过，一定打败敌军！”

窦建德心中轻视唐军，派遣三百骑兵渡过汜水，距离唐军营地一里处停止。派遣使者告诉李世民说：“请挑选精锐战士数百人，让我方与他们做游戏。”李世民派遣王君廓率领持长矛的士兵二百人应战，双方相互交战，忽进忽退，双方没有胜负，

相与交战，乍进乍退，两无胜负，各引还。王琬[181]乘隋炀帝骢马[182]，铠仗甚鲜[183]，迥出陈前以夸众[184]。世民曰："彼所乘真良马也！"尉迟敬德请往取之，世民止之曰："岂可以一马丧猛士！"敬德不从，与高甑生、梁建方三骑直入其陈，擒琬，引其马驰归，众无敢当[185]者。世民使召河北马，待其至乃出战。

建德列陈，自辰至午[186]，士卒饥倦，皆坐列[187]，又争饮水，逡巡[188]欲退。世民命宇文士及将三百骑经建德陈西[189]，驰而南上，戒之曰："贼若不动，尔宜引归，动则引兵东出。"士及至陈前，陈果动，世民曰："可击矣！"时河渚马亦至，乃命出战。世民帅轻骑先进，大军继之，东涉汜水，直薄其陈。建德群臣方朝谒，唐骑猝来，朝臣趋就建德。建德召骑兵使拒唐兵，骑兵阻朝臣不得过，建德挥朝臣令却[190]。进退之间，唐兵已至，建德窘迫，退依东陂[191]。窦抗[192]引兵击之，战小不利。世民帅骑赴之，所向皆靡。淮阳王道玄[193]挺身陷陈，直出其后，复突陈而归，再入再出，飞矢集其身如猬毛[194]，勇气不衰，射人，皆应弦而仆。世民给以副马，使从己。于是诸军大战，尘埃涨天[195]。世民帅史大奈[196]、程知节、秦叔宝、宇文歆等卷旆[197]而入，出其陈后，张唐旗帜。建德将士顾[198]见之，大溃。追奔三十里，斩首三千余级。

建德中槊，窜匿[199]于牛口渚。车骑将军白士让、杨武威逐之，建德坠马，士让援槊欲刺之，建德曰："勿杀我，我夏王也，能富贵汝[200]。"武威下擒之，载以从马[201]，来见世民。世民让之曰："我自讨王世充，何预汝事[202]，而来越境，犯我兵锋！"建德曰："今不自来，恐烦远取。"建德将士皆溃去，所俘获五万人，世民即日散遣之，使还乡里。

封德彝入贺，世民笑曰："不用公言，得有今日。智者千虑，不免一失乎！"德彝甚惭。

建德妻曹氏与左仆射齐善行将数百骑遁归洺州。

各自引兵返回。王琬骑着隋炀帝的骢马，铠甲兵器甚为鲜艳，迥然出现在阵前，向唐军将士夸耀。李世民说："他乘的马真是一匹好马啊！"尉迟敬德请求前去夺取过来。李世民制止他说："怎可为了一匹马而丧失一位猛士！"尉迟敬德不听，与高甑生、梁建方三匹战骑径直冲入敌阵，生擒王琬，带着他的马奔驰回来，窦建德军中无人敢于抵挡。李世民让他去把河北的马召来，等他来了，这才出战。

窦建德摆开阵势，从早晨到正午，士卒们又饥又累，都坐在地上，又争着喝水，兵士们逡巡不前，想后退。李世民命宇文士及率领三百骑兵经过窦建德的阵前向西前进，奔驰南去，告诫他说："敌军如果不动，你应该带兵回来，如果敌军出动，你就带兵向东出击。"宇文士及到了窦建德的阵前，敌阵果然骚动起来，李世民说："可以攻击了！"当时河北放牧的马也到了，于是下令出战。李世民率领轻骑兵首先前进，大军继踵其后，向东渡过汜水，直接逼近窦建德的军阵。窦建德的群臣正在朝拜窦建德，唐骑兵突然到来，大臣们都跑到窦建德周围。窦建德叫骑兵前去抵御唐兵，但骑兵却被大臣们挡住无法过去，窦建德挥手让群臣退下。正在进退之际，唐骑兵已经到达，窦建德非常窘迫，后退到东陂作为依靠。窦抗带兵攻击敌军，作战稍为失利。李世民率骑兵冲过去，所向披靡。淮阳王李道玄挺身攻入敌阵之中，径直冲出敌阵来到其阵后，又冲过敌阵返回，两次冲进，两次冲出，飞箭聚集在他身上如同刺猬毛，但勇气不减，拉弓射人，都随着弦声而被射倒。李世民给他一匹备用的战马，让他跟随自己。这时诸军大战，尘埃满天。李世民率领史大奈、程知节、秦叔宝、宇文歆等人卷起大旗冲入敌阵，冲出敌阵来到阵后，打开唐军的旗帜。窦建德的将士回头看到唐军旗帜，大规模崩溃。唐军追击逃兵三十里，斩首三千余级。

窦建德被长矛刺中，逃窜藏匿在牛口渚。唐车骑将军白士让、杨武威追赶他，窦建德从马上坠落，白士让举起长矛想刺他，窦建德说："不要杀我，我是夏王，能让你得到富贵。"杨武威下马生擒窦建德，用随从的马匹载着他，来见李世民。李世民斥责窦建德说："我自是来讨伐王世充，关你什么事，却来越过边境，冒犯我军的兵锋！"窦建德说："今天我不自己来，恐怕麻烦你远道去俘获我。"窦建德的将士全部溃散而去，唐军俘获了五万人，李世民当天遣散了他们，让他们返回家乡。

封德彝前来祝贺，李世民笑着说："不采纳你的意见，得以有了今日的胜利。智者千虑，不免有一次失误呀！"封德彝非常惭愧。

窦建德的妻子曹氏与左仆射齐善行率领数百骑兵逃归洺州。

【段旨】

以上为第四段，写秦王李世民大破窦建德军。

【注释】

⑯㉑谍者：侦探；间谍。⑯㉒刍：喂牲口用的草。⑯㉓牧马于河北：在黄河以北放牧马匹。⑯㉔戊午：五月初一。⑯㉕广武：古城名，故址在今河南荥阳东北广武山上。有东、西两城，相距约二百步，中隔广武涧。此为西广武。⑯㉖渚：水中的小块陆地；小洲。⑯㉗己未：五月初二。⑯㉘牛口：牛口渚。在今河南荥阳西北汜水镇附近黄河南岸。⑯㉙北距大河：北到黄河。⑰㉐薄：靠近。⑰㉑汜水：水名，发源于河南巩义市东南，北流经荥阳汜水镇西注入黄河。⑰㉒南属鹊山：南连接鹊山。鹊山，地名，在今河南荥阳西南。⑰㉓亘：横贯；延续不断。⑰㉔鼓行而进：击鼓进军。⑰㉕升高丘：登上高丘。⑰㉖嚣：喧哗。⑰㉗逼城而陈：接近城池布阵。⑰㉘按甲不出：按兵不出。甲，甲兵、武装的军队。⑰㉙甫过：刚过。⑱㉐与之剧：与之游戏。剧，戏。⑱㉑王琬：王世充兄子。世充称帝，封为代王。武德四年（公元六二一年）被李世民所擒。事迹见《旧唐书》卷五十四《窦建德传》、《新唐书》卷八十五《王世充传》。⑱㉒骢马：青白色的马。⑱㉓甚鲜：鲜丽而光彩夺目。⑱㉔迥出

【原文】

甲子[203]，世充偃师、巩县皆降。

乙丑[204]，以太子左庶子郑善果为山东道抚慰大使[205]。

世充将王德仁[206]弃故洛阳城[207]而遁，亚将[208]赵季卿以城降。秦王世民囚窦建德、王琬、长孙安世、郭士衡[209]等至洛阳城下，以示世充。世充与建德语而泣，仍遣[210]安世等入城言败状。世充召诸将议突围，南走襄阳[211]。诸将皆曰：“吾所恃者夏王[212]。夏王今已为擒，虽得出，终必无成。”丙寅[213]，世充素服帅其太子、群臣、二千余人诣军门[214]降。世民礼接之，世充俯伏流汗[215]。世民曰：“卿常以童子见处[216]。今见童子，何恭之甚邪？”世充顿首[217]谢罪。于是部分[218]诸军，先入洛阳，分守市肆[219]，禁止侵掠，无敢犯者。

丁卯[220]，世民入宫城，命记室房玄龄先入中书、门下省，收隋图籍制诏，已为世充所毁，无所获。命萧瑀、窦轨等封府库，收其金帛，颁赐将士。收世充之党罪尤大者[221]段达、王隆[222]、崔洪丹、薛德音[223]、

陈前以夸众：远立在阵前以夸示众卒。⑱当：抵挡。⑱自辰至午：从早晨到正午。辰为早上七时至九时；午为十一时至下午一时。⑱坐列：队伍都坐在地上。言无斗志。⑱逡巡：有所顾虑而徘徊或不敢前进。⑱世民命宇文士及将三百骑句：意在试探敌人。⑲挥朝臣令却：指挥朝臣，令其后退。⑲陂：山坡；斜坡。⑲窦抗（？至公元六二一年）：字道生，在隋以帝甥早贵，累迁幽州总管。高祖时曾为左武候大将军等职。传见《旧唐书》卷六十一、《新唐书》卷九十五。⑲道玄（公元六〇三至六二二年）：高祖从父兄子，封淮阳王。传见《旧唐书》卷六十、《新唐书》卷七十八。⑲如猬毛：像刺猬的毛一样。比喻中箭之多。⑲涨天：满天。⑲史大奈（？至公元六三八年）：本西突厥特勤（特勤为可汗子弟的官衔）。入隋事炀帝，署为金紫光禄大夫。后隶唐高祖，以功多赐姓史。秦王时封窦国公，官至右武卫大将军。传见《旧唐书》卷一百九十四下、《新唐书》卷一百十。⑲旆：古时末端形状像燕尾的旗。⑲顾：回头看。⑲窜匿：逃窜藏匿。⑳我夏王也二句：我是夏王，若将我献上，你们可以得到富贵。⑳从马：跟随的马。⑳何预汝事：干你什么事。

【语译】

五月初七日甲子，王世充所属的偃师、巩县都向唐投降。

初八日乙丑，任命太子左庶子郑善果为山东道抚慰大使。

王世充的将领王德仁放弃旧洛阳城遁逃，亚将赵季卿献城投降。秦王李世民囚禁了窦建德、王琬、长孙安世、郭士衡等人，押到洛阳城下，让王世充看。王世充和窦建德相语哭泣，因而派遣长孙安世等人入城说明战败的情形。王世充召集诸将商议突围，向南逃到襄阳。诸将都说："我们所依靠的是夏王。夏王现在已被生擒，我们虽然能够出城，最终必无所成。"五月初九日丙寅，王世充素服，率领他的太子、群臣以及二千余人来到唐军营门投降。李世民按礼节接见他们，王世充低头伏地，流着汗。李世民说："你经常把我看作童子。今天见了童子，为何恭敬得这样厉害呢？"王世充磕头谢罪。于是李世民部署各军，首先进入洛阳城，分别守卫街市商肆，禁止侵掠，没有人敢触犯禁令。

五月初十日丁卯，李世民进入宫城，命令记室房玄龄首先进入中书省、门下省，没收隋朝的图书文籍及皇帝的诏书，但都已经被王世充销毁，一无所获。又命令萧瑀、窦轨等人封存仓库，没收其中的黄金、丝帛，颁赐给将士。逮捕王世充同党中罪行特别重大的人段达、王隆、崔洪丹、薛德音、杨汪、孟孝义、单雄信、

杨汪[224]、孟孝义、单雄信、杨公卿、郭什柱、郭士衡、董叡、张童儿、王德仁、朱粲、郭善才等十余人，斩于洛水之上。

初，李世勣与单雄信友善，誓同生死。及洛阳平，世勣言雄信骁健绝伦，请尽输己之官爵[225]以赎之，世民不许。世勣固请不能得，涕泣而退。雄信曰："我固知汝不办事[226]。"世勣曰："吾不惜余生，与兄俱死，但既以此身许国[227]，事无两遂。且吾死之后，谁复视[228]兄之妻子乎？"乃割股肉以啖雄信，曰："使此肉随兄为土[229]，庶几不负昔誓也！"

士民疾[230]朱粲残忍，竞投瓦砾[231]击其尸，须臾如冢[232]。囚韦节、杨续[233]、长孙安世等十余人送长安。士民无罪为世充所囚者，皆释之，所杀者祭而诔之[234]。

初，秦王府属杜如晦叔父淹事王世充，淹素与如晦兄弟不协，谮如晦兄杀之[235]，又囚其弟楚客，饿几死，楚客终无怨色。及洛阳平，淹当死，楚客涕泣请如晦救之，如晦不从。楚客曰："曩者[236]叔已杀兄，今兄又杀叔，一门之内，自相残而尽，岂不痛哉！"欲自刭[237]。如晦乃为之请于世民，淹得免死。

秦王世民坐阊阖门[238]，苏威请见，称老病不能拜。世民遣人数[239]之曰："公隋室宰相，危不能扶，使君弑[240]国亡。见李密、王世充皆拜伏[241]舞蹈[242]，今既老病，无劳[243]相见。"及至长安，又请见，不许。既老且贫，无复官爵[244]，卒于家，年八十二。

秦王世民观隋宫殿，叹曰："逞侈心[245]，穷人欲[246]，无亡得乎[247]！"命撤端门楼[248]，焚乾阳殿[249]，毁则天门[250]及阙[251]，废诸道场[252]，城中僧尼，留有名德者各三十人，余皆返初[253]。

杨公卿、郭什柱、郭士衡、董叡、张童儿、王德仁、朱粲、郭善才等十余人，在洛水之上斩杀了他们。

当初，李世勣与单雄信是好朋友，发誓同生共死。等到平定了洛阳，李世勣说单雄信骁健绝伦，请用自己的全部官爵来为他赎罪，李世民不同意。李世勣坚决为他求情没有成功，哭泣着退下来。单雄信说:“我本来就知道你办不了事。”李世勣说:“我不会爱惜自己的余生，可以与兄一起死，但既然以身许国了，事情不能两相如愿。况且我死之后，谁来照看兄长的妻子儿女呢?”于是割下大腿上的肉给单雄信吃，说:“让此肉伴随兄长变成土，差不多也可以算是不负以前的誓言了!”

士民百姓痛恨朱粲的残忍，竞相投掷瓦砾砸击朱粲的尸体，不一会儿，瓦砾如冢。囚禁了韦节、杨续、长孙安世等十余人送往长安。士民无罪而被王世充囚禁在监狱的人，全都释放，被王世充杀害的人，则为他们进行祭祀并致哀词。

当初，秦王府中的属官杜如晦的叔父杜淹供职于王世充，杜淹一向与杜如晦兄弟关系不好，他诬陷杜如晦的哥哥，使之被杀，又囚禁了他弟弟杜楚客，杜楚客饥饿得几乎死去，却始终没有怨恨的脸色。等到洛阳平定后，杜淹罪当处死，杜楚客哭着请求杜如晦救他，杜如晦不听。杜楚客说:“从前叔叔已经杀了哥哥，现在哥哥又要杀叔叔，一家之内，自相残杀而尽，难道不痛心吗!”杜楚客想要自刎。杜如晦于是替杜淹向李世民求情，杜淹得以免死。

秦王李世民坐在阊阖门下，苏威请求谒见，自称年老有病不能下拜。李世民派人斥责他说:“你是隋王室的宰相，隋有危难你不能匡救，使得君主被弑国家灭亡。你见到李密、王世充时都伏地而拜，行舞蹈礼，现在既然年老有病，就不必劳驾来相见了。”等到了长安，又请求谒见，李世民不同意。苏威年既老迈，家又贫困，再无官爵，死在家中，年八十二。

秦王李世民观看隋王朝的宫殿，感叹说:“放纵奢侈之心，极尽人的欲望，想不亡国，可能吗!”下令撤除端门楼，焚毁乾阳殿，拆毁则天门及其高阙，废除各处的道场，城中的僧人尼姑，留下有声名德行者各三十人，其余的全都还俗。

【段旨】

以上为第五段，写王世充覆灭，秦王李世民入洛阳善后。

【注释】

⑳③甲子：五月初七。⑳④乙丑：五月初八。⑳⑤大使：官名，帝王特派的临时使节。唐贞观初，特派巡视各地的使节也称大使。⑳⑥王德仁（？至公元六二一年）：隋末群雄之一。事迹见《旧唐书》卷五十三《李密传》、《新唐书》卷八十五《王世充传》。⑳⑦故洛阳城：指汉魏故都之城，在今河南洛阳白马寺东。⑳⑧亚将：副将。⑳⑨郭士衡：王世充部将，武德四年（公元六二一年）被李世民所杀。事迹见《新唐书》卷八十五《王世充传》。㉑⓪仍遣：因而派遣。㉑①南走襄阳：南奔襄阳就王弘烈、王泰。㉑②夏王：指窦建德。武德元年称夏王，改年号为五凤，国号夏。㉑③丙寅：五月初九。㉑④军门：军营之门。㉑⑤俯伏流汗：低头伏地，流着汗。㉑⑥常以童子见处：常把我看作童子。童子，指幼稚无知的儿童。㉑⑦顿首：磕头；头叩地而拜。㉑⑧部分：部署。㉑⑨市肆：市中店铺。㉒⓪丁卯：五月初十。㉒①世充之党罪尤大者：其下所述诸人中，杨公卿、董叡、张童儿，《旧唐书·王世充传》作阳公卿、董濬、张童仁。㉒②王隆：王世充部将，与世充同宗族。世充称帝，封为淮阳王。事迹见《旧唐书》卷五十四《王世充传》。㉒③薛德音：薛道衡从子，有隽才，以文学知名。仕隋为著作佐郎。王世充称帝，署为黄门侍郎。事迹见《旧唐书》卷五十四《王世充传》。㉒④杨汪：字符度，弘农华阴（今陕西华阴）人，隋朝名臣。传

【原文】

前真定[254]令周法明[255]，法尚[256]之弟也，隋末结客[257]，袭据黄梅[258]，遣族子孝节攻蕲春[259]，兄子绍则攻安陆[260]，子绍德攻沔阳[261]，皆拔之。庚午[262]，以四郡来降。

壬申[263]，齐善行[264]以洺、相、魏等州来降。时建德余众走至洺州，欲立建德养子为主，征兵以拒唐。又欲剽掠居民，还向海隅[265]为盗。善行独以为不可，曰："隋末丧乱，故吾属[266]相聚草野，苟求生耳[267]。以夏王之英武，平定河朔[268]，士马精强，一朝为擒，易如反掌，岂非天命有所属[269]，非人力所能争邪！今丧败如此，守亦无成[270]，逃亦不免，等为亡国[271]，岂可复遗毒于民！不若委心[272]请命于唐。必欲得缯[273]帛者，当尽散府库之物，勿复残民也！"于是运府库之帛数十万段，置万春宫[274]东街，以散将卒，凡三昼夜乃毕。仍布兵守坊巷，得物者即出，

见《隋书》卷五十六。㉕输己之官爵：捐弃自己的官爵。㉖不办事：办不了事。㉗许国：许给了国家。㉘视：看望；照顾。㉙随兄为土：随兄之死而同变为土。㉚疾：痛恨。㉛瓦砾：砾瓦石块。㉜须臾如冢：转眼间砖石堆积如坟冢。㉝杨续：杨恭仁弟。贞观中，为郓州刺史。传见《旧唐书》卷六十二。㉞祭而诔之：祭奠并为文哀悼之。诔，本指叙述死者生前事迹，表示哀悼。㉟谮如晦兄杀之：诬陷杜如晦的哥哥，使之被杀。㊱曩者：以往；从前。㊲刭：用刀割脖子。㊳阊阖门：据胡三省注，西晋建都洛阳，其城西面北来第三门为阊阖门。而隋营东都，《唐六典》中则无阊阖门的记载，阊阖门是唐所改。㊴数：斥责。㊵弑：臣杀死君主或子女杀死父母。㊶拜伏：伏地而拜。㊷舞蹈：古代臣子朝见皇帝时的一种仪节。㊸无劳：不必劳驾。㊹无复官爵：再无官爵。㊺逞侈心：放纵奢侈之心。㊻穷人欲：极尽人的欲望。㊼无亡得乎：不亡国，可能吗。㊽端门楼：东都皇城南面有三门，中门为端门。端门上的城楼曰端门楼。㊾乾阳殿：宫殿名，在东都宫城之内。后来唐在隋乾阳殿遗址重建乾元殿。㊿则天门：东都宫城南面有三门，中门为应天门，即隋之则天门。(251)阙：宫门前两边供瞭望的楼。(252)道场：佛教礼拜、诵经、行道的场所。又隋代寺院名。大业九年（公元六一三年），诏改天下寺曰道场。(253)返初：还俗。

【语译】

以前的真定令周法明，是周法尚的弟弟，隋朝末年结交宾客，偷袭并占据了黄梅县，派遣同族侄子周孝节攻打蕲春，派哥哥的儿子周绍则攻打安陆，派自己的儿子周绍德攻打沔阳，都攻取了这些地方。五月十三日庚午，率此四郡前来降唐。

五月十五日壬申，齐善行率洺州、相州、魏州等前来投降。当时窦建德的余部逃到洺州，想把窦建德的养子立为君主，征召士卒来抗拒唐朝。又想剽掠居民，返回海边做强盗。只有齐善行一人认为不可以这样做，说："隋末丧乱，所以我们相聚草野，苟且求生罢了。靠着夏王的英武，平定了河北地区，士马精强，可是一个早上就被唐兵活捉，易如反掌，难道不是天命有所归属，不是人力所能争夺的吗！现在失败到如此地步，守卫也不能成功，逃跑也不能免于一死，同样是亡国，怎能再次给百姓留下毒害！不如把心交给唐，请求给予我们命令。一定想得到缯帛的人，应该把府库中的物品全部发放给他们，不要再来残害民众了！"于是运出府库中的丝帛数十万段，放在万春宫东街，散给军官与士兵，一共三昼夜才散发完。还部署士

无得更入人家㉗⑤。士卒散尽，然后与仆射裴矩、行台曹旦，帅其百官奉建德妻曹氏及传国八玺㉗⑥并破宇文化及所得珍宝请降于唐。上以善行为秦王左二护军㉗⑦，仍厚赐之。

初，窦建德之诛宇文化及也，隋南阳公主有子曰禅师，建德虎贲郎将于士澄问之曰："化及大逆，兄弟之子皆当从坐㉗⑧，若不能舍禅师，当相为留之㉗⑨。"公主泣曰："虎贲既隋室贵臣㉘⓪，兹事何须见问。"建德竟杀之。公主寻请为尼。及建德败，公主将归长安，与宇文士及遇于洛阳。士及请与相见，公主不可。士及立于户外，请复为夫妇。公主曰："我与君仇家，今所以不手刃君者㉘①，但谋逆之日，察君不预知㉘②耳。"诃㉘③令速去。士及固请，公主怒曰："必欲就死㉘④，可相见也。"士及知不可屈，乃拜辞而去。

乙亥㉘⑤，以周法明为黄州总管。

戊寅㉘⑥，王世充徐州行台杞王世辩㉘⑦以徐、宋等三十八州诣河南道安抚大使任瓌㉘⑧请降。世充故地悉平㉘⑨。

窦建德博州㉙⓪刺史冯士羡复推淮安王神通为慰抚山东使，徇下㉙①三十余州。建德之地悉平。

己卯㉙②，代州㉙③总管李大恩㉙④击苑君璋㉙⑤，破之。

【段旨】

以上为第六段，写王世充、窦建德所领之地全部降唐，河南、河北被平定。

【注释】

㉕④真定：县名，县治在今河北正定。㉕⑤周法明（？至公元六二三年）：隋末群雄之一，初附李密。武德四年（公元六二一年）降唐，署为黄州总管。武德六年被张善安袭杀。事迹见《旧唐书》卷五十三《李密传》。㉕⑥法尚：周法明之兄，字德迈，初事陈，为将军。入隋，多立战功。炀帝时，转刺史、太守，进位金紫光禄大夫，拜左武卫

兵守卫街巷，得到物品的人立即出城，不能再进入百姓家中。士卒全部散去，然后与仆射裴矩、行台曹旦，率领百官护奉着窦建德的妻子曹氏以及传国的八块玉玺，以及打败宇文化及时所得的珍宝，向唐请求投降。唐高祖任命齐善行为秦王左二护军，还给予优厚赏赐。

当初，窦建德诛杀宇文化及时，隋南阳公主有个儿子叫禅师，窦建德虎贲郎将于士澄问公主说："宇文化及大逆不道，他兄弟的儿子都应当连坐处死，若舍不得禅师，我当为你求情留下他。"公主哭着说："虎贲既是隋王室的贵臣，此事何需来问我。"窦建德最终还是杀了禅师。公主不久请求做尼姑。等到窦建德失败，公主将回长安，与宇文士及在洛阳相遇。宇文士及请求与公主相见，公主不同意。宇文士及站在门外，请求再次成为夫妇。公主说："我与你是仇家，现在所以不亲手杀了你，只是你们谋反之日，知道你预先是不知道的罢了。"呵斥他，让他快些离去。宇文士及坚持请求，公主生气地说："一定想要我死，那就可以与君相见。"宇文士及知道公主不能屈服，这才拜辞离去。

五月十八日乙亥，任命周法明为黄州总管。

二十一日戊寅，王世充的徐州行台杞王王世辩率徐州、宋州等三十八州前往河南道安抚大使任瓌处请求投降。王世充的旧地全部平定。

窦建德的博州刺史冯士羡又推举淮安王李神通为慰抚山东使，巡行略取三十多个州。窦建德的地盘全部平定。

二十二日己卯，代州总管李大恩攻打苑君璋，打败了他。

将军。传见《隋书》卷六十五。㉕⑦结客：结交宾客。㉕⑧黄梅：县名，县治在今湖北黄梅西北。㉕⑨蕲春：县名，县治在今湖北蕲春北。㉖⓪安陆：县名，县治在今湖北安陆西北。㉖①沔阳：郡名，治所在今湖北仙桃西南沔城。㉖②庚午：五月十三日。㉖③壬申：五月十五日。㉖④齐善行：初为窦建德所署左仆射。建德败，率官属等降唐。贞观时为夔州（治今重庆奉节东）都督。事迹见《旧唐书》卷五十四《窦建德传》。㉖⑤海隅：海边。㉖⑥吾属：我们这些人。㉖⑦苟求生耳：苟且以求活命罢了。耳，助词，罢了。㉖⑧河朔：河北。㉖⑨所属：所归。㉗⓪守亦无成：守亦不能成功。㉗①等为亡国：同样是亡国。㉗②委心：将心交给。㉗③缯：帛的总名。㉗④万春宫：此宫为窦建德所筑。㉗⑤人家：民家。㉗⑥八玺：皇帝的印称为玺。据《隋书·礼仪志》：皇帝有八玺。其中神玺、传国玺，皆宝而不用。又有六玺：其一"皇帝行玺"，封命诸侯及三公用之；其二"皇帝之

玺”，与诸侯及三公书用之；其三“皇帝信玺”，发诸夏之兵用之；其四“天子行玺”，封命蕃国之君用之；其五“天子之玺”，与蕃国之君书用之；其六“天子信玺”，征蕃国之兵用之。六玺皆用白玉做成，方一寸五分，高一寸，螭兽钮。武德二年，窦建德破宇文化及，得八玺及珍宝。㉗⑦秦王左二护军：秦王所统，置左三府、右三府，各有统军、护军。㉗⑧从坐：连坐入罪。㉗⑨当相为留之：当为你留住他的生命。㉘⓪贵臣：显贵之臣。隋大业初，造龙舟，于士澄已为上仪同，往江南采木，故称他为“贵臣”。㉘①手刃君者：亲手杀你。㉘②不预知：事先不知道。㉘③诃：亦作“呵”，大声斥责。㉘④必欲就死：一定想要我死。㉘⑤乙亥：五月十八日。㉘⑥戊寅：五月二十一日。㉘⑦王世辩：又名王辩，王世充从弟（叔伯兄弟）。从世充征战，为虎贲郎将。武德四年，世充称帝，封为杞王、徐

【原文】

突厥寇边，长平靖王叔良督五将击之，叔良中流矢，师旋。六月戊子[296]，卒于道。

戊戌[297]，孟海公余党蒋善合以郓州[298]、孟啖鬼以曹州[299]来降。啖鬼，海公之从兄也。

庚子[300]，营州[301]人石世则执总管晋文衍，举州叛，奉靺鞨突地稽为主[302]。

黄州总管周法明攻萧铣安州[303]，拔之，获其总管马贵迁。

乙巳[304]，以右骁卫将军盛彦师为宋州[305]总管，安抚河南。

乙卯[306]，海州[307]贼帅臧君相以五州来降，拜海州总管。

秋，七月庚申[308]，王世充行台王弘烈、王泰、左仆射豆卢行褒、右仆射苏世长[309]以襄州[310]来降。上与行褒、世长皆有旧，先是，屡以书招之，行褒辄杀使者[311]。既至长安，上诛行褒而责世长。世长曰：“隋失其鹿，天下共逐之。陛下既得之矣，岂可复忿同猎之徒[312]，问争肉[313]之罪乎！”上笑而释之，以为谏议大夫。尝从校猎[314]高陵[315]，大获禽兽。上顾群臣曰：“今日畋，乐乎？”世长对曰：“陛下游猎，薄废[316]万机，不满十旬[317]，未足为乐！”上变色，既而笑曰：“狂态复发

州行台。事迹见《旧唐书》卷五十四《王世充传》。㉘任瓌（？至公元六二九年）：字玮，庐州合肥（今安徽合肥）人，在隋任韩城尉。入唐，授谷州刺史。王世充数攻新安，瓌拒破之，以功累封管国公。后平徐圆朗、辅公祏多有功。传见《旧唐书》卷五十九、《新唐书》卷九十。㉙故地悉平：旧有辖地全部平定。㉚博州：州名，治所在今山东聊城。㉛徇下：巡行略取。㉜己卯：五月二十二日。㉝代州：州名，治所在今山西代县。㉞李大恩（？至公元六二二年）：本姓胡。原为窦建德行台尚书令，武德四年降唐。事迹见《旧唐书》卷一百九十四《突厥传》。㉟苑君璋：马邑（今山西朔州）人，初从颉利，后降唐，拜安州都督，封芮国公。传见《旧唐书》卷五十五、《新唐书》卷九十二。

【语译】

突厥侵犯边境，长平靖王李叔良督率五将攻击突厥，李叔良被流箭射中，军队撤退。六月初二日戊子，李叔良死于途中。

六月十二日戊戌，孟海公的余党蒋善合率郓州、孟啖鬼率曹州前来降唐。孟啖鬼是孟海公的堂兄。

十四日庚子，营州人石世则抓住总管晋文衍，率全州反叛，尊奉靺鞨突地稽为君主。

黄州总管周法明攻打萧铣的安州，攻取了安州，抓获了萧铣的总管马贵迁。

十九日乙巳，唐任命右骁卫将军盛彦师为宋州总管，安抚河南。

二十九日乙卯，海州贼帅臧君相率五个州投降唐朝，唐任命其为海州总管。

秋，七月初五日庚申，王世充的行台王弘烈、王泰、左仆射豆卢行褒、右仆射苏世长率襄州前来降唐。唐高祖与豆卢行褒、苏世长皆有旧交情，此前，屡次写信招呼二人，豆卢行褒总是杀了唐高祖派来的使者。此时到了长安后，唐高祖诛杀了豆卢行褒，而对苏世长加以斥责。苏世长说："隋朝丧失了它的王权，天下的人都来追逐。陛下既已得到了王权，怎能又愤恨同时逐猎的人们，责问他们争夺这块肥肉的罪行呢！"唐高祖笑着释放了他，让他担任谏议大夫。苏世长曾跟从唐高祖在高陵围猎，抓获很多禽兽。唐高祖回头对群臣说："今天打猎，高兴吗？"苏世长回答说："陛下游猎，荒废了国家众多的政事，不满一百天，还不足以为乐！"唐高祖变了脸

邪?”对曰:“于臣则狂[318],于陛下甚忠。”尝侍宴披香殿[319],酒酣,谓上曰:“此殿炀帝之所为邪?”上曰:“卿谏似直而实多诈,岂不知此殿朕所为,而谓之炀帝乎[320]?”对曰:“臣实不知,但见其华侈如倾宫、鹿台[321],非兴王[322]之所为故也。若陛下为之,诚非所宜[323]。臣昔侍陛下于武功,见所居宅仅庇风雨,当时亦以为足。今因[324]隋之宫室,已极侈矣,而又增之,将何以矫[325]其失乎?”上深然之。

甲子[326],秦王世民至长安。世民被黄金甲,齐王元吉、李世勣等二十五将从其后,铁骑[327]万匹,甲士三万人[2],前后部鼓吹[328],俘王世充、窦建德及隋乘舆、御物[329]献于太庙[330],行饮至[331]之礼以飨之。

乙丑[332],高句丽[333]王建武遣使入贡[334]。建武,元[335]之弟也。

上见王世充而数之。世充曰:“臣罪固当诛,然秦王许臣不死。”丙寅[336],诏赦世充为庶人[337],与兄弟子侄徙[3]处蜀[338]。斩窦建德于市。

丁卯[339],以天下略定,大赦,百姓给复一年[340]。陕、鼎、函、虢、虞、芮六州[341]转输劳费[342],幽州管内[343]久隔寇戎[344],并给复二年。律、令、格、式[345],且用开皇旧制。赦令既下,而王、窦余党[346]尚有远徙者。治书侍御史[347]孙伏伽[348]上言:“兵、食可去,信不可去[349]。陛下已赦而复徙之,是自违本心[350],使臣民何所凭依?且世充尚蒙宽宥[351],况于余党,所宜纵释[352]。”上从之。

王世充以防夫[353]未备,置雍州廨舍[354]。独孤机[355]之子定州刺史修德[356]帅兄弟至其所,矫称敕呼[357]郑王。世充与兄世恽[358]趋出,修德等杀之。诏免修德官。其余兄弟子侄等,于道亦以谋反诛。

【段旨】

以上为第七段,写窦建德、王世充之死。秦王李世民胜利还京。

色，又转而笑着说："你的狂态复发了吗？"苏世长回答说："对臣子来说则是狂，对陛下来说是非常忠诚。"苏世长曾经在披香殿陪侍唐高祖宴饮，酒喝得正酣时，对唐高祖说："此殿是隋炀帝修建的吗？"唐高祖说："你的谏言像是直率，而实际上多是狡诈，难道不知道这个殿是朕所修建的，却说是隋炀帝修建的？"苏世长回答说："臣实在是不知道，只是看到宫殿的华丽奢侈如同倾宫、鹿台，这不是兴业帝王的所为。如果是陛下建的宫殿，实在是不适宜的。臣从前在武功服侍陛下，看到所居住的房屋仅能遮蔽风雨，当时也认为很满足。现在借用隋朝的宫室，已经是极为奢侈了，却又增建，将用什么来矫正隋朝的过失呢？"唐高祖深表赞同。

七月初九日甲子，秦王李世民到达长安。李世民身披黄金甲，齐王李元吉、李世勣等二十五将跟随其后，铁骑上万匹，披甲士卒三万人，前后部署军乐，把俘虏王世充、窦建德以及隋朝皇帝的乘车、御用物品献于太庙，举行饮至之礼。

七月初十日乙丑，高句丽的国王高建武派遣使者来朝上贡。高建武是高元的弟弟。

唐高祖看到王世充就列数他的罪行。王世充说："臣的罪行固然应当诛死，然而秦王答应臣不被处死。"七月十一日丙寅，下诏赦免王世充，废为庶人，与兄弟子侄迁徙安置在蜀地。在街市上斩杀窦建德。

七月十二日丁卯，因为天下大体平定，举行大赦，百姓都免除赋役一年。陕州、鼎州、函州、虢州、虞州、芮州共六州，转输粮草，辛劳耗费，幽州管辖区内长久被戎狄盗寇所隔绝，一并免除赋役两年。国家的律、令、格、式，暂且采用开皇旧制。大赦令下达后，王世充、窦建德的余党还有被迁徙到远方的。治书侍御史孙伏伽上奏说："兵与食可以去掉，信用不可以去掉。陛下已经大赦，可是还迁徙这些人，这是自己违背自己本来的想法，让臣民依据什么呢？并且王世充都还受到宽恕，何况他的余党，对他们也应当释放。"唐高祖听从了这一建议。

因为对王世充尚未准备好随行的监护役夫，就把他安置住在长安城内的雍州廨舍内。独孤机的儿子定州刺史独孤修德带领他的兄弟到王世充的住处，假称有皇帝的敕书要见郑王。王世充与哥哥王世恽从廨舍内赶着出来，独孤修德等人杀死了王世充兄弟。唐高祖下诏罢免独孤修德的官职。王世充其他的兄弟子侄等，也在迁徙到蜀地的路上以谋反的罪名处死。

【注释】

㉖戊子：六月初二。㉗戊戌：六月十二日。㉘郓州：州名，治所在今山东郓城东。㉙曹州：州名，治所在今山东菏泽市定陶区。㉚庚子：六月十四日。㉛营州：州

名，治所在今辽宁朝阳。㉚奉靺鞨突地稽为主：《旧唐书·靺鞨传》，"有酋帅突地稽者，隋末率其部千余家内属，处之于营州，炀帝授以辽西太守。武德初遣间使朝贡，以其部落置燕州，仍以突地稽为总管"。故石世则叛后，遂奉以为主。㉛安州：州名，治所在今湖北安陆。㉜乙巳：六月十九日。㉝宋州：州名，治所在今河南商丘。㉞乙卯：六月二十九日。㉟海州：州名，治所在今江苏连云港市海州区。㊱庚申：七月初五。㊲苏世长：武功（今陕西武功）人，唐高祖时擢拜谏议大夫。传见《旧唐书》卷七十五、《新唐书》卷一百三。㊳襄州：州名，治所在今湖北襄阳。㊴辄杀使者：总是杀了使者。辄，总是、就。㊵同猎之徒：一同打猎之人。㊶争肉：指争鹿。为避重复，改鹿为肉。㊷校猎：用木栏遮阻，猎取禽兽。校，以木相贯穿组成围栏，用来围阻兽类。㊸高陵：县名，唐京兆府所属畿县，位于唐长安城东北八十里。县治在今陕西西安市高陵区西南。㊹薄废：荒废。薄，淡薄。㊺十旬：一旬为十天。十旬为一百天。㊻于臣则狂：对于臣来说是狂乱。㊼披香殿：宫殿名，胡三省注引程大昌《雍录》云："庆善宫有披香殿。"又云："庆善宫，高祖旧第也。在武功渭水北。"〖按〗下文世长言"昔侍陛下于武功"，"见所居宅仅庇风雨"，则此披香殿不应在武功之庆善宫，而应是高祖在长安新筑。㊽而谓之炀帝乎：而说它是炀帝所造的呢。㊾倾宫、鹿台：均为商纣王所筑。㊿兴王：兴业之王。(323)诚非所宜：实在不适宜。(324)因：借。(325)矫：矫正。(326)甲子：七月初九。(327)铁骑：指骑兵。(328)鼓吹：军乐。(329)御物：皇帝所用之物。(330)太庙：帝王为祭祀其祖先而建立的庙。(331)饮至：古时有朝、会、盟、伐诸事，既归而饮于宗庙，谓之饮至。(332)乙丑：七月初十。(333)高句丽：或作高句骊，也称句丽、句骊、高丽。古国名，相传公元前三七年朱蒙创立，辖境相当于今鸭绿江及其支流浑江流域一带。(334)入贡：进贡品。(335)元：高元，高丽王。(336)丙寅：七月十一日。(337)庶人：平民百姓。(338)徙处蜀：迁徙安置在蜀地。(339)丁卯：七月十二日。(340)给复一年：免百姓一年之赋役。(341)陕、鼎、函、虢、虞、芮六州：

【原文】

隋末钱弊滥薄(359)，至裁皮糊纸为之，民间不胜其弊。至是，初行开元通宝钱，重二铢四参(360)，积十钱重一两，轻重大小最为折衷(361)，远近便之。命给事中(362)欧阳询(363)撰其文并书，回环可读(364)。

以屈突通为陕东道大行台右仆射，镇洛阳。以淮阳王道玄为洛州(365)总管。

李世勣父盖竟无恙而还(366)，诏复其官爵。

陕，州名，治所在今河南三门峡市陕州区。鼎，州名，治所在今河南灵宝北故函谷关地。函，州名，治所在今河南洛宁东北。虢，州名，治所在今河南卢氏。虞，州名，治所在今山西运城东北安邑。芮，芮城县，县治在今山西芮城东张村。㉞②转输劳费：转运粮草辛劳耗费。㉞③管内：辖境之内。㉞④久隔寇戎：久为戎狄寇盗所阻隔。㉞⑤律、令、格、式：律、令，法令。格、式，古代规定官署办事规则和公文程序的行政法规。隋以后，律、令、格、式并行。㉞⑥王、窦余党：王世充、窦建德的残余党羽。㉞⑦治书侍御史：官名，汉宣帝令侍御史二人治书侍侧，后因以置之，称治书侍御史。负责评议狱案，论断罚罪轻重。魏晋至隋多沿置。唐改为御史中丞。㉞⑧孙伏伽（？至公元六五八年）：贝州武城（今河北清河西北）人，唐武德初拜治书侍御史，累迁大理寺卿，后出为陕州刺史。传见《旧唐书》卷七十五、《新唐书》卷一百三。㉞⑨兵、食可去二句：此语出自《论语·颜渊》。意思是说治理国家，军备、粮食可以去掉，信用不可去掉。㉟⓪自违本心：违背自己想要赦免的本心。㉟①宽宥：宽恕；宽赦。㉟②纵释：释放。㉟③防夫：监护的役夫。㉟④雍州廨舍：在长安外郭城朱雀街西之光德坊，后改为京兆府廨。㉟⑤独孤机：曾仕越王侗。武德二年（公元六一九年）正月，与其从兄独孤武都等人谋归唐，事泄，被王世充所杀。事迹见《新唐书》卷八十五《王世充传》。㉟⑥修德：独孤修德。独孤机之子，唐羽林将军。事迹见《新唐书》卷八十五《王世充传》。㉟⑦矫称敕呼：诈称诏命召呼。㉟⑧世恽：王世恽（？至公元六二一年），王世充之兄。事迹见《新唐书》卷八十五《王世充传》。

【校记】

［2］甲士三万人：此句原无。据章钰校，十二行本、乙十一行本、孔天胤本皆有此句，张敦仁《通鉴刊本识误》同，今据补。［3］徙：原无此字。据章钰校，十二行本、乙十一行本、孔天胤本皆有此字，今据补。

【语译】

隋朝末年钱币恶滥质薄，以至于裁皮糊纸做钱，民间深受其害。到这时，开始使用开元通宝钱，重二铢四絫，十钱合重一两，制钱的轻重大小最为适宜，远近都觉得方便使用。命令给事中欧阳询撰写钱上的文字，并亲自书写，钱上文字可以回环阅读。

任命屈突通为陕东道大行台右仆射，镇守洛阳。任命淮阳王李道玄为洛州总管。

李世勣的父亲李盖最终毫发无伤而返回，唐高祖下诏恢复他的官爵。

窦轨[367]还益州。轨将兵征讨，或经旬月不解甲。性严酷，将佐有犯，无贵贱[368]立斩之，鞭挞[369]吏民，常流血满庭，所部重足屏息[370]。

癸酉[371]，置钱监于洛、并、幽、益等诸州，秦王世民、齐王元吉赐三炉，裴寂赐一炉，听铸钱[372]。自余敢盗铸者，身死，家口配没[373]。

河北既平，上以陈君宾[374]为洺州刺史。将军秦武通[375]等将兵屯洺州，欲使分镇东方诸州。又以郑善果等为慰抚大使，就洺州选补[376]山东州县官。

窦建德之败也，其诸将多盗匿库物[377]，及居闾里[378]，暴横为民患。唐官吏以法绳之[379]，或加捶挞，建德故将皆惊惧不安。高雅贤[380]、王小胡[381]家在洺州，欲窃其家以逃，官吏捕之，雅贤等亡命至贝州。会上征建德故将范愿、董康买、曹湛及雅贤等，于是愿等相谓曰："王世充以洛阳降唐，其将相大臣段达、单雄信等皆夷灭[382]。吾属[383]至长安，必不免矣。吾属自十年以来，身经百战，当死久矣，今何惜余生，不以之立事[384]？且夏王得淮安王，遇以客礼，唐得夏王即杀之。吾属皆为夏王所厚，今不为之报仇，将无以见天下之士！"乃谋作乱。卜之，以刘氏为主吉[385]，因相与之漳南[386]，见建德故将刘雅，以其谋告之。雅曰："天下适[387]安定，吾将老于耕桑[388]，不愿复起兵。"众怒，且恐泄其谋，遂杀之。故汉东公刘黑闼时屏居漳南[389]，诸将往诣[390]之，告以其谋，黑闼欣然从之。黑闼方种蔬，即杀耕牛与之共饮食定计，聚众得百人。甲戌[391]，袭漳南县据之。

是时，诸道有事则置行台尚书省，无事则罢之。朝廷闻黑闼作乱，乃置山东道行台[392]于洺州，魏、冀、定、沧并置总管府。丁丑[393]，以淮安王神通为山东道行台右仆射。

辛巳[394]，褒州[395]道安抚使郭行方攻萧铣都州[396]，拔之。

孟海公与窦建德同伏诛，戴州刺史孟啖鬼不自安，挟海公之子义以曹、戴二州反，以禹城[397]令蒋善合为腹心。善合与其左右同谋斩之。

八月丙戌朔[398]，日有食之。

丁亥[399]，命太子安抚北边。

丁酉[400]，刘黑闼陷鄃县[401]，魏州刺史权威、贝州刺史戴元祥与战，

窦轨回到益州。窦轨率兵征讨时，有时一连十天一月不脱铠甲。他的性格严酷，将佐有犯禁的，不论贵贱立刻斩首，用鞭子抽打官吏和民众，常常血流满庭院，所辖部下叠足而立，不敢出大气。

七月十八日癸酉，在洛州、并州、幽州、益州等地设置钱监，对秦王李世民、齐王李元吉各自赐给三座铸钱炉，赐给裴寂一座铸钱炉，允许他们铸钱。其他人胆敢盗铸钱的，本人处死，全家人籍没流放。

河北平定之后，唐高祖任命陈君宾为洺州刺史。将军秦武通等人率军屯驻洺州，想让他分兵镇守东方各州。又任命郑善果等人为慰抚大使，到洺州选补山东州县官员。

窦建德失败时，他的手下诸将大多盗窃府库财物，他们居住乡里，残暴横行，成为民众之害。唐朝的官吏把他们绳之以法，有的加以鞭挞，窦建德的旧时军官都惊惧不安。高雅贤、王小胡的家在洺州，想偷窃了他们家的财物再逃走，官吏逮捕了他们，高雅贤等人逃亡到贝州。适逢唐高祖征召窦建德的旧将范愿、董康买、曹湛及高雅贤等人，于是范愿等人相互说："王世充拿洛阳投降唐朝，他的将相大臣段达、单雄信等人都被灭族。我们到了长安，一定不能免死。我们这伙人十年以来，身经百战，很久以前就应该死了，现在还用得着怜惜余生，而不舍命干一番大事吗？况且夏王窦建德俘获唐的淮安王，用客人的礼节对待他，唐俘获夏王就杀死他。我们都受夏王的优厚待遇，现在不替他报仇，将没有脸面来见天下的士人！"于是谋划作乱。对此事进行占卜，说以姓刘的人为首领吉利，因而一起前往漳南，见到窦建德原来的将领刘雅，把他们谋反的计划告诉了他。刘雅说："天下方才安定，我想耕桑终老，不愿意再起兵。"大家很生气，并且怕他泄露他们的谋反计划，就杀了刘雅。原汉东公刘黑闼当时隐居在漳南，这些将领前去见他，告诉了他们的谋反计划，刘黑闼欣然同意了这一计划。刘黑闼正在种菜，当即杀了耕牛，与大家一起饮食，定下大计，聚集徒众得到一百人。七月十九日甲戌，袭击漳南县，占据了县城。

这时，各道有事就设置行台尚书省，无事就撤除行台。朝廷听说刘黑闼作乱，于是在洺州设置山东道行台，魏州、冀州、定州、沧州一并设置总管府。七月二十二日丁丑，任命淮安王李神通为山东道行台右仆射。

七月二十六日辛巳，褒州道安抚使郭行方攻打萧铣的鄀州，攻取了州城。

孟海公与窦建德一起被唐朝处死，戴州刺史孟啖鬼心神不安，挟持孟海公的儿子孟义利用曹州、戴州反叛，以禹城令蒋善合作为心腹。蒋善合与他的身边人一同谋划杀了孟啖鬼和孟义。

八月初一日丙戌，发生日食。

初二日丁亥，唐朝命令太子李建成安抚北部边境。

八月十二日丁酉，刘黑闼攻陷鄃县，魏州刺史权威、贝州刺史戴元祥与刘黑闼皆败死，黑闼悉取其余众及器械。窦建德旧党稍稍[402]出归之，众至二千人，为坛于漳南，祭建德，告以举兵之意，自称大将军。诏发关中步骑三千，使将军秦武通、定州总管蓝田[403]李玄通[404]击之。又诏幽州总管李艺引兵会击黑闼。

癸卯[405]，突厥寇代州，总管李大恩遣行军总管王孝基拒之，举军[406]皆没。甲辰[407]，进围崞县[408]。乙巳[409]，王孝基自突厥逃归。李大恩众少，据城自守，突厥不敢逼，月余引去。

上以南方寇盗尚多，丙午[410]，以左武候将军[411]张镇周为淮南道行军总管，大将军陈智略为岭南道行军总管，镇抚之。

丁未[412]，刘黑闼陷历亭[413]，执屯卫将军王行敏，使之拜，不可，遂杀之。

【段旨】

以上为第八段，写窦建德旧将刘黑闼反于河北。

【注释】

㉟⑨钱弊滥薄：钱币恶滥质薄。㊱⓪二铢四参：胡三省注引《汉书·律历志》云权轻重者不失黍絫。应劭注：“十黍为絫，十絫为铢。”据此，胡注认为“二铢四絫，二百四十黍也。‘参’，当作‘絫’，盖笔误也”。㊱①折衷：增损而得其中。㊱②给事中：官名，隋、唐属门下省的要职，在侍中及门下侍郎之下，职掌驳正政令的违失。㊱③欧阳询（公元五五七至六四一年）：唐书法家，字信本，潭州临湘（今湖南长沙）人。传见《旧唐书》卷一百八十九、《新唐书》卷一百九十八。㊱④回环可读：意为无论怎么读，其义皆通。《旧唐书·食货志》云：“其词先上后下，次左后右读之，自上及左，回环读之，其义亦通。”㊱⑤洛州：州名，治所在今河南洛阳东北。㊱⑥盖竟无恙而还：李盖于武德二年（公元六一九年）十月在黎阳被窦建德所虏，现平安返回。㊱⑦窦轨（？至公元六三〇年）：窦威兄子，字士则。传见《旧唐书》卷六十一、《新唐书》卷九十五。㊱⑧无贵贱：无论贵贱。㊱⑨挞：打。㊲⓪重足屏息：形容非常恐惧的样子。重足，叠足而立，恐惧得不敢移动。屏息，闭住呼吸。㊲①癸酉：七月十八日。㊲②听铸钱：听任其自铸钱以牟利。㊲③家口配没：家人籍没并流放。㊲④陈君宾：唐初良吏。传见《旧唐书》卷一百八十五、《新唐书》卷一百九十七。㊲⑤秦武通：唐初战将，从太宗讨平割据势力，多有功。㊲⑥就洛州选补：到洛州就近选补。㊲⑦库物：府

交战，战败死去，刘黑闼全部获取了他们的余部和器械。窦建德的旧日党羽逐渐出来归附刘黑闼，部众达到二千人，在漳南建立土坛，祭祀窦建德，把这次起兵的用意告诉他，自己号称大将军。唐高祖下诏征发关中步兵、骑兵三千人，派将军秦武通、定州总管蓝田人李玄通攻打刘黑闼。又下诏命幽州总管李艺率军与李玄通会合攻击刘黑闼。

八月十八日癸卯，突厥侵犯代州，总管李大恩派遣行军总管王孝基进行抵御，全军都被消灭。十九日甲辰，突厥进军包围崞县。二十日乙巳，王孝基从突厥逃回。李大恩兵少，据城自守，突厥不敢进逼，一个多月后撤军离去。

唐高祖因南方叛军尚多，八月二十一日丙午，任命左武候将军张镇周为淮南道行军总管，大将军陈智略为岭南道行军总管，镇抚南方各地。

八月二十二日丁未，刘黑闼攻陷历亭，抓住了屯卫将军王行敏，让他下拜，不下拜，于是杀死了他。

库财物。㊳㊳闾里：乡里。㊳㊴以法绳之：以法律制裁他们。绳，按一定的标准去衡量、纠正。㊳㊵高雅贤：原为窦建德部将。建德败，降唐。复反叛，投刘黑闼。武德五年黑闼称王，以雅贤为左领军。㊳㊶王小胡：原为窦建德部属，后投刘黑闼。黑闼称王，署为左领军。高雅贤、王小胡事迹均见《新唐书》卷八十六《刘黑闼传》。㊳㊷夷灭：诛灭。㊳㊸吾属：我辈。㊳㊹立事：建立事业。㊳㊺以刘氏为主吉：以刘姓人为首领吉利。㊳㊻因相与之漳南：因而一同前往漳南。漳南，在今河北故城东北。㊳㊼适：方才。㊳㊽吾将老于耕桑：我将耕桑终老。㊳㊾屏居漳南：屏绝人事，匿居漳南。㊴㊵诣：前往；去到。㊴㊶甲戌：七月十九日。㊴㊷行台：官署名，东汉以后，中央政务由三公改归台省，台省设于地方之派出机构，谓之行台。隋与唐初，称行台省。置令、仆射等官，总理一方军政。㊴㊸丁丑：七月二十二日。㊴㊹辛巳：七月二十六日。㊴㊺褒州：胡三省注认为当作“襄州”。㊴㊻鄀州：州名，治所在今湖北荆门西北。㊴㊼禹城：县名，县治在今山东禹城西南。㊴㊽丙戌朔：八月初一。㊴㊾丁亥：八月初二。㊵㊵丁酉：八月十二日。㊵㊶鄃县：县名，县治在今山东夏津附近。㊵㊷稍稍：渐渐。㊵㊸蓝田：县名，县治在今陕西蓝田。㊵㊹李玄通：蓝田人，为隋鹰扬郎将。降高祖，拜定州总管。传见《旧唐书》卷一百八十七、《新唐书》卷一百九十一。㊵㊺癸卯：八月十八日。㊵㊻举军：全军。㊵㊼甲辰：八月十九日。㊵㊽崞县：县名，县治在今山西原平北崞阳镇。㊵㊾乙巳：八月二十日。㊶㊵丙午：八月二十一日。㊶㊶武候将军：官名，隋置左右武候府，寻改为左右武候卫。唐初因之，掌宫中及京城巡警，为禁卫之一。左右武候卫置大将军各一人，正三品；将军各二人，从三品。龙朔二年（公元六六二年），左右武候卫改为左右金吾卫。㊶㊷丁未：八月二十二日。㊶㊸历亭：县名，县治在今山东武城东北。

【原文】

初，洛阳既平，徐圆朗[414]请降，拜兖州总管，封鲁郡公。刘黑闼作乱，阴与圆朗通谋。上使葛公[415]盛彦师安集[416]河南，行至任城，辛亥[417]，圆朗执彦师，举兵反。黑闼以圆朗为大行台元帅，兖、郓、陈、杞、伊、洛、曹、戴等八州豪右[418]皆应之。圆朗厚礼彦师，使作书与其弟，令举虞城[419]降。彦师为书曰："吾奉使无状[420]，为贼所擒，为臣不忠，誓之以死。汝善侍老母，勿以吾为念。"圆朗初色动[421]，而彦师自若。圆朗乃笑曰："盛将军有壮节[422]，不可杀也。"待之如旧。

河南道安抚大使任瓌行至宋州，属[423]圆朗反，副使柳濬[424]劝瓌退保汴州。瓌笑曰："柳公何怯也！"圆朗又攻陷楚丘[425]，引兵将围虞城，瓌遣部将崔枢[426]、张公谨[427]自鄢陵帅诸豪右质子[428]百余人守虞城。濬曰："枢与公谨皆王世充将，诸州质子父兄皆反，恐必为变。"瓌不应。枢至虞城，分质子使与土人合队共守城。贼稍近，质子有叛者，枢斩其队帅。于是诸队帅皆惧，各杀其质子。枢不禁，枭其首于门外，遣使白瓌。瓌阳[429]怒曰："吾所以使与质子俱者，欲招其父兄耳，何罪而杀之！"退谓濬曰："吾固知崔枢能办此也。县人既杀质子，与贼深仇，吾何患乎！"贼攻虞城，果不克而去。

初，窦建德以鄱阳[430]崔元逊[431]为深州[432]刺史。及刘黑闼反，元逊与其党数十人谋于野，伏[433]甲士于车中，以禾覆其上，诈为农人[4]，直入听事，自禾中呼噪而出，执刺史裴晞杀之，传首黑闼。

九月乙卯[434]，文登[435]贼帅淳于难请降，置登州[436]，以难为刺史。

突厥寇并州，遣左屯卫大将军[437]窦琮[438]等击之。

戊午[439]，突厥寇原州[440]，遣行军总管尉迟敬德等击之。

辛酉[441]，徐圆朗自称鲁王。

【语译】

当初，洛阳平定之后，徐圆朗请求投降，除为兖州总管，封为鲁郡公。刘黑闼作乱，暗中与徐圆朗勾结策划。唐高祖让葛公盛彦师安定河南地区，走到任城，八月二十六日辛亥，徐圆朗抓住了盛彦师，举兵反叛。刘黑闼任命徐圆朗为大行台元帅，兖州、郓州、陈州、杞州、伊州、洛州、曹州、戴州等八个州的地方豪强全都响应刘黑闼。徐圆朗以优厚礼节对待盛彦师，让他写信给他弟弟，令他率虞城投降。盛彦师写信说："我奉命出使没有成绩，被叛贼擒获，做臣子没有尽忠，发誓以死回报朝廷。你好好服侍老母亲，不要以我为念。"徐圆朗起初脸有怒色，而盛彦师神色自若。徐圆朗于是笑着说："盛将军有壮烈的节操，不可杀啊。"对待他仍像以前一样。

河南道安抚大使任瓌走到宋州时，适逢徐圆朗反叛，副使柳濬劝任瓌退守汴州。任瓌笑着说："柳公多么胆怯啊！"徐圆朗又攻陷了楚丘，率军将要包围虞城，任瓌派遣部将崔枢、张公谨从鄢陵率领各州当人质的豪强子弟一百多人守卫虞城。柳濬说："崔枢与张公谨都是王世充的将领，各州人质的父兄们都起来反叛，恐怕他们二人也必定叛乱。"任瓌不作回答。崔枢到了虞城，把人质分开与当地人混合编队一起守城。贼军逐渐靠近虞城，人质有叛变的，崔枢就把反叛人质的队长斩首。这样一来各个队长都害怕了，各自杀了他队中的人质。崔枢也不禁止，把这些人质的首级挂在城门外示众，派使者告诉任瓌。任瓌假装生气地说："我之所以让你与这些人一起守城，是想招来他们的父兄而已，他们有什么罪而杀了他们！"退下来对柳濬说："我本来就知道崔枢能办好此事。当地人既已杀了人质，与叛贼结下深仇，我还担心什么呢！"贼军攻打虞城，果然不能攻克而离去了。

当初，窦建德任命鄱阳人崔元逊为深州刺史。到刘黑闼反叛时，崔元逊与其党羽数十人在野外谋划，在车中埋伏甲士，用禾秆覆盖在上面，假装成农民，直接进入州衙门厅堂，从禾秆中呼喊而出，捉住刺史裴晞并杀了他，把他的首级传送给刘黑闼。

九月初一日乙卯，文登县的贼军首领淳于难请求投降，设置登州，任命淳于难为登州刺史。

突厥侵犯并州，唐派遣左屯卫大将军窦琮等人攻击突厥。

初四日戊午，突厥侵犯原州，唐派遣行军总管尉迟敬德等人攻击突厥。

初七日辛酉，徐圆朗自称鲁王。

【段旨】

以上为第九段，写徐圆朗反于山东。

【注释】

⑭徐圆朗（？至公元六二三年）：隋叛将，兖州（今山东兖州）人，降唐，任兖州总管，封鲁郡公。传见《旧唐书》卷五十五、《新唐书》卷八十六。⑮葛公：《旧唐书·刘黑闼附徐圆朗传》作葛国公。盖以古地名为封号。⑯安集：安定。⑰辛亥：八月二十六日。⑱豪右：豪门大族。⑲虞城：县名，县治在今河南虞城北旧县城西南。⑳奉使无状：奉命出使没有成绩。㉑初色动：起初脸有怒色。㉒壮节：壮烈的节操。㉓属：正好；适逢。㉔柳濬：事迹见《旧唐书》卷五十九、《新唐书》卷九十《任瓌传》。㉕楚丘：县名，县治在今山东曹县东南。㉖崔枢：原为王世充洧州刺史，武德元年（公元六一八年）归唐，累迁刺史、司农卿等。事迹见《旧唐书》卷六十八《张公谨传》。㉗张公谨：字弘慎，王世充长史。武德元年与崔枢一起投唐，李世民引入幕府，玄武门事变建

【原文】

隋末，歙州[442]贼汪华[443]据黟[444]、歙等五州，有众一万，自称吴王。甲子[445]，遣使来降，拜歙州总管。

隋末，弋阳[446]卢祖尚[447]纠合壮士，以卫乡里，部分严整，群盗畏之。及炀帝遇弑，乡人奉之为光州[448]刺史，时年十九，奉表[449]于皇泰主。及王世充自立，祖尚来降。丙子[450]，以祖尚为光州总管。

己卯[451]，诏括天下户口[452]。

徐圆朗寇济州，治中[453]吴伋论击走之。

癸未[454]，诏以太常[455]乐工皆前代因罪配没[456]，子孙相承，多历年所[457]，良可哀愍[458]，宜并蠲除[459]为民，且令执事[460]，若仕宦入流[461]，勿更追集[462]。

甲申[463]，灵州总管杨师道[464]击突厥，破之。师道，恭仁之弟也。

诏发巴、蜀兵，以赵郡王孝恭为荆湘道[465]行军总管，李靖摄行军长史[466]，统十二总管，自夔州[467]顺流东下；以庐江王瑗为荆郢道行军元

功。后官至代州、襄州都督。㊷㊽ 质子：犹人质。古时派往别国（或别处）去做质押的人，多为王子或世子。㊷㊾ 阳：佯；假装。㊸㊿ 鄱阳：郡名，治所在今江西鄱阳。〖按〗《新唐书》卷八十六载，崔元逊为饶阳（今河北饶阳）人。《通鉴》作“鄱阳”，盖为笔误。431 崔元逊：刘黑闼部将。武德四年杀深州刺史裴晞，叛附黑闼，被署为深州刺史。事迹见《新唐书》卷八十六《刘黑闼传》。432 深州：州名，治所在今河北饶阳。433 伏：埋伏。434 乙卯：九月初一。435 文登：县名，县治在今山东威海市文登区。436 登州：州名，治所在今山东烟台市牟平区。437 左屯卫大将军：官名，左屯卫为禁卫军之一，大将军为其长官，正三品。438 窦琮：窦轨弟，武德初为左屯卫大将军。传见《旧唐书》卷六十一、《新唐书》卷九十五。439 戊午：九月初四。440 原州：州名，治所在今宁夏固原。441 辛酉：九月初七。

【校记】

［4］诈为农人：原无此四字。据章钰校，十二行本、乙十一行本、孔天胤本皆有此四字，张瑛《通鉴校勘记》同，今据补。

【语译】

隋朝末年，歙州的贼人汪华占据黟州、歙州等五个州，有士卒一万人，自称吴王。九月初十日甲子，派遣使者前来投降，唐任命他为歙州总管。

隋朝末年，弋阳人卢祖尚集合壮士，保卫乡里，指挥严整，当地强盗们都怕他。等到隋炀帝被杀害，乡民把他奉为光州刺史，时年十九岁，上表皇泰主。等到王世充自立为王，卢祖尚前来降唐。九月二十二日丙子，唐任命卢祖尚为光州总管。

九月二十五日己卯，唐高祖下诏调查统计天下的户数和人口数。

徐圆朗侵犯济州，治中吴伋论把他打退了。

九月二十九日癸未，唐下诏认为太常寺的乐工都是隋代因为犯罪而被取消户籍分配来做乐工的，其子孙世代继承其业，已经经历了很久的年代，实在可哀怜，应该一并废除乐工身份而为平民，姑令各司其业，若仕宦已至流内九品以上的，不要再追究身份。

九月三十日甲申，灵州总管杨师道攻打突厥，打败了他们。杨师道是杨恭仁的弟弟。

唐高祖下诏征发巴、蜀地区的士兵，任命赵郡王李孝恭为荆湘道行军总管，李靖暂代行军长史，统领十二总管，从夔州顺着长江东下；任命庐江王李瑗为荆郢道

帅，出襄州道[5]；黔州㊻⑧刺史田世康出辰州㊻⑨道；黄州总管周法明出夏口㊼⓪道：以击萧铣。是月，孝恭发夔州。时峡江㊼①方涨，诸将请俟水落进军。李靖曰："兵贵神速。今吾兵始集，铣尚未知。若乘江涨，倏忽㊼②抵其城下，掩其不备，此必成擒，不可失也！"孝恭从之。

淮安王神通将关内兵至冀州㊼③，与李艺兵合。又发邢、洺、相、魏、恒、赵等兵合五万余人，与刘黑闼战于饶阳㊼④城南，布陈十余里。黑闼众少，依堤单行而陈㊼⑤以当之。会风雪，神通乘风击之，既而风返，神通大败，士马军资失亡三分之二。李艺居西偏，击高雅贤，破之，逐奔㊼⑥数里，闻大军不利，退保藁城㊼⑦。黑闼就击之，艺亦败，薛万均、万彻皆为所虏，截发驱之。万均兄弟亡归，艺引兵归幽州。黑闼兵势大振。

【段旨】

以上为第十段，写唐高祖发巴蜀兵讨萧铣。刘黑闼在河北大败唐军。

【注释】

㊹②歙州：州名，治所在今安徽歙县。㊹③汪华：隋末歙州地方割据者，据本郡称王十年，被杜伏威所获。武德四年（公元六二一年）降唐。事迹见《旧唐书》卷五十六《杜伏威传》。㊹④黟：县名，县治在今安徽黟县。㊹⑤甲子：九月初十。㊹⑥弋阳：郡名，治所在今河南光山。㊹⑦卢祖尚（？至公元六二八年）：字季良，乐安（今河南光山）人，贞观中为交州刺史。传见《旧唐书》卷六十九、《新唐书》卷九十四。㊹⑧光州：州名，治所在今河南光山县。㊹⑨奉表：上表。㊺⓪丙子：九月二十二日。㊺①己卯：九月二十五日。㊺②括天下户口：调查统计天下户口。㊺③治中：官名，汉代设置，为州刺史的助理。因主众曹文书，居中治事，故名治中。隋为郡的佐官，唐改为司马。㊺④癸未：九月二十九日。㊺⑤太常：官署名，掌国家礼乐、郊庙、社稷之事。设卿一人，正三品，少卿二人，正四品。卿为长官，少卿为之贰。㊺⑥皆前代因罪配没：六朝时，多以籍没之人配为乐户。在唐代，仍以籍没者配充。㊺⑦年所：年代。㊺⑧愍：怜悯。㊺⑨蠲除：免除。㊻⓪且令执事：

行军元帅，从襄州道出发；黔州刺史田世康从辰州出兵；黄州总管周法明从夏口出兵：一同攻打萧铣。这个月，李孝恭从夔州出发。当时峡江正在上涨，诸将领请求等江水消退时进军。李靖说："兵贵神速。现在我军刚刚集中，萧铣还不知道。如果乘着江水上涨，突然抵达他的城下，掩其不备，这样一定能够擒获他，战机不可丧失！"李孝恭听从了这个建议。

淮安王李神通率领关内的部队到达冀州，与李艺的军队会合。又征发邢州、洺州、相州、魏州、恒州、赵州等地的士兵，合在一起五万余人，与刘黑闼在饶阳城南交战，布阵十多里。刘黑闼的兵力少，顺着河堤排成单行阵来与唐军对峙。正好这时刮风下雪，李神通乘着风势攻打刘黑闼，不久风向反转，李神通大败，士兵、马匹和军需物资丧失了三分之二。李艺处在队伍的西翼，攻打高雅贤，打败了他，追赶败兵数里，听说大军作战失利，退守藁城。刘黑闼前来攻击，李艺也战败了，薛万均、薛万彻都被俘虏，剪了头发，被驱赶着走路。薛万均兄弟逃亡回来，李艺率兵返回幽州。刘黑闼的兵势大振。

姑且令各司其业。㊻①若仕官入流：入流谓入九品之流内者，此为唐代特殊术语。全句意为若仕官已至流内之九品以上者。㊻②勿更追集：不要再追究身份。㊻③甲申：九月三十日。㊻④杨师道（？至公元六四七年）：字景猷，高祖时，官太常卿。贞观中拜侍中，后迁中书令，罢为吏部尚书。传见《旧唐书》卷六十二、《新唐书》卷一百。㊻⑤荆湘道：荆州南郡，湘州长沙郡。以南朝荆、湘所部言之。下荆郢道类此。㊻⑥行军长史：官名，唐于出征之将帅及节度使之下置行军长史，作为长官之副，总管府衙事务。㊻⑦夔州：州名，治所在今重庆奉节。㊻⑧黔州：州名，治所在今重庆彭水。㊻⑨辰州：州名，治所在今湖南沅陵。㊼⓪夏口：地名，在今湖北武汉黄鹄山上。为历代兵家争夺之地。㊼①峡江：长江自重庆市奉节瞿塘峡以下，谓之峡江。㊼②倏忽：极快地；忽然。㊼③冀州：州名，治所在今河北衡水市冀州区。㊼④饶阳：县名，县治在今河北饶阳东北。㊼⑤依堤单行而陈：依滹沱河之堤防，而单行为阵。㊼⑥逐奔：追逐败兵。㊼⑦藁城：县名，县治在今河北藁城。

【校记】

［5］出襄州道：此四字原无。据章钰校，十二行本、乙十一行本、孔天胤本皆有此四字，张敦仁《通鉴刊本识误》、张瑛《通鉴校勘记》同，今据补。

【原文】

上以秦王世民[6]功大，前代官皆不足以称之，特置天策上将[478]，位在王公上。冬，十月，以世民为天策上将，领司徒、陕东道大行台尚书令[479]，增邑二万户[480]，仍开天策府[481]，置官属。以齐王元吉为司空。

世民以海内[482]浸平[483]，乃开馆于宫西，延[484]四方文学之士，出教[485]以王府属[486]杜如晦，记室房玄龄[487]、虞世南，文学褚亮[488]、姚思廉[489]，主簿李玄道[490]，参军[491]蔡允恭[492]、薛元敬[493]、颜相时[494]，谘议典签苏勖，天策府从事中郎于志宁[495]，军谘祭酒苏世长，记室薛收[496]，仓曹李守素[497]，国子助教陆德明、孔颖达，信都[498]盖文达[499]，宋州总管府户曹[500]许敬宗[501]，并以本官兼文学馆学士[502]，分为三番[503]，更日[504]直[505]宿，供给珍膳[506]，恩礼优厚。世民朝谒[507]公事之暇，辄至馆中，引[508]诸学士讨论文籍[509]，或夜分[510]乃寝。又使库直[511]阎立本图像[512]，褚亮为赞[513]，号十八学士。士大夫得预其选者，时人谓之“登瀛州[514]”。允恭，大宝[515]之弟子。元敬，收之从子[516]。相时，师古之弟。立本，毗[517]之子也。

初，杜如晦为秦王府兵曹参军，俄迁陕州长史。时府僚多补外官[518]，世民患之。房玄龄曰：“余人不足惜，至于杜如晦，王佐之才[519]。大王欲经营四方，非如晦不可。”世民惊曰：“微公言[520]，几失[521]之。”即奏为府属。与玄龄常从世民征伐，参谋帷幄[522]，军中多事，如晦剖决如流[523]。世民每破军克城，诸将佐争取宝货，玄龄独收采[524]人物，致之[525]幕府。又将佐有勇略者，玄龄必与之深相结[526]，使为世民尽死力。世民每令玄龄入奏事，上叹曰：“玄龄为吾儿陈事，虽隔千里，皆如面谈[527]。”

【段旨】

以上为第十一段，写秦王李世民网罗人才，部属猛将如云，又设文学馆网罗天下文士，有十八学士，人才济济，房玄龄、杜如晦为之魁。

【语译】

因为秦王李世民的功劳大，前代的官职都不足以匹配如此大的功劳，唐高祖特地设置了天策上将，地位在王公之上。冬，十月，封李世民为天策上将，兼任司徒、陕东道大行台尚书令，增加封邑二万户，仍然开设天策上将府，设置属官，任命齐王李元吉为司空。

李世民认为海内逐渐太平，就在宫西开设文学馆，延纳四方文学人士，发布王命，以王府僚属杜如晦，记室房玄龄、虞世南，文学褚亮、姚思廉，主簿李玄道，参军蔡允恭、薛元敬、颜相时，谘议典签苏勖，天策府从事中郎于志宁，军谘祭酒苏世长，记室薛收，仓曹李守素，国子助教陆德明、孔颖达，信都人盖文达，宋州总管府户曹许敬宗，均以本官兼任文学馆学士，分为三班，隔天值宿，供给珍美的膳食，礼遇优厚。李世民在朝参谒见皇帝和办理公事的余暇，总是来到馆中，接见各位学士讨论文籍，有时到半夜才就寝。又让库直阎立本为诸位学士画像，褚亮为画像撰写赞语，号称十八学士。士大夫能参与这个人选的，当时人称之为“登瀛洲”。蔡允恭是蔡大宝弟弟的儿子。薛元敬是薛收的侄子。颜相时是颜师古的弟弟。阎立本是阎毗的儿子。

当初，杜如晦担任秦王府的兵曹参军，不久迁任陕州长史。当时王府的僚属大多补任地方官，李世民很担心此事。房玄龄说：“其他的人不值得可惜，至于杜如晦，他是王佐之才。大王如果想经营四方，非杜如晦不可。”李世民惊讶地说：“不是你说，差点失去了他。”当即上奏任命为王府属。杜如晦与房玄龄经常随从李世民征伐，参谋帷幄，军中事务多，杜如晦分析解决这些事务如同流水。李世民每次打败敌军攻克城池，各位将佐争相夺取宝物财货，只有房玄龄网罗人才，献给秦王幕府。另外将佐有智略的，房玄龄必定与他深相交结，让他为李世民尽死力。李世民每次让房玄龄入朝向唐高祖奏事，唐高祖都感叹地说：“房玄龄替我儿陈述政事，虽然阻隔千里，都像当面交谈一样。”

【注释】

⑱ 天策上将：官名，李渊以秦王世民平王世充及窦建德，功殊今古，特拜为天策上将，位在王公上，并开府。及世民为太子，乃废。⑲ 领司徒、陕东道大行台尚书令：兼任司徒府事和陕东道大行台尚书令。领，兼任。⑳ 增邑二万户：唐爵九等，王食邑万户，现增邑至二万户。㉑ 天策府：胡三省注，“天策府置长史、司马各一人，从事中郎

二人，并掌通判府事。军谘祭酒二人，谋军事，赞相礼仪，应接宾客。典签四人，掌宣传导引之事。主簿二人，掌省覆教命。录事二人，记室参军事二人，掌书疏表启，宣行教命。功、仓、兵、骑、铠、士六曹参军各二人，参军事六人"。㊽海内：四海之内，指全国。㊾浸平：渐平。㊿延：延聘。485教：诸王出命曰"教"。486王府属：唐王府置属，属类似汉代的掾属，掌通判诸曹事务。487房玄龄（公元五七九至六四八年）：唐初大臣，字乔，齐州临淄（今山东淄博）人，贞观元年（公元六二七年）为中书令，后为尚书左仆射，监修国史。传见《旧唐书》卷六十六、《新唐书》卷九十六。488褚亮（公元五六〇至六四七年）：唐初学者，字希明，原籍阳翟（今河南禹州），徙居钱塘（今浙江杭州），历陈、隋、唐三朝。入唐，初授秦王文学。从太宗征伐，参与计谋。贞观中，官至散骑常侍，封阳翟县侯，并为文学馆学士。传见《旧唐书》卷七十二、《新唐书》卷一百二。489姚思廉（公元五五七至六三七年）：唐初史学家，字简之，本吴兴（今属浙江）人，后迁往关中，为万年（今陕西西安东部）人，在隋为代王侑侍读。入唐，世民引为文学馆学士。贞观时，官至散骑常侍。传见《旧唐书》卷七十三、《新唐书》卷一百二。490李玄道：陇西人，世居郑州。贞观初累迁给事中，封姑臧县男，出为幽州长史，佐都督王君廓。后为常州刺史。传见《旧唐书》卷七十二、《新唐书》卷一百二。491参军：官名，唐制，诸卫及王府官俱有录事参军事，外府州亦分别置司录及录事参军，皆简称参军。492蔡允恭：江陵（今湖北江陵）人，仕隋为起居舍人。后太宗引为秦王府参军，贞观初除太子洗马。传见《旧唐书》卷一百九十上、《新唐书》卷二百一。493薛元敬：薛收从子，武德中为天策府记室参军。传见《旧唐书》卷七十三、《新唐书》卷九十八。494颜相时：颜师古弟，字睿，贞观中累迁谏议大夫，有诤臣之风，转礼部侍郎。传见《旧唐书》卷七十三、《新唐书》卷一百九十八。495于志宁（公元五八八至六六五年）：唐初大臣，字仲谧，京兆高陵（今陕西西安市高陵区）人。传见《旧唐书》卷七十八、《新唐书》卷一百四。496薛收（公元五九一至六二四年）：薛道衡子，字伯褒，高祖时，为秦王府主簿。授天策府记室参军。传见《旧唐书》卷七十三、《新唐书》卷九十八。497李守素：赵州（今河北赵县）人，秦王署天策府仓曹参军。传见《旧唐书》卷七十二、《新唐书》卷一百二。498信都：县名，县治在今河北衡水市冀州区。499盖文达（？

【原文】

李玄道尝事李密[528]为记室。密败，官属为王世充所虏，惧死，皆达曙不寐[529]。独玄道起居自若，曰："死生有命，非忧可免！"众服其识量[530]。

至公元六四四年）：信都（今河北衡水市冀州区）人，贞观初由秦王文学馆学士擢谏议大夫。传见《旧唐书》卷一百八十九、《新唐书》卷一百九十八。500 户曹：官名，唐时于府置户曹参军，于州置司户参军，于县置司户，掌户口籍账之事。501 许敬宗（公元五九二至六七二年）：字延族，杭州新城（今浙江杭州市富阳区西南）人，太宗时官至中书侍郎。高宗时，任礼部尚书，转升侍中。显庆三年（公元六五八年），任中书令。传见《旧唐书》卷八十三、《新唐书》卷二百二十三。502 学士：官名，南北朝以后，以学士为司文学撰述之官。唐初诸王及节帅亦可置学士，以师友相待，无定员、品秩。开元时始置学士院，官员称翰林学士，亦本为文学侍从之臣，因接近皇帝，往往参与机要。503 番：次。504 更日：隔日。505 直：通“值”。506 供给珍膳：古代官吏于寺署治事时，由公家供给饮食。507 朝谒：朝参谒见。508 引：接引。509 文籍：文章典籍。510 夜分：夜半。511 库直：官名，隶属于亲事府。诸亲王府并置亲事府，掌守卫陪从。以六七品官之子，年在十八以上者为亲事。凡王公以下文武职事三品以上带勋官者，给予差用。512 阎立本图像：《旧唐书·阎立德附立本传》，“立本虽有应务之才，而尤善图画，工于写真，秦府十八学士图，及贞观中凌烟阁功臣图，并立本之迹也，时人咸称其妙”。由此可见立本之十八学士图在艺术上的价值。图像，画像。513 为赞：作赞辞。514 登瀛州：相传海中有三神山，蓬莱、方丈、瀛洲，人不能至，至则成仙。登瀛洲犹登仙籍。515 大宝：即蔡大宝。北周时人，字敬位，有智谋，善属文。辅后梁主萧詧，累官尚书仆射。詧称帝江陵，征为侍中、尚书令。传见《周书》卷四十八。516 从子：侄子。517 毗：即阎毗。隋朝大臣，炀帝时拜朝请大夫，从征辽东。毗性巧思，善书画。传见《隋书》卷六十八。518 外官：朝外之官，指地方官。519 王佐之才：弼佐创建王业之才。520 微公言：不是你说。微，非、不是。521 几失：差点失去。522 帷幄：军帐。523 剖决如流：剖析决断快如流水。524 采：选取。525 致之：献之于。526 深相结：深相交结。527 如面谈：如同当面谈话一般详明。

【校记】

［6］世民：原无此二字。据章钰校，十二行本、乙十一行本、孔天胤本皆有此二字，今据补。

【语译】

李玄道曾经在李密处做事，担任记室。李密失败，官属被王世充俘虏，大家怕死，都通宵不眠。只有李玄道起居自如，说：“死生有命，不是担心可以免掉的！”大家佩服他的见识器量。

庚寅[531]，刘黑闼陷瀛州，杀刺史卢士叡[532]。观州[533]人执刺史雷德备[534]，以城降之。

辛卯[535]，萧铣鄂州[536]刺史雷长颖[537]以鲁山[538]来降。

赵郡王孝恭帅战舰二千余艘东下。萧铣以江水方涨，殊不为备[539]。孝恭等拔其荆门、宜都二镇[540]，进至夷陵[541]。铣将文士弘[542]将精兵数万屯清江[543]，癸巳[544]，孝恭击走之，获战舰三百余艘，杀溺死者万计[545]，追奔至百里洲[546]。士弘收兵复战，又败之，进入北江[547]。铣江州[548]总管盖彦举以五州来降。

毛州[549]刺史赵元恺性严急，下不堪命[550]。丁卯[551]，州民董灯明等作乱，杀元恺以应刘黑闼。

盛彦师自徐圆朗所逃归。王薄因说[552]青、莱[553]、密[554]诸州，皆下之。

萧铣之罢兵营农[555]也，才留宿卫数千人。闻唐兵至，文士弘败，大惧，仓猝征兵，皆在江、岭之外[556]，道涂阻远，不能遽集[557]，乃悉见兵出拒战[558]。孝恭将击之，李靖止之曰："彼救败之师，策非素立[559]，势不能久。不若且泊南岸[560]，缓之一日，彼必分其兵，或留拒我，或归自守，兵分势弱，我乘其懈而击之，蔑不胜矣[561]。今若急之，彼则并力死战，楚兵剽锐[562]，未易当[563]也。"孝恭不从，留靖守营，自帅锐师出战，果败走，趣南岸。铣众委舟[564]收掠军资，人皆负重。靖见其众乱，纵兵奋击，大破之，乘胜直抵江陵，入其外郭[565]。又攻水城，拔之，大获舟舰，李靖使孝恭尽散之江中。诸将皆曰："破敌所获，当藉其用，奈何弃以资敌？"靖曰："萧铣之地，南出岭表，东距洞庭[566]。吾悬军深入，若攻城未拔，援军四集，吾表里受敌，进退不获，虽有舟楫[567]，将安用之？今弃舟舰，使塞江[568]而下，援兵见之，必谓江陵已破，未敢轻进，往来觇伺[569]，动淹旬月[570]，吾取之必矣。"铣援兵见舟舰，果疑不进。其交州[571]总管[7]丘和[572]、长史高士廉、司马杜之松将朝江陵[573]，闻铣败，悉诣孝恭降。

孝恭勒兵围江陵，铣内外阻绝，问策于中书侍郎岑文本[574]，文本劝铣降。铣乃谓群下曰："天不祚[575]梁，不可复支[576]矣！若必待力屈[577]，则百姓蒙患[578]，奈何以我一人之故陷百姓于涂炭[579]乎！"乙巳[580]，铣以

十月初六日庚寅，刘黑闼攻陷瀛州，杀死刺史卢士叡。观州人抓住刺史雷德备，率州城投降刘黑闼。

初七日辛卯，萧铣的鄂州刺史雷长颖率鲁山前来降唐。

赵郡王李孝恭率战舰二千余艘顺着长江东下。萧铣以为江水正在上涨，丝毫不做准备。李孝恭等人攻下萧铣的荆门、宜都二镇，进军到夷陵。萧铣的将领文士弘率精兵数万屯驻清江，十月初九日癸巳，李孝恭把他打跑了，获得战舰三百余艘，杀死溺死的人以万计，追赶逃兵到达百里洲。文士弘收拾部队又来作战，唐军再次打败了文士弘，进入北江。萧铣的江州总管盖彦举率五个州前来降唐。

毛州刺史赵元恺生性严厉急躁，部下不能忍受。丁卯日，州民董灯明等人作乱，杀了赵元恺来响应刘黑闼。

盛彦师从徐圆朗处逃回。王薄因而游说青州、莱州、密州等地，都向唐投降了。

萧铣停止用兵经营农业的时候，只留下宿卫数千人。听说唐兵到来，文士弘战败，大为恐惧，仓猝征兵，兵员都在江、岭之外，道路阻隔辽远，不能迅速集合起来，于是就率全部现有的兵士出来抵抗。李孝恭将要攻击敌军，李靖制止他说："对方是挽救失败的部队，计策不是平素制定好的，势必不能持久。不如暂且在南岸停船，延缓一天，他们必然把兵力分开，有的会留下来抵御我军，有的回去守城，兵分势弱，我军乘其懈怠进行攻击，没有不取胜的。现在如果急攻他们，他们一定合力死战，楚兵剽悍骁锐，不易抵挡。"李孝恭不听，留下李靖守卫营寨，自己率领精锐部队出战，果然战败逃走，奔往南岸。萧铣的部队弃船抄掠军需物资，人人都背着沉重的东西。李靖看到萧铣的部队混乱，纵兵奋击，大败萧铣军，乘胜直抵江陵，进入它的外城。又攻打水城，攻了下来，获取了很多舟船，李靖让李孝恭把舟船全都散放到江中。诸将都说："打败敌军所获得的战利品，应当加以利用，怎么放弃了用以资助敌人？"李靖说："萧铣的地盘，南到岭南，东至洞庭湖。我们孤军深入，如果攻打城池没有攻克，对方的援兵从四面聚集，我方里外受敌，进退不得，虽然有舟船，又将有什么用？现在丢弃舟船，让它们布满长江而下，援兵看到了，一定以为江陵已被攻破，不敢轻率进军，来往窥伺情况，一动就淹滞一个月，这样我们战胜他们就是必然的了。"萧铣的援兵看到江中的舟船，果然猜疑而不敢进军。萧铣的交州总管丘和、长史高士廉、司马杜之松等人将要到江陵朝见萧铣，听说萧铣已经战败，全都前去李孝恭那里投降。

李孝恭统兵包围江陵，萧铣内外隔绝，向中书侍郎岑文本询问计策，岑文本劝萧铣投降。萧铣于是对群臣说："上天不福佑梁，不能再支撑下去了！如果一定等到力量衰败，百姓就会受到灾祸，怎能因为我一个人，让百姓陷于涂炭之中呢！"十

太牢[581]告[582]于太庙[583]，下令开门出降，守城者皆哭。铣帅群臣缌缞布帻[584]诣军门，曰：“当死者唯铣耳，百姓无罪，愿不杀掠。”孝恭入据其城。诸将欲大掠，岑文本说孝恭曰：“江南之民，自隋末以来，困于虐政，重以群雄虎争[585]，今之存者，皆锋镝[586]之余，跂踵延颈[587]以望真主[588]。是以萧氏君臣、江陵父老决计归命[589]，庶几有所息肩[590]。今若纵兵俘掠，使士民失望[8]，恐自此以南，无复向化[591]之心矣！”孝恭称善，遽禁止之。诸将又言：“梁之将帅与官军拒斗死者，其罪既深，请籍没其家[592]，以赏将士。”李靖曰：“王者之师，宜使义声先路[593]。彼为其主斗死，乃忠臣也，岂可同叛逆之科[594]籍其家乎！”于是城中安堵[595]，秋毫无犯。南方州县闻之，皆望风款附[596]。铣降数日，援兵至者十余万，闻江陵不守，皆释甲而降。

孝恭送铣于长安，上数之。铣曰：“隋失其鹿，天下共逐之。铣无天命，故至此。若以为罪，无所逃死[597]。”竟斩于都市[598]。诏以孝恭为荆州总管，李靖为上柱国，赐爵永康县公，仍使之安抚岭南，得承制拜授[599]。

先是，铣遣黄门侍郎江陵刘洎略地岭表，得五十余城，未还而铣败，洎以所得城来降，除南康州[600]都督府长史。

戊申[601]，徐圆朗昌州治中刘善行以须昌[602]来降。

庚戌[603]，诏陕东道大行台尚书省自令、仆至郎中[604]、主事[605]，品秩[606]皆与京师同，而员数差少[607]，山东行台及总管府、诸州并隶焉。其益州、襄州、山东、淮南、河北等道令、仆以下，各降京师一等[608]，员数又减焉。行台尚书令得承制补署。其秦王、齐王府官之外，各置左右六护军府[609]及左右亲事、帐内府[610]。

【段旨】

以上为第十二段，写唐军平定江南，萧铣覆灭。

月二十一日乙巳，萧铣用太牢三牲之礼在太庙向祖先祭告，下令打开城门出城投降，守城的人都哭了。萧铣率群臣穿着丧服前往唐军营门，说：“应当处死的人只有萧铣而已，百姓无罪，希望不要杀戮掠夺。”李孝恭入城，占据了江陵城。各位将领都想大肆抄掠，岑文本劝说李孝恭：“江南的百姓，自隋朝末年以来，困于虐政，加上群雄虎争，现在生存下来的人，都是刀锋箭镝之下剩余的人，踮着脚跟伸长脖子盼望真命天子，所以萧氏君臣、江陵父老决定归降于唐，希望能有所休息。现在如果纵兵抢掠，让士民失望，恐怕自此以南的地区，不再会有归降向化的心思了！”李孝恭认为这个建议很好，立即禁止军队抢掠。各位将领又说：“梁国的将帅与官军作战而死的人，他们的罪行已经很深，请登记抄没他们的家产，用来奖赏将士。”李靖说：“王者之师，应该让正义之声先闻于远方。他们是为了自己的君主战斗而死，乃是忠臣，怎可等同于叛逆的罪行抄没其家产呢！”这样江陵城中安居，唐军秋毫无犯。南方的州县听说此事，都望风纳诚归附。萧铣投降数天之后，各地前来救援的军队赶到江陵的有十多万人，听说江陵失守，全都脱下铠甲投降。

李孝恭把萧铣送到长安，唐高祖指陈他的罪行。萧铣说：“隋朝丧失它的王权，天下共同追逐王权。萧铣没有天命，所以来到这里。如果以为这是我的罪，没有地方可以逃脱死罪。”最终把他斩首于京城。下诏任命李孝恭为荆州总管，李靖为上柱国，赐爵永康县公，仍令他们略地岭南，可以用皇帝的名义任命官员。

在此之前，萧铣派遣黄门侍郎江陵人刘洎到岭南略取地盘，得到五十多个城池，还没回来，萧铣就已战败，刘洎率所得到的城池前来降唐，唐任命他为南康州都督府长史。

十月二十四日戊申，徐圆朗的昌州治中刘善行率须昌前来降唐。

十月二十六日庚戌，唐高祖下诏，陕东道大行台尚书省从尚书令、尚书仆射以至于郎中、主事，其品级俸禄都与京师相同，而员数较少，山东行台及总管府、各州都隶属其下。益州、襄州、山东、淮南、河北等道的尚书令、尚书仆射以下官员的品级俸禄，都分别比京师低一级，员数又有减少。行台尚书令可以以皇帝名义补充下属官员。除了秦王、齐王府的官员之外，又分别设置左右六护军府，以及左右亲事府、帐内府。

【注释】

㉘尝事李密：为李密做事。㉙达曙不寐：彻夜不眠。达曙，至旦。㉚识量：见识器量。㉛庚寅：十月初六。㉜卢士叡（？至公元六二一年）：隋末率数百人从高祖起兵，拜右光禄大夫、瀛州刺史。刘黑闼破瀛州，被杀。传见《新唐书》卷一百九十

一。(533)观州：州名，治所在今河北景县东北。(534)雷德备：唐初为观州刺史。(535)辛卯：十月初七。(536)鄂州：州名，治所在今湖北武汉市武昌区。(537)雷长颖：《新唐书》卷八十七《萧铣传》作“雷长颍”，为萧铣部将、鄂州刺史。武德四年（公元六二一年）以鲁山降唐。(538)鲁山：在今湖北武汉市汉阳区东。(539)殊不为备：丝毫不防备。殊，非常、很。(540)荆门、宜都二镇：镇名，萧铣置荆门、宜都两镇于峡州夷道县。在今湖北宜都西北。(541)夷陵：县名，县治在今湖北宜昌。(542)文士弘：隋末江淮地方割据者萧铣的将领，作战勇猛，被称为健将。事迹见《新唐书》卷八十七《萧铣传》。(543)清江：郡名，治所在今湖北长阳西。(544)癸巳：十月初九。(545)杀溺死者万计：杀死及溺死者，以万为单位计数。(546)百里洲：地名，在今湖北枝江南。(547)北江：百里洲在枝江县江中，江水至此分流，出百里洲而东流者谓之北江。(548)江州：州名，唐武德二年置，治所在今湖北宜都。(549)毛州：胡三省注，“魏州馆陶县旧置毛州，隋大业初，州废，窦建德复置，唐因之，领魏州之馆陶、冠氏，博州之堂邑，贝州之临清、清水”。(550)下不堪命：部下不能忍受。(551)丁卯：十月乙酉朔，无丁卯。疑为丁酉，十月十三日。(552)因说：因而游说。(553)莱：州名，治所在今山东莱州。(554)密：州名，治所在今山东诸城。(555)罢兵营农：停止打仗经营农耕。(556)江、岭之外：谓在江南及岭南。(557)遽集：迅速集中起来。(558)悉见兵出拒战：全部现有的士兵出来抵抗。见，通“现”。(559)策非素立：计策不是平素计划好的。素，一向、向来。(560)南岸：江陵南岸即马头岸。(561)蔑不胜矣：没有不战胜的。(562)剽锐：剽悍骁锐。(563)当：抵挡。(564)委舟：弃舟。(565)外郭：外城。古代城多为二重，外重则称为郭城。(566)洞庭：今湖南洞庭湖。(567)楫：舟旁拨水之具，长者曰棹，短者曰楫。(568)塞江：充塞江上。(569)觇伺：窥伺；观察。(570)动淹旬月：一动要淹滞一个月。(571)交州：州名，治所在今越南河内西北。(572)丘和（公元五五一至六三七年）：洛阳（今河南洛阳）人，后徙郿（今陕西眉县）。唐高祖时，拜稷州刺史。传见《旧唐书》卷五十九、《新唐书》卷九十。(573)将朝江陵：将来江陵朝见萧铣。(574)岑文本（公元五九五至六四五年）：字景仁，棘阳（今河南南阳南）人，贞观中，擢中书舍人，官至中书令。传见《旧唐书》卷七十、《新唐书》卷一百二。(575)祚：赐福；福佑。(576)支：支撑。(577)力屈：力量衰败。(578)蒙患：受难。(579)涂炭：烂泥和炭火。比喻陷于灾难困苦境遇。(580)乙巳：十月二十一日。(581)太

【原文】

闰月乙卯[611]，上幸稷州[612]。己未[613]，幸武功旧墅[614]。壬戌[615]，猎于好畤[616]。乙丑[617]，猎于九嵕[618]。丁卯[619]，猎于仲山[620]。戊辰[621]，猎于清水谷[622]，遂幸三原[623]。辛未[624]，幸周氏陂。壬申[625]，还长安。

牢：谓牛、羊、豕三牲。582 告：祭告。583 太庙：帝王祭祀其祖先而建立的庙。584 缌縗布帻：旧时的丧服，用麻布制成。缌，细麻布。縗，以粗麻布为之，披于胸前。帻，包发之巾。缌縗布帻，为亡国者谢罪的穿戴。585 重以群雄虎争：加以群雄如虎相争。586 锋镝：锋刃箭镞。587 跂踵延颈：抬起脚后跟伸长脖子。588 真主：此为隋唐称新兴天子的一种称谓，当时甚为风行。589 决计归命：决心归附。590 息肩：释去负荷，得以休息。591 向化：归化，即归附降唐。592 籍没其家：登记抄没家产。593 义声先路：正义之声先闻于远方。594 同叛逆之科：等同于叛逆之罪。595 安堵：安居。596 款附：纳诚归附。597 逃死：逃避死罪。598 都市：都邑之市，亦即京城之市。599 得承制拜授：可承制任命官职。即先行拜授，然后上表，而诏除之。600 南康州：州名，治所在端溪县（今广东德庆）。601 戊申：十月二十四日。602 须昌：县名，县治在今山东东平西北。胡三省注："圆朗盖以郓州之须昌置昌州。"603 庚戌：十月二十六日。604 郎中：官名，唐时尚书省各部均置郎中，分掌各司事务，为尚书、侍郎、丞以下的高级部员。605 主事：官名，隋代诸省各设主事令史，炀帝大业三年（公元六〇七年）省去令史名称，只称主事，每十个令史设一主事。唐沿置，为各部雇员，不在正规职官之内。606 品秩：官吏的品级俸禄。607 差少：较少。608 各降京师一等：此处承上文，是说品秩各降京师一等。609 左右六护军府：据胡三省注，左右六护军府，仅在秦王、齐王府设置，其他王府不得设置。610 亲事、帐内府：亲事府，官署名，唐代于亲王府内置亲事府，掌统亲事以守卫陪从。帐内府，官署名，唐代于亲王府内置帐内府，掌统帐内以为仪卫陪从。其帐内以八品、九品官之子年十八以上者为之。亲王亲事府及帐内府各置典军二人，正五品上，副典军二人，从五品上。

【校记】

［7］总管：原作"刺史"。据章钰校，十二行本、乙十一行本、孔天胤本皆作"总管"，张敦仁《通鉴刊本识误》同，今据改。〖按〗《旧唐书》卷五十六、《新唐书》卷八十七《萧铣传》皆载丘和此时为总管，与十二行等本相合。［8］使士民失望：原无此句。据章钰校，十二行本、乙十一行本、孔天胤本皆有此句，张敦仁《通鉴刊本识误》、张瑛《通鉴校勘记》同，今据补。

【语译】

闰十月初二日乙卯，唐高祖临幸稷州。初六日己未，临幸武功的旧别墅。初九日壬戌，在好畤打猎。十二日乙丑，在九嵕山打猎。十四日丁卯，在仲山打猎。十五日戊辰，在清水谷打猎，于是临幸三原。十八日辛未，临幸周氏陂。十九日壬申，返回长安。

十一月甲申㉖，上祀圜丘㉗。

杜伏威使其将王雄诞击李子通，子通以精兵守独松岭㉘。雄诞遣其将陈当㉙将千余人乘高据险以逼之，多张旗帜，夜则缚炬火㉚于树，布满山泽。子通惧，烧营走保杭州㉛。雄诞追击之，又败之于城下。庚寅㉜，子通穷蹙请降。伏威执子通并其左仆射乐伯通送长安，上释之。

先是，汪华据黟、歙，称王十余年。雄诞还军击之，华拒之于新安洞口㉝，甲兵甚锐。雄诞伏精兵于山谷，帅羸弱数千犯其陈。战才合，阳不胜，走还营。华进攻之，不能克，会日暮，引还，伏兵已据其洞口，华不得入，窘迫请降。

闻人遂安㉞据昆山㉟，无所属㊱，伏威使雄诞击之。雄诞以昆山险隘，难以力胜，乃单骑造㊲其城下，陈国威灵㊳，示以祸福。遂安感悦，帅诸将出降。于是伏威尽有淮南、江东之地，南至岭，东距海。雄诞以功除歙州总管，赐爵宜春㊴郡公。

壬辰㊵，林州㊶总管刘旻击刘仚成，大破之。仚成仅以身免，部落皆降。

李靖度岭，遣使分道招抚诸州，所至皆下。萧铣桂州㊷总管李袭志㊸帅所部诸州[9]来降，赵郡王孝恭即以袭志为桂州总管，明年入朝。以李靖为岭南抚慰大使，检校桂州总管，引兵下九十六州，得户六十余万。

【段旨】

以上为第十三段，写杜伏威为唐拓展淮南、江东之地，李靖安集岭南。

【注释】

⑪乙卯：闰十月初二。⑫稷州：州名，武德三年（公元六二〇年），以京兆之武功、好畤、盩厔置稷州。⑬己未：闰十月初六。⑭墅：别墅。⑮壬戌：闰十月初九日。⑯好畤：县名，县治在今陕西永寿西南。⑰乙丑：闰十月十二日。⑱九嵕：山名，在今陕西礼泉东北。⑲丁卯：闰十月十四日。⑳仲山：在今陕西泾阳西北。㉑戊辰：闰十月十五

十一月初一日甲申，唐高祖在圜丘祭祀天帝。

杜伏威派他的将领王雄诞攻打李子通，李子通利用精兵守卫独松岭。王雄诞派遣他的将领陈当率领一千余人，乘高据险逼近李子通，多竖旗帜，夜里就在树上绑缚火炬，布满山泽。李子通害怕了，烧了营帐逃走，据守杭州。王雄诞追击他，又在城下打败了李子通。十一月初七日庚寅，李子通走投无路请求投降。杜伏威抓住李子通连同他的左仆射乐伯通，送到长安，唐高祖释放了他们。

在此之前，汪华占据黟州、歙州，称王十余年。王雄诞回军攻击汪华，汪华在新安洞口进行抵抗，他的兵力非常精锐。王雄诞在山谷中埋伏精兵，率领老弱士卒数千人来冲击汪华的阵营。战斗刚刚开始，王雄诞佯装不胜，逃回营中。汪华进攻王雄诞，不能攻克，正好天色已晚，就引兵回营，但王雄诞的伏兵已经占据了汪华的洞口，汪华不能进入，走投无路，请求投降。

闻人遂安占据昆山，没有任何归属，杜伏威派王雄诞攻击他。王雄诞因为昆山地势险隘，难以使用兵力取胜，于是单身骑马到了昆山城下，说明国家的威灵，晓示祸福。闻人遂安被感发，很高兴，率手下诸将出山投降。于是杜伏威全部占有了淮南、江东地区，南到南岭，东至东海。王雄诞以军功封为歙州总管，赐爵宜春郡公。

十一月初九日壬辰，林州总管刘旻攻击刘佡成，大败刘军。刘佡成仅单身逃脱，其部落全都投降了。

李靖越过南岭，派遣使者分路招抚各州，所至之处全都投降。萧铣的桂州总管李袭志率领所辖诸州前来投降唐朝，赵郡王李孝恭当即任命李袭志为桂州总管，第二年入京朝见。任命李靖为岭南抚慰大使，检校桂州总管，率军攻下九十六州，获得六十余万户。

日。㉒清水谷：在今陕西宜君县境内。⑥㉓三原：县名，县治在今陕西三原东北。⑥㉔辛未：闰十月十八日。⑥㉕壬申：闰十月十九日。⑥㉖甲申：十一月初一。⑥㉗上祀圜丘：胡三省注引《贞观礼》，“冬至祀昊天上帝于圜丘”。⑥㉘独松岭：地名，在今浙江安吉东南。⑥㉙陈当：胡三省注认为“陈当”之下当有“世”字，唐避太宗讳去“世”字。⑥㉚炬火：火把。⑥㉛杭州：州名，治所在今浙江杭州。⑥㉜庚寅：十一月初七。⑥㉝新安洞口：唐歙州为隋之新安郡，新安洞口即歙州隘道之口。⑥㉞闻人遂安：姓闻人，名遂安。⑥㉟昆山：山名，在今江苏昆山。⑥㊱无所属：无所从属。⑥㊲造：至。⑥㊳陈国威灵：陈述唐朝的威灵。⑥㊴宜春：郡名，治所在今江西宜春。⑥㊵壬辰：十一月初九。⑥㊶林州：州名，治所在今广西桂平南。⑥㊷桂州：州名，治所在今广西桂林。⑥㊸李袭志：字重光，狄道（今甘肃临洮）人，武德时拜上柱国，历官桂州都督。传见《旧唐书》卷五十九、《新唐书》卷九十一。

【校记】

[9] 诸州：原无此二字。据章钰校，十二行本、乙十一行本、孔天胤本皆有此二字，今据补。

【原文】

壬寅[644]，刘黑闼陷定州，执总管李玄通。黑闼爱其才，欲以为大将，玄通不可。故吏有以酒肉馈之者，玄通曰："诸君哀吾幽辱[645]，幸以酒肉来相开慰[646]，当为诸君一醉。"酒酣，谓守者曰："吾能剑舞，愿假吾刀。"守者与之。玄通舞竟太息[647]曰："大丈夫受国厚恩，镇抚方面[648]，不能保全所守，亦何面目视息世间[649]哉！"即引刀自刺，溃腹[650]而死。上闻，为之流涕，拜其子伏护为大将。

庚戌[651]，杞州人周文举[652]杀刺史王文矩[653]，以城应徐圆朗。

幽州大饥，高开道许以粟赈之。李艺遣老弱诣开道就食，开道皆厚遇之。艺喜，于是发民三千人，车数百乘，驴马千余匹往受粟。开道悉留之，告绝[654]于艺，复称燕王[655]，北连突厥，南与刘黑闼相结，引兵攻易州不克，大掠而去。又遣其将谢棱[656]诈降于艺，请兵援接，艺出兵应之。将至怀戎[657]，棱袭击破之。开道与突厥连兵数入为寇，恒、定、幽、易咸被其患[658]。

十二月乙卯[659]，刘黑闼陷冀州，杀刺史麹稜。黑闼既破淮安王神通，移书[660]赵、魏[661]，故窦建德将卒争杀唐官吏以应黑闼。庚申[662]，遣右屯卫大将军义安王孝常将兵讨黑闼。黑闼将兵数万进逼宗城[663]，黎州总管李世勣先屯宗城，弃城走保洺州。甲子[664]，黑闼追击世勣等，破之，杀步卒五千人，世勣仅以身免。丙寅[665]，洺州土豪翻城应黑闼。黑闼筑坛[10]于城东南告天及祭窦建德而后入。后旬日，引兵攻拔相州，执刺史房晃，右武卫将军张士贵[666]溃围走。黑闼南取黎、卫二州，半岁之间，尽复建德旧境。又遣使北连突厥，颉利可汗遣俟斤[667]宋邪那帅胡骑从之。右武卫将军秦武通、洺州刺史陈君宾[668]、永宁[669]令程名振[670]皆自

【语译】

十一月十九日壬寅，刘黑闼攻陷定州，抓住了总管李玄通。刘黑闼爱惜他的才能，想让他担任大将，李玄通不答应。他的旧吏有人送酒肉给他吃，李玄通说：“诸君哀怜我被幽禁受辱，有幸拿酒肉来开导安慰我，当为诸君喝醉一次。”酒喝得正酣，对守卫的士兵说：“我能拿着剑跳舞，希望借给我一把刀。”守卫的士兵给他一把刀。李玄通舞罢叹息说：“大丈夫受到国家的厚恩，镇抚一方，不能保住所守疆土，还有什么脸面活在世间呢！”当即引刀自刺，剖腹而死。唐高祖听说了，为此流下眼泪，拜他的儿子李伏护为大将。

十一月二十七日庚戌，杞州人周文举杀死刺史王文矩，率城响应徐圆朗。

幽州发生大饥荒，高开道许诺用粮食赈救。李艺派遣老弱到高开道处吃饭，高开道都厚待他们。李艺很高兴，于是征发民众三千人，车辆数百乘，驴马一千余匹，前往接受赈灾的粮食。高开道把人马车辆全部留下，宣告与李艺绝交，又自称燕王，联合北面的突厥，南面与刘黑闼联结，率军攻打易州，没有攻下，大掠而去。又派他的将领谢稜伪降于李艺，请派兵支援迎接，李艺出兵接应他们。快到怀戎时，谢稜袭击并打败了李艺。高开道与突厥合兵多次入境为寇，恒州、定州、幽州、易州都深受其害。

十二月初三日乙卯，刘黑闼攻陷冀州，杀死刺史麹稜。刘黑闼攻破淮安王李神通后，传书赵、魏地区，原来窦建德的将士争相杀死唐朝的官吏来响应刘黑闼。初八日庚申，唐派遣右屯卫大将军义安王李孝常率军讨伐刘黑闼。刘黑闼率军数万人进逼宗城，唐黎州总管李世勣早已屯驻宗城，此时放弃宗城退守洺州。十二日甲子，刘黑闼追击李世勣等人，打败他们，杀死步卒五千人，李世勣仅自己一人逃脱。十四日丙寅，洺州土豪翻越城墙响应刘黑闼。刘黑闼在城东南筑起土坛，举行了告天及祭祀窦建德的仪式之后进城。之后十天时间，率军攻取相州，抓获刺史房晃，右武卫将军张士贵突围逃走。刘黑闼南下攻取黎州、卫州，半年之间，全部恢复了窦建德原有的地盘。又派遣使者北连突厥，颉利可汗派遣俟斤宋邪那率领胡人骑兵跟随着刘黑闼。唐右武卫将军秦武通、洺州刺史陈君宾、永宁令程名振都从河河北遁归长安。

丁卯⑥⑦①，命秦王世民、齐王元吉讨黑闼。

昆弥⑥⑦②遣使内附。昆弥，即汉之昆明也。巂州⑥⑦③治中吉弘纬通南宁⑥⑦④，至其国说之，遂来降。

己巳⑥⑦⑤，刘黑闼陷邢州、赵州。庚午⑥⑦⑥，陷魏州，杀总管潘道毅。辛未⑥⑦⑦，陷莘州⑥⑦⑧。

壬申⑥⑦⑨，徙宋王元嘉为徐王。

【段旨】

以上为第十四段，写刘黑闼连败唐军，尽有河北之地。

【注释】

⑥④④壬寅：十一月十九日。⑥④⑤哀吾幽辱：哀怜我被幽禁受辱。⑥④⑥开慰：开导安慰。⑥④⑦舞竟太息：舞毕叹息。⑥④⑧方面：一方。⑥④⑨视息世间：意为活在世上。⑥⑤⓪溃腹：剖腹。⑥⑤①庚戌：十一月二十七日。⑥⑤②周文举：杞州（治今河南杞县）人，隋末群雄之一。大业末据淮阳（今河南周口市淮阳区）起兵，号柳州军。武德四年（公元六二一年）杀杞州刺史，附于徐圆朗。次年降唐。事迹散见《新唐书·高祖纪》。⑥⑤③王文矩：唐初杞州刺史。⑥⑤④告绝：宣告绝交。⑥⑤⑤复称燕王：据《旧唐书》卷五十五《高开道传》，武德元年，高开道自立为燕王。后废罢。故此云“复称燕王”。⑥⑤⑥谢稜：高开道部将。事迹见《旧唐书·高开道传》。⑥⑤⑦怀戎：县名，县治在今河北涿鹿西南桑干河南岸。⑥⑤⑧咸被其患：皆遭受其祸。⑥⑤⑨乙卯：十二月初三。⑥⑥⓪移书：传递文书。⑥⑥①赵、魏：皆为战国时国名，赵国都城在今河北邯郸，魏国都城在今河南开封。此指河北、河南地域。⑥⑥②庚申：十二月初八。⑥⑥③宗城：县名，县治在今河北威县东。⑥⑥④甲子：十二月十二日。⑥⑥⑤丙寅：十二月十四日。⑥⑥⑥张士贵：卢氏（今河南卢氏）人，贞观中迁左领军大将军，进爵虢国公。传见《旧唐书》卷八十三、《新唐书》卷九十二。⑥⑥⑦俟斤：突厥授予属部首领的官名。⑥⑥⑧陈君宾：唐初良吏。贞观初为邓州刺史，后任为少府少监，终虔州刺史。传见《旧唐书》卷一百八十五、《新唐书》卷二百九十七。⑥⑥⑨永宁：胡三省注，“当作‘永年’”。据《旧唐书》卷八十三《程务挺传》，作“永年”是。⑥⑦⓪程名振（？至公元六六二年）：平恩（今河北曲周）人，程务挺之父，初归窦建德，后归唐，从太宗征辽东，拜右骁卫将军、平壤道行军总管。事附见《旧唐书》卷八十三、《新唐书》卷一百十一《程务挺传》。⑥⑦①丁

北逃回长安。

十五日丁卯，唐高祖命秦王李世民、齐王李元吉讨伐刘黑闼。

昆弥国派遣使者归附内地。昆弥，就是汉代的昆明。嶲州治中吉弘纬通往南宁，到了昆弥国劝说他们，于是前来投降。

十二月十七日己巳，刘黑闼攻陷邢州、赵州。十八日庚午，攻陷魏州，杀死总管潘道毅。十九日辛未，攻陷莘州。

十二月二十日壬申，把宋王李元嘉改封为徐王。

卯：十二月十五日。⑹⑺昆弥：中国古代民族名，汉至唐主要分布在今云南西部和中部，东至贵州西部，北及四川西南部分地区。⑹⑺嶲州：州名，治所在今四川西昌。⑹⑺南宁：州名，治所在今云南曲靖西。⑹⑺己巳：十二月十七日。⑹⑺庚午：十二月十八日。⑹⑺辛未：十二月十九日。⑹⑺莘州：州名，治所在今山东莘县。⑹⑺壬申：十二月二十日。

【校记】

［10］筑坛：原无此二字。据章钰校，十二行本、乙十一行本、孔天胤本皆有此二字，张敦仁《通鉴刊本识误》、张瑛《通鉴校勘记》同，今据补。

【研析】

本卷研析，着重评价农民起义首领窦建德和枭雄王世充。

先说窦建德。

窦建德，贝州漳南（在今山东武城）人。隋末起义，数年间拥有河北之地。大业十三年（公元六一七年），正月，窦建德在河间乐寿县（今河北献县）筑坛祭天，自称长乐王。随后改国号为夏，自称夏王，以洺州为都城。唐武德二年（公元六一九年），王世充在洛阳废掉隋越王杨侗，自立为帝，窦建德于是“建天子旌旗，出入警跸，下书言诏，俨然以夏国皇帝身份出现，但仍未正式称帝”。

武德四年，全国逐鹿中原势力最大的三家均在北方，李渊据关中，基本荡平了西北的割据势力，建立了唐朝，势力最强。王世充据河南，国号郑，称皇帝。窦建德据河北，国号夏。三方势力，形成了三足鼎立。当唐军大举东出，王世充不足以抵抗，于是求救于夏王窦建德，而窦建德为避免唇亡齿寒，倾全力救郑。在三足鼎立的形势下想要争胜，弱小的两方联合对抗最强的一方，策略是完全正确的。问题是窦建德如何救援王世充，战术策略也不能有误。夏国内部，君臣发生了尖锐的分歧。

夏国祭酒凌敬认为起义军应该先渡过黄河，攻下怀州河阳，派大将把守，然后再进兵，越过太行山，进入上党，攻取河东，这样做有三大好处：第一，击其空虚，可以广地，军队不受损；第二，扩大兵源财源；第三，威胁关中，唐军自救，郑国自解。这无疑是最正确的战术策略。这一策略可以造成唐军被夹攻，顾首顾不了尾。王世充的使者用金玉贿赂窦建德的将领，唆使他们破坏凌敬的建议，要求夏王正面攻击唐军。窦建德刚愎自用，又侥幸一战取胜，拒绝了凌敬的建议，把凌敬强行逐出门外，终止讨论。窦建德的妻子曹氏倒有远见，劝告丈夫采纳凌敬的建议，窦建德也听不进去，说："这不是你们女人应知道的事，我已答应援救郑国，不可失信于人。"于是率领大军逼近唐军，对峙于武牢关，列阵汜水，长达二十多里。

夏军的这一阵势，正中唐军李世民的下怀，李世民登上武牢城观察敌情，对部将们说："山东士兵，没有纪律，傲慢轻敌，等他们饥渴力竭之时出击，一定能打败他们。"到了中午，夏军果然饥渴难耐，大家争着抢水喝。李世民发起了全线攻击，很快夏军被冲得七零八落，全线溃退，窦建德被活捉。本来王世充还可以抵抗一阵，由于援军的全军覆没，郑军丧失了斗志，王世充很快投降。李世民一战消灭了两个强敌，可以说是窦建德的一着不慎，自己国破身亡，也加速了王世充的灭亡，教训是极为深刻的。

在隋末农民起义的首领中，窦建德是最有成就的一支起义军，夏国的政绩也最好。史称夏王"劝课农桑，境内无盗，商旅野宿"，颇有一番升平气象。窦建德的军队战斗力也很强。漫天王王须拔、历山飞魏刀儿、孟海公、宇文化及等均被窦建德吞灭，为什么与唐军交战，一触即溃，全军覆没呢？概括起来，有四大原因。第一，傲慢轻敌，犯兵家大忌。宇文化及这支穷寇，虽然被李密与窦建德轮番攻击消灭，但宇文化及也给李密、窦建德造成重创。李密因胜而骄败于王世充，窦建德因胜而骄败于李世民。这都是骄兵必败。古往今来，多少良将吃了这个亏，窦建德也没有例外。第二，窦建德援郑，御驾亲征。御驾亲征在第一线，是军队的极大拖累。窦建德带领百官，暴露在第一线，给唐军带来了可乘之机。第三，窦建德刚愎自用是致命的失败之因。窦建德不听凌敬之言，只是一个表面现象。窦建德在称王之后，如同秦末的陈胜一样，逐渐背离了农民的感情，疏远了同生共死的患难兄弟。窦建德为了让部下忠于自己，竟然矫情饰志，打起了忠于隋朝的旗帜。窦建德破了聊城，擒拿了宇文化及，不是先安抚百姓，而是以臣子的身份参拜萧皇后，重用隋朝的降官。隋河间郡丞王琮顽固对抗农民军，窦建德的部属对其恨之入骨。王琮投降后，窦建德称他为"义士"，授他做瀛州刺史，还下令军中敢为难王琮者，"罪三族"。窦建德攻克了相州、卫州、黎阳，俘虏了李渊的左武卫大将军李世勣、皇妹同安长公主、淮安王李神通，窦建德待为贵宾，把同安长公主、淮安王李神通礼送出境。对李世勣，则让他继续带兵，镇守黎阳。而李世勣却处心积虑要谋杀窦建德，最后反叛出逃。窦建德又俘获了侵犯境内的唐赵州刺史张昂、邢州刺史陈君宾、大使张道源等人，也认为他们是唐朝的"忠确士"，全部释放了他们。可是窦建德对自己的部将听谗诛杀，毫不手软。窦建德的大将王伏宝，勇略超群，功勋卓著，群帅出于嫉妒，诬陷他谋反，窦建德不加调查，就把他杀了。王伏宝临死前一再申诉："我是无辜的，大王为什么听信谗言，斩断自己的左右手呢！"窦建德竟置之不顾。窦建德的纳言宋正本，为人坦率，"好直谏"，窦建德也把他杀了。窦建德如此敌我不分，令将士寒心，君臣离心离德，这样的队伍，还能打胜仗吗？第四，唐军战斗力最强，秦王李世民正处于巅峰，君臣一心，眼见胜利在望，士气高昂，锐不可当，窦建德正好撞上了，焉能不败。

窦建德毕竟出身于农民，政治上仍然不成熟。上述失败之因，本来是可以化解的，窦建德却用粗暴的态度对待凌敬的建言和妻子的规劝，谁还敢再说话呢！一个孤家寡人，等待他的只有一条路，那就是失败。

窦建德被俘，他的妻子率领夏国百官投唐。然而唐朝并不礼遇窦建德。武德四年七月，窦建德被李世民押到长安斩首，死时年仅四十九岁。

再略说王世充。

王世充，字行满，本为西域少数民族人。王世充祖父叫颓耨，举家迁到新丰县（在今陕西西安市临潼区东）定居。颓耨死，其妻改嫁霸城人王粲做妾，生子王收。王收仕隋，历任怀、汴二州长史。王世充因父亲关系当上左翊卫，迁御府直长、兵部员外郎等职。大业初年任民部尚书，后转江都郡丞。

史载王世充头发卷曲，声似豺音，性奸诈多疑，爱好学习，尤喜兵法，通晓龟策、推步。他任江都郡丞，营建江都宫，备极壮丽。隋炀帝到江南，王世充百般献媚，投其所好，大受宠爱。

公元六一三年，杨玄感反隋，吴人朱燮、晋陵管崇拥众十万响应。王世充招募江都万余人参与镇压，他招纳降者，与之焚香盟誓，不杀俘虏，一些入海为盗的散兵闻讯来降。王世充受降三万余人，然后突然翻脸，将三万多降兵全部活埋，残暴至极，令人发指。王世充就是这样一个凶残的屠夫。公元六一六年，他奉炀帝之命率领江都兵入援东都，屯兵洛口与瓦岗军李密交战。王世充战败，退回东都，屯于含嘉城，龟缩不出。公元六一八年，宇文化及弑炀帝，东都群臣拥立炀帝之子越王杨侗为帝，王世充为吏部尚书，封郑国公。宇文化及领兵北上，李密首当其冲，为了避免两线作战，接受杨侗招安，全力讨伐宇文化及，在黎阳大败宇文化及，准备入朝东都。招安李密，计出内史令元文都、卢楚。王世充害怕元文都等人得势，更担心李密入朝，威胁自己的权势。于是发动兵变，杀害了元文都、卢楚等人，阻止了李密入朝。李密还金墉城，重新与隋朝开战。就这样，隋朝仅剩的一线中兴的希望被王世充彻底葬送了。

李密打败宇文化及，精兵良将损失惨重，却反而得胜而骄，不把王世充看在眼里，结果偃师一战，李密全军覆没，不得已而降唐。王世充杀元文都以后，就大权独揽，任尚书、左仆射，总督内外军事。打败李密之后，加官太尉、尚书令，十分骄狂，史称“王世充篡形已成”。公元六一九年四月，王世充逼宫杨侗禅让，正式僭伪称帝，国号郑。不久，王世充暗杀了杨侗，以绝众望。

王世充待人不诚。李密战败，许多大将投降，罗士信、秦叔宝、程知节等知名当世。王世充表示优礼，甚至与罗士信同寝共食。罗士信有一匹骏马，王世充的侄儿想要，罗士信不给，王世充夺之赐予侄儿。罗士信怀恨在心。程知节看不惯王世充的奸诈，对秦叔宝说：“王公器度浅狭而不实，好与人盟誓，此乃老巫婆之道，哪里是拨乱之主。”当唐军东出，这几个人都转而投了唐朝。一个残暴、奸诈、僭伪的人，自然不是唐军的对手，等到窦建德战败，王世充部属纷纷降唐，王世充想突围，没有人跟随，无可奈何也出降做了李世民的俘虏。王世充惨淡经营了三年的郑王朝宣告结束。

王世充被押到长安，被唐高祖免为庶人，发配到蜀地，临行前，被仇人定州刺史独孤修德所杀。

王世充大奸似忠，是一个典型的历史小丑。像王世充这种人，能言善辩，确也有几分本领，能够打败李密，堪称枭雄。王世充不但懂军事，还能说出一套欺世盗名的理论迷惑一时。《旧唐书·王世充传》的作者评论说：“世充奸人，遭逢昏主，上则谀佞诡俗以取荣名，下则强辩饰非以制群论。”把这种人物描绘得惟妙惟肖。其实生活中也不乏王世充这样的丑类，因此，历史上的反面人物，也留给人们以启迪，时时处处提防王世充之流，就是这个历史小丑留给我们的思考。

卷第一百九十　唐纪六

起玄黓敦牂（壬午，公元六二二年），尽阏逢涒滩（甲申，公元六二四年）五月，凡二年有奇。

【题解】

本卷记事起公元六二二年，迄公元六二四年五月，凡两年又五个月史事，当唐高祖武德五年至七年。此时期的最大事件是刘黑闼反于河北，又掀起了滔天大浪，影响所及，全国动荡。当窦建德败亡，王世充出降，南方杜伏威归服，萧铣破灭，全国基本平定。由于唐王室急于惩恶，未处理好窦建德、王世充部属的归降问题，逼之过急，刘黑闼于是反于河北，窦建德旧境全线响应，继之徐圆朗反，杜伏威旧部辅公祏反，岭南各地皆反，北方突厥侵扰，西北吐谷浑亦推波助澜，于是全国又处于大战乱中。主战场在河北，秦王李世民、太子李建成与齐王李元吉相继征讨，唐朝用了两年多时间才重新讨平叛乱，教训是极其深刻的。唐武德七年颁律，制定官吏制度和租庸调法，政治开始步入正轨，治平之世曙光初现。

【原文】

高祖神尧大圣光孝皇帝中之下

武德五年（壬午，公元六二二年）

春，正月，刘黑闼自称汉东王，改元天造[①]，定都洺州。以范愿为左仆射，董康买[②]为兵部尚书，高雅贤为右领军，征王琮[③]为中书令，刘斌[④]为中书侍郎，窦建德时文武[⑤]悉复本位[⑥]。其设法[⑦]行政，悉师建德，而攻战勇决过之。

丙戌[⑧]，同安[⑨]贼帅殷恭邃[⑩]以舒州[⑪]来降。

丁亥[⑫]，济州[⑬]别驾[⑭]刘伯通执刺史窦务本[⑮]，以州附徐圆朗。

庚寅[⑯]，东盐州[⑰]治中[⑱]王才艺杀刺史田华[⑲]，以城应刘黑闼。

秦王世民军至获嘉[⑳]，刘黑闼弃相州，退保洺州。丙申[㉑]，世民复取相州，进军肥乡[㉒]，列营洺水之上以逼之。

【语译】

高祖神尧大圣光孝皇帝中之下

武德五年（壬午，公元六二二年）

春，正月，刘黑闼自称汉东王，改年号为天造，定都洺州。任命范愿为左仆射，董康买为兵部尚书，高雅贤为右领军，征召王琮为中书令，刘斌为中书侍郎，窦建德时期的文武官员全部恢复了原来的职位。刘黑闼设置的法律和实行的政令，全部效法窦建德，而攻战勇猛果决超过了窦建德。

正月初四日丙戌，同安的贼军首领殷恭邃率舒州前来降唐。

初五日丁亥，唐济州别驾刘伯通逮捕刺史窦务本，率济州归附徐圆朗。

初八日庚寅，唐东盐州治中王才艺杀了刺史田华，率东盐州州城响应刘黑闼。

秦王李世民的军队到达获嘉，刘黑闼放弃相州，退守洺州。正月十四日丙申，李世民又收复了相州，进军肥乡，在洺水边布营进逼刘黑闼。

萧铣既败，散兵多归林士弘，军势复振。

己酉㉓，岭南俚帅㉔杨世略㉕以循、潮二州㉖来降。

唐使者王义童下泉、睦、建三州㉗。

幽州总管李艺将所部兵数万会秦王世民讨刘黑闼。黑闼闻之，留兵万人，使范愿守洺州，自将兵拒艺。夜，宿沙河㉘。程名振载鼓六十具，于城西二里堤上急击之，城中地皆震动。范愿惊惧，驰告黑闼。黑闼遽还，遣其弟十善与行台张君立㉙将兵一万击艺于鼓城㉚。壬子㉛，战于徐河㉜，十善、君立大败，所失亡八千人。

洺水㉝人李去惑据城来降，秦王世民遣彭公王君廓将千五百骑赴之，入城共守。二月，刘黑闼引兵还攻洺水，癸亥㉞，行至列人㉟，秦王世民使秦叔宝邀击，破之。

豫章㊱贼帅张善安以虔、吉㊲等五州来降，拜洪州㊳总管。

戊辰㊴，金乡㊵人阳孝诚叛徐圆朗，以城来降。

己巳㊶，秦王世民复取邢州。

辛未㊷，井州㊸人冯伯让以城来降。

丙子㊹，李艺取刘黑闼定、栾、廉、赵四州㊺，获黑闼尚书刘希道，引兵与秦王世民会洺州。

刘黑闼攻洺水甚急。城四旁皆有水，广五十余步，黑闼于城东北筑二甬道㊻以攻之。世民三引兵救之，黑闼拒之，不得进。世民恐王君廓不能守，召诸将谋之。李世勣曰："若甬道达城下，城必不守。"行军总管郯勇公㊼罗士信请代君廓守之。世民乃登城南高冢，以旗招君廓。君廓帅其徒力战，溃围而出，士信帅左右二百人乘之㊽入城，代君廓固守。黑闼昼夜急攻，会大雪，救兵不得往，凡八日，丁丑㊾，城陷。黑闼素闻㊿其勇，欲生之，士信词色不屈，乃杀之，时年二十[51]。

萧铣败亡后，散兵大多归附林士弘，林士弘的军势又振作起来。

正月二十七日己酉，岭南俚族首领杨世略率循、潮二州前来降唐。

唐朝使者王义童降服泉、睦、建三州。

唐幽州总管李艺率领所辖部队数万人与秦王李世民会合讨伐刘黑闼。刘黑闼听说了，留下兵力一万人，派范愿守卫洺州，自己率军抵抗李艺。夜晚，刘黑闼在沙河县宿营。程名振车载六十面大鼓，在城西二里处的河堤上猛烈擂鼓，城中的地面都震动了。范愿惊恐，飞驰报告刘黑闼。刘黑闼急速返回洺州，派他的弟弟刘十善和行台张君立率领士兵一万人在鼓城攻打李艺。正月三十日壬子，在徐河交战，刘十善、张君立大败，损失伤亡八千人。

洺水县人李去惑率领他占据的城池前来降唐，秦王李世民派彭公王君廓率一千五百名骑兵奔赴洺水，进城与李去惑共同守城。二月，刘黑闼带兵返回攻打洺水，十一日癸亥，走到列人县，秦王李世民派秦叔宝截击，打败了刘黑闼。

豫章贼军首领张善安率虔州、吉州等五个州前来降唐，唐任命张善安为洪州总管。

二月十六日戊辰，金乡人阳孝诚背叛徐圆朗，率金乡县城前来降唐。

十七日己巳，秦王李世民收复邢州。

十九日辛未，井州人冯伯让率井州城前来降唐。

二月二十四日丙子，李艺夺取刘黑闼的定、栾、廉、赵四州，抓获刘黑闼的尚书刘希道，带兵与秦王李世民会师洺州。

刘黑闼紧急攻打洺水。洺水城四周都有水，水宽五十多步，刘黑闼在城东北修建两条甬道用来攻城。秦王李世民三次带兵救援，刘黑闼进行阻击，李世民不能前进。李世民怕王君廓守不住城池，召集众将领商议救援之事。李世勣说："如果甬道到达城下，城池必定守不住。"行军总管郯勇公罗士信请求代替王君廓守城。李世民于是登上城南的高坟堆，用旗帜招呼王君廓。王君廓率领部众奋战，突围出城，罗士信率领身边二百人乘机进城，代替王君廓坚守城池。刘黑闼昼夜猛攻洺水，恰逢大雪，救兵无法前往，总共八天，二月二十五日丁丑，洺水城陷落。刘黑闼一向听说罗士信勇猛，想让他活命，罗士信言辞脸色毫不屈服，刘黑闼于是杀了他，当时罗士信年仅二十岁。

【段旨】

以上为第一段，写李世民与李艺联兵大举征讨刘黑闼，唐军屡胜，而刘黑闼仍在洺水得势，罗士信战殁。

【注释】

①天造：年号。其意盖为天所授命。②董康买：窦建德部将。建德败，归刘黑闼。事迹见《旧唐书》卷五十五、《新唐书》卷八十六《刘黑闼传》。③王琮：原为隋河间郡丞，后降窦建德，授瀛州刺史。建德败，归刘黑闼。事迹见新、旧《唐书·刘黑闼传》。④刘斌：隋代著名诗人。隋末归窦建德，署为中书舍人。建德败，又归刘黑闼，专掌文翰。传见《隋书》卷七十六。⑤文武：指文武官员。⑥本位：原来的官职。⑦设法：设置的法令。⑧丙戌：正月初四。⑨同安：郡名，治所在今安徽潜山。⑩殷恭邃：隋末群雄之一，武德五年（公元六二二年）降唐。事迹见《新唐书》卷一《高祖纪》。⑪舒州：州名，治所在今安徽潜山。隋代的同安郡，唐初改为舒州。⑫丁亥：正月初五。⑬济州：州名，治所在今山东聊城市茌平区西南。⑭别驾：官名，为州刺史的佐吏。隋唐改别驾为长史。⑮窦务本：唐初济州刺史。武德五年被属吏所执，以州附徐圆朗。事迹见《新唐书》卷一《高祖纪》。⑯庚寅：正月初八。⑰东盐州：州名，治所在今河北盐山县南。⑱治中：官名，为州刺史的助理。因主众曹文书，居中治事，故名治中。隋为郡的佐官，唐改为司马。⑲田华：唐初东盐州刺史，武德五年被属吏所杀。事迹见《新唐书》卷一《高祖纪》。⑳获嘉：县名，县治在今河南获嘉。㉑丙申：正月十四日。㉒肥乡：县名，县治在今河北邯郸市肥乡区。㉓己酉：正月二十七日。㉔俚帅：俚族首领。俚，古族名，东汉至隋唐屡见于史籍，常与僚并称。主要分布在今广东

【原文】

戊寅[52]，汴州总管王要汉[53]攻徐圆朗杞州，拔之，获其将周文举。

庚辰[54]，延州[55]道行军总管段德操[56]击梁师都石堡城[57]，师都自将救之。德操与战，大破之，师都以十六骑遁去。上益[58]其兵，使乘胜进攻夏州，克其东城，师都以数百人保西城。会突厥救至，诏德操引还。

辛巳[59]，秦王世民拔洺水。三月，世民与李艺营于洺水之南，分兵屯水北。黑闼数挑战，世民坚壁不应，别遣奇兵绝其粮道。壬辰[60]，黑闼以高雅贤为左仆射，军中高会[61]。李世勣引兵逼其营，雅贤乘醉，单

西南沿海及广西东南等地。㉕杨世略：隋末群雄之一。大业末据循、潮二州起兵，武德五年正月降唐。事迹见《新唐书》卷八十七《林士弘传》。㉖循、潮二州：循州，治所在今广东惠州东北。潮州，治所在今广东潮州市潮安区。㉗泉、睦、建三州：泉州，治所在今福建福州。睦州，治所在今浙江淳安西。建州，治所在今福建建瓯。㉘沙河：县名，县治在今河北沙河。㉙张君立：刘黑闼部将，后投高开道。又与开道爱将张金树同杀开道，寻被金树所杀。事迹见《旧唐书》卷五十五《高开道传》。㉚鼓城：县名，治所在今河北晋州。㉛壬子：正月三十日。㉜徐河：在清苑（今河北保定）北。㉝洺水：县名，县治在今河北曲周东南。㉞癸亥：二月十一日。㉟列人：县名，县治在今河北邯郸市肥乡区东北。㊱豫章：郡名，治所在今江西南昌。㊲虔、吉：州名。虔州，治所在今江西赣州。吉州，治所在今江西吉水东北。㊳洪州：州名，治所在今江西南昌。㊴戊辰：二月十六日。㊵金乡：县名，县治在今山东嘉祥南。㊶己巳：二月十七日。㊷辛未：二月十九日。㊸井州：州名，治所在今河北井陉西北。㊹丙子：二月二十四日。㊺定、栾、廉、赵四州：定州，治所在今河北定州。栾州，治所在今河北隆尧东。廉州，治所在今河北石家庄市藁城区。赵州，治所在今河北赵县。㊻甬道：两旁立墙的通道。㊼郯勇公：罗士信屠灭千金堡，参与平定王世充，以功封郯国公，死后谥曰勇。㊽乘之：乘其溃围混战之际。㊾丁丑：二月二十五日。㊿素闻：一向听说。51 时年二十：《旧唐书》卷一百八十七上《罗士信传》亦云士信年二十遇害，《新唐书》卷一百九十一《罗士信传》则云士信“不屈而死，年二十八”。

【语译】

二月二十六日戊寅，唐汴州总管王要汉攻打徐圆朗的杞州，攻取了杞州，抓获徐圆朗的将领周文举。

二月二十八日庚辰，唐延州道行军总管段德操攻打梁师都的石堡城，梁师都亲自带兵救援。段德操与他交战，大败梁师都，梁师都带着十六名骑兵逃走。唐高祖增加段德操的兵力，派他乘胜进攻夏州，攻下了夏州东城，梁师都利用几百人守卫夏州西城。适逢突厥救兵到达，唐高祖诏令段德操带兵返回。

二月二十九日辛巳，秦王李世民攻取洺水。三月，李世民和李艺在洺水南面扎营，分出部分兵力屯驻洺水北面。刘黑闼多次挑战，李世民坚守营垒不应战，另派奇兵切断了刘黑闼的运粮道路。十一日壬辰，刘黑闼任命高雅贤为左仆射，军中举行盛大宴会。李世勣带兵逼近刘黑闼军营，高雅贤趁着酒醉，单枪匹马追逐李世勣。

骑逐之。世勣部将潘毛刺之坠马，左右继至，扶归，未至营而卒。甲午[62]，诸将复往逼其营，潘毛为王小胡所擒。黑闼运粮于冀、贝、沧、瀛诸州，水陆俱进。程名振以千余人邀之，沉其舟，焚其车。

宋州总管盛彦师帅齐州总管王薄攻须昌[63]，征军粮于潭州[64]。刺史李义满[65]与薄有隙，闭仓不与。及须昌降，彦师收义满，系齐州狱。诏释之。使者未至，义满忧愤死狱中。薄还，过潭州，戊戌[66]夜，义满兄子武意执薄杀之，彦师亦坐死[67]。

上遣使赂突厥颉利可汗，且许结婚。颉利乃遣汉阳公瓌、郑元璹、长孙顺德[68]等还。庚子[69]，复遣使来修好，上亦遣其使者特勒[70]热寒、阿史那德等还。

并州总管刘世让屯雁门，颉利与高开道、苑君璋合众攻之，不克[1]，月余乃退。

甲辰[71]，以隋交趾[72]太守丘和为交州总管，和遣司马高士廉[73]奉表请入朝，诏许之，遣其子师利迎之。

秦王世民与刘黑闼相持六十余日，黑闼潜师袭李世勣营，世民引兵掩其后以救之，为黑闼所围。尉迟敬德帅壮士犯围[74]而入，世民与略阳公道宗乘之得出。道宗，帝之从子[75]也。世民度黑闼粮尽，必来决战，乃使人堰洺水上流[76]，谓守吏曰："待我与贼战，乃决[77]之。"丁未[78]，黑闼帅步骑二万南渡洺水，压唐营而陈。世民自将精骑击其骑兵，破之，乘胜蹂[79]其步兵。黑闼帅众殊死战，自午至昏，战数合，黑闼势不能支。王小胡谓黑闼曰："智力尽矣，宜早亡去。"遂与黑闼先遁，余众不知，犹格战[80]。守吏决堰，洺水大至，深丈余，黑闼众大溃，斩首万余级，溺死数千人。黑闼与范愿等二百骑奔突厥，山东悉平。

高开道寇易州，杀刺史慕容孝幹。

夏，四月己未[81]，隋鸿胪卿甯长真[82]以宁越、郁林[83]之地请降于李靖，交、爱[84]之道始通。以长真为钦州[85]总管。

李世勣的部将潘毛把他刺下马来，高雅贤的身边随从相继到来，把高雅贤扶回营，没有走到营地高雅贤就死了。十三日甲午，唐军诸将领又前去逼近刘黑闼的营地，潘毛被王小胡抓获。刘黑闼从冀州、贝州、沧州、瀛州各地运粮，水陆并进。程名振用一千多人进行截击，沉掉了运粮船，烧毁了运粮车。

唐宋州总管盛彦师率领齐州总管王薄攻打须昌，到潭州征调军粮。潭州刺史李义满与王薄有矛盾，关闭粮仓不给军粮。等到须昌投降，盛彦师逮捕李义满，关押在齐州监狱。唐高祖下诏释放李义满。传达诏令的使者没有到达齐州，李义满忧愤，死在狱中。王薄回师，经过潭州，三月十七日戊戌夜晚，李义满哥哥的儿子李武意抓住王薄，杀了他，盛彦师也坐罪处死。

唐高祖派遣使者贿赂突厥颉利可汗，并且答应与颉利通婚，颉利于是遣送汉阳公李瓌、郑元璹、长孙顺德等人返回唐朝。三月十九日庚子，又派遣使者前来建立友好关系，唐高祖也遣送突厥使者特勒热寒、阿史那德等人返回突厥。

唐并州总管刘世让屯驻雁门，颉利与高开道、苑君璋合兵攻打刘世让，没有攻下雁门，一个多月才退军。

三月二十三日甲辰，唐任命隋朝交趾太守丘和为交州总管，丘和派司马高士廉携带表章请求入京朝见，唐高祖下诏同意了他的请求，派丘和的儿子丘师利前往迎接。

秦王李世民与刘黑闼相持六十多天，刘黑闼暗中出兵袭击李世勣的军营，李世民带兵掩袭刘黑闼身后来救援李世勣，被刘黑闼包围。尉迟敬德率领壮士冲入包围，李世民与略阳公李道宗乘机得以从包围中出来。李道宗是唐高祖的侄子。李世民估计刘黑闼没有粮食了，必定前来决战，于是命人在洺水上游筑坝截断河水，对看守堤坝的官吏说："等我和敌人交战时，就扒开堤坝。"三月二十六日丁未，刘黑闼率领两万步兵、骑兵向南渡过洺水，紧逼唐军营寨布阵。李世民亲自统率精锐骑兵攻击刘黑闼的骑兵，打败了敌军，乘胜踩踏刘黑闼的步兵。刘黑闼率军拼死战斗，从中午到黄昏，双方交战几个回合，刘黑闼的兵力支持不下去了。王小胡对刘黑闼说："我们的智谋和兵力没有了，应该早些逃走。"于是和刘黑闼率先潜逃，其余的将士不知道情况，仍在格斗拼杀。唐看守堤坝的官吏扒开堤坝，洺河大水到来，水深一丈多，刘黑闼的军队大败，被斩首一万多级，淹死几千人。刘黑闼与范愿等二百骑兵奔往突厥，山东地区全部平定。

高开道侵犯易州，杀死唐易州刺史慕容孝幹。

夏，四月初八日己未，隋朝的鸿胪卿甯长真率宁越、郁林地区向李靖请求投降，通向交州与爱州的道路始被打通。唐任命甯长真为钦州总管。

【段旨】

以上为第二段，写刘黑闼兵败逃入突厥，河北大体平定，岭南高士廉归附。

【注释】

㉜戊寅：二月二十六日。㉝王要汉：隋末据汴州起兵，曾降于王世充。武德五年（公元六二二年）归唐，署为汴州总管。事迹见《旧唐书》卷一百八十七《夏侯端传》、《新唐书》卷一《高祖纪》。㉞庚辰：二月二十八日。㉟延州：州名，治所在今陕西延安东延河东岸。㊱段德操：唐初延州总管，善用兵。武德初年，多次重创入寇的梁师都及突厥步骑。事迹见《旧唐书》卷五十六、《新唐书》卷八十七《梁师都传》。㊲石堡城：镇名，在今陕西靖边东。㊳益：增加。㊴辛巳：二月二十九日。㊵壬辰：三月十一日。㊶高会：大会。㊷甲午：三月十三日。㊸须昌：县名，县治在今山东东平西北。㊹潭州：胡三省注，"当作'谭州'"。武德二年置，治所在今山东济南市章丘区西。㊺李义满（？至公元六二二年）：齐州平陵（今山东济南市章丘区西）人，隋末为齐郡通守。唐武德二年降于唐。高祖于平陵置谭州，拜义满为谭州刺史。事迹见《旧唐书》卷一百八十五上《李君球传》、《新唐书》卷一《高祖纪》。㊻戊戌：三月十七日。㊼彦师亦坐死：盛彦师也因李义满之死而被杀。㊽长孙顺德：太宗文德皇后之族

【原文】

以夔州总管赵郡王孝恭为荆州总管。

徐圆朗闻刘黑闼败，大惧，不知所出。河间[86]人刘复礼说圆朗曰："有刘世彻[87]者，其才不世出[88]，名高东夏[89]，且有非常之相，真帝王之器。将军若自立，恐终无成。若迎世彻而奉之，天下指挥可定。"圆朗然之，使复礼迎世彻于浚仪[90]。或说圆朗曰："将军为人所惑，欲迎刘世彻而奉之。世彻若得志，将军岂有全地[91]乎？仆不敢远引前古，将军独不见翟让之于李密[92]乎？"圆朗复以为然。世彻至，已有众数千人，顿于城外[93]，以待圆朗出迎。圆朗不出，使人召之。世彻知事变，欲亡走，恐不免，乃入谒。圆朗悉夺其兵，以为司马，使徇谯、杞二

叔，素为高祖所亲厚。从征累有战功，拜左骁卫大将军，封薛国公。传见《旧唐书》卷五十八、《新唐书》卷一百五。⑥⑨庚子：三月十九日。⑦⓪特勒：应作特勤。突厥语，官名，为突厥回纥可汗子弟的官衔。⑦①甲辰：三月二十三日。⑦②交趾：郡名，治所在今越南河内。⑦③高士廉（公元五七五至六四七年）：名俭，以字显。武德中为右庶子，迁益州大都督府长史，后为吏部尚书，封许国公，迁右仆射。传见《旧唐书》卷六十五、《新唐书》卷九十五。⑦④犯围：突围；冲破包围。⑦⑤从子：侄子。⑦⑥堰洺水上流：于洺水上游筑堰以遏水流。⑦⑦决：开。⑦⑧丁未：三月二十六日。⑦⑨蹂：蹂躏。⑧⓪格战：紧张激烈的战斗。⑧①己未：四月初八。⑧②甯长真：隋末岭南地方渠帅，炀帝时授鸿胪卿。隋亡，附于萧铣。武德初降唐，高祖授钦州都督。传见《新唐书》卷二百二十下《南蛮传》。⑧③宁越、郁林：皆为郡名。宁越郡，治所在今广西钦州东北钦江西北岸。郁林郡，治所在今广西贵港东南郁江南岸。⑧④交、爱：皆为州名。交州，治所在今越南河内西北。爱州，治所在今越南清化省清化。⑧⑤钦州：州名，治所在今广西钦州东北钦江西北岸。钦州即宁越郡。

【校记】

[1]不克：原无此二字。据章钰校，十二行本、乙十一行本、孔天胤本皆有此二字，张敦仁《通鉴刊本识误》、张瑛《通鉴校勘记》同，今据补。

【语译】

唐任命夔州总管赵郡王李孝恭为荆州总管。

徐圆朗听说刘黑闼失败，大为恐惧，不知向何处进军。河间人刘复礼劝徐圆朗说："有位名叫刘世彻的人，他的才能不是每个时代都会出现的，在东夏有很高的名望，并且有非同常人的相貌，真有帝王的器度。将军如果自立为王，恐怕最终一事无成。如果迎来刘世彻，尊奉为君主，天下在指挥之间就可以平定。"徐圆朗同意他的意见，派刘复礼在浚仪县迎接刘世彻。有人劝徐圆朗说："将军被人迷惑，打算迎来刘世彻尊奉为君主。刘世彻如果得志了，将军哪里有安全之地呢？我不敢远引前代之事，将军难道没有看到翟让与李密的关系吗？"徐圆朗又认为这也说得对。刘世彻到来时，已有部众几千人，屯驻城外，等待徐圆朗出城迎接。徐圆朗不出城，派人召刘世彻进城。刘世彻知道事情有了变故，打算逃走，又害怕不能免祸，就进城谒见徐圆朗。徐圆朗夺走了他的人马，任命他为司马，派他攻略谯、杞二州。东方

州。东人[94]素闻其名，所向皆下，圆朗遂杀之。

秦王世民自河北引兵将击圆朗，会上召之，使驰传[95]入朝，乃以兵属齐王元吉。庚申[96]，世民至长安，上迎之于长乐[97]。世民具陈取圆朗形势，上复遣之诣黎阳，会大军趋济阴[98]。

丁卯[99]，废山东行台[100]。

壬申[101]，代州总管定襄王李大恩为突厥所杀。先是，大恩奏称突厥饥馑，马邑可取。诏殿内少监独孤晟[102]将兵与大恩共击苑君璋，期[103]以二月会马邑。失期[104]不至，大恩不能独进，顿兵新城[105]。颉利可汗遣数万骑与刘黑闼共围大恩，上遣右骁卫大将军李高迁[106]救之。未至，大恩粮尽，夜遁，突厥邀之，众溃而死，上惜之。独孤晟坐减死徙边。

丙子[107]，行台民部尚书史万宝攻徐圆朗陈州[108]，拔之。

戊寅[109]，广州贼帅邓文进[110]、隋合浦太守宁宣[111]、日南[112]太守李晙[113]并来降。

五月庚寅[114]，瓜州土豪王幹斩贺拔行威[115]以降，瓜州平。

突厥寇忻州[116]，李高迁击破之。

六月辛亥[117]，刘黑闼引突厥寇山东，诏燕郡王李艺击之。

癸丑[118]，吐谷浑寇洮、旭、叠三州[119]，岷州总管李长卿击破之。

乙卯[120]，遣淮安王神通击徐圆朗。

丁卯[121]，刘黑闼引突厥寇定州。

秋，七月甲申[122]，为秦王世民营弘义宫[123]，使居之。

世民击徐圆朗，下十余城，声震淮、泗[124]。杜伏威惧，请入朝。

世民以淮、济[125]之间略定，使淮安王神通、行军总管任瓌、李世勣攻圆朗。乙酉[126]，班师。

丁亥[127]，杜伏威入朝，延升御榻[128]，拜太子太保，仍兼行台尚书令，留长安，位在齐王元吉上，以宠异[129]之。以阚稜[130]为左领军将军。

李子通谓乐伯通曰："伏威既来，江东未定，我往收旧兵，可以立大功。"遂相与亡至蓝田关[131]，为吏所获，俱伏诛。

的人一向听说刘世彻的大名，所到之处全都归顺，徐圆朗于是杀了刘世彻。

秦王李世民从河北带兵即将攻打徐圆朗，正好唐高祖召见他，让他急驰传车入朝，于是李世民把军队交给齐王李元吉。四月初九日庚申，李世民到达长安，唐高祖到长乐坂迎接他。李世民详细说明了攻取徐圆朗的形势，唐高祖又派他前往黎阳，会同大军奔赴济阴。

四月十六日丁卯，唐废除山东行台。

四月二十一日壬申，唐代州总管定襄王李大恩被突厥杀害。在此之前，李大恩上奏说突厥发生饥荒，可以攻取马邑。唐高祖下诏命殿内少监独孤晟带兵与李大恩一起攻打苑君璋，约定二月会师马邑。独孤晟误期没有到达，李大恩不能独自进军，屯驻在新城。突厥颉利可汗派几万骑兵与刘黑闼一起包围了李大恩，唐高祖派右骁卫大将军李高迁救援李大恩。李高迁没有到达，李大恩粮尽，夜里逃遁，突厥阻截，李大恩军队溃散被杀，唐高祖很痛惜。独孤晟因此获罪，减刑免死，流放边地。

四月二十五日丙子，唐行台民部尚书史万宝攻打徐圆朗的陈州，攻取了陈州。

二十七日戊寅，广州贼帅邓文进、隋朝合浦太守宁宣、日南太守李晙一并前来降唐。

五月初九日庚寅，瓜州土豪王幹杀死贺拔行威后降唐，瓜州平定。

突厥侵犯忻州，李高迁打败了突厥。

六月初一日辛亥，刘黑闼引导突厥军队侵犯山东，唐高祖下诏命燕郡王李艺攻击突厥的军队。

初三日癸丑，吐谷浑侵犯洮、旭、叠三州，唐岷州总管李长卿打败了吐谷浑的军队。

初五日乙卯，唐派淮安王李神通攻打徐圆朗。

十七日丁卯，刘黑闼引导突厥军队侵犯定州。

秋，七月初五日甲申，唐为秦王李世民营建弘义宫，让他居住在那里。

李世民攻打徐圆朗，攻下十余城，声震淮水、泗水地区。杜伏威害怕了，请求入京朝见。

李世民因为淮、济之间大体平定，让淮安王李神通、行军总管任瓌、李世勣攻打徐圆朗。初六日乙酉，李世民班师回朝。

七月初八日丁亥，杜伏威入京朝见，皇帝请他登上御榻，官拜太子太保，仍然兼任行台尚书令，把他留在长安，官位在齐王李元吉之上，表示特殊的优宠。唐任命阚稜为左领军将军。

李子通对乐伯通说："杜伏威已来长安，江东还没有平定，我们前去收拾旧部，可以建立大功。"于是一起逃跑到蓝田关，被官吏抓获，都被处死。

刘黑闼至定州，其故将曹湛、董康买亡命在鲜虞[132]，复聚兵应之。甲午[133]，以淮阳王道玄为河北道行军总管以讨之。

丙申[134]，迁州[135]人邓士政执刺史李敬昂[136]以反。

【段旨】

以上为第三段，写李世民移兵山东讨徐圆朗，刘黑闼引突厥入寇，卷土重来。

【注释】

⑧⑥河间：郡名，治所在今河北河间。⑧⑦刘世彻：彭城（今江苏徐州）人，才干出众。徐圆朗欲奉之，后听信谗言，忌而杀之。传见《隋书》卷六十三。⑧⑧其才不世出：他的才能不是每个时代都会出现的。⑧⑨东夏：指山东、河北一带。⑨⓪浚仪：县名，县治在今河南开封。⑨①全地：安全之地。⑨②翟让之于李密：李密先为翟让部将，后翟让推李密为主，称魏公。随着地位的变化，李密用阴谋手段杀害了翟让。⑨③顿于城外：停驻城外。⑨④东人：东方的人。⑨⑤驰传：谓乘传车而急驰。传，传车。⑨⑥庚申：四月初九。⑨⑦长乐：长乐坂在长安城东。⑨⑧济阴：郡名，治所在今山东菏泽市定陶区。⑨⑨丁卯：四月十六日。⑩⓪废山东行台：刘黑闼败，奔突厥，山东悉平，故废山东行台。⑩①壬申：四月二十一日。⑩②独孤晟：唐初大臣，武德初署为殿内少监。事迹见《旧唐书》卷一百九十四、《新唐书》卷二百十五《突厥传》。⑩③期：约定。⑩④失期：误了期限。⑩⑤新城：据胡三省注，新城当在朔州（今山西朔州）南。⑩⑥李高迁（？至公元六五四年）：岐州（治今陕西宝鸡市凤翔区）人，唐初将领。执高君雅有功，以右三统军从下霍邑。后累迁西麟州刺史。传见《旧唐书》卷五十七、《新唐书》卷八十八。⑩⑦丙子：四月二

【原文】

丁酉[137]，隋汉阳太守冯盎[138]承李靖檄[139]，帅所部来降，以其地为高、罗、春、白、崖、儋、林、振八州[140]，以盎为高州总管，封耿国公。先

刘黑闼到了定州，他的旧时将领曹湛、董康买逃亡在鲜虞，又召集兵马响应刘黑闼。七月十五日甲午，唐任命淮阳王李道玄为河北道行军总管，讨伐刘黑闼。

七月十七日丙申，迁州人邓士政抓住刺史李敬昂，反叛朝廷。

十五日。⑩⑧陈州：州名，治所在今河南周口市淮阳区。⑩⑨戊寅：四月二十七日。⑪⑩邓文进：隋末群雄之一，据广州（今广东广州）起兵。武德五年（公元六二二年）降唐。事迹见《新唐书》卷一《高祖纪》。⑪⑪宁宣：隋末岭南地方头目，隋亡，附于萧铣，武德初降唐。事迹见《新唐书》卷二百二十二《南蛮传》。⑪⑫日南：郡名，治所在今越南义安荣市。⑪⑬李晙：隋末日南郡太守，武德五年降唐。事迹见《新唐书》卷七十二《宰相世系二上》。⑪⑭庚寅：五月初九。⑪⑮贺拔行威（？至公元六二二年）：瓜州（治今甘肃敦煌西）人，初为瓜州刺史。后叛乱，战败降唐，为瓜州民所杀。事迹见《旧唐书》卷六十二、《新唐书》卷一百《杨恭仁传》。⑪⑯忻州：州名，治所在今山西忻州。⑪⑰辛亥：六月初一。⑪⑱癸丑：六月初三。⑪⑲洮、旭、叠三州：洮州，治所在今甘肃临潭。旭州，治所当在甘肃庆阳境。叠州，治所在今甘肃迭部。⑫⑩乙卯：六月初五。⑫⑪丁卯：六月十七日。⑫⑫甲申：七月初五。⑫⑬弘义宫：后改为大安宫。在宫城外西偏。⑫⑭淮、泗：淮水、泗水流域。⑫⑮淮、济：淮水、济水。⑫⑯乙酉：七月初六。⑫⑰丁亥：七月初八。⑫⑱延升御榻：引升而坐于帝床之上。⑫⑲宠异：优宠殊异。⑬⑩阚稜（？至公元六二三年）：章丘（今山东济南市章丘区）人，杜伏威据江淮，以战功署左将军。从伏威入朝，拜越州都督。传见《旧唐书》卷五十六、《新唐书》卷九十二。⑬⑪蓝田关：一名蓝关，在今陕西商洛市商州区西北。⑬⑫鲜虞：县名，县治在今河北定州。⑬⑬甲午：七月十五日。⑬⑭丙申：七月十七日。⑬⑮迁州：州名，治所在今湖北竹山。⑬⑯李敬昂：唐初迁州刺史。事迹见《新唐书》卷一《高祖纪》。

【语译】

七月十八日丁酉，隋朝汉阳太守冯盎接受了李靖的檄文，率领部属前来降唐，唐把冯盎的辖地设置为高州、罗州、春州、白州、崖州、儋州、林州、振州共八个

是⑭，或说⑭盎曰："唐始定中原，未能及远，公所领二十州地已广于赵佗⑭，宜自称南越王。"盎曰："吾家居此五世⑭矣，为牧伯者不出吾门⑭，富贵极矣，常惧不克负荷⑭，为先人羞，敢效⑭赵佗自王一方乎！"遂来降。于是岭南悉平。

八月辛亥⑭，以洺、荆、交、并、幽五州为大总管府。

改葬隋炀帝于扬州雷塘⑭。

【段旨】

以上为第四段，岭南全境归附。

【注释】

⑬丁酉：七月十八日。⑬汉阳太守冯盎：隋仁寿初，潮、成等五州獠人叛乱，隋文帝令盎发江、岭兵讨击，平定獠人后，授金紫光禄大夫，除汉阳太守。盎传见《旧唐书》卷一百九、《新唐书》卷一百十。⑬承李靖檄：接受李靖檄文。⑭高、罗、春、白、崖、儋、林、振八州：高州，治所在今广东阳江西。罗州，治所在今广东化州。春州，治所在今广东阳春。白州，治所在今广西博白。崖州，治所在今海南海口市琼山区东南。儋

【原文】

甲戌⑮，吐谷浑寇岷州，败总管李长卿。诏益州行台右仆射窦轨、渭州⑮刺史且⑮洛生救之。

乙卯⑮，突厥颉利可汗寇边，遣左武卫将军段德操、云州总管李子和⑮将兵拒之。子和本姓郭，以讨刘黑闼有功，赐姓。丙辰⑮，颉利十五万骑入雁门。己未⑮，寇并州，别遣兵寇原州⑮。庚申⑮[2]，命太子出幽州⑮道、秦王世民出秦州⑯道以御之。李子和趋云中⑯，掩击可

州，任命冯盎为高州总管，封给爵位为耿国公。在此之前，有人劝冯盎说："唐刚刚平定中原，不能顾及边远地区，你所管辖的二十州的地域已经超过赵佗，应当自称南越王。"冯盎说："我家居住此地五代了，当州牧的无不出自吾家，富贵至极，常怕不能胜任重担，让先人蒙羞，怎敢效法赵佗自己称王一方呢！"于是前来投降。从此岭南地区全部平定。

八月初二日辛亥，唐把洺州、荆州、交州、并州、幽州共五州设立为大总管府。

唐把隋炀帝改葬在扬州的雷塘。

州，治所在今海南儋州。林州，治所在今广西桂平南。振州，治所在今海南三亚西北崖城镇。⑭先是：先此。为追述旧事习用语。⑭或说：有人游说。⑭赵佗（？至公元前一三七年）：南越国王，真定（今河北正定）人，秦末为南海郡（治所在今广东广州）尉。秦亡后，据有南海、桂林、象郡，建立南越国。西汉初，封为南越王。事迹见《汉书》卷九十五《南越传》。⑭吾家居此五世：据《新唐书》冯盎本传，冯业始居番禺，业子融事梁为罗州刺史，融子宝聘越大姓洗氏女子妻，遂为首领。从宝至盎三世，加上业、融两世，则为五世。⑭为牧伯者不出吾门：当州牧、方伯者，无不出自我们冯家。⑭不克负荷：不能承担。⑭敢效：岂敢效法。⑭辛亥：八月初二。⑭雷塘：又称雷陂。在今江苏扬州城北。

【语译】

八月二十五日甲戌，吐谷浑侵犯岷州，打败了唐总管李长卿。唐高祖下诏命益州行台右仆射窦轨、渭州刺史且洛生援救李长卿。

八月初六日乙卯，突厥颉利可汗侵犯边境，唐派遣左武卫将军段德操、云州总管李子和率军抵抗。李子和本姓郭，由于讨伐刘黑闼有功，赐姓李。初七日丙辰，颉利的十五万骑兵进入雁门。初十日己未，侵犯并州，另外又派兵侵犯原州。十一日庚申，唐高祖命太子李建成从豳州道出兵，命秦王李世民从泰州道出兵抵御突厥。

汗。段德操趋夏州[162]，邀[163]其归路。

辛酉[164]，上谓群臣曰："突厥入寇而复求和，和与战孰利[165]？"太常卿郑元璹曰："战则怨深，不如和利[166]。"中书令封德彝曰："突厥恃犬羊之众[167]，有轻中国之意，若不战而和，示之以弱，明年将复来。臣愚以为不如击之，既胜而后与和，则恩威兼著[168]矣。"上从之。

己巳[169]，并州大总管襄邑王神符[170]破突厥于汾东。汾州[171]刺史萧颉破突厥，斩首五千余级。

吐谷浑陷[3]洮州[172]，遣武州[173]刺史贺拔亮[4]御之。

丙子[174]，突厥寇廉州，戊寅[175]，陷大震关[176]。上遣郑元璹诣颉利。是时，突厥精骑数十万，自介休至晋州，数百里间，填[177]溢山谷。元璹见颉利，责以负约[178]，与相辨诘[179]，颉利颇惭。元璹因说颉利曰："唐与突厥，风俗不同，突厥虽得唐地，不能居也。今虏掠所得，皆入国人[180]，于可汗何有[181]？不如旋师，复修和亲，可无跋涉[182]之劳，坐受金币[183]，又皆入可汗府库，孰与[184]弃昆弟积年之欢[185]，而结子孙无穷之怨乎！"颉利悦，引兵还。元璹自义宁[186]以来，五使突厥，几死者数焉。

九月癸巳[187]，交州刺史权士通、弘州总管宇文歆、灵州总管杨师道击突厥于三观山，破之。

乙未[188]，太子班师。

丙申[189]，宇文歆邀突厥于崇岗镇，大破之，斩首千余级。壬寅[190]，定州总管双士洛[191]击突厥于恒山[192]之南。丙午[193]，领军[194]将军安兴贵击突厥于甘州，皆破之。

刘黑闼陷瀛州，杀刺史马匡武。盐州[195]人马君德以城叛附黑闼。高开道寇蠡州[196]。

李子和急速奔赴云中，突然袭击颉利可汗。段德操奔赴夏州，阻截突厥的退路。

八月十二日辛酉，唐高祖对群臣说：“突厥入侵而又来求和，和与战哪个更有利？”太常卿郑元璹说：“交战就会仇怨深结，不如讲和有利。”中书令封德彝说：“突厥仗着如同犬羊一样多的兵力，有轻视中原王朝的想法，如果不战就讲和，向他们显示软弱，明年将会再来。臣的愚见，不如攻击他们，取胜以后再讲和，那就恩威兼顾了。”唐高祖听从了封德彝的意见。

八月二十日己巳，唐并州大总管襄邑王李神符在汾东打败突厥。汾州刺史萧颉打败突厥，斩首五千多级。

吐谷浑攻陷洮州，唐派武州刺史贺拔亮抵御吐谷浑。

八月二十七日丙子，突厥侵犯廉州，二十九日戊寅，攻陷大震关。唐高祖派郑元璹前往颉利可汗那里。当时，突厥人的精锐骑兵几十万，从介休到晋州，数百里间，布满山谷。郑元璹见到颉利，责备他背叛盟约，与颉利展开辩论，颉利颇为惭愧。郑元璹趁机劝颉利说：“唐与突厥，风俗不同，突厥虽然得到唐的领土，也不能居住。如今虏掠所得，都给了突厥百姓，对于可汗您得到了什么？不如回军，重新议和通婚，可以没有跋涉的辛劳，坐享黄金币帛，又都进入可汗的府库，这与抛弃兄弟之间的累年友好，结成子孙后代的无穷仇怨相比，哪一个更好呢！”颉利很高兴，带兵返回突厥。郑元璹从义宁年间以来，五次出使突厥，好几次差一点被杀。

九月十五日癸巳，唐交州刺史权士通、弘州总管宇文歆、灵州总管杨师道在三观山攻击突厥，打败了敌军。

十七日乙未，太子李建成班师回朝。

十八日丙申，宇文歆在崇岗镇拦击突厥，大败敌军，斩首一千多级。二十四日壬寅，唐定州总管双士洛在恒山南麓攻击突厥。二十八日丙午，唐领军将军安兴贵在甘州攻打突厥，都打败了敌军。

刘黑闼攻陷瀛州，杀了唐刺史马匡武。盐州人马君德率盐州城反叛，归附刘黑闼。高开道侵犯蠡州。

【段旨】

以上为第五段，写突厥颉利可汗大举入寇，唐军战败突厥，复与之和亲。

【注释】

⑮⓪甲戌：八月二十五日。⑮①渭州：州名，治所在今甘肃陇西县东南。⑮②且：姓。⑮③乙卯：八月初六。⑮④李子和（？至公元六六四年）：同州蒲城（今陕西蒲城）人，本姓郭。从太宗平刘黑闼有功，高祖赐姓李氏。传见《旧唐书》卷五十六、《新唐书》卷九十二。⑮⑤丙辰：八月初七。⑮⑥己未：八月初十。⑮⑦原州：州名，治所在今宁夏固原。⑮⑧庚申：八月十一日。⑮⑨幽州：胡三省注，"当作'豳州'"。豳州，治所在今陕西彬州。⑯⓪秦州：胡三省注，"当作'泰州'"。泰州，治所在今山西河津东南。⑯①云中：郡名，治所在今内蒙古托克托东北。⑯②夏州：州名，治所在今陕西靖边东北白城子。⑯③邀：截击。⑯④辛酉：八月十二日。⑯⑤和与战孰利：和谈与作战哪样有利。⑯⑥不如和利：不如议和有利。⑯⑦恃犬羊之众：依恃犬羊一样众多的兵力。⑯⑧恩威兼著：恩德与威势兼而有之。⑯⑨己巳：八月二十日。⑰⓪襄邑王神符（公元五七八至六五一年）：高祖从父弟。武德元年（公元六一八年），进封襄邑郡王。传见《旧唐书》卷六十、《新唐书》卷七十八。⑰①汾州：州名，治所在今山西汾阳。⑰②洮州：州名，治所在今甘肃临潭。⑰③武州：州名，治所在今甘肃武都东南。⑰④丙子：八月二十七日。⑰⑤戊寅：八月二十九日。⑰⑥大震关：关名，在今甘肃清水县东陇山东坡。⑰⑦填：满；充塞。⑰⑧负约：违背约誓。⑰⑨辨诘：辩论诘难。⑱⓪皆入

【原文】

冬，十月己酉[197]，诏齐王元吉讨刘黑闼于山东。壬子[198]，以元吉为领军大将军、并州大总管。癸丑[199]，贝州刺史许善护与黑闼弟十善战于鄃县[200]，善护全军皆没。甲寅[201]，右武候将军桑显和击黑闼于晏城[202]，破之。观州[203]刺史刘会以城叛附黑闼。

契丹寇北平[204]。

甲子[205]，以秦王世民领左、右十二卫[206]大将军。

乙丑[207]，行军总管淮阳壮王道玄[208]与刘黑闼战于下博[209]，军败，为黑闼所杀。时道玄将兵三万，与副将史万宝不协[210]。道玄帅轻骑先出犯陈，使万宝将大军继之。万宝拥兵不进，谓所亲曰："我奉手敕云，淮阳小儿，军事皆委老夫。今王轻脱[211]妄进，若与之俱，必同败没，不如以王饵贼[212]。王败，贼必争进，我坚陈以待之，破之必矣。"由是道

国人：皆归国人。⑱ 于可汗何有：于可汗何利之有。⑱ 跋涉：草行曰跋，水行曰涉。⑱ 金币：黄金币帛。⑱ 孰与：与……比，哪一个……；哪里比得上。⑱ 弃昆弟积年之欢：放弃兄弟累年友好。⑱ 义宁：隋恭帝杨侑年号（公元六一七至六一八年）。⑱ 癸巳：九月十五日。⑱ 乙未：九月十七日。⑱ 丙申：九月十八日。⑲ 壬寅：九月二十四日。⑲ 双士洛：姓双，名士洛，唐武德初定州总管，破突厥有功。事迹见《新唐书》卷八十六《刘黑闼传》。⑲ 恒山：五岳之北岳，在今河北曲阳西北，与山西接壤处。⑲ 丙午：九月二十八日。⑲ 领军：官名，隋有左右领军府，与十二府中的其他十府同掌禁卫兵。唐有左、右领军卫，与十六卫中的其他十四卫同掌禁卫兵，设上将军、大将军及将军。⑲ 盐州：州名，治所在今陕西定边。⑲ 蠡州：州名，治所在今河北蠡县。

【校记】

［2］庚申：原误作“庚子”。据章钰校，十二行本、乙十一行本、孔天胤本皆作“庚申”，张瑛《通鉴校勘记》同，今据校正。［3］陷：原作“寇”。据章钰校，十二行本、乙十一行本、孔天胤本皆作“陷”，张瑛《通鉴校勘记》同，今从改。［4］贺拔亮：原作“贺亮”。据章钰校，十二行本、乙十一行本、孔天胤本皆作“贺拔亮”，张瑛《通鉴校勘记》同，今从改。

【语译】

冬，十月初一日己酉，唐高祖下诏命齐王李元吉在山东讨伐刘黑闼。初四日壬子，任命李元吉为领军大将军、并州大总管。初五日癸丑，唐贝州刺史许善护在鄃县与刘黑闼弟弟刘十善交战，许善护全军覆没。初六日甲寅，唐右武候将军桑显和在晏城攻打刘黑闼，打败了他。唐观州刺史刘会率观州城反叛，归附了刘黑闼。

契丹侵犯北平。

十月十六日甲子，任命秦王李世民统领左、右十二卫大将军。

十月十七日乙丑，唐行军总管淮阳壮王李道玄在下博与刘黑闼交战，唐军失败，李道玄被刘黑闼杀死。当时李道玄率军三万，与副将史万宝不和。李道玄率领轻骑兵率先出战冲击敌阵，让史万宝率大军继踵其后。史万宝拥兵不进，对他的亲信说：“我奉皇帝手书敕令说，淮阳王是个小孩子，军事全都委托我这个老夫。现在淮阳王轻率妄进，如果和他一起行动，必然共同败亡，不如拿淮阳王做饵引诱敌人。如果淮阳王失败，敌人必定争相前进，我坚守阵地等待敌人，一定能够打败敌人。”因

玄独进败没。万宝勒兵将战，士卒皆无斗志，军遂大溃，万宝逃归。道玄数从秦王世民征伐，死时年十九，世民深惜之，谓人曰："道玄常从吾征伐，见吾深入贼陈，心慕效[213]之，以至于此。"为之流涕。世民自起兵以来，前后数十战，常身先士卒，轻骑深入，虽屡危殆[214]，而未尝为矢刃所伤。

林士弘遣其弟鄱阳王药师攻循州，刺史杨略与战，斩之，其将王戎以南昌州[215]降。士弘惧，己巳[216]，请降。寻复走保安成[217]山洞，袁州[218]人相聚应之，洪州总管若干则遣兵击破之。会士弘死，其众遂散。

淮阳王道玄之败也，山东震骇，洺州总管庐江王瑗弃城西走，州县皆叛附于黑闼，旬日间，黑闼尽复故地，乙亥[219]，进据洺州。十一月庚辰[220]，沧州刺史程大买为黑闼所迫，弃城走。齐王元吉畏黑闼兵强，不敢进。

【段旨】

以上为第六段，写刘黑闼尽复故地与徐圆朗合势，齐王李元吉征讨，畏懦不敢进。

【注释】

⑲己酉：十月初一。⑱壬子：十月初四。⑲癸丑：十月初五。⑳鄃县：县名，治所在今山东夏津。㉑甲寅：十月初六。㉒晏城：县名，县治在今河北东鹿西。㉓观州：州名，治所在今河北景县东北。㉔北平：郡名，治所在今河北卢龙。㉕甲子：十月十六

【原文】

上之起兵晋阳也，皆秦王世民之谋[221]。上谓世民曰："若事成，则天下皆汝所致，当以汝为太子。"世民拜且辞。及为唐王，将佐亦请以

此李道玄孤军深入战败阵亡。史万宝整军将战，士兵全无斗志，于是唐军大败，史万宝逃了回来。李道玄多次跟随秦王李世民征伐，死时年十九岁，李世民深为痛惜，对人说道：“道玄常随我征伐，见我深入敌阵，心中羡慕、仿效我，以至于到这种地步。”李世民为李道玄的阵亡而流泪。李世民自从太原起兵以来，前后数十战，常常身先士卒，轻骑深入敌阵，虽然多次遇到危险，却未曾被刀箭所伤。

林士弘派遣他的弟弟鄱阳王林药师攻打循州，唐循州刺史杨略与林药师交战，杀死了林药师，林药师的将领王戎率南昌州投降。林士弘恐惧，十月二十一日己巳，请求投降。不久又逃走，固守安成山洞，袁州百姓相互聚集响应林士弘，唐洪州总管若干则派兵打败了他们。正好林士弘死了，他的部众便散去了。

淮阳王李道玄败亡后，山东震惊，唐洺州总管庐江王李瑗弃城西逃，州县都反叛归附了刘黑闼，旬日之间，刘黑闼全部收复了旧时的地盘，十月二十七日乙亥，进军占据洺州。十一月初三日庚辰，唐沧州刺史程大买被刘黑闼所迫，弃城逃走。齐王李元吉畏惧刘黑闼兵力强盛，不敢进军。

日。㉖十二卫：隋文帝时置十二府，统禁卫兵。后扩充为十六卫。唐沿隋制，名称略有改变。其十六卫是：左右卫、左右骁骑、左右武卫、左右威卫、左右领军卫、左右金吾卫、左右监门卫、左右千牛卫。其中左右监门卫、左右千牛卫不领府兵，其余领府兵者为唐代的十二卫。㉗乙丑：十月十七日。㉘淮阳壮王道玄：李道玄，唐高祖从父兄子，武德元年（公元六一八年）封淮阳王，卒后谥曰壮。传见《旧唐书》卷六十、《新唐书》卷七十八。㉙下博：县名，县治在今河北深州东南。㉚不协：不和协。㉛轻脱：轻率；轻躁佻脱。㉜以王饵贼：以王（指道玄）为贼之诱饵，借以获贼。㉝慕效：羡慕而效法。㉞危殆：危险困殆。㉟南昌州：治所在今江西永修。㊱己巳：十月二十一日。㊲安成：县名，县治在今江西安福。㊳袁州：州名，治所在今江西宜春。㊴乙亥：十月二十七日。㊵庚辰：十一月初三。

【语译】

唐高祖起兵晋阳时，都是秦王李世民的谋划。唐高祖对李世民说：“如果事业成功，那么天下都是你带来的，应当立你为太子。”李世民拜谢并推辞。等到唐高祖

世民为世子。上将立之，世民固辞而止。太子建成性宽简[222]，喜酒色游畋，齐王元吉多过失，皆无宠于上。世民功名日盛，上常有意以代建成。建成内不自安[223]，乃与元吉协谋[224]共倾世民，各引树党友[225]。

上晚年多内宠，小王且二十人[226]，其母竞交结诸长子以自固[227]。建成与元吉曲意事诸妃嫔，谄谀[228]赂遗，无所不至，以求媚于上。或言蒸[229]于张婕妤、尹德妃，宫禁深秘，莫能明也[230]。是时东宫、诸王公、妃主之家及后宫亲戚横长安中，夺人田宅[5]，恣[231]为非法，有司不敢诘[232]。世民居承乾殿[233]，元吉居武德殿[234]后院，与上台[235]、东宫昼夜通行，无复禁限[236]。太子、二王出入上台，皆乘马携弓刀杂物，相遇如家人礼。太子令，秦、齐王教[237]与诏敕并行，有司莫知所从，唯据得之先后为定。世民独不奉事诸妃嫔，诸妃嫔争誉[238]建成、元吉而短[239]世民。

世民平洛阳，上使贵妃等数人诣洛阳选阅[240]隋宫人及收府库珍物。贵妃等[241]私从世民求宝货[242]及为亲属求官，世民曰："宝货皆已籍奏[243]，官当授贤才有功者。"皆不许，由是益怨。世民以淮安王神通有功，给田数十顷。张婕妤之父因婕妤求之于上，上手敕赐之。神通以教[244]给在先，不与。婕妤诉于上曰："敕赐妾父田，秦王夺之以与神通。"上遂发怒，责世民曰："我手敕不如汝教邪！"他日，谓左仆射裴寂曰："此儿久典兵[245]在外，为书生所教，非复昔日子也。"尹德妃父阿鼠骄横，秦王府属杜如晦[246]过其门，阿鼠家童数人曳如晦坠马，殴之，折一指，曰："汝何人，敢过我门而不下马！"阿鼠恐世民诉于上，先使德妃奏云："秦王左右陵暴[247]妾家。"上复怒责世民曰："我妃嫔家犹为汝左右所陵，况小民乎！"世民深自辩析，上终不信。

世民每侍宴宫中，对诸妃嫔，思太穆皇后[248]早终，不得见上有天下，或歔欷流涕，上顾[249]之不乐。诸妃嫔因密共谮世民曰："海内幸无事，陛下春秋高[250]，唯宜相娱乐。而秦王每独涕泣，正是憎疾妾等。陛下万岁后[251]，妾母子必不为秦王所容，无孑遗[252]矣！"因相与泣，且曰："皇太子仁孝，陛下以妾母子属[253]之，必能保全。"上为之怆然。由是无易太子意，待世民浸疏[254]，而建成、元吉日亲矣。

成为唐王时，将领们也请求立李世民为世子。唐高祖将要册立，李世民坚决推辞才作罢。太子李建成性情宽松简易，喜欢饮酒、女色、打猎，齐王李元吉多有过失，都不受唐高祖的宠爱。李世民的功勋名望日益隆盛，唐高祖常常有意让他代替李建成为太子。李建成心中不安，就与李元吉合谋，一起排挤李世民，他们各自招引培植党羽。

唐高祖晚年在内宫宠幸许多妃嫔，年幼的小王近二十人，他们的母亲竞相交结各位年长的王子以巩固自己的地位。李建成和李元吉都用尽心机奉侍各位妃嫔，谄媚阿谀，贿赂馈赠，无所不至，想通过她们获得唐高祖的青睐。有人说他们与张婕妤、尹德妃私通，宫禁深邃隐秘，无人能够明了。当时，太子的东宫、各王公、妃主之家以及后宫妃嫔的亲属横行长安，抢夺百姓的田宅，恣意于非法之事，主管官衙不敢责问。李世民住在承乾殿，李元吉住在武德殿后院，与皇帝的寝宫、太子东宫昼夜通行，不再有所限制。太子与秦王、齐王出入皇帝寝宫，都乘马、携带刀弓等杂物，彼此相见只按普通人家的礼节。太子下达的令、秦王和齐王下达的教令和唐高祖发布的诏敕同时并行，有关官衙不知所从，只根据收到的先后为准。只有李世民不奉侍诸位妃嫔，诸位嫔妃争相称赞李建成、李元吉而诋毁李世民。

李世民平定洛阳，唐高祖让贵妃等几个人前往洛阳挑选隋朝宫女和收取皇家仓库里的珍宝。贵妃等人私下向李世民索要珍宝财货，又为自己的亲属求官，李世民说："珍宝财货都已经登录在册并上奏了，官位应当授予有贤才和有功劳的人。"对于她们的要求都没有答应，因此妃嫔们更加怨恨他。因为淮安王李神通有战功，李世民给他几十顷田地。张婕妤的父亲通过张婕妤向唐高祖要这些田地，唐高祖手写敕令把这些田地赐给他。李神通因为秦王的教令先给了他田地，因此不给张婕妤的父亲。张婕妤向唐高祖告状说："皇上敕书赐给妾的父亲的田地，秦王夺去给了李神通。"唐高祖于是很生气，责备李世民说："我的亲笔敕书不如你的教令吗！"另一天，唐高祖对左仆射裴寂说："这个儿子长期掌兵在外，被书生教唆，不再是原来的儿子了。"尹德妃的父亲尹阿鼠骄恣横行，秦王府属官杜如晦经过他的门前，尹阿鼠的几名家丁把杜如晦拉下马，殴打他，打断了他的一根手指，说："你是什么人，胆敢走过我们门前不下马！"尹阿鼠害怕李世民告诉皇上，先让尹德妃上奏说："秦王的身边亲信欺凌妾家的人。"唐高祖又生气地责备李世民说："我的妃嫔家还受你身边亲信欺凌，何况是小老百姓呢！"李世民深加辩解说明，唐高祖始终不相信。

李世民每次在宫中侍奉唐高祖宴饮，面对诸位妃嫔，想到太穆皇后去世早，没能看到唐高祖拥有天下，有时就叹气流泪，唐高祖看到后很不高兴。各位妃嫔于是暗中一起诋毁李世民说："天下幸好平安无事，陛下高寿，只应当互相欢娱。可是秦王常常独自流泪，应该是憎恨我们。陛下万岁之后，我们母子必定不为秦王容纳，没有一个人活下来！"于是一起流泪，并且说："皇太子仁爱孝顺，陛下把我们母子托付给太子，一定能保全性命。"唐高祖为此伤心。从此唐高祖没有了改立太子的想法，对待李世民逐渐疏远，而对李建成、李元吉日益亲近。

【段旨】

以上为第七段，写李世民功高震主，太子李建成与齐王李元吉合谋谗毁李世民，朝廷潜伏危机。

【注释】

[221]皆秦王世民之谋：隋义宁元年（公元六一七年），李世民、刘文静、裴寂合谋推动李渊起兵反隋，事见本书卷一百八十三。[222]宽简：宽松简易。[223]内不自安：心不自安。[224]协谋：合谋。[225]引树党友：招引培植党羽。[226]小王且二十人：胡三省注云，“尹德妃生酆王元亨，莫嫔生荆王元景，孙嫔生汉王元昌，宇文昭仪生韩王元嘉、鲁王灵夔，瞿嫔生邓王元裕，杨嫔生江王元祥，小杨嫔生舒王元名，郭婕妤生徐王元礼，刘婕妤生道王元庆，杨美人生虢王凤，张美人生霍王元轨，张宝林生郑王元懿，柳宝林生滕王元婴，王才人生彭王元则，鲁才人生密王元晓，张氏生周王元方，凡十七人。且者，将及未及之辞”。[227]以自固：以巩固自己的地位。[228]谄谀：谄媚阿谀。[229]蒸：通“烝”。古指同母辈通奸，下淫于上为烝。[230]宫禁深秘二句：宫禁深邃隐秘，外间不能明其内幕。[231]恣：纵恣。[232]诘：责问。[233]承乾殿：即承庆殿。长安太极宫内殿之一。[234]武德

【原文】

太子中允[255]王珪[256]、洗马[257]魏徵说太子曰：“秦王功盖天下，中外归心。殿下[258]但以年长位居东宫，无大功以镇服海内。今刘黑闼散亡之余，众不满万，资粮匮乏[259]，以大军临之，势如拉朽，殿下宜自击之，以取功名，因结纳山东豪杰，庶可自安。”太子乃请行于上，上许之。珪，颇[260]之兄子也。甲申[261]，诏太子建成将兵讨黑闼，其陕东道大行台及山东道行军元帅、河南河北诸州并受建成处分[262]，得以便宜从事。

乙酉[263]，封宗室略阳公道宗等十八人为郡王。道宗，道玄从父弟也，为灵州总管，梁师都遣弟洛兒引突厥数万围之，道宗乘间出击，大破之。突厥与师都相结，遣其郁射设入居故五原[264]。道宗逐出之，斥地[265]千余里。上以道宗武干如魏任城王彰[266]，乃立为任城郡王。

殿：武德殿为太极宫内的重要宫殿。位于两仪殿之东，东宫之西。㉟ 上台：谓皇帝所居住的地方。㊱ 禁限：禁止限隔。㊲ 太子令，秦、齐王教：太子所下命令为令；秦、齐二王所下者为教；皇帝颁发的命令为诏敕。㊳ 誉：称赞。㊴ 短：诋毁。㊵ 选阅：阅视而选择。㊶ 贵妃等：唐制，皇后而下有贵妃、淑妃、德妃、贤妃，是为夫人。昭仪、昭容、昭媛、修仪、修容、修媛、充仪、充容、充媛，是为九嫔。婕妤、美人、才人各九，合二十七，是为世妇。宝林、御女、采女各二十七，合八十一，是为御妻。㊷ 宝货：珍宝财货。㊸ 籍奏：登入簿籍而上奏。㊹ 教：指秦王之教。㊺ 典兵：掌兵。㊻ 杜如晦（公元五八五至六三〇年）：字克明，京兆杜陵（今陕西长安东）人，太宗时，累官至尚书右仆射，封莱国公。传见《旧唐书》卷六十六、《新唐书》卷九十六。㊼ 陵暴：欺凌侵暴。㊽ 太穆皇后：窦皇后谥太穆，高祖未即位先崩，建成、世民、玄霸、元吉，皆其所生。㊾ 顾：视。㊿ 春秋高：年龄高。(251) 万岁后：即死后。人寿无过万岁者，故言万岁后，即死后。(252) 无孑遗：言必皆诛剪，没有孑然见遗者。(253) 属：嘱托。(254) 浸疏：逐渐疏远。

【校记】

［5］夺人田宅：原无此句。据章钰校，十二行本、乙十一行本、孔天胤本皆有此句，张敦仁《通鉴刊本识误》、张瑛《通鉴校勘记》同，今据补。

【语译】

太子中允王珪、太子洗马魏徵劝太子说："秦王功盖天下，朝廷内外心愿所归。殿下只是因为年长才处于太子之位，没有重大功劳来镇服天下。现在刘黑闼的部下是残余的散亡之人，部众不满一万，粮食物资匮乏，如果用大军向他进逼，就会势如摧枯拉朽，殿下应当亲自率军攻打刘黑闼，以取功名，趁机结交山东的豪杰，略可使自己的地位稳定。"太子李建成于是向唐高祖请求带兵出征，唐高祖答应了他的请求。王珪是王頍哥哥的儿子。十一月初七日甲申，唐高祖下诏命太子李建成率军讨伐刘黑闼，陕东道大行台及山东道行军元帅、河南河北各州都受李建成指挥，可以根据情况自行做出决定。

十一月初八日乙酉，唐册封宗室略阳公李道宗等十八人为郡王。李道宗，是李道玄的堂弟，为灵州总管，梁师都派弟弟梁洛皃招引几万突厥军包围他，李道宗乘机出击，大败敌军。突厥与梁师都联合在一起，派他的郁射设进入唐地，住在原来的五原城。李道宗把郁射设赶出五原，开拓领土一千多里。因为李道宗的勇武和才干如同曹魏的任城王曹彰，唐高祖于是立他为任城郡王。

丙申[267]，上幸宜州[268]。

己亥[269]，齐王元吉遣兵击刘十善于魏州，破之。

癸卯[270]，上校猎于富平[271]。

刘黑闼拥兵而南，自相州以北州县皆附之，唯魏州总管田留安勒兵拒守。黑闼攻之，不下，引兵南拔元城[272]，复还攻之。

十二月庚戌[273]，立宗室孝友等八人为郡王。孝友，神通之子也。

丙辰[274]，上校猎于华池[275]。

戊午[276]，刘黑闼陷恒州，杀刺史王公政。

庚申[277]，车驾至长安。

癸亥[278]，幽州大总管李艺复廉、定二州。

甲子[279]，田留安击刘黑闼，破之，获其莘州[280]刺史孟柱，降将卒六千人。是时山东豪杰多杀长吏[281]以应黑闼，上下相猜，人益离怨。留安待吏民独坦然无疑，白[282]事者无问亲疏，皆听直入卧内[283]，每谓吏民曰："吾与尔曹[284]俱为国御贼，固宜同心协力，必欲弃顺从逆者[285]，但自斩吾首去。"吏民皆相戒曰："田公推至诚以待人，当共竭死力报之，必不可负[286]。"有苑竹林者，本黑闼之党，潜有异志。留安知之，不发其事，引置左右，委以管钥[287]。竹林感激，遂更归心[288]，卒收其用[289]。以功进封道国公。

乙丑[290]，并州刺史成仁重击范愿，破之。

刘黑闼攻魏州未下。太子建成、齐王元吉大军至昌乐[291]，黑闼引兵拒之，再陈，皆不战而罢。魏徵言于太子曰："前破黑闼，其将帅皆悬名处死[292]，妻子系虏[293]。故齐王之来，虽有诏书赦其党与[294]之罪，皆莫之信。今宜悉解其囚俘，慰谕遣之，则可坐视离散矣。"太子从之。黑闼食尽，众多亡，或缚其渠帅以降。黑闼恐城中兵出，与大军表里击之，遂夜遁。至馆陶[295]，永济桥[296]未成，不得度。壬申[297]，太子、齐王以大军至，黑闼使王小胡背水而陈，自视[298]作桥成，即过桥西，众遂大溃，舍仗[299]来降。大军度桥追黑闼，度者才千余骑，桥坏，由是黑闼得与数百骑亡去。

十一月十九日丙申，唐高祖临幸宜州。

二十二日己亥，齐王李元吉派兵在魏州打败了刘十善。

二十六日癸卯，唐高祖在富平狩猎。

刘黑闼率军南下，从相州往北的州县都归附刘黑闼，只有魏州总管田留安率军守城防御。刘黑闼攻打魏州，没有攻克，率军南下攻取元城，又回军攻打魏州。

十二月初三日庚戌，唐册封宗室李孝友等八人为郡王。李孝友是淮安王李神通的儿子。

初九日丙辰，唐高祖在华池县围猎。

十一日戊午，刘黑闼攻陷恒州，杀死唐恒州刺史王公政。

十三日庚申，唐高祖的车驾到了长安。

十六日癸亥，唐幽州大总管李艺收复廉州、定州。

十二月十七日甲子，田留安打败了刘黑闼，抓获刘黑闼的莘州刺史孟柱，降服刘黑闼的将领和士卒六千人。当时，山东的豪杰大都杀死唐朝高官响应刘黑闼，官民上下互相猜疑，人心日益分离而相互怨恨。独有田留安对待吏民坦然无疑，来报告事情的人，不管亲疏，都允许直接进入自己的卧室。他常常对官吏和百姓说："我和你们都是为国家抵御敌人，本来就应该同心协力，一定要背弃朝廷而跟随敌人的人，只管砍了我的头拿去。"属吏和百姓都相互告诫说："田公以至诚之心待人，我们应当共同竭尽死力来报答他，一定不要辜负他。"苑竹林这个人，本来是刘黑闼的党羽，暗中怀有背叛的想法。田留安知道了，不去揭发他的事情，把他请来安置在身边，委派他掌管钥匙。苑竹林非常感动，于是改变心意归顺田留安，最终得到了他的报效之力。田留安因功进封为道国公。

十二月十八日乙丑，唐并州刺史成仁重打败了范愿。

刘黑闼攻打魏州，没有攻下。唐太子李建成、齐王李元吉的大军到达昌乐，刘黑闼率军抵抗，两次布阵，都没有开战就撤回军队。魏徵对太子李建成说："以前打败刘黑闼，他的将帅都被张榜公布名单处死，捆绑囚禁他们的妻子儿女。所以齐王前来，虽然有诏书赦免刘黑闼党羽的罪过，但他们都不相信。如今应当全部释放那些被囚禁和俘虏的人，加以安慰劝导，遣返他们，这样我们可以坐着不动，看着刘黑闼的军队离散。"太子李建成听从了他的意见。刘黑闼粮食光了，部众大多逃亡，有人捆绑着自己的首领投降唐军。刘黑闼害怕魏州城里的守军攻出来，与唐大军内外夹击他，就在夜里遁逃了。到了馆陶，永济桥没有建成，过不了河。十二月二十五日壬申，太子李建成、齐王李元吉率大军到达馆陶，刘黑闼让王小胡背靠河水布阵，自己监视修建桥梁完成，立即过桥到达河西岸，于是部众大溃，放下兵器前来降唐。唐大军过桥追赶刘黑闼，渡河的才一千多名骑兵，桥梁毁坏，因此刘黑闼得以和几百名骑兵逃走。

上以隋末战士多没于高丽，是岁，赐高丽王建武书，使悉遣还，亦使州县索高丽人在中土者，遣归其国。建武奉诏，遣还中国民前后以万数。

【段旨】

以上为第八段，写太子李建成与齐王李元吉征讨刘黑闼以建功固位。

【注释】

㉕⑤中允：官名，太子属官，左右春坊各置一人，掌侍从礼仪，驳正启奏，并监药及通判坊局事。㉕⑥王珪（公元五七一至六三九年）：字叔玠，郿（今陕西眉县）人，初事建成。太宗诏为谏议大夫，推诚纳善，每存规益。迁侍中，与房玄龄、李靖、温彦博、戴胄、魏徵同辅政。官终礼部尚书。传见《旧唐书》卷七十、《新唐书》卷九十八。㉕⑦洗马：官名，专掌太子宫图书。㉕⑧殿下：君主时代对太子或亲王的尊称。㉕⑨匮乏：缺乏；不足。㉖⓪頍：王頍（公元五五〇至六〇四年），隋经学家，字景文，文帝时为国子博士。坐事发配岭南，死于隋文帝被弑，汉王谅发兵反时。传见《隋书》卷七十六。㉖①甲申：十一月初七。㉖②处分：处置；指挥。㉖③乙酉：十一月初八。㉖④五原：地名，在甘肃盐池境内。㉖⑤斥地：开拓土地。㉖⑥魏任城王彰：三国魏曹操之子曹彰，字子文，少善射御，

【原文】

六年（癸未，公元六二三年）

春，正月己卯[300]，刘黑闼所署饶州刺史诸葛德威执黑闼，举城降。时太子遣骑将刘弘基追黑闼，黑闼为官军所迫，奔走不得休息，至饶阳[301]，从者才百余人，馁甚。德威出迎，延黑闼入城，黑闼不可。德威涕泣固请，黑闼乃从之，至城旁市中憩[302]止。德威馈之食，食未毕，德威勒兵执之，送诣太子，并其弟十善斩于洺州。黑闼临刑叹曰：“我

因为隋朝末年很多战士陷没高丽，这一年，唐高祖赐予高丽王高建武一封书信，让他把陷没高丽的隋朝战士全部遣返，也让各州县搜寻在中原的高丽人，遣送他们回国。高建武遵奉诏令，前后遣返了数以万计的中国人。

从战征伐，所向有功。㉖⑦丙申：十一月十九日。㉖⑧宜州：州名，治所在今陕西铜川市耀州区。㉖⑨己亥：十一月二十二日。㉗⓪癸卯：十一月二十六日。㉗①富平：县名，县治在今陕西富平。㉗②元城：县名，县治在今山东莘县西南。㉗③庚戌：十二月初三。㉗④丙辰：十二月初九。㉗⑤华池：县名，县治在今陕西三原。㉗⑥戊午：十二月十一日。㉗⑦庚申：十二月十三日。㉗⑧癸亥：十二月十六日。㉗⑨甲子：十二月十七日。㉘⓪莘州：州名，治所在今山东莘县。㉘①长吏：古代指地位较高的官员，一般指朝廷命官。㉘②白：告；陈。㉘③听直入卧内：听任直接进入卧室。㉘④尔曹：尔辈。㉘⑤弃顺从逆者：放弃正道跟从叛逆的人。㉘⑥负：违背；背弃。㉘⑦委以管钥：委派他掌管钥匙。㉘⑧遂更归心：谓苑竹林改变心意，归顺田留安。㉘⑨卒收其用：最终获得了报效。卒，副词，终于。收，获。㉙⓪乙丑：十二月十八日。㉙①昌乐：县名，县治在今河南南乐。㉙②悬名处死：张榜公布其姓名，并处以死刑。㉙③系虏：绑缚、囚禁。㉙④党与：党徒；同党。㉙⑤馆陶：县名，县治在今河北馆陶。㉙⑥永济桥：隋炀帝凿永济渠，约在今河南北部和河北南部。永济渠流经河北馆陶县，于水上筑永济桥。㉙⑦壬申：十二月二十五日。㉙⑧自视：亲自监视。㉙⑨舍仗：舍弃兵器。

【语译】

六年（癸未，公元六二三年）

春季，正月初三日己卯，刘黑闼任命的饶州刺史诸葛德威捉住刘黑闼，率全城降唐。当时太子李建成派骑兵将领刘弘基追击刘黑闼，刘黑闼被官军所迫，奔逃不得休息，到达饶阳，随行的只有一百多人，十分饥饿。诸葛德威出城迎接，请刘黑闼进城，刘黑闼不同意。诸葛德威流泪一再请求，于是刘黑闼听从了他的请求，来到城旁的市场中休息。诸葛德威送给他们食物，还没吃完，诸葛德威就率兵抓住刘黑闼，送给太子李建成，刘黑闼和他弟弟刘十善一起在洺州被斩首。刘黑闼临刑叹

幸在家锄菜303，为高雅贤辈所误至此！”

壬午304，嶲州305人王摩沙举兵，自称元帅，改元进通。遣骠骑将军卫彦306讨之。

庚子307，以吴王杜伏威为太保308。

二月庚戌309，上幸骊山310温汤311。甲寅312，还宫。

平阳昭公主313薨。戊午314，葬公主，诏加前后部315鼓吹、班剑316四十人，武贲甲卒317。太常奏：“礼，妇人无鼓吹。”上曰：“鼓吹，军乐也。公主亲执金鼓318，兴义兵以辅成319大业，岂与常妇人比乎！”

丙寅320，徐圆朗穷蹙，与数骑弃城走，为野人321所杀，其地悉平。

林邑王梵志遣使入贡。初，隋人破林邑322，分其地为三郡323。及中原丧乱，林邑复国，至是始入贡。

幽州总管李艺请入朝。庚午324，以艺为左翊卫大将军。

废参旗等十二军325。

三月癸未326，高开道掠文安327、鲁城328，骠骑将军平善政邀击，破之。

【段旨】

以上为第九段，写刘黑闼、徐圆朗覆灭，高开道勾连突厥，仍在河北对抗唐朝。

【注释】

300 己卯：正月初三。301 饶阳：县名，县治在今河北饶阳东北。302 憩：休息。303 我幸在家锄菜：我有幸在家种菜。304 壬午：正月初六。305 嶲州：州名，治所在今四川西昌。306 卫彦：唐初将领，高祖时为骠骑将军。事迹见《新唐书》卷一《高祖纪》。307 庚子：正月二十四日。308 太保：官名。唐制，以太师、太傅、太保为三师，正一品。任此官者仅有其名，并无实际职事。309 庚戌：二月初四。310 骊山：在今陕西西安市临潼区东南二里。有温泉，唐玄宗在此建华清宫。311 温汤：温泉。古称热水为汤。312 甲寅：二月初八。313 平阳昭公主：高祖第三女，太穆皇后所生。314 戊午：二月十二日。315 前后部：

息说："我有幸在家种菜，被高雅贤这伙人所误，到了这个地步！"

正月初六日壬午，巂州人王摩沙起兵，自称元帅，改年号为进通。唐派遣骠骑将军卫彦讨伐他。

二十四日庚子，唐任命吴王杜伏威为太保。

二月初四日庚戌，唐高祖临幸骊山温泉。初八日甲寅，返回宫中。

唐平阳昭公主去世。二月十二日戊午，为公主下葬，唐高祖下诏送葬时增加前后部鼓吹乐、持剑排列的仪仗队四十人，用武装勇士卫护。太常寺上奏："根据礼制，妇人葬礼没有鼓吹乐。"唐高祖说："鼓吹乐是军乐，公主亲持金鼓，兴起义军辅成帝王大业，怎能与普通妇人相比呢！"

二月二十日丙寅，徐圆朗走投无路，与几名骑兵弃城逃走，被乡下人杀死，他占据的地域全部平定。

林邑王梵志派遣使者进京献上贡品。当初，隋朝打败林邑，把林邑分为三个郡，等到中原陷入战乱，林邑恢复了原来的王国，到这时开始向唐朝进贡。

唐幽州总管李艺请求入京朝见。二月二十四日庚午，任命李艺为左翊卫大将军。

唐废除参旗等十二军。

三月初七日癸未，高开道抢掠文安、鲁城，唐骠骑将军平善政进行截击，打败了他。

前部、后部，共为二部。⑯班剑：持剑成列，夹道而行。班，列也。⑰武贲甲卒：武贲，即虎贲。唐讳"虎"字，改为"武"。谓勇猛之士。甲卒，着重装穿铠甲的精锐士卒。⑱金鼓：古时金属制的打击乐器。⑲辅成：辅佐而成。⑳丙寅：二月二十日。㉑野人：即鄙人，田野之人。古时称四郊以外地区为"野"或"鄙"。㉒隋人破林邑：指隋炀帝大业元年（公元六〇五年）派刘方经略林邑。林邑王梵志弃城走入海，隋大胜而还。㉓三郡：即比景、海阴、林邑。比景，在今越南广平宋河下游。海阴，在今越南承天省广田县东香江与浦江合流处。林邑，在今越南广南维川。㉔庚午：二月二十四日。㉕十二军：唐武德初，分关中为十二道，皆置府。武德三年（公元六二〇年），更以万年道为参旗军，长安道为鼓旗军，富平道为玄戈军，醴泉道为井钺军，同州道为羽林军，华州道为骑官军，宁州道为折威军，岐州道为平道军，豳州道为招摇军，西麟州道为苑游军，泾州道为天纪军，宜州道为天节军。武德六年，因天下已定，遂废参旗等十二军。㉖癸未：三月初七。㉗文安：县名，县治在今河北文安。㉘鲁城：县名，县治在今河北沧县东北。

【原文】

庚子[329]，梁师都[330]将贺遂、索同以所部[331]十二州来降。

乙巳[332]，前洪州总管张善安反，遣舒州[333]总管张镇周等击之。

夏，四月，吐谷浑寇芳州[334]，刺史房当树奔松州[335]。

张善安陷孙州[336]，执总管王戎而去。

乙丑[337]，鄜州道行军总管段德操击梁师都，至夏州，俘其民畜而还。

丙寅[338]，吐谷浑寇洮、岷二州。

丁卯[339]，南州[340]刺史庞孝恭、南越州[341]民宁道明、高州首领冯暄俱反，陷南越州，进攻姜州[342]，合州[343]刺史宁纯引兵救之。

壬申[344]，立皇子元轨为蜀王、凤为豳王、元庆为汉王。

癸酉[345]，以裴寂为左仆射，萧瑀为右仆射，杨恭仁为吏部尚书兼中书令，封德彝为中书令。

五月庚辰[346]，遣岐州刺史柴绍救岷州。

庚寅[347]，吐谷浑及党项寇河州[348]，刺史卢士良击破之。

丙申[349]，梁师都将辛獠兒引突厥寇林州。

戊戌[350]，苑君璋将高满政寇代州，骠骑将军李宝言[6]击走之。

癸卯[351]，高开道引奚骑寇幽州，长史王诜击破之。刘黑闼之叛也，突地稽[352]引兵助唐，徙其部落于幽州之昌平城，高开道引突厥寇幽州，突地稽将兵邀击，破之。

六月戊午[353]，高满政以马邑来降。先是，前并州总管刘世让[354]除广州总管，将之官[355]，上问以备边之策。世让对曰："突厥比数[356]为寇，良以马邑为之中顿[357]故也。请以勇将戍崞城[358]，多贮金帛，募有降者厚赏之，数出骑兵掠其城下，蹂其禾稼，败其生业[359]，不出岁余，彼无所食，必降矣。"上然其计，曰："非公，谁为勇将！"即命世让戍崞城，马邑病之[360]。是时马邑人多不愿属突厥，上复遣人招谕苑君璋。高满政说苑君璋尽杀突厥戍兵降唐，君璋不从。满政因众心所欲，夜袭君璋。君璋觉之，亡奔突厥，满政杀君璋之子及突厥戍兵二百人而降。

【语译】

三月二十四日庚子，梁师都的将领贺遂、索同率所辖的十二个州前来降唐。

二十九日乙巳，前洪州总管张善安反叛，唐派遣舒州总管张镇周等人攻打张善安。

夏，四月，吐谷浑侵犯芳州，唐芳州刺史房当树逃往松州。

张善安攻陷孙州，抓获孙州总管王戎后离去。

二十日乙丑，唐鄜州道行军总管段德操攻打梁师都，到了夏州，掳获梁师都的民众和牲畜后返回。

二十一日丙寅，吐谷浑侵犯洮、岷二州。

二十二日丁卯，唐南州刺史庞孝恭、南越州百姓宁道明、高州首领冯暄一起反叛，攻陷南越州，进军攻打姜州，唐合州刺史宁纯带兵救援姜州。

二十七日壬申，唐册封皇子李元轨为蜀王、李凤为豳王、李元庆为汉王。

二十八日癸酉，唐任命裴寂为左仆射，萧瑀为右仆射，杨恭仁为吏部尚书兼中书令，封德彝为中书令。

五月初五日庚辰，唐派遣岐州刺史柴绍援救岷州。

十五日庚寅，吐谷浑及党项侵犯河州，唐河州刺史卢士良打败了他们。

二十一日丙申，梁师都的将领辛獠兒引导突厥侵犯林州。

二十三日戊戌，苑君璋的将领高满政侵犯代州，唐骠骑将军李宝言打跑了高满政。

五月二十八日癸卯，高开道引导奚族骑兵侵犯幽州，唐幽州长史王诜打败了来敌。刘黑闼反叛时，突地稽带兵协助唐朝，把他的部落迁徙到幽州的昌平城，高开道引导突厥侵犯幽州，突地稽带兵截击，打败了高开道等。

六月十四日戊午，高满政率马邑前来降唐。在此之前，前并州总管刘世让任广州总管，即将赴任，唐高祖就边境防备的策略询问他。刘世让回答说："突厥近来多次入侵，实在是由于马邑成为他们中途休整补充粮食的基地。请用勇将戍守崞城，多贮藏钱财布帛，招募愿意投降的人，给予优厚的奖赏，频繁出动骑兵到马邑城下掠夺，踏毁他们的庄稼，破坏他们的谋生之业，不出一年多时间，他们没有可吃的，一定会投降。"唐高祖赞同他的计策，说："除了你，谁还是勇将呢！"当即命令刘世让戍守崞城，马邑人把刘世让当作心头大患。当时马邑人大多不愿意归属突厥，唐高祖又派人招降苑君璋。高满政劝苑君璋把突厥守军全部杀死，投降唐朝，苑君璋不听。高满政利用人心所向，夜里袭击苑君璋。苑君璋察觉了情况，逃往突厥，高满政杀死苑君璋的儿子以及突厥的戍守士兵二百人，投降了唐朝。

壬戌[361]，梁师都以突厥寇匡州[362]。

丁卯[363]，苑君璋与突厥吐屯设寇马邑，高满政与战，破之。以满政为朔州总管，封荣国公。

瓜州总管贺若怀广[364]按部[365]至沙州，值州人张护、李通反，怀广以数百人保子城[366]。凉州总管杨恭仁遣兵救之，为护等所败。

癸酉[367]，柴绍与吐谷浑战，为其所围。虏乘高射之，矢下如雨。绍遣人弹胡琵琶，二女子对舞。虏怪之，驻弓矢相与聚观。绍察其无备，潜遣精骑出虏陈后，击之，虏众大溃。

秋，七月丙子[368]，苑君璋以突厥寇马邑，右武候大将军李高迁及高满政御之，战于腊河谷[369]，破之。

张护、李通杀贺若怀广[7]，立沙州[8]别驾窦伏明为主，进逼瓜州，长史赵孝伦击却之。

高开道掠赤岸镇[370]及灵寿[371]、九门[372]、行唐[373]三县而去。

丁丑[374]，冈州[375]刺史冯士翙据新会[376]反，广州总管[9]刘感讨降之，使复其位。

辛巳[377]，高开道所部[378]弘阳、统汉二镇来降。

癸未[379]，突厥寇原州。乙酉[380]，寇朔州。李高迁为虏所败，行军总管尉迟敬德将兵救之。己亥[381]，遣太子将兵屯北边，秦王世民屯并州，以备突厥。八月甲辰[382][10]，突厥寇真州[383]，又寇马邑。

【段旨】

以上为第十段，写西疆吐谷浑、北方突厥侵扰，边境不宁。

【注释】

(329)庚子：三月二十四日。(330)梁师都（？至公元六二八年）：隋末割据者，夏州朔方（治今陕西靖边东北白城子）人，大业十三年（公元六一七年）起兵反隋，自称皇帝，国号梁，年号永隆。传见《旧唐书》卷五十六、《新唐书》卷八十七。(331)所部：所辖；所

六月十八日壬戌，梁师都利用突厥军队侵犯匡州。

二十三日丁卯，苑君璋与突厥吐屯设侵犯马邑，高满政和他们交战，打败了他们。唐任命高满政为朔州总管，封为荣国公。

唐瓜州总管贺若怀广巡行到沙州，恰好遇上沙州人张护、李通反叛，贺若怀广率领几百人保卫子城。唐凉州总管杨恭仁派兵救援，被张护等人打败。

六月二十九日癸酉，柴绍与吐谷浑交战，被吐谷浑包围。敌军登上高处射击柴绍的军队，矢如雨下。柴绍派人弹奏胡人的琵琶，两名女子相对起舞。敌军觉得很奇怪，放下弓箭一起围观。柴绍观察敌军没有防备，暗中派精锐骑兵绕到敌军背后，攻打敌军，吐谷浑军队大败。

秋，七月初二日丙子，苑君璋率突厥军队侵犯马邑，唐右武候大将军李高迁和高满政抵御来敌，战于腊河谷，打败了苑君璋。

张护、李通杀死贺若怀广，立沙州别驾窦伏明为首领，进逼瓜州，瓜州长史赵孝伦击退了来敌。

高开道抢掠赤岸镇以及灵寿、九门、行唐三县后离去。

初三日丁丑，冈州刺史冯士翙占据新会反叛，唐广州总管刘感讨伐并降服了冯士翙，让他恢复原来的职位。

初七日辛巳，高开道所辖弘阳、统汉二镇前来降唐。

七月初九日癸未，突厥侵犯原州。十一日乙酉，侵犯朔州。李高迁被突厥打败，行军总管尉迟敬德带兵救援他。二十五日己亥，唐派遣太子李建成统率军队屯驻北部边境，秦王李世民屯驻并州，防备突厥。八月初一日甲辰，突厥侵犯真州，又侵犯马邑。

管理的领属区。㉜ 乙巳：三月二十九日。㉝ 舒州：州名，治所在今安徽潜山。㉞ 芳州：州名，唐武德元年（公元六一八年）置，治所在今甘肃迭部东南。㉟ 松州：州名，唐武德元年置，治所在今四川松潘。㊱ 孙州：州名，唐武德五年置，治所在今江西南昌西南。㊲ 乙丑：四月二十日。㊳ 丙寅：四月二十一日。㊴ 丁卯：四月二十二日。㊵ 南州：州名，治所在今广西博白。㊶ 南越州：州名，即越州，治所在今广西合浦东北。加南字，以别会稽之越州。㊷ 姜州：州名，治所在今广西灵山县南。㊸ 合州：州名，治所在今广东雷州。㊹ 壬申：四月二十七日。㊺ 癸酉：四月二十八日。㊻ 庚辰：五月初五。㊼ 庚寅：五月十五日。㊽ 河州：州名，治所在今甘肃临夏。㊾ 丙申：五月二十一日。㊿ 戊戌：五月二十三日。(351) 癸卯：五月二十八日。(352) 突地稽：靺鞨酋帅。炀帝时

授金紫光禄大夫、辽西太守。贞观初，拜右卫将军，赐姓李氏。传见《北史》卷九十四、《旧唐书》卷一百九十九下、《新唐书》卷一百十。㉝戊午：六月十四日。㉞刘世让（？至公元六二三年）：字符钦，醴泉（今陕西礼泉）人，仕隋为征仕郎。高祖入长安，授安定道行军总管，后授广州总管。传见《旧唐书》卷六十九、《新唐书》卷九十四。㉟将之官：将要上任。㊱比数：近来屡次。㊲中顿：中途有城有粮，可以顿食。唐人多言供顿或置顿。㊳崞城：地名，在今山西原平。㊴生业：赖以为生之业。㊵病之：以他为患。㊶壬戌：六月十八日。㊷匡州：州名，治所在今陕西吴堡西北。㊸丁卯：六月二十三日。㊹贺若怀广：人名。贺若，复姓。《新唐书》卷一《高祖纪》武德六年云："七月丙子，沙州别驾窦伏明反，杀其总管贺若怀廓。"怀广、怀廓系一人，"广""廓"二字未知孰是。㊺按部：巡行所统辖的地区。㊻子城：内城。㊼癸酉：六月二十九日。㊽丙子：七月初二。㊾腊河谷：地名，在今山西朔州北。㊿赤岸镇：地名，在今河北曲阳西北。[371]灵寿：县名，县治在今河北灵寿。[372]九门：县名，县治在今河北藁城西北。[373]行唐：县名，县治在今河北行唐。[374]丁丑：七月初三。[375]冈州：州名，治所在今广东新会北。[376]新会：县名，县治在今广东新会北。[377]辛巳：七月初七。[378]所部：统辖；统率。[379]癸未：七月初九。[380]乙酉：七月十一日。[381]己亥：七月二十五日。[382]甲辰：八月

【原文】

壬子[384]，淮南道行台仆射辅公祏反。初，杜伏威与公祏相友善，公祏年长，伏威兄事之[385]，军中谓之伯父，畏敬与伏威等。伏威浸[386]忌之，乃署其养子阚稜为左将军，王雄诞为右将军，潜夺其兵权。公祏知之，怏怏不平，与其故人左游仙阳为学道、辟谷[387]以自晦[388]。及伏威入朝，留公祏守丹杨[389]，令雄诞典兵为之副，阴谓雄诞曰："吾至长安，苟不失职[390]，勿令公祏为变。"伏威既行，左游仙说公祏谋反，而雄诞握兵，公祏不得发。乃诈称得伏威书，疑雄诞有贰心。雄诞闻之不悦，称疾不视事[391]。公祏因夺其兵，使其党西门君仪谕以反计。雄诞始寤[392]而悔之，曰："今天下方平，吴王[393]又在京师，大唐兵威，所向无敌，奈何无故自求族灭乎！雄诞有死而已，不敢闻命。今从公为逆，不过延百日之命[394]耳，大丈夫安能爱斯须[395]之死而自陷于不义乎！"公祏知不可屈，缢杀之。雄诞善抚士卒，得其死力；又约束[396]严整，每破

初一。㊳真州：胡三省注，“《旧志》：武德二年，置绥州总管府，管云、银、真等十一州。真州盖置于银州真乡县也”。真乡县，故城在今陕西佳县西。

【校记】

[6]李宝言：原作“林宝言”。据章钰校，十二行本、乙十一行本、孔天胤本皆作“李宝言”，张敦仁《通鉴刊本识误》、张瑛《通鉴校勘记》同，今从改。[7]贺若怀广：原误作“贺拔怀广”。据章钰校，十二行本、乙十一行本、孔天胤本皆作“贺若怀广”，与上文同，今据校正。[8]沙州：原误作“汝州”。胡三省注云：“‘汝’，当作‘沙’。”上文云怀广“至沙州”，尚不误，《新唐书》卷一亦作“沙州”，今据校正。[9]总管：原作“刺史”。据章钰校，十二行本、乙十一行本、孔天胤本皆作“总管”，今从改。〖按〗唐当时在广州置总管，上文“先是，前并州总管刘世让除广州总管”可证，此处当以十二行本为是。[10]甲辰：原作“丙辰”。据章钰校，十二行本、乙十一行本皆作“甲辰”，今据改。〖按〗下文记事日期为壬子，即八月初九，此处记事时日当在初九之前。甲辰为八月初一，丙辰为八月十三，显然作“甲辰”是正确的。

【语译】

八月初九日壬子，唐淮南道行台仆射辅公祏反叛。当初，杜伏威与辅公祏相互友善，辅公祏年龄大，杜伏威对他以兄相待，军中称辅公祏为伯父，敬畏他与敬畏杜伏威一样。杜伏威逐渐忌恨他，于是委任自己的养子阚稜为左将军，王雄诞为右将军，暗中夺取了辅公祏的兵权。辅公祏知道这一情况后，心中怏怏不乐，跟着他的旧友左游仙假装学习道术、辟谷来自我隐晦。杜伏威入京朝见皇帝时，留下辅公祏守卫丹杨，命王雄诞掌管军队，做辅公祏的副手，私下对王雄诞说：“我到了长安，如果没有失去职位，不要让辅公祏生变。”杜伏威成行后，左游仙劝说辅公祏反叛，但是王雄诞握有兵权，辅公祏不能发动叛乱。于是他假称得到杜伏威的书信，怀疑王雄诞有二心。王雄诞听说此事，心里不高兴，声称有病不来衙门办公。辅公祏趁机夺了王雄诞的兵权，让自己的党羽西门君仪用反叛的计划劝说王雄诞。王雄诞这才醒悟并后悔，说：“如今天下刚刚平定，吴王又在京师，大唐的军威，所向无敌，为什么无缘无故自求灭族呢！雄诞我只有一死而已，不敢听从命令。现今随从您叛逆，不过延长百天性命罢了，大丈夫怎能痛惜片刻之死而让自己陷于不义呢！”辅公祏知道不能让他屈服，便勒死了王雄诞。王雄诞善于体恤士卒，得士卒死力；又将部队管理得

城邑，秋毫无犯。死之日，江南军中及民间皆为之流涕。公祏又诈称伏威不得还江南，贻书㊳令其起兵，大修铠仗㊳，运粮储㊳。寻㊴称帝于丹杨，国号宋，修陈故宫室而居之，署置百官，以左游仙为兵部尚书、东南道大使、越州总管，与张善安㊵连兵，以善安为西南道大行台。

己未㊵，突厥寇原州。

乙丑㊵，诏襄州道行台仆射赵郡王孝恭以舟师趣江州㊵，岭南道大使李靖以交、广、泉、桂之众趣宣州㊵，怀州总管黄君汉出谯、亳，齐州总管李世勣出淮、泗以讨辅公祏。孝恭将发，与诸将宴集，命取水，忽变为血，在坐者皆失色。孝恭举止自若，曰："此乃公祏授首㊵之征也！"饮而尽之，众皆悦服。

丙寅㊵，吐谷浑内附。

辛未㊵，突厥陷原州之善和镇。癸酉㊵，又寇渭州。

高开道以奚侵幽州，州兵击却之。

九月丙子㊵[11]，太子㊵班师。

戊子㊵，辅公祏遣其将徐绍宗寇海州㊵，陈政通寇寿阳。

邛州㊵獠反，遣沛公郑元璹讨之。

庚寅㊵，突厥寇幽州。

壬辰㊵，诏以秦王世民为江州道行军元帅。

乙未㊵，窦伏明以沙州降。

高昌王麹伯雅卒，子文泰立。

【段旨】

以上为第十一段，写辅公祏不满杜伏威降唐，复反于淮南。

【注释】

㊳壬子：八月初九。㊳兄事之：以兄礼相待。㊳浸：渐。㊳辟谷：不食谷粒。㊳自晦：自我隐藏。㊳丹杨：即丹阳。县名，县治在今江苏南京市江宁区。㊳苟不失职：如果不丢掉职位。㊳视事：理事，犹今言办公。㊳寤：觉悟。㊳吴王：杜伏威封吴

纪律严明，每次攻下城镇，秋毫无犯。王雄诞死去那天，江南军中将士和民间百姓都为他流下眼泪。辅公祏又假称杜伏威不能返回江南，送来书信命他起兵，于是他大规模修整铠甲器仗，运粮米和军用储积之物。不久在丹杨称帝，国号为宋，修复了陈朝的旧宫殿居住，设置百官，任命左游仙为兵部尚书、东南道大使、越州总管，和张善安联合兵力，任命张善安为西南道大行台。

八月十六日己未，突厥侵犯原州。

八月二十二日乙丑，唐高祖下诏命襄州道行台仆射赵郡王李孝恭率领水军赴江州，岭南道大使李靖率领交州、广州、泉州、桂州兵力赴宣州，怀州总管黄君汉取道谯州、亳州，齐州总管李世勣取道淮水、泗水，讨伐辅公祏。李孝恭即将出发，和各位将领聚会宴饮，命人取水，忽然变成了血，在座的人都变了脸色。李孝恭举止自然，说："这是辅公祏被杀的征兆！"大家喝光了血水，都心悦诚服。

八月二十三日丙寅，吐谷浑归附唐朝。

二十八日辛未，突厥攻陷原州善和镇。三十日癸酉，突厥又侵犯渭州。

高开道率奚族军队侵犯幽州，唐幽州军队击退了高开道。

九月初三日丙子，太子李建成班师回朝。

十五日戊子，辅公祏派遣他的将领徐绍宗侵扰海州，陈政道侵扰寿阳。

邛州的獠民反叛，唐派遣沛公郑元璹讨伐他们。

十七日庚寅，突厥侵犯幽州。

十九日壬辰，唐高祖下诏任命秦王李世民为江州道行军元帅。

二十二日乙未，窦伏明率沙州降唐。

高昌王麴伯雅去世，他的儿子麴文泰继立为王。

王。㊹延百日之命：延缓百日的生命。形容寿命很短。㊺斯须：须臾；短暂。㊻约束：管理。㊼贻书：与书札。㊽铠仗：铠甲器仗。㊾粮储：粮粟及军用储积之物。⑳寻：不久。㊶张善安：方与（今山东鱼台）人，萧铣取豫章，善安夺其地，据以归唐，授洪州总管。传见《旧唐书》卷五十六、《新唐书》卷八十七。㊷己未：八月十六日。㊸乙丑：八月二十二日。㊹江州：州名，治所在今江西九江。㊺宣州：州名，治所在今安徽宣城。㊻授首：献出首级，亦即被杀。㊼丙寅：八月二十三日。㊽辛未：八月二十八日。㊾癸酉：八月三十日。㊿丙子：九月初三。㊶太子：李建成。㊷戊子：九月十五日。㊸海州：州名，治所在今江苏连云港。㊹邛州：州名，治所在今四川邛崃东南。㊺庚寅：九月十七日。㊻壬辰：九月十九日。㊼乙未：九月二十二日。

【校记】

［11］丙子：原无此二字。据章钰校，十二行本、乙十一行本、孔天胤本皆有此二字，张敦仁《通鉴刊本识误》同，今据补。

【原文】

丙申[418]，渝州[419]人张大智反，刺史薛敬仁弃城走。

壬寅[420]，高开道引突厥二万骑寇幽州。

突厥恶弘农公刘世让为己患，遣其臣曹般陁来，言世让与可汗通谋，欲为乱，上信之。冬，十月丙午[421]，杀世让，籍其家。

秦王世民犹在并州，己未[422]，诏世民引兵还。

上幸华阴。

张大智侵涪州[423]，刺史田世康等讨之，大智以众降。

初，上遣右武候大将军李高迁助朔州总管高满政守马邑，苑君璋引突厥万余骑至城下，满政击破之。颉利可汗怒，大发兵攻马邑。高迁惧，帅所部二千人斩关宵遁[424]，虏邀[425]之，失亡者半。颉利自帅众攻城，满政出兵御之，或一日战十余合。上命行军总管刘世让救之，至松子岭[426]，不敢进，还保崞城。会颉利遣使求婚，上曰："释马邑之围，乃可议婚。"颉利欲解兵，义成公主固请攻之。颉利以高开道善为攻具[427]，召开道，与之攻马邑甚急。颉利诱满政使降，满政骂之。粮且尽，救兵未至，满政欲溃围走朔州。右虞候[428]杜士远以虏兵盛，恐不免，壬戌[429]，杀满政，降于突厥，苑君璋复杀城中豪杰与满政同谋者三十余人。上以满政子玄积为上柱国，袭爵。丁卯[430]，突厥复请和亲，以马邑归唐。上以将军秦武通为朔州总管。

突厥数为边患，并州大总管府长史窦静[431]表请于太原置屯田[432]，以省馈运[433]。议者以为烦扰，不许。静切论[434]不已，敕征静入朝，使与裴

【语译】

九月二十三日丙申，渝州人张大智反叛，唐渝州刺史薛敬仁放弃城池逃走。

二十九日壬寅，高开道引来突厥二万骑兵侵犯幽州。

突厥人愤恨弘农公刘世让成为他们的威胁，派他们的大臣曹般陁来到唐朝，说刘世让和突厥可汗通谋，打算叛乱，唐高祖相信了。冬，十月初四日丙午，唐高祖杀了刘世让，抄没了他的家产。

秦王李世民还在并州，十月十七日己未，下诏让李世民带兵返回长安。

唐高祖驾临华阴。

张大智侵犯涪州，唐涪州刺史田世康等人讨伐他，张大智率领部众投降。

当初，唐高祖派遣右武候大将军李高迁协助朔州总管高满政守卫马邑，苑君璋引导一万多突厥骑兵到达马邑城下，高满政打败了突厥兵。颉利可汗很生气，大举发兵攻打马邑。李高迁害怕了，带领部下两千人斩开城门趁夜逃跑，突厥截击他，损失了一半兵力。颉利可汗亲自率军攻打马邑，高满政出兵抵抗，有时一天交战十多回合。唐高祖命令行军总管刘世让救援马邑，刘世让到达松子岭，不敢进军，退守崞城。适逢颉利派遣使者向唐求亲，唐高祖说："解除马邑的包围，才可以商议婚姻。"颉利想撤军，义成公主坚持要求攻打马邑。颉利因为高开道擅长制作攻城器具，便召来高开道，和他一起紧急攻打马邑。颉利引诱高满政，让他投降，高满政大骂颉利。马邑城中粮食即将耗尽，救兵未到，高满政打算突围奔往朔州。因为突厥兵力强盛，右虞候杜士远害怕不免一死，十月二十日壬戌，他杀死高满政，投降了突厥，苑君璋又杀死城中三十多名与高满政同谋的豪杰。唐高祖任命高满政的儿子高玄积为上柱国，承袭高满政的爵位。二十五日丁卯，突厥又向唐请求和亲，把马邑归还唐朝。唐高祖任命将军秦武通为朔州总管。

突厥一再为患边境，唐并州大总管府长史窦静上表请求在太原设置屯田，借以节省粮食和物资的运输，朝中议政大臣认为烦扰，不同意。窦静不停地深切论说此事，唐高祖下敕令征召窦静入朝，让他与裴寂、萧瑀、封德彝在皇上面前相互辩论。

寂、萧瑀、封德彝相论难[435]于上前。寂等不能屈[436]，乃从静议，岁收谷数千斛。上善之，命检校并州大总管。静，抗之子也。十一月辛巳[437]，秦王世民复请增置屯田于并州之境，从之。

黄州[438]总管周法明将兵击辅公祏，张善安据夏口[439]拒之。法明屯荆口镇[440]，壬午[441]，法明登战舰饮酒，善安遣刺客数人诈乘鱼艓[442]而至，见者不以为虞，遂杀法明而去。

甲申[443]，舒州总管张镇周等击辅公祏将陈当世于猷州[444]之黄沙[445]，大破之。

丁亥[446]，上校猎于华阴。己丑[447]，迎劳秦王世民于忠武顿[448]。

十二月癸卯[449]，安抚使李大亮诱张善安，执之。大亮击善安于洪州，与善安隔水而陈，遥相与语，大亮谕以祸福。善安曰："善安初无反心，正为将士所误，欲降又恐不免。"大亮曰："张总管有降心，则与我一家[450]耳。"因单骑渡水入其陈，与善安执手共语，示无猜间。善安大悦，遂许之降。既而善安将数十骑诣大亮营，大亮止其骑于门外，引善安入，与语。久之，善安辞去，大亮命武士执之，从骑皆走。善安营中闻之大怒，悉众而来，将攻大亮。大亮使人谕之曰："吾不留总管。总管赤心归国，谓我曰：'若还营，恐将士或有异同[451]，为其所制[452]。'故自留不去耳，卿辈何怒于我！"其党复大骂曰："张总管卖我以自媚于人！"遂皆溃去。大亮追击，多所虏获。送善安于长安，善安自称不与辅公祏交通，上赦其罪，善遇之。及公祏败，得所与往还书[453]，乃杀之。

甲寅[454]，车驾至长安。

己巳[455]，突厥寇定州，州兵击走之。

庚申[456]，白简、白狗羌[457]并遣使入贡。

裴寂等人不能折服窦静，于是听从了窦静的建议，每年收获数千斛粮食。唐高祖很赞赏他，任命窦静为检校并州大总管。窦静是窦抗的儿子。十一月初九日辛巳，秦王李世民又请求在并州境内增设屯田，唐高祖听从了他的请求。

唐黄州总管周法明率军攻打辅公祏，张善安据守夏口，抵抗周法明。周法明屯驻荆口镇，十一月初十日壬午，周法明登上战船饮酒，张善安派遣几名刺客假装成渔民坐着小渔船到达荆口，见到的人没有戒备，刺客于是杀死了周法明后离去。

十一月十二日甲申，唐舒州总管张镇周等人在猷州的黄沙攻打辅公祏的将领陈当世，大败陈军。

十五日丁亥，唐高祖在华阴围猎。十七日己丑，在忠武顿迎接慰劳秦王李世民。

十二月初二日癸卯，唐安抚使李大亮诱骗张善安，捉住了他。李大亮在洪州攻打张善安，与张善安隔水布阵，遥相对话，李大亮以祸福相晓谕。张善安说："善安最初没有反叛之心，只是被部下将士所误导，想投降又怕不能免罪。"李大亮说："张总管有投降的心意，就和我们是一家人了。"于是一个人骑马渡河进入张善安的军阵，和张善安拉着手一起交谈，表示没有猜疑和隔阂。张善安大为喜悦，于是答应投降。随后张善安带领几十名骑兵前往李大亮的营地，李大亮让随行的骑兵停在营门外，带着张善安进入营内，和他交谈。过了很长时间，张善安告辞准备离去，李大亮命令武士逮捕了他，张善安随行的骑兵全部逃走。张善安的营中听说了此事，大怒，全部出动前来，将要攻打李大亮。李大亮派人告诉他们说："我不留下张总管。张总管赤心归附朝廷，对我说：'如果返回营地，恐怕将士们或许有不同意见，被他们牵制。'所以自己留下来不走罢了，你们为何迁怒于我！"张善安的部下又大骂说："张总管出卖我们去讨好别人！"于是全部溃散而去。李大亮追击，多所俘获。李大亮把张善安押送到长安，张善安自称没有与辅公祏交结，唐高祖赦免了他的罪过，很好地对待他。等到辅公祏失败后，得到了他与辅公祏往来的信件，这才杀了张善安。

十二月十三日甲寅，唐高祖到了长安。

二十八日己巳，突厥入侵定州，定州军队击退了突厥。

庚申日，白简羌、白狗羌都派遣使者进京进献贡品。

【段旨】

以上为第十二段，写突厥百约百叛，再度扰边。安抚使李大亮智擒辅公祏大将张善安。

【注释】

⑱丙申：九月二十三日。⑲渝州：州名，治所在今重庆市。⑳壬寅：九月二十九日。㉑丙午：十月初四。㉒己未：十月十七日。㉓涪州：州名，治所在今重庆市涪陵区。㉔斩关宵遁：斩开城门趁夜逃走。㉕邀：截击。㉖松子岭：在今山西朔州东南。㉗善为攻具：擅长制作攻城武器。㉘虞候：官名，隋文帝于东宫置左右虞候府，掌侦察巡逻。此后州镇各置虞候，以为衙前之职。此官名取备候不虞之义。㉙壬戌：十月二十日。㉚丁卯：十月二十五日。㉛窦静（？至公元六三五年）：字符休，高祖时擢并州大总管府长史，太宗时迁夏州都督，再迁民部尚书。传见《旧唐书》卷六十一、《新唐书》卷九十五。㉜屯田：军队屯驻而从事垦殖。㉝以省馈运：以便减省粮食和物资的运输。㉞切论：深切地论说。㉟论难：辩论诘难。㊱寂等不能屈：裴寂等人不能折服窦静。㊲辛巳：十一月初九。㊳黄州：州名，治所在今湖北黄冈南。㊴夏口：古城名，在

【原文】

七年（甲申，公元六二四年）

春，正月，依周、齐旧制，每州置大中正㊽一人，掌知㊾州内人物，品量㊿望第[461]，以本州门望[462]高者领之，无品秩[463]。

壬午[464]，赵郡王孝恭击辅公祏别将于枞阳[465]，破之。

庚寅[466]，邹州[467]人邓同颖杀刺史李士衡反。

丙申[468]，以白狗等羌地置维、恭[469]二州。

二月辛丑[470][12]，辅公祏遣兵围猷州[471]，刺史左难当婴城自守[472]。安抚使李大亮引兵击公祏，破之。赵郡王孝恭攻公祏鹊头镇[473]，拔之。

丁未[474]，高丽王建武遣使来请班历[475]。遣使册[476]建武为辽东郡王[477]、高丽王，以百济[478]王扶余璋为带方郡王，新罗[479]王金真平为乐浪郡王。

始州獠[480]反，遣行台仆射窦轨讨之。

己酉[481]，诏“诸州有明一经以上未仕者[482]，咸以名闻[483]，州县及乡皆置学[484]”。

壬子[485]，行军副总管权文诞破辅公祏之党于猷州，拔其枚洄[486]等四镇。

今湖北武汉黄鹄山上，为历代兵家争夺之地。㊵荆口镇：在荆江之口置镇，其地在今湖南岳阳北，为洞庭湖水入长江之处。441 壬午：十一月初十。442 鱼艓：打鱼的小船。443 甲申：十一月十二日。444 猷州：州名，治所在今安徽泾县西。445 黄沙：城名，在今安徽泾县东南。446 丁亥：十一月十五日。447 己丑：十一月十七日。448 忠武顿：地名，在今陕西华阴东。449 癸卯：十二月初二。450 一家：一家人。451 或有异同：或有不同之见。452 制：牵制。453 得所与往还书：获得他与辅公祏往来的书信。454 甲寅：十二月十三日。455 己巳：十二月二十八日。456 庚申：是月无“庚申”，应作“庚午”。庚午，十二月二十九日。457 白简、白狗羌：胡三省注，“恐当作‘白兰’”。白兰、白狗羌，均为中国古代部落名，属于羌人的支系。分布在今青海南部及四川西部地区，从事游牧，风俗略同党项，与党项羌关系较密。白兰羌，吐蕃谓之丁零，有兵万人。白狗羌有兵千人。唐武德六年（公元六二三年）白兰、白狗羌同遣使入贡。

【语译】

七年（甲申，公元六二四年）

春，正月，唐根据北周、北齐的旧制，每州设置大中正一人，掌管州内人才、品评衡量家族的资望门第，由本州门第声望高的人担任，没有品级俸禄。

正月十一日壬午，赵郡王李孝恭在枞阳打败了辅公祏的别将。

十九日庚寅，邹州人邓同颖杀死唐邹州刺史李士衡后反叛。

二十五日丙申，唐在白狗等羌族地区设置维、恭二州。

二月初一日辛丑，辅公祏派兵包围猷州，唐猷州刺史左难当环城自守。安抚使李大亮带兵攻打辅公祏，打败了他。赵郡王李孝恭攻打辅公祏的鹊头镇，攻取了此镇。

二月初七日丁未，高丽王高建武派遣使者前来请求颁赐历法。唐派遣使者册封高建武为辽东郡王、高丽王，册封百济王扶余璋为带方郡王，册封新罗王金真平为乐浪郡王。

始州的獠民反叛，唐派行台仆射窦轨讨伐獠民。

二月初九日己酉，诏令“各州有通晓一经以上而没有出仕为官的，都把姓名上奏让朝廷知晓，州县及乡都要设置学校”。

二月十二日壬子，唐行军副总管权文诞在猷州打败辅公祏的党羽，攻取枚洄等四镇。

丁巳⑱，上幸国子监⑱，释奠⑱，诏诸王公子弟各就学。

戊午⑲，改大总管为大都督府⑲。

己未⑲，高开道将张金树杀开道来降。开道见天下皆定，欲降，自以数反覆不敢⑲。且恃突厥之众，遂无降意。其将卒皆山东人，思乡里，咸有离心。开道选勇敢士数百，谓之假子⑲，常直⑲阁内，使金树领之。故刘黑闼将张君立亡⑲在开道所，与金树密谋取开道。金树遣其党数人入阁内，与假子游戏。向夕⑲，潜断其弓弦，藏刀槊于床下。合瞑⑲，抱之趋出。金树帅其党大噪，攻开道阁。假子将御之，弓弦皆绝，刀槊已失，争出降。君立亦举火于外与相应，内外惶扰⑲。开道知不免，乃擐甲⑳持兵⑳坐堂上，与妻妾奏乐酣饮。众惮其勇，不敢逼。天且明，开道缢妻妾及诸子，乃自杀。金树陈兵，悉收假子斩之，并杀君立，死者五百余人，遣使来降。诏以其地置妫州⑳，壬戌⑳，以金树为北燕州⑳都督。

【段旨】

以上为第十三段，写张金树杀高开道降唐，河北平定。

【注释】

㊽中正：官名，三国魏在各州郡置中正官，负责考察本州人才品德，将其分成九等，作为选任官吏的依据。晋、南北朝沿用。㊾掌知：掌管。⑩品量：品评衡量。⑩望第：资望门第。⑩门望：门第声望。⑩无品秩：六朝之大中正，皆无品秩及利禄。⑩壬午：正月十一日。⑩枞阳：县名，县治在今安徽枞阳。⑩庚寅：正月十九日。⑩邹州：州名，唐初以齐州之邹平、长山置邹州，治所在今山东邹平北孙家镇。⑩丙申：正月二十五日。⑩维、恭：皆为州名。维州，治所在今四川理县东北。恭州，治所在今四川马尔康东。⑩辛丑：二月初一。⑩猷州：州名，治所在今安徽泾县西。⑩婴城自守：环城据守。⑩鹊头镇：在宣州南陵县（今安徽池州市贵池区西南）境内。⑩丁未：二月初七。⑩请班历：请求颁赐历法，以便奉正朔。⑩册：册封。⑩郡王：爵位名，次于亲王一个等级。除皇室外，臣下也得封郡王。⑩百济：朝鲜古国。传说朱蒙子温祚创立，约公元一世纪兴起于汉江流域，都于今汉江南岸慰礼城。后成为半岛西南部的强国，继而与新

十七日丁巳，唐高祖亲临国子监，举行释奠礼，下诏命诸王公的子弟分别入学。

十八日戊午，唐改大总管为大都督府。

二月十九日己未，高开道的将领张金树杀死高开道前来投降。高开道看见天下全都安定了，打算投降，但因为自己几次反复，所以不敢投降。而且依恃突厥的军力，就打消了投降的念头。他的将士都是山东人，思念故乡，全有背离之意。高开道挑选了几百名勇士，称为义子，经常在阁内值班，由张金树统领他们。原来刘黑闼的将领张君立逃到高开道处，和张金树密谋杀死高开道。张金树派他的几名同党进入阁内，和高开道的义子们玩耍。临近黄昏，暗中搞断了义子们的弓弦，把刀枪藏到床下。夜色深黑时，抱着刀枪迅速离去。张金树带领同党大声呼喊，攻打高开道的阁房。义子们准备抵抗，但弓弦都断了，刀枪已失，于是争着出来投降。张君立也在外面举火呼应，内外惶恐扰攘。高开道知道不能免于祸，于是穿上铠甲，手持兵器，坐在堂上，和妻妾们奏乐畅饮。大家被他的勇气震慑，不敢逼近。天快亮时，高开道勒死妻妾和儿子们，就自杀了。张金树列开阵势，全部收斩高开道的义子，并杀死了张君立，死了五百多人，并派使者前来降唐。唐下诏在原地设置妫州，二十二日壬戌，任命张金树为北燕州都督。

罗、高句丽鼎足而立。公元七世纪中叶统一于新罗。⑷新罗：朝鲜古国。相传公元前五七年朴赫居世建国，后至公元四世纪中叶成为半岛南部的强国，首都庆州。公元七世纪中叶统一半岛大部，为最盛时期。⑻始州獠：始州地区的少数民族。始州，州名，治所在今四川剑阁。⑻己酉：二月初九。⑻明一经以上未仕者：通晓一经以上而未出仕做官的人。一经，指《五经》之一。⑻咸以名闻：皆以其姓名上奏。⑻置学：设置学校。⑻壬子：二月十二日。⑻枚洄：镇名，在今安徽泾县。⑻丁巳：二月十七日。⑻国子监：古代的中央教育管理机构，简称“国学”。唐代国子监总辖国子、太学、四门、律学、书学、算学等学。⑻释奠：古代学校的一种典礼，陈设酒食以祭奠先圣先师。⑻戊午：二月十八日。⑻改大总管为大都督府：《旧唐书·职官志三》：“大都督府，魏黄初二年，始置都督诸州军事之名，后代因之，至隋改为总管府，武德四年又改为都督，……都督一员，从二品。”⑻己未：二月十九日。⑻自以数反覆不敢：高开道既降而复叛，自知有反复之罪，故不敢来降。⑻假子：义子。⑻直：通“值”，值班宿卫。⑻亡：逃亡。⑻向夕：傍晚；临近黄昏。⑻合瞑：夜色深黑时。又指深夜入睡之后。⑻惶扰：惶恐扰攘。⑸擐甲：穿铠甲。⑸持兵：执兵器。⑸妫州：州名，治所在今河北涿鹿西南桑乾河南岸。⑸壬戌：二月二十二日。⑸北燕州：州名，治所在今河北涿鹿西南桑干河南岸。

【校记】

［12］辛丑：原脱。据章钰校，十二行本、乙十一行本、孔天胤本皆有此二字，今据补。

【原文】

戊辰[505]，洋、集[506]二州獠反，陷隆州晋城[507]。

是月，太保吴王杜伏威薨。辅公祏之反也，诈称伏威之命以绐[508]其众。及公祏平，赵郡王孝恭不知其诈，以状闻。诏追除伏威名，籍没其妻子[509]。及太宗即位，知其冤，赦之，复其官爵。

三月，初定令[510]，以太尉、司徒、司空为三公[511]，次尚书、门下、中书、秘书、殿中、内侍为六省[512]，次御史台[513]，次太常至太府为九寺[514]，次将作监[515]，次国子学[516]，次天策上将府[517]，次左、右卫至左、右领卫为十四卫[518]。东宫置三师[519]、三少[520]、詹事[521]及两坊[522]、三寺[523]、十率府[524]。王、公置府佐、国官[525]，公主置邑司[526]。并为京职事官[527]。州、县、镇、戍为外职事官[528]。自开府仪同三司至将仕郎，二十八阶，为文散官[529]。骠骑大将军至陪戎副尉三十一阶，为武散官[530]。上柱国至武骑尉十二等，为勋官[531]。

丙戌[532]，赵郡王孝恭破辅公祏于芜湖[533]，拔梁山[534]等三镇。

辛卯[535]，安抚使任瓌拔杨子城[536]，广陵城[537]主龙龛降。

丁酉[538]，突厥寇原州。

戊戌[539]，赵郡王孝恭克丹杨。

先是，辅公祏遣其将冯慧亮、陈当世将舟师三万屯博望山[540]，陈正通、徐绍宗将步骑二万屯青林山[541]，仍于梁山连铁锁以断江路，筑却月城[542]，延袤[543]十余里，又结垒江西以拒官军。

孝恭与李靖帅舟师[544]次舒州[545]，李世勣帅步卒一万渡淮，拔寿阳[546]，次硖石[547]。慧亮等坚壁不战。孝恭遣奇兵绝其粮道，慧亮等军乏食，夜，遣兵薄[548]孝恭营，孝恭坚卧不动。孝恭集诸将议军事，皆曰："慧亮等拥强兵，据水陆之险，攻之不可猝拔，不如直指[549]丹杨，掩[550]其巢穴，丹杨既溃，慧亮等自降矣。"

【语译】

二月二十八日戊辰，洋、集二州的獠民反叛，攻陷了隆州晋城。

这个月，太保吴王杜伏威去世。辅公祏反叛时，诈称杜伏威的命令来欺骗他的部众。等到辅公祏被平定，赵郡王李孝恭不知道辅公祏欺诈，把情况上报朝廷。唐高祖下诏追除杜伏威的官籍，把他的妻儿登记在册后没入官府为奴。等到唐太宗即位，知道杜伏威冤枉，赦免了他，恢复了他的官爵。

三月，唐初次规定：以太尉、司徒、司空为三公，其次尚书、门下、中书、秘书、殿中、内侍为六省，再其次为御史台，再其次太常至太府为九寺，再其次为将作监，再其次为国子学，再其次为天策上将府，再其次左卫、右卫至左领卫、右领卫为十四卫。东宫设置三师、三少、詹事以及两坊、三寺、十率府。诸王、三公设置府佐、国官，公主设置邑司。以上部门官员都属于京师职事官。在州、县、镇、戍任职的官员都属于地方职事官。从开府仪同三司至将仕郎，共二十八个阶级，是文散官。从骠骑大将军至陪戎副尉，共三十一个阶级，为武散官。从上柱国到武骑尉，共十二等，为勋官。

三月十六日丙戌，赵郡王李孝恭在芜湖打败辅公祏，攻取梁山等三镇。

二十一日辛卯，唐安抚使任瓌攻取杨子城，广陵城主龙龛投降。

二十七日丁酉，突厥侵犯原州。

二十八日戊戌，赵郡王李孝恭攻下丹杨。

此前，辅公祏派遣他的将领冯慧亮、陈当世率领三万水军屯驻博望山，陈正通、徐绍宗率领三万步兵、骑兵屯驻青林山，还在梁山用锁链断绝江中航道，修筑了却月城，延绵十多里，又在长江之西构筑了工事抵抗唐军。

李孝恭与李靖率领水军停泊在舒州，李世勣率领一万步兵渡过淮河，攻取寿阳，屯驻硖石。冯慧亮等人坚守壁垒不应战。李孝恭派出奇兵切断了敌军的粮食运输线，冯慧亮等军缺少军粮，夜里，派兵逼近李孝恭的军营，李孝恭坚持按兵不动。李孝恭召集诸位将领商议军事行动，各位将领都说："冯慧亮等人拥有强大的兵力，占据水陆的险要之处，若进攻他们，不能很快攻克，不如直向丹杨，偷袭他们的老巢，丹杨溃败之后，冯慧亮等人自然就会投降了。"

孝恭将从其议，李靖曰："公祏精兵虽在此水陆二军，然所自将亦不为少。今博望诸栅[551]尚不能拔，公祏保据石头[552]，岂易取哉！进攻丹杨，旬月不下，慧亮蹑[553]吾后，腹背受敌，此危道也。慧亮、正通皆百战余贼[554]，其心非不欲战，正以公祏立计使之持重[555]，欲以老我师[556]耳。我今攻其城以挑[557]之，一举可破也。"孝恭然之，使羸兵先攻贼营而勒精兵结陈以待之。攻垒者不胜而走，贼出兵追之，行数里，遇大军，与战，大破之。阚稜免胄[558]谓贼众曰："汝曹不识我邪？何敢来与我战！"贼多稜故部曲[559]，皆无斗志，或有拜者，由是遂败。孝恭、靖乘胜逐北，转战百余里。博山、青林两戍[560]皆溃，慧亮、正通等遁归，杀伤及溺死者万余人。李靖兵先至丹杨，公祏大惧，拥兵数万，弃城东走，欲就[561]左游仙于会稽。李世勣追之。公祏至句容[562]，从兵能属者才五百人，夜宿常州[563]，其将吴骚等谋执之。公祏觉之，弃妻子，独将腹心数十人斩关走。至武康[564]，为野人所攻，西门君仪战死，执公祏，送丹杨枭首，分捕余党，悉诛之，江南皆平。

己亥[565]，以孝恭为东南道行台右仆射，李靖为兵部尚书。顷之，废行台，以孝恭为扬州大都督，靖为府长史。上深美[566]靖功，曰："靖，萧、辅之膏肓也[567]。"阚稜功多，颇自矜伐[568]。公祏诬稜与己通谋。会赵郡王孝恭籍没贼党田宅，稜及杜伏威、王雄诞田宅在贼境者，孝恭并籍没之。稜自诉理[569]，忤[570]孝恭，孝恭怒，以谋反诛之。

【段旨】

以上为第十四段，写辅公祏覆灭，淮南平定，杜伏威被冤杀。

李孝恭将要采纳众将领的建议，李靖说："辅公祏的精锐部队虽然就是这里的水陆两支军队，但他自己统率的军队也不算少。如今博望的各个栅寨尚且不能攻取，辅公祏据守石头城，哪里容易攻取呢！进军攻打丹杨，十天半个月攻不下，冯慧亮跟随在我军背后，我军腹背受敌，这是危险的策略。冯慧亮、陈正通都是身经百战后残留的敌人，他们心里不是不想出战，只是因为辅公祏确定计策让他们持重而按兵不动，想以此拖垮我军罢了。我们现在攻打他们的城池，来挑战他们，可以一举打败敌人。"李孝恭表示赞同，派老弱士兵先去进攻敌人的营垒，而自己统领精兵列阵等待敌军。攻打敌人营垒的部队没有取胜而逃走，敌军出兵追击，走出几里地，遇到李孝恭的大军，唐军与他们交战，大败敌军。阚稜摘下头盔对敌军说："你们不认识我吗？怎么胆敢来与我交战！"敌军中有很多阚稜的老部下，全都没有了斗志，有的人向阚稜下拜，敌军因此溃败。李孝恭、李靖乘胜追赶逃敌，转战一百多里。辅公祏的博山、青林两地的戍守全都溃败，冯慧亮、陈正通等人逃回丹杨，被杀伤及淹死的有一万多人。李靖的部队先到达丹杨，辅公祏大为恐惧，带着几万兵马，弃城东逃，想前往会稽与左游仙会合。李世勣追赶他。辅公祏到达句容，随从的军队能跟上的才五百人，夜晚，在常州宿营，他的将领吴骚等人谋划抓捕他。辅公祏觉察了，丢下妻子儿女，独自带领心腹几十人，冲破关卡逃走。辅公祏到了武康，受到村民的攻击，西门君仪战死，抓住了辅公祏，送到丹杨斩首示众。唐军分头搜捕辅公祏的余党，全部处死，江南地区全部平定。

三月二十九日己亥，唐任命李孝恭为东南道行台右仆射，李靖为兵部尚书。不久，又废除东南道行台，任命李孝恭为扬州大都督，李靖为大都督府长史。唐高祖非常赞赏李靖的功劳，说："萧铣、辅公祏都是被李靖所杀。"阚稜的战功多，颇为自我夸耀。辅公祏诬陷阚稜与自己合谋。正好赵郡王李孝恭查封抄没辅公祏党羽的田地房产，阚稜以及杜伏威、王雄诞在辅公祏境内的田地房产，李孝恭一并没收。阚稜自己申诉，违逆了李孝恭，李孝恭很生气，以谋反的罪名杀了阚稜。

【注释】

⑤⑤戊辰：二月二十八日。⑤⑥洋、集：皆为州名。洋州，治所在今陕西西乡。集州，治所在今四川南江。⑤⑦隆州晋城：隆州，州名，治所在今四川阆中。晋城，县名，县治在今四川南部县西北。⑤⑧绐：欺哄。⑤⑨籍没其妻子：把他的妻儿登记在册后没入官府为奴。⑤⑩初定令：唐初官制沿隋制，自此，始颁行唐朝新定的官制。⑤⑪三公：以太尉、司

徒、司空为三公，又称三司，正一品。唐代三公无实职，仅为大臣的最高荣衔。⑫六省：唐代指尚书、门下、中书、秘书、殿中、内侍六省。⑬御史台：官署名，国家的监察机关，长官为御史大夫。⑭九寺：九卿的官署。北齐以太常、光禄、卫尉、宗正、太仆、大理、鸿胪、司农、太府为九寺，各寺长官称寺卿。以后各代沿用。⑮将作监：官署名，掌土木工匠之政。⑯国子学：古代的中央教育管理机关和最高学府。唐代国子监下辖国子、太学、四门等学，国子学招收三品以上官僚的子弟。⑰天策上将府：唐初李渊以秦王世民平王世充、窦建德，功殊今古，以往的位号不足以为称，乃特拜为天策上将，位在王公上，并开府。及世民为太子，乃废。⑱十四卫：十二卫及左、右监门卫为十四卫。⑲三师：北魏以后称太师、太傅、太保为三师，正一品，仅为虚衔，无实职。⑳三少：官名，亦称“三孤”，即少保、少傅、少师。㉑詹事：官名。唐置詹事府，掌东宫（太子宫）众务，犹朝廷之尚书省，有太子詹事一人，正三品，少詹事一人，正四品上。㉒两坊：官署名，隋有门下、典书二坊，唐改为左、右春坊，属东宫。春坊官有庶子、中允、赞善等。㉓三寺：家令寺、率更寺、仆寺。㉔十率府：左、右卫率，左、右宗卫率，左、右虞候率，左、右监门率，左、右内率。㉕王、公置府佐、国官：亲王府置府佐官与国官。据《旧唐书·职官志》载，亲王府佐有傅、谘议参军、友、文学、东西阁祭酒、长史、司马、掾、属、主簿、史、记室、录事参军、录事，参军有功、仓、户、兵、骑、法、士等七曹参军、参军事、行参军、典签。亲王国官有国令、大农尉及丞、录事、典卫、舍人、学官长、食官长、厩牧长、典府长。㉖公主置邑司：公主邑司官有令、丞、主簿、谒者、舍人、家吏，掌管家财出入、田园、征封之事。㉗职事官：表示官员所任实际职务的称号，与散官表示官员等级的称号相对而言。㉘外职事官：外指京外，乃对京城而言。㉙自开府仪同三司至将仕郎三句：文散官，开府仪同三司从一品，特进正二品，光禄大夫从二品，金紫光禄大夫正三品，银青光禄大夫从三品，正议大夫正四品上，通议大夫正四品下，太中大夫从四品上，中大夫从四品下，中散大夫正五品上，朝议大夫正五品下，朝请大夫从五品上，朝散大夫从五品下，朝议郎正六品上，承议郎正六品下，奉议郎从六品上，通直郎从六品下，朝请郎正七品上，宣德郎正七品下，朝散郎从七品上，宣议郎从七品下，给事郎正八品上，征事郎正八品下，承奉郎从八品上，承务郎从八品下，儒林郎正九品上，登仕郎正九品下，文林郎从九品上，将仕郎从九品下。㉚骠骑大将军至陪戎副尉三十一阶二句：骠骑大将军，从一品；辅国大将军，正二品；镇军大将军，从二品；寇军大将军、怀化大将军，正三品上；怀化将军，正三品下；云麾将军、归德大将军，从三品上；归德将军，从三品下；忠武将军，正四品上；壮武将军、怀化中郎将，正四品下；宣威将军，从四品上；明威将军、归德中郎将，从四品下；定远将军，正五品上；宁远将军、怀化郎将，正五品下；游骑将军，从五品上；游击将军、归德郎将，从五品下；昭武校尉，正六品上；昭武副尉、怀化司阶，正六品下；振威校尉，从六品上；振威副尉、归德司阶，从六品下；致果校尉，正七品上；致果副尉、怀化中候，正七品下；翊麾校尉，从七品上；翊麾副尉、归德中候，从七品下；宣节校尉，正八品上；宣节副尉、怀化司戈，正八品下；御侮校尉，从八品上；御侮副尉、归德司戈，从八品下；仁勇校尉，正九品上；仁勇副尉、怀化执戟长上，正九品下；陪戎校尉，从九品上；陪戎副尉、归德执戟长上，从九品下。㉛上柱国至武骑尉十二等二句：勋级：十有二转为上柱国，视正二品；十有一转为柱国，视从二品；十转为上护军，视正三品；九转为护军，视从三品；八转为上轻车都尉，视正四品；七转为轻车都尉，视从四品；六转为上骑都尉，视正五品；五转为骑都尉，视从五品；四转为骁骑尉，视正六品；三转为飞骑尉，视从六品；二转为云骑尉，视正七品；一转为武骑尉，视从七品。㉜丙戌：三月十六日。㉝芜湖：县名，县治在今安徽芜湖市。㉞梁山：山名，即今安徽和县南长江西岸西梁山。㉟辛卯：三月二十一日。㊱杨子城：在今江苏扬州。㊲广陵城：在今江苏扬州界。㊳丁酉：三月二十七日。㊴戊戌：三月二十八日。㊵博望山：又名天门山、东梁山。在今安徽当涂西南。㊶青林山：即今安徽当涂东南青山。㊷却月城：即钩月城。㊸延袤：绵延。㊹舟师：水军。㊺舒州：州名，治所在今安徽潜山。㊻寿阳：县名，县治在今安徽寿县。㊼硖石：山名，在今安徽凤台与寿县之间。㊽薄：迫近。㊾直指：直向。㊿掩：掩袭。551栅：竖木为栅，以为营垒。552石头：山名，在今江苏南京西。553蹑：追随。554百战余贼：身经百战后残留的敌人。555正以公祏立计使之持重：只是因为辅公祏确定计策使他们持重，不轻举妄动。持重，不轻举妄动。556老我师：让我们的军队疲劳。557挑：挑战。558免胄：脱下头盔。559故部曲：旧部下。560两戍：两地的防守。561就：去往。562句容：县名，县治在今江苏句容。563常州：州名，治所在今江苏常州。564武康：县名，县治在今浙江德清西千秋镇。565己亥：三月二十九日。566深美：非常赞美。567靖二句：谓萧铣、辅公祏皆为李靖所杀。膏肓，为致死之疾。568矜伐：矜夸和居功，即夸耀自己的才能、功绩或恩惠。569诉理：申诉。570忤：违逆。

【原文】

夏，四月庚子朔[571]，赦天下。是日，颁新律令[572]，比开皇旧制增新格五十三条。

初定均田租、庸、调法。丁、中之民[573]，给田一顷，笃疾[574]减什之六，寡妻妾减七，皆以什之二为世业[575]，八为口分[576]。每丁岁入租，粟二石[577]。调随土地所宜，绫、绢、絁、布[578]。岁役二旬[579]。不役则收其佣[580]，日三尺[581]。有事而加役者，旬有五日免其调，三旬租、调俱免。水旱虫霜为灾，什损四以上免租，损六以上免调，损七已上课役[582]俱免。凡民赀[583]业分九等[584]。百户为里，五里为乡，四家为邻，四邻为保。在城邑者为坊，田野者为村。食禄之家[585]，无得与民争利[586]。工商杂类，无预士伍[587]。男女始生为黄[588]，四岁为小，十六为中，二十为丁，六十为老。岁造计帐[589]，三年造户籍[590]。

丁未[591]，党项寇松州。

庚申[592]，通事舍人[593]李凤起击万州反獠[594]，平之。

五月辛未[595]，突厥寇朔州。

甲戌[596]，羌与吐谷浑同寇松州，遣益州行台左仆射窦轨自翼州[597]道、扶州[598]刺史蒋善合自芳州道击之。

丙戌[599]，作仁智宫于宜君[600]。

丁亥[601]，窦轨破反獠于方山[602]，俘二万余口。

【段旨】

以上为第十五段，写唐颁律令，制租庸调法。

【语译】

夏，四月初一日庚子，大赦天下。这天，颁布新律令，比隋朝开皇的旧律令增加了五十三条新规定。

唐初次确定均田制与租、庸、调法。二十岁的丁男和十六岁的中男，国家授予一顷田，有严重疾病的男子减去十分之六，寡妻寡妾减去十分之七，所有的授田都以十分之二作为世代保有的田产，十分之八为口分田。每个成年男子每年向国家交租二石粟。调是随土地的物产，缴纳绫、绢、絁、布。每个成年男子每年为国家服劳役二十日。不服劳役就收取相应的佣钱，标准是每天绢三尺。国家有事而增加成年男子劳役时，如果增加十五日劳役，就免除此人应向国家缴纳的调，如果增加三十日劳役，则他应向国家缴纳的租、调都予免除。水、旱、虫、霜成灾，收成损失十分之四以上的免除田租，损失十分之六以上的再免除调，损失十分之七以上的租庸调全都免除。百姓的资产分为九等。一百户为一里，五里为一乡，四家为一邻，四邻为一保。在城镇中居住的，划分为坊，在乡村居住的，划分为村。享受国家的俸禄的官吏，不能与民争利。工商以及杂色人等，不得置身士人阶层。男女刚出生称为黄，四岁称为小，十六岁称为中，二十岁称为丁，六十岁称为老。每年编制统计账簿，每三年编造一次户籍。

四月初八日丁未，党项侵犯松州。

二十一日庚申，唐通事舍人李凤起攻打万州反叛的獠民，平定了叛乱。

五月初二日辛未，突厥侵犯朔州。

初五日甲戌，羌族与吐谷浑一起侵犯松州，唐派遣益州行台左仆射窦轨从翼州道、扶州刺史蒋善合从芳州道攻击羌与吐谷浑。

十七日丙戌，唐在宜君县修建仁智宫。

十八日丁亥，窦轨在方山打败反叛的獠民，俘虏二万多人。

【注释】

⑸⑺⑴ 庚子朔：四月初一。⑸⑺⑵ 颁新律令：颁布施行新的刑律。隋律严苛，唐高祖武德元年（公元六一八年）废除隋《大业律令》，颁新格五十三条，约法缓刑，至此修订颁行。此后还有修订，贞观十一年（公元六三七年），由房玄龄等最后修成《唐律》五百条。高宗时由长孙无忌等撰《唐律义疏》三十卷，行于世。⑸⑺⑶ 丁中之民：即丁男、中男。二十

岁为丁，十六岁为中。574 笃疾：重病。575 世业：即永业田，为世代保有的田产，不需交还公家。576 八为口分：谓十分之八为口分之田。577 岁入租二句：每岁纳入官家的田租为粟米二石。578 调随土地所宜二句：调则随土地的物产，缴纳绫、绢、絁、布。根据当时规定，岁输绢二匹，绫絁二丈，布加五分之一，绵三两，麻三斤。579 岁役二旬：凡丁男每年要服役二十天。580 收其佣：收取相应的佣值。581 日三尺：每日绢三尺。582 课役：租调劳役。583 赀：同"资"。584 九等：上、中、下各有三等，共九等。585 食禄之家：食俸禄者，即官吏。586 无得与民争利：不能与民争利。意为不得兼营工商二业。587 无预士伍：不得置身士人阶层。588 黄：黄口。原指雏鸟，此指幼儿。589 岁造计帐：每年编造关于人口田赋数目状况的簿册。590 户籍：户口的簿籍。591 丁未：四月初八。592 庚申：四月二十一日。593 通事舍人：官名，唐代中书省有通事舍人，掌朝见引纳之事。594 万州反獠：万州（今重庆市万州）地区造反的少数民族獠民。595 辛未：五月初二。596 甲戌：五月初五。597 翼州：州名，治所在今四川茂县北。598 扶州：州名，治所在今四川九寨沟东北。599 丙戌：五月十七日。600 宜君：县名，县治在今陕西宜君西南。601 丁亥：五月十八日。602 方山：地名，在今四川苍溪县东北。

【研析】

本卷重点评析刘黑闼与杜伏威。两位皆为隋末农民起义领袖。

刘黑闼，贝州漳南（今山东武城东北）人，出身贫苦农民。刘黑闼年轻时不务正业，喜欢饮酒赌博，颇有豪气，与窦建德友善。隋末，刘黑闼为群盗，后投瓦岗李密为裨将，李密失败，刘黑闼投降王世充，因不满王世充的为人，不久脱离王世充，转投窦建德，窦建德立授以将军头衔，封为汉东郡公，委以心腹重任。刘黑闼骁勇善战，诡计多端，常能出其不意，打败强敌，军中服其神勇。窦建德失败，刘黑闼潜伏漳南种菜，闭门不出，静观时变。

此时，唐高祖征召窦建德故将范愿、董康买、曹湛、高雅贤等人赴长安。范愿等人商议说："王世充以洛阳投降李渊，他的部下杨公卿、单雄信等都被害，我们去长安，肯定性命难保，夏王从前捉住唐将宗室淮安王李神通，优礼送还，可李渊抓住夏王却加以杀害。我们不替夏王报仇，没有脸面见天下人。"于是窦建德旧将找到刘黑闼，决定重新起事。刘黑闼一伙只有一百多人，但个个死战，一举拿下漳南县。贝州刺史、魏州刺史，合兵来攻，也被刘黑闼打败，刘黑闼一时声威大震，窦建德旧境河北、山东全境叛唐，徐圆朗也在山东起兵响应。武德五年（公元六二二年）正月，刘黑闼正式称汉东王，以洺州为都城，建年号为天造。任命范愿为左仆射，董康买为兵部尚书，高雅贤为右领军，窦建德旧时文武官员，一律复职。唐王朝发大军讨伐，秦王李世民、太子李建成、齐王李元吉相继统兵，费了九牛二虎之力，才把刘黑闼扑灭。

刘黑闼反隋，是被迫起义，农民军的行为是推翻暴政，深得民众拥护，追随窦建德成了大气候。刘黑闼再起反唐，已经不是反暴政，以河北、山东一隅之力对抗欣欣向荣的新王朝，失败是肯定的。不过刘黑闼第二次起事是为了逃死，所以赢得了窦建德夏政权的全境响应。李唐王朝平定天下，应当宽大为怀，不应暴虐降人，一着不慎，带来大乱，给新王朝的建立者带来了深刻的教训，给后来李世民的宽怀政治提供了借鉴。刘黑闼以悲剧结局，无所称道。但他反隋的义举，以及英勇善战的业绩，仍不失为是一位英雄所为。

杜伏威，齐州章丘（属今山东济南市章丘区）人，家贫，少年为盗，与同乡好友辅公祏遭官府追捕，被迫起义。隋大业九年（公元六一三年），杜伏威率众进入章丘长白山，投靠在长白山起义的左才相。同年，杜伏威又脱离左才相，率众南下转战淮南。两三年间，杜伏威的势力大增，在江淮间成为南方最大的起义势力。大业十三年，隋炀帝到江南，派出官军征讨，被杜伏威打败，江淮义军声威大震。杜伏威乘胜破高邮，占历阳，据丹阳，成为南方最大的反隋势力。杜伏威自称总管，任命辅公祏为长史。这时江淮杜伏威、山东瓦岗军、河北窦建德，是反隋的三大支农民起义军。因此，杜伏威是隋王朝的主要掘墓人之一。

杜伏威不仅军事才能杰出，而且很有治政才能。他占领南京丹阳后，便下令“薄赋敛”，减轻平民百姓的负担。他治军严厉，军士对百姓秋毫无犯，严惩贪官污吏，凡贪赃枉法的官吏，无论罪行轻重，一律处斩。他所到之处，当地百姓，无不交口称誉。

但杜伏威政治上仍然极不成熟，他壮大后并无称雄天下之志，而在公元六一八年，隋炀帝被弑后，上表隋皇泰主杨侗称臣，接受招安，被拜为东道大总管，封为楚王。第二年，唐高祖遣使招抚杜伏威，他又接受了唐朝的封赐，为唐东南道行台尚书令、淮南安抚大使、吴王等官爵。杜伏威还接受了唐朝的赐姓为李氏。公元六二二年，杜伏威亲自入朝长安，向唐投降，可谓识其大体。公元六二三年，辅公祏乘杜伏威远离义军，在南京举兵反唐称帝，不久被唐军讨平。辅公祏起兵，假借杜伏威之名以号令部众，因之杜伏威遭到株连。公元六二四年，杜伏威在长安被毒杀，祸害殃及全家，妻子被籍没。唐太宗即位，贞观元年（公元六二七年）为杜伏威平反，复其官爵，葬以公礼。

翟让瓦岗军、窦建德河北军、杜伏威江淮军是推翻隋王朝的三大农民起义军主力，他们推动了历史的前进，功绩不可磨灭。但农民固有的局限性，导致他们政治上的不成熟，翟让、窦建德、杜伏威三位领袖全部以悲剧告终。瓦岗的继承者李密仍以悲剧结局。农民起义，是改朝换代的清道夫，隋末农民大起义，也没有逃脱这一命运。

卷第一百九十一　唐纪七

起阏逢涒滩（甲申，公元六二四年）六月，尽柔兆阉茂（丙戌，公元六二六年）八月，凡二年有奇。

【题解】

本卷记事起公元六二四年六月，迄公元六二六年八月，凡两年又两个月，当唐高祖武德七年至九年。此时期，唐王朝已统一全国，唯有北疆突厥不断犯边，连续两次大规模入侵。李世民以大勇大智，兵不血刃使突厥屈服，与颉利可汗盟誓，使突厥退兵。群雄已灭，唐统治集团高层争权矛盾日益激化，太子李建成与齐王李元吉合谋陷害秦王李世民，由于李世民功高震主，唐高祖倒向太子一边，形势逼使李世民于唐高祖武德九年（公元六二六年）六月四日发动玄武门之变，诛杀太子李建成和齐王李元吉，武力夺权。六月初七，李世民进位为太子，六月十六日唐高祖退位为太上皇，八月初九，李世民正式即皇帝位，完成了政变夺权，是为唐太宗。

【原文】

高祖神尧大圣光孝皇帝下之上

武德七年（甲申，公元六二四年）

六月辛丑[①]，上幸仁智宫[②]避暑。

辛亥[③]，泷州、扶州[④]獠[⑤]作乱，遣南尹州都督李光度[⑥]等击平之。

丙辰[⑦]，吐谷浑寇扶州[⑧]，刺史蒋善合[⑨]击走之。

壬戌[⑩]，庆州都督杨文干[⑪]反。

初，齐王元吉劝太子建成除秦王世民，曰："当为兄手刃之！"世民从上幸元吉第，元吉伏护军宇文宝[⑫]于寝内，欲刺世民。建成性颇仁厚，遽止之。元吉愠曰："为兄计耳，于我何有！"

建成擅募长安及四方骁勇二千余人为东宫卫士，分屯左、右长

【语译】

高祖神尧大圣光孝皇帝下之上

武德七年（甲申，公元六二四年）

六月初三日辛丑，唐高祖幸临仁智宫避暑。

十三日辛亥，泷州、扶州的獠人作乱，唐高祖派遣南尹州都督李光度等人出击并平定了叛乱。

十八日丙辰，吐谷浑侵犯扶州，扶州刺史蒋善合击退了吐谷浑。

二十四日壬戌，庆州都督杨文幹反叛。

当初，齐王李元吉劝太子李建成除掉秦王李世民，说："我当为哥哥亲手杀了他！"李世民随从唐高祖幸临李元吉的宅第，李元吉让护军宇文宝埋伏在寝室内，打算刺杀李世民。李建成生性颇为仁厚，马上制止了他。李元吉恼怒地说："这是为哥哥着想罢了，对我有什么关系！"

李建成擅自招募长安及各地的骁勇之士两千多人作为东宫卫士，分别屯驻在东

林⑬，号长林兵。又密使右虞候率⑭可达志⑮从燕王李艺⑯发幽州突骑⑰三百，置宫东诸坊，欲以补东宫长上⑱。为人所告，上召建成责之，流可达志于巂州。

杨文幹尝宿卫东宫，建成与之亲厚，私使募壮士送长安。上将幸仁智宫，命建成居守，世民、元吉皆从。建成使元吉就图世民，曰："安危之计，决在今岁。"又使郎将尔朱焕⑲、校尉桥公山以甲遗文幹。二人至豳州，上变⑳，告太子使文幹举兵，欲[1]表里相应。又有宁州人杜凤举㉑亦诣宫言状。上怒，托他事手诏召建成，令诣行在。建成惧，不敢赴。太子舍人徐师謩㉒劝之据城举兵，詹事主簿㉓赵弘智㉔劝之贬损车服，屏从者，诣上谢罪。建成乃诣仁智宫，未至六十里，悉留其官属于毛鸿宾堡㉕，以十余骑往见上，叩头谢罪，奋身自掷，几至于绝㉖。上怒不解，是夜，置之幕下㉗，饲以麦饭㉘，使殿中监陈福防守，遣司农卿宇文颖㉙驰召文幹。颖至庆州㉚，以情告之，文幹遂举兵反。上遣左武卫将军钱九陇㉛与灵州都督杨师道击之。

甲子㉜，上召秦王世民谋之。世民曰："文幹竖子㉝，敢为狂逆，计府僚已应擒戮。若不尔，正应遣一将讨之耳。"上曰："不然。文幹事连建成，恐应之者众。汝宜自行，还，立汝为太子。吾不能效隋文帝自诛其子，当封建成为蜀王。蜀兵脆弱，他日苟能事汝，汝宜全之。不能事汝，汝取之易耳。"

上以仁智宫在山中，恐盗兵猝㉞发，夜帅宿卫㉟南出山外。行数十里，东宫官属将卒[2]继至，皆令三十人为队，分兵围守之。明日，复还仁智宫。

世民既行，元吉与妃嫔更迭为建成请，封德彝复为之营解于外。上意遂变，复遣建成还京师居守。惟责以兄弟不睦，归罪于太子中允㊱王珪、左卫率㊲韦挺㊳、天策兵曹㊴参军杜淹，并流于巂州。挺，冲之子也。

初，洛阳既平，杜淹久不得调，欲求事建成。房玄龄以淹多狡数㊵，恐其教导建成，益为世民不利，乃言于世民，引入天策府。

宫的左、右长林门，号称长林兵。又秘密让右虞候率可达志从燕王李艺那里征调幽州突击骑兵三百人，安置在东宫东面的各个坊市中，打算用来补充东宫警卫队里的低级军官。此事被人告发，唐高祖召见李建成并斥责他，把可达志流放到嶲州。

杨文幹曾经宿卫东宫，太子李建成和他亲近，关系深厚，私自让他募集勇士送往长安。唐高祖将要临幸仁智宫，命令太子李建成留守京城，李世民与李元吉一起随行。李建成让李元吉乘机杀害李世民，说："安危之计，今年决出结果。"李建成又派郎将尔朱焕、校尉桥公山把铠甲送给杨文幹。两人到达豳州，向上报告发生变故，告发太子让杨文幹起兵，想内外呼应。又有宁州人杜凤举也前往仁智宫报告这个情况。唐高祖很生气，假借别的事情，以亲笔诏书传召李建成，让他前往高祖住处。李建成害怕了，不敢前去。太子舍人徐师謩劝他据守京城起兵，詹事主簿赵弘智劝他把太子的车驾服饰降低规格，摒除随从人员，前往唐高祖那里谢罪。于是，李建成前往仁智宫，还有六十里未到仁智宫，李建成把他的属官全部留在毛鸿宾堡，带领十多个人骑马前去进见唐高祖，磕头谢罪，自己猛挺身子摔在地上，几乎死去。唐高祖的怒气没有消除，这天夜里，把李建成安置在自己的帐篷中，用麦饭喂他，让殿中监陈福看守着他，派遣司农卿宇文颖驱马传召杨文幹。宇文颖到了庆州，把情况告诉了杨文幹，杨文幹于是起兵反叛。唐高祖派遣左武卫将军钱九陇和灵州都督杨师道攻打杨文幹。

六月二十六日甲子，唐高祖召见秦王李世民谋议此事。李世民说："杨文幹这小子，敢于发狂叛逆，估计他的僚属应当已经擒获并杀掉了他。如果不是这样，只应派遣一员将领讨伐他罢了。"唐高祖说："不是这样。杨文幹的事情与李建成相关，恐怕响应他的人多。你应该亲自前往，回来以后，立你为太子。我不能效法隋文帝自己诛杀自己的儿子，应当封李建成为蜀王。蜀兵薄弱，以后如能侍奉你，你应该保全他的性命。如果不能侍奉你，你捉拿他很容易。"

唐高祖认为仁智宫在山中，担心盗贼突然发难，夜里率领警卫队向南出发，来到山外。走了数十里，太子东宫的官属将卒相继到达，唐高祖都命他们三十人为一队，分派军队包围看守他们。第二天，唐高祖又返回仁智宫。

李世民出发以后，李元吉与嫔妃轮流替李建成求情，封德彝又在外围营救李建成。唐高祖于是改变了主意，又派李建成返回京城留守。唐高祖只责怪他兄弟关系不睦，把罪责推给太子中允王珪、左卫率韦挺和天策兵曹参军杜淹，把他们一并流放到嶲州。韦挺是韦冲的儿子。

当初，洛阳平定后，杜淹长久没有得到升迁，想寻机侍奉李建成。房玄龄认为杜淹颇多狡诈，害怕他教导李建成，越发对李世民不利，便把情况向李世民说了，安排杜淹到天策府任职。

突厥寇代州之武周城[41]，州兵击破之。

秋，七月己巳[42]，苑君璋以突厥寇朔州，总管秦武通[43]击却之。

杨文幹袭陷宁州，驱掠吏民出据百家堡[44]。秦王世民军至宁州，其党皆溃。癸酉[45]，文幹为其麾下所杀，传首京师。获宇文颖，诛之。

【段旨】

以上为第一段，写唐室李建成、李世民争太子之位，已从暗斗转为明争，兄弟已成水火不容之势。第一回合李建成败阵。

【注释】

①辛丑：六月三日。②仁智宫：李渊所建行宫。在今陕西铜川市玉华村北玉华山。③辛亥：六月十三日。④泷州、扶州：州名。泷州，治所在今广东罗定南。扶州，此指南扶州，治所在今广东信宜西南镇隆。⑤獠：通“僚”，中国古代岭南和云、贵、川地区部分少数民族的泛称。这里指泷州、扶州一带的少数民族。⑥李光度：隋永平郡（治今广西藤县）太守，蛮酋出身，降唐授南尹州（治今广西贵港）刺史。事迹见《旧唐书》卷五十九《李袭志传》、卷六十七《李靖传》等。⑦丙辰：六月十八日。⑧扶州：州名，此指北扶州。治所在今四川阿坝州东北。⑨蒋善合：隋末割据于郓州（治今山东郓城东），武德四年（公元六二一年）降唐。事迹见《旧唐书》卷六十一、《新唐书》卷九十五《窦威附窦轨传》等。⑩壬戌：六月二十四日。⑪杨文幹（？至公元六二四年）：李建成亲信，反叛后的第二个月即为庆州人所杀。事迹见《旧唐书》卷七十六、《新唐书》卷八十《李建成传》。⑫宇文宝：李元吉亲信。事迹见《旧唐书》卷六十四、《新唐书》卷七十九《李元吉传》。⑬长林：宫门名，东宫有左右长林门。⑭虞候率：东宫左右虞候率府长官，掌侦察、巡逻等禁卫事。⑮可达志：李建成亲信。《新唐书·李建成传》谓可达志为左虞候率。可达，复姓。⑯李艺：即罗艺。⑰突骑：谓能冲突军阵的骑士。⑱长上：唐制，凡卫官都要轮番宿卫，长上者，谓番代周期较长的卫士。又，唐官职中有武散阶九品怀化执戟长上和归德执戟长上等。⑲尔朱焕：李建成亲信。事迹见《旧唐书》卷六十四、《新唐书》卷七十九《李建成传》。尔朱，复姓，源出羯族。⑳上变：向朝廷密告谋反之类的紧急事变。㉑杜凤举：《新唐书》卷七十九作“杜凤”。宁州（治今甘肃宁县）人，疑贞观中助吐谷浑讨内乱的鄯州刺史杜凤举即其

突厥侵犯代州的武周城，代州士卒打败了突厥。

秋，七月初一日己巳，苑君璋率领突厥兵侵犯朔州，总管秦武通击退了他们。

杨文幹偷袭，攻陷了宁州，驱赶劫掠吏民，出城占据了百家堡。秦王李世民的军队到达宁州，杨文幹的党羽全部溃散。七月初五日癸酉，杨文幹被他的部下杀死，头颅传送到京城。李世民擒获了宇文颖，杀死了他。

人。㉒徐师謩：李建成亲信。事迹见《新唐书》卷七十九、二百一。㉓詹事主簿：官名，东宫詹事府掌印和考核文书簿籍的官员。㉔赵弘智：洛州新安（今河南新安）人，官至国子祭酒，崇贤学士。《艺文类聚》的修撰人之一，并有文集二十卷。传见《旧唐书》卷一百八十八、《新唐书》卷一百六。㉕毛鸿宾堡：北魏将毛鸿宾筑，在今陕西铜川市耀州区西南。㉖绝：气绝；死亡。㉗幕下：帐幕之下。㉘麦饭：以麦为饭，谓饭粗粝。㉙宇文颖（？至公元六二四年）：代（今山西大同北）人，曾参加瓦岗军。从李密处降唐，封化政郡公，同李元吉友善。传见《新唐书》卷七十九。㉚庆州：州名，治所在今甘肃庆阳。㉛钱九陇：唐初功臣，字永业，湖州长城（今浙江长兴）人，官至右监门大将军，封巢国公。传见《旧唐书》卷五十七、《新唐书》卷八十八。㉜甲子：六月二十六日。㉝竖子：小子。蔑视的称谓。㉞猝：突然；出其不意。㉟宿卫：于宫禁值宿警卫。此谓禁军卫士。㊱太子中允：官名，东宫左右春坊长官左右庶子之副，协助左右庶子掌侍从礼仪、驳正启奏，并监药及通判坊局事。㊲左卫率：东宫左卫率府长官。㊳韦挺（公元五九一至六四八年）：唐初大臣，雍州万年（今陕西西安东部）人，父冲，隋文帝时大臣，官至民部尚书，封义丰县侯。挺为冲少子，贞观中，拜御史大夫，封扶阳县男。传见《旧唐书》卷七十七、《新唐书》卷九十八。㊴天策兵曹：官名，即秦王李世民天策上将府掌管军事的官员。㊵狡数：诡诈有心计。㊶武周城：古城塞名，即今山西左云。㊷己巳：七月一日。㊸秦武通：唐初大将，曾从李世民讨刘武周、刘黑闼和东突厥。事迹见《旧唐书》卷五十五《刘武周传》、卷一百九十四上《突厥传》等。㊹百家堡：在今甘肃庆阳马岭镇西北。㊺癸酉：七月五日。

【校记】

［1］欲：原作“使”。据章钰校，十二行本、乙十一行本、孔天胤本皆作“欲”，张敦仁《通鉴刊本识误》同，今从改。［2］将卒：原无此二字。据章钰校，十二行本、乙十一行本、孔天胤本皆有此二字，今据补。

【原文】

丁丑㊻，梁师都行台白伏愿来降。

戊寅㊼，突厥寇原州，遣宁州刺史鹿大师救之，又遣杨师道趋大木根山㊽，邀其归路[3]。

庚辰㊾，突厥寇陇州，遣护军尉迟敬德击之。

吐谷浑寇岷州。辛巳㊿，吐谷浑、党项寇松州(51)。

癸未(52)，突厥寇阴盘(53)。

甲申(54)，扶州刺史蒋善合击吐谷浑于松州赤磨镇(55)，破之。

己丑(56)，突厥吐利设(57)与苑君璋寇并州。

甲午(58)，车驾还京师。

或说上曰："突厥所以屡寇关中者，以子女玉帛皆在长安故也。若焚长安而不都，则胡寇自息矣。"上以为然，遣中书侍郎宇文士及逾南山(59)至樊、邓(60)，行(61)可居之地，将徙都之。太子建成、齐王元吉、裴寂皆赞成其策，萧瑀等虽知其不可而不敢谏。秦王世民谏曰："戎狄为患，自古有之。陛下以圣武龙兴(62)，光宅中夏(63)，精兵百万，所征无敌，奈何以胡寇扰边，遽迁都以避之，贻四海之羞，为百世之笑乎！彼霍去病(64)汉廷一将，犹志灭匈奴，况臣忝(65)备藩维，愿假数年之期，请系颉利之颈，致之阙下。若其不效，迁都未晚。"上曰："善。"建成曰："昔樊哙(66)欲以十万众横行匈奴中，秦王之言得无似之！"世民曰："形势各异，用兵不同，樊哙小竖(67)，何足道乎！不出十年，必定漠北(68)，非敢[4]虚言也。"上乃止。建成与妃嫔因共谮(69)世民曰："突厥虽屡为边患，得赂(70)即退。秦王外托御寇之名，内欲总兵权，成其篡夺之谋耳。"

上校猎城南，太子、秦、齐王皆从，上命三子驰射角胜(71)。建成有胡马，肥壮而喜蹶(72)，以授世民，曰："此马甚骏，能超数丈涧。弟善骑，试乘之。"世民乘以逐鹿，马蹶，世民跃立于数步之外，马起，复乘之，如是者三，顾谓宇文士及曰："彼欲以此见杀，死生有命，庸何(73)伤乎！"建成闻之，因令妃嫔谮之于上曰："秦王自言：'我有天命，方为天下主，岂有浪死(74)！'"上大怒，先召建成、元吉，然后召世民

【语译】

七月初九日丁丑，梁师都的行台白伏愿前来投降。

初十日戊寅，突厥侵犯原州，唐高祖派遣宁州刺史鹿大师救援，又派遣杨师道奔赴大木根山，拦截敌人的归路。

十二日庚辰，突厥侵犯陇州，唐高祖派遣护军尉迟敬德攻打突厥。

吐谷浑侵犯岷州。十三日辛巳，吐谷浑、党项侵犯松州。

十五日癸未，突厥侵犯阴盘。

十六日甲申，扶州刺史蒋善合在松州赤磨镇打败了吐谷浑。

二十一日己丑，突厥吐利设与苑君璋侵犯并州。

二十六日甲午，唐高祖返回京城。

有人劝说唐高祖："突厥之所以屡次侵犯关中地区，是由于我们的人口与财富都集中在长安。如果烧毁长安而不将其立为都城，那么胡人的侵犯就会自然平息。"唐高祖认为说得对，就派遣中书侍郎宇文士及越过终南山来到樊州、邓州，巡察可以居住的地方，准备迁都。太子李建成、齐王李元吉和裴寂都赞成这一计划，萧瑀等人虽然知道不可行，但不敢劝谏阻拦。秦王李世民劝谏说："戎狄为患，自古以来就有的。陛下凭着圣明英武，如龙一样兴起大业，安定了天下，拥有百万精锐士卒，所向无敌，为何因为胡人盗寇扰乱边境，就急忙迁都来躲避他们，在天下留下耻辱，让后世讥笑呢！那霍去病是汉朝的一员将领，尚且立志消灭匈奴，何况臣忝列藩王之位，希望陛下给我几年时间，让我用绳索套住颉利的脖子，把他押送到宫阙之下。如果没有成功，迁都也不晚。"唐高祖说："讲得好。"李建成说："从前樊哙想率领十万兵马横行匈奴，秦王的话是不是像樊哙呢！"李世民说："形势各自不同，用兵的方法也就不同，樊哙那小子，何足称道呢！不出十年，一定平定沙漠以北地区，我不敢说空话。"唐高祖于是停止迁都。李建成与嫔妃于是共同诬陷李世民说："突厥虽然屡次成为边患，但是得到财物就撤退。秦王对外借口抵御突厥的名义，实际上是想总揽兵权，成就他篡夺帝位的阴谋罢了。"

唐高祖在京城南面围猎，太子李建成、秦王李世民和齐王李元吉都相随，唐高祖让三个儿子骑马射猎来角逐胜负。李建成有匹胡地骏马，膘肥体壮，而且喜欢尥蹶子，李建成把这匹马交给李世民，说道："这马是匹很好的骏马，能够跳过几丈宽的山涧。弟弟善于骑马，试着骑一骑它。"李世民骑上这匹胡马追逐野鹿，胡马蹶身尥蹄，李世民跃起后落到数步之外站定，胡马站起来，李世民又骑上去，这样反复了三次，李世民回头对宇文士及说："他想用这匹马害死我，死生有命，哪能伤害我呢！"李建成听到后，于是让嫔妃向唐高祖诬陷李世民说："秦王自己说：'我有天命，正要做天下之主，怎会白白死去！'"唐高祖大怒，先召见李建成和李元吉，然后召

入，责之曰："天子自有天命，非智力可求，汝求之一何[75]急邪！"世民免冠顿首，请下法司[76]案验。上怒不解，会有司奏突厥入寇，上乃改容劳勉世民，命之冠带，与谋突厥。闰月己未[77]，诏世民、元吉将兵出豳州以御突厥，上饯之于兰池[78]。上每有寇盗，辄命世民讨之，事平之后，猜嫌益甚。

初，隋末京兆韦仁寿[79]为蜀郡司法书佐[80]，所论囚至市[81]，犹西向为仁寿礼佛然后死。唐兴，爨弘达[82]帅西南夷[83]内附，朝廷遣使抚之，类皆贪纵，远民患之，有叛者。仁寿时为嶲州都督长史，上闻其名，命检校南宁州[84]都督，寄治越嶲，使之岁一至其地慰抚之。仁寿性宽厚，有识度。既受命，将兵五百人至西洱河[85]，周历数千里，蛮夷豪帅皆望风归附，来见仁寿。仁寿承制置七州[86]、十五县，各以其豪帅为刺史、县令。法令清肃，蛮夷悦服。将还，豪帅皆曰："天子遣公都督南宁，何为遽去？"仁寿以城池未立为辞。蛮夷即相帅为仁寿筑城，立廨舍[87]，旬日[88]而就。仁寿乃曰："吾受诏但令巡抚，不敢擅留。"蛮夷号泣送之，因各遣子弟入贡。壬戌[89]，仁寿还朝，上大悦，命仁寿徙镇南宁，以兵戍[90]之。

苑君璋引突厥寇朔州。

八月戊辰[91]，突厥寇原州。

己巳[92]，吐谷浑寇鄯州。

壬申[93]，突厥寇忻州[94]。丙子[95]，寇并州，京师戒严。戊寅[96]，寇绥州[97]，刺史刘大俱[98]击却之。

是时，颉利、突利二可汗举国入寇，连营南上，秦王世民引兵拒之。会关中久雨，粮运阻绝，士卒疲于征役，器械顿弊[99]，朝廷及军中咸以为忧。世民与虏遇于豳州，勒兵将战。己卯[100]，可汗帅万余骑奄至[101]城西，陈于五陇阪[102]，将士震恐。世民谓元吉曰："今虏骑凭陵[103]，不可示之以怯，当与之一战，汝能与我俱[104]乎？"元吉惧曰："虏形势如此，奈何轻出？万一失利，悔可及乎！"世民曰："汝不敢出，吾当独往，汝留此观之。"世民乃帅骑驰诣虏陈[105]，告之曰："国家与可汗

见李世民，责备他说:“天子自有天命，不是人的智力可以求得的，你求当天子怎么这样急呢!”李世民摘去王冠伏地磕头，请求交付执法部门查讯证实，唐高祖怒气不消，正好有关部门奏称突厥入侵，唐高祖才改变了脸色来勉励李世民，让他戴上王冠、系好佩带，与他商议讨伐突厥。闰七月二十一日己未，唐高祖下诏命令李世民、李元吉率军从豳州出发抵御突厥，唐高祖在兰池为他们饯行。唐高祖每次遇有敌寇盗贼，总是命令李世民讨伐敌人，战事平息以后，对李世民的猜疑更加厉害。

当初，隋朝末年京兆人韦仁寿担任蜀郡的司法书佐，他定罪处死的囚犯到了行刑闹市时，还要面向西方替韦仁寿拜佛求福，然后处死。唐朝建立之后，爨弘达率领西南地区的夷人归附朝廷，朝廷派出使节安抚他们，这些使节大都贪婪无度，边地的百姓把他们视为祸患，于是发生了反叛。韦仁寿当时担任嶲州都督长史，唐高祖听说他的名声，任命他为检校南宁州都督，把官署所在地暂设在越嶲，派他每年一次前往南宁州抚慰当地的夷人。韦仁寿性情宽厚，有见识，有度量。他接受任命以后，率领士兵五百人到了西洱河，走遍境内数千里，蛮夷豪强首领望风归附，前来会见韦仁寿。韦仁寿顺承皇帝的旨意设置了七个州、十五个县，分别任命当地的豪强首领为州刺史和县令。他执行法令清廉严肃，蛮夷心悦诚服。韦仁寿准备返回越嶲，豪强首领们都说:“天子派您前来总督南宁州，为什么急忙离去?”韦仁寿借口说是因为南宁州的城池还未修建。蛮夷当即聚合起来，为韦仁寿修筑南宁州城，建造官署与住处，十天就全部竣工。韦仁寿这才说:“我接受的皇帝诏命，只让我来巡视抚慰，我不敢擅自留下。”蛮夷哭号流泪为他送行，于是各自派遣子弟入京朝见并且进贡。闰七月二十四日壬戌，韦仁寿返回朝廷，唐高祖大为高兴，命令韦仁寿把镇所迁移到南宁州，用兵戍守。

苑君璋带领突厥侵犯朔州。

八月初一日戊辰，突厥侵犯原州。

初二日己巳，吐谷浑侵犯鄯州。

八月初五日壬申，突厥侵犯忻州。初九日丙子，侵犯并州，京城戒严。十一日戊寅，突厥侵犯绥州，绥州刺史刘大俱击退了突厥军队。

这时候，颉利、突利两位可汗倾尽全国兵力前来侵犯，兵营连接，向南推进，秦王李世民率军抵御。正好此时关中地区长久降雨，粮食运输断绝，士卒因行军跋涉而疲惫不堪，军用器械钝毁破败，朝廷与军中都为此担忧。李世民在豳州与突厥遭遇，率军准备接战。十二日己卯，突厥可汗率领骑兵一万多人突然来到豳州城西，在五陇阪布阵，唐军将士震惊恐慌。李世民对李元吉说:“现在突厥进逼我军，我军不能够向他们示怯，应当与他们大战一场，你能够与我一同去作战吗?”李元吉害怕地说:“突厥军队的阵势这样强盛，怎能轻率出击? 万一失利，后悔还来得及吗!”李世民说:“你不敢出兵，我当独自前往，你留在这里观看。”李世民于是率领骑兵疾驰

和亲，何为负约，深入我地？我秦王也，可汗能斗，独出与我斗以众来，我直以此百骑相当耳。”颉利不之测[106]，笑而不应。世民又前，遣骑告突利曰：“尔往与我盟，有急相救。今乃引兵相攻，何无香火之情[107]也！”突利亦不应。世民又前，将渡沟水。颉利见世民轻出，又闻香火之言，疑突利与世民有谋，乃遣止世民，曰：“王不须渡，我无他意，更欲与王申固盟约耳。”乃引兵稍却[108]。

是后霖雨[109]益甚，世民谓诸将曰：“虏所恃者弓矢耳，今积雨弥时[110]，筋胶俱解，弓不可用，彼如飞鸟之折翼。吾屋居火食，刀槊[111]犀利，以逸制劳，此而不乘[112]，将复何待！”乃潜师夜出，冒雨而进，突厥大惊。世民又遣说突利以利害，突利悦，听命[113]。颉利欲战，突利不可，乃遣突利与其夹毕特勒[114]阿史那思摩[115]来见世民，请和亲，世民许之。思摩，颉利之从叔也。突利因自托于世民，请结为兄弟。世民亦以恩意抚之，与盟而去。

【段旨】

以上为第二段，写突厥入寇，秦王李世民以大勇精神不战而屈突厥之兵，与颉利可汗定盟，化解了一场大战。

【注释】

㊻丁丑：七月初九。㊼戊寅：七月初十。㊽大木根山：山名，又名东木根山，在今内蒙古兴和西北。鲜卑拓拔氏先人曾居此。㊾庚辰：七月十二日。㊿辛巳：七月十三日。(51)松州：州名，治所在今四川松潘。(52)癸未：七月十五日。(53)阴盘：县名，县治在今甘肃平凉南四十里铺。(54)甲申：七月十六日。(55)赤磨镇：在今四川松潘东北。(56)己丑：七月二十一日。(57)吐利设：东突厥典兵大将，姓阿史那。设，突厥别部典兵者谓“设”，亦作“杀”“箭”等。(58)甲午：七月二十六日。(59)南山：山名，即今陕西西安南终南山。(60)樊、邓：地区名，即樊城（今湖北襄阳）、邓州（治今河南邓州）一

冲向突厥军阵，告诉他们说："国家已与可汗和亲，为什么违背盟约，深入到我们的地域中来？我是秦王，可汗能来比斗，就一个人出来与我比斗，如果率领众人一起来，我只用这一百名骑兵来抵挡。"颉利猜测不出秦王的底细，笑而不答。李世民又向前推进，派遣骑兵告诉突利说："你以前与我盟誓，约定在危急时互相援救。现在你带兵来攻打我，怎么没有结拜兄弟的情谊呢！"突利也没有回答。李世民又向前推进，将要渡过一条水沟。颉利看到李世民轻易出战，又听到焚香盟誓的话，怀疑突利与李世民有谋划，便派人阻止李世民，说道："秦王不用渡过水沟，我没有别的意思，只是想与秦王重申并加强原有的盟约罢了。"于是颉利率军稍微后退。

此后大雨连绵不停，李世民对各位将领说："突厥所利用的是弓箭而已，现在雨水下了很长时间，弓箭上的皮筋和粘胶都已松弛，弓已不可用，他们就像飞鸟折断了翅膀。我们住在房屋里，吃熟食，刀矛锐利，以逸制劳，这样的时机不加利用，还要等待什么！"李世民于是在夜间暗中出兵，冒雨前进，突厥大为震惊。李世民又派人向突利讲明利害关系，突利很高兴，表示愿意听从命令。颉利想要出战，突利不同意，颉利就派遣突利和他的夹毕特勤阿史那思摩前来会见李世民，请求和亲，李世民答应了。阿史那思摩是颉利的堂叔。突利于是依托李世民，请求与李世民结为兄弟。李世民也用恩情安抚他，与他立下盟约后离去。

带。㉛行：巡视。㉜圣武龙兴：圣明英武，如龙一样兴起帝业。㉝光宅中夏：谓安定天下。光，广。宅，安。中夏，中原，引申为天下。㉞霍去病（公元前一四〇至前一一七年）：汉武帝时名将，曾六次出击匈奴，解除匈奴对汉王朝的威胁。传见《史记》卷一百十一、《汉书》卷五十五。㉟忝：辱；有愧于。常作谦辞用。㊱樊哙（？至公元前一八九年）：汉初大将，沛县（今江苏沛县）人，官至左丞相，封舞阳侯。传见《史记》卷九十五、《汉书》卷四十一。㊲小竖：小子；竖子。侮称。㊳漠北：指蒙古高原大沙漠以北地区。㊴谮：进谗言；说人坏话。㊵赂：赠送或贿赂财物。㊶角胜：决胜；较量；比输赢。㊷蹶：尥蹶子，用后腿踢人。㊸庸何：岂可；哪能。㊹浪死：白白死去；无意义地丧命。㊺一何：怎么；为什么。㊻法司：执法机构。㊼闰月己未：闰七月二十一日。㊽兰池：在今陕西咸阳东。秦始皇引渭水为池，并筑兰池宫，由是得名。㊾韦仁寿：唐初良吏，雍州万年（今陕西西安西北）人，官至南宁州都督，以善抚云南诸蛮著称。传见《旧唐书》卷一百八十五上、《新唐书》卷一百九十七。㊿司法书佐：州郡执法官吏，即法曹司法参军。(81)市：闹市；买卖场所。此谓处决死囚的地方。(82)爨弘达：西爨

蛮首领，拜昆州（治今云南昆明）刺史。事迹见《新唐书》卷二百二十二下。⑧③ 西南夷：指川南、云、贵一带的少数民族。⑧④ 南宁州：州名，初寄治成都、越巂（今四川西昌），后移治所于今云南曲靖西。⑧⑤ 西洱河：一名叶榆泽。即今云南西部洱海。⑧⑥ 承制置七州：承制，顺承天子旨意。七州，据《旧唐书》卷四十一等为西宁、豫、西平、利、南云、磨、南笼州，这些州散布于今云南、川南及贵州部分地区。⑧⑦ 廨舍：官员办公所在的屋宇。⑧⑧ 旬日：十天。⑧⑨ 壬戌：闰七月二十四日。⑨⑩ 戍：驻守边疆。⑨① 戊辰：八月一日。⑨② 己巳：八月二日。⑨③ 壬申：八月五日。⑨④ 忻州：州名，治所在今山西忻州。⑨⑤ 丙子：八月九日。⑨⑥ 戊寅：八月十一日。⑨⑦ 绥州：州名，治所在今陕西绥德。⑨⑧ 刘大俱：大俱抗突厥事见《新唐书》卷一《高祖纪》。⑨⑨ 顿弊：顿，同"钝"。弊，破败。⑩⑩ 己卯：八月十二日。⑩① 奄至：铺天盖地而来；突然到来。⑩② 五陇阪：山坡名，在今陕西彬州南。⑩③ 凭陵：进迫；侵凌。⑩④ 俱：一并；共同。⑩⑤ 陈："阵"的本字。⑩⑥ 不之测：对

【原文】

庚寅[116]，岐州刺史柴绍破突厥于杜阳谷[117]。

壬申[118]，突厥阿史那思摩入见[119]，上引升御榻，慰劳之。思摩貌类胡[120]，不类突厥，故处罗疑其非阿史那种，历处罗、颉利世，常为夹毕特勒[121]，终不得典兵为设。既入朝，赐爵和顺王。

丁酉[122]，遣左仆射裴寂使于突厥。

九月癸卯[123]，日南[124]人姜子路反，交州都督王志远击破之。

癸卯[125]，突厥寇绥州，都督刘大俱击破之，获特勒三人。

冬，十月己巳[126]，突厥寇甘州。

辛未[127]，上校猎于鄠之南山[128]。癸酉[129]，幸终南[130]。

吐谷浑及羌人寇叠州，陷合川[131]。

丙子[132]，上幸楼观[133]，谒老子祠[134]。癸未[135]，以太牢[136]祭隋文帝陵[137]。十一月丁卯[138]，上幸龙跃宫[139]。庚午[140]，还宫。

太子詹事裴矩权检校侍中[141]。

方不可猜度。之，谓秦王。⑩⑦香火之情：结拜兄弟的情谊。⑩⑧稍却：小撤；渐退。⑩⑨霖雨：连阴久雨不止。⑪⓪弥时：长久。⑪①槊：长矛。⑪②乘：趁；因。⑪③听命：听从指示命令。⑪④夹毕特勒：东突厥可汗子弟官号。特勒，应作“特勤”。⑪⑤阿史那思摩：东突厥贵族。贞观四年（公元六三〇年）降唐，拜右武候大将军、化州都督。贞观十三年被太宗册立为可汗，后因失众，入朝宿卫。卒，陪葬昭陵。

【校记】

[3] 邀其归路：原无此句。据章钰校，十二行本、乙十一行本、孔天胤本皆有此句，张敦仁《通鉴刊本识误》、张瑛《通鉴校勘记》同，今据补。[4] 敢：原无此字。据章钰校，十二行本、乙十一行本、孔天胤本皆有此字，今据补。

【语译】

八月二十三日庚寅，岐州刺史柴绍在杜阳谷打败突厥。

八月初五日壬申，突厥阿史那思摩入京朝见，唐高祖带领他坐到御榻上，加以安慰。阿史那思摩的相貌很像胡人，不像突厥人，所以处罗可汗怀疑他不是阿史那种族，阿史那思摩历经处罗可汗和颉利可汗两代，经常担任夹毕特勤，始终没有能够掌管军权，设立牙帐。阿史那思摩入京朝见以后，唐高祖赐爵和顺王。

三十日丁酉，唐高祖派遣左仆射裴寂出使突厥。

九月初六日癸卯，日南人姜子路反叛，交州都督王志远打败了他。

初六日癸卯，突厥入侵绥州，绥州都督刘大俱打败了突厥，抓获了三名特勤。

冬，十月初三日己巳，突厥入侵甘州。

初五日辛未，唐高祖在鄠县的终南山进行围猎。初七日癸酉，唐高祖到了终南山。

吐谷浑与羌人侵犯叠州，攻陷合川。

十月初十日丙子，唐高祖到了楼观台，拜谒老子祠。十七日癸未，用牛、羊、豕三牲祭祀隋文帝的陵墓。十一月丁卯日，临幸龙跃宫。十二月初五日庚午，返回皇宫。

太子詹事裴矩代理检校侍中。

【段旨】

以上为第三段，写突厥、吐谷浑时时扰边。

【注释】

⑯庚寅：八月二十三日。⑰杜阳谷：杜阳山北之谷地，在今陕西麟游西北。⑱壬申：八月五日。疑为“壬辰”（八月二十五日）之误。⑲入见：入朝觐见天子。⑳胡：此指西域民族，如昭武九姓胡。㉑特勒：“特勤”之误。特勤，为突厥官号。㉒丁酉：八月三十日。㉓癸卯：九月六日。㉔日南：郡名，治所在今越南义安荣市。㉕癸卯：九月初六。重出癸卯日，是特指这一天，唐朝南北同时发生了重大事件。㉖己巳：十月三

【原文】

八年（乙酉，公元六二五年）

春，正月丙辰⑫，以寿州⑬都督张镇周为舒州⑭都督。镇周以舒州本其乡里，到州，就故宅，多市酒肴，召亲戚故人，与之酣宴，散发箕踞⑮，如为布衣⑯时，凡十日。既而分赠金帛，泣与之别，曰：“今日张镇周犹得与故人欢饮，明日之后，则舒州都督治百姓耳，君民礼隔，不得复为交游。”自是亲戚故人犯法，一无所纵，境内肃然。

丁巳⑰，遣右武卫将军段德操⑱徇夏州地。

吐谷浑寇叠州。

是月，突厥、吐谷浑各请互市⑲，诏皆许之。先是，中国丧乱，民乏耕牛。至是资于戎狄，杂畜被野。

夏，四月乙亥⑳，党项寇渭州。

甲申㉑，上幸鄠县，校猎于甘谷㉒，营太和宫㉓于终南山。丙戌㉔，还宫。

西突厥统叶护可汗㉕遣使请婚。上谓裴矩曰：“西突厥道远，缓急不能相助，今求婚，何如？”对曰：“今北寇[5]方强，为国家今日计，

日。⑰辛未：十月五日。⑱鄠之南山：鄠，县名，县治在今陕西西安市鄠邑区。南山，终南山。⑲癸酉：十月七日。⑳终南：县名，县治在今陕西周至东终南镇。㉑合川：县名，县治在今甘肃迭部。㉒丙子：十月十日。㉓楼观：即楼观台，道教圣地。在今陕西周至南。㉔老子祠：在楼观台内。㉕癸未：十月十七日。㉖太牢：亦作"大牢"，帝王、诸侯祭祀社稷以牛、羊、豕三牲全备为太牢。㉗隋文帝陵：在今陕西咸阳市杨陵区北。㉘十一月丁卯：十一月无"丁卯"，疑为十二月丁卯（二日）之误。㉙龙跃宫：武德六年（公元六二三年）改故墅置，在今陕西西安市高陵区西。㉚庚午：十二月五日。㉛权检校侍中：权，谓暂代官职。检校为加官之名。侍中，门下省长官，掌出纳帝命，与中书令同司宰相之职。

【语译】

八年（乙酉，公元六二五年）

春季，正月二十一日丙辰，唐高祖任命寿州都督张镇周为舒州都督。因为舒州本是自己的家乡，张镇周到了舒州后，回到旧宅中，买来许多酒菜，叫来亲戚故旧，和他们尽情宴饮。张镇周散发箕踞，就像原来当平民的时候一样，一共过了十天。之后张镇周把金银布帛分别赠送给亲戚故旧，哭着向他们告别，说道："今天张镇周还能与旧友欢乐饮酒，明天以后，就是舒州都督治理百姓了，官府与百姓之间的礼法是隔开的，不能够再与大家交往了。"从这以后，亲戚旧友触犯法令，一无所纵，辖境内风气肃然。

正月二十二日丁巳，唐高祖派遣右武卫将军段德操攻略夏州地区。

吐谷浑侵犯叠州。

这个月，突厥和吐谷浑分别请求与唐互通贸易，唐高祖下诏同意了。在此之前，中原地区丧乱，百姓缺少耕牛。到这时，借助于突厥和吐谷浑，中原的各种牲畜遍布原野。

夏，四月十二日乙亥，党项侵犯渭州。

二十一日甲申，唐高祖到了鄠县，在甘谷围猎，在终南山营建太和宫。二十三日丙戌，唐高祖回宫。

西突厥的统叶护可汗派遣使者请求通婚。唐高祖对裴矩说："西突厥道路遥远，事有缓急不能相助，现在他来请求通婚，应当怎样办？"裴矩回答说："现在北方敌人正强盛，为国家当前的利益着想，应当远交而近攻，臣认为应当答应与西突厥通婚，

且当远交而近攻，臣谓宜许其婚，以威颉利。俟数年之后，中国完实，足抗北夷，然后徐思其宜。”上从之，遣高平王道立[156]至其国，统叶护大喜。道立，上之从子也。

初，上以天下大定，罢十二军[157]。既而突厥为寇不已，辛亥[158]，复置十二军，以太常卿窦诞等为将军，简练[159]士马，议大举击突厥。

甲寅[160]，凉州胡睦伽陀引突厥袭都督府，入子城[161]，长史刘君杰击破之。

六月甲子[162]，上幸太和宫。

丙子[163]，遣燕郡王李艺屯华亭县[164]及弹筝峡[165]，水部郎中[166]姜行本[167]断石岭道[168]，以备突厥。

丙戌[169]，颉利可汗寇灵州。丁亥[170]，以右卫大将军张瑾[171]为行军总管以御之，以中书侍郎温彦博为长史。先是，上与突厥书用敌国礼[172]，秋，七月甲辰[173]，上谓侍臣曰：“突厥贪婪无厌，朕将征之，自今勿复为书[174]，皆用诏敕。”

丙午[175]，车驾还宫。

己酉[176]，突厥颉利可汗寇相州[177]。

睦伽陀攻武兴[178]。

丙辰[179]，代州都督蔺謩[180]与突厥战于新城[181]，不利。复命行军总管张瑾屯石岭，李高迁[182]趋大谷[183]以御之。丁巳[184]，命秦王出屯蒲州以备突厥。

八月壬戌[185]，突厥逾石岭，寇并州。癸亥[186]，寇灵州。丁卯[187]，寇潞、沁、韩三州[188]。

左武候大将军安脩仁击睦伽陀于且渠川[189]，破之。

诏安州大都督李靖出潞州道，行军总管任瓌[190]屯太行[191]，以御突厥。颉利可汗将兵十余万大掠朔州。壬申[192]，并州道行军总管张瑾与突厥战于太谷，全军皆没，瑾脱身奔李靖。行军长史温彦博为虏所执，虏以彦博职在机近[193]，问以国家兵粮虚实。彦博不对，虏迁之阴山。庚辰[194]，突厥寇灵武[195]。甲申[196]，灵州都督任城王道宗[197]击破之。丙戌[198]，突厥寇绥州。丁亥[199]，颉利可汗遣使请和而退。

以便威慑颉利。等到数年以后，中原地区得到统一而财富殷实了，足以抵抗北方夷人，然后再慢慢考虑更适宜的办法。”唐高祖听从了裴矩的建议，派遣高平王李道立前往西突厥国，统叶护大为高兴。李道立是唐高祖的侄子。

当初，唐高祖认为天下完全平定了，撤销了十二军。后来突厥不停侵犯内地，五月十八日辛亥，又重新设置十二军，任命太常卿窦诞等人为将军，挑选和操练人马，商议大举进击突厥。

五月二十一日甲寅，凉州胡人睦伽陀引领突厥袭击凉州都督府，进入子城，凉州长史刘君杰击败了他们。

六月初二日甲子，唐高祖来到太和宫。

十四日丙子，唐高祖派遣燕郡王李艺屯驻华亭县及弹筝峡，水部郎中姜行本切断石岭道，以此来防备突厥。

六月二十四日丙戌，颉利可汗侵犯灵州。二十五日丁亥，唐高祖任命右卫大将军张瑾为行军总管来抵御突厥，任命中书侍郎温彦博为行军长史。在此之前，唐高祖写信给突厥采用地位相当的两个国家间的规格。秋，七月十二日甲辰，唐高祖对侍从官员说：“突厥贪得无厌，朕将要征讨他们，从现在起对他们不再用书启，都用诏敕。”

七月十四日丙午，唐高祖的车驾返回宫中。

十七日己酉，突厥颉利可汗侵犯相州。

凉州胡人睦伽陀进攻武兴。

七月二十四日丙辰，代州都督蔺謩在新城与突厥交战，失利。唐高祖又命令行军总管张瑾屯扎在石岭，李高迁奔赴大谷，以此来抵御突厥。二十五日丁巳，唐高祖命令秦王李世民出兵屯驻蒲州，借以防备突厥。

八月初一日壬戌，突厥越过石岭，侵犯并州。初二日癸亥，侵犯灵州。初六日丁卯，侵犯潞州、沁州、韩州。

唐左武候大将军安脩仁在且渠川攻打睦伽陀，打败了他。

唐高祖颁诏命令大都督李靖从潞州道出兵，行军总管任瓌屯驻太行山，以此来防御突厥。突厥颉利可汗率军十多万大肆抢掠朔州。八月十一日壬申，并州道行军总管张瑾在太谷与突厥交战，全军覆没，张瑾逃脱出来奔赴李靖。行军长史温彦博被突厥抓获，突厥认为温彦博是唐朝廷中接近皇帝的机要官员，问他关于国家兵力与粮储情况。温彦博不回答，突厥把他迁徙到阴山。十九日庚辰，突厥侵犯灵武，二十三日甲申，灵州都督任城王李道宗击败突厥。二十五日丙戌，突厥侵犯绥州。二十六日丁亥，突厥颉利可汗派遣使者请求讲和，撤退了军队。

九月癸巳[200]，突厥没贺咄设[201]陷并州一县。丙申[202]，代州都督蔺謩击破之。

癸卯[203]，初令太府检校诸州权量[204]。

丙午[205]，右领军将军王君廓破突厥于幽州，俘斩二千余人。

突厥寇蔺州[206]。

冬，十月壬申[207]，吐谷浑寇叠州，遣扶州刺史蒋善合救之。

戊寅[208]，突厥寇鄯州，遣霍公柴绍救之。

十一月辛卯朔[209]，上幸宜州。

权检校侍中裴矩罢判黄门侍郎。

戊戌[210]，突厥寇彭州[211]。

庚子[212]，以天策司马[213]宇文士及权检校侍中。

辛丑[214]，徙蜀王元轨[215]为吴王，汉王元庆[216]为陈王。

癸卯[217]，加秦王世民中书令，齐王元吉侍中。

丙午[218]，吐谷浑寇岷州[219]。

戊申[220]，眉州山獠[221]反。

十二月辛酉[222]，上还至京师。

庚辰[223]，上校猎于鸣犊泉[224]。辛巳[225]，还宫。

以襄邑王神符检校扬州大都督。始自丹杨[226]徙州府及居民于江北。

【段旨】

以上为第四段，写北疆不宁，突厥成为唐王朝的主要威胁。

【注释】

[142]丙辰：一月二十一日。[143]寿州：州名，治所在今安徽寿县。[144]舒州：州名，治所在今安徽潜山。[145]箕踞：坐时两脚伸直叉开，如簸箕状。一说屈膝张足而坐，表示出一种随便、轻慢的态度。[146]布衣：平民。[147]丁巳：一月二十二日。[148]段德操：唐初将领，曾任延州总管，并屡败割据夏州的梁师都。事迹见《旧唐书》卷五十六、《新唐书》卷八十七《梁

九月初二日癸巳，突厥的没贺咄设攻陷并州的一个县。初五日丙申，代州都督蔺謩击败了突厥。

十二日癸卯，唐高祖初次命令太府检查核实各州度量衡器的大小轻重。

十五日丙午，右领军将军王君廓在幽州打败突厥，俘获斩首两千多人。

突厥侵犯蔺州。

冬，十月十一日壬申，吐谷浑侵犯叠州，唐高祖派遣扶州刺史蒋善合援救叠州。

十七日戊寅，突厥侵犯鄯州，唐高祖派遣霍公柴绍援救鄯州。

十一月初一日辛卯，唐高祖到了宜州。

代理检校侍中裴矩被罢免，改任判黄门侍郎。

初八日戊戌，突厥侵犯彭州。

初十日庚子，唐高祖任命天策司马宇文士及为代理检校侍中。

十一日辛丑，唐高祖徙任蜀王李元轨为吴王，汉王李元庆为陈王。

十三日癸卯，唐高祖加官秦王李世民为中书令，齐王李元吉为侍中。

十六日丙午，吐谷浑侵犯岷州。

十八日戊申，眉州獠人反叛。

十二月初一日辛酉，唐高祖回到京城。

二十日庚辰，唐高祖在鸣犊泉进行围猎。二十一日辛巳，返回皇宫。

唐高祖任命襄邑王李神符为检校扬州大都督。开始从丹杨迁徙州府衙门及居民到长江北岸。

师都传》等。⑭⑨ 互市：边境上国家或民族间的贸易。⑮⓪ 乙亥：四月十二日。⑮① 甲申：四月二十一日。⑮② 甘谷：在今陕西西安市鄠邑区西南。⑮③ 太和宫：宫名，在今陕西西安南终南山上，后改名翠微宫。⑮④ 丙戌：四月二十三日。⑮⑤ 统叶护可汗（？至公元六二八年）：西突厥射匮可汗弟。有胜兵数十万，徙庭千泉，统有西域诸国。公元六一九至六二八年在位。⑮⑥ 道立：唐宗室李道立。初封高平郡王，后降为县公。永徽初，卒于陈州刺史任。传见《旧唐书》卷六十、《新唐书》卷七十八。⑮⑦ 十二军：指武德初年于关中道所置以参旗、鼓旗、玄戈、井钺、羽林、骑官、折威、平道、招摇、苑游、天纪、天节为名号的十二支军队。⑮⑧ 辛亥：五月十八日。⑮⑨ 简练：择选训练。⑯⓪ 甲寅：五月二十一日。⑯① 子城：大城内的小城。⑯② 甲子：六月二日。⑯③ 丙子：六月十四日。⑯④ 华亭县：县名，县治在今甘肃华亭。⑯⑤ 弹筝峡：在今甘肃平凉西北。⑯⑥ 水部郎中：官名，工部中主管水利的长官。⑯⑦ 姜行本（？至公元六四五年）：名确，字行本，秦州上邽（今甘肃天水）人，杰出的工程营

造家。卒赠左卫大将军、郧国公，陪葬昭陵。传见《旧唐书》卷五十九、《新唐书》卷九十一。⑯⑧石岭道：在今山西阳曲东北关城一带。⑯⑨丙戌：六月二十四日。⑰⓪丁亥：六月二十五日。⑰①张瑾：唐高祖时大将。事迹见《旧唐书》卷六十七《李靖传》、卷一百九十四上《突厥传》，《新唐书》卷一《高祖纪》等。⑰②敌国礼：平等国家间交往中的礼仪。⑰③甲辰：七月十二日。⑰④书：指书启，即下级给上级的信件。〖按〗李渊一度称臣于突厥可汗，故写给突厥的文字称"书"。⑰⑤丙午：七月十四日。⑰⑥己酉：七月十七日。⑰⑦相州：疑为檀州（治今北京市密云区）之误。此时突厥兵尚不能至相州（治今河南安阳）。⑰⑧武兴：废郡名，十六国前凉置。治所在今甘肃武威西北。⑰⑨丙辰：七月二十四日。⑱⓪蔺蓦：唐初将领。事迹见《新唐书》卷一百十《冯盎传》、卷二百十五上《突厥传》。蓦，"谟"的异体字。⑱①新城：在今山西朔州西南。⑱②李高迁（？至公元六五四年）：唐开国功臣，岐州岐山（今陕西岐山县东南）人，官至左武卫大将军，封江夏郡公。传见《旧唐书》卷五十七、《新唐书》卷八十八。⑱③大谷：即太谷县，县治在今山西太谷县。⑱④丁巳：七月二十五日。⑱⑤壬戌：八月一日。⑱⑥癸亥：八月二日。⑱⑦丁卯：八月六日。⑱⑧潞、沁、韩三州：潞州，治所在今山西长治。沁州，治所在今山西沁源。韩州，治所在今山西襄垣。⑱⑨且渠川：在凉州（治今甘肃武威）境内，因沮渠蒙逊曾据此而得名。⑲⓪任瓌（？至公元六二九年）：唐开国功臣，字玮，庐州合肥（今安徽合肥）人，封管国公，终通州都督。传见《旧唐书》卷五十九、《新唐书》卷九十。⑲①太行：即今太行山，或太行关，在今山西晋城南。⑲②壬申：八月十一日。⑲③机近：参与朝廷机要的大臣。⑲④庚辰：八月十九日。⑲⑤灵武：县名，县治在今宁夏永宁西南。⑲⑥甲申：八月二十三日。⑲⑦道宗：唐宗室李道宗（公

【原文】

九年（丙戌，公元六二六年）

春，正月己亥[227]，诏太常少卿祖孝孙等更定雅乐[228]。

甲寅[229]，以左仆射裴寂为司空，日遣员外郎一人更直[230]其第。

二月庚申[231]，以齐王元吉为司徒。

丙子[232]，初令州县祀社稷[233]，又令士民里闬[234]相从立社[235]，各申祈报[236]，用洽乡党[237]之欢。戊寅[238]，上祀社稷。

丁亥[239]，突厥寇原州，遣折威将军[240]杨毛[6]击之。

元六〇〇至六五三年），字承范，数有战功，封任城王，太宗时改封江夏王。高宗初年，为长孙无忌所诬，于流放途中病卒。传见《旧唐书》卷六十、《新唐书》卷七十八。⑲⑧丙戌：八月二十五日。⑲⑨丁亥：八月二十六日。⑳⓪癸巳：九月二日。⑳①没贺咄设：即莫贺咄设。⑳②丙申：九月五日。⑳③癸卯：九月十二日。⑳④检校诸州权量：检查各州度量衡的轻重大小。⑳⑤丙午：九月十五日。⑳⑥蔺州：西汉曾于今山西离石西置蔺县，疑蔺州即在蔺县地。⑳⑦壬申：十月十一日。⑳⑧戊寅：十月十七日。⑳⑨辛卯朔：十一月一日。㉑⓪戊戌：十一月八日。㉑①彭州：州名，治所在今甘肃镇原东。㉑②庚子：十一月十日。㉑③天策司马：官名，秦王李世民天策上将府高级官员，其职任为综理天策府事，并参与军机。㉑④辛丑：十一月十一日。㉑⑤元轨：唐高祖第十四子李元轨（？至公元六八八年）。传见《旧唐书》卷六十四、《新唐书》卷七十九。㉑⑥元庆：唐高祖第十六子李元庆。㉑⑦癸卯：十一月十三日。㉑⑧丙午：十一月十六日。㉑⑨岷州：州名，治所在今甘肃岷县。㉒⓪戊申：十一月十八日。㉒①眉州山獠：分布于眉州（治今四川眉山）山地的獠族。㉒②辛酉：十二月一日。㉒③庚辰：十二月二十日。㉒④鸣犊泉：泉水名，在今陕西西安市临潼区西北。㉒⑤辛巳：十二月二十一日。㉒⑥丹杨：郡名，即丹阳。隋炀帝改蒋州（治今江苏南京清凉山）置，唐高祖徙州府和居民于长江北的扬州。

【校记】

［5］北寇：原作“北狄”。据章钰校，十二行本、乙十一行本、孔天胤本皆作“北寇”，今从改。

【语译】

九年（丙戌，公元六二六年）

春，正月初十日己亥，唐高祖颁诏，命令太常少卿祖孝孙等人重新制定宫廷雅乐。

二十五日甲寅，唐高祖任命左仆射裴寂为司空，每天派遣一名员外郎轮番到他的府中值班。

二月初一日庚申，唐高祖任命齐王李元吉为司徒。

十七日丙子，唐高祖初次命令州县祭祀社稷神，又命令各地士人民众按所居住的里闾设立社神庙，在社神庙里各自祈祷和报告每年的农业生产情况，用来融洽乡里邻居的情感。十九日戊寅，唐高祖祭祀社稷神。

二十八日丁亥，突厥侵犯原州，唐高祖派遣折威将军杨毛攻打突厥。

三月庚寅[241]，上幸昆明池。壬辰[242]，还宫。

癸巳[243]，吐谷浑、党项寇岷州。

戊戌，益州道行台尚书[244]郭行方[245]击眉州叛獠，破之。

壬寅[246]，梁师都寇边，陷静难镇[247]。

丙午[248]，上幸周氏陂[249]。

辛亥[250]，突厥寇灵州。

乙卯[251]，车驾还宫。

癸丑[252]，南海公欧阳胤[253]奉使在突厥，帅其徒五十人谋掩袭可汗牙帐，事泄，突厥囚之。

丁巳[254]，突厥寇凉州，都督长乐王幼良[255]击走之。

戊午[256]，郭行方击叛獠于洪、雅二州[257]，大破之，俘男女五千口。

夏，四月丁卯[258]，突厥寇朔州。庚午[259]，寇原州。癸酉[260]，寇泾州。戊寅[261]，安州大都督李靖与突厥颉利可汗战于灵州之硖石[262]，自旦至申[263]，突厥乃退。

太史令傅奕上疏请除佛法，曰："佛在西域，言妖[264]路远，汉译胡书，恣其假托。使不忠不孝削发而揖君亲[265]，游手游食[266]易服以逃租赋。伪启三涂[267]，谬张六道[268]，恐愒愚夫[269]，诈欺庸品[270]。乃追忏[271]既往之罪，虚规将来之福，布施万钱，希万倍之报，持斋一日，冀百日之粮。遂使愚迷妄求功德[272]，不惮科禁[273]，轻犯宪章[274]。有造为恶逆，身坠刑网，方乃狱中礼佛，规[275]免其罪。且生死寿夭[276]，由于自然，刑德威福，关之人主[277]，贫富贵贱，功业所招。而愚僧矫诈，皆云由佛。窃人主之权，擅造化[278]之力，其为害政，良可悲矣！降自羲、农[279]，至于有汉，皆无佛法，君明臣忠，祚[280]长年久。汉明帝[281]始立胡神，西域桑门[282]自传其法。西晋以上，国有严科，不许中国之人辄行髡发[283]之事。洎于苻、石，羌、胡乱华[284]，主庸臣佞，政虐祚短，梁武、齐襄[285]，足为明镜。今天下僧尼，数盈[286]十万，翦刻缯彩，装束泥人，竞为厌魅[287]，迷惑万姓。请令匹配[288]，即成十万余户，产育男女，十年长养，

三月初二日庚寅，唐高祖到了昆明池。初四日壬辰，唐高祖返回皇宫。

初五日癸巳，吐谷浑、党项侵犯岷州。

初十日戊戌，益州道行台尚书郭行方攻打眉州的反叛獠人，打败了他们。

十四日壬寅，梁师都侵犯边境，攻陷静难镇。

十八日丙午，唐高祖到了周氏陂。

二十三日辛亥，突厥侵犯灵州。

二十七日乙卯，唐高祖的车驾返回皇宫。

二十五日癸丑，唐南海公欧阳胤奉命出使，正在突厥，率领属下五十人谋划偷袭可汗的牙帐，事情泄露，突厥囚禁了他们。

二十九日丁巳，突厥侵犯凉州，凉州都督长乐王李幼良打跑了他们。

三十日戊午，郭行方在洪州、雅州攻打反叛的獠人，大败獠人，俘获男女五千口。

夏，四月初九日丁卯，突厥侵犯朔州。十二日庚午，侵犯原州。十五日癸酉，侵犯泾州。二十日戊寅，安州大都督李靖与突厥颉利可汗在灵州的硖石交战，从早晨打到下午五时，突厥才撤退。

太史令傅奕上疏请求废除佛法，说道："佛在西域，言词怪诞，远离中国，汉代翻译胡人的佛经，随意假托。使不忠不孝的人削发为僧后，只对君主和父母拱手行礼，游手好闲四处乞食的人换了僧人服装，以求逃脱租赋。佛教欺骗人们说有地狱、饿鬼、畜牲三恶道，又谬称另有阿修罗、天神、地祇等六道，用来恐吓愚昧的民众，诈骗平庸的人们。佛教让人们追悔已往的罪过，凭空描述未来的福缘，让人们布施上万的钱财，希望得到万倍的回报，让人们持守斋戒一天，希望得到百天的粮食。于是使愚蠢迷惘的人们虚妄地追求功德，不再惧怕国家的科条禁令，轻率地触犯国家的法律制度。有的人干了凶恶叛逆之事，身坠法网，这才在狱中礼拜佛陀，打算免除自己的罪孽。况且人的生死、寿命长短，都是出于自然，而施行刑罚、施加恩德、让人得到威权或让人得到福禄，这都是由君主所决定的，人的贫贱富有、高贵卑贱，是由人们所做的功劳业绩所招致的。可是愚蠢的僧人假托佛陀的名义诈骗愚民，都说是由佛陀造成。这是窃取君主的权威，把自然造化的伟力擅自据为己功，这对于政治的危害，实在是可悲的！自伏羲、神农以来，以至于汉代，全无佛法，君主贤明，臣下忠诚，国运长远，历时长久。汉明帝始立胡人之神，西域的僧人自己传播他们的佛法。西晋以前，国家有严厉的法令，不许中国人擅自去做剃发为僧的事。等到了前秦苻氏、后赵石氏的时候，羌人、胡人扰乱中华，君主昏庸，臣下奸佞，为政残暴，国运短促，梁武帝、北齐文襄帝的所作所为，足够成为后人的借鉴。现今天下的僧人尼姑，数量超过十万人，他们剪裁文缯彩帛，装扮泥像，争相装神弄鬼，迷惑百姓。请求让僧尼婚配，立即成为十万多户人家，让他们生男育女，

一纪[289]教训，可以足兵。四海免蚕食[290]之殃，百姓知威福所在，则妖惑之风自革，淳朴之化还兴。窃见齐朝章仇子佗[291]表言：'僧尼徒众，縻损国家，寺塔奢侈，虚费金帛。'为诸僧附会[292]宰相，对朝谗毁[293]，诸尼依托妃、主[294]，潜行谤讟[295]，子佗竟被囚系，刑[296]于都市。及[7]周武[297]平齐，制封[298]其墓。臣虽不敏[299]，窃慕其踪。"

上诏百官议其事，唯太仆卿张道源[300]称奕言合理。萧瑀曰："佛，圣人也，而奕非之，非圣人者无法[301]，当治其罪。"奕曰："人之大伦[302]，莫如君父。佛以世嫡而叛其父[303]，以匹夫[304]而抗天子。萧瑀不生于空桑[305]，乃遵无父之教。非孝者无亲，瑀之谓矣。"瑀不能对，但合手曰："地狱之设，正为是人。"

上亦恶沙门、道士苟避征徭，不守戒律[306]，皆如奕言。又寺观邻接廛邸[307]，溷杂屠沽[308]。辛巳[309]，下诏命有司沙汰天下僧、尼、道士、女冠[310]，其精勤练行者[311]，迁居大寺观，给其衣食，毋令阙乏。庸猥粗秽者[312]，悉令罢遣[8]，勒[313]还乡里。京师留寺三所，观二所，诸州各留一所，余皆罢之。

傅奕性谨密，既职在占候[314]，杜绝交游，所奏灾异，悉焚其稿[315]，人无知者。

【段旨】

以上为第五段，写唐高祖抑佛。

【注释】

㉗己亥：一月初十。㉘雅乐：乐舞名，帝王于祭祀、朝会、宴享等重大典礼时所使用的乐舞，因有别俗乐而得名。㉙甲寅：一月二十五日。㉚更直：轮换当值。直，通"值"。㉛庚申：二月一日。㉜丙子：二月十七日。㉝社稷：帝王、诸侯奉祀的土神和谷神，并用作国家的代称。㉞里闬：乡里。㉟社：祭社神（即土地神）的场所。㊱祈

经过十年的生长养育，十二年的教育训导，可以使国家兵源充足。四海之内将免除财富逐渐受到蚕食的祸殃，百姓将懂得权威祸福的根源所在，而妖言惑众的风气自然革除，淳厚质朴的习俗会重新兴起。臣私下里看到北齐章仇子佗的表章中说：‘僧尼徒众，浪费损耗国家的财富，寺塔奢侈，白白地耗费金银布帛。’由于很多僧人都来攀附宰相，对着朝廷恶言诋毁子佗，每个尼姑依托王妃、公主，暗中诽谤诟骂子佗，章仇子佗最终被囚禁，在都城闹市刑杀。等到北周武帝平定北齐，颁布诏书封高他的坟墓。臣虽然没有多大才能，私下里仰慕他的行为。”

唐高祖诏令百官商议这件事情，只有太仆卿张道源说傅奕讲得很合理。萧瑀说：“佛是圣人，而傅奕非难他，非难圣人的人是目无法纪，应当治他的罪。”傅奕说：“人们的重大伦理，没有比得上君主和父亲的。佛作为嫡长子却背叛了自己的父亲，作为一个平民而抗拒天子。萧瑀不是从空桑中出生而无父亲的人，却尊崇不认父亲的宗教。《孝经》里说‘非难孝道的人，是没有亲人的’，就是说的萧瑀。”萧瑀不能回答，只能两手合十说：“地狱的设置，正是为了此人。”

唐高祖也憎恶僧人、道士逃避赋税徭役，不遵守戒律，都像傅奕所说的那样。寺院道观还与民居商铺相邻，与屠户酒店混杂在一起。四月二十三日辛巳，唐高祖下诏命令有关部门淘汰天下的僧人、尼姑、道士、女道士，其中精心勤奋修行的人，迁居到大的寺院道观，供给衣服粮食，不让他们缺衣少食。那些平庸猥琐粗陋污秽的人，全部命令他们废除僧道身份，勒令返还家乡。京城保留寺院三所、道观两所，各州保留寺院道观一所，其余的寺院道观全部撤除。

傅奕生性谨慎细密，在担任观测天象的职务以后，断绝交游，所奏报的灾异现象，全部焚毁奏章的底稿，没有人知道其中情况。

报：向神灵祈福报功。㉓⑦乡党：同乡；邻里。㉓⑧戊寅：二月十九日。㉓⑨丁亥：二月二十八日。下文记事，《通鉴》系于武德九年二月丁亥，而《新唐书》卷二百十五上《突厥传》系于武德八年。㉔⓪折威将军：关中十二道中的宁州道（治今甘肃宁县）置有折威军，其长官为折威将军，为关中十二军将军之一。㉔①庚寅：三月初二。㉔②壬辰：三月初四。㉔③癸巳：三月初五。㉔④行台尚书：官名，唐初，中央尚书省于诸道设置派出机关行台尚书省，并仿尚书省制度，设行台尚书令、仆射、丞、尚书等官职，贞观以后废。㉔⑤郭行方：唐初将领。事迹见《旧唐书》卷六十一《窦轨传》、《新唐书》卷二百二十二下《南平僚传》。㉔⑥壬寅：三月十四日。㉔⑦静难镇：城镇名，故址在今陕西绥德西。㉔⑧丙午：三月十八日。㉔⑨周氏陂：池塘名，在今陕西咸阳东北。西汉大臣周勃

葬此，故名。㉕辛亥：三月二十三日。㉖乙卯：三月二十七日。㉗癸丑：三月二十五日。〖按〗“癸丑”条应置于“辛亥”“乙卯”两条之间。㉘欧阳胤：潭州（治今湖南长沙）人，官至光州刺史，封南海郡公。事迹见《新唐书》卷七十四下《宰相世系表四下》。㉙丁巳：三月二十九日。⑳幼良：唐宗室李幼良（？至公元六二七年），官至凉州都督。朝廷疑其谋反，赐死。传见《旧唐书》卷六十、《新唐书》卷七十八。㉖戊午：三月三十日。㉗洪、雅二州：剑南道有雅州，无洪州，疑为眉州洪雅县（县治在今四川洪雅西）之误。㉘丁卯：四月初九。㉙庚午：四月十二日。㉚癸酉：四月十五日。㉛戊寅：四月二十日。㉜硖石：山峡名，即今宁夏青铜峡市西南黄河岸青铜峡。㉝自旦至申：一整天。旦，天亮。申，十二时辰之一，下午三至五时。㉞言妖：言论妖妄怪诞。㉟君亲：君王和父母。㊱游手游食：游手好闲，四处乞食。㊲三涂：佛教以地狱、饿鬼、畜生为三涂，为恶者必堕入此三涂。㊳六道：佛教以阿修罗（恶神）、天神、地祇、三涂为六道，不信佛者始终在“六道”中升沉，不得解脱。㊴恐愒愚夫：恐吓平民愚人。愒，通“喝”。㊵庸品：见识浅陋的人。㊶忏：忏悔，佛教以自陈悔过为忏。㊷功德：指诵经、念佛、施舍等善事。㊸科禁：法律。㊹宪章：法律制度。㊺规：打算，或贪求。㊻寿夭：生命的长短。㊼人主：君王。㊽造化：指天地创造化育万物。㊾羲、农：羲即伏羲氏，神话中的人类始祖，传说他发明渔猎、畜牧和制作八卦。农即神农氏，传说中的农业、医药的发明者。㊿祚：皇运；国统。㉛汉明帝：东汉第二代君主刘庄，公元五七至七五年在位。传见《后汉书》卷二。史称明帝永平八年（公元六五年）佛教传入中原。㉜桑门：又作“沙门”，意为依照戒律出家修道的僧人。㉝髡发：削发为僧尼。㉞苻、石二句：指十六国时期五胡入主中原事。苻，谓前秦（公元三五〇至三九四年）氐族苻氏诸君王。石，指后赵（公元三一九至三五一年）羯人石氏诸君王。羌，指后秦姚氏诸君王。胡，指匈奴族刘渊建汉、刘曜建赵诸君王。五胡中还有鲜卑族慕容氏建立前燕、后燕、南燕等诸君王。㉟梁武、齐襄：梁武，即南朝梁武帝萧衍，公元五〇二至五四九年在位。传见《梁史》卷一、二、三。齐襄，即北朝齐文襄帝王澄。传见

【原文】

癸未[316]，突厥寇西会州[317]。

五月戊子[318]，虔州[319]胡成郎等杀长史叛归梁师都，都督刘旻[320]追斩之。

壬辰[321]，党项寇廓州。

《北齐史》卷三。㉘盈：溢出；超过。㉘厌魅：通“魇魅”。运用邪术，假借鬼神以惑众。㉘匹配：谓使僧尼还俗婚配。㉘一纪：十二年为一纪。㉙蚕食：如蚕食桑，比喻逐渐侵占。㉙章仇子佗：北齐时人，因批评统治者佞佛被诛。章仇，复姓。㉙附会：攀附。㉙对朝谗毁：于朝廷中肆意毁谤章仇子佗。㉙妃、主：妃嫔、公主。㉙谤讟：诽谤；说人坏话。㉙刑：杀害；执行死刑。㉙周武：即北周武帝宇文邕，公元五六〇至五七八年在位。传见《周书》卷五、《北史》卷十。㉙制封：天子进行大封赏则下制书，布告州郡，谓制封。㉙不敏：不聪明，一般用于自谦。㉚张道源：唐初大臣，并州祁（今山西祁县）人，以孝行、忠义著称，封范阳郡公。传见《旧唐书》卷一百八十七上、《新唐书》卷一百九十一。㉚无法：无视法度，触犯刑律。㉚大伦：封建宗法社会以君臣、父子、夫妇、兄弟、朋友为五伦，五伦之中以君、父为大。㉚佛以世嫡而叛其父：释迦牟尼俗名乔答摩·悉达多，为古印度迦罗毗罗王国（在今尼泊尔境）净饭王的嫡子，舍弃王位继承，离家背父修行。㉚匹夫：本指平民中的男子，又泛指寻常个人。㉚空桑：古地名，在今河南开封陈留镇南，传说商初贤相伊尹生于此。㉚戒律：佛教戒规。㉚廛邸：廛，即城市民居住宅。邸，商人邸店。㉚溷杂屠沽：与屠户酒店混杂在一起。溷，混乱。屠沽，屠夫和卖酒人。㉚辛巳：四月二十四日。㉛女冠：女道士。㉛精勤练行者：指按戒规修炼的出家人。㉛庸猥粗秽者：指平庸猥琐粗陋污秽的僧侣。㉛勒：勒令；强制。㉛占候：根据天象变化来预测吉凶。㉛稿：底稿。

【校记】

［6］杨毛：严衍《通鉴补》改作“杨屯”。〖按〗《新唐书》卷二百十五上《突厥传》云：突厥“俄寇原州，折威将军杨屯击之”。“毛”“屯”二字形近易误。因为缺少更多佐证，难定二字正误。［7］及：原无此字。据章钰校，十二行本、乙十一行本、孔天胤本皆有此字，今据补。［8］遣：原误作“道”。张敦仁《通鉴刊本识误》作“遣”，今据校正。

【语译】

四月二十五日癸未，突厥侵犯西会州。

五月初一日戊子，虔州胡成郎等人杀死长史，反叛后归附梁师都，虔州都督刘旻追赶并杀死了他们。

初五日壬辰，党项侵犯廓州。

戊戌[322]，突厥寇秦州。

壬寅[323]，越州[324]人卢南反，杀刺史宁道明[325]。

丙午[326]，吐谷浑、党项寇河州[327]。突厥寇兰州。

丙辰[328]，遣平道将军[329]柴绍将兵击胡。

六月丁巳[330]，太白经天[331]。

秦王世民既与太子建成、齐王元吉有隙，以洛阳形胜之地，恐一朝有变，欲出保之，乃以行台工部尚书温大雅[332]镇洛阳，遣秦府车骑将军荥阳张亮[333]将左右王保等千余人之洛阳。阴结纳山东豪杰以俟变，多出金帛，恣其所用。元吉告亮谋不轨，下吏考验[334]。亮终无言，乃释之，使还洛阳。

建成夜召世民，饮酒而鸩[335]之。世民暴心痛，吐血数升，淮安王神通扶之还西宫[336]。上幸西宫，问世民疾，敕建成曰："秦王素不能饮，自今无得复夜饮。"因谓世民曰："首建大谋，削平海内[337]，皆汝之功。吾欲立汝为嗣[338]，汝固辞，且建成年长，为嗣日久，吾不忍夺也。观汝兄弟似不兼容，同处京邑，必有纷竞，当遣汝还行台，居洛阳，自陕[339]以东皆主之。仍命汝建天子旌旗，如汉梁孝王[340]故事。"世民涕泣，辞以不欲远离膝下。上曰："天下一家，东、西两都，道路甚迩[341]，吾思汝即往，毋烦悲也。"将行，建成、元吉相与谋曰："秦王若至洛阳，有土地甲兵，不可复制。不如留之长安，则一匹夫耳，取之易矣。"乃密令数人上封事[342]，言"秦王左右闻往洛阳，无不喜跃，观其志趣，恐不复来"。又遣近幸之臣以利害说上，上意遂移，事复中止。

建成、元吉与后宫[343]日夜谮[344]诉世民于上，上信之，将罪世民。陈叔达谏曰："秦王有大功于天下，不可黜[345]也。且性刚烈，若加挫抑，恐不胜忧愤，或有不测之疾，陛下悔之何及！"上乃止。元吉密请杀秦王，上曰："彼有定天下之功，罪状未著[346]，何以为辞[347]？"元吉曰："秦王初平东都，顾望不还，散钱帛以树私恩，又违敕命，非反而何？但应速杀，何患无辞。"上不应。

十一日戊戌，突厥侵犯秦州。

十五日壬寅，越州人卢南反叛，杀死了越州刺史宁道明。

十九日丙午，吐谷浑、党项侵犯河州。突厥侵犯兰州。

二十九日丙辰，唐高祖派遣平道将军柴绍率军进击胡人。

六月初一日丁巳，太白金星运行轨迹反常，出现于东方，越过正南的午位，进入西方。

秦王李世民与太子李建成、齐王李元吉有了矛盾以后，认为洛阳是形势优越之地，担心一朝发生变乱，想出京城到洛阳进行防卫，于是就派行台工部尚书温大雅镇守洛阳，派秦王府车骑将军荥阳人张亮率领亲信王保等一千多人前往洛阳。张亮暗中结交山东豪杰，等待时势的变化，拿出大量的金银丝帛，任凭他们使用。李元吉告发张亮图谋不轨，张亮被交付法官审问察验。张亮最终没说一句话，就释放了他，让他返回洛阳。

李建成夜里召见李世民，让李世民饮酒，而用鸩羽浸泡的毒酒毒害李世民。李世民突然心痛，吐血数升，淮安王李神通扶着他返回西宫。唐高祖来到西宫，询问李世民的病情，命令李建成说："秦王平素不能饮酒，从今以后不得再夜间饮酒。"于是对李世民说："首先提出反隋兴唐的重大谋略，平定了海内，都是你的功劳。我想把你立为继承人，你却坚决推辞，而且建成年龄最大，作为继承人的时间已经很久，我也不忍心剥夺他的继承人身份。我看你们兄弟似乎不能相互包容，一起住在京城，定有纷争，应当派你返回行台，居住在洛阳，从陕州以东都由你掌管。还让你设置天子的旌旗，如同汉代梁孝王时的旧例。"李世民流泪哭泣，推辞说不愿意远离唐高祖的膝下。唐高祖说："天下都是一家，东、西两处都城，路程很近，我想念你就前往，不用烦恼悲伤。"李世民将要出发，李建成和李元吉一起商议说："秦王如果到了洛阳，拥有土地和军队，不能再加控制。不如把他留在长安，那就只是一个匹夫而已，捉取他很容易。"于是秘密让几个人向唐高祖奉上密封奏章，说"秦王的左右亲信听说秦王将要前往洛阳，无不欢喜雀跃，观察李世民的意思，恐怕他不会再回来了"。又派遣唐高祖身边亲信的大臣用秦王去留的利害关系来劝说唐高祖，唐高祖的想法就改变了，秦王前往洛阳的事情又作罢了。

李建成、李元吉与后宫嫔妃日夜在唐高祖面前诋毁李世民，唐高祖相信了他们的话，将要加罪李世民。陈叔达进谏说："秦王为天下立下了巨大功劳，不能废黜。况且他性情刚烈，倘若加以压制，恐怕经受不了忧愤，或许会得难以测知的疾病，陛下后悔还来得及吗！"唐高祖于是作罢。李元吉秘密请求杀掉秦王李世民，唐高祖说："他有平定天下的功劳，而犯罪事实没有显示出来，用什么做借口呢？"李元吉说："秦王刚刚平定东都洛阳时，观望形势，不肯返回，散发钱财丝帛以树立个人的恩德，又违背陛下的命令，不是造反又是什么？只应该赶快杀掉他，何必担心找不到理由。"唐高祖没有回答。

【段旨】

以上为第六段，写太子李建成、齐王李元吉谋划诛秦王李世民，唐高祖态度暧昧，实乃姑息养奸。

【注释】

⑯癸未：四月二十五日。⑰西会州：州名，治所在今甘肃靖远。⑱戊子：五月初一。⑲虔州：州名，治所在今江西赣州西南，后徙今赣州。胡三省注云："'虔州'当作'庆州'。"庆州，治所在今甘肃庆阳。⑳刘旻：原为梁师都的大将，降唐后累擢庆州都督、夏州长史等职。事迹见《旧唐书》卷五十六、《新唐书》卷八十七《梁师都传》。㉑壬辰：五月初五。㉒戊戌：五月十一日。㉓壬寅：五月十五日。㉔越州：州名，即南越州，治所在今广西合浦东北。㉕宁道明：岭南僚族酋帅，世袭刺史。㉖丙午：五月十九日。㉗河州：州名，治所在今甘肃临夏。㉘丙辰：五月二十九日。㉙平道将军：关中十二军之一平道军（置于岐州，治今陕西宝鸡市凤翔区）长官。㉚丁巳：六月初

【原文】

秦府僚属皆忧惧不知所出[348]，行台考功郎中[349]房玄龄谓比部郎中[350]长孙无忌曰："今嫌隙已成，一旦祸机窃发，岂惟府朝涂地[351]，乃实社稷之忧，莫若劝王行周公之事[352]，以安家国。存亡之机，间不容发，正在今日。"无忌曰："吾怀此久矣，不敢发口。今吾子[353]所言，正合吾心，谨当白[354]之。"乃入言世民。世民召玄龄谋之，玄龄曰："大王功盖天地，当承大业。今日忧危，乃天赞也，愿大王勿疑。"乃与府属杜如晦共劝世民诛建成、元吉。

建成、元吉以秦府多骁将，欲诱之使为己用，密以金银器一车赠左二副护军尉迟敬德，并以书招之曰："愿迂[355]长者之眷[356]，以敦[357]布衣之交。"敬德辞曰："敬德，蓬户瓮牖之人[358]，遭隋末乱离，久沦逆地[359]，罪不容诛。秦王赐以更生之恩，今又策名藩邸[360]，唯当杀身以为报，于殿下无功，不敢谬[361]当重赐。若私交殿下，乃是贰心，徇利

一。㉛太白经天：一种天文现象。太白星（即金星）经天而过，这有违出东伏东、出西伏西的运行常规，星象家认为这是天下变革的征兆。㉜温大雅：唐初大臣，字彦弘，祁（今山西祁县）人，官至礼部尚书，封黎国公。著有《大唐创业起居注》三卷。传见《旧唐书》卷六十一、《新唐书》卷九十一。㉝张亮（？至公元六四六年）：出身瓦岗军将领，贞观中，官至刑部尚书，封郧国公，参与朝政，后以谋反罪名被诛。传见《旧唐书》卷六十九、《新唐书》卷九十四。㉞下吏考验：交司法官吏审问治罪。㉟鸩：毒酒。指用毒酒害人。㊱西宫：即弘义宫，在西内苑中。武德五年（公元六二二年）高祖为秦王建，贞观三年（公元六二九年）改名大安宫。㊲海内：四海之内。古代传说我国疆土四周有大海环绕，故称国境以内为海内。㊳嗣：本意为继承，此谓嗣君、帝位继承人。㊴陕：即陕州，治所在今河南三门峡市陕州区。㊵梁孝王：即汉文帝子刘武，被其兄景帝赐天子旌旗，出入"拟于天子"。传见《汉书》卷四十七。㊶迩：近。㊷封事：臣下上书奏事，为防泄漏，用袋封缄，称为封事。封事直陈皇帝。㊸后宫：妃嫔所居宫室。此指同李建成等互相勾结的尹德妃、张婕妤等。㊹谮：进谗言；说坏话。㊺黜：废免；贬斥。㊻著：显；明。㊼辞：借口；托词。

【语译】

秦王府内的属官全都忧虑恐惧不知所措，行台考功郎中房玄龄对比部郎中长孙无忌说："现在仇隙已经形成，一旦暗发祸机，哪里只是秦王府一败涂地，实际上就是国家的忧患，不如劝说秦王采取周公平定管叔、蔡叔的行动来安定皇室与国家。存亡的枢机，已是间不容发，就在今天了。"长孙无忌说："我怀有这一想法很久了，不敢讲出口。现在你所说的，正好符合我的心愿，谨请你让我禀告秦王。"于是长孙无忌进内告诉了李世民。李世民召见房玄龄计议此事，房玄龄说："大王的功劳盖过天地，应当继承皇帝的伟大勋业。现在的忧患危险，乃是上天的帮助，希望大王不要疑惑不定。"于是房玄龄与秦王府属杜如晦一起劝说李世民诛杀李建成和李元吉。

因为秦王府有很多骁勇将领，李建成和李元吉打算引诱他们为己所用，秘密地把一车金银宝器赠送给左二副护军尉迟敬德，并且写一封信招引他说："希望广蒙长者眷顾，加深布衣一样的交情。"尉迟敬德推辞说："敬德是蓬门瓮窗之人，遇到隋朝末年战乱流离，长期沦落在叛逆的地域，罪不容诛。秦王赐给我再生的恩典，现在我的姓名又登记在藩王官邸的名册上，只应当以死报答秦王，我对殿下没有立过功劳，不敢荒谬地接受殿下的丰厚赏赐。倘若我私自与殿下交往，就是对秦王怀有二心，

忘忠，殿下亦何所用!”建成怒，遂与之绝。敬德以告世民，世民曰：“公心如山岳，虽积金至斗[362]，知公不移。相遗[363]但受，何所嫌也？且得以知其阴计，岂非良策！不然，祸将及公。”既而元吉使壮士夜刺敬德，敬德知之，洞开重门[364]，安卧不动。刺客屡至其庭，终不敢入。元吉乃谮敬德于上，下诏狱讯治，将杀之。世民固请，得免。又谮左一马军总管[365]程知节，出为康州[366]刺史。知节谓世民曰：“大王股肱[367]羽翼尽矣，身何能久！知节以死不去，愿早决计。”又以金帛诱右二护军段志玄，志玄不从。建成谓元吉曰：“秦府智略之士，可惮者独房玄龄、杜如晦耳。”皆谮之于上而逐之。

世民腹心唯长孙无忌尚在府中，与其舅雍州治中高士廉、右候车骑将军三水侯君集及尉迟敬德等，日夜劝世民诛建成、元吉。世民犹豫未决，问于灵州大都督李靖，靖辞，问于行军总管李世勣，世勣辞，世民由是重二人。

会突厥郁射设将数万骑屯河南[368]，入塞，围乌城[369]，建成荐元吉代世民督诸军北征。上从之，命元吉督右武卫大将军李艺、天纪将军[370]张瑾等救乌城。元吉请尉迟敬德、程知节、段志玄及秦府右三统军秦叔宝等与之偕行，简阅秦王帐下精锐之士以益[371]元吉军。率更丞[372]王晊[373]密告世民曰：“太子语齐王：‘今汝得秦王骁将精兵，拥数万之众。吾与秦王饯汝于昆明池，使壮士拉杀之于幕下，奏云暴卒，主上宜无不信。吾当使人进说，令授吾国事。敬德等既入汝手，宜悉坑[374]之，孰敢不服!’”世民以晊言告长孙无忌等，无忌等劝世民先事图之。世民叹曰：“骨肉相残，古今大恶。吾诚知祸在朝夕，欲俟其发，然后以义讨之，不亦可乎!”敬德曰：“人情谁不爱其死，今众人以死奉王，乃天授也。祸机垂发[375]，而王犹晏然[376]不以为忧，大王纵自轻，如宗庙社稷何！大王不用敬德之言，敬德将窜身草泽，不能留居大王左右，交手受戮[377]也!”无忌曰：“不从敬德之言，事今败矣！敬德等必不为王有，无忌亦当相随而去，不能复事大王矣!”世民曰：“吾所言亦未可全弃，公更图之。”

贪图财利，忘掉忠诚，这样的人对殿下又有什么用！”李建成很生气，就与尉迟敬德断绝了关系。尉迟敬德把此事告诉了李世民，李世民说：“你的心胸如同山岳，即使黄金堆积到天上的北斗星那样高，我知道你的忠心是不会动摇的。他赠送的东西，只管接受下来，有什么嫌疑呢？况且，还可以知道他们的阴谋，难道不是最好的计策吗！不然的话，灾祸将会波及你。”不久，李元吉指使壮士在夜间刺杀尉迟敬德，尉迟敬德得知此事，将层层门户全部打开，自己安然躺着不动。刺客屡次来到他的院子，最终不敢进屋。李元吉于是向唐高祖诬陷尉迟敬德，把他关进皇上特设的监狱审讯处治，想要杀死他。李世民再三为他求情，得以免死。李元吉又诬陷秦王府的左一马军总管程知节，唐高祖把他调出京城担任康州刺史。程知节对李世民说：“大王的有力辅佐之臣和帮手都没有了，大王自身怎能长久！知节我誓死不离开京城，希望大王早早决定大计。”李元吉又用金银丝帛引诱秦王府的右二护军段志玄，段志玄不肯听从。李建成对李元吉说：“秦王府有智谋才略的人才，可怕的只有房玄龄和杜如晦而已。”他们都向唐高祖诬陷二人，二人被逐出京城。

李世民的心腹唯独长孙无忌还在秦王府中，他与他的舅舅雍州治中高士廉、右候车骑将军三水人侯君集以及尉迟敬德等人，日夜劝说李世民诛杀李建成和李元吉。李世民犹豫不决，于是询问灵州大都督李靖，李靖推辞，又问行军总管李世勣，李世勣也推辞，李世民因此器重他们二人。

适逢突厥郁射设率领数万骑兵屯驻在黄河以南，进入边塞，包围乌城，李建成推荐李元吉代替李世民督率各军北征突厥。唐高祖听从了他的建议，命令李元吉督率右武卫大将军李艺、天纪将军张瑾等人援救乌城。李元吉请求让尉迟敬德、程知节、段志玄以及秦王府右三统军秦叔宝等人与自己一同前往，挑选秦王军中精悍勇锐的将士来增强李元吉的军队。率更丞王晊秘密禀告李世民说：“太子对齐王说：‘现在你得到了秦王骁勇的将领和精悍的士兵，拥有数万部众。我与秦王在昆明池为你饯行，派勇士在帐下杀死秦王，然后上奏说他暴病身亡，皇上应该不会不相信。我会派人进言劝说，让皇上把国家政事交给我。尉迟敬德等人既然落入你手里，应该把他们全部活埋，谁敢不服从！’”李世民把王晊的话告诉了长孙无忌等人，长孙无忌等人劝李世民事先杀死他们。李世民叹息说：“骨肉相残，是古往今来的最大罪恶。我确实知道祸事就在旦夕之间，我想等他们发动起来，然后利用正义讨伐他们，不也是可以的吗！”尉迟敬德说：“就人心而言谁也不舍得死，现在众人以死来拥戴大王，乃是上天所授。灾祸即将来临，而大王还安然处之，不以为忧愁，大王纵然可以看轻自己，但对宗庙社稷如何交代呢！大王不采纳敬德所言，敬德将要逃身草泽，不能留在大王身边，拱手受戮！”长孙无忌说：“如果不听从敬德所言，事情今天就会垮掉了！敬德等人必定不会再是大王的手下了，无忌也当相随而去，不能再侍奉大王了！”李世民说：“我所说的也不可以完全不管，你再考虑一下。”

敬德曰："王今处事有疑，非智也，临难不决，非勇也。且大王素所畜养勇士八百余人，在外者今已入宫，擐甲执兵⑱，事势已成，大王安得已⑲乎！"

世民访之府僚，皆曰："齐王凶戾⑳，终不肯事其兄。比闻护军㉑薛实尝谓齐王曰：'大王之名，合之成"唐"字，大王终主唐祀。'齐王喜曰：'但除秦王，取东宫㉒如反掌耳！'彼与太子谋乱未成，已有取太子之心。乱心无厌㉓，何所不为！若使二人得志，恐天下非复唐有。以大王之贤，取二人如拾地芥㉔耳，奈何徇匹夫之节，忘社稷之计乎！"世民犹未决。众曰："大王以舜为何如人？"曰："圣人也。"众曰："使舜浚井㉕不出，则为井中之泥，涂廪㉖不下，则为廪上之灰，安能泽被天下，法施后世乎！是以小杖㉗则受，大杖则走，盖所存者大故㉘也。"世民命卜之。幕僚张公谨自外来，见之[9]，取龟㉙投地，曰："卜以决疑，今事在不疑，尚何卜乎！卜而不吉，庸得已乎！"于是定计。

【段旨】

以上为第七段，写秦王李世民被逼上梁山，定计发动兵变，诛除太子夺权。

【注释】

㊽不知所出：不知所措。㊾考功郎中：官名，吏部属官，掌文武官吏的考核。㊿比部郎中：刑部属官，掌管和处理诸司百僚的俸料、经费等事。351涂地：比喻坏到不可收拾的境地。352周公之事：周公，即西周初杰出的政治家姬旦。在其摄政期间，管叔、蔡叔挟殷的后代武庚发动叛乱，周公东征，平定了叛乱。事详见《史记·鲁周公世家》。353子：对男子的美称、敬称。354白：禀告。355迂：广大。356眷：眷顾；关照。357敦：厚。358蓬户瓮牖之人：贫困家庭出身的人。蓬户，以柴草编门。瓮牖，以破瓮为窗。牖，窗。359逆地：逆恶环境。360策名藩邸：姓名写在藩王官邸的名册上，即委身秦王李世民。藩邸，王府。361谬：错。362斗：北斗星。363遗：馈赠。364重门：数道门。365左一马军总管：武官名，秦、齐二王府各置有掌统骑兵的左、右马军总管。366康州：州名，治

尉迟敬德说："大王如今处理事情犹豫不定，这不是明智，面临危难不能决断，这不是勇敢。况且大王平时蓄养的勇士八百多人，在外面的人现在已经进入宫中，披上盔甲，手执兵器，大势已经形成，大王怎么能够罢手呢！"

李世民就此事征求秦王府僚属的意见，大家都说："齐王凶恶暴戾，终究不愿意侍奉自己的兄长。近来听说护军薛实曾经对齐王说：'大王的名字，合起来就成"唐"字，大王终究要主持大唐的国家权力。'齐王高兴地说：'只要除去秦王，拿下东宫太子易如反掌！'他和太子谋划变乱还没有成功，就已经有了取代太子的想法。变乱之心没有满足，还有什么事情干不出来呢！如果让这两个人志得意满，恐怕天下就不再为大唐所有了。凭着大王的贤明，捉拿这二人就像拾取地上的草芥一样，为什么要遵循平常人的节操，忘记了国家大计呢！"李世民还是没有决定下来。大家说："大王认为舜是怎样的人？"李世民说："舜是圣人。"大家说："假使舜在井底挖泥时不设法从井中出来而躲过父亲与哥哥从上面填土的毒手，他就变为井中的泥土了，假使舜在粉刷粮仓时不设法从仓上逃下来而逃过父亲和哥哥放火烧仓的毒手，他就变成粮仓上的灰烬了，还怎能施泽天下，传法后世呢！所以舜在父亲用小棍子抽打的时候就忍受了，在父亲用大棍子打击想要他的命时就逃走了，这是因为舜要为大事而保存自己的生命。"李世民让人对这件事进行占卜。秦王的幕僚张公谨从外面进来，看见李世民想要占卜，拿起龟甲扔在地上，说："占卜是为了决定有疑惑的事情，现在的事情根本没有疑惑，还要占卜什么呢！如果占卜的结果不吉，难道就要停止行动吗！"于是李世民决定了计策。

所在今广东德庆。此指西康州，治所在今甘肃成县。㊱股肱：比喻左右辅助的得力臣子。㊳河南：地区名，即黄河以南地区。此指今内蒙古河套地区。㊴乌城：地名，在今陕西定边境，或谓在今内蒙古乌审旗南。㊵天纪将军：官名，关中十二军之一泾州道天纪军长官。㊶益：增加；扩充。㊷率更丞：太子率更寺长官率更令之副，掌判刑罚之事。㊸王晊：事迹见《旧唐书》卷六十四、《新唐书》卷七十九《李元吉传》。㊹坑：活埋。㊺垂发：即将发生。㊻晏然：闲居逸乐状。㊼交手受戮：拱手让人杀害。交手，拱手。㊽擐甲执兵：身披铠甲手握兵器，意为全副武装。㊾已：停止；罢休。㊿凶戾：凶残暴戾。⑧护军：官名，秦王、齐王府置左右六护军府，各设长官护军一人。后演变为勋官。⑧东宫：太子代称，此谓李建成。⑧无厌：不满足。⑧地芥：小草。⑧浚井：深治井。⑧涂廪：用泥涂仓廪。舜浚井涂廪传说载《列女传·母仪传》等。⑧杖：杖刑，即用木棍打背、臀、腿等部位的刑罚。⑧大故：大事。⑧龟：占卜吉凶的用具。

【校记】

［9］见之：原无此二字。据章钰校，十二行本、乙十一行本、孔天胤本皆有此二字，张敦仁《通鉴刊本识误》、张瑛《通鉴校勘记》同，今据补。

【原文】

世民令无忌密召房玄龄等，曰："敕旨不听[390]复事王。今若私谒，必坐死，不敢奉教！"世民怒，谓敬德曰："玄龄、如晦岂叛我邪！"取所佩刀授敬德曰："公往观之，若无来心，可断其首以来。"敬德往，与无忌共谕之曰："王已决计，公宜速入共谋之。吾属四人，不可群行道中。"乃令玄龄、如晦著道士服，与无忌俱入，敬德自他道亦至。

己未[391]，太白复经天。傅奕密奏："太白见秦分[392]，秦王当有天下。"上以其状授世民。于是世民密奏建成、元吉淫乱后宫，且曰："臣于兄弟无丝毫负，今欲杀臣，似为世充、建德报仇。臣今枉死，永违君亲，魂归地下，实耻见诸贼！"上省之，愕然，报曰："明当鞫问[393]，汝宜早参[394]。"

庚申[395]，世民帅长孙无忌等入，伏兵于玄武门[396]。张婕妤[397]窃知世民表意，驰语建成。建成召元吉谋之，元吉曰："宜勒宫府[398]兵，托疾不朝，以观形势。"建成曰："兵备已严，当与弟入参，自问消息。"乃俱入，趣玄武门。上时已召裴寂、萧瑀、陈叔达等，欲按[399]其事。

建成、元吉至临湖殿[400]，觉变，即跋马[401]东归宫府。世民从而呼之，元吉张弓射世民，再三不彀[402]。世民射建成，杀之。尉迟敬德将[403]七十骑继至，左右射元吉坠马。世民马逸[404]入林下，为木枝所絓[405]，坠不能

【语译】

李世民命令长孙无忌秘密召来房玄龄等人，房玄龄等人说："按照皇帝敕书的旨意，不允许我们再为秦王做事。如果现在私下谒见秦王，一定获罪处死，我们不敢接受秦王的教令！"李世民很生气，对尉迟敬德说："房玄龄、杜如晦难道背叛了我吗？"摘下佩刀交给尉迟敬德说："你前去察看他们，如果他们没有来见我的意思，可以砍下他们的首级带回来。"尉迟敬德前去，与长孙无忌一起劝说房玄龄等人："秦王已经决定了计策，你们应该尽快进入秦王府一起商议。我们四个人，不能成群在街上走。"就让房玄龄、杜如晦穿上道士的服装，与长孙无忌一同进入秦王府，尉迟敬德从另一条路也来到秦王府。

六月初三日己未，太白金星再次出现运行轨迹反常的现象，出现于东方，越过正南的午位，进入西方。傅奕秘密向唐高祖上奏说："金星出现在秦地的分野，秦王应当拥有天下。"唐高祖把傅奕的密状交给李世民。于是李世民秘密上奏说李建成与李元吉与后宫嫔妃淫乱，并且说："臣对兄弟没有丝毫对不起的地方，现在他们想杀死臣，似乎是为王世充和窦建德报仇。臣现在冤枉而死，永远离开父皇，魂魄回到地下，实在耻于见到王世充等贼人！"唐高祖看了李世民的密奏，非常惊愕，回复说："明天当要审问此事，你应该早来弹劾。"

六月初四日庚申，李世民率领长孙无忌等人进入皇宫，在玄武门埋伏了士兵。张婕妤暗中知道了李世民上书的意思，派快马告诉了李建成。李建成召来李元吉商议此事，李元吉说："应当部署东宫与齐王府中的军队，借口有病不去上朝，然后观察形势。"李建成说："军队的防备已很严密了，我与你应当入朝参见，亲自打听消息。"于是二人一起入宫，奔向玄武门。唐高祖当时已经召来了裴寂、萧瑀、陈叔达等人，准备审查这件事情。

李建成、李元吉到了临湖殿，发觉情况有变，立即掉转马头向东返回东宫和齐王府。李世民跟上去招呼他们，李元吉拉弓射向李世民，两三次都没有把弓完全拉开。李世民箭射李建成，射死了他。尉迟敬德带领骑兵七十人相继赶到，左右的将士把李元吉射下马。李世民的马跑进树林，被树枝绊住，人坠落马下，不能起来。

起。元吉遽至，夺弓将扼之，敬德跃马叱[406]之。元吉步欲趣武德殿[407]，敬德追射，杀之。

翊卫车骑将军冯翊冯立[408]闻建成死，叹曰："岂有生受其恩，而死逃其难乎！"乃与副护军薛万彻、屈咥直[409]府左车骑万年谢叔方[410]帅东宫、齐府精兵二千驰趣玄武门。张公谨多力，独闭关以拒之，不得入。云麾将军[411]敬君弘[412]掌宿卫兵，屯玄武门，挺身出战。所亲止之曰："事未可知，且徐观变，俟兵集，成列而战，未晚也。"君弘不从，与中郎将吕世衡[413]大呼而进，皆死之。君弘，显儁之曾孙也。

守门兵与万彻等力战良久，万彻鼓噪欲攻秦府，将士大惧。尉迟敬德持建成、元吉首示之，宫府兵遂溃，万彻与数十骑亡入终南山。冯立既杀敬君弘，谓其徒曰："亦足以少报太子矣！"遂解兵，逃于野。

上方泛舟海池[414]，世民使尉迟敬德入宿卫。敬德擐甲持矛，直至上所。上大惊，问曰："今日乱者谁邪？卿来此何为？"对曰："秦王以太子、齐王作乱，举兵诛之，恐惊动陛下，遣臣宿卫。"上谓裴寂等曰："不图今日乃见此事，当如之何？"萧瑀、陈叔达曰："建成、元吉本不预[415]义谋，又无功于天下，疾秦王功高望重，共为奸谋，今秦王已讨而诛之。秦王功盖宇宙，率土归心。陛下若处以元良[416]，委之国务[10]，无复事矣！"上曰："善！此吾之夙心[417]也。"时宿卫及秦府兵与二宫左右战犹未已，敬德请降手敕，令诸军并受秦王处分[418]，上从之。天策府司马宇文士及自东上阁门[419]出宣敕，众然后定。上又使黄门侍郎裴矩至东宫晓谕诸将卒，皆罢散。上乃召世民，抚之曰："近日以来，几有投杼[420]之惑。"世民跪而吮上乳，号恸久之。

建成子安陆王承道[421]、河东王承德、武安王承训、汝南王承明、巨鹿王承义，元吉子梁郡王承业、渔阳王承鸾、普安王承奖、江夏王承裕、义阳王承度皆坐诛，仍绝属籍[422]。

初，建成许元吉以正位之后，立为太弟[423]，故元吉为之尽死。诸将欲尽诛建成、元吉左右百余人，籍没其家。尉迟敬德固争曰："罪在二

李元吉很快赶到，夺过弓，将要掐死李世民，尉迟敬德跃马前来，大声喝斥李元吉。李元吉步行，想奔向武德殿，尉迟敬德追赶射击，射杀了李元吉。

翊卫车骑将军冯翊人冯立听说李建成死了，叹息说："哪里有活着蒙受人家恩惠，而死后就逃避祸难的呢？"于是就与副护军薛万彻、屈咥直府左车骑万年人谢叔方率领东宫、齐王府的精兵两千人驰奔玄武门。张公谨力气大，独自关闭大门来抵御冯立等人，冯立等人不能进入。云麾将军敬君弘掌管皇宫的宿卫军，驻扎在玄武门，挺身出战。他的亲信阻止他说："事情结局还不知道，暂且慢慢观察事态的变化，等到兵力合拢，结成阵列再出战，也不晚啊。"敬君弘不听，与中郎将吕世衡大声呼喊奔向前来，全部战死。敬君弘是敬显隽的曾孙。

守卫玄武门的士兵与薛万彻等人奋力交战了很长时间，薛万彻擂鼓呐喊准备进攻秦王府，将士们大为恐惧。尉迟敬德提着李建成和李元吉的头颅给薛万彻等人看，东宫和齐王府的人马便溃散了，薛万彻与几十名骑兵逃入终南山。冯立杀死敬君弘以后，对手下部众说："这也足以略微报答太子了！"于是丢掉兵器，逃向荒野。

唐高祖正泛舟海池，李世民让尉迟敬德入宫担任警卫。尉迟敬德身披铠甲手握长矛，径直来到唐高祖所在的地方。唐高祖大惊，问他说："今天作乱的人是谁？你来这里干什么？"尉迟敬德回答说："秦王因为太子和齐王作乱，起兵诛杀了他们，害怕惊动陛下，派遣臣来警卫。"唐高祖对裴寂等人说："不料今天竟会看见这种事，应当怎么办？"萧瑀、陈叔达说："李建成、李元吉本来就没有参与举义反隋的谋划，又对天下没有功劳，他们嫉妒秦王功高望重，一起策划邪恶的阴谋，现在秦王已经讨伐并诛杀了他们。秦王功盖天下，全国都诚心归向于他。陛下如果立他为太子，把国家政务委托给他，就不会再有事变了！"唐高祖说："好！这正是我平素的心愿。"当时，宿卫军和秦王府的兵马与东宫和齐王府的兵马交战还没有停止，尉迟敬德请求唐高祖下达亲笔敕令，命令各军全都接受秦王的指挥，唐高祖听从了他的建议。天策府司马宇文士及从东上阁门出来宣布敕令，士兵才安定下来。唐高祖又让黄门侍郎裴矩前往东宫向众将卒宣布旨意，将士们全都停战散走。唐高祖于是召来李世民，抚慰他说："近些日子以来，我差点像曾参的母亲一样误信了曾参杀人的谣传，而来怀疑你。"李世民跪下来吸着唐高祖乳头，哀号悲恸了很长时间。

李建成的儿子安陆王李承道、河东王李承德、武安王李承训、汝南王李承明、巨鹿王李承义，李元吉的儿子梁郡王李承业、渔阳王李承鸾、普安王李承奖、江夏王李承裕、义阳王李承度等人全都获罪被杀，并在宗室亲属的名册上除去了他们的名籍。

当初，李建成答应李元吉自己即位以后，把他立为皇太弟，所以李元吉为李建成尽死效力。各位将领想把李建成和李元吉的左右亲信一百多人全部诛杀，抄没他们的家产。尉迟敬德坚持争辩说："罪过都在两个元凶身上，都已经伏法受诛，如果

凶，既伏其诛，若及支党，非所以求安也。”乃止。是日，下诏：“赦天下。凶逆之罪，止于建成、元吉，自余党与，一无所问。其僧、尼、道士、女冠并宜依旧[424]。国家庶事[425]，皆取秦王处分。”

辛酉[426]，冯立、谢叔方皆自出，薛万彻亡匿，世民屡使谕之，乃出。世民曰：“此皆忠于所事，义士也。”释之。

【段旨】

以上为第八段，写玄武门之变，秦王李世民诛杀其兄太子李建成。

【注释】

⑶⑼⓪ 不听：不允许。⑶⑼① 己未：六月三日。⑶⑼② 太白见秦分：太白星（金星）出现于秦地（今陕西）中央的上空。⑶⑼③ 鞫问：审讯。⑶⑼④ 参：弹劾。⑶⑼⑤ 庚申：六月四日。⑶⑼⑥ 玄武门：宫城北门。此指西京宫城（隋称大兴宫）北门。⑶⑼⑦ 婕妤：妃嫔称号的一种。⑶⑼⑧ 宫府：指东宫和齐王府。⑶⑼⑨ 按：审查。⑷⓪⓪ 临湖殿：在太极宫北。⑷⓪① 跋马：使马回转急走。⑷⓪② 彀：张满弓弩。⑷⓪③ 将：率领。⑷⓪④ 逸：奔跑。⑷⓪⑤ 絓：受阻；绊住。⑷⓪⑥ 叱：大声呵斥。⑷⓪⑦ 武德殿：在太极宫正殿太极殿北。⑷⓪⑧ 冯立：同州冯翊（今陕西大荔）人，李建成心腹。玄武门之变后，太宗不计旧嫌，拜立广州都督。在职数年，甚有惠政。传见《旧唐书》卷一百八十七上。⑷⓪⑨ 屈咥直：即驱咥直。隶于王府帐内府，以才勇者充任。⑷①⓪ 谢叔方：雍州万年（今陕西西安西北）人，李元吉亲信。兵败自首，太宗对其笼络，官至洪、广二州都督，颇有政绩。传见《旧唐书》卷一百八十七上、《新唐书》卷一百九十一。⑷①① 云麾将军：从

【原文】

癸亥[427]，立世民为皇太子。又诏：“自今军国庶事，无大小悉委太子处决，然后闻奏。”

臣光曰：“立嫡以长，礼之正也。然高祖所以有天下，皆太宗

波及他们的党羽，就不是谋求安定的做法。”于是停止诛杀。这一天，唐高祖下诏：“大赦天下。反叛之罪，只限于李建成和李元吉，其余的党羽，一概不加追究。那些僧人、尼姑、男道士、女道士都应当依照原先颁布的诏令办理。国家的各项政务，全部听取秦王处置。”

六月初五日辛酉，冯立和谢叔方都自己出来了，薛万彻逃匿，李世民多次派人劝说他，他才出来。李世民说：“这些人都忠于自己所侍奉的人，是义士。”把他们都放了。

三品上武散官。⑫敬君弘（？至公元六二六年）：绛州太平（今山西襄汾西北古城）人，北齐右仆射敬显儁曾孙。⑬吕世衡（？至公元六二六年）：世衡事迹与敬君弘传见《旧唐书》卷一百八十七上、《新唐书》卷一百九十一《忠义传上》。⑭海池：太极宫中有东、北、南三海池。⑮不预：未参与；不曾预谋。⑯处以元良：即立为太子。⑰夙心：一贯的心愿。⑱处分：节制；指挥。⑲东上阁门：太极宫正殿太极殿有东上、西上阁门。⑳投杼：曾母因多次听到曾子杀人的谣言而相信，于是，“投杼（扔下正用作织布的梭子）逾墙而走”。事见《战国策·秦策》。后以“投杼”比喻因谣言太多而动摇了对最亲近者的信心。㉑承道：事迹见《旧唐书》卷六十四、《新唐书》卷七十九《李建成传》《李元吉传》。㉒属籍：由宗正寺所管宗室册籍。㉓太弟：预定继承君位的皇弟。㉔僧、尼、道士、女冠并宜依旧：本年四月辛巳，曾下诏淘汰天下僧、尼、道士、女冠。至此废除前诏，意在安定局势。㉕庶事：众多的事务。㉖辛酉：六月初五。

【校记】

［10］务：原作“事”。据章钰校，十二行本、乙十一行本、孔天胤本皆作“务”，今从改。

【语译】

六月初七日癸亥，唐高祖立李世民为皇太子。又下诏：“从今天起，军队和国家的各项事务，无论大小全部交付太子处置决定，然后向我奏报。”

司马光说：“立嫡长子为太子，是礼制的正常法则。然而唐高祖之所以拥有

之功，隐太子以庸劣居其右[428]，地嫌势逼，必不兼容。向使高祖有文王[429]之明，隐太子有泰伯[430]之贤，太宗有子臧[431]之节，则乱何自而生矣！既不能然，太宗始欲俟其先发，然后应之。如此，则事非获已，犹为愈[432]也。既而为群下所迫，遂至蹀血禁门[433]，推刃同气[434]，贻讥千古，惜哉！夫创业垂统[435]之君，子孙之所仪刑[436]也，彼中、明、肃、代之传继[437]，得非有所指拟以为口实乎！”

戊辰[438]，以宇文士及为太子詹事，长孙无忌、杜如晦为左庶子，高士廉、房玄龄为右庶子，尉迟敬德为左卫率，程知节为右卫率，虞世南为中舍人，褚亮为舍人，姚思廉为洗马[439]。悉以齐王国司[440]金帛什器赐敬德。

初，洗马魏徵常劝太子建成早除秦王。及建成败，世民召徵谓曰："汝何为离间我兄弟？"众为之危惧。徵举止自若，对曰："先太子早从徵言，必无今日之祸。"世民素重其才，改容礼之，引为詹事主簿。亦召王珪、韦挺于巂州，皆以为谏议大夫。

世民命纵禁苑鹰犬，罢四方贡献，听百官各陈治道，政令简肃[441]，中外大悦。

以屈突通为陕东道大[11]行台左仆射，镇洛阳。

益州行台仆射窦轨与行台尚书韦云起[442]、郭行方不协，云起弟庆俭及宗族多事太子建成，建成死，轨诬云起与建成同反，收斩之。行方惧，逃奔京师，轨追之不及。

吐谷浑寇岷州。

突厥寇陇州。辛未[443]，寇渭州[444]。遣右卫大将军柴绍击之。

废益州大行台，置大都督府[445]。

壬申[446]，上以手诏赐裴寂等曰："朕当加尊号为太上皇。"

辛巳[447]，幽州大都督庐江王瑗反，右领军将军王君廓杀之，传首。

初，上以瑗懦怯，非将帅才，使君廓佐之。君廓故群盗，勇悍险诈。瑗推心倚仗之，许为婚姻。太子建成谋害秦王，密与瑗相结。建

天下，都是太宗李世民的功劳，隐太子李建成平庸低劣却位居李世民之上，于是太子与李世民相互猜忌和逼迫，两人必然不能相容。此前假如唐高祖有周文王的明智，隐太子李建成有泰伯的贤达，唐太宗有子臧的节操，那么变乱又怎会生出来呢！既然不能这样，唐太宗这才打算等待李建成首先发难，然后予以回应。这样做，那么事件就不是由自己所能决定的，后发制人也还是好的。后来李世民被下属所逼迫，遂至喋血宫门，杀死兄弟，千秋万代给人们留下讥刺，可惜啊！那些创立帝业留下正统的君主，是后代子孙学习遵循的典范，唐代后来的中宗、玄宗、肃宗、代宗的帝位传承，难道不是有所学习模仿而找到了用兵登上帝位的借口吗！”

六月十二日戊辰，任命宇文士及为太子詹事，长孙无忌、杜如晦为左庶子，高士廉、房玄龄为右庶子，尉迟敬德为左卫率，程知节为右卫率，虞世南为中舍人，褚亮为舍人，姚思廉为洗马。把齐王王府的金银布帛器物全部赏赐给尉迟敬德。

当初，太子洗马魏徵经常劝说太子李建成早些除去秦王。等到李建成失败后，李世民召见魏徵说：“你为什么离间我们兄弟的关系呢？”大家都为他担心害怕。魏徵举止自若，回答说：“如果太子早听从我的话，一定不会有今天的祸事。”李世民一向器重魏徵的才能，改变了脸色，对他以礼相待，请他担任詹事主簿。李世民还把王珪和韦挺从巂州召回，都任命为谏议大夫。

李世民命令把宫苑的鹰犬放走，免除四方进献贡物，允许百官各自陈说治理国家的方法，政治与法令简明严肃，朝廷内外大为高兴。

任命屈突通为陕东道大行台左仆射，镇守洛阳。

益州行台仆射窦轨与行台尚书韦云起、郭行方不和，韦云起的弟弟韦庆俭以及同宗族的亲属中有许多人侍奉太子李建成，李建成死去后，窦轨诬蔑韦云起与李建成一起谋反，把他收捕处死。郭行方很害怕，逃往京城，窦轨追赶他，没有追上。

吐谷浑侵犯岷州。

突厥侵犯陇州。六月十五日辛未，突厥侵犯渭州。朝廷派遣右卫大将军柴绍进攻突厥。

唐废除益州大行台，设置益州大都督府。

十六日壬申，唐高祖把亲笔诏书赐给裴寂等人说：“朕应当加上尊号称太上皇。”

六月二十五日辛巳，幽州大都督庐江王李瑗反叛，右领军将军王君廓杀死了他，把他的首级传送到京城。

当初，因为李瑗怯懦，不是将帅之才，唐高祖让王君廓辅佐他。王君廓是旧时的强盗，骁勇强悍而又阴险狡诈。李瑗推心置腹地倚赖他，答应与他通婚。太子李建成谋害秦王的时候，秘密地与李瑗相交结。李建成死去以后，唐高祖下诏派遣通

成死，诏遣通事舍人[448]崔敦礼[449]驰驿召瑗。瑗心不自安，谋于君廓。君廓欲取瑗以为功，乃说曰："大王若入，必无全理。今拥兵数万，奈何受单使之召，自投罔罟[450]乎！"因相与泣。瑗曰："我今以命托公，举事决矣！"乃劫敦礼，问以京师机事。敦礼不屈，瑗囚之。发驿征兵，且召燕州刺史王诜[451]赴蓟，与之计事。兵曹参军[452]王利涉说瑗曰："王君廓反覆，不可委以机柄，宜早除去，以王诜代之。"瑗不能决。君廓知之，往见诜。诜方沐[453]，握发而出，君廓手斩之，持其首告众曰："李瑗与王诜同反，囚执敕使，擅自征兵。今诜已诛，独有李瑗，无能为也。汝宁随瑗族灭[12]乎？欲从我以取富贵乎？"众皆曰："愿从公讨贼。"君廓乃帅其麾下千余人，逾西城而入，瑗不之觉[454]。君廓入狱出敦礼，瑗始知之，遽帅左右数百人被甲而出，遇君廓于门外。君廓谓瑗众曰："李瑗为逆，汝何为随之入汤火乎？"众皆弃兵而溃，唯瑗独存，骂君廓曰："小人卖我，行自及矣！"遂执瑗，缢之。壬午[455]，以王君廓为左领军大将军兼幽州都督，以瑗家口赐之。敦礼，仲方[456]之孙也。

乙酉[457]，罢天策府[458]。

秋，七月己丑[459]，柴绍破突厥于秦州，斩特勒[460]一人，士卒首千余级。

以秦府护军秦叔宝为左卫大将军，又以程知节为右武卫大将军，尉迟敬德为右武候大将军。

壬辰[461]，以高士廉为侍中，房玄龄为中书令，萧瑀为左仆射，长孙无忌为吏部尚书，杜如晦为兵部尚书。

癸巳[462]，以宇文士及为中书令，封德彝为右仆射。又以前天策府兵曹参军杜淹为御史大夫，中书舍人颜师古、刘林甫为中书侍郎，左卫副率[463]侯君集为左卫将军，左虞候[464]段志玄为骁卫将军，副护军薛万彻为右领军将军，右内副率张公谨为右武候将军，右监门率[465]长孙安业[466]为右监门将军，右内副率李客师[467]为领左右军将军[468]。安业，无忌之兄。客师，靖之弟也。

太子建成、齐王元吉之党散亡在民间，虽更赦令，犹不自安，徼幸者争告捕以邀赏。谏议大夫王珪以启太子。丙子[469]，太子下令："六

事舍人崔敦礼乘着驿站的车马前去征召李瑗。李瑗心里恐慌不安，便与王君廓计议。王君廓想拿李瑗作为自己的功劳，于是劝李瑗说："如果大王进京，肯定没有保全性命的道理。现在大王拥有数万士兵，怎么能够接受一个使者的传召，自投罗网呢！"说完就与李瑗一起哭泣。李瑗说："我现在把性命托付给你，决定起事了！"于是劫持了崔敦礼，询问京城中的机密要事。崔敦礼不肯屈服，李瑗囚禁了他。李瑗通过驿站征集兵力，并且传召燕州刺史王诜前往蓟州，与他计议起事。兵曹参军王利涉劝李瑗说："王君廓反复无常，不可把大权交托给他，应当及早除掉他，用王诜来代替他。"李瑗不能决断。王君廓知道了这一情况，前去见王诜。王诜正在沐浴，握着头发走出来，王君廓亲手斩杀了他，提着他的首级向众人宣告说："李瑗与王诜一起反叛，逮捕皇上的使者囚禁起来，擅自征调兵力。现在王诜已被诛杀，只剩下李瑗，不能干什么事了。你们宁愿跟随李瑗而遭到全族灭绝呢，还是想随从我去获取富贵呢？"大家都说："愿意随从你讨伐叛贼。"王君廓便率领他的部下一千多人，翻越西城进入城内，李瑗没有发觉。王君廓进入监狱，放出了崔敦礼，李瑗这才知道情况，急忙率领数百名亲信披上铠甲出来，在门外遇到王君廓。王君廓对李瑗的部下说："李瑗叛逆，你们为什么跟随他走入水深火热？"大家都丢弃兵器溃散而去，只有李瑗独自留在那里，大骂王君廓说："你这个小人出卖我，很快你也会遭殃了！"王君廓于是抓住李瑗，勒死了他。二十六日壬午，朝廷任命王君廓为左领军大将军兼幽州都督，把李瑗家的人口赏赐给他。崔敦礼是崔仲方的孙子。

六月二十九日乙酉，唐废除天策府。

秋，七月初三日己丑，柴绍在秦州打败突厥，杀死特勤一人，斩首士卒一千多人。

唐任命秦王府护军秦叔宝为左卫大将军，又任命程知节为右武卫大将军，尉迟敬德为右武候大将军。

七月初六日壬辰，唐任命高士廉为侍中，房玄龄为中书令，萧瑀为左仆射，长孙无忌为吏部尚书，杜如晦为兵部尚书。

初七日癸巳，唐任命宇文士及为中书令，封德彝为右仆射。又任命前任天策府兵曹参军杜淹为御史大夫，中书舍人颜师古、刘林甫为中书侍郎，左卫副率侯君集为左卫将军，左虞候段志玄为骁卫将军，副护军薛万彻为右领军将军，右内副率张公谨为右武候将军，右监门率长孙安业为右监门将军，右内副率李客师为领左右军将军。长孙安业是长孙无忌的哥哥。李客师是李靖的弟弟。

太子李建成和齐王李元吉的党羽逃亡散落民间，虽然朝廷一再颁布赦令，他们还是心里不安，有些想通过告发这种人来获取利益的人则争相告发、捉捕他们来向朝廷邀功请赏。谏议大夫王珪把这种情况禀报了太子李世民。丙子日，太子李世民

月四日已前事连东宫及齐王，十七日前连李瑗者，并不得相告言，违者反坐㊼⓪。”

丁酉㊼①，遣谏议大夫魏徵宣慰山东㊼②，听以便宜从事。徵至磁州㊼③，遇州县锢送㊼④前太子千牛李志安㊼⑤、齐王护军李思行㊼⑥诣京师，徵曰：“吾受命之日，前宫、齐府左右皆赦不问。今复送思行等，则谁不自疑！虽遣使者，人谁信之！吾不可以顾身嫌，不为国虑。且既蒙国士之遇，敢不以国士报之乎！”遂皆解纵之。太子闻之，甚喜。

右卫率府铠曹参军㊼⑦唐临㊼⑧出为万泉㊼⑨丞，县有系囚十许人。会春雨，临纵㊽⓪之，使归耕种，皆如期而返。临，令则㊽①之弟子也。

八月丙辰㊽②，突厥遣使请和。

壬戌㊽③，吐谷浑遣使请和。

癸亥㊽④，制[13]传位于太子，太子固辞，不许。

甲子㊽⑤，太宗即皇帝位于东宫显德殿㊽⑥，赦天下，关内及蒲、芮、虞、泰、陕、鼎六州免二年租调[14]，自余给复㊽⑦一年。

癸未㊽⑧[15]，诏以“宫女众多，幽闷㊽⑨可愍。宜简出之，各归亲戚，任其适人㊾⓪”。

初，稽胡㊾①酋长刘仚成㊾②帅众降梁师都，师都信谗，杀之，由是所部猜惧，多来降者。师都浸衰弱，乃朝于突厥，为之画策，劝令入寇。于是颉利、突利二可汗合兵十余万骑[16]寇泾州，进至武功，京师戒严。

【段旨】

以上为第九段，写唐高祖退位为太上皇，秦王李世民即皇帝位，是为太宗。

【注释】

㊷⑦癸亥：六月初七。㊷⑧右：古以右为上。㊷⑨文王：即周文王姬昌。文王舍长子伯邑考而立次子发（即周武王）。㊸⓪泰伯：或作太伯。周太王长子。太王欲立幼子季历，泰

下令："六月四日以前与东宫和齐王有牵连的人，十七日以前与李瑗有牵连的人，一概不能相互告发，违反这一规定的人反过来承担被告发者的罪名。"

七月十一日丁酉，朝廷派遣谏议大夫魏徵宣抚山东，允许他根据实际情况自行处理事务。魏徵到达磁州，遇到州县的官吏用刑具押送以前的太子千牛李志安、齐王护军李思行前往京城，魏徵说："我接受命令那天，对原来的东宫与齐王府的属官全都赦免不再追究。现在又押送李思行等人，那么谁不会对自己的处境产生疑虑呢！虽然朝廷派遣了使者，可是人们谁又会相信他呢！我不能因为自身会遭到嫌疑，就不为国家考虑。况且我既然受到了国士的待遇，怎敢不以国士的身份来报答国家呢！"于是他把李志安等人全都释放了。太子李世民听到此事，非常高兴。

右卫率府铠曹参军唐临外任为万泉县丞，县内有在押囚犯十多人。适逢春雨降临，唐临把他们放走，让他们回乡耕田种地，他们全都按期返回。唐临是唐令则弟弟的儿子。

八月初一日丙辰，突厥派遣使者请求和好。

初七日壬戌，吐谷浑派遣使者请求和好。

八月初八日癸亥，唐高祖颁布制书，把皇位传给太子李世民，太子李世民坚决推辞，唐高祖没有答应。

初九日甲子，唐太宗在东宫显德殿即皇帝位，大赦天下，关内地区以及蒲州、芮州、虞州、泰州、陕州、鼎州六个州免除租调两年，其余各地免除徭役一年。

二十八日癸未，唐太宗下诏说"宫女众多，被幽闭在深宫之中非常可怜。应当经过挑选之后让她们出宫，各自回到自己的亲属身边，听凭她们嫁人"。

当初，稽胡酋长刘伳成率领部众向梁师都投降，梁师都听信谗言，杀死了刘伳成，从此，他的部下都很猜疑恐惧，有许多人前来投降唐朝。梁师都逐渐衰弱，就去朝见突厥，替突厥出谋划策，劝说突厥入侵唐地。于是，突厥的颉利可汗与突利可汗二人会合十余万骑兵侵犯泾州，进兵到武功，京城戒严。

伯与弟仲雍为促成此事，遂同避江南。㉛子臧：春秋时曹国公子。史称子臧因不是嫡长而"辞曹国而不受"。㉜愈：差；过错。㉝蹀血禁门：谓于玄武门杀人流血滂沱，极言李世民兄弟相残状。蹀，踏、蹈。蹀血，踏血而行，形容杀人流血之多。㉞推刃同气：兄弟相残杀。㉟垂统：帝王传基业于子孙后人。㊱仪刑：效法。㊲中、明、肃、代之传继：明，指唐明皇，庙号玄宗。中宗、肃宗末年，玄宗、代宗均通过宫廷政变之后称帝。㊳戊辰：六月十二日。㊴洗马：官名，太子官属，掌管图籍。㊵国司：亲王国置

有国司，设令一人，尉、丞各二人，掌判国司和考核文书簿籍以及监印等事。㊶政令简肃：政治与法令清明严肃。㊷韦云起（？至公元六二六年）：雍州万年人，历事隋文帝、炀帝及唐高祖，官至上开府仪同三司、益州行台兵部尚书，封阳城县公。传见《旧唐书》卷七十五、《新唐书》卷一百三。㊸辛未：六月十五日。㊹渭州：州名，治所在今甘肃陇西县东南。㊺大都督府：武德七年（公元六二四年）由大总管府改，其长官大都督一般由亲王遥领。㊻壬申：六月十六日。㊼辛巳：六月二十五日。㊽通事舍人：官名，中书省属官，从六品上，由通事谒者改，掌朝见引纳、殿廷通奏。㊾崔敦礼：唐初大臣，咸阳（今陕西咸阳）人，高宗时官至宰相。传见《旧唐书》卷八十一、《新唐书》卷一百六。㊿罔罟：网的总称。罔，同“网”。(451)王诜（？至公元六二六年）：北燕州（治今河北涿鹿西南）刺史。事迹见《旧唐书》卷六十、《新唐书》卷七十八《李瑗传》。(452)兵曹参军：王府属官，从六品上，掌武官簿书、考课、仪卫等事。(453)沐：沐浴。(454)不之觉：没有觉察。(455)壬午：六月二十六日。(456)仲方：即崔仲方，北周、隋大臣。传见《周书》卷三十五、《隋书》卷六十、《北史》卷三十二。(457)乙酉：六月二十九日。(458)罢天策府：天策府本为秦王而设，李世民既立为太子，故罢置。(459)己丑：七月三日。(460)特勒：特勒为“特勤”之误。(461)壬辰：七月六日。(462)癸巳：七月七日。(463)左卫副率：武官名，太子左、右卫率府长官率的副职，从四品上，掌兵仗、仪卫。(464)左虞候：官名，即东宫禁卫官左虞候率，掌侦察、巡逻等事。又据《新唐书》卷八十九，左虞候段志玄的新擢官职为左骁卫将军。(465)右监门率：官名，太子右监门率府长官，掌门卫。(466)长孙安业：长孙皇后异母兄。事迹见《旧唐书》卷五十一《长孙皇后传》、卷五十八《刘弘基传》，《新唐书》卷七十二上《宰相世系二上》等。(467)李客师：李靖弟。官至右武卫将军，封丹阳郡公。传见《旧唐书》卷六十七、《新唐书》卷九十三。(468)领左右军将军：此处文有讹误。胡三省注云：“‘领’字当在‘左右’之下，‘左右’二字亦当去其一，但未知当去何

【原文】

丙子(493)，立妃长孙氏为皇后(494)。后少好读书，造次必循礼法。上为秦王，与太子建成、齐王元吉有隙，后奉事高祖，承顺妃嫔，弥缝其阙，甚有内助。及正位中宫(495)，务存节俭，服御取给(496)而已。上深重之，尝与之议赏罚，后辞曰：“‘牝鸡之晨，唯家之索(497)。’妾妇人，安敢豫闻政事！”固问之，终不对。

字耳。”又云：“或者李客师为领左、右将军，‘左右’之下亦当去‘军’字。”⑭⑨丙子：为“丙申”（七月十日）误。⑰⓪反坐：以被告人之罪名处罚原告。⑰①丁酉：七月十一日。⑰②山东：地区名，崤山或太行山以东地区。这里指太行山以东。⑰③磁州：州名，治所在今河北磁县。⑰④锢送：械锁押送。⑰⑤李志安：李元吉亲信。事迹见《旧唐书》卷七十一、《新唐书》卷九十七。⑰⑥李思行：李建成党羽，赵州（治今河北赵县）人。传见《旧唐书》卷五十七、《新唐书》卷八十八。⑰⑦铠曹参军：官名，东宫十率府皆置铠曹参军，掌器械、公廨营建等事。⑰⑧唐临：唐初大臣，京兆长安（今陕西西安西部）人。传见《旧唐书》卷八十五、《新唐书》卷一百十三。⑰⑨万泉：县名，县治在今山西万荣西南古城南。⑱⓪纵：放。⑱①令则：唐令则，隋太子左庶子。太子杨勇废黜，令则被诛。事迹见《隋书》卷四十五《杨勇传》、卷六十二《刘行本传》。⑱②丙辰：八月初一。⑱③壬戌：八月初七。⑱④癸亥：八月初八。⑱⑤甲子：八月初九。⑱⑥显德殿：又名嘉德殿，东宫正殿。后避唐中宗讳，改称明德殿。⑱⑦复：免除徭役。⑱⑧癸未：八月二十八日。⑱⑨闼：关闭。⑲⓪适人：嫁于人。⑲①稽胡：民族名，又称山胡、步落稽。源出南匈奴，分布于今山西、陕西北部山谷间。⑲②刘佡成：事迹见《旧唐书》卷五十六、《新唐书》卷八十七《梁师都传》等。

【校记】

［11］大：原无此字。据章钰校，十二行本、乙十一行本皆有此字，今据补。［12］族灭：据章钰校，孔天胤本二字互乙。［13］制：据章钰校，十二行本、乙十一行本皆作“诏”。［14］二年租调：据章钰校，乙十一行本作“租调二年”。［15］癸未：原无此二字。据章钰校，十二行本、乙十一行本皆有此二字，今据补。［16］骑：原无此字。据章钰校，十二行本、乙十一行本、孔天胤本皆有此字，今据补。

【语译】

八月二十一日丙子，唐太宗册立皇妃长孙氏为皇后。长孙皇后年少时爱好读书，言行举动一定遵守礼法。唐太宗为秦王时，与太子李建成和齐王李元吉有矛盾，长孙皇后侍奉唐高祖，顺承唐高祖的妃嫔，弥补秦王与这些人之间的缺失，从家里给秦王带来很大帮助。等到册立为正宫皇后，长孙氏务求保持节俭的风气，车马衣服等物品只求够用即可。唐太宗深为器重她，曾经与她议论赏罚之事，长孙皇后推辞说：“‘如果母鸡在早晨啼鸣，就只会使这个家族倾家荡产。’我是妇女，怎么敢参与过问朝中的政事！”唐太宗坚持询问她，她最终也没有回答。

己卯[498]，突厥进寇高陵[499]。辛巳[500]，泾州道行军总管尉迟敬德与突厥战于泾阳，大破之，获其俟斤[501]阿史德乌没啜[502]，斩首千余级。

癸未[503]，颉利可汗进至渭水便桥[504]之北，遣其腹心执失思力[505]入见，以观虚实。思力盛称颉利与[17]突利二可汗将兵百万，今至矣。上让[506]之曰："吾与汝可汗面结和亲，赠遗金帛，前后无筭[507]。汝可汗自负盟约，引兵深入，于我无愧！汝虽戎狄，亦有人心，何得全忘大恩，自夸强盛，我今先斩汝矣！"思力惧而请命[508]。萧瑀、封德彝请礼遣[509]之。上曰："我今遣还，虏谓我畏之，愈肆凭陵。"乃囚思力于门下省。

上自出玄武门，与高士廉、房玄龄等六骑径诣渭水上，与颉利隔水而语，责以负约。突厥大惊，皆下马罗拜[510]。俄而诸军继至，旌甲[511]蔽野。颉利见执失思力不返，而上挺身轻出，军容甚盛，有惧色。上麾诸军使却而布陈，独留与颉利语。萧瑀以上轻敌，叩马固谏。上曰："吾筹之已熟，非卿所知。突厥所以敢倾国而来，直抵郊甸[512]者，以我国内有难，朕新即位，谓我不能抗御故也。我若示之以弱，闭门拒守，虏必放兵大掠，不可复制。故朕轻骑独出，示若轻之，又震曜军容，使之[18]必战，出虏不意，使之失图[513]。虏入我地既深，必有惧心，故与战则克，与和则固矣。制服突厥，在此一举。卿第[514]观之。"是日，颉利来请和，诏许之。上即日还宫。乙酉[515]，又幸城西，斩白马[516]，与颉利盟于便桥之上。突厥引兵退。

萧瑀请于上曰："突厥未和之时，诸将争请战，陛下不许，臣等亦以为疑，既而虏自退，其策安在？"上曰："吾观突厥之众，虽多而不整，君臣之志唯贿是求[517]。当其请和之时，可汗独在水西[518]，达官[519]皆来谒我。我若醉而缚之，因袭击其众，势如拉朽[520]。又命长孙无忌、李靖伏兵于幽州[521]以待之，虏若奔归，伏兵邀[522]其前，大军蹑其后，覆之如反掌耳。所以不战者，吾即位日浅，国家未安，百姓未富，且当

八月二十四日己卯，突厥进兵入侵高陵县。二十六日辛巳，泾州道行军总管尉迟敬德与突厥在泾阳交战，大败突厥，擒获了突厥的俟斤阿史德乌没啜，斩首一千多人。

八月二十八日癸未，突厥颉利可汗进军到长安附近的渭水便桥的北岸，派遣他的心腹执失思力入京晋见唐太宗，以便观察唐朝廷的真实情况。执失思力大言吹嘘颉利可汗与突利可汗两人率领百万大军，现在已经来到长安了。唐太宗斥责他说："我与你们的可汗当面约定讲和通婚，赠送金银布帛，前后多得无法计算。你们的可汗自己背弃盟约，带兵深入唐境，在我来说无愧于你们！你们虽是戎狄，也有人心，怎能完全忘记唐朝廷的大恩，自夸兵力强盛，我现在先斩了你！"执失思力害怕了，请求饶命。萧瑀和封德彝请求按照礼节送他回去。唐太宗说："我现在送他回去，这些虏人认为我害怕他们，会更加放肆地侵凌我们。"于是把执失思力囚禁在门下省。

唐太宗亲自从玄武门出宫，与高士廉、房玄龄等六人骑马径直来到渭水河边，与颉利可汗隔着渭水对话，责备他背弃盟约。突厥人大惊，全都下马来对着唐太宗罗列下拜。不久唐朝各军相继赶到，旗帜与盔甲遮蔽住整个原野。颉利可汗看到执失思力没有回来，而唐太宗轻装挺身而来，阵容非常强盛，他脸上出现恐惧的神色。唐太宗指挥各军，让他们后退布成战阵，自己单独一个留下来与颉利可汗交谈。萧瑀认为唐太宗轻敌，拉住太宗的坐骑坚持劝阻。唐太宗说："朕筹划得十分周密，不是你所能知道的。突厥之所以敢于倾尽全国兵力前来，径直抵达京城的郊野，是因为我们国家内部出现了祸难，朕刚刚即位，认为我们不能抗御强敌。如果我们向他们示弱，关闭城门防守，突厥必然要放纵兵马大肆抢掠，这样的话就不能遏制他们了。所以朕轻装骑马独自前来，好像表示轻视他们，又向他们显耀我军的强大阵容，让他们知道我军有决心敢于作战，朕的行动出乎突厥的意料，让他们失去主意。突厥深入我国疆域已经很深，一定心怀恐惧，所以与他们作战就能取胜，与他们讲和就会稳定。制服突厥，在此一举。你只管观看。"这一天，颉汗可汗前来请求讲和，唐太宗下诏表示同意。唐太宗当天返回宫中。八月三十日乙酉，唐太宗又到了城西，宰杀白马，与颉利可汗在便桥上订立盟约，突厥率领兵马撤退。

萧瑀向唐太宗请教说："突厥没有与我们讲和时，各位将领争相请求出战，陛下不允许，臣等也很疑惑，不久突厥自动撤退，皇上用计在什么地方？"唐太宗说："我观察突厥的兵马，虽然人数众多，但阵容不整齐，他们君臣的心思只是贪求财物。当突厥请求讲和时，可汗独自留在渭水西岸，他们的高级官员都来谒见我。如果我把他们灌醉后捆绑起来，趁机袭击突厥的军队，就会势如摧枯拉朽。我又已命令长孙无忌、李靖在豳州埋伏下军队等着他们，如果突厥逃跑回国，伏兵拦截在前面，大军跟踪在后面，消灭他们易如反掌。之所以不与他们交战，是由于我即位的时间不长，国家没有安定，百姓没有富足，应当暂且休养生息，安抚民众。一旦与突厥

静以抚之。一与虏战，所损甚多。虏结怨既深，惧而修备，则吾未可以得志矣。故卷甲韬戈[523]，啖[524]以金帛。彼既得所欲，理当自退，志意骄惰，不复设备，然后养威伺衅[525]，一举可灭也。将欲取之，必固与之[526]，此之谓矣。卿知之乎？”瑀再拜曰：“非所及[527]也。”

【段旨】

以上为第十段，写唐太宗智退突厥兵。

【注释】

㊾③丙子：八月二十一日。㊾④立妃长孙氏为皇后：长孙皇后（公元六〇一至六三六年），即太宗文德顺圣皇后。河南洛阳人，其先出自鲜卑拓拔氏。传见《旧唐书》卷五十一、《新唐书》卷七十六。㊾⑤中宫：又称正宫，皇后的居处。亦用作皇后代称。㊾⑥取给：拿取的够用即可。㊾⑦牝鸡之晨二句：谓母鸡在早晨啼鸣，只会使家族破败。牝鸡，母鸡。之晨，司晨，叫鸣报晓。索，萧索破败。出处见《尚书·牧誓》。㊾⑧己卯：八月二十四日。㊾⑨高陵：县名，县治在今陕西高陵。㊿⓪辛巳：八月二十六日。㊿①俟斤：突厥高级官称之一。㊿②阿史德乌没啜：东突厥贵族。阿史德，突厥姓氏。事迹见《旧唐书》卷一百九十四上、《新唐书》卷二百十五上《突厥传上》。㊿③癸未：八月二十八日。㊿④便桥：又名便门桥、西渭桥、咸阳桥，在今咸阳东南渭河上。㊿⑤执失思力：东突厥部酋，贞观四年（公元六三〇年）降唐。先后擢将军、大将军，尚九江公主，拜驸马都尉，封安国公，

【研析】

本卷研析玄武门之变。

玄武门，是长安宫城北门，为朝臣入朝所经之门。唐武德九年（公元六二六年）六月四日晨，秦王李世民伏兵于玄武门，等待太子李建成、齐王李元吉入朝到此门时擒而杀之，发动兵变，用武力夺权。事变进展极其顺利，李世民亲手射杀了李建成。唐高祖李渊无奈，六月七日即宣布册立李世民为太子，六月十六日退位为太上皇，八月初九，李世民正式登基即皇帝位，这就是唐太宗。李世民发动兵变夺权，喋血玄武门，史称玄武门之变。

开战，所要损失的人力物力必然很多。突厥和我们深结怨仇，因为恐惧而整饬战备，我们就不能实现自己的意图了。所以才决定收兵停战，用金银丝帛诱惑他们。他们既然满足了欲望，理应自动撤退，心中骄傲，意志怠惰，不再设置防备，然后我们蓄养军威来窥伺他们的破绽，可以一举消灭他们了。想要夺取他，一定要先给予他，说的就是这个道理。你知道吗？”萧瑀拜了又拜，说道：“不是我所能想到的。”

终归州刺史，卒于龙朔中（公元六六一至六六三年）。传见《新唐书》卷一百十。⑯让：责备。⑰无筭：数目巨大，难以算计。筭，同“算”。⑱请命：求告免死。⑲礼遣：以礼遣送。⑳罗拜：四面围绕着下拜。㉑旌甲：旗帜和盔甲。㉒郊甸：城郭外称郊，郊外为甸。㉓失图：失计；失算。㉔第：但；只。㉕乙酉：八月三十日。㉖斩白马：即“刑马”“刑白马”。古代大盟会，往往斩白马以为盟誓之礼仪。㉗唯贿是求：一味追求贿赂。㉘水西：渭水西边。㉙达官：大官；显官。㉚拉朽：形容极容易摧毁。拉，摧毁。朽，朽木。㉛幽州：胡三省注云，“当作‘豳州’。自渭北北归，归路正经豳州，此史书传写误耳”。豳州，治所在今陕西彬州。㉜邀：邀击；拦击。㉝卷甲韬戈：谓收起甲胄军械以息战求和。卷，收藏。韬，掩藏。㉞啖：引诱；利诱。㉟伺衅：等待间隙。衅，事端，破绽。㊱将欲取之二句：想要得到他，一定得先给对方一些满足。语见《老子》：“将欲夺之，必固与之。”㊲非所及：不是自己所能达到。

【校记】

[17]与：乙十一行本无此字。[18]之：严衍《通鉴补》作“知”。

唐高祖李渊昏庸好色，他之所以得天下，全靠李世民的经营。李渊出身隋朝贵族而得到晋阳留守之职，晋阳有隋炀帝行宫，晋阳宫副监裴寂是一个佞人，他结交李渊，想在乱世中找一个保护伞，投李渊之好，私自进献宫女，这属于大逆不道的行为。李世民和晋阳令刘文静谋划起兵反隋，通过裴寂劝说李渊，于是裴寂也算起事功臣之一。李渊起兵，裴寂又送宫女五百名给李渊，作为行军统帅的李渊，居然收受，可见这一对君臣的昏庸与荒唐。李渊登上帝位以后，视裴寂为心腹，而真正的功臣刘文静却被猜疑，并在裴寂的谗言下，借口刘文静谋反，诛杀了刘文静。李渊治国荒唐，是非颠倒，治家一样黑白不分。太子李建成，爱好酒色畋猎，有乃父

之风。第四子李元吉更是一个阴险凶狡的人。李建成因是长子被立为太子，嫉妒李世民的功业，担心太子地位不稳，就拉拢李元吉，许诺自己当了皇帝不传子而传弟，册立李元吉为皇太弟，于是两人合谋，结纳宫中妃嫔，一起谗毁李世民，天天说秦王的坏话。李渊也是非不明，实则李世民功高震主，李渊也猜忌李世民，从而纵容李建成兄弟的行为，以致李建成、李元吉公开用毒酒谋害李世民，李渊也不做追究。由于平乱战争需要李世民，每有寇警，李渊命李世民征讨，事平之后，猜嫌益甚。到了武德九年，全国战争基本平定，李氏兄弟夺权斗争也达到了最高潮，双方都决定用武力夺权，只是看谁先下手罢了。

李世民文武双全，身经百战，手下文臣如云，武将如雨，占有绝对优势，本意等待后发制人，让李建成、李元吉动手，这样名正言顺诛逆。可是李建成有太子之位，又有唐高祖支持，真正动起手来是李建成为顺，李世民为逆，君臣名分，没有李世民后发制人的机会，李世民要成功，只能先发制人。在部属的催促之下，李世民先发制人，发动玄武门之变，夺位成功。但是在名义上却是不顺，在事实上是亲手杀害同胞兄弟，难免在李世民的心里投下阴影。

在专制政体下，宗法制度是护国根本，轻易不可动摇。宗法制度，立嫡不立庶，立长不立贤，它的弊端也十分明显，打天下的李世民因为不是嫡长子，就不能坐天下，在继体之君的守成时代，谁也不敢超越宗法制度，为了维护平稳，满朝文武只好奉立嫡长子。可是开国时代，打天下不是继位者个人的事。刘文静的下场给秦王府的功臣宿将们敲了警钟，再说满朝文武，大半是追随李世民打天下的人，他们容不了李建成、李元吉得势。所以玄武门之变是不可避免的。司马光假设用太伯让季历的方法来解决，它的前提是：第一，太子让位；第二，老子是非分明。如果李建成让贤，或者本人也十分贤明，深得大臣拥护，那就不会有玄武门之变。要么李建成退让，要么李世民退让，如果双方只有一方退让也是不可能的，何况两方都不退让，一场火并，是不可避免的。

再说，周朝的先公太伯避季历是逃让到他国，吴太伯到了句吴，自立为君，脱离了中原。唐朝时已是一统天下，避位的人逃到哪里去呢？既然无可逃遁藏身，只能是用一场决斗来解决了。这就是专制政体的悲哀。也就是说玄武门事件的悲剧是不可避免的。

开创大业、建立政权的君王，是子孙的偶像。唐太宗晚年发生了儿子们的争位，唐王朝中宗李显、玄宗李隆基、肃宗李亨、代宗李豫，他们继承帝位，也都用玄武门事变的方式，发动兵变夺位，可以说这是李世民给后世子孙带来的负面影响。玄武门之变对于个人，无论是失败者李建成、李元吉，还是胜利者李世民都是一场悲剧；但玄武门之变对于唐王朝，对于中华民族的历史发展，却是一个天大的福音，这场兵变，带来了贞观之治，创造了一个圣明天子唐太宗，是应该称道的。

卷第一百九十二　唐纪八

起柔兆阉茂（丙戌，公元六二六年）九月，尽著雍困敦（戊子，公元六二八年）七月，凡二年。

【题解】

本卷记事起公元六二六年九月，迄公元六二八年七月，凡两年，当武德九年至贞观二年，是唐太宗初即位的两年。唐太宗即位伊始就励精图治，贞观时期的治国方略，大体已备，具体说要点有五。第一，知人善任。能否知人用人，是判断人君贤愚的一个重要标准。魏徵、张玄素、张蕴古、傅奕等，皆非秦王府旧人，唐太宗得贤则委以重任，是历史上少有的明君。第二，纳谏改过。如纳戴胄之言不枉法杀人；纳长孙无忌、魏徵之言，不轻启干戈，避免了北征突厥、南伐岭南的战争，结果突厥、冯氏皆归附。第三，慎狱刑，重民生。唐太宗鼓励大臣至公，执法宽平，以流放代肉刑，决死囚要大臣覆按，天下无冤狱。又薄赋敛，赈灾，戒奢，一系列施政以重民生。第四，宽待大臣，却不护短皇亲。长孙顺德贪污受贿，唐太宗赐以锦帛以耻其心，而长乐王李幼良，宗室叔父，有过赐死。特别是宽容犯颜谏诤的直臣，往往破格提升。第五，佑文讲武，居安思危。

以上施政，唐太宗都以身为则，君明臣直，贞观政治很快步入正轨。裴矩、封德彝，在隋为佞臣，入唐为名臣，敢尽忠直言。唐太宗做出的榜样，蔚然成风。

【原文】

高祖神尧大圣光孝皇帝下之下

武德九年（丙戌，公元六二六年）

九月，突厥颉利[①]献马三千匹，羊万口[②]。上[③]不受，但诏归[④]所掠中国户口，征温彦博还朝[⑤]。

丁未[⑥]，上引诸卫将卒习射于显德殿[⑦]庭，谕之曰："戎狄侵盗[⑧]，自古有之。患在边境少安，则人主[⑨]逸游[⑩]忘战，是以寇来莫之能御。今朕不使汝曹[⑪]穿池[⑫]筑苑，专习弓矢。居闲无事，则为汝师，突厥入寇，则为汝将，庶几[⑬]中国之民可以少安乎！"于是日引数百人教射

【语译】

高祖神尧大圣光孝皇帝下之下

武德九年（丙戌，公元六二六年）

九月，突厥颉利可汗进献三千匹马，一万头羊。唐太宗不接受，只是下诏让突厥归还掠夺的中原人口，征召温彦博返回朝廷。

九月二十二日丁未，唐太宗带领各卫将士在显德殿庭院练习射箭，对他们训话说："戎狄入侵为盗，是自古以来就有的。值得忧虑的是每当边境稍有安宁，君主就逸乐而忘记战争的威胁，所以外敌前来侵犯就无人能够抵御。现在朕不让你们挖掘水池建筑官苑，专门练习弓矢射术。闲居无事时，朕就当你们的师父，突厥入侵，就当你们的将领，这样的话，中原的百姓差不多能过上安宁日子！"于是唐太宗每天

于殿庭，上亲临试[14]，中多者[15]赏以弓、刀、帛，其将帅亦加上考[16]。群臣多谏曰："于律[17]，以兵刃至御在所[18]者绞。今使卑碎之人[19]张弓挟矢于轩陛[20]之侧，陛下亲在其间，万一有狂夫窃发[21]，出于不意，非所以重社稷也[22]。"韩州[23]刺史[24]封同人诈乘驿马入朝切谏[25]，上皆不听，曰："王者视四海如一家，封域[26]之内，皆朕赤子，朕一一推心置其腹中[27]，奈何[28]宿卫之士亦加猜忌乎！"由是人思自励，数年之间，悉为精锐。

上尝言："吾自少经略[29]四方，颇知用兵之要[30]。每观敌陈，则知其强弱，常以吾弱当[31]其强，强当其弱。彼乘吾弱[32]，逐奔不过数十百步[33]，吾乘其弱，必出其陈后反击之，无不溃败，所以[34]取胜，多在此也。"

己酉[35]，上面定[36]勋臣长孙无忌[37]等爵邑[38]，命陈叔达于殿下唱名示之[39]，且曰："朕叙卿等勋赏或未当[40]，宜各自言。"于是诸将争功，纷纭[41]不已。淮安王神通曰："臣举兵关西，首应义旗，今房玄龄、杜如晦等专弄刀笔[42]，功居臣上，臣窃[43]不服。"上曰："义旗初起，叔父虽首唱[44]举兵，盖亦自营脱祸[45]。及窦建德吞噬[46]山东，叔父全军覆没[47]，刘黑闼再合余烬[48]，叔父望风奔北[49]。玄龄等运筹帷幄[50]，坐安社稷，论功行赏，固宜居叔父之先。叔父，国之至亲，朕诚无所爱[51]，但不可以私恩滥与勋臣同赏耳。"诸将乃相谓曰："陛下至公[52]，虽淮安王尚无所私[53]，吾侪[54]何敢不安其分[55]！"遂皆悦服。

房玄龄尝言："秦府旧人未迁官者皆嗟怨[56]曰：'吾属奉事左右[57]，几何年[58]矣，今除官返出前宫[59]、齐府[60]人之后。'"上曰："王者至公无私，故能服天下之心。朕与卿辈日所衣食，皆取诸民者也。故设官分职[61]，以为民也，当择贤才而用之，岂以新旧为先后哉[62]！必也新而贤[63]，旧而不肖[64]，安可舍新而取旧乎！今不论其贤不肖而直言嗟怨，岂为政之体[65]乎！"

诏："民间不得妄立妖祠[66]。自非卜筮正术[67]，其余杂占，悉从禁绝[68]。"

带领数百人在宫殿庭院里教习射箭，太宗亲自临场比赛射箭，射中靶心较多的士兵就赏赐弓、刀、丝帛，他们的将领也列为考核成绩的上等。众多大臣多次劝谏说："依照大唐律令，带兵器来到皇帝住处的人，处以绞刑。现在让卑微之人在皇宫殿庭之内拉弓挟箭，陛下站在他们中间，万一有狂妄之人暗中射箭谋杀，出乎意料，这就不是以社稷为重了。"韩州刺史封同人假称有事骑着驿马进入宫内恳切进谏，唐太宗都不听从，说："帝王把四海视如一家，整个封疆之内，都是朕的赤诚之子，朕把自己的诚心推置到每一个人的心中，怎么能对保卫朕的禁卫将士也加以猜忌呢！"因此这些将士人人都能自我激励，几年之间，全都成了精锐。

唐太宗曾说："我从小在四方攻城略地，非常熟悉用兵的要诀。每次观察敌军的阵势，就知道它的强弱，经常用我军的弱旅抵挡敌人的强兵，用我军的强兵抵挡敌人的弱旅。敌军冲击我军的弱旅，不过能前进数十步乃至百步而已，我军攻击敌军的弱旅，一定要冲击到敌人的阵后再反击回来，敌军无不溃败，所以能够每次都取胜，原因就在这里。"

九月二十四日己酉，唐太宗与群臣当面确定开国元勋长孙无忌等人的爵位田邑，命令陈叔达在宫殿下唱名公示，唐太宗说："朕排列大臣等人的功勋与赏赐或有不当之处，应该各自说明。"于是各位将领争功，纷纷议论不止。淮安王李神通说："臣在关西起兵，首先响应起义的大旗，现在房玄龄、杜如晦等人专门捉刀弄笔，功劳等级在臣之上，臣私下不服。"唐太宗说："初举义旗，叔父虽然首先倡导举兵，但这也是自己谋求免除灾祸。等到窦建德吞灭山东，叔父全军覆没，刘黑闼再次纠集余部，叔父望风败逃。房玄龄等人运筹帷幄，坐着就使社稷江山得以安定，论功行赏，本来就应处在叔父前面。叔父，您是皇族的至亲，朕对您确实毫不吝惜，但不可凭着私人的恩情滥与有功之臣同等封赏。"众位将领于是相互说："陛下极为公正，虽然是皇叔淮安王也不徇私情，我们这些人怎敢不安其所定之名分！"于是大家都心悦诚服。

房玄龄曾说："秦王府未能升官的人都嗟叹埋怨说：'我们这些人侍奉在陛下身边，有很多年了，现在封官反而都在前太子东宫、齐王府的僚属后面。'"唐太宗说："帝王至公无私，所以能让天下人心服。朕与你们每天的衣食，都取自百姓。因此设置官员，划分职位，都是为了百姓，应当选择贤才加以任用，怎能根据人的新旧作为先后顺序呢！如果新人必定是贤才，而旧人不是贤才，怎么可以舍弃新人而取用旧人呢！现在你们不讲人才是否贤能而只说人们在嗟叹埋怨，这难道是为政之原则吗！"

唐太宗下诏："民间不得妄自设立违反礼制祀典的祠庙。如果不是正当的卜筮术，其余的旁杂占卜，一律禁绝。"

上于弘文殿聚四部⑲书二十余万卷，置弘文馆于殿侧⑳，精选天下文学之士虞世南、褚亮、姚思廉、欧阳询、蔡允恭、萧德言㉑等，以本官兼学士，令更日宿直㉒，听朝之隙，引入内殿，讲论前言往行㉓，商榷㉔政事，或至夜分㉕乃罢。又取三品已上子孙充弘文馆学生[1]。

【段旨】

以上为第一段，写唐太宗居安思危，讲武佑文，大封功臣。

【注释】

①颉利：颉利可汗。②羊万口："口"是羊的计算单位，有言口者，也有言头者。③上：自武德九年（公元六二六年）八月甲子太宗即皇帝位后，凡称上者，皆指太宗。④但诏归：只是诏命归还。⑤征温彦博还朝：武德八年八月，温彦博被突厥所执。至今，太宗征召彦博还朝。⑥丁未：九月二十二日。⑦显德殿：宫殿名，唐长安东宫第一大殿，位于东宫南面中部嘉德门内。建于隋，原称嘉德殿，唐初改名显德殿。此为东宫正殿，是皇太子举行政治活动之处。武德九年八月初九，李世民在此殿即帝位。后常在此会见群臣，处理朝政。⑧侵盗：入侵为盗。⑨人主：人君；天子。⑩逸游：淫逸游乐。⑪汝曹：你们。⑫穿池：凿池。⑬庶几：犹今言差不多、或许。⑭亲临试：亲自莅临进行验试。⑮中多者：射中多的。⑯上考：唐考功之法，上、中、下皆分三等。上考，上等之考绩。⑰于律：法律规定。⑱御在所：皇帝所在的地方。⑲卑碎之人：卑微之人。《旧唐书·太宗纪》作"裨卒之人"，即小卒。⑳轩陛：即朝廷。㉑窃发：暗中射箭。㉒非所以重社稷也：这不是以社稷为重。社，土神。稷，谷神。为天子诸侯所祭，故社稷常作为国家之代称。㉓韩州：州名，治所在今山西襄垣。㉔刺史：官名，州的行政长官。㉕切谏：恳切进谏。㉖封域：封疆内之区域。㉗推心置其腹中：喻相信之深刻。㉘奈何：怎么能。㉙经略：经营；攻城略地。㉚要：要领。㉛当：抵挡。㉜彼乘吾弱：敌方冲击我脆弱之卒。㉝数十百步：数十以至一百步。㉞所以：之所以。㉟己酉：九月二十四日。㊱面定：亲定；当面确定。㊲长孙无忌（？至公元六五九年）：字辅机，河南洛阳人，太宗长孙后之兄。佐太宗定天下，功第一。擢吏部尚书，封赵国公，累迁太子太师。传见《旧唐书》卷六十五、《新唐书》卷一百五。㊳爵邑：爵位封

唐太宗在弘文殿聚集了经、史、子、集四部书籍二十余万卷，在殿旁设置了弘文馆，精心挑选了天下著名的文学之士虞世南、褚亮、姚思廉、欧阳询、蔡允恭、萧德言等人，保留着原任官职来兼任弘文馆学士，命令他们隔日在弘文馆住宿值班，唐太宗在听取政事的空隙，召引学士进入内殿，讲论前人的言行，商榷政事，有时到了半夜才结束。又选取三品以上官员的子孙充任弘文馆学生。

邑。㊴唱名示之：高呼其名而告示之。㊵或未当：如有不当。㊶纷纭：纷乱喧嚣。㊷专弄刀笔：即所谓刀笔吏。㊸窃：私自；私下。㊹首唱：首先倡导。㊺脱祸：免除灾祸。㊻吞噬：吞灭。噬，咬。㊼叔父全军覆没：武德二年，李神通与窦建德作战败北，全军覆没。㊽余烬：燃烧后剩下的灰和未烧尽的东西。此指战后剩余的兵卒。㊾叔父望风奔北：武德四年九月，李神通与刘黑闼战于饶阳城南，黑闼以少击众，神通大败，望风奔北。㊿运筹帷幄：在军帐中筹划作战的方略。51诚无所爱：实在不是吝惜。爱，吝惜。52至公：最为公正。53私：偏私。54吾侪：我辈。55安其分：安其所定之名分，亦即安其所定之爵位。56嗟怨：嗟叹怨恨。57奉事左右：侍奉皇帝身边。58几何年：多少年。意谓年数很多。59前宫：即先太子建成之东宫。60齐府：齐王元吉的官府。61分职：划分职位。62岂以新旧为先后哉：哪能以新旧作为任命先后的顺序呢。63必也新而贤：如果新人必定是贤才。64不肖：亦即不贤。65为政之体：为政的原则。66妖祠：指不合礼制规定，不属于祀典的祠庙。67卜筮正术：以龟曰卜，以蓍曰筮。正术，正当之术数。68禁绝：禁止断绝。69四部：我国古代图书分类名称。西汉刘歆《七略》分图书为七类。到唐代始分为四类，确定了经、史、子、集四部的名称和顺序。后代沿用此法。70置弘文馆于殿侧：《唐会要》："武德四年，于门下省置修文馆，至九年三月，改为弘文馆，至其年九月，太宗即位，于弘文殿聚四部书二十余万卷，于殿侧置弘文馆，贞观三年，移于纳义门西。"按阁本《太极宫图》，弘文馆在门下省东，而不载弘文殿，纳义门在嘉德门之西。71萧德言（公元五五八至六五四年）：字文行，贞观时历著作郎、弘文馆学士。传见《旧唐书》卷一百八十九、《新唐书》卷一百九十八。72更日宿直：隔日入宿而值事。73前言往行：前人之言行。74商榷：商量。75夜分：夜半。

【校记】

［1］学生：原误作"学士"。据章钰校，十二行本、乙十一行本、孔天胤本皆作"学生"，今据改。

【原文】

冬，十月丙辰朔[76]，日有食之[77]。

诏追封故太子建成为息[78]王，谥曰隐[79]，齐王元吉为海陵王，谥曰剌[80][2]，以礼改葬。葬日，上哭之于宜秋门[81]，甚哀。魏徵、王珪表请陪送至墓所，上许之。命宫府旧僚[82]皆送葬。

癸亥[83]，立皇子中山王承乾[84]为太子，生八年矣[85]。

庚辰[86]，初定功臣实封有差[87]。

初，萧瑀荐封德彝于上皇[88]，上皇以为中书令。及上即位，瑀为左仆射[89]，德彝为右仆射。议事已定，德彝数反之[3]于上前[90]，由是有隙。时房玄龄、杜如晦新用事，皆疏瑀而亲德彝，瑀不能平[91]，遂上封事论之，辞指寥落[92]，由是忤旨[93]。会瑀与陈叔达忿争于上前，庚辰[94]，瑀、叔达皆坐不敬[95]免官。

甲申[96]，民部尚书裴矩奏“民遭突厥暴践[97]者，请户给绢一匹”。上曰：“朕以诚信御下[98]，不欲虚有存恤[99]之名而无其实，户有大小，岂得雷同[100]给赐乎！”于是计口为率[101]。

初，上皇欲强宗室以镇天下，故皇再从、三从弟[102]及兄弟之子，虽童孺皆为王，王者数十人。上从容问群臣：“遍封宗子[103]，于天下利乎？”封德彝对曰：“前世唯皇子及兄弟乃为王，自余[104]非有大功，无为王者。上皇敦睦[105]九族，大封宗室，自两汉以来未有如今之多者。爵命[106]既崇[107]，多给力役[108]，恐非示天下以至公也。”上曰：“然。朕为天子，所以养百姓也，岂可劳百姓以养己之宗族乎！”十一月庚寅[109]，降宗室郡王皆为县公[110]，惟有功者数人不降。

丙午[111]，上与群臣论止盗[112]，或请重法以禁之，上哂[113]之曰：“民之所以为盗者，由赋繁役重，官吏贪求[114]，饥寒切身[115]，故不暇顾廉耻耳。朕当去奢省费，轻徭薄赋[116]，选用廉吏，使民衣食有余，则自不为盗，安用[117]重法邪！”自是数年之后，海内升平[118]，路不拾遗，外户不闭，商旅野宿[119]焉。

上又尝谓侍臣曰：“君依于国，国依于民。刻[120]民以奉君，犹割肉

【语译】

冬，十月初一日丙辰，发生日食。

唐太宗下诏追封原来的太子李建成为息王，谥号为隐，齐王李元吉为海陵王，谥号为刺，按礼制改葬。安葬之日，唐太宗在宜秋门痛哭，十分哀痛。魏徵、王珪上表请求陪送灵车到安葬地，唐太宗答应了他们的请求。命令原东宫和齐王府的旧僚属都去送葬。

十月初八日癸亥，朝廷册立中山王李承乾为皇太子，当时年龄八岁了。

二十五日庚辰，唐朝初步规定功臣实得食邑封户的等级差别。

起初，萧瑀向唐高祖推荐封德彝，唐高祖任命他为中书令。等到唐太宗即位，萧瑀任尚书左仆射，封德彝为右仆射。议事已经商定了，封德彝多次在唐太宗面前改变态度，由此萧、封二人之间有了嫌隙。当时房玄龄、杜如晦刚刚主政，都疏远萧瑀而亲近封德彝，萧瑀内心不平，于是献上密封的奏章来论说这些事情，奏章辞意冷落，由此违逆了唐太宗的意旨。正好这时萧瑀与陈叔达在唐太宗面前激烈争辩，十月二十五日庚辰，萧瑀、陈叔达都因为对皇帝不敬获罪，免去官职。

十月二十九日甲申，民部尚书裴矩上奏，“请求给遭到突厥残暴践踏的百姓，每户赐绢帛一匹”。唐太宗说：“朕用诚信治理百姓，不想空有抚恤百姓的名声而没有实在的东西，人户有大有小，怎能雷同地给予赏赐呢！”于是按人口为准进行赏赐。

起初，唐高祖想加强皇室宗族的地位来镇服天下，所以属于皇帝同曾祖、同高祖的远房堂兄弟以及兄弟的儿子，虽然是童幼也都封为王，封王的有数十人。唐太宗闲谈时询问群臣：“把宗族的子弟都封为王，对天下有利吗？”封德彝回答说：“前代王朝只有皇帝的儿子和兄弟才封为王，其他宗亲如果不是有大的功勋，就没有封王的。太上皇厚待皇家九族，大量分封宗室子弟，从两汉以来没有像今天这样多的。封爵已经很高，又多供给劳力仆役，这恐怕不能向天下显示大公无私。”唐太宗说：“说得对。朕当天子，是为了养护百姓，怎能让百姓辛劳来养活自己的宗族呢！”十一月初五日庚寅，把所封的宗室郡王都降级为县公，只是有功勋的几个人没有降低级别。

十一月二十一日丙午，唐太宗与群臣讨论如何制止盗贼，有人请求使用严刑重法来禁止盗贼，唐太宗哂笑他说：“老百姓之所以做盗贼，是因为赋役繁重，官吏贪财求贿，百姓身遭饥寒，所以就顾不上廉耻罢了。朕应当去除奢侈，节省费用，轻徭薄赋，选用清廉的官吏，让百姓衣食有余，那就自然不会做盗贼了，何必用严刑峻法呢！”从此经过数年之后，天下太平，路不拾遗，外面的门户不用关闭，商贾行旅可以在野外露宿。

唐太宗又曾对侍臣说：“君主依靠国家，国家依靠民众。刻剥民众来奉养君主，犹如割下身上的肉来填饱肚子，肚子饱了，而身体却死了，君主富了，而国家灭亡

以充腹，腹饱而身毙，君富而国亡。故人君之患，不自外来，常由身出[121]。夫欲盛则费广[122]，费广则赋重，赋重则民愁，民愁则国危，国危则君丧[123]矣。朕常以此思之，故不敢纵欲也。”

十二月己巳[124]，益州大都督[125]窦轨奏称獠反，请发兵讨之。上曰：“獠依阻山林[126]，时出鼠窃，乃其常俗。牧守[127]苟能抚以恩信，自然帅服[128]，安可轻动干戈，渔猎[129]其民，比之禽兽[130]，岂为民父母之意邪!”竟不许。

【段旨】

以上为第二段，写唐太宗轻徭薄赋，戒奢侈，重民生，抑皇亲宗室，降王爵为公，依律制定功臣实封。

【注释】

⑯ 丙辰朔：十月初一。⑰ 日有食之：发生日食。⑱ 息：古国名。⑲ 隐：《谥法》，隐拂不成曰隐。⑳ 剌：《谥法》，不思忘爱曰剌，暴戾无亲曰剌。㉑ 宜秋门：太极宫殿门之一。在千秋殿之西，百福门之东。㉒ 宫府旧僚：指东宫、齐王府旧日僚属。㉓ 癸亥：十月初八。㉔ 承乾：太宗长子，生于承乾殿，因以名之。㉕ 生八年矣：当时年龄八岁。㉖ 庚辰：十月二十五日。㉗ 定功臣实封有差：制定功臣食实封制度，有不同的等级。唐制，食实封者得真户，以丰饶之地、中等以上户给之。户皆在三丁以上。封户所交纳的租税，三分中以一分入官，二分入封国。唐爵九等，一曰王，食邑万户；二曰嗣王、郡王，食邑五千户；三曰国公，食邑三千户；四曰开国郡公，食邑二千户；五曰开国县公，食邑千五百户；六曰开国县侯，食邑千户；七曰开国县伯，食邑七百户；八曰开国县子，食邑五百户；九曰开国县男，食邑三百户。㉘ 上皇：皇帝的父亲。即高祖李渊。㉙ 仆射：官名，尚书省长官。东汉初置尚书仆射一人，作为尚书令的佐官，后又分置左、右仆射。唐太宗以后一般不设尚书令，两仆射即为尚书省长官，与中书令、侍中同为宰相。中宗后，加“同中书门下平章事”者方得为宰相。㉚ 数反之于上前：多次在皇帝面前改变原先的决定。㉛ 不能平：亦即怨忿之意。㉜ 寥落：辞意冷落。㉝ 忤旨：违逆旨意。㉞ 庚辰：十月二十五日。㉟ 不敬：谓于上前，态度不恭。㊱ 甲申：十月二十九日。㊲ 暴践：残暴践踏。㊳ 御下：治理百姓。御，驾驭，此犹治理。下，指百姓。㊴ 存恤：存问抚恤。㊵ 雷同：相同。㊶ 计口为率：以按口数计算为规式。㊷ 再从、三从弟：

了。所以君主的忧虑，不从外面来，常常出于自身。君主的欲望多了就会花费多，花费多了就会赋役沉重，赋役沉重百姓就会愁苦，百姓愁苦国家就会危险，国家危险君主就要丧亡了。朕常常这样思考，所以不敢放纵自己的欲望。”

十二月十五日己巳，益州大都督窦轨上奏说当地的獠民反叛，请求发兵讨伐他们。唐太宗说：“獠民依仗着山林的险阻，时常出来像老鼠一样偷窃，这是他们平常的风俗。州牧郡守如果能用恩惠和信用安抚他们，他们自然相率顺服，怎么可以轻易动用干戈，捕捉獠民，把他们比作禽兽，这难道是当百姓父母官的本意吗！”最终没有准许出兵。

同曾祖为再从兄弟，同高祖为三从兄弟。⑩③ 宗子：宗室之子。⑩④ 自余：其余。⑩⑤ 敦睦：敦厚和睦。⑩⑥ 爵命：封爵。⑩⑦ 崇：高；尊。⑩⑧ 多给力役：多供给力役。力役指防阁、庶仆、白直之类。《唐六典》卷三：“凡京司文武职事官，皆有防阁，一品九十六人，二品七十二人，三品三十八人，四品三十二人，五品二十四人，六品给庶仆十二人，七品八人，八品三人，九品二人……凡州县官僚皆有白直，二品四十人，三品三十二人，四品二十四人，五品十六人，六品十人，七品七人，八品五人，九品四人。凡州县官及在外监官，皆有执衣，以为驱使，二品十八人，三品十五人，四品十二人，五品九人，六品七品各六人，八品九品各三人。凡诸亲王府属并给士力，其品数如白直。”⑩⑨ 庚寅：十一月初五。⑪⓪ 降宗室郡王皆为县公：将宗室郡王的爵位降为县公。据《旧唐书·职官志》，郡王为从一品，县公为从二品。⑪① 丙午：十一月二十一日。⑪② 论止盗：讨论防止盗贼。⑪③ 哂：微笑；讥笑。⑪④ 贪求：贪财求贿。⑪⑤ 切身：关系到本身。⑪⑥ 轻徭薄赋：轻徭役、薄赋敛。⑪⑦ 安用：何用。⑪⑧ 升平：治平。⑪⑨ 商旅野宿：商贾行旅宿于郊野。⑫⓪ 刻：刻剥。⑫① 身出：己出。⑫② 费广：费用多。⑫③ 丧：亡。⑫④ 己巳：十二月十五日。⑫⑤ 大都督：官名，唐前期地方最高长官称都督。唐代于重要地区置大都督，各州按等级分别置上、中、下都督府，各设都督。中叶以后，节度使、观察使为地方最高长官，都督之名遂废。⑫⑥ 依阻山林：谓依山林以为险阻。⑫⑦ 牧守：州牧郡守。⑫⑧ 帅服：相率服从。⑫⑨ 渔猎：犹捕捉。⑬⓪ 比之禽兽：把他们比作禽兽。

【校记】

［2］齐王元吉为海陵王，谥曰剌：原作“齐王元吉为剌王”，当有脱文。据章钰校，十二行本、乙十一行本、孔天胤本皆作“齐王元吉为海陵王，谥曰剌”，张瑛《通鉴校勘记》同，今据校正。［3］之：原无此字。据章钰校，十二行本、乙十一行本、孔天胤本皆有此字，张敦仁《通鉴刊本识误》、张瑛《通鉴校勘记》同，今据补。

【原文】

上谓裴寂曰："比多[131]上书言事者，朕皆粘之屋壁，得出入省览[132]，每思治道[133]，或深夜方寝。公辈亦当恪勤职业[134]，副[135]朕此意。"

上厉精求治，数引魏徵入卧内，访以得失[136]。徵知无不言，上皆欣然嘉纳。上遣使点兵[137]，封德彝奏"中男[138]虽未十八，其躯干壮大者，亦可并点[139]"。上从之。敕[140]出，魏徵固执[141]以为不可，不肯署敕[142]，至于数四[143]。上怒，召而让之曰："中男壮大者，乃奸民诈妄以避征役[144]，取之何害，而卿固执至此！"对曰："夫兵在御之得其道[145]，不在众多。陛下取其壮健，以道御之，足以无敌于天下，何必多取细弱[146]以增虚数乎！且陛下每云：'吾以诚信御天下[147]，欲使臣民皆无欺诈。'今即位未几，失信者数[148]矣！"上愕然曰："朕何为失信[149]？"对曰："陛下初即位，下诏云：'逋负[150]官物[151]，悉令蠲免[152]。'有司以为负秦府国司[153]者，非官物，征督[154]如故。陛下以秦王升为天子，国司之物，非官物而何！又曰：'关中免二年租调，关外给复一年。'既而继有敕云：'已役已输者[155]，以来年[156]为始。'散还之后，方复更征[157]，百姓固已不能无怪。今既征得物，复点为兵，何谓以来年为始乎！又陛下所与共治天下者在于守宰[158]，居常简阅[159]，咸以委之，至于点兵，独疑其诈，岂所谓以诚信为治乎！"上悦，曰："向者[160]朕以卿固执，疑卿不达[161]政事，今卿论国家大体[162]，诚尽其精要[163]。夫号令不信，则民不知所从，天下何由而治乎！朕过深矣！"乃不点中男，赐徵金瓮一。

上闻景州[164]录事参军[165]张玄素名，召见，问以政道。对曰："隋主好自专庶务，不任[166]群臣，群臣恐惧，唯知禀受奉行[167]而已，莫之敢违。以一人之智决[168]天下之务，借使得失相半，乖谬已多[169]，下谀上蔽[170]，不亡何待！陛下诚能谨择群臣而分任以事，高拱穆清[171]而考[172]其成败以施刑赏，何忧不治！又，臣观隋末乱离[173]，其欲争天下者不过十

【语译】

唐太宗对裴寂说："近来很多上书言事的奏章，朕都粘贴在寝宫的墙壁上，可以在进出时观览，朕经常思考治国之道，有时到深夜才入睡。你们也应当恭敬勤勉于职守，以符合朕的这种心意。"

唐太宗励精求治，多次让魏徵进入自己的卧室内，询问政治上的得失。魏徵知无不言，唐太宗都高兴地采纳。唐太宗派出使节征兵，封德彝上奏说"十六岁以上的中男虽然还不到十八岁，但其中躯干壮实高大的，也可一并征召"。唐太宗同意这一建议。敕令发出，魏徵坚持认为不可以这样做，不肯在敕书上签名，反复来回了多次都不签名。唐太宗很生气，把他叫来，责备他说："中男躯干壮实高大的，都是那些奸民谎报年龄想逃避徭役，征召他们有什么害处，而卿固执到了这个地步！"魏徵回答说："军队在于指挥得法，而不在于人数众多。陛下征召身体壮健的成年男丁，用正确的方法指挥他们，足以无敌于天下，何必过多征召弱小的人来增加军队的虚数呢！而且陛下常说：'朕以诚信治理天下，想让臣下和百姓对于国家都没有欺诈行为。'现在陛下即位没有多久，失信多次了！"唐太宗愕然，问道："朕做什么失信于民了？"魏徵回答说："陛下刚即位时，下诏说：'百姓拖欠官家的财物，命令全部免除。'有关部门认为是拖欠秦王府国司的财物，不是拖欠国家的财物，依旧督责征收。陛下从秦王上升为天子，秦王府国司的财物，不是国家的财物又是什么呢！又说：'关中地区免收二年的租调，关外地区免除徭役一年。'不久接着又有敕令说：'已经服徭役和已经纳税的人，从来年开始免除。'散还已纳税物后，又再次征收，百姓对这种做法本来已经不觉得奇怪。现在是既征收了租调的物品，又要征召为国家服兵役，您说的从来年开始免除又是什么意思呢！另外，与陛下共同治理天下的，就是各地的地方长官，日常的挑选检查等等公务，全都委托给他们办理，而对于征召兵员，却偏要怀疑他们有欺诈，这难道是以诚信为治国之道吗！"唐太宗高兴了，说道："以前朕认为卿固执己见，怀疑卿不通达国家政事，今天卿论述国家大事，真能道尽其中精要。朝廷的号令不讲信用，百姓就不知听从什么，天下如何能得到治理呢！朕的过失很深了！"于是不征召中男为兵员，并且赐给魏徵一只金瓮。

唐太宗听说景州录事参军张玄素的名声，召见他，向他询问为政之道。张玄素回答说："隋朝皇帝喜欢把各种琐碎政务全都抓在自己手里，而不交给群臣办理，群臣于是内心恐惧，只知道秉承皇帝的旨意加以执行而已，没有人敢于违抗命令。用一个人的智力决定天下的全部事务，假使得失各占一半，乖谬失误之处已经很多，臣下阿谀，皇上受到蒙蔽，国家不灭亡还会等到什么时候！陛下真能谨慎地选择群臣而让他们分别担任不同的事务，自己高高在上，拱手上天，考察臣下的成败得失，据此实施刑罚赏赐，还担心国家不能治理好吗！另外，臣观察隋朝末年发生的丧乱，其中

余人而已，其余皆保乡党[174]，全妻子，以待有道[175]而归之耳。乃知百姓好乱者亦鲜[176]，但[177]人主不能安之耳[178]。”上善其言，擢为侍御史。

前幽州记室直中书省[179]张蕴古上《大宝箴》[180]，其略曰：“圣人受命[181]，拯溺亨屯[182]，故以一人治天下，不以天下奉一人。”又曰：“壮九重于内[183]，所居不过容膝[184]，彼昏不知[185]，瑶其台而琼其室[186]。罗八珍[187]于前，所食不过适口，惟狂罔念[188]，丘其糟而池其酒[189]。”又曰：“勿没没[190]而暗[191]，勿察察[192]而明，虽冕旒蔽目而视于未形[193]，虽黈纩塞耳而听于无声[194]。”上嘉之，赐以束帛[195]，除大理丞[196]。

上召傅奕[197]，赐之食，谓曰：“汝前所奏[198]，几为吾祸。然凡有天变，卿宜尽言皆如此，勿以前事为惩[199]也。”上尝谓奕曰：“佛之为教[200]，玄妙[201]可师[202]，卿何独不悟[203]其理？”对曰：“佛乃胡中桀黠[204]，诳耀彼土[205]。中国邪僻[206]之人，取庄、老玄谈[207]，饰以妖幻[208]之语，用欺愚俗[209]，无益于民，有害于国，臣非不悟，鄙不学也[210]。”上颇然[211]之。

【段旨】

以上为第三段，写唐太宗纳谏，信用魏徵、张玄素、张蕴古、傅奕等人。

【注释】

(131)比多：近来很多。(132)省览：观览。(133)每思治道：每每思考治国之道。(134)恪勤职业：恭敬勤勉于职守。(135)副：符合。(136)得失：所得和所失；成功和失败。(137)点兵：征召兵卒。(138)中男：年满十六岁的男子称中男。《旧唐书·食货志》：“男女始生者为黄，四岁为小，十六为中，二十一为丁。”(139)并点：一起征召。(140)敕：皇帝的命令或诏书。(141)固执：坚持。(142)署敕：谓大臣签名于诏敕之上，如此，诏敕始能生效。胡注：“按唐制，中书舍人则署敕，魏徵时为谏议大夫，抑太宗亦使之连署邪？”(143)数四：以“再三”为数尚少，不足以表示自己的意念，故增加作“数四”。数四，即再四。(144)中男壮大者

想要争夺天下帝王之位的不过十几个人而已，其余都是只想保护乡里，保全妻子儿女，等待有道之主出现后再来归附他。由此可知，百姓中喜欢叛乱的人是很少的，只是君主不能让他们过太平安定的生活罢了。”唐太宗欣赏他的言论，提拔他为侍御史。

前幽州记室参军、进入中书省值班的张蕴古向唐太宗献上《大宝箴》，文章大略说：“圣人承受天命，拯救艰难困苦的百姓，所以由一个人来治理天下，而不让整个天下只侍奉这一个人。”文章又说：“皇宫内修建壮丽的宫室，可是帝王居住的地方并不太大，只不过是容下膝盖的一小块地方。帝王们却昏昧无知，把台子修成瑶台，把房间修成琼室。帝王在自己的面前罗列山珍海味的酒席，可是帝王吃下去的东西，不过是刚好吃饱肚子的几样食物，他们只有狂妄的念头，要有如同山丘一样高的酒糟，要有水池一样多的美酒。”文章又说：“帝王不要沉默无言而昏暗，也不要过于明辨而对所有的事情都无所不察，虽然帝王冠冕上的垂旒挡住了眼睛，但要在事物没有成形之前就能看出来，虽然帝王有黈纩塞在耳朵里，但要在没有声音之前就能听到它。”唐太宗对这篇文章给予嘉奖，用一束帛赏赐他，任命他为大理丞。

唐太宗召见傅奕，赏赐饭食，对他说：“你此前上奏说金星出现在秦的分野，秦王当有天下，差一点成为我的灾祸。不过凡有天象变化，卿应该仍像这次一样把你所知道全都讲出来，不要把前一次的事情放在心里，作为自己的惩戒。”唐太宗曾对傅奕说：“佛作为一种宗教，道理玄妙，可以师法，为何只有你一个人不明白它的道理？”傅奕回答说：“佛是胡族中的狡黠之人，用欺诳的话在他的国土中向世人炫耀。中国那些邪恶不正当的人，选取了《庄子》《老子》中的玄谈，再用妖幻的话进行修饰，用来欺骗愚民，这无益于民众，有害于国家，臣不是不明白它的道理，只是鄙视它而不愿意学它。”唐太宗对这番话颇以为然。

二句：意谓中男壮大者，现已不止十六岁，率在十七八之谱，不过是奸民诈减，以逃避征役而已。⑭⑤兵在御之得其道：军队在于指挥得法。⑭⑥细弱：弱小。⑭⑦御天下：治理天下。⑭⑧数：屡次。⑭⑨何为失信：做什么失信了。⑮⓪逋负：拖欠。⑮①官物：官家之物，亦即公家之物。⑮②蠲免：免除。⑮③国司：亲王国置有国司，设令一人，尉、丞各二人，掌王国财物。⑮④征督：征收督责。⑮⑤已役已输者：已服役已输纳的人。⑮⑥来年：明年。⑮⑦散还之后二句：既散还其已输之物，而又征之。⑮⑧守宰：泛指地方官。⑮⑨居常简阅：日常的挑选检查。⑯⓪向者：从前；先前。⑯①达：通。⑯②大体：重要之事。⑯③诚尽其精要：真能道尽其中的精要。⑯④景州：州名，治所在今河北东光西北。⑯⑤录事参军：官名，晋置，亦称录事参军事，为王府、公府及大将军府等机构属官，掌诸曹文簿，纠弹善恶。隋唐州郡亦设录事参军。⑯⑥不任：不信任。⑯⑦禀受奉行：禀受成命，

奉而行之。⑯决：决断；决定。⑯得失相半二句：即使得失各半，而一半谬误，已够多了。⑰下谀上蔽：臣下阿谀，皇上被蒙蔽。⑰高拱穆清：高高在上，拱手上天。穆清，上天。⑰考：考察；考核。⑰乱离：丧乱。⑰乡党：犹乡里。⑰有道：有道之主。⑰鲜：少。⑰但：只是。⑰不能安之耳：谓不能使之安定罢了。⑰前幽州记室直中书省：胡三省注，“唐诸州无记室，唯王国有记室参军，从六品上。蕴古盖庐江王瑗督幽州时为记室也。唐制，资序未至，以他官入省者为直”。⑱《大宝箴》：一篇用以规谏劝诫的文书。⑱受命：蒙受天命。⑱拯溺亨屯：拯救天下艰难困苦的人。亨，通达、顺利。屯，《易》卦名，谓艰难困苦，不顺利。⑱壮九重于内：谓于宫内修筑壮丽的宫室。九重，天子所居的宫室。⑱容膝：容膝之地，极喻地之狭小。⑱彼昏不知：谓帝王昏昧无知。⑱瑶其台而琼其室：用瑶玉砌台，用琼玉筑室。瑶、琼，皆玉属。⑱八珍：八种珍味。《周礼·天官·膳夫》：“珍用八物。”郑玄注：“珍谓淳熬、淳毋、炮豚、炮牂、捣珍、渍、熬、肝膋也。”⑱惟狂罔念：唯狂惑之人，不加思念。⑱丘其糟而池其酒：谓曲糟成丘山，而酒浆盈池沼。⑲没没：沉默无言。⑲暗：昏暗。⑲察察：分析明

【原文】

上患吏多受赇[212]，密使左右试赂之。有司门令史[213]受绢一匹，上欲杀之。民部尚书裴矩谏曰：“为吏受赂，罪诚当死。但陛下使人遗之而受，乃陷人于法也，恐非所谓‘道之以德，齐之以礼’。[214]”上悦，召文武五品已上告之曰：“裴矩能当官[215]力争，不为面从，傥[216]每事皆然，何忧不治！”

臣光曰：“古人有言：君明臣直[217]。裴矩佞[218]于隋而忠于唐，非其性之有变也。君恶闻其过[219]，则忠化为佞，君乐闻直言，则佞化为忠。是知君者，表也[220]，臣者，景也[221]，表动则景随矣。”

是岁，进皇子长沙郡王恪为汉王、宜阳郡王祐为楚王。

新罗、百济、高丽三国有宿仇，迭相[222]攻击。上遣国子助教朱子奢[223]往谕指[224]，三国皆上表谢罪。

辨。⑲③ 虽冕旒蔽目而视于未形：虽然冠冕上的垂旒挡住了眼睛，却能在事物没有形成之前就看出来。旒，古代帝王礼帽上前后悬垂的玉串。⑲④ 虽黈纩塞耳而听于无声：虽以如丸的黄绵悬垂在冠的两边以充塞两耳，却能在没有声音之前就听到。纩，黄绵。⑲⑤ 束帛：帛五匹为一束。每匹从两端卷起，共为十端。⑲⑥ 大理丞：大理寺官名，正六品，掌分判寺事。⑲⑦ 傅奕（公元五五六至六三九年）：唐初学者，相州邺（今河南安阳）人，武德中任太史令。著作有《老子注》《老子音义》。又集魏晋以来反对佛教的各思想家事迹为《高识传》十卷。传见《旧唐书》卷七十九、《新唐书》卷一百七。⑲⑧ 汝前所奏：指上卷九年六月傅奕密奏"太白见秦分，秦王当有天下"一事。⑲⑨ 惩：惩戒。⑳⓪ 佛之为教：佛作为一种宗教。⑳① 玄妙：玄虚微妙。⑳② 可师：可以师法。⑳③ 悟：晓悟；明白。⑳④ 胡中桀黠：胡族中狡黠的人。⑳⑤ 诳耀彼土：在他们的国境诳诈炫耀。⑳⑥ 邪僻：不正。⑳⑦ 玄谈：即清谈。魏晋时期流行的一种远离世事、崇尚虚无、空谈名理的风气。以《周易》《老子》《庄子》"三玄"为清谈的基本内容。东晋后，佛学兴起，清谈之风渐衰。⑳⑧ 妖幻：妖异诡幻。⑳⑨ 愚俗：即愚民。㉑⓪ 鄙不学也：鄙视它而不想学。㉑① 然：是。

【语译】

唐太宗忧虑官吏会有很多人接受贿赂，秘密安排身边的人试着贿赂他们。有一个司门令史收受了绢帛一匹，唐太宗要杀掉他。民部尚书裴矩劝谏说："做官受贿，实在是罪当处死。但是陛下派人送他绢帛他才接受，这是有意让人陷入法网，恐怕不符合孔子所说的'用道德来引导人们，用礼教来整齐人心'的古训。"唐太宗很高兴，召集五品以上的文武官员告诉他们说："裴矩能够做官而敢于力争，不做当面奉承的事，假如每件事情都能这样，还担心国家治理不好吗！"

司马光说："古人说过：君主贤明，臣下就会正直。裴矩对隋朝皇帝谄媚，对唐朝皇帝则忠诚正直，不是他的品性有所变化。君主厌恶听到人们说自己的错误，于是大臣的忠诚就转变为谗佞阿谀，君主乐于听到人们直言劝谏，大臣的谗佞阿谀就会转变成忠诚。由此可知君主如同测量太阳影子的标杆，大臣就是这个标杆投下的影子，标杆一动，影子就随之而动。"

这一年，晋升皇子长沙郡王李恪为汉王，宜阳郡王李祐为楚王。

新罗、百济、高丽三国之间有世代结下的仇怨，相互交替进行攻击。唐太宗派遣国子监助教朱子奢前去晓谕天子意旨，三国都上表谢罪。

【段旨】

以上为第四段，写裴矩佞于隋而忠于唐，唐太宗亲贤远佞已初见成效，蔚为风气。

【注释】

㉑² 赃：枉法受贿。㉑³ 司门令史：官名，属刑部，为司门郎中之下的属吏，有六人，掌天下诸关出入往来。㉑⁴ 但陛下使人遗之而受四句：《旧唐书·裴矩传》作“但陛下以物

【原文】

太宗文武大圣大广孝皇帝上之上

贞观元年（丁亥，公元六二七年）

春，正月乙酉㉕，改元㉖。

丁亥㉗，上宴群臣，奏《秦王破陈乐》㉘。上曰：“朕昔受委㉙专征，民间遂有此曲。虽非文德之雍容㉚，然功业由兹而成，不敢忘本。”封德彝曰：“陛下以神武平海内，岂文德之足比㉛！”上曰：“戡乱㉜以武，守成㉝以文，文武之用，各随其时。卿谓文不及武，斯言过㉞矣！”德彝顿首谢㉟。

己亥㊱，制：“自今中书、门下及三品以上入阁㊲议事，皆命谏官随之，有失辄㊳谏。”

上命吏部尚书长孙无忌等与学士㊴、法官更议定律令，宽㊵绞刑五十条为断右趾。上犹嫌其惨㊶，曰：“肉刑废已久，宜有以易之㊷。”蜀王法曹参军㊸裴弘献请改为加役㊹流，徙[4]三千里，居作三年㊺。诏从之。

上以兵部郎中㊻戴胄忠清公直㊼，擢为大理少卿㊽。上以选人多诈冒资荫㊾，敕令自首，不首者死。未几，有诈冒事觉者，上欲杀之。胄奏据法应流㊿。上怒曰：“卿欲守法而使朕失信乎！”对曰：“敕者(251)出于

试之，即行极法，所谓陷人以罪，恐非导德齐礼之义”。“道之以德，齐之以礼”为《论语》孔子之言，意为用道德去引导，用礼去整治。㉕当官：为官。㉖傥：假如。㉗君明臣直：君主贤明则臣下正直。㉘佞：谄媚。㉙恶闻其过：讨厌听到自己的过错。㉚君者二句：君王像测量太阳影子的标杆。㉛臣者二句：臣子像标杆投下的影子。㉜迭相：互相。㉝朱子奢（？至公元六四一年）：吴（今江苏苏州）人，贞观初为国子助教。高丽、百济同伐新罗，太宗遣子奢持节谕之，平三国之憾。累迁弘文阁学士。传见《旧唐书》卷一百八十九、《新唐书》卷一百九十八。㉞谕指：晓谕天子意旨。

【语译】

太宗文武大圣大广孝皇帝上之上

贞观元年（丁亥，公元六二七年）

春，正月初一日乙酉，改年号为贞观。

初三日丁亥，唐太宗宴请群臣，演奏《秦王破陈乐》。唐太宗说：“朕从前接受任命专管率兵征伐，民间于是出现这一曲子。虽然没有表现文德的雍容文雅，但是国家的功业却由此而得以完成，所以现在也不敢忘本。”封德彝说：“陛下以神武平定天下，哪里是文德所能比拟的！”唐太宗说：“戡平战乱要用武力，守住已成之业则要依赖文化，文武的用处，各自顺从时势的变化。卿说文不如武，这个说法错了！”封德彝磕头谢罪。

正月十五日己亥，唐朝廷颁布皇帝的制书：“从今以后，中书省、门下省以及三品以上官员进入朝堂议事，都命谏官跟随这些官员，议事官员有了失误，谏官便进谏。”

唐太宗命令吏部尚书长孙无忌等人与学士、法官重新议定律令，把原来的五十种绞刑宽减为斩断右趾。唐太宗还嫌这样的处罚过于惨苦，说：“肉刑废除已经很久了，应当有其他刑罚来代替它。”蜀王府的法曹参军裴弘献请求改为加服劳役的流放，流放到三千里外，在流徙处劳作三年。唐太宗下诏采纳这个建议。

唐太宗认为兵部郎中戴胄忠诚清廉公正直率，把他提升为大理寺少卿。当时许多候选官员的人多有伪冒资历和门荫关系的，唐太宗下令他们自首，不自首的人就要处死。不久，有人欺诈假冒被发觉了，唐太宗想杀掉他。戴胄上奏说根据法律应当流放。唐太宗生气地说：“卿想遵守法律而让我失去信用吗！”戴胄回答说：“皇帝

一时之喜怒，法者[252]国家所以布大信于天下也。陛下忿选人之多诈，故欲杀之；而既知其不可，复断之以法，此乃忍小忿而存大信也。”上曰：“卿能执法，朕复何忧。”胄前后犯颜执法[253]，言如涌泉，上皆从之，天下无冤狱。

【段旨】

以上为第五段，写唐太宗约法，以流刑代肉刑，鼓励依法判案，天下无冤案。

【注释】

㉕乙酉：正月初一。㉖改元：改年号为贞观。㉗丁亥：正月初三。㉘《秦王破陈乐》：又名《七德舞》。唐宫廷乐舞。据《新唐书·礼乐志》载：太宗为秦王时，征伐四方，消灭刘武周，军中遂有《秦王破陈乐》之曲流传。太宗即位后，曾命吕才协音律，魏徵等制歌词，更名《七德舞》，增舞者至百二十人，披甲执戟，以象战阵之法。陈，通“阵”。㉙委：任。㉚雍容：雍容文雅。㉛足比：可比。㉜戡乱：平乱。㉝守成：守住已成之业。㉞过：误。㉟谢：谢所言不当之罪。㊱己亥：正月十五日。㊲入阁：唐代皇帝大朝会在含元殿，朔望日大朝拜在宣政殿，称为正衙；单日视朝在紫宸殿，称为上阁，又叫内衙。正衙有仗，升紫宸则呼仗自东西阁门入，在衙候朝的百官，跟随入见，叫作入阁。《新五代史·李琪传》：“唐故事，天子日御殿见群臣，日常参；……不能临前殿，则御便殿见群臣，曰入阁。宣政，前殿也，谓之衙，衙有仗。紫宸，便殿也，谓之阁。其不御前殿

【原文】

上令封德彝举贤，久无所举。上诘[254]之，对曰：“非不尽心，但于今未有奇才耳。”上曰：“君子用人如器[255]，各取所长，古之致治者[256]，岂借才于异代[257]乎？正患[258]己不能知，安可诬一世之人[259]！”德彝惭而退。

的敕令出于一时的喜怒，法律则是国家用来向天下宣示最大信用的。陛下愤恨候选官员多有欺诈，所以想要杀他们；但是既然知道这样做是不对的，所以又用法律来断案，这就是忍住小的愤怒而保存大的信用。”唐太宗说：“卿能执行法律，朕还有什么可担忧的。”戴胄前后多次冒犯唐太宗的颜面执行法律，言如泉涌，唐太宗都听从了他的意见，天下没有冤案。

而御紫宸也，乃自正衙唤仗，由阁门而入，百官俟朝于衙者，因随以入见，故谓之入阁。”㉓⑧辄：便；即。㉓⑨学士：官名，文学侍从官。唐贞观后，设弘文馆学士、丽正殿学士、集贤殿学士、翰林院学士。自魏晋至唐初，学士尚非正式官名，既无定员，亦无定品，贞观后学士始成为正式官名。翰林学士即翰林学士院学士，乃唐德宗以后之参与机要的谋臣，与盛唐之前的翰林院学士非一事。翰林院学士，当时是以文学为技艺而随时应诏陪奉的人。㉔⓪宽：宽减。㉔①惨：惨苦。㉔②宜有以易之：应该有办法来代替。㉔③法曹参军：唐制，诸王有功、仓、户、兵、骑、法、士等七曹参军，正七品上。㉔④加役：增加役作。㉔⑤居作三年：在流徙处劳作三年。㉔⑥兵部郎中：官名，隋唐以后，尚书省六部皆置郎中，分掌各司事务，为尚书、侍郎、丞以下的高级部员。兵部郎中二人，从五品上，掌考武官之勋禄品命。㉔⑦忠清公直：忠诚清廉公正直率。㉔⑧大理少卿：官名，隋唐中央司法审判机关大理寺的副长官。大理寺少卿二人，从四品上。㉔⑨诈冒资荫：伪冒资历门荫。㉕⓪据法应流：依据法律应处以流徙之刑。㉕①敕者：敕令。㉕②法者：法律。㉕③犯颜执法：冒犯君上的颜面行法。

【校记】

［4］徙：据章钰校，十二行本、乙十一行本、孔天胤本皆作“流”。

【语译】

唐太宗命令封德彝荐举贤才，封德彝很久也没有举荐一个人。唐太宗质问他，他回答说：“不是我不尽心竭力，只是现在没有奇才而已。”唐太宗说：“君子用人如同使用器具，分别取其不同的长处，古时使国家达到天下太平的君主，难道是从别的时代借来人才的吗？只是忧虑自己不能识别人才，怎么能诬罔整个时代的人呢！”封德彝羞惭而退下。

御史大夫杜淹奏诸司文案[260]恐有稽失[261]，请令御史就司检校[262]。上以问封德彝，对曰："设官分职，各有所司[263]。果有愆违[264]，御史自应纠举[265]。若遍历诸司，搜擿疵颣[266]，太为烦碎。"淹默然。上问淹："何故不复论执[267]？"对曰："天下之务[268]，当尽至公[269]，善则从之。德彝所言，真得大体，臣诚心服，不敢遂非[270]。"上悦，曰："公等各能如是，朕复何忧！"

右骁卫[271]大将军长孙顺德受人馈绢[272]，事觉，上曰："顺德果能有益国家，朕与之共有府库耳，何至贪冒[273]如是乎！"犹惜其有功，不之罪，但于殿庭赐绢数十匹。大理少卿胡演曰："顺德枉法受财，罪不可赦，奈何复赐之绢？"上曰："彼有人性，得绢之辱，甚于受刑。如不知愧，一禽兽耳，杀之何益！"

辛丑[274]，天节将军[275]燕郡王李艺据泾州[276]反。

艺之初入朝[277]也，恃功骄倨[278]，秦王左右至其营，艺无故殴之。上皇怒，收艺系狱，既而释之。上即位，艺内[279]不自安。曹州[280]妖巫李五戒谓艺曰："王贵色已发[281]。"劝之反。艺乃诈称奉密敕，勒兵入朝。遂引兵至豳州[282]，豳州治中赵慈皓驰出谒之，艺入据豳州。诏吏部尚书长孙无忌等为行军总管以讨之。赵慈皓闻官军将至，密与统军[283]杨岌图之。事泄，艺囚慈皓。岌在城外觉变，勒兵[284]攻之。艺众溃，弃妻子，将奔突厥。至乌氏[285]，左右斩之，传首长安。弟寿，为利州[286]都督[287]，亦坐诛。

初，隋末丧乱，豪桀并起，拥众据地，自相雄长[288]。唐兴，相帅来归，上皇为之割置州县以宠禄之[289]。由是州县之数，倍于开皇[290]、大业[291]之间。上以民少吏多，思革其弊。二月，命大加并省[292]，因山川形便，分为十道[293]：一曰关内，二曰河南，三曰河东，四曰河北，五曰山南，六曰陇右，七曰淮南，八曰江南，九曰剑南，十曰岭南。

三月癸巳[294]，皇后帅内外命妇亲蚕[295]。

闰月[296]癸丑朔[297]，日有食之。

壬申[298]，上谓太子少师[299]萧瑀曰："朕少好弓矢，得良弓十数，自

御史大夫杜淹上奏说，各省寺的文书案卷恐怕会有拖延错漏，请求让御史到各部门检查核对。唐太宗征求封德彝的意见，封德彝回答说："设置官员，分别职位，各有所掌。如果真有过错，御史自当纠察举报。假如让御史巡视各个官司部门，寻找人们的小毛病，就太繁杂琐碎了。"杜淹默不作声。唐太宗问杜淹："为什么不再进行论辩而坚持呢？"杜淹回答说："天下的事务，应当尽力追求公正，对的就听从它。封德彝所说的话，是治国的根本之道，臣诚心佩服，不敢有非议。"唐太宗很高兴，说道："你们如果都能这样做，朕还担心什么！"

右骁卫大将军长孙顺德接受别人赠送的绢帛，事情被人发觉，唐太宗说："长孙顺德果真能有益于国家，朕和他共同享有国家府库，何至于这样贪婪受贿呢！"唐太宗还是可惜他有功，不治他的罪，只在宫殿上赏赐数十匹绢帛。大理寺少卿胡演说："长孙顺德违反法律接受财物，罪不可赦，为什么又赏赐绢帛？"唐太宗说："如果他有人性，得到绢帛所受的羞辱，超过了受刑。如果他仍然不知道羞愧，就不过是一个禽兽而已，杀他又有什么好处！"

正月十七日辛丑，天节将军燕郡王李艺占据泾州反叛。

李艺当初投顺朝廷时，仗恃有功而骄矜倨傲，秦王李世民身边的人到他的军营，李艺无缘无故殴打他们。太上皇很生气，把李艺逮捕囚禁狱中，之后又释放了他。唐太宗即位后，李艺内心很不安。曹州的妖巫李五戒对李艺说："大王的贵相已经显露。"劝李艺反叛。李艺于是假称接到皇帝的密诏，率兵入朝。李艺带领兵马来到豳州，豳州治中赵慈皓驰马出城谒见他，李艺入城占据了豳州。唐太宗命吏部尚书长孙无忌等人为行军总管率军讨伐。赵慈皓听说官兵即将到来，秘密地与统军杨岌算计李艺。事情泄露，李艺囚禁了赵慈皓。杨岌在城外觉察事情有变，率兵攻城。李艺的部队溃逃，李艺抛下妻子儿女，准备逃往突厥。到了乌氏城，身边的人杀掉了他，把他的首级传送到长安。李艺的弟弟李寿，任利州都督，也获罪被杀。

起初，隋朝末年天下大乱，豪杰一并起兵，拥有军队，割据地盘，各自称雄一方。唐朝兴起之后，这些豪杰相率前来归附，唐高祖为他们分出地盘设置州县，让他们担任地方长官享受俸禄。因此州县的数目，比隋朝开皇、大业年间多出一倍。唐太宗认为百姓少而官吏多，想革除这一弊端。二月，下令州县大加合并，根据各地的山川地势，把全国分为十道：一为关内道，二为河南道，三为河东道，四为河北道，五为山南道，六为陇右道，七为淮南道，八为江南道，九为剑南道，十为岭南道。

三月初十日癸巳，皇后带领后宫妃嫔及宫外有册封之名号的妇女举行亲手养蚕的典礼仪式。

闰三月初一日癸丑，发生日食。

闰三月二十日壬申，唐太宗对太子少师萧瑀说："朕年轻时爱好弓箭，得到十多张好弓，自认为再没有别的弓能超过它们了。最近拿了给制作弓箭的弓匠看，弓匠

谓无以加㉚。近以示弓工㉛，乃曰皆非良材。朕问其故，工曰：‘木心不直㉜，则脉理皆邪㉝，弓虽劲而发矢不直。’朕始寤㉞向者㉟辩㊱之未精也。朕以弓矢定四方，识之㊲犹未能尽，况天下之务，其能遍知乎！”乃令京官㊳五品以上更宿㊴中书内省，数延见㊵，问以民间疾苦及[5]政事得失。

凉州㊶都督长乐王幼良㊷性粗暴，左右百余人，皆无赖子弟，侵暴百姓，又与羌、胡互市。或告幼良有异志。上遣中书令宇文士及驰驿代之㊸，并按其事㊹。左右惧，谋劫幼良入北虏㊺，又欲杀士及据有河西㊻。复有告其谋者，夏，四月癸巳㊼，赐幼良死。

【段旨】

以上为第六段，写唐太宗和谐人际关系，宽待大臣，不护短皇室。规并行政区划，以减吏员。

【注释】

㉔诘：质问。㉕用人如器：用人如同使用器具。㉖致治者：达到天下太平的君主。㉗借才于异代：借用人才于其他朝代。㉘正患：只是忧虑。㉙安可诬一世之人：怎么可以诬罔整个时代的人。㉚诸司文案：诸省寺的文书案卷。㉛稽失：拖延错漏。㉜检校：检查核对。㉝所司：所掌。㉞愆违：过错。㉟纠举：纠察举报。㊱搜擿疵颣：寻挑毛病。擿，挑。颣，瑕疵、缺点。㊲论执：辩论而坚持。㊳务：事务。㊴当尽至公：应当尽力公正。㊵遂非：批评；非议。㊶骁卫：禁军名称之一。南北朝有左右骁骑，隋改置左右骁卫府，唐去府字。有上将军、大将军、将军，并为骁卫官。㊷馈绢：赠送绢帛。㊸贪冒：贪图财利。㊹辛丑：正月十七。㊺天节将军：《新唐书·兵志》，“武德三年，更以宜州道为天节军，军置将副各一人”。㊻泾州：州名，治所在今甘肃泾川县北。㊼艺之初入朝：武德五年（公元六二二年），李艺引兵与太子建成会讨刘黑闼，遂入朝。㊽骄倨：骄矜倨傲。㊾内：内心；心中。㊿曹州：州名，治所在今山东曹县西北。(281)王贵色已发：王的贵相已经显露。(282)豳州：州名，治所在今陕西彬州市。(283)统军：官名，唐北衙禁军有左右龙武军、左右神武军、左右神策军，号六军。各军置统军一人，位次于大将军。(284)勒兵：率兵。(285)乌氏：县名，县治在今宁夏固原东南。(286)利州：州名，治所在今四川广元。(287)都督：官名，地方军政长官。唐于各州按等级分别置

说都不是好材料。朕问其中的原因，弓匠说：‘木心不直，那么木料的纹理都是斜的，弓虽然力道强劲，但箭发射出去不是直线。’朕这才明白以前对弓箭性能分辨得不精。朕用弓箭平定了天下，而对弓箭的性能还没有全部认识，何况对于天下的众多事务，又怎能全部知晓呢！”于是下令京城内五品以上的官员，轮流在中书内省过夜值班，唐太宗多次接见他们，询问民间疾苦、政事得失。

凉州都督长乐王李幼良性情粗暴，身边亲信一百多人，都是无赖子弟，侵扰虐待百姓，又和羌人、胡人互市贸易。有人告发李幼良有反叛之心。唐太宗派中书令宇文士及乘驿车驰往代替他，一并审查李幼良的不法之事。李幼良身边的亲信很恐惧，谋划劫持李幼良进入北方胡虏地区，又想杀掉宇文士及，占据凉州。又有人告发他们的这一谋划，夏，四月十二日癸巳，唐太宗赐李幼良自杀。

大、中、下都督府，各设都督。唐中期以后，以节度使、观察使为地方最高长官，都督遂名存实亡。㉘⑧自相雄长：自己竞相称雄为长。㉘⑨割置州县以宠禄之：设置州县加以尊宠，供给俸禄。㉙⓪开皇：隋文帝年号（公元五八一至六〇〇年）。㉙①大业：隋炀帝年号（公元六〇五至六一八年）。㉙②并省：合并、简省。㉙③道：唐贞观初，因山河形势之便，分全国为十道。开元二十一年（公元七三三年）增为十五道。㉙④癸巳：三月初十。㉙⑤帅内外命妇亲蚕：率领内外命妇亲自养蚕。内命妇，宫内女官，自贵妃至侍巾，亦分九品。外命妇有六，王、嗣王、郡王之母、妻为妃，一品之国公母、妻为国夫人，三品以上母、妻为郡夫人，四品母、妻为郡君，五品母、妻为县君，勋官四品有封者，母、妻为乡君。凡外命妇朝参，视夫、子之品。唐制，皇后以季春吉巳享先蚕，遂以亲桑。亲蚕，亲自养蚕。㉙⑥闰月：闰三月。㉙⑦癸丑朔：闰三月初一。㉙⑧壬申：闰三月二十日。㉙⑨太子少师：辅导太子之官。《旧唐书·职官志》：“太子少师，从二品。”㉚⓪自谓无以加：自以为没有再好的弓。㉚①弓工：弓匠。㉚②木心不直：谓木之年轮上下不直。㉚③脉理皆邪：木料纹理都是斜的。㉚④寤：醒悟。㉚⑤向者：以前。㉚⑥辩：通“辨”，辨别。㉚⑦识之：知之。㉚⑧京官：在京职事官。㉚⑨更宿：更换宿值。㉛⓪延见：延引召见。㉛①凉州：州名，治所在今甘肃武威。㉛②幼良：唐高祖堂弟。传见《旧唐书》卷六十、《新唐书》卷七十八。㉛③驰驿代之：乘驿车驰往代替他。㉛④并按其事：一并审查李幼良的不法之事。㉛⑤北虏：即突厥。㉛⑥河西：即凉州。㉛⑦癸巳：四月十二日。

【校记】

［5］及：原无此字。据章钰校，十二行本、乙十一行本、孔天胤本皆有此字，今据补。

【原文】

五月，苑君璋帅众来降。初，君璋引突厥陷马邑[318]，杀高满政，退保恒安[319]。其众皆中国人，多弃君璋来降。君璋惧，亦降，请捍北边以赎罪，上皇许之。君璋请约契[320]，上皇使雁门[321]人元普赐之金券[322]。颉利可汗复遣人招之，君璋犹豫未决。恒安人郭子威说君璋以“恒安地险城坚，突厥方强，且当倚之以观变，未可束手于人”。君璋乃执元普送突厥，复与之合，数与突厥入寇。至是，见颉利政乱，知其不足恃，遂帅众来降。上以君璋为隰州[323]都督、芮[324]国公。

有上书请去佞臣[325]者，上问：“佞臣为谁？”对曰：“臣居草泽，不能的知[326]其人。愿陛下与群臣言，或阳怒[327]以试之，彼执理不屈者，直臣也，畏威顺旨者，佞臣也。”上曰：“君，源[328]也，臣，流[329]也，浊其源而求其流之清，不可得矣。君自为诈，何以责[330]臣下之直乎！朕方以至诚治天下，见前世帝王好以权谲[331]小数[332]接[333]其臣下者，常窃耻之。卿策虽善，朕不取也。”

六月辛巳[334]，右仆射密明公[335]封德彝薨。

壬辰[336]，复以太子少师萧瑀为左仆射。

戊申[337]，上与侍臣论周、秦修短[338]，萧瑀对曰：“纣为不道[339]，武王征之。周及六国无罪，始皇灭之。得天下虽同，人心[6]则异。”上曰：“公知其一，未知其二。周得天下，增修仁义，秦得天下，益尚诈力[340]，此修短之所以殊也。盖取之或可以逆得，而[7]守之不可以不顺故也[341]。”瑀谢不及。

山东大旱，诏所在赈恤[342]，无出[343]今年租赋。

秋，七月壬子[344]，以吏部尚书长孙无忌为右仆射。无忌与上为布衣交[345]，加以外戚[346]，有佐命功[347]，上委以腹心，其礼遇群臣莫及，欲用为宰相者数矣[348]。文德皇后固请曰：“妾备位椒房[349]，家之贵宠极矣，诚不愿兄弟复执国政。吕、霍、上官[350]，可为切骨[351]之戒[352]，幸陛下矜察[353]。”上不听，卒用之。

初，突厥性淳厚[354]，政令质略[355]。颉利可汗得华人赵德言，委用之。

【语译】

五月，苑君璋率领部众前来投降。起初，苑君璋引导突厥攻陷马邑，杀死了高满政，退兵据守恒安。他的部众都是中原人，很多人抛弃他前来投降唐朝。苑君璋很害怕，也投降了，请求防守北部边疆来赎罪，唐高祖答应了。苑君璋请求赐予契约，唐高祖派雁门人元普赐给他金券。突厥颉利可汗又派人招降苑君璋，苑君璋犹豫不决。恒安人郭子威劝说苑君璋，认为“恒安的地势险要，城墙坚固，突厥正处于强盛状态，应该依靠它观察形势的变化，不能束手受制于人”。苑君璋于是拘捕元普送到突厥，又与突厥联合，多次与突厥入侵唐境。到了现在，苑君璋看到颉利可汗的政局混乱，知道颉利可汗不足以依靠，于是率领部众前来投降。唐太宗任命苑君璋为隰州都督、芮国公。

有人上书请求唐太宗除去朝廷内的奸巧谄谀之臣，唐太宗问：“谁是奸巧谄谀之臣？”回答说：“臣身处草野，不能确知谁是奸巧谄谀之臣。希望陛下与群臣谈话，有时假装发怒来试探他们，那些坚持原则不肯屈服的人，就是正直之臣，那些畏惧皇帝的威严而顺从皇帝旨意的人，就是奸巧谄谀之臣。”唐太宗说：“君主是水的源头，臣是水的支流，水源混浊而要求支流清澈，是不可能的。君主自己用诈，又如何要求臣下正直呢！朕正以至诚之心治理天下，看到前代帝王喜欢用权变谲诈的小点子对待他的臣下，常常认为可耻。卿的方法虽好，但朕不能采用。”

六月初一日辛巳，右仆射密明公封德彝去世。

十二日壬辰，又任命太子少师萧瑀为尚书左仆射。

六月二十八日戊申，唐太宗与侍臣议论周朝、秦朝的国祚长短，萧瑀回答说：“殷纣王做无道之事，周武王讨伐他。周朝和六国都没有罪，秦始皇灭掉它们。虽然同是取得天下，但人心的所向却不一样。”唐太宗说：“公只知其一，不知其二。周朝得到天下，更加修行仁义，秦朝取得天下，更加崇尚欺诈和暴力，这就是二代国祚有长有短所以不同的原因。要说那夺取天下有时可以用武力取得，而守住天下就不可以不顺着仁义了。”萧瑀认为自己比不上唐太宗而谢罪。

山东发生大旱，唐太宗发布诏书命令各地救济抚恤灾民，不用缴纳今年的租赋。

秋，七月初二日壬子，任命吏部尚书长孙无忌为尚书右仆射。长孙无忌与唐太宗为布衣之交，加上他是外戚，有辅佐唐太宗即位的功劳，唐太宗把他当作心腹，对他的礼遇其他大臣没人能赶得上，几次想用他为宰相。文德皇后坚持请求：“妾在皇后的椒房占有一个地位，家族的尊贵恩宠已达到极点了，实在不愿意我的兄弟再来执掌国政。汉代的吕氏、霍氏、上官氏三家作为外戚，都是痛彻骨髓的前车之鉴，希望陛下矜怜明察我的心情。”唐太宗不听从，最终还是用长孙无忌为宰相。

当初，突厥人性情淳厚，政令质朴简略。颉利可汗得到了汉人赵德言，把大权

德言专其威福，多变更旧俗，政令烦苛[356]，国人始不悦。颉利又好信任诸胡而疏突厥，胡人贪冒，多反覆[357]，兵革[358]岁动[359]。会大雪，深数尺，杂畜多死，连年饥馑，民皆冻馁。颉利用度不给[360]，重敛诸部，由是内外离怨[361]，诸部多叛，兵浸[362]弱。言事者多请击之，上以问萧瑀、长孙无忌曰："颉利君臣昏虐[363]，危亡可必[364]。今击之，则新与之盟，不击，恐失机会，如何而可？"瑀请击之。无忌对曰："虏不犯塞而弃信劳民[365]，非王者之师也。"上乃止。

上问公卿以享国久长之策，萧瑀言："三代封建[366]而久长，秦孤立而速亡。"上以为然，于是始有封建之议。

黄门侍郎王珪有密奏，附侍中高士廉，寝而不言。上闻之，八月戊戌[367]，出士廉为安州[368]大都督。

九月庚戌朔[369]，日有食之。

辛酉[370]，中书令宇文士及罢为殿中监[371]，御史大夫杜淹参豫朝政。他官参豫政事自此始。

淹荐刑部[372]员外郎[373]邸怀道[8]，上问其行能[374]，对曰："炀帝将幸江都，召百官问行留[375]之计，怀道为吏部主事[376]，独言不可，臣亲见之。"上曰："卿[377]称怀道为是，何为[378]自不正谏？"对曰："臣尔时[379]不居重任，又知谏不从，徒死无益。"上曰："卿知炀帝不可谏，何为立其朝[380]？既立其朝，何得不谏？卿仕隋，容可云[381]位卑，后仕王世充，尊显矣，何得亦不谏？"对曰："臣于世充非不谏，但不从耳。"上曰："世充若贤而纳谏，不应亡国，若暴而拒谏，卿何得免祸？"淹不能对。上曰："今日可谓尊任[382]矣，可以谏未[383]？"对曰："愿尽死。"上笑。

辛未[384]，幽州都督王君廓谋叛，道死。君廓在州骄纵[385]多不法，征入朝。长史李玄道，房玄龄从甥也，凭君廓附书[386]。君廓私发[387]之，不识草书，疑其告己罪，行至渭南[388]，杀驿吏[389]而逃，将奔突厥，为野人所杀。

委托给赵德言而加以重用，赵德言一人控制了给人施加威福的大权，许多地方改变了突厥人旧有的风俗习惯，政令烦苛，突厥的百姓开始对此大为不满。颉利可汗又喜欢信任其他各种胡族人士，而疏远突厥本族的人士，胡人贪婪受贿，与突厥的关系也经常反复无常，每年都要发动战争。适逢下大雪，雪深数尺，各类牲畜死了许多，连年饥荒，突厥民众全都受冻挨饿。颉利可汗的钱财费用不足，便向各部落征收重税，因此突厥人内外怨恨，各部落多有反叛，兵力逐渐削弱。唐朝议事的大臣有不少人请求出兵攻击突厥，唐太宗询问萧瑀和长孙无忌说："颉利的君臣昏昧暴虐，危亡是可以肯定的。现在出兵攻击他，可是刚刚才与突厥订立了盟约，如果不出兵，又怕失去机会，怎么办才好？"萧瑀请求出兵攻击。长孙无忌回答说："突厥并没有侵犯我国的边塞，却要废弃信约，烦劳百姓，这不是王者的正义之师。"唐太宗于是停止商议出兵的事。

唐太宗向公卿大臣询问国运长久的策略，萧瑀说："夏、商、周三代分封诸侯而国运长久，秦国不分封诸侯，使自己孤立，而迅速灭亡。"唐太宗认为有道理，于是开始有分封诸侯王的议论。

黄门侍郎王珪有密折上奏，让侍中高士廉附在文书中转呈，高士廉把他的密折放起来没有告诉太宗。唐太宗得知后，八月十九日戊戌，把高士廉外任为安州大都督。

九月初一日庚戌，发生日食。

九月十二日辛酉，中书令宇文士及罢除原官降为殿中监，御史大夫杜淹参与朝政。宰相以外的其他官员参与朝政，从这时候开始。

杜淹推荐刑部员外郎邸怀道，唐太宗问他的品行与才能，杜淹回答说："隋炀帝将要临幸江都，召集百官询问是前去还是留下，邸怀道担任吏部主事，只有他认为不可前去江都，这是臣亲眼所见的。"唐太宗说："卿称赞邸怀道做得对，为什么自己不直言正谏？"杜淹答道："臣那时没有处在重要官职上，又知道劝谏炀帝也不会听从，白白死去毫无益处。"唐太宗说："卿知道炀帝不可劝谏，为什么要在他的朝廷里做官？既然在他朝内做官，又为什么不进谏？卿出仕隋朝，或可以说官位低下，后来在王世充那里做官，爵位尊崇了，为什么也不进谏？"杜淹回答说："我对王世充不是不进谏，只是他不听从。"唐太宗说："王世充如果贤明而能接受谏言，就不应亡国，假若他暴虐而又拒绝谏言，卿怎能免于灾祸？"杜淹无法回答。唐太宗说："现在你的职位可以说是尊崇了，可以进谏了吗？"杜淹回答："臣愿尽死进谏。"唐太宗笑了。

九月二十二日辛未，幽州都督王君廓谋划叛乱，在半路上死去。王君廓在幽州时骄横放纵，做了许多非法的事，被征召回朝廷。幽州长史李玄道是房玄龄的外甥，托王君廓带信回京。王君廓私下拆开信看，不认识信里的草体字，怀疑信中告发自己的罪过，走到渭南，杀死驿站的吏卒逃跑，想要逃往突厥，途中被野人杀死。

岭南[390]酋长[391]冯盎、谈殿等迭相攻击，久未入朝。诸州奏称盎反，前后以十数[392]。上命将军蔺謩等发江、岭[393]数十州兵讨之。魏徵谏曰："中国初定，岭南瘴疠[394]险远[395]，不可以宿大兵。且盎反状未成，未宜动众。"上曰："告者道路不绝[396]，何云反状未成?"对曰："盎若反，必分兵据险，攻掠州县。今告者已数年，而兵不出境，此不反明矣。诸州既疑其反，陛下又不遣使镇抚，彼畏死，故不敢入朝。若遣信臣[397]示以至诚，彼喜于免祸，可不烦兵[398]而服。"上乃罢兵。冬，十月乙酉[399]，遣员外散骑侍郎[400]李公掩持节慰谕之，盎遣其子智戴随使者入朝。上曰："魏徵令我发一介之使[401]，而岭表[402]遂安，胜十万之师，不可不赏。"赐徵绢五百匹。

【段旨】

以上为第七段，写唐太宗待臣以礼，赤心御下，不猜疑，用贤不避亲。长孙皇后不护外戚，是唐太宗的贤内助。又写唐太宗纳谏，不轻启干戈。

【注释】

⑱马邑：县名，县治在今山西朔州东北。⑲恒安：军镇名，今山西大同。⑳请约契：请求赐予契约。㉑雁门：郡名，治所在今山西代县。㉒金券：即铁券。是皇帝赐给功臣使其世代享受某些特权的铁契。㉓隰州：州名，治所在今山西隰县。㉔芮：古国名。㉕佞臣：奸巧谄谀、花言巧语的臣子。㉖的知：确知。㉗阳怒：佯装愤怒。㉘源：源头。㉙流：水的支流。㉚责：要求。㉛权谲：权变谲诈。㉜小数：小术。㉝接：待。㉞辛巳：六月初一。㉟密明公：封德彝封于密，死后谥曰明，故谓之密明公。㊱壬辰：六月十二日。㊲戊申：六月二十八日。㊳论周、秦修短：论周、秦国祚之长短。㊴为不道：施行无道之事。㊵益尚诈力：更加崇尚欺诈和暴力。㊶盖取之或可以逆得二句：要说那夺取天下有时可以用武力取得，而守天下则不可以不顺着仁义了。㊷赈恤：赈济抚恤。㊸无出：不必缴纳。㊹壬子：七月初二。㊺布衣交：平民百姓之交。㊻加以外戚：加之无忌为皇后之兄。㊼有佐命功：有辅佐太宗诛建成、元吉，即帝位的功劳。㊽欲用为宰相者数矣：屡次欲任用为宰相。唐因隋制，以三省之长，尚书令、侍中、中书令共议国政，此宰相职也。后因太宗为尚书令，臣下避不敢居其职，由

岭南的酋长冯盎、谈殿等人不断互相攻击，长期没有入京朝见。各州上奏说冯盎反叛，前后报告的次数以十来计算。唐太宗命令将军蔺謇等人征发江州、岭南等数十个州的军队前去讨伐。魏徵劝谏说："中原刚刚平定，岭南地区有瘴气瘟疫，路途遥远，地势险恶，不能屯驻大军。而且冯盎还没有真正形成反叛，不宜兴师动众。"唐太宗说："告发冯盎反叛的人在路上络绎不绝，怎么能说他还没有真正形成反叛呢？"魏徵回答说："冯盎如果反叛，一定要分兵据险，攻掠州县。现在告发他反叛已有好几年了，而冯氏的军队没有出境，很明显，他没有反叛。各州既然怀疑冯盎反叛，陛下又不派遣使臣安抚，冯盎怕死，所以不敢来朝廷。如果陛下派遣信使向他表示真心诚意，冯盎很高兴能免除灾祸，可以不烦劳军队而使他顺服了。"唐太宗于是下令停止用兵。冬季，十月初六日乙酉，派员外散骑侍郎李公掩手持天子旌节对冯盎进行安抚晓谕，冯盎派他儿子冯智戴随着使臣前来朝廷。唐太宗说："魏徵让我派出一个使者，岭南就得以安定，胜过十万军队，不能不赏赐。"赐给魏徵绢帛五百匹。

是仆射为尚书省长官，与侍中、中书令同为宰相。以长孙无忌为右仆射，即以其为宰相。数，屡次。㊾椒房：皇后所居之处。㊿吕、霍、上官：指汉高祖吕后、宣帝霍后、昭帝上官后的家族，皆为汉代外戚，以专权干政而著称。351切骨：镂心刻骨。352戒：鉴戒。353矜察：矜怜明察。354淳厚：淳朴敦厚。355政令质略：政治法令质朴简略。356烦苛：烦琐苛刻。357反覆：反复无常。358兵革：战争。359动：兴；起。360不给：不能供给，亦即不充足。361离怨：怨恨。362浸：渐。363昏虐：昏昧暴虐。364危亡可必：必定危亡。365弃信劳民：废弃信约，烦劳百姓。366封建：分封宗室，建立邦国。367戊戌：八月十九日。368安州：州名，治所在今越南清化省清化市东南。369庚戌朔：九月初一。370辛酉：九月十二日。371殿中监：官名，为殿中省长官，从三品，掌宫廷供奉及礼仪。372刑部：官署名，为尚书省六部之一。唐代刑部主管法律、刑狱等事务。373员外郎：官名，原指设立于正额以外的郎官。晋代以后的员外郎，指员外散骑侍郎，是较高贵的皇帝近侍官。隋文帝开皇时，在尚书省各司置员外郎一人，为各司的次官。唐、宋沿置，在六部下设各司，担任司的副职者称员外郎，与郎中同称郎官，但比郎中地位略低，都是中央官吏中的要职。374行能：品行才能。375行留：或走或留。376吏部主事：官名，隋唐吏部的属官。《唐六典·吏部》：吏部"主事四人，从八品下"，注曰"隋炀帝初置，为从九品下，开元二十四年升为八品"。377卿：古代对人的敬称。唐以来皇帝称臣民为卿。378何为：为何。379尔时：那时。380何为立其朝：为何在他的朝廷里做官。381容可云：或可

以说。[382] 尊任：职位尊崇。[383] 可以谏未：可以进谏了吗。[384] 辛未：九月二十二日。[385] 骄纵：骄横放纵。[386] 凭君廓附书：托君廓带信。[387] 私发：私自拆开。[388] 渭南：县名，县治在今陕西渭南市。[389] 驿吏：掌邮驿之吏。[390] 岭南：道名，唐贞观元年（公元六二七年）置，辖境相当今广东、广西两省大部及越南北部地区。[391] 酋长：部落的首领。[392] 以十数：以十为单位计数，其数目最少在二十。[393] 江、岭：指江州和岭南道。江州，治所在今江西九江市。[394] 瘴疠：潮湿地区流行的恶性疟疾等传染病。[395] 险远：地势险恶，路途遥远。[396] 告者道路不绝：告发的人络绎于途。[397] 信臣：即使臣。信，使。[398] 不烦兵：不须烦劳军队。[399] 乙酉：十月初六。[400] 员外散骑侍郎：官名，在皇帝左右规谏过失，以备

【原文】

十二月壬午[403]，左仆射萧瑀坐事免[404]。

戊申[405]，利州都督义安王[9]李孝常等谋反，伏诛。孝常因入朝，留京师，与右武卫将军[406]刘德裕及其甥统军元弘善、监门将军长孙安业互说符命[407]，谋以宿卫兵作乱。安业，皇后之异母兄也，嗜酒无赖。父晟卒，弟无忌及后并幼，安业斥还舅氏[408]。及上即位，后不以旧怨为意[409]，恩礼甚厚。及反事觉，后涕泣为之固请曰："安业罪诚当万死。然不慈于妾，天下知之。今寘[410]以极刑，人必谓妾所为，恐亦为圣朝之累[411]。"由是得减死，流嶲州[412]。

或告右丞[413]魏徵私其亲戚，上使御史大夫温彦博按之，无状[414]。彦博言于上曰："徵不存形迹，远避嫌疑，心虽无私，亦有可责。"上令彦博让[415]徵，且曰："自今宜存形迹。"他日，徵入见，言于上曰："臣闻君臣同体[416]，宜相与尽诚[417]。若上下俱存形迹[418]，则国之兴丧尚未可知[419]，臣不敢奉诏[420]。"上瞿然[421]曰："吾已悔之。"徵再拜曰："臣幸得奉事陛下，愿使臣为良臣，勿为忠臣。"上曰："忠、良有以异乎[422]？"对曰："稷[423]、契[424]、皋陶[425]，君臣协心[426]，俱享尊荣[427]，所谓良臣。龙逄[428]、比干[429]，面折[430]廷争，身诛国亡，所谓忠臣。"上悦，赐绢五百匹。

顾问。员外，指不在正员额内之官。㊶发一介之使：派出一个使者。一介，一个，表示渺小。㊷岭表：即岭南。

【校记】

［6］人心：据章钰校，此二字上乙十一行本、孔天胤本皆有“失”字。［7］而：原无此字。据章钰校，十二行本、乙十一行本、孔天胤本皆有此字，今据补。［8］邸怀道：严衍《通鉴补》“邸”改“郅”。

【语译】

十二月初四日壬午，尚书左仆射萧瑀因事犯罪被免职。

十二月三十日戊申，利州都督义安王李孝常等人谋划反叛，伏法被处死。李孝常乘着进京上朝，留在京城，与右武卫将军刘德裕以及刘德裕的外甥统军元弘善、监门将军长孙安业相互谈论符箓命数，密谋利用皇宫禁卫部队叛乱。长孙安业是长孙皇后的同父异母哥哥，嗜好饮酒，不务正业。他的父亲长孙晟死后，弟弟长孙无忌与长孙皇后都还年幼，长孙安业把二人骂回舅舅高士廉家里。等到唐太宗即位，皇后不把往日的怨恨放在心上，对长孙安业仍然给予优厚的恩宠礼遇。等到谋反的事情被发觉，皇后哭泣着坚持为长孙安业求情，说道：“安业犯罪确实罪该万死。但他以前对我不慈爱，天下的人都知道。现在对他处以极刑，人们必然会说是我干的，这样的话恐怕也是圣朝的疵累。”长孙安业由此得以减罪免死，流配到巂州。

有人告发右丞魏徵出于私心袒护他的亲属，唐太宗派御史大夫温彦博查问，没有实据。温彦博对唐太宗说：“魏徵不留实据和痕迹，远避嫌疑，内心虽然无私，但也有应该责备的地方。”唐太宗让温彦博去责备魏徵，并且说：“从今以后应留下办事的实据和痕迹。”另一天，魏徵入宫朝见，对唐太宗说：“臣听说君主与臣下好像是同一肢体，应该竭诚相待。如果上下都要留下办事的实据和痕迹，那么国家的兴亡就是不可知晓的了，所以臣不敢接受皇帝的诏命。”唐太宗惊讶地说：“我已经后悔了。”魏徵两次下拜然后说：“臣有幸能侍奉陛下，愿陛下让臣做良臣，不做忠臣。”唐太宗问：“忠臣和良臣有差别吗？”魏徵回答说：“后稷、契、皋陶，与尧、舜是君臣齐心协力，共享尊贵和荣耀，这就是所谓的良臣。龙逄、比干，当面批评君主，当场与君主争辩，结果自身被诛而国家灭亡，这就是所谓的忠臣。”唐太宗听了十分高兴，赏赐绢帛五百匹。

上神采英毅[431]，群臣进见者，皆失举措[432]。上知之，每见人奏事，必假以辞色[433]，冀闻规谏[434]。尝谓公卿曰："人欲自见其形，必资[435]明镜，君欲自知其过，必待忠臣。苟其君愎谏自贤[436]，其臣阿谀顺旨，君既失国，臣岂能独全！如虞世基等谄事炀帝以保富贵，炀帝既弑，世基等亦诛。公辈宜用此为戒，事有得失，毋惜尽言[437]。"

或上言秦府旧兵，宜尽除武职[438]，追入宿卫[439]。上谓之曰："朕以天下为家，惟贤是与[440]，岂旧兵之外皆无可信者乎！汝之此意，非所以广朕德于天下也。"

上谓公卿曰："昔禹凿山治水，而民无谤讟[441]者，与人同利故也。秦始皇营[442]宫室，而人怨叛者，病人[443]以利己故也。夫靡丽[444]珍奇，固人之所欲，若纵之不已，则危亡立至。朕欲营一殿，材用[445]已具，鉴秦[446]而止。王公已下，宜体朕此意。"由是二十年间，风俗素朴，衣无锦绣，公私富给。

上谓黄门侍郎王珪曰："国家本置中书、门下以相检察，中书诏敕或有差失，则门下当行驳正[447]。人心所见，互有不同，苟论难往来[448]，务求至当，舍己从人[449]，亦复何伤！比来或护己之短，遂成怨隙；或苟避[450]私怨，知非不正[451]，顺一人之颜情[452]，为兆民之深患[453]，此乃亡国之政也。炀帝之世，内外庶官，务相顺从。当是之时，皆自谓有智，祸不及身。及天下大乱，家国两亡，虽其间万一有得免者，亦为时论所贬，终古不磨[454]。卿曹[455]各当徇公忘私，勿雷同[456]也。"

上谓侍臣曰："吾闻西域贾胡[457]得美珠，剖身以藏之，有诸[458]？"侍臣曰："有之。"上曰："人皆知笑[10]彼之爱珠，而不爱其身也。吏受赇抵法[459]，与帝王徇奢欲而亡国者，何以异于彼胡之可笑邪！"魏徵曰："昔鲁哀公谓孔子曰：'人有好忘者，徙宅[460]而忘其妻。'孔子曰：'又有甚者，桀、纣[461]乃忘其身。'亦犹是也。"上曰："然。朕与公辈宜戮力[462]相辅，庶[463]免为人所笑也。"

唐太宗的神情风采中有英武刚毅之气，众位大臣进见他时，都会手足失措。唐太宗知道后，每次见人上朝奏事，一定用温和的言辞和脸色，希望听到大臣的规谏之言。他曾对公卿们说："人想要看见自己的长相和身形，一定要借助明亮的镜子，君主想知道自己的过错，必须依赖忠诚的大臣。如果大臣的君主对于进谏刚愎自用不能听取，自以为贤明，他的大臣就会阿谀君主，顺着君主的意思说话，君主既然失去自己的国家，大臣岂能独自保全！像虞世基等人以谄媚的态度侍奉隋炀帝以求保全自己的富贵，炀帝被人杀害后，虞世基等人也被诛杀。你们这些人应当以此作为鉴戒，事情有得有失，你们不要吝惜，把话说尽。"

有人上书说秦王府原有的兵士，应全部任命为武官，加入皇宫的禁卫军。唐太宗对他说："朕以天下为家，用人唯才，难道原有的士兵之外都没有可以相信的人了吗！你的这个想法，不能用来把朕的恩德扩大到全天下。"

唐太宗对公卿说："从前大禹凿山治水，而百姓没有人诽谤咒骂，是因为他这样做是与民同利。秦始皇营造宫室，而百姓怨恨反叛，是因为秦始皇这样做是损害民众来利于自己。那些华靡美丽的奇珍异宝，本来是人们都想得到的，如果帝王放纵自己的这些欲望而不停止，那么国家的危亡立刻就会来到。朕想营建一座宫殿，材料已经齐备了，鉴于秦的灭亡就停止了。亲王公卿以下，应当体会朕的这一想法。"从此二十年间，社会风俗质朴淳厚，穿衣不用锦绣，官府与百姓都很富足。

唐太宗对黄门侍郎王珪说："国家本来设置了中书省、门下省，以便相互监督检查，中书省起草诏令制敕若有了差误，门下省就应当进行纠正。人们的见解，互有不同，如果往来辩驳，务求至为正确，放弃自己的见解听从别人正确的意见，又有什么伤害呢！近来有人回护自己的短处，于是双方之间产生了怨恨仇隙；有人又为了躲避个人之间的私人恩怨，明知对方是错误的也不加以驳正，顺从顾及一个人的情面，结果给万民造成了深重祸患，这乃是使国家走向灭亡的政治。隋炀帝时代，朝廷内外的众多官吏，相互务求顺从，大家一团和气。在那时候，都自以为聪明，灾祸不会降临自己身上。等到天下大乱，家和国就都走向了灭亡，虽然其中有幸能免于灾祸，但也被当时的舆论给予了批评和斥责，不好的名声在千古历史上无法磨灭。你们每个人都应当为公而献身，忘记私情，不要意见雷同。"

唐太宗对身边侍从的大臣说："我听说西域有一个胡族商人得到一粒宝珠，割开身躯把宝珠藏在体内，有这种事吗？"侍从的大臣说："有这回事。"唐太宗说："人们都知道笑话这个人爱珍珠，而不知道爱惜自己的身体。可是官吏受贿贪赃最终依法入罪，和帝王放纵奢侈的欲望而导致国家灭亡，这与那个胡族商人的可笑有什么区别呢！"魏徵说："从前鲁哀公对孔子说：'有人非常健忘，搬家而忘了自己的妻子。'孔子说：'还有比这更过分的，夏桀、商纣都贪恋奢侈而忘记了自己的身体。'也像这种情况一样。"唐太宗说："对。朕与你们这群公卿应当同心合力相互辅助，或许能免除后人的耻笑。"

【段旨】

以上为第八段，写唐太宗察纳雅言，常与近臣坦诚议政，鼓励臣下进谏。

【注释】

㊃壬午：十二月初四。㊄坐事免：因事坐罪，免除官职。㊅戊申：十二月三十日。㊆武卫将军：官名。武卫，军制名，汉末曹操任丞相，置武卫营。魏文帝（曹丕）置武卫将军以主禁旅。隋唐分左、右武卫，各置大将军一人、将军二人统领。㊇互说符命：互相谈论符箓命数。㊈斥还舅氏：无忌及后之舅为高士廉，此谓斥骂回舅舅高士廉家。㊉为意：介意。㊊寘：处以。㊋累：疵累。㊌嶲州：州名，治所在今四川西昌。㊍右丞：古官名，秦置尚书丞，汉沿用。东汉时分置左、右丞，主持尚书台，监察百官，权势极大。六朝因之。唐在尚书省仆射之下设左、右丞，分别总领尚书省六部的事务。左丞领吏、户、礼三部，右丞领兵、刑、工三部。左、右丞的地位与六部的侍郎相等。但因在六部之上，序列在侍郎之前，总称"丞郎"。左、右丞又通称左、右辖。㊎无状：没有事状。指魏徵被诬告无事实。㊏让：责备；责怪。㊐同体：同一肢体。㊑相与尽诚：互相竭诚相待。㊒若上下俱存形迹：如果上下都要留存办事的实据和痕迹。㊓则国之兴丧尚未可知：那么国家的兴亡就是不可知晓的了。㊔奉诏：接受诏命。㊕瞿然：惊骇的样子。㊖忠、良有以异乎：忠臣和良臣有差别吗。㊗稷：古代周族的始祖。㊘契：传说中商族始祖。㊙皋陶：传说中东夷族的领袖。㊚协心：齐心。㊛尊荣：尊贵和荣耀。㊜龙逢：夏代末年大臣，夏桀暴虐荒淫，他多次直谏，被桀囚禁杀死。㊝比干：商纣王的叔

【原文】

青州有谋反者，州县逮捕支党，收系满狱，诏殿中侍御史[464]安喜崔仁师[465]覆按[466]之。仁师至，悉脱去杻械[467]，与饮食汤沐[468]，宽慰之，止坐[469]其魁首[470]十余人，余皆释之。还报，敕使[471]将往决之[472]。大理少卿孙伏伽谓仁师曰："足下平反[473]者多，人情谁不贪生，恐见徒侣[474]得免，未肯甘心，深为足下忧之。"仁师曰："凡治狱[475]当以平恕[476]为本，岂可自规[477]免罪，知其冤而不为伸邪！万一暗短[478]，误有所纵[479]，以一身易十囚之死，亦所愿也。"伏伽惭而退。及敕使至，更讯诸囚，皆曰："崔公平恕，事无枉滥[480]，请速就死。"无一人异辞者[481]。

父，官少师。相传曾屡次劝谏纣王，被剖心而死。㊸⓪面折：当面批评反驳。431英毅：英武刚毅。432失举措：因畏惧而手足失措。433假以辞色：用温和的话语和脸色，使进见者不惧而尽其辞。434冀闻规谏：希望听到规劝谏诤。435资：借助。436愎谏自贤：意谓刚愎自用，不听谏言，自以为贤明。437毋惜尽言：不要吝惜，把话说尽。438宜尽除武职：应全部任命做武官。439追入宿卫：加入宫廷宿卫。440惟贤是与：用人唯才。441谤讟：诽谤。442营：造。443病人：损害人。444靡丽：华靡美丽。445材用：材料。446鉴秦：以秦为鉴。447中书诏敕或有差失二句：胡三省注云，“中书出命，门下审驳。按唐制，凡诏旨制敕，玺书册命，皆中书舍人起草进画，既下，则署行而过门下省，有不便者，涂窜而奏还，谓之涂归”。448论难往来：反复辩驳。449舍己从人：舍己之见而从他人。450苟避：苟且避免。451知非不正：知道是错误的也不加驳正。452颜情：情面。453深患：深重的祸患。454终古不磨：恶名终古不能磨灭。455卿曹：卿辈。456雷同：谓人云亦云。457贾胡：经商的胡人。458有诸：有这种事吗。459受赇抵法：受贿依法入罪。460徙宅：迁居。461桀、纣：均为历史上著名的暴君，分别为夏代与商代的最后一个君主。462戮力：合力。463庶：副词。表示可能或期望。

【校记】

［9］义安王：原无此三字。据章钰校，十二行本、乙十一行本、孔天胤本皆有此三字，张敦仁《通鉴刊本识误》同，今据补。［10］笑：原无此字。据章钰校，十二行本、乙十一行本皆有此字，张敦仁《通鉴刊本识误》同，今据补。

【语译】

青州有谋反的人，州县官员逮捕了他的同伙，收捕关押的犯人满狱，唐太宗下诏令殿中侍御史安喜人崔仁师复查这个案件。崔仁师到了青州，把全部囚犯枷具都解开，给他们饮食，让他们沐浴，加以宽慰，只把他们的首犯十余人论定罪行，其他人都释放了。崔仁师回朝禀报，唐太宗又派专使前往进行判决。大理寺少卿孙伏伽对崔仁师说：“足下平反的人很多，从人之常情说，谁不贪生，只怕这些首犯看见同伙得以免罪，不肯甘心，为此我深为足下担忧。”崔仁师说：“凡判定案子应当以公正宽恕为根本准则，怎么可以自己谋求免除罪责，明知他们的冤枉而不为他们申诉呢！万一自己糊涂错误，误放了人，以我自己一人的生命换取十个囚犯的死罪，也是我愿意的。”孙伏伽惭愧地退了下去。等到唐太宗派的专使到了青州，重新审讯各个犯人，他们都说：“崔公公平宽恕，案子没有冤枉和滥捕的，请求从速让我们去死。”没有一个人持有异议。

上好骑射，孙伏伽谏，以为“天子居则九门[482]，行则警跸[483]，非欲苟自尊严，乃为社稷生民之计也。陛下好自走马射的[484]，以娱悦近臣。此乃少年为诸王时所为，非今日天子事业[485]也。既非所以安养圣躬[486]，又非所以仪刑[487]后世，臣窃为[488]陛下不取[489]”。上悦。未几，以伏伽为谏议大夫。

隋世选人，十一月集[490]，至春而罢，人患其期促。至是，吏部侍郎观城[491]刘林甫[492]奏四时听选[493]，随阙注拟[494]，人以为便[495]。

唐初，士大夫以乱离之后，不乐仕进[496]，官员不充[497]。省符[498]下诸州差人赴选[499]，州府[500]及诏使[501]多以赤牒[502]补官。至是尽省[503]之，勒赴省选[504]，集者七千余人，林甫随才铨叙[505]，各得其所，时人称之。诏以关中米贵，始分人于洛州选[506]。

上谓房玄龄曰：“官在得人，不在员多。”命玄龄并省[507]，留文武总六百四十三员[508]。

隋秘书监晋陵[509]刘子翼有学行[510]，性刚直，朋友有过，常面责[511]之。李百药常称：“刘四[512]虽复[513]骂人，人终不恨。”是岁，有诏征之。辞以母老，不至。

鄃[514]令裴仁轨私役门夫[515]，上怒，欲斩之。殿中侍御史长安李乾祐[516]谏曰：“法者，陛下所与天下共也，非陛下所独有也。今仁轨坐轻罪而抵极刑[517]，臣恐人无所措手足。”上悦，免仁轨死，以乾祐为侍御史。

上尝语及关中、山东人，意有同异[518]。殿中侍御史义丰[519]张行成[520]跪奏曰：“天子以四海[521]为家，不当有东西之异，恐示人以隘[522]。”上善其言，厚赐之。自是每有大政，常使预议[523]。

【段旨】

以上为第九段，写唐太宗宽容犯颜谏诤的直臣，往往破格提升他们。

唐太宗喜好骑马射箭，孙伏伽劝谏，认为“天子居住的地方就要有九层宫门，出行的时候就要警戒清除道路，这不是想妄自尊大，而是为国家和百姓考虑的。陛下喜好亲自骑马射箭，以此来娱乐近臣。这是年少当亲王时的做法，不是今日当了天子还应当做的事，这既不是用来安静地养护皇上圣体的好办法，又不是用来为后代立下典范的好榜样，臣私下里认为陛下不应这样做”。唐太宗听了很高兴。不久，任命孙伏伽为谏议大夫。

隋朝铨选人才，每年十一月候选者集中到京城，到次年春天才结束，人们担心时间短促。到这时，吏部侍郎观城人刘林甫上奏请求一年四季允许铨选，随时出现空缺就随时选拔补充，人们都以为这样做才方便。

唐朝初年，经过动乱之后，士大夫都不愿意做官，政府官员人数不足。尚书省下文到各州派人应选，州郡及奉诏特使多用红色文书直接补充委任官吏。到这时全都废除，命令各地候补士人都来尚书省考选，聚集了七千余人，刘林甫根据人们的才能加以铨选录用，人才都能各得其所，当时的人称赞这种做法。唐太宗下诏认为关中地区的米贵，因此开始分出一部分应选者在洛州集中听候朝廷的选拔任命。

唐太宗对房玄龄说：“官吏在于得到合适的人选，不在于人数多。”命令房玄龄合并裁减官府的部门，留下文武官员总共六百四十三人。

隋朝的秘书监晋陵人刘子翼有学问和品行，性格刚烈正直，朋友有了过失，他常常当面批评。李百药常常称赞说：“刘四虽然常骂人，人们最终却不恨他。”这一年，有诏令征召刘子翼来京做官。他以母亲年迈为由推辞，不来京城。

鄃县县令裴仁轨私自役使门下的役夫，唐太宗大怒，想要处斩裴仁轨。殿中侍御史长安人李乾祐劝谏说：“法律这个东西，是陛下与天下百姓共有的，不是陛下所独有的。现在裴仁轨犯了轻罪而处以死刑，臣担心人们手足无措。”唐太宗听了很高兴，免除裴仁轨的死罪，任命李乾祐为侍御史。

唐太宗曾说到关中人、山东人，心里厚关中人而薄山东人。殿中侍御史义丰人张行成跪在地下向皇帝上奏说：“天子以天下为家，不应当有东西的差别，恐怕会向人们表现出皇帝的狭隘。”唐太宗认为他的话说得好，赐给他丰厚的赏品。从此每当朝廷有大事，都让他参与谋议。

【注释】

㊿464殿中侍御史：官名，唐代御史台分为台院、殿院、察院三部。殿中侍御史为殿院的长官。465崔仁师：安喜（今河北定州）人，武德初擢制举，累迁右武卫录事参军。贞观中为度支郎中，历中书侍郎、参知政事。传见《旧唐书》卷七十四、《新唐书》卷九十

九。⑯覆按：再审讯。⑰杻械：刑械。⑱汤沐：以热水供其沐浴。⑲坐：指定罪。⑳魁首：首恶者。㉑敕使：凡奉敕出使者，皆谓之敕使。㉒往决之：前往斩决罪犯。㉓平反：把判错的案件或做错的结论改正过来。此处指有罪而判为无罪。㉔徒侣：同伙人；共犯。㉕治狱：审理刑案。㉖平恕：公平仁恕。㉗规：图。㉘暗短：糊涂错误。㉙误有所纵：错放人犯。㉚枉滥：冤枉。㉛无一人异辞者：没有一个人持有异议。㉜天子居则九门：九门亦曰九重，指帝王所居之处。古人认为，天有九重。故天子所居，也称九重或九门。㉝行则警跸：行则出警入跸。警跸，即戒严。跸，帝王出行时开路清道，禁止他人通行。㉞走马射的：跑马射箭。的，箭靶的中心，一说箭靶。㉟天子事业：天子所应为之事。㊱圣躬：皇上的身体。㊲仪刑：模范。仪，准则、法度。刑，法式、典范。㊳为：认为。㊴不取：不该如此。㊵十一月集：十一月集于京师。㊶观城：县名，县治在今河南清丰南。㊷刘林甫（？至公元六二九年）：观城人，武德时为内史舍人，历中书侍郎、吏部侍郎。事迹见《旧唐书》卷八十一、《新唐书》卷一百六《刘祥道传》。㊸四时听选：一年四季允许铨选。㊹随阙注拟：随时有空缺，吏部即可补选拟定的名单。㊺人以为便：人们都感到方便。㊻不乐仕进：不喜欢做官。㊼不充：不

【原文】

初，突厥既强，敕勒[524]诸部分散，有薛延陀[525]、回纥、都播、骨利干、多滥葛、同罗、仆固、拔野古、思结、浑、斛薛、奚结[11]、阿跌、契苾[526]、白霫等十五部，皆居碛北[527]，风俗大抵与突厥同，薛延陀于诸部为最强。

西突厥曷萨那可汗方强，敕勒诸部皆臣之。曷萨那征税无度[528]，诸部皆怨。曷萨那诛其渠帅[529]百余人，敕勒相帅叛之，共推契苾哥楞为易勿真莫贺可汗，居贪于山[530]北。又以薛延陀乙失钵为也咥小可汗，居燕末山北。及射匮可汗兵复振，薛延陀、契苾二部并去可汗之号以臣之。

回纥[531]等六部在郁督军山[532]者，东属始毕可汗。统叶护可汗势衰，乙失钵之孙夷男帅其[12]部落七万余家附于颉利可汗。颉利政乱，薛延陀与回纥、拔野古等相帅叛之。颉利遣其兄子欲谷设将十万骑讨之，

足。⑱ 省符：尚书省之符令。⑲ 差人赴选：派人应选。⑳ 州府：州郡。㉑ 诏使：敕使。㉒ 赤牒：红色的文书，用以选补官吏。㉓ 尽省：完全停止。㉔ 勒赴省选：命令赴尚书省考选。㉕ 铨叙：铨选录用。㉖ 分人于洛州选：分一部分应选者于洛阳铨叙。洛州，州名，治所在今河南洛阳东北。㉗ 并省：合并裁减。㉘ 留文武总六百四十三员：从赴选的七千多人中，挑选保留了文武共六百四十三人。留，挑选保留。㉙ 晋陵：县名，县治在今江苏常州。㉚ 学行：学识品行。㉛ 面责：当面批评。㉜ 刘四：刘子翼排行第四，唐代流行以排行相呼，故称之刘四。㉝ 虽复：虽然常。㉞ 鄃：县名，县治在今山东夏津。㉟ 私役门夫：私自役使门下的役夫，即以官家役夫做私事。㊱ 李乾祐：长安人，贞观初为殿中侍御史。传见《旧唐书》卷八十七、《新唐书》卷一百十七。㊲ 极刑：死刑。㊳ 意有同异：心意厚关中人而薄山东人。盖李唐的近祖起自关陇集团，奉行关中本位政策。故谈及关中、山东人时，不免厚关中而薄山东。㊴ 义丰：县名，县治在今河北安国。㊵ 张行成（公元五八七至六五三年）：字德立，义丰人，太宗时拜给事中，累官太子少傅。传见《旧唐书》卷七十八、《新唐书》卷一百四。㊶ 四海：天下。㊷ 示人以隘：向人们表现出心胸狭隘。㊸ 预议：参与商议。

【语译】

起初，突厥已经强大，敕勒人的各个部落分散，共有薛延陀、回纥、都播、骨利干、多滥葛、同罗、仆固、拔野古、思结、浑、斛薛、奚结、阿跌、契苾、白霫等十五个部落，都居住在漠北地区，风俗大致与突厥相同，薛延陀在各个部落中实力最强。

西突厥的曷萨那可汗正处于强大时期，敕勒的各个部落都向他称臣。曷萨那征收赋税没有限度，敕勒各个部落都有怨言。曷萨那诛杀各部落的首领一百多人，敕勒各个部落相继叛离西突厥，一起推举契苾部的哥楞为易勿真莫贺可汗，居住在贪于山之北。又推举薛延陀部的乙失钵为也咥小可汗，居住在燕末山之北。等到西突厥射匮可汗的兵势重新强盛，薛延陀、契苾两个部落就都去掉可汗的称号向西突厥称臣。

回纥等六个部落聚居在郁督军山，向东隶属于突厥始毕可汗。西突厥统叶护可汗的势力衰微后，乙失钵的孙子夷男率领他部落的七万多户依附突厥的颉利可汗。颉利政局混乱，薛延陀与回纥、拔野古等部落相继反叛。颉利可汗派他哥哥的儿子欲谷设统领十万骑兵讨伐薛延陀等部落，回纥酋长菩萨率五千骑兵在马鬣山与欲谷

回纥酋长菩萨将五千骑与战于马鬣山，大破之。欲谷设走，菩萨追至天山，部众多为所虏，回纥由是大振。薛延陀又破其四设[533]，颉利不能制。

颉利益衰，国人离散。会大雪，平地数尺，羊马多死，民大饥。颉利恐唐乘其弊，引兵入朔州境上，扬言会猎[534]，实设备焉[535]。鸿胪卿郑元璹[536]使突厥还，言于上曰："戎狄兴衰，专以羊马为候[537]。今突厥民饥畜瘦，此将亡之兆也，不过三年。"上然之。群臣多劝上乘间击突厥，上曰："新与人盟[538]而背之，不信[539]；利人之灾[540]，不仁；乘人之危以取胜，不武[541]。纵使其种落尽叛，六畜无余，朕终不击。必待有罪，然后讨之。"

西突厥统叶护可汗遣真珠统俟斤与高平王道立[542]来，献万钉宝钿金带[543]、马五千匹，以迎公主。颉利不欲中国与之和亲，数遣兵入寇。又遣人谓统叶护曰："汝迎唐公主，要须[544]经我国中过。"统叶护患之，未成昏。

【段旨】

以上为第十段，写突厥衰落。

【注释】

[524]敕勒：种族名，又称铁勒。其先为匈奴苗裔，居西海（即今青海）以东。[525]薛延陀：隋唐时北方少数民族名，铁勒诸部之一。由薛部与延陀部合并而成。初属于突厥。[526]契苾：隋唐时西北少数民族名，铁勒诸部之一。隋大业以来，其首领前来服属。[527]碛北：沙漠以北。[528]征税无度：征收赋税没有限度。[529]渠帅：首领。[530]贪于山：《新唐书》作贪汗山。即今汗山，在蒙古境内。[531]回纥：中国古代民族名，北魏时，东部铁勒的袁纥部落游牧于鄂尔浑河和色楞格河流域。隋称韦纥。大业元年（公元六〇五年），因反抗突厥的压迫，与仆固、同罗等成立联盟，总称回纥。后与唐关系密切。[532]郁督军山：山名，在大漠以外。[533]四设：指四部典兵者。突厥称典兵者为设。[534]会猎：会合打猎。[535]实设备焉：事实上在预设防备。[536]郑元璹（？至公元六四六年）：字德

设的骑兵交战，大败欲谷设。欲谷设逃跑，菩萨追到天山，欲谷设的部众很多被菩萨俘虏，回纥由此大为强盛。薛延陀又击败突厥的四部典兵大将，颉利可汗再也无法控制这些敕勒的部落。

颉利可汗日益衰败，国内民众离散。适逢天下大雪，平地雪深数尺，羊马多死，民众大饥。颉利可汗怕唐朝利用突厥的衰败出兵，带领兵马进入朔州的边境线上，扬言要进行聚会围猎，实际上是预设防备。鸿胪寺卿郑元璹出使突厥回朝，对唐太宗说："戎狄的兴衰，只以羊马牲畜的多寡为其征候。现在突厥的百姓饥饿而牲畜瘦弱，这是他们将要灭亡的先兆，不会超过三年。"唐太宗认为他说得对。众大臣都劝唐太宗乘机攻击突厥，唐太宗说："刚刚与人家结盟就违背约定，这是不守信用；利用人家的灾祸而取利，这是不仁德；乘人之危来取胜，这是不武勇。即使突厥的各个部落全都叛变，各种牲畜没有剩余，朕最终不会攻击他们。一定要等到他们有了罪过，然后讨伐他们。"

西突厥统叶护可汗派遣真珠统俟斤与高平王李道立来到长安，献上万钉宝钿和金带、五千匹马，来迎娶唐朝的公主。颉利可汗不愿意唐朝廷与统叶护和亲，几次派兵入侵。又派人对统叶护说："你迎娶唐朝公主，必须从我们的领土上经过。"统叶护很担忧，没有成婚。

芳，隋大业末为文城郡守，城破归唐，授太常卿，后拜鸿胪卿。传见《旧唐书》卷六十二、《新唐书》卷一百。㊲以羊马为候：以羊马的多少作为征候。㊳与人盟：与他人结盟。㊴不信：不守信用。㊵利人之灾：乘人灾祸而取利。㊶不武：不算勇敢。㊷高平王道立：即唐宗室李道立。高祖之侄永安王李孝基无子，以其侄道立为继嗣，封高平郡王。武德九年（公元六二六年）降为县公。高宗初年，卒于陈州刺史任。道立于武德八年出使西突厥。传见《旧唐书》卷六十、《新唐书》卷七十八。㊸万钉宝钿金带：万钉宝钿是马鞍上饰以多点的宝钿，金带则是以金所制的勒带。所献五千匹马，每匹马都具有此饰。㊹要须：必须。

【校记】

［11］奚结：原无"奚"字。据章钰校，乙十一行本有"奚"字，张敦仁《通鉴刊本识误》同，今据补。［12］其：原无此字。据章钰校，十二行本、乙十一行本皆有此字，今据补。

【原文】

二年（戊子，公元六二八年）

春，正月辛亥[545]，右仆射长孙无忌罢。时有密表[546]称[547]无忌权宠[548]过盛者，上以表示之[549]，曰："朕于卿洞然无疑[550]，若各怀所闻而不言，则君臣之意有不通。"又召百官谓之曰："朕诸子皆幼，视无忌如子，非他人所能间[551]也。"无忌自惧满盈[552]，固求逊位[553]，皇后[554]又力为之请。上乃许之，以为开府仪同三司。

置六司侍郎[555]，副六尚书[556]，并置左右司郎中[557]各一人。

癸丑[558]，吐谷浑寇岷州[559]，都督李道彦[560]击走之。

丁巳[561]，徙汉王恪[562]为蜀王，卫王泰[563]为越王，楚王祐[564]为燕王。

上问魏徵曰："人主[565]何为而明[566]？何为而暗？"对曰："兼听[567]则明，偏信则暗。昔尧[568]清问[569]下民，故有苗[570]之恶得以上闻。舜[571]明四目，达四聪[572]，故共、鲧、驩兜[573]不能蔽[574]也。秦二世[575]偏信赵高[576]，以成望夷之祸[577]；梁武帝[578]偏信朱异[579]，以取台城之辱[580]；隋炀帝偏信虞世基，以致彭城阁之变[581]。是故人君兼听广纳，则贵臣不得拥蔽[582]，而下情得以上通也。"上曰："善！"

上谓黄门侍郎王珪曰："开皇十四年[583]大旱，隋文帝不许赈给，而令百姓就食山东[584]。比至[585]末年，天下储积可供五十年。炀帝恃其富饶，侈心无厌[586]，卒[587]亡天下。但使[588]仓廪[13]之积足以备凶年，其余何用哉！"

二月，上谓侍臣曰："人言天子至尊[589]，无所畏惮[590]。朕则不然，上畏皇天之监临[591]，下惮群臣之瞻仰[592]，兢兢业业[593]，犹恐不合天意，未副[594]人望。"魏徵曰："此诚致治之要[595]，愿陛下慎终如始[596]则善矣！"

【语译】

二年（戊子，公元六二八年）

春，正月初三日辛亥，尚书右仆射长孙无忌罢官。当时有人上密封奏章说长孙无忌的权力和荣宠过大，唐太宗把密封的奏章拿给长孙无忌看，说："朕对你完全了解，一点都不怀疑，如果各自心里怀有想法而不说出来，那么君臣就会不能完全沟通。"又召集百官对他们说："朕的儿子全都年幼，所以把无忌看成如同亲儿子一样，不是其他人所能离间的。"长孙无忌自己害怕富贵至极，一再请求退位，长孙皇后又尽力为他请求。唐太宗于是同意长孙无忌离职，改任为开府仪同三司。

唐设置六司侍郎，作为六司尚书的副职，同时都设置左右司郎中各一人。

正月初五日癸丑，吐谷浑入侵岷州，都督李道彦击退了吐谷浑。

初九日丁巳，把汉王李恪改封为蜀王，卫王李泰改封为越王，楚王李祐改封为燕王。

唐太宗问魏徵："君主如何才能做到明察？如何会昏庸愚昧？"魏徵回答说："同时听取各方面的意见，就会明察，偏听偏信，就会昏庸愚昧。从前尧帝虚心地询问下层的民众，所以有苗的恶行能够从下面传到尧帝的耳朵里。舜帝能让自己的眼睛明察四方，能让自己的耳朵清楚地听到四方的消息，所以共工、鲧、驩兜不能隐匿罪行。秦二世对赵高偏听偏信，以致造成瞭望夷宫的灾祸；梁武帝对朱异偏听偏信，结果招致了台城的耻辱；隋炀帝对虞世基偏听偏信，以致发生彭城阁之变。所以君主能兼听和广泛采纳各方面的意见，那么地位很高的大臣就无法阻塞人们向君主上言的通路，下层的情况也就能够通达到君主面前。"唐太宗说："说得好！"

唐太宗对黄门侍郎王珪说："隋朝开皇十四年发生大旱灾，隋文帝不同意开仓赈济，而让百姓到关东地区找东西吃。等到文帝末年，天下储备的粮食可供五十年食用。隋炀帝仗恃着如此富足的粮食，奢侈的欲望没有满足，终于使得国家灭亡。只要使仓库中的粮食足以应付灾年就可以了，其余的又有什么用处啊！"

二月，唐太宗对侍从的大臣说："人们都说天子最为尊贵，无所畏惧。朕则不是这样认为，朕上怕皇天的监视和照临，下怕群臣的瞻仰注视，兢兢业业，还怕不符合上天的旨意，不符合百姓的期望。"魏徵说："这的确是达到天下大治的关键，希望陛下谨慎地坚持到最后，如同开始时一样，那样就很好了！"

【段旨】

以上为第十一段，写唐太宗自律，敬畏天谴与谏言，故能兼听，深识为政之道。

【注释】

⑤④⑤辛亥：正月初三。⑤④⑥密表：秘密上表。⑤④⑦称：言；声称。⑤④⑧权宠：权位和荣宠。⑤④⑨以表示之：皇上将密表给无忌看。⑤⑤⓪洞然无疑：很了解，无疑心。⑤⑤①间：离间。⑤⑤②满盈：富贵至极。⑤⑤③逊位：让位；让贤。⑤⑤④皇后：指文德皇后。⑤⑤⑤六司侍郎：侍郎，官名，隋唐中书、门下及尚书省所属各部都以侍郎为长官副职。按《旧唐书·职官志一》，吏部侍郎正四品上，余皆正四品下。⑤⑤⑥副六尚书：为六尚书之佐贰。⑤⑤⑦左右司郎中：官名，隋唐尚书省所属左司和右司的长官，分掌尚书省六部的事务。唐制，尚书省仆射之下设左、右丞。左丞领吏、户、礼三部十二司，右丞领兵、刑、工三部十二司。左右司郎中，各掌副左右丞所管诸司事。⑤⑤⑧癸丑：正月初五。⑤⑤⑨岷州：州名，治所在今甘肃岷县。⑤⑥⓪李道彦：唐宗室，高祖从弟神通之子。贞观初为岷州都督。从李靖击吐谷浑，因大败，被戍边。传见《旧唐书》卷六十、《新唐书》卷七十八。⑤⑥①丁巳：正月初九。⑤⑥②汉王恪：太宗第三子。⑤⑥③卫王泰：太宗第四子。⑤⑥④楚王祐：太宗第五子。⑤⑥⑤人主：人君；天子。⑤⑥⑥明：明察。⑤⑥⑦兼听：同时听取多人的意见。⑤⑥⑧尧：传说中父系氏族社会后期部落联盟首领。⑤⑥⑨清问：虚心询问。⑤⑦⓪有苗：即三苗，古族名。⑤⑦①舜：传说中父系氏族社会后期部落联盟领袖。⑤⑦②明四目二句：即兼视兼听之意。⑤⑦③共、鲧、驩兜：共工、鲧、驩兜为古史传说中的三个人物，后与三苗并称为“四罪”，被舜流放于幽州。⑤⑦④不能蔽：不能隐蔽罪行。⑤⑦⑤秦二世（公元前二三〇至前二〇七年）：即胡亥，秦朝第二代皇帝。事迹见《史记》卷六《秦始皇本纪》。⑤⑦⑥赵高（？至公元前二〇七年）：

【原文】

上谓房玄龄等曰：“为政莫若至公⑤⑨⑦。昔诸葛亮窜廖立、李严于南夷，亮卒而立、严皆悲泣，有死者⑤⑨⑧，非至公能如是乎！又高颎⑤⑨⑨为隋相，公平识治体⑥⓪⓪，隋之兴亡，系颎之存没⑥⓪①。朕既慕前世之明君，卿等不可不法⑥⓪②前世之贤相也。”

三月戊寅朔[14]，日有食之。

壬子⑥⓪③，大理少卿胡演进每月囚账⑥⓪④。上命自今大辟⑥⓪⑤皆令中书、门下四品已上及尚书议之⑥⓪⑥，庶无冤滥。既而引囚⑥⓪⑦至岐州⑥⓪⑧刺史郑善果，上谓胡演曰：“善果虽复有罪，官品不卑⑥⓪⑨，岂可使与诸囚为伍⑥①⓪。

秦宦官，原系赵国贵族。进入秦宫二十余年，任中车府令，兼行符玺令事。事迹见《史记》卷六《秦始皇本纪》。⑰望夷之祸：望夷，即秦代望夷宫，故址在今陕西泾阳东南。赵高杀秦二世于此宫，故谓望夷之祸。⑱梁武帝：即南朝梁的建立者萧衍（公元四六四至五四九年），事见《梁书》卷一。⑲朱异（公元四八三至五四九年）：字彦和，梁武帝时朱异居权要三十余年，历官自员外常侍至侍中。传见《梁书》卷三十八。⑳台城之辱：南朝梁武帝末年，权臣朱异奸佞骄贪，为人所恨。降将侯景以诛朱异为名，发动叛乱。乱军攻破建康（今南京）。太清三年（公元五四九年）攻下台城（宫城），梁武帝愤恨而死。㉑彭城阁之变：指隋大业十四年（公元六一八年）三月，炀帝在江都（今江苏扬州）被宇文化及所杀之事。事前曾有人向权臣虞世基通报化及反状。炀帝疑告反者不实，而不予防备。彭城阁盖为炀帝被杀之处所。㉒拥蔽：即“壅蔽”，阻塞。㉓开皇十四年：公元五九四年。㉔就食山东：到山东谋食。㉕比至：等到。㉖侈心无厌：奢侈之心没有满足。㉗卒：终于。㉘但使：只要使。㉙至尊：最尊贵。㉚畏惮：惧怕。㉛监临：莅临监视。㉜瞻仰：仰首瞻视。㉝兢兢业业：谨慎小心。㉞未副：不称；不符。㉟此诚致治之要：这的确是达到天下大治的关键。㊱慎终如始：谨慎地坚持到最后，如同开始时一样。

【校记】

［13］廪：据章钰校，十二行本、乙十一行本皆作“庾”。

【语译】

唐太宗对房玄龄等人说：“治理国家，什么都不如大公无私重要。以前诸葛亮流放廖立、李严到南夷之地，诸葛亮死了，廖立和李严都悲痛哭泣，有人甚至哀伤而死，不是大公无私能像这样吗！还有高颎为隋朝的丞相，公正平实，了解治国的根本准则，隋朝的兴亡，与高颎的在世与去世相关联。朕既然仰慕前代的开明君主，你们不可不效法前代的贤明宰相。”

三月戊寅朔，发生日食。

三月初五日壬子，大理寺少卿胡演进呈每月囚禁罪犯的名簿。唐太宗命令从今往后的大辟死罪都要让中书省、门下省四品以上官员及尚书省一起讨论，希望尽量不出现冤枉和滥杀。不久带领囚犯来见，看到其中有原岐州刺史郑善果，唐太宗对胡演说：“郑善果虽然有罪，他官职的等级不低，怎能让他与其他囚犯在一起。从现在起，三自今三品已上犯罪，不须引过[611]，听于朝堂俟进止[612]。"

关内旱饥，民多卖子[613]以接衣食[614]。己巳[615]，诏出御府金帛为赎之，归其父母。庚午[616]，诏以去岁霖雨，今兹[617]旱蝗，赦天下。诏书略曰："若使年谷丰稔[618]，天下乂安[619]，移灾朕身，以存万国[620]，是所愿也，甘心无吝[621]。"会所在有雨，民大悦。

夏，四月己卯[622]，诏以"隋末乱离，因之饥馑[623]，暴骸满野，伤人心目，宜令所在官司收瘗[624]"。

【段旨】

以上为第十二段，写唐太宗倡导臣下执法至公，执行死囚要大臣复议；因旱灾、蝗灾而赦天下，关心民生。

【注释】

⑤⑨⑦为政莫若至公：为政没有比公正更重要的。⑤⑨⑧有死者：有因悲伤致死的。⑤⑨⑨高颎（？至公元六〇七年）：一名敏，字昭玄，渤海蓨县（今河北景县）人，隋文帝时，任尚书左仆射，执掌朝政。传见《隋书》卷四十一。⑥⓪⓪公平识治体：公正平实，了解治国的根本原则。⑥⓪①系颎之存没：与高颎的存亡相关联。⑥⓪②不可不法：不可不效法。⑥⓪③壬子：三月初五。⑥⓪④囚账：登载囚徒姓名的账簿。⑥⓪⑤大辟：死刑。⑥⓪⑥议之：合议；讨论。⑥⓪⑦既而引囚：不久牵引囚徒。⑥⓪⑧岐州：州名，治所在今陕西宝鸡市凤翔区。⑥⓪⑨官品不卑：官

【原文】

初，突厥突利可汗建牙[625]直[626]幽州之北，主东偏[627]，奚、霫[628]等数十部多叛突厥来降，颉利可汗以其失众责之。及薛延陀、回纥等败欲谷设[629]，颉利遣突利讨之，突利兵又败，轻骑奔还。颉利怒，拘之十余日而挞之。突利由是怨，阴欲叛颉利。颉利数征兵于突利，突利不与，

品以上的官员犯罪，不需带领过来，只让他们在承天门前的东西朝堂听候处理。”

关内地区发生旱灾和饥荒，很多百姓卖儿卖女，用以接济衣食。三月二十二日己巳，唐太宗下诏命令拿出皇宫府库中的金银丝帛为百姓赎回子女，归还父母。二十三日庚午，下诏说去年雨水连绵不止，今年又有旱灾、蝗灾，因此大赦天下。诏书中大略说：“假如能让年岁丰收谷物富足，天下平安，即使让灾害转移到朕的身上，以此来保全天下，这是朕的愿望，心甘情愿毫不吝惜。”正好这时发生旱灾的地区下了雨，百姓大为高兴。

夏，四月初三日己卯，下诏说“隋朝末年发生战乱，人民流离，加上发生饥荒，满野是暴露的尸骨，使人心伤，应该命令各地官府收集掩埋尸骨”。

的品秩不低。⑩为伍：在一起。⑪不须引过：不需牵引过来。⑫听于朝堂候进止：可以使其在朝堂听候处分。朝堂，长安太极宫与大明宫均置有东西朝堂。朝堂既是文武百官举行大朝会的地方，亦是受讼理冤狱之处。⑬卖子：卖儿卖女。古代女子也称子。⑭以接衣食：用以接济衣食。⑮己巳：三月二十二日。⑯庚午：三月二十三日。⑰今兹：今年。⑱稔：庄稼成熟。⑲乂安：太平无事。乂，治理、安定。⑳万国：全国。㉑吝：吝惜。㉒己卯：四月初三。㉓因之饥馑：加上饥馑。㉔收瘗：收尸埋葬。瘗，掩埋、埋藏。

【校记】

［14］戊寅朔：贞观二年三月戊申朔，两《唐书·太宗纪》均作“戊申”，严衍《通鉴补》改作“戊申”，当据校正。戊申，三月初一。

【语译】

起初，突厥突利可汗建立牙帐，处在幽州正北方，主持突厥的东部事务，奚、霫等数十个部落大多反叛突厥前来降唐，颉利可汗认为突利可汗丧失了这些部落而责备他。等到薛延陀、回纥等打败欲谷设，颉利派遣突利前去讨伐薛延陀等，突利的军队又战败，轻骑逃回。颉利很生气，把突利拘禁了十几天并用鞭子抽他。突利从此怨恨颉利，暗中想背叛颉利。颉利几次向突利征兵，突利都不给，并向唐朝上

表请[630]入朝。上谓侍臣曰："向者[631]突厥之强，控弦[632]百万，凭陵中夏[633]，用是骄恣[634]，以失其民。今自请入朝，非困穷，肯如是乎[635]！朕闻之，且喜且惧。何则？突厥衰则边境安矣，故喜。然朕或失道[636]，他日亦将如突厥，能无惧乎！卿曹[637]宜不惜苦谏，以辅朕之不逮[638]也。"

颉利发兵攻突利，丁亥[639]，突利遣使来求救。上谋于大臣曰："朕与突利为兄弟[640]，有急不可不救。然颉利亦与之有盟[641]，奈何？"兵部尚书杜如晦曰："戎狄无信，终当负约[642]。今不因[643]其乱而取之，后悔无及。夫取乱侮亡[644]，古之道也。"

丙申[645]，契丹酋长帅其部落来降。颉利遣使请以梁师都易契丹[646]，上谓使者曰："契丹与突厥异类[647]，今来归附，何故索之！师都中国之人，盗我土地，暴我百姓，突厥受而庇之，我兴兵致讨[648]，辄[649]来救之。彼如鱼游釜中，何患不为我有！借使[650]不得，亦终不以降附之民易之也。"

先是，上知突厥政乱，不能庇梁师都，以书谕之[651]，师都不从。上遣夏州都督长史刘旻、司马[652]刘兰成图之。旻等数遣轻骑践其禾稼，多纵反间[653]，离其君臣，其国渐虚，降者相属[654]。其名将李正宝等谋执师都，事泄，来奔，由是上下益相疑。旻等知可取，上表请兵。上遣右卫大将军柴绍[655]、殿中少监[656]薛万均击之，又遣旻等据朔方[657]东城以逼之。师都引突厥兵至城下，刘兰成偃旗卧鼓不出。师都宵遁[658]，兰成追击，破之。突厥大发兵救师都，柴绍等未至朔方数十里，与突厥遇，奋击，大破之，遂围朔方。突厥不敢救，城中食尽。壬寅[659]，师都从父弟洛仁杀师都，以城降，以其地为夏州。

太常少卿[660]祖孝孙[661]以梁、陈之音多吴、楚[662]，周、齐之音多胡、夷[663]，于是斟酌南北，考以古声，作《唐雅乐》，凡八十四调[664]、三十一曲、十二和[665]。诏协律郎[666]张文收[667]与孝孙同修定。六月乙酉[668]，孝孙等奏新乐。上曰："礼乐者，盖圣人缘情[15]以设教[669]耳。治之隆替[670]，岂由于此？"御史大夫杜淹曰："齐之将亡，作《伴侣曲》[671]，陈之将亡，

书请求进京朝见。唐太宗对陪侍的大臣们说："以前突厥强盛时，有弓箭之士上百万，侵陵中原，因此而骄横放纵，失去百姓的支持。现在自己请求进京朝见，如果不是走投无路，肯这样做吗！朕听到这个消息，又高兴又害怕。为什么呢？突厥衰败，大唐边境就安宁了，所以高兴。然而朕一旦有失君道，日后也将会像突厥一样，能不害怕吗！望你们不惜一切对我进行直言苦谏，以弥补朕的不足。"

颉利可汗发兵攻打突利，四月十一日丁亥，突利派使节前来求援。唐太宗与大臣们谋议说："朕与突利结为兄弟，他有急难不能不救。但是颉利可汗也与我订立盟约，怎么办？"兵部尚书杜如晦说："戎狄没有信用，最终会背叛盟约。现在不乘其发生内乱而攻取他们，以后后悔也来不及了。攻取发生内乱的国家，欺侮衰亡的国家，这是自古以来的道理。"

四月二十日丙申，契丹酋长率领他的部落前来投降唐朝。颉利可汗派使臣请求用梁师都交换契丹，唐太宗对突厥的使臣说："契丹与突厥是不同的种族，现在来归顺，你们有什么理由把他们要回去！梁师都是中原人，侵占了我大唐的土地，残害我大唐的百姓，突厥接受了他并加以庇护，我大唐兴兵讨伐梁师都，你们就出兵救援他。梁氏已经如同鱼游在釜中，我们哪里担心消灭不了他！即使不能抓获他，最终也不会用归降的百姓去交换他。"

此前，唐太宗得知突厥政局混乱，不能庇护梁师都，写信晓谕劝解梁师都归降，但梁师都不肯听从。唐太宗派夏州都督府长史刘旻、司马刘兰成想办法除掉梁师都。刘旻等人多次派遣轻骑兵践踏梁氏占据区的庄稼，多次使用反间计，离间梁师都与他部下的君臣关系，他的势力逐渐虚弱，投降唐朝的人接连不断。梁师都手下的名将李正宝等人密谋抓捕梁师都，事情泄露，前来投奔唐朝，因此梁师都的君臣上下更加互相猜疑。刘旻等知道可以攻取梁师都了，上表请求派兵出击。唐太宗派右卫大将军柴绍、殿中少监薛万均进攻梁师都，又派遣刘旻等人据守朔方东城进逼梁师都。梁师都带领突厥兵来到朔方东城下，刘兰成偃旗息鼓按兵不出。梁师都半夜逃跑，刘兰成追击，大败梁军。突厥调发大批兵力救援梁师都，柴绍等人率兵马还离朔方数十里，与突厥部队相遇，奋力拼杀，大败突厥兵，于是包围朔方城。突厥不敢救援，城中粮尽。四月二十六日壬寅，梁师都叔父的弟弟梁洛仁杀死梁师都，率城投降，唐朝把该地设置为夏州。

太常寺少卿祖孝孙认为南朝梁、陈二代的音乐多带吴、楚音调，而北朝周、齐二代的音乐多带北方胡人、夷人的音调，于是对南方、北方的音乐进行斟酌对比，又考察了古代的音乐，撰写了《唐雅乐》，总共八十四调、三十一曲、十二和。唐太宗诏令协律郎张文收与祖孝孙共同修定唐朝音乐。六月初十日乙酉，祖孝孙等人奏上新乐。唐太宗说："礼乐这个东西，是圣人根据人的情感来进行教化的。国家政治的兴衰隆替，难道是根据礼乐的吗？"御史大夫杜淹说："北齐将要灭亡时，操作了

作《玉树后庭花》[672]，其声哀思，行路[673]闻之皆悲泣，何得言治之隆替不在乐也！”上曰：“不然。夫乐能感人，故乐者[674]闻之则喜，忧者闻之则悲，悲喜在人心，非由乐也。将亡之政[675]，民必愁苦，故闻乐而悲耳。今二曲具存，朕为公奏之[676]，公岂悲乎[677]？”右丞魏徵曰：“古人称‘礼云礼云，玉帛云乎哉！乐云乐云，钟鼓云乎哉[678]！’乐诚[679]在人和，不在声音也。”

【段旨】

以上为第十三段，写因突厥衰落，北方最后一个割据者梁师都被平定。唐完成《唐雅乐》的制定。

【注释】

⑥25 建牙：建立牙帐，为突厥王庭所在。⑥26 直：当；在。⑥27 主东偏：主管东部部落。⑥28 奚、霫：皆为古民族名，隋唐时居潢水（今内蒙古西拉木伦河）以北，以射猎为生。⑥29 欲谷设：颉利可汗之子。⑥30 表请：上表请求。⑥31 向者：从前；旧时。⑥32 控弦：能骑射者。⑥33 凭陵中夏：侵陵中华。⑥34 用是骄恣：因此骄横放纵。⑥35 肯如是乎：岂肯这样吗。⑥36 朕或失道：我一旦有失君道。⑥37 卿曹：卿辈。⑥38 不逮：不及之处。⑥39 丁亥：四月十一日。⑥40 与突利为兄弟：高祖武德七年（公元六二四年）八月，颉利、突利二可汗入寇。李世民大智大勇，利用二可汗间的疑忌心理，与突利结为兄弟。⑥41 颉利亦与之有盟：指武德九年八月，颉利进至渭水便桥，刚即帝位的太宗与之隔水而语，责其负约，随即与颉利盟于便桥之上。⑥42 负约：违背盟约。⑥43 因：乘。⑥44 取乱侮亡：攻取生乱之国，欺侮衰亡之国。⑥45 丙申：四月二十日。⑥46 易契丹：交换契丹酋长及其部落。⑥47 异类：不同种族。⑥48 致讨：征讨。⑥49 辄：就。⑥50 借使：假使；即使。⑥51 以书谕之：用书信晓谕劝解他。⑥52 司马：官名，隋唐州、郡、府佐吏有司马一人，位在别驾、长史之下。一般用来安置贬斥之官，多无实权。⑥53 多纵反间：多次使用反间计。⑥54 相属：相继。⑥55 柴绍（？至公元六三八年）：字嗣昌，临汾（今山西临汾）人，高祖之婿。累从征伐，以功封霍国公，拜右骁卫大将军。贞观中出为华州刺史。传见《旧唐书》卷五十八、《新唐书》卷九十。⑥56 殿中少监：官名，殿中省副长官，从四品上。⑥57 朔方：县名，县治在今陕西靖边东北。⑥58 宵遁：趁夜逃跑。⑥59 壬寅：四月二十六日。⑥60 太常少卿：官名，太常寺卿之副

《伴侣曲》，陈朝将要灭亡时，撰作了《玉树后庭花》，这些乐曲的声调都有悲哀的思绪，行路人听到了都悲伤落泪，怎能说政治的兴衰隆替不在于音乐呢！”唐太宗说：“不是这样。音乐能感动人，所以快乐的人听到音乐就喜悦，忧伤的人听到音乐就悲伤，悲伤与喜悦在于人的内心，不是出自音乐。行将灭亡的政治，百姓内心必然感到愁苦，所以听到音乐就会悲伤罢了。现在这两首曲子都还存在，朕为你弹奏出来，你难道会悲伤吗？”右丞魏徵说：“古人说‘礼啊礼啊，难道是说玉帛这些礼品吗！乐啊乐啊，难道是说钟鼓这些乐器的吗！’音乐的作用确实在于人心与音乐的调和，而不在于声音本身。”

手，掌宗庙礼仪，兼掌选试博士。661 祖孝孙：幽州范阳（今北京市）人，隋唐之际乐律学家。隋代任协律郎，参定雅乐。入唐为著作郎、太常少卿等。传见《旧唐书》卷七十九。662 梁、陈之音多吴、楚：梁、陈旧乐多带吴、楚音调。663 周、齐之音多胡、夷：周、齐的旧乐多带有胡、夷音调。664 八十四调：我国宫调理论中，以十二律旋相为宫，构成十二均；每均都可构成七种调式，共得八十四调。665 十二和：《旧唐书·音乐志》载，唐代祖孝孙所定大唐乐，“以十二律各顺其月，旋相为宫……制十二和之乐，合三十一曲，八十四调”。十二和是一种雅乐体制。666 协律郎：掌管音乐的官。《唐六典》卷十四：“协律郎二人，正八品，掌和六律六吕，以辨四时之气，八风五音之节。”667 张文收：唐贞观（公元六二七至六四九年）前后的音乐家，通音律，能作曲。历官协律郎、太子率更令。传见《旧唐书》卷八十五、《新唐书》卷一百十三。668 乙酉：六月十日。669 缘情以设教：根据人的情感以施教化。670 治之隆替：政治的隆盛衰替。671《伴侣曲》：北齐时，阳俊之多作六言歌词，淫荡而颓废，时人称之为《伴侣曲》。672《玉树后庭花》：乐曲名，胡三省注引杜佑云，“《玉树后庭花》《堂堂黄鹂留》《金钗两鬓垂》，并陈后主所造，恒与宫中女学士及朝臣唱和为诗，太乐令何胥采其尤轻艳者为此曲”。673 行路：行路之人。674 乐者：快乐的人。675 将亡之政：行将灭亡的政治。676 奏之：演奏之。677 公岂悲乎：你难道会悲伤吗。678 礼云礼云四句：出自《论语》所载孔子之言。其意为：礼啊礼啊，岂是说玉帛这些礼品吗？乐啊乐啊，岂是说钟鼓这些乐器吗？此谓礼乐均有其文化内涵，礼仪与乐器只是外在的表现。679 诚：实在。

【校记】

［15］情：据章钰校，十二行本、乙十一行本、孔天胤本皆作“物”。

【原文】

臣光曰："臣闻垂[680]能目制[681]方圆，心度[682]曲直，然不能以教人[683]，其所以教人者，必规矩而已矣。圣人不勉而中[684]，不思而得[685]，然不能以授[686]人，其所以授人者，必礼乐而已矣。礼者，圣人之所履也[687]；乐者，圣人之所乐也[688]。圣人履中正而乐和平[689]，又思与四海共之，百世传之，于是乎作礼乐焉。故工人执垂之规矩而施之器，是亦垂之功已[690]；王者执五帝、三王之礼乐而施之世，是亦五帝、三王之治已[691]。五帝、三王，其违世[692]已久，后之人见其礼知其所履，闻其乐知其所乐，炳然[693]若犹存于世焉，此非礼乐之功[694]邪！

"夫礼乐有本、有文[695]。中和者，本也，容声[696]者，末也，二者不可偏废。先王守礼乐之本，未尝须臾去于心[697]，行礼乐之文，未尝须臾远于身[698]。兴于闺门[699]，著[700]于朝廷，被于乡遂比邻[701]，达于诸侯[702]，流于四海[703]，自祭祀军旅至于饮食起居，未尝不在礼乐之中。如此数十百年[704]，然后治化周浃[705]，凤凰来仪[706]也。苟[707]无其本而徒有其末，一日行之而百日舍[708]之，求以移风易俗，诚亦难矣。是以汉武帝[709]置协律[710]，歌天瑞[711]，非不美也，不能免哀痛之诏[712]。王莽[713]建羲和[714]，考律吕[715]，非不精也，不能救渐台之祸[716]。晋武制笛尺[717]，调金石[718]，非不详也，不能弭平阳之灾[719]。梁武帝立四器[720]，调八音[721]，非不察也，不能免台城之辱[722]。然则《韶》《夏》《濩》《武》之音[723]，具存于世，苟其余不足以称之[724]，曾不能化一夫[725]，况四海乎！是犹执垂之规矩而无工与材[726]，坐而待器之成，终不可得也。况齐、陈淫昏[727]之主，亡国之音，暂奏于庭[728]，乌能[729]变一世之哀乐乎！而太宗遽云治之隆替不由于

【语译】

司马光说："臣听说垂用眼睛测量就能制定方和圆，用内心就能够测度曲和直，但是不能把自己的经验教给别人，他用来教给别人的，必定是丈量器物的圆规和曲尺这些工具罢了。圣人不努力就合乎正道，不用思索就能得到事物的道理，但却不能把这个传授给别人，所能传授的，必定是礼乐这些具体的制度和作品罢了。礼这个东西，是圣人所要亲自践行的；乐这个东西，是圣人从中感受到喜悦的。圣人履行中正之道而喜爱和谐平正，又想与天下人共同履行它们，并让它们世世代代传留下去，于是就制作了礼乐。所以工匠手里拿着古代的巧匠垂传授下来的圆规曲尺而用在器物的制作上，这也就是垂的功劳了；君主拿着五帝、三王传留下来的礼乐而实施在国家的治理上，这也就是五帝、三王的治国之道了。五帝、三王，他们离开今世已经很久了，后代的人们看见他们传留下来的礼，就知道他们所履行的准则，听到他们传留下来的乐，就知道他们内心所喜，这些都昭昭然，好像还存在于世上一样，这难道不是礼乐的功效吗！

"说到礼乐，它有内在的本质和外在的文采。中正和谐，这是礼乐的内在本质，仪容和声音，这是礼乐的末节，但二者不可偏废。先代的圣王遵守礼乐的内在本质，不曾一刻让它离开自己的内心，履行礼乐的外在形式，不曾一刻让它离开自己的身体。礼乐从居室之内兴起，在朝廷上彰显出来，广布于乡遂近邻，传播到各方的邦国，流传到四海，从国家的祭祀与战争一直到人们的饮食起居，没有什么事情不在礼乐之中。礼乐能够如此实行达到数十年至上百年，然后政治教化周遍融洽，于是凤凰来仪。如果没有了礼乐的内在本质而只有礼乐的枝叶末节，只在一天实行礼乐而在其后的一百天都不履行礼乐，想用礼乐来改变社会的风俗，实在是很困难。所以汉武帝设置了协律都尉，歌唱上天降临的祥瑞，不是不美，但也不能免除哀悼戾太子的诏书。王莽设置羲和官，考定律吕的声音差异与度数，不是不精确，但也不能挽救渐台的灾祸。晋武帝时制造了笛尺，调整金石等各种乐器的声音，不是不详尽，但也不能消除平阳的灾难。梁武帝时设立了四通的乐器，调理八音，不是不准确，但也不能免除台城的耻辱。这样看来，舜、禹、商汤、周武王时的《韶》《夏》《濩》《武》四种乐曲的声音，即使都保存于当世，如果帝王的德行不足以与这些乐曲相称，竟不能感化一个普通人，何况感动普天之下呢！这好比拿着巧匠垂留下来的圆规曲尺却没有工匠和材料，坐等器具的制成，最终也是得不到的。况且南朝时齐、陈二代的荒淫昏庸的君主，让那些亡国之音，一时之间在宫廷进行演奏，这样做又怎能改变一个时代的哀乐之心呢！唐太宗匆忙地说政治的兴衰隆替不由音

乐⑬，何发言之易⑬而果于⑬非圣人⑬也如此！

“夫礼，非威仪之谓也⑭，然无威仪，则礼不可得而行矣。乐，非声音之谓也，然无声音，则乐不可得而见⑮矣。譬诸山⑯，取其一土一石而谓之山则不可，然土石皆去，山于何在哉⑰！故曰：‘无本不立，无文不行⑱。’奈何以齐、陈之音不验⑲于今世而谓乐无益于治乱，何异睹拳石⑳而轻泰山乎！必若所言㉑，则是五帝、三王之作[16]乐皆妄也㉒。‘君子于其所[17]不知，盖阙如也㉓。’惜哉！”

【段旨】

以上为第十四段，写司马光对礼乐的评论，他认为礼乐有助于治政教化的作用，批评唐太宗不重视礼乐的态度。

【注释】

⑱垂：古之巧人，名垂。⑱目制：目定。用眼睛测量就能制定方和圆。⑱心度：用内心测度。⑱不能以教人：不能把自己的经验教给别人。谓目制、心度，不是器具，乃个人的经验，别人无法掌握。⑱不勉而中：不努力就合乎正道。⑱不思而得：不思索便得其理。⑱授：传授。⑱礼者二句：礼，是圣人要亲自践行的行为。⑱乐者二句：乐，是圣人体验欢乐的声音。⑱履中正而乐和平：履行中正之道，而喜爱和谐平正。⑲是亦垂之功已：这也就是垂的功劳了。⑲是亦五帝、三王之治已：这也就是五帝、三王的治国之道了。⑲违世：离开世间。⑲炳然：昭然。⑲功：功效。⑲有本、有文：本，本质、根本。文，文采。⑲容声：仪容、声音。容属礼，声属乐。⑲未尝须臾去于心：不曾片刻离心。⑲未尝须臾远于身：不曾片刻离于身。⑲闺门：居室之内。⑳著：彰显。⑳被于乡遂比邻：广布于乡遂近邻。乡，古代的一种居民组织。一万二千五百户为一乡。遂，先秦时京城郊外的行政区域。⑳诸侯：此处指邦国。⑳四海：全国。⑳数十百年：数十年以至一百年。⑳治化周浃：政治教化周遍融洽。⑳凤凰来仪：仪同来，指来归。古以凤凰来仪，作为治化周浃的征验。⑳苟：如果。⑳舍：舍弃。⑳汉武帝（公元前一五六至前八七年）：西汉第五代皇帝。公元前一四一至前八七年在位。景帝之子，十六岁即位，在位五十四年间，在政治、经济、文化诸方面采取一系列措施，将西汉推至全盛时期。事见《汉书》卷六。⑳协律：指协律都尉，掌管音乐之官。⑳歌天瑞：歌

乐来决定，为何这样轻率而武断地非议圣人呢！

“所谓的礼，并不是仅指形式上的威容与仪式，然而没有形式上的威容和仪式的话，礼就无法得以施行。所谓的乐，并不是仅指声音，然而没有声音的话，乐就无法表现出来了。譬如一座山，仅从山上取下其中的一抔土、一块石当然不能说毁了一座山，但是如果把土和石都去掉了，山又在什么地方呢！所以说：‘礼如果没有内在的本质就不能成立，没有外在的文采就不能施行。’怎么能因为齐、陈的乐曲不合于今世就说乐无益于治乱，这与只看见拳头大的石头而把整座泰山不放在眼里有什么不同呢！如果一定像唐太宗所说的那样，那么五帝、三王制作音乐就都是虚妄的了。‘君子对于他所不知道的，应当付之阙如，不去谈它才是。’可惜啊！”

颂天降之祥瑞。⑫ 哀痛之诏：指武帝所下哀悼戾太子的诏书。⑬ 王莽（公元前四五至公元二三年）：新朝建立者。公元八至二三年在位。西汉末，以外戚身份掌握政权。后篡位建立新朝。在位期间，实行改制，社会矛盾激化，爆发了全国性的民众大起义。传见《汉书》卷九十九。⑭ 羲和：王莽所设官名。相当于昔时的太史职务。⑮ 考律吕：考定律吕。律，古代音乐十二律中的阳律。吕，古代音乐十二律中的阴律。《汉书·律历志》：“律十有二，阳六为律，阴六为吕。”⑯ 渐台之祸：新朝地皇四年（公元二三年）九月，更始兵攻入长安，王邑等败死。王莽登渐台，被商人杜吴所杀，新朝灭亡。此事被称作渐台之祸。⑰ 晋武制笛尺：晋武帝使律学家荀勖考定律吕，制定笛尺。在其所制十二笛中，已应用“管口校正”法。⑱ 调金石：调整金石等各种乐器的声音。⑲ 弭平阳之灾：消除西晋末年的永嘉之乱。西晋怀帝永嘉五年（公元三一一年），匈奴首领刘渊子刘聪派兵南下，陷西晋都城洛阳，把晋怀帝俘到平阳（今山西临汾西南）。匈奴军南下时，一路烧杀抢掠，中原百姓纷纷逃亡江南，史称永嘉之乱。⑳ 四器：又叫四通，梁武帝所制调音的乐器。四通为玄英通、青阳通、朱明通、白藏通。㉑ 八音：古称金、石、土、革、丝、木、匏、竹曰八音。㉒ 台城之辱：梁武帝太清三年（公元五四九年），侯景之乱，破建康，掳梁武帝，帝身死台城，史称太清之祸。台城之辱，即指此。台城，梁都建康宫城。㉓《韶》《夏》《濩》《武》之音：舜乐曰《韶》，禹乐曰《夏》，汤乐曰《濩》，周武王乐曰《武》。㉔ 苟其余不足以称之：张注，“余”作“德”。如果帝王的德行不足以与这些乐曲相称。㉕ 曾不能化一夫：竟不能感化一个普通人。㉖ 是犹执垂之规矩而无工与材：这像持着垂留下的圆规曲尺而没有工匠与材料。㉗ 淫昏：荒淫昏庸。㉘ 庭：宫廷。㉙ 乌能：安能。㉚ 遽云治之隆替不由于乐：急着说政治的兴隆衰替不由于乐。遽，仓促、急速。㉛ 何发言之易：为何如此

轻率说话。㉜果于：果断。这里有武断之义。㉝非圣人：非议圣人。㉞礼二句：礼的真义不在威容仪式。㉟不可得而见：不可能表现。㊱譬诸山：譬如一座山。诸，之于。㊲山于何在哉：山又在什么地方呢。意思是山亦不存。㊳无本不立二句：没有内在的本质就不能成立，没有外在文采就不能施行。㊴不验：不灵验，亦即不合。㊵拳石：拳头大的小石。㊶必若所言：一定像太宗所说的。㊷皆妄也：都是妄言。㊸君子于其所不知二句：出自《论语》所载孔子之言。意为君子对于不知之事，则阙而不言。

【原文】

戊子㊹，上谓侍臣曰："朕观《隋炀帝集》，文辞奥博㊺，亦知是尧、舜而非桀、纣㊻，然行事何其反也㊼！"魏徵对曰："人君虽圣哲，犹当虚己以受人㊽，故智者献其谋，勇者竭其力。炀帝恃其俊才，骄矜自用，故口诵尧、舜之言而身为桀、纣之行，曾不自知以至覆亡也。"上曰："前事不远，吾属之师也。"

畿内有蝗㊾。辛卯㊿，上入苑中，见蝗，掇数枚(751)，祝之曰(752)："民以谷为命，而汝食之，宁食(753)吾之肺肠。"举手欲吞之，左右谏曰："恶物或成疾。"上曰："朕为民受灾，何疾之避(754)！"遂吞之。是岁，蝗不为灾。

上曰："朕每临朝，欲发一言，未尝不三思，恐为民害(755)，是以不多言。"给事中知起居事(756)杜正伦(757)曰："臣职在记言，陛下之失言[18]，臣必书之，岂徒(758)有害于今，亦恐贻讥(759)于后。"上悦，赐帛[19]二百段。

上曰："梁武帝君臣惟谈苦空(760)，侯景之乱(761)，百官不能乘马(762)。元帝为周师所围，犹讲《老子》，百官戎服以听(763)。此深足为戒。朕所好者，唯尧、舜、周、孔之道，以为如鸟有翼，如鱼有水，失之则死，不可暂无(764)耳。"

以(765)辰州(766)刺史裴虔通，隋炀帝故人，特蒙宠任，而身为弑逆(767)，虽时移事变，屡更赦令，幸免族夷(768)，不可犹使牧民(769)，乃下诏除名，

【校记】

［16］作：原无此字。据章钰校，十二行本、乙十一行本皆有此字，张敦仁《通鉴刊本识误》同，今据补。［17］所：原无此字。据章钰校，十二行本、乙十一行本皆有此字，今据补。

【语译】

六月十三日戊子，唐太宗对侍从的大臣说："朕阅读《隋炀帝集》，里面文辞深奥广博，也知道肯定尧、舜而批评桀、纣，但是他做事为何又与自己写的文章相反呢！"魏徵回答说："君主虽然是圣哲之人，还应当自己谦虚来接受别人的意见，所以有智慧的人会为君主奉献上他的谋略，勇武的人会为君主竭尽他的勇力。隋炀帝仗恃自己的出众才能，骄傲矜持，自以为是，所以嘴里念诵着尧、舜的言语而身体却做着桀、纣的行为，自己还不明白就走向了灭亡。"唐太宗说："前代的事情不远，就是我们的老师啊。"

京畿地区有蝗虫。六月十六日辛卯，唐太宗进入玄武门北面的禁苑，看见了蝗虫，拾起来了几只，祈祷说："百姓以谷子为生命，而你们却吃谷子，不如让你们吃我的肺肠。"举手想吞掉蝗虫，身边的人劝谏说："恶的东西吃了或许会生病。"唐太宗说："朕为百姓承受灾难，还躲避什么疾病！"于是吞掉蝗虫。这一年，蝗虫没有成为灾害。

唐太宗说："朕每次临朝听政，想说一句话，未尝不再三思考，恐怕给百姓造成伤害，所以不多说话。"给事中知起居事杜正伦说："我的职责在于记录皇帝的言论，陛下的失言，臣一定要记录下来，岂止有害于今，也怕留给后人讥笑。"唐太宗很高兴，赐给他二百段帛。

唐太宗说："梁武帝的君臣只谈佛教的苦与空，侯景叛乱时，百官不能骑马。梁元帝被北周军队包围，还在讲论《老子》，百官穿着戎装听讲。这些都应深以为戒。朕所喜好的，只有尧、舜、周公、孔子之道，认为这就如同鸟有翅膀，如同鱼有水，失去了就会死，不可片刻没有。"

唐太宗认为辰州刺史裴虔通是隋炀帝的旧臣，特别受到炀帝的宠爱和任用，而他亲手杀了炀帝，虽然时间已经过去，世事也多有变化，在唐朝也经过了多次的大赦，裴虔通的整个家族免于被诛杀，但不能还让他治理民众，于是下诏把他从做官

流驩州[770]。虔通常言身除隋室以启大唐[771]，自以为功，颇有觖望之色[772]。及得罪，怨愤而死。

秋，七月，诏宇文化及之党莱州[773]刺史牛方裕、绛州[774]刺史薛世良、广州[775]都督长史唐奉义、隋武牙郎将[776]元礼并除名徙边。

上谓侍臣曰："古语有之：'赦者小人之幸[777]，君子之不幸。''一岁再赦，善人喑哑[778]。'夫养稂莠[779]者害嘉谷，赦有罪者贼[780]良民。故朕即位以来，不欲数赦，恐小人恃之轻犯宪章[781]故也。"

【段旨】

以上为第十五段，写唐太宗以隋炀帝为鉴，每临朝三思而后发言，是非判断，以儒学为宗。

【注释】

⑭戊子：六月十三日。⑮奥博：深奥广博。⑯是尧、舜而非桀、纣：称赞尧、舜而非议桀、纣。⑰何其反也：为何相反。⑱虚己以受人：谦虚自己来接纳别人的意见。⑲畿内有蝗：京畿之内有蝗虫。⑳辛卯：六月十六日。㉑掇数枚：拾取数只。㉒祝之曰：祝祷说。㉓宁食：不如吃。㉔何疾之避：还避什么疾病。㉕恐为民害：恐怕说了有害于人民。㉖知起居事：官名，起居郎，为唐太宗所置隶于门下省的史官。凡皇帝起居法度，典礼文物，迁拜旌赏，诛罚黜免，莫不随事记录，以成起居注。以他官兼起居郎事者，谓之知起居注或知起居事。㉗杜正伦（？至公元六五八年）：相州洹水（今河北大名西南）人，唐初大臣。传见《旧唐书》卷七十、《新唐书》卷一百六。㉘徒：仅仅。㉙贻讥：留下讥笑。贻，遗留。㉚惟谈苦空：只谈佛教的苦与空。㉛侯景之乱：此为南朝梁武帝末年北齐降将侯景发动的叛乱。㉜百官不能乘马：南朝梁时，士大夫好逸恶劳，讲究穿戴，出则乘车，入则扶侍。以致肤脆骨柔，不堪行步，体羸气弱，不耐寒暑。及至侯景之乱，百官不会骑马逃跑，更无法持戈作战了。㉝元帝为周师所围三句：梁元帝承圣三年（公元五五四年）十月，西魏大军南下入寇，元帝召公卿商议。江陵将相多以为必无此事，于是元帝"犹讲《老子》，百官戎服以听"。结果魏军攻破江陵，梁元帝终被擒杀。㉞不可暂无：一刻也不能离开。㉟以：胡三省注认为"以"字上当有"上"字，文意乃明。㊱辰州：州名，治所在今湖南沅陵。㊲身为弑逆：亲自干杀害炀帝的事。㊳族夷：灭族。㊴不可犹使牧民：不可还使他治理民众。㊵驩州：州

士人的名单中除名，流放到驩州。裴虔经常说自己亲手除掉隋朝皇室，以此开启了大唐王朝，自以为有功，颇有怨恨的神色。等到这时获罪流放，便怨愤而死。

秋，七月，下诏把宇文化及的同党莱州刺史牛方裕、绛州刺史薛世良、广州都督府长史唐奉义、隋朝的虎牙郎将元礼一并从官员的名册中除名，迁徙到边疆地区。

唐太宗对侍从的大臣说："古语说：'大赦是小人之幸，君子之不幸。'又说：'一年中两次大赦，善良的人就会变成哑巴而不想再说话。'养着恶草就是危害好的稻谷，宽赦罪犯就是残害善良的百姓。所以朕即位以来，不想多次进行大赦，这是因为担心小人仗恃朝廷的大赦而敢于轻易触犯法令。"

名，治所在今越南义安演州西安城。⑺ 身除隋室以启大唐：亲自除掉隋朝以开启大唐的国运。⑺ 觖望之色：因不满意而怨恨的神色。⑺ 莱州：州名，治所在今山东莱州。⑺ 绛州：州名，治所在今山西新绛。⑺ 广州：州名，治所在今广东广州。⑺ 武牙郎将：即虎牙郎将。唐以避讳，改"虎"曰"武"。⑺ 赦者小人之幸：赦免天下是小人的幸运。⑺ 喑哑：缄默；不说话。⑺ 稂莠：指恶草。稂，古书上指狗尾草。莠，比喻质量坏。⑺ 贼：害。⑺ 宪章：法令。

【校记】

［18］言：原无此字。据章钰校，十二行本、乙十一行本、孔天胤本皆有此字，张敦仁《通鉴刊本识误》同，今据补。［19］帛：据章钰校，十二行本、乙十一行本皆作"绢"。

【研析】

本卷研析唐太宗用人。能不能知人用人，是判断人君贤愚的一个重要标准。唐太宗知人善任，是中国历史上少见的明君。唐太宗对大臣们说："人君必须至公无私，才能服天下人的心。朕和你们每天的衣食，都是民众提供的，所以设立官职，要为民办事。办好事就要用好人，因此选用人才要至公，不应按关系亲疏、资格的新旧来选人任职。如果贤才出在疏人、新人中，庸才出在亲人、旧人中，不可以舍去贤才而录用庸才。原来在秦王府供职的旧官属专凭关系和资格来较量官职，发出怨言，真是不识大体。"唐太宗要封德彝举荐贤才，长久没有回应。封德彝说："臣不是不留心，只是当今没有奇才。"唐太宗驳斥说："用人如用器，各取所长，古时也有太平盛世，难道那时的贤才都是从前朝借来的吗？你自己不识人，不要妄说今世没奇才。"

封德彝十分惭愧。这说明唐太宗相信人才就在今世。唐太宗从上奏《大宝箴》中发现了张蕴古，立即破格录用为大理丞。景州录事参军张玄素有名望，唐太宗召见，问以政事，也立即提升为侍御史。玄武门事变前夕，太史令傅奕上奏天变，说“太白见秦分，秦王当有天下”，差点要了李世民的命。唐太宗即位后召见傅奕说：“你先前的奏折，差点给我带来灾祸，但这是你的职分，不要担心以前的事。”由此可见，唐太宗认为尽职者就是人才。

由于唐太宗知人，又善用人，所以贞观一朝，人才济济。贞观十七年（公元六四三年），唐太宗让画家阎立本画了唐代二十四位开国功臣的图像，陈列在凌烟阁，时时瞻仰，亦为人臣榜样，唐太宗以此说明代有人才，也表明他不拘一格用人才的风采。

卷第一百九十三　唐纪九

起著雍困敦（戊子，公元六二八年）九月，尽重光单阏（辛卯，公元六三一年），凡三年有奇。

【题解】

本卷记事起公元六二八年九月，迄公元六三一年，凡三年又四个月，当贞观二年至五年，是唐太宗执政的初年，贞观之治的启动时期。政治欣欣向荣，君臣励精图治，时常和谐议政，魏徵等众多大臣都能直言进谏，房玄龄、杜如晦两位贤相尽心辅政，军国大政无失策。此时期，唐军大败东突厥，诛杀了隋义成公主，漠北诸部落、西域各国、东西突厥、岭南蛮夷皆归服唐朝，边患消除，内政稳定，刑措不用，全年死囚仅二十九人。数年间，贞观之治，已见成效。

【原文】

太宗文武大圣大广孝皇帝上之中

贞观二年（戊子，公元六二八年）

九月丙午①，初令致仕官位[1]在本品之上②。

上曰："比见群臣屡上表③贺祥瑞④，夫家给人足而无瑞，不害为尧、舜⑤，百姓愁怨⑥而多瑞，不害为桀、纣。后魏之世，吏焚连理木，煮白雉而食之⑦，岂足为至治乎！"丁未⑧，诏："自今大瑞听表闻⑨，自外诸瑞，申所司而已⑩。"尝有白鹊构巢于寝殿槐上，合欢如腰鼓⑪，左右称贺。上曰："我常笑隋炀帝好祥瑞。瑞在得贤，此何足贺！"命毁其巢，纵鹊于野外。

天少雨，中书舍人⑫李百药上言："往年虽出宫人，窃闻太上皇宫及掖庭⑬宫人，无用者尚多，岂惟虚费衣食，且阴气郁积，亦足致

【语译】

太宗文武大圣大广孝皇帝上之中

贞观二年（戊子，公元六二八年）

九月初三日丙午，初次下令年老退休的文武官员在入宫朝见时，官级列于现任同级官员之上。

太宗说："近来多次看见大臣们上表祝贺祥瑞，如果百姓家家富足，就算没有祥瑞，也不影响君主成为尧、舜，如果百姓愁苦怨恨，就算有很多祥瑞，也不影响君主成为桀、纣。后魏的时候，官吏焚烧连理木，煮白雉鸡吃，难道算是至治之世吗！"九月初四日丁未，太宗下诏说："从今以后大的祥瑞听任上表奏闻，此外的各种符瑞，申报到有关部门即可。"曾有白喜鹊在皇宫寝殿的槐树上筑巢搭窝，两巢相接如同腰鼓，左右近臣齐声称贺。太宗说："我常常嘲笑隋炀帝喜欢祥瑞。祥瑞在于得到贤才，这样的事哪里值得祝贺！"下令毁掉鹊巢，把白喜鹊放到野外。

天很少下雨，中书舍人李百药上书说："往年虽然放出一些宫女，我私下听说太上皇的宫内与掖庭的宫女，没有用的还有很多，岂止白白耗费衣物粮食，而且阴气

旱。”上曰：“妇人幽闭⑭深宫，诚为可愍⑮。洒扫之余，亦何所用，宜皆出之，任求伉俪⑯。”于是遣尚书左丞戴胄、给事中洹水⑰杜正伦于掖庭西门简出之，前后所出三千余人。

己未⑱，突厥寇边，朝臣或请修古长城⑲，发民乘堡障⑳。上曰：“突厥灾异相仍㉑，颉利不惧㉒而修德，暴虐滋甚㉓，骨肉相攻，亡在朝夕。朕方为公扫清沙漠㉔，安用劳民远修障塞㉕乎！”

壬申㉖，以前司农卿窦静为夏州都督。静在司农，少卿赵元楷善聚敛，静鄙之，对官属㉗大言曰：“隋炀帝奢侈重敛，司农非公㉘不可。今天子节俭爱民，公何所用哉！”元楷大惭。

上问王珪曰：“近世为国者益不及前古㉙，何也？”对曰：“汉世尚儒术，宰相多用经术士，故风俗淳厚。近世重文轻儒，参以法律㉚，此治化㉛之所以益衰也。”上然之。

冬，十月，御史大夫参预朝政安吉襄公杜淹薨。

【段旨】

以上为第一段，写唐太宗不信祥瑞，释放宫人，不筑边塞，使民休息。

【注释】

①丙午：九月初三。②初令致仕官位在本品之上：首次令内外文武官年老退职者，参朝的班秩应在本品现任官之上。③上表：进呈奏章给皇帝。④祥瑞：吉祥的征兆。⑤家给人足而无瑞二句：人民富足虽无祥瑞，不妨害君主为尧、舜。⑥愁怨：愁苦埋怨。⑦焚连理木二句：连理木、白雉，均为祥瑞之物。言焚言煮，表明当时祥瑞过多。⑧丁未：九月初四。⑨大瑞听表闻：有大瑞准许上表奏闻。大瑞，凡景星、庆云为大瑞，其名物有六十四。⑩自外诸瑞二句：除大瑞外，又有上瑞、中瑞、下瑞。白狼、赤兔为上瑞，其名物有三十八；苍乌、朱雁为中瑞，其名物有三十二；嘉禾、芝草、木连理为下瑞，其名物有十四。所有这些，由员外郎负责申报。⑪合欢如腰鼓：两个鹊巢相连犹如腰鼓。⑫中书舍人：官名，掌制诰（撰拟诏旨），以有文学资望者充任。其名称常有变更，如隋炀帝时称内书舍人，唐武则天时称凤阁舍人，简称舍人。⑬掖庭：后妃宫

郁积，也足以导致干旱。”太宗说：“妇人幽闭深宫，实在令人可怜，除了洒扫庭院之外，还有什么用，应当全部让她们出宫，听任她们寻求配偶。”于是派尚书左丞戴胄、给事中洹水人杜正伦在掖庭西门挑选宫女，让她们出宫，前后放出的宫女有三千多人。

九月十六日己未，突厥侵犯边境，朝臣中有人请求修复古长城，征发百姓登上城堡亭障防守边塞。太宗说：“突厥天灾人祸接连不断，颉利可汗不因此感到畏惧而修行德政，反而更加暴虐，骨肉相残，灭亡就在旦夕之间。朕正要为你们扫清沙漠上的敌人，何必劳苦百姓到远方修筑城堡要塞呢！”

九月二十九日壬申，任命前司农卿窦静为夏州都督。窦静在司农寺时，司农少卿赵元楷善于聚敛钱财，窦静鄙视他，曾当着下属的面大声对赵元楷说：“隋炀帝贪图奢侈，重加聚敛，所以隋朝的司农之职非您不可。现在的天子节俭爱民，您有什么用处呢！”赵元楷听了非常羞愧。

太宗问王珪说：“近世治理国家的君主越来越赶不上古代之人，是什么原因？”王珪回答说：“汉代崇尚儒术，朝廷大多选用通晓儒经的儒士担任宰相，所以风俗淳厚。近世朝廷重视文章，轻视儒术，又以法律作为辅助，这就使国家的治理和教化日益衰微。”太宗认为他说得对。

冬，十月，御史大夫参与朝政安吉襄公杜淹去世。

中。⑭幽闭：幽禁。⑮可愍：可怜。⑯伉俪：夫妻。⑰洹水：县名，县治在今河北魏县西南旧魏县。⑱己未：九月十六日。⑲古长城：春秋战国时，各国互相防御，各于险要地段修筑长城。秦统一全国后，将秦、赵、燕三国北边的长城，连贯为一体。西起临洮（今甘肃岷县），北傍阴山，东至辽东，俗称“万里长城”。自汉至隋，各代皆曾于北边与游牧民族交接地带修筑长城。⑳发民乘堡障：征发民众登上堡障防守。堡，小城。障，亭障。㉑灾异相仍：灾害接连不断。㉒不惧：指突厥不畏惧唐朝，不服德化而犯边。㉓滋甚：愈甚。㉔扫清沙漠：指扫除突厥。沙漠，指代突厥。㉕障塞：指长城。㉖壬申：九月二十九日。㉗官属：指司农卿所辖的官属，如丞、主簿等。㉘公：对人的尊称，如同您。下“公”同，指赵元楷。㉙近世为国者益不及前古：近世的治民者更不如往古的人。㉚重文轻儒二句：注重文学轻视儒术，兼重法律。㉛治化：政治教化。

【校记】

［1］位：原无此字。据章钰校，十二行本、乙十一行本、孔天胤本皆有此字，张敦仁《通鉴刊本识误》同，今据补。

【原文】

交州㉜都督遂安公寿㉝以贪得罪，上以瀛州刺史卢祖尚才兼文武，廉平公直，征入朝，谕以"交趾㉞久不得人，须卿镇抚"。祖尚拜谢而出，既而悔之，辞以旧疾。上遣杜如晦等谕旨㉟曰："匹夫犹敦然诺㊱，奈何既许朕而复悔之！"祖尚固辞。戊子㊲，上复引见，谕之。祖尚固执不可，上大怒曰："我使人不行，何以为政！"命斩于朝堂㊳，寻悔之。他日，与侍臣论齐文宣帝何如人㊴，魏徵对曰："文宣狂暴，然人与之争，事理屈则从之。有前青州长史魏恺使于梁还，除光州㊵长史，不肯行，杨遵彦㊶奏之。文宣怒，召而责之。恺曰：'臣先任大州，长史[2]使还，有劳无过，更得小州，此臣所以不行㊷也。'文宣顾谓㊸遵彦曰：'其言有理，卿赦之。'此其所长也。"上曰："然。向者卢祖尚虽失人臣之义，朕杀之亦为太暴。由此言之，不如文宣矣！"命复其官荫㊹。

徵状[3]貌不逾中人㊺，而有胆略，善回㊻人主㊼意，每犯颜苦谏。或逢上怒甚，徵神色不移，上亦为霁威㊽。尝谒告上冢㊾，还，言于上曰："人言陛下欲幸南山，外皆严装已毕，而竟不行，何也？"上笑曰："初实有此心，畏卿嗔㊿，故中辍耳。"上尝得佳鹞(51)，自臂之，望见徵来，匿怀中。徵奏事固久(52)不已，鹞竟死怀中。

十一月辛酉(53)，上祀圜丘(54)。

十二月壬午(55)，以黄门侍郎王珪为守侍中。上尝闲居，与珪语，有美人侍侧，上指示珪曰："此庐江王瑗之姬也，瑗杀其夫而纳之。"珪避席(56)曰："陛下以庐江纳之为是邪，非邪？"上曰："杀人而取其妻，卿何问是非！"对曰："昔齐桓公知郭公之所以亡，由善善(57)而不能用，然弃其所言之人，管仲(58)以为无异于郭公。今此美人尚在左右，臣以为圣心是之也。"上悦，即出之，还其亲族。

上使太常少卿祖孝孙教宫人音乐，不称旨，上责之。温彦博、王珪谏曰："孝孙雅士，今乃使之教宫人，又从而谴(59)之，臣窃以为不

【语译】

交州都督遂安公李寿因贪污犯罪，太宗认为瀛州刺史卢祖尚兼有文武之才，廉洁公正，于是征召入朝，谕示“交趾长官很久没有得到合适的人选，需要你前去镇抚”。卢祖尚拜谢出朝，不久又后悔，就以旧病为借口加以推辞。太宗派杜如晦等人向他说明旨意：“匹夫之人都还重视许诺，为何你已答应了朕而又后悔呢！”卢祖尚坚决推辞。十月十五日戊子，太宗再次召见他，晓之以理。卢祖尚很固执，不肯答应。太宗大怒说：“我任用人而不能执行，怎么治理国家呢！”下令把卢祖尚在朝堂上斩首，不久就后悔了。另一天，太宗与侍从大臣议论齐文宣帝是怎样的人，魏徵回答说：“齐文宣帝为人狂躁，然而人们与他争论，在事情没有道理的时候就会听从别人。有一位前任青州长史魏恺出使梁国回来，任命为光州长史，此人不肯赴任，杨遵彦上奏了这件事。文宣帝大怒，把魏恺召回责备。魏恺说：‘臣先前任大州长史，我出使归来，有功劳而没有过错，反而改任小州长史，这是我不愿成行的原因。’齐文宣帝回头对杨遵彦说：‘他的话有道理，你赦免他。’这是齐文宣帝的长处。”太宗说：“说得对。先前卢祖尚虽然有失人臣大义，朕杀了他也太残暴。由此说来，朕还不如齐文宣帝！”下令恢复卢祖尚的官职和门荫资格。

魏徵相貌没有超过普通人，但是很有胆略，善于改变皇上的想法，常常犯颜直谏。有时赶上太宗非常生气，魏徵面不改色，太宗也因此而收敛了天子的威风。魏徵曾经告假去祭扫祖先坟墓，回来后，对太宗说：“人们说陛下要驾临终南山，外面都已准备好行装，而陛下最终没有成行，为什么？”太宗笑着说：“起初确实有此想法，害怕爱卿生气，所以中途停止了。”太宗曾得到一只很好的鹞鹰，自己把它架在臂膀上，望见魏徵过来，就把鹞鹰藏在怀里。魏徵奏报政事，故意拖时间而不停止，鹞鹰最终死在太宗的怀里。

十一月十九日辛酉，太宗在圜丘祭天。

十二月初十日壬午，任命黄门侍郎王珪为守侍中。太宗曾经闲居无事，与王珪交谈，有一个美人在旁侍候，太宗指给王珪看，说：“这是庐江王李瑗的姬妾，李瑗杀了她的丈夫，把她接到宫中。”王珪起身避开座席说：“陛下认为庐江王把她接入宫内，是对还是不对？”太宗说：“杀了人而占据他的妻子，卿为什么还要问是对还是错呢！”王珪回答说：“从前齐桓公知道郭公之所以灭亡，是在于郭公知道善人是善的却不能任用，不过抛弃他所说的善人，管仲认为齐桓公与郭公也没什么不同。现在这个美人还在陛下身边，臣认为陛下心里认为庐江王做得对。”太宗听完很高兴，当即把这女子放出宫去，让她回到亲族中去。

太宗让太常寺少卿祖孝孙教授宫女音乐，不合乎太宗意旨，太宗责怪他。温彦博、王珪进谏说：“孝孙是高雅之士，现在却让他去教宫女，又进而责备他，臣私下

可。”上怒曰：“朕置卿等于腹心，当竭忠直以事我，乃附下罔上[60]，为孝孙游说邪！”彦博拜谢[61]。珪不拜，曰：“陛下责臣以忠直，今臣所言岂私曲[62]邪！此乃陛下负臣[63]，非臣负陛下！”上默然而罢。明日，上谓房玄龄曰：“自古帝王纳谏诚难[64]，朕昨责温彦博、王珪，至今悔之，公等勿为此不尽言也。”

上曰：“为朕养民[65]者，唯在都督、刺史。朕常疏[66]其名于屏风，坐卧观之，得其在官善恶之迹，皆注[67]于名下，以备黜陟[68]。县令尤为亲民，不可不择。”乃命内外五品已上，各举堪为县令者，以名闻[69]。

上曰：“比有奴告其主反者，此弊事[70]。夫谋反不能独为，必与人共之，何患不发，何必使奴告邪！自今有奴告主者，皆勿受，仍斩之。”

【段旨】

以上为第二段，写唐太宗纳谏如流，故众大臣皆能直谏。

【注释】

㉜交州：州名，治所在今越南河内西北。㉝遂安公寿：即宗室李寿，被封为遂安公。㉞交趾：古县名，隋开皇十年（公元五九〇年）设置，治所在今越南河内西北。㉟谕旨：告诉君上的旨意。㊱匹夫犹敦然诺：匹夫尚能重视诺言。敦然诺，即注重诺言。㊲戊子：十月十五日。㊳朝堂：胡注引阁本《太极宫图》云，“东西朝堂在承天门左右”。每逢元正、冬至、大朝贺等朝会之前，百官先在朝堂序位，文官在东朝堂，武官在西朝堂，由监察御史传点完毕，再分领百官入内。朝堂又是宣敕册命之处，或受理冤狱之处。㊴何如人：为人如何。㊵光州：州名，治所在今河南光山县。㊶杨遵彦：杨愔，字遵彦，齐文宣帝时大臣，忠而获罪。传见《北齐书》卷三十四。㊷行：赴任。㊸顾谓：回头说。㊹复其官荫：胡注云，“复其官，则得荫其子若孙。唐制，凡用荫：一品，子正七品上；二品，子正七品下；三品，子从七品上；从三品，子从七品下；正四品，子正八品上；从四品，子正八品下；正五品，子从八品上；从五品及国公子，从八品下。三品以上，荫曾孙；五品以上，荫孙；孙降子一等，曾孙降孙一等，赠官降正官一等，死事者与正官同。郡、县公子视从五品孙，县男以上子降一等，勋官二

认为不可以这样做。”太宗发怒说：“朕把你们放在心腹地位，你们应当竭尽忠诚正直来奉事我，现在竟然附和在下者来欺罔君上，难道是为孝孙游说吗！”温彦博下拜谢罪。王珪不下拜，说：“陛下责求臣要忠诚正直，现在臣所说的难道是为了私人感情吗！这是陛下辜负臣，并不是臣辜负陛下！”太宗沉默无语而罢朝。第二天，太宗对房玄龄说：“自古以来帝王接受劝谏的确很难，朕昨天责备温彦博、王珪，到今天还在后悔，你们不要因此而不对朕畅所欲言。”

太宗说：“为朕爱养百姓的，只在于都督、刺史。朕常常把他们的名字写在屏风上，坐着卧着都观看，得知他们在任内的善恶之迹，都写在他们的名字下面，作为升迁和降职的参考。县令尤其是亲民之官，不可不加以选择。”于是下令朝廷内外五品以上官员各自荐举能胜任县令之人，报上他们的姓名。

太宗说：“近来有奴婢告发他的主子谋反，这是坏事。谋反不能一人单独去干，必定要与其他人共同行动，哪里用得着担心事情不暴露，何必让奴婢告发呢！从今以后有奴婢告发主子的，都不要受理，仍然要斩首。”

品子又降一等，二王后孙视正三品”。㊺状貌不逾中人：外表相貌超不过普通人。㊻回：回转。㊼人主：皇帝。㊽霁威：威怒为之消退。霁，怒气消散。㊾谒告上冢：祭扫先人坟墓。㊿嗔：怒；生气。(51)鹞：即雀鹰，猛禽的一种，比鹰小，捕食小鸟。(52)固久：故意延长时间。(53)辛酉：十一月十九日。(54)上祀圜丘：皇帝祭天于圜丘。《旧唐书·礼仪志一》：“武德初定令，每岁冬至祀昊天上帝于圜丘。”圜丘，古时祭天的坛。(55)壬午：十二月十日。(56)避席：起身离席。这是古代卑者对尊者的礼仪。(57)善善：喜欢善人。胡注云：“齐桓公过郭氏之墟，问父老曰：‘郭何故亡？’对曰：‘善善恶恶。’公曰：‘若子之言，何至于亡？’对曰：‘善善而不能用，恶恶而不能去，此其所以亡也。’”(58)管仲：即管敬仲（？至公元前六四五年），春秋初期杰出的政治家，字仲，颍上（颍水之滨）人。传见《史记》卷六十二。(59)谴：责备。(60)附下罔上：结附在下位之人，蒙蔽皇上。(61)拜谢：拜伏谢罪。(62)私曲：偏私、不正直。(63)负臣：辜负臣意。(64)诚难：实在很困难。(65)养民：治理人民。(66)疏：书列。(67)注：书，写。(68)黜陟：罢免或升迁。(69)以名闻：将其姓名上奏。(70)弊事：败坏事端。

【校记】

［2］长史：原无此二字。据章钰校，十二行本、乙十一行本、孔天胤本皆有此二字，张敦仁《通鉴刊本识误》同，今据补。［3］状：据章钰校，十二行本、乙十一行本皆作“容”。

【原文】

西突厥统叶护可汗为其伯父所杀，伯父自立，是为莫贺咄侯屈利俟毗可汗。国人不服，弩矢毕部推泥孰莫贺设⑪为可汗，泥孰不可。统叶护之子咥力特勒避莫贺咄之祸，亡在康居⑫，泥孰迎而立之，是为乙毗钵罗肆叶护可汗，与莫贺咄相攻，连兵不息，俱遣使来请昏。上不许，曰："汝国方乱，君臣未定，何得言昏！"且谕以各守部分⑬，勿复相攻。于是西域诸国及敕勒先役属⑭西突厥者皆叛之。

突厥北边诸姓多叛颉利可汗归薛延陀⑮，共推其俟斤⑯夷男为可汗，夷男不敢当。上方图⑰颉利，遣游击将军⑱乔师望间道⑲赍⑳册书㉑拜夷男为真珠毗伽可汗，赐以鼓纛㉒。夷男大喜，遣使入贡，建牙于大漠之郁督军山下，东至靺鞨㉓，西至西突厥，南接沙碛㉔，北至俱伦水㉕，回纥、拔野古㉖、阿跌㉗、同罗㉘、仆骨㉙、霫诸部落[4]皆属焉。

【段旨】

以上为第三段，写突厥内乱。

【注释】

⑪泥孰莫贺设：西突厥有五弩矢毕部，泥孰为一部的部帅。⑫康居：古西域国名，约在今巴尔喀什湖与咸海之间。西汉成帝时（公元前二二至前七年）康居王遣子侍汉、贡献财物，此后与中原王朝多有往来。⑬各守部分：各自安守所属疆域。⑭役属：役使附属。⑮薛延陀：中国古代民族名，铁勒诸部之一，由薛部与延陀部合并而成。最初属于突厥，贞观四年（公元六三〇年）助唐灭突厥。贞观二十年发生内乱，为唐所破。⑯俟斤：突厥授予属部首领的官名。⑰方图：正图谋攻取。⑱游击将军：官名，汉

【语译】

西突厥统叶护可汗被他的伯父杀死，他伯父自立为王，这就是莫贺咄侯屈利俟毗可汗。突厥国人不服，弩矢毕部推举泥孰莫贺设为可汗，泥孰认为不行。统叶护之子咥力特勤，躲避莫贺咄的祸乱，逃亡到康居国，泥孰把他迎回立为首领，这就是乙毗钵罗肆叶护可汗，他与莫贺咄相互攻伐，战事不止，都派使臣前来请求通婚。太宗不同意，说："你们国家正发生内乱，君臣名分尚未确定，怎能讨论通婚！"而且晓谕突厥各自安守所属疆域，不要再相互攻伐。于是以前归属西突厥的西域各国以及敕勒各部都叛离了突厥。

突厥北面的各部族大多叛离颉利可汗归附薛延陀，共同推举薛延陀的俟斤夷男为可汗，夷男不敢担当。太宗正图谋攻打突厥颉利可汗，便派游击将军乔师望从小道带着册书，封夷男为真珠毗伽可汗，并赐给大鼓和军旗。夷男非常高兴，派使臣进京朝贡，在大漠中的郁督军山下设立牙帐，他控制的地域东到靺鞨，西到西突厥，南与沙漠接壤，北到俱伦水，回纥、拔野古、阿跌、同罗、仆骨、霫等各个部落都归属了他。

代有游击将军，统兵专征。唐宋时期又成为武官的官阶。⑲ 间道：偏僻的小路。⑳ 赍：把东西送给别人。此处意为携带。㉑ 册书：皇帝对臣下封土授爵或免官的文书。㉒ 纛：古代军队里的大旗。㉓ 靺鞨：中国古代民族名，来源于肃慎。北魏时称勿吉，隋唐时称靺鞨。分布在松花江、牡丹江流域及黑龙江中下游，东至日本海。㉔ 沙碛：沙漠。㉕ 俱伦水：古湖泊名，即今内蒙古新巴尔虎右旗东北呼伦池。㉖ 拔野古：中国古代民族名，铁勒诸部之一。在今黑龙江省贝尔池一带。唐贞观三年遣使来唐。㉗ 阿跌：隋唐时铁勒诸部之一。㉘ 同罗：中国古代民族名，铁勒诸部之一。游牧于图拉河北，唐贞观二年遣使入朝，后内属。㉙ 仆骨：初为铁勒诸部之一，后为回纥外九部之一。

【校记】

[4] 落：原无此字。据章钰校，十二行本、乙十一行本皆有此字，今据补。

【原文】

三年（己丑，公元六二九年）

春，正月戊午[90]，上祀太庙。癸亥[91]，耕藉[92]于东郊。

沙门[93]法雅坐妖言诛。司空裴寂尝闻其言，辛未[94]，寂坐免官，遣还乡里。寂请留京师，上数[95]之曰："计公勋庸[96]，安得[97]至此！直以[98]恩泽[99]为群臣第一。武德之际，货赂公行[100]，纪纲紊乱，皆公之由也，但以故旧[101]不忍尽法[102]，得归守坟墓，幸已多矣！"寂遂归蒲州。未几，又坐狂人[103]信行言寂有天命[104]，寂不以闻[105]，当死，流静州[106]。会山羌[107]作乱，或言劫寂为主[108]。上曰："寂当死，我生之[109]，必不然也。"俄[110]闻寂率家僮破贼。上思其佐命[111]之功，征入朝，会卒[112]。

二月戊寅[113]，以房玄龄为左仆射，杜如晦为右仆射，以尚书右丞魏徵守秘书监，参预朝政。

三月己酉[114]，上录系囚[115]，有刘恭者，颈有"胜"文[116]，自云"当胜天下"，坐[117]是[118]系狱[119]。上曰："若天将兴之，非朕所能除[120]。若无天命，'胜'文何为[121]！"乃释之。

丁巳[122]，上谓房玄龄、杜如晦曰："公为仆射，当广求贤人，随才授任，此宰相[123]之职也。比闻听受辞讼[124]，日不暇给[125]，安能助朕求贤乎！"因敕"尚书细务属左右丞[126]，唯大事应奏者，乃关[127]仆射"。

玄龄明达政[5]事，辅以文学，夙[128]夜尽心，惟恐一物失所[129]。用法宽平，闻人有善，若己有之。不以求备[130]取人，不以己长格物[131]。与杜如晦引拔士类[132]，常如不及[133]。至于台阁规模，皆二人所定。上每与玄龄谋事，必曰："非如晦不能决[134]。"及如晦至，卒[135]用玄龄之策。盖元龄[136]善谋，如晦能断故也。二人深相得，同心徇国[137]。故唐世称贤相[6]，推房、杜焉。玄龄虽蒙宠待，或以事被谴，辄累日诣朝堂[138]，稽颡[139]请罪，恐惧若无所容[140]。

玄龄监修国史[141]，上语之曰："比见《汉书》载《子虚》《上林》[142]赋，

【语译】

三年（己丑，公元六二九年）

春，正月十六日戊午，太宗在太庙祭祀。二十一日癸亥，在东郊举行耕田礼。

和尚法雅因为妖言惑众罪而被处死。司空裴寂曾听过他的言论，正月二十九日辛未，裴寂被牵连免除官职，遣送回乡。裴寂请求留在京城长安，太宗批评他说："计算你的功劳，哪能到现在的官位！只因为靠着太上皇赐予的恩泽才在群臣中位居第一。武德年间，贪污贿赂公行，朝廷政纲紊乱，都是由于你，只因为你是太上皇的旧人老臣，不忍心完全依法处置，你能够回家守着祖先的坟墓，已是幸运得很了！"裴寂于是回到老家蒲州。不久，又因为狂人信行说裴寂有天命当皇帝而裴寂没有上报朝廷，依法应当处死，太宗把他流放到静州。正赶上当地山羌族叛乱，有人说叛军劫持了裴寂，把他当作首领。太宗说："裴寂依罪应当处死，我让他活下来，一定不会做这种事。"不久听说裴寂率领僮仆家丁打败叛军。太宗考虑到他有辅佐李氏起兵建国的功劳，于是征召他回朝，正好裴寂去世。

二月初六日戊寅，任命房玄龄为尚书左仆射，杜如晦为尚书右仆射，尚书右丞魏徵为秘书监，参与朝政。

三月初八日己酉，太宗审查在押囚犯，有个叫刘恭的犯人，脖颈上有纹理，酷似"胜"字，自称"定当取胜天下"，因此而被捕入狱。太宗说："假如上天将要让他兴起，不是朕所能除掉的。如果他没有天命，有'胜'字纹理又有什么用！"于是释放了刘恭。

三月十六日丁巳，太宗对房玄龄、杜如晦说："你们身为仆射，应当广泛访求贤才，根据才能授予官职，这是宰相的职责。近来听说你们处理词讼案件，每天忙得没有空闲，怎能帮助朕寻求贤才呢！"因此下令"尚书省的琐细政务归尚书左右丞掌管，只有应当奏明皇帝的大事，才向左右仆射通报"。

房玄龄对国家政务非常精通明达，又有文学才能作为辅助，昼夜为政事操劳，唯恐一件事处理不当。他使用法律宽容公平，听说人有长处，就像自己有长处一样。对别人不求全责备，不用自己的长处要求别人。他与杜如晦选拔提携士人，经常怕遗漏贤才。至于朝廷中央台省内阁的规模体制，都是他们二人制定。太宗每次与房玄龄谋划政事，一定要说："没有杜如晦还是不能做决定。"等杜如晦来了，最后还是采用房玄龄的策略。大概是房玄龄善于谋划，而杜如晦能做决断的缘故。二人极为协洽投合，同心为国出谋划策。所以唐代称为贤明宰相的，首推房玄龄、杜如晦二人。房玄龄虽然蒙受太宗的宠信重用，但有时因为处理政事不当而受到谴责，他总是一连几天来到朝堂，磕头请罪，恐惧得好像无地自容。

房玄龄监修国史，太宗对他说："近来看到《汉书》收载《子虚赋》《上林赋》，

浮华无用。其上书论事，词理切直⑭者，朕从与不从，皆当载之。”

夏，四月乙亥⑭，上皇徙居弘义宫⑮，更名大安宫。

甲午⑯[7]，上始御太极殿⑰，谓群[8]臣曰：“中书、门下⑱，机要之司，诏敕有不便者，皆应论执⑲。比来唯睹顺从，不闻违异⑳。若但行文书，则谁不可为，何必择才也！”房玄龄等皆顿首谢。

故事㉑：凡军国大事，则中书舍人各执所见，杂署㉒其名，谓之五花判事㉓。中书侍郎、中书令省审㉔之，给事中、黄门侍郎㉕驳正㉖之。上始申明旧制，由是鲜有败事。

【段旨】

以上为第四段，写房玄龄、杜如晦两贤相辅政，并严格执行军国大事五花判事制度，由是政通人和。

【注释】

⑩戊午：正月十六日。⑪癸亥：正月二十一日。⑫藉：藉田，又作“籍田”，古代为天子、诸侯举行籍礼而设置的田。一说藉民力以耕，故云藉田。⑬沙门：出家的佛教徒的总称。⑭辛未：正月二十九日。⑮数：责备。⑯计公勋庸：核计你的功勋。庸，功劳。⑰安得：哪能。⑱直以：只因为。⑲恩泽：封建社会称皇帝或官吏给予臣民的恩惠。泽，指雨露沾润草木，正所谓有恩德。故恩泽常连用。⑳货赂公行：贿赂公然施行。㉑故旧：旧人；老朋友。㉒尽法：按法律应判之罪进行处罚。㉓狂人：狂妄自大之人。㉔言寂有天命：谓裴寂有做天子的贵命。㉕不以闻：不报告皇上。㉖静州：州名，治所在今广西昭平。㉗羌：古民族名，主要分布在今甘、青、川一带。早在殷、周时，羌族的部分曾杂居中原。秦、汉时部落众多。魏、晋、隋唐时，与汉人杂处的部分羌人逐渐从事农耕，与汉族及其他民族相融合。㉘劫寂为主：指叛军劫持裴寂为首领。㉙我生之：我使他活着。㉚俄：不久。㉛佐命：辅佐王命。㉜会卒：适逢死亡。㉝戊寅：二月初六。㉞己酉：三月初八。㉟录系囚：审查被囚禁的犯人。㊱颈有“胜”文：脖子上有纹理酷似“胜”字。㊲坐：因犯……罪或错误。㊳是：此。㊴系狱：拘囚入狱。㊵除：除灭。㊶何

这些内容浮华而不实用。大臣上书议论国事，凡是言辞和道理切实而直率的，无论朕是听从还是不听从，都应当载入正史之中。”

夏，四月初四日乙亥，太上皇李渊迁居弘义宫，改名为大安宫。

四月二十三日甲午，太宗开始到太极殿上朝听政，对群臣说：“中书省、门下省，都是国家的机要部门，皇帝发布的诏敕文书如果有不当之处，二省都应当加以驳论并提出正确意见。近来只看到二省顺从朕的旨意，听不到不同说法和不同意见。如果只是向下传达文书，那么谁不能干呢，何必要挑选人才呢！”房玄龄等人都磕头谢罪。

按照旧例：凡是军队和国家的大事，中书舍人都要各自提出意见，分别署名，称为五花判事。中书侍郎、中书令再进行审查，给事中、黄门侍郎再加以驳正。太宗开始申明旧制，因此很少有错误的决定。

为：有何用。⑫② 丁巳：三月十六日。⑫③ 宰相：官名，封建时代辅助皇帝，统领百官、总揽政务的最高行政长官。历代所用官名与职权广狭程度，各有不同。唐初以三省长官为宰相。因为尚书令不轻易授人，故实际上以中书令、侍中与仆射为相。后来，又有三省长官以外的官员为相。这些官员都以同中书门下三品或同中书门下平章事的头衔为正式宰相。⑫④ 辞讼：即狱讼。⑫⑤ 日不暇给：政事太多，时间不够用。⑫⑥ 左右丞：尚书左右丞。⑫⑦ 关：告诉；通报。⑫⑧ 夙：早晨。⑫⑨ 惟恐一物失所：唯恐一件事情处理不当。⑬⓪ 求备：苛求完备。⑬① 不以己长格物：不以自己的长处去推究别人。⑬② 引拔士类：选拔士人。⑬③ 常如不及：唯恐有遗贤。⑬④ 决：决断。⑬⑤ 卒：终于。⑬⑥ 元龄：即房玄龄。⑬⑦ 徇国：为国家献身。此处指一心一意为国。⑬⑧ 辄累日诣朝堂：则连日到朝堂。⑬⑨ 稽颡：磕头。稽，稽首，是古代的一种礼节。跪下，拱手至地，头也至地。颡，额。⑭⓪ 若无所容：如同无地自容。⑭① 监修国史：监督撰修本朝的历史。唐代以宰相监修国史，后代沿袭。⑭② 《子虚》《上林》：辞赋名，均为西汉辞赋家司马相如所作。辞藻瑰丽，气韵排宕，汉魏六朝文人多仿效。载于《史记·司马相如列传》。⑭③ 切直：恳切直率。⑭④ 乙亥：四月初四。⑭⑤ 弘义宫：据《唐会要》记载，武德五年（公元六二二年）营建弘义宫。因为李世民有定天下之功，别建此宫让他居住。高祖禅位后，以弘义宫有山林胜景，雅好之，故徙居于此，改名大安宫。⑭⑥ 甲午：四月二十三日。⑭⑦ 上始御太极殿：高祖传位，太宗即位于东宫的显德殿。高祖徙居大安宫，太宗始居太极殿。⑭⑧ 中书、门下：官署名，指中书省与门下省。中书省，魏、晋始置，为秉承君主意旨、掌管机要、发布政令的机构。门下省，晋代始置，为君主的侍从顾问机构，负责审查诏令、签署章奏、纠正朝政

缺失等。中书与门下同掌机要，为中央政权的决策机构。⑭⁹论执：驳论谬误、提出正确意见。⑮⁰违异：违拒和异议。⑮¹故事：旧制。⑮²杂署：共同签署。⑮³五花判事：唐代签字通行的一种格式。凡遇军国大事，由掌管文书诏令的中书舍人，提出自己的处理意见，共同签字署名，称为五花判事。⑮⁴省审：察看审核。⑮⁵黄门侍郎：官名，秦朝及西汉郎官给事于黄闼（宫门）之内者，称黄门侍郎。东汉始设为专官，称给事黄门侍郎。其职为侍从皇帝，传达诏命。隋朝去“给事”二字，单称黄门侍郎。唐代黄门侍郎为门下省长官侍中之副，后称门下侍郎。⑮⁶驳正：驳议改正。

【原文】

茌平[157]人马周[158]，客游长安，舍于中郎将[159]常何之家。六月壬午[160]，以旱[161]诏文武官极言得失。何武人不学[162]，不知所言，周代之陈便宜[163]二十余条。上怪其能[164]，以问何，对曰：“此非臣所能，家客马周为臣具草[165]耳。”上即召之。未至，遣使督促者数辈[166]。及谒见，与语，甚悦，令直门下省，寻除[167]监察御史，奉使称旨。上以常何为知人，赐绢三百匹。

秋，八月己巳朔[168]，日有食之。

丙子[169]，薛延陀毗伽可汗遣其弟统特勒入贡。上赐以宝刀及宝鞭，谓曰：“卿所部有大罪者斩之，小罪者鞭之。”夷男[170]甚喜。突厥颉利可汗大惧，始遣使称臣，请尚公主，修婿礼[171]。

代州[172]都督张公谨上言突厥可取[173]之状，以为：“颉利纵欲逞暴，诛忠良，昵奸佞[174]，一也。薛延陀等诸部皆叛，二也。突利[175]、拓设[176]、欲谷设皆得罪，无所自容[177]，三也。塞北霜旱，糇粮[178]乏绝，四也。颉利疏其族类，亲委[179]诸胡，胡人反覆，大军一临，必生内变，五也。华人入北[180]，其众甚多。比闻所在啸聚[181]，保据山险，大军出塞，自然响应，六也。”上以颉利可汗既请和亲，复援梁师都，丁亥[182]，命兵部尚书李靖为行军总管讨之，以张公谨为副。

【校记】

［5］政：据章钰校，十二行本、乙十一行本皆作“吏”，张敦仁《通鉴刊本识误》同。［6］贤相：据章钰校，十二行本、乙十一行本、孔天胤本二字下皆有“者”字，张敦仁《通鉴刊本识误》同。［7］甲午：原无此二字。据章钰校，十二行本、乙十一行本皆有此二字，张敦仁《通鉴刊本识误》同，今据补。［8］群：据章钰校，十二行本、乙十一行本皆作“侍”。

【语译】

茌平人马周，来到长安客居游历，住在中郎将常何的家里。六月十二日壬午，因为天旱，太宗下诏让文武百官畅所欲言，讨论政务得失。常何是武人，没有学问，不知说些什么，马周就代他上书陈述对国家有利的措施二十多条。太宗对常何有这样的能力感到奇怪，就问常何是怎么回事。常何回答说：“这不是臣所能写出来的，我家的宾客马周替臣起草的。”太宗立刻召见马周。人还没到，就几次派人前去催促。等马周谒见太宗，太宗与他交谈，十分高兴，命马周到门下省任职，不久又任命为监察御史，奉命出使，所做处置合乎太宗的旨意。太宗认为常何有知人之明，赐给他绢帛三百匹。

秋，八月初一日己巳，发生日食。

八月初八日丙子，薛延陀毗伽可汗派他的弟弟统特勤进京奉献贡品。太宗赏给宝刀和宝鞭，对他说：“你统属的部族有人犯大罪，就用宝刀斩首，犯小罪就用宝鞭抽打。”夷男非常高兴。突厥颉利可汗大为恐惧，开始派使者向唐称臣，请求与唐王朝公主结婚，向唐王朝行女婿的礼节。

代州都督张公谨上奏说明突厥可以攻取的情况，认为：“颉利可汗放纵欲望而使用暴力，诛杀忠良，亲近奸佞小人，这是第一点。薛延陀等各部落都已反叛，这是第二点。突利、拓设、欲谷设都已得罪了颉利，没有容身之地，这是第三点。塞北地区发生霜冻干旱，粮食匮乏断绝，这是第四点。颉利疏远本族的人，亲近重用并非同族的胡人，胡人反复多变，唐朝的大军一到，必定发生叛乱，这是第五点。汉人进入北方躲避中原战乱，人数已经很多。近来听说他们聚众起事，占据山险进行自保，朝廷大军到达塞外，他们自然起兵响应，这是第六点。”太宗认为颉利可汗已经向唐朝提出和亲，但又出兵援助唐朝的敌人梁师都，因此八月十九日丁亥，任命兵部尚书李靖为行军总管，张公谨为副总管，率兵讨伐突厥。

九月丙午[183]，突厥俟斤[184]九人帅三千骑来降。戊午[185]，拔野古、仆骨、同罗、奚酋长并帅众来降。

冬，十一月辛丑[186]，突厥寇河西[187]，肃州[188]刺史公孙武达、甘州[189]刺史成仁重与战，破之，捕虏千余口。

上遣使至凉州，都督李大亮有佳鹰，使者讽[190]大亮使献之，大亮密表曰："陛下久绝畋游，而使者求鹰。若陛下之意，深乖昔旨[191]，如其自擅[192]，乃是使非其人[193]。"癸卯[194]，上谓侍臣曰："李大亮可谓忠直。"手诏褒美，赐以胡瓶及荀悦《汉纪》[195]。

庚申[196]，以行并州都督李世勣为通汉道[197]行军总管，兵部尚书李靖为定襄道行军总管，华州刺史柴绍为金河道行军总管，灵州大都督薛万彻为畅武道[198]行军总管，众合十余万，皆受李勣[199]节度[200]，分道出击突厥。

乙丑[201]，任城王道宗击突厥于灵州[202]，破之。

【段旨】

以上为第五段，写唐太宗大发兵征伐东突厥。

【注释】

⑮⑦茌平：县名，县治在今山东茌平。⑮⑧马周（公元六〇一至六四八年）：字宾王，博州茌平（今山东茌平）人，太宗时官至中书令。传见《旧唐书》卷八十四、《新唐书》卷九十八。⑮⑨中郎将：武官名，唐代各卫有中郎将，正四品下。⑯⓪壬午：六月十二日。⑯①以旱：因为发生旱灾。⑯②何武人不学：常何是个武人，没有学识。⑯③便宜：方便适宜。常特指对国家有利的事。⑯④怪其能：对他的才能感到奇怪。⑯⑤具草：起草奏稿。⑯⑥遣使督促者数辈：派使者多次催促。〖按〗《马周传》作"遣使催促者数四"，似较佳。⑯⑦寻除：寻，不久。除，任官授职。⑯⑧己巳朔：八月初一。⑯⑨丙子：八月初八。⑰⓪夷男：薛延陀首领。贞观三年（公元六二九年），唐太宗封夷男为真珠毗伽可汗，建牙郁督军山。事迹见《旧唐书》卷一百九十九《铁勒传》、《新唐书》卷二百十七《回鹘传》。⑰①修婿礼：行子婿之礼。⑰②代州：州名，治所在今山西代县。⑰③可取：可

九月初九日丙午，突厥九位俟斤率领三千骑兵前来投降。二十一日戊午，拔野古、仆骨、同罗以及奚族首领一起率领部众前来投降。

冬，十一月初四日辛丑，突厥侵犯河西，肃州刺史公孙武达、甘州刺史成仁重与突厥交战，大败突厥，俘虏一千多人。

太宗派使节到凉州，都督李大亮有一只很好的老鹰，使者暗示李大亮献给皇上，李大亮密封上表说："陛下长期停止外出围猎，而使节却要臣向陛下献鹰。假如这是陛下之意，就完全违背了昔日的主张，如果是使节自作主张，就是派出的使节并非合适的人选。"十一月初六日癸卯，太宗对侍臣说："李大亮可以说是忠诚正直。"发布亲笔诏书加以褒奖，赐给一只胡瓶和荀悦的《汉纪》。

十一月二十三日庚申，任命代理并州都督李世勣为通汉道行军总管，兵部尚书李靖为定襄道行军总管，华州刺史柴绍为金河道行军总管，灵州大都督薛万彻为畅武道行军总管，集合兵力十余万，都受李勣指挥，分路出兵进攻突厥。

十一月二十八日乙丑，任城王李道宗在灵州进攻突厥，打败了突厥军队。

攻取。⑰④昵奸佞：亲近奸邪谄媚之人。⑰⑤突利：即突利可汗。⑰⑥拓设：即阿史那社尔（公元六〇四至六五五年），唐初大将，东突厥处罗可汗次子。为拓设，建牙碛北，与颉利可汗之子欲谷设分统铁勒、回纥、仆骨、同罗诸部。贞观十年归唐，授左骁卫大将军。传见《旧唐书》卷一百九、《新唐书》卷一百十。⑰⑦无所自容：没有容身之所。⑰⑧糇粮：干粮。⑰⑨亲委：亲任。⑱⓪华人入北：华人因隋末动乱，进入中原避乱。⑱①啸聚：呼啸聚合。⑱②丁亥：八月十九日。⑱③丙午：九月初九。⑱④俟斤：突厥授予属部首领的官名。⑱⑤戊午：九月二十一日。⑱⑥辛丑：十一月初四。⑱⑦河西：唐代方镇名，在今甘肃武威。⑱⑧肃州：州名，治所在今甘肃酒泉。⑱⑨甘州：州名，治所在今甘肃张掖。⑲⓪讽：用含蓄的话劝告或暗示。⑲①深乖昔旨：深违昔日摒绝畋游的意旨。乖，违。⑲②擅：擅自。对不在自己职权范围内的事情自作主张。⑲③使非其人：使者并不是适当的人选。⑲④癸卯：十一月初六。⑲⑤胡瓶及荀悦《汉纪》：据《旧唐书·李大亮传》载：所赐胡瓶一枚，为太宗自用之物。荀悦《汉纪》，叙事详明，议论深博，明治国之道，申君臣之义。用此二物赏赐李大亮，以嘉奖他的忠直。⑲⑥庚申：十一月二十三日。⑲⑦通汉道：《旧唐书·李勣传》作"通漠道"，当是。高宗朝裴行俭曾派兵从通漠道掩取阿史那伏辎重。⑲⑧畅武道：据胡注，畅武，非地名，意为宣畅威武。⑲⑨李勣：本姓徐，名世勣。永徽中以犯太宗李世民讳，单名勣。《通鉴》中或名"勣"，或名"世勣"。⑳⓪节度：指挥；命令。⑳①乙丑：十一月二十八日。⑳②灵州：州名，治所在今宁夏灵武西南。

【原文】

十二月戊辰[203]，突利可汗入朝。上谓侍臣曰："往者太上皇以百姓之故，称臣于突厥[204]，朕常痛心。今单于[205]稽颡[206]，庶几[207]可雪前耻。"

壬午[208]，靺鞨遣使入贡。上曰："靺鞨远来，盖突厥已服之故也。昔人谓御戎无上策[209]，朕今治安中国，而四夷自服，岂非上策乎！"

癸未[210]，右仆射杜如晦以疾逊位[211]，上许之。

乙酉[212]，上问给事中孔颖达曰："《论语》：'以能问于不能，以多问于寡，有若无，实若虚。'[213]何谓也？"颖达具释其义以对，且曰："非独匹夫如是，帝王亦然。帝王内蕴[214]神明[215]，外当玄默[216]，故《易》称'以蒙养正[217]，以明夷莅众[218]'。若位居尊极，炫耀聪明，以才陵[219]人，饰非[220]拒谏，则下情不通，取亡之道也。"上深善其言。

庚寅[221]，突厥郁射设帅所部来降。

闰月丁未[222]，东谢酋长谢元深、南谢酋长谢强来朝。诸谢[223]皆南蛮别种，在黔州[224]之西。诏以东谢为应州[225]，南谢为庄州[226]，隶黔州都督。

是时远方诸国来朝贡者甚众，服装诡异[227]。中书侍郎颜师古[228]请图写[229]以示后，作《王会图》[230]，从之。

乙丑[231]，牂柯酋长谢能羽[232]及充州[233]蛮入贡，诏以牂柯[234]为牂州[235]，党项酋长细封步赖来降，以其地为轨州[236]，各以其酋长为刺史。党项地亘[237]三千里，姓别为部[238]，不相统壹，细封氏、费听氏、往利氏、颇超氏、野辞氏、旁当氏、米擒氏、拓跋氏，皆大姓也。步赖既为唐所礼[239]，余部相继来降，以其地为崌、奉、岩、远[240]四州。

是岁，户部[241]奏：中国人自塞外归及四夷前后降附者，男女一百二十余万口。

房玄龄、王珪掌内外官考[242]，治书侍御史[243]万年权万纪[244]奏其不平，上命侯君集[245]推之[246]。魏徵谏曰："玄龄、珪皆朝廷旧臣，素[247]以忠直为陛下所委，所考既多，其间能无一二人不当！察其情，终非

【语译】

十二月初二日戊辰，突利可汗进京朝见。太宗对侍从大臣说："以前太上皇为了百姓安宁，向突厥称臣，朕常为此感到痛心。现在突厥单于向我磕头，大概可以洗雪以前的耻辱了。"

十二月十六日壬午，靺鞨派使节进京朝贡。太宗说："靺鞨远道而来，是因为突厥已经归服大唐。前人称驾驭北方戎族没有上策，朕现在治理并安定了中原，于是四方夷族自动前来归服，这难道不是上策吗！"

十二月十七日癸未，尚书右仆射杜如晦因病退休，太宗允许了他。

十二月十九日乙酉，太宗询问给事中孔颖达："《论语》说：'有能力的人向无能力的人请教，知识丰富的人向知识贫乏的人请教，有学问好像没学问一样，满腹知识好像空无所有一样。'这是说什么？"孔颖达回答太宗，详细解释了其中的含义，并且说："非独一般百姓应该这样做，帝王也应这样。帝王的内心蕴含着神一样的明智，但外表却应当沉静寡言，所以《周易》说'以外表的愚蒙质朴来修养内在的纯正之德，君子御众须用韬晦，政治才能清明'。假如身居极尊贵的地位，向外炫耀聪明，依恃才华盛气凌人，掩饰错误，拒绝他人劝谏，那么下情就无法通畅，这是自取灭亡之道。"太宗十分赞许他的话。

十二月二十四日庚寅，突厥郁射设率领所部前来投降。

闰十二月十一日丁未，东谢酋长谢元深、南谢酋长谢强前来朝贡。谢族的各部都是南蛮的一支，聚居在黔州西部地区。下诏把东谢改为应州，南谢改为庄州，都隶属黔州都督。

当时远方的各国来长安朝贡的使者非常多，服装怪异。中书侍郎颜师古请求把各族的服装绘图让后人知道，编成《王会图》，太宗听从了这一建议。

闰十二月二十九日乙丑，牂柯酋长谢能羽以及充州蛮族进京朝贡，下诏在牂柯设置牂州，党项族的酋长细封步赖归顺唐朝，把他们的聚居地设为轨州，分别任命他们的酋长为该州的刺史。党项族的土地绵延三千里，依据姓氏分别部落，都不相互统属，其中的细封氏、费听氏、往利氏、颇超氏、野辞氏、旁当氏、米擒氏、拓跋氏，都是部族的大姓。步赖既已受到唐朝的礼遇，其余各部相继来降，唐朝把他们的地域设为崌州、奉州、岩州、远州四州。

这一年，户部上奏说，中原人从塞外归来的以及四方夷族前后归顺的，男女合计一百二十余万人。

房玄龄、王珪执掌全国内外官吏的考核，治书侍御史万年人权万纪上奏说他们考核不公，太宗命侯君集进行审查。魏徵对太宗劝谏说："房玄龄、王珪都是朝廷旧臣，一向因为忠诚正直受到陛下的任用，所考核的官员既然很多，中间能没有一两个人考

阿[248]私。若推得其事，则皆不可信，岂得复当重任！且万纪比来恒[249]在考堂，曾无驳正，及身[250]不得考，乃始陈论。此正欲激陛下之怒，非竭诚徇国也。使推之得实，未足裨益[251]朝廷，若其本虚[252]，徒失陛下委任大臣之意。臣所爱者治体[253]，非敢苟私[254]二臣。”上乃释不问。

濮州刺史庞相寿坐贪污解任，自陈尝在秦王幕府。上怜之，欲听还旧任。魏徵谏曰：“秦王左右，中外[255]甚多，恐人人皆恃恩私，足使为善者惧。”上欣然纳之，谓相寿曰：“我昔为秦王，乃一府之主。今居大位，乃四海之主，不得独私故人。大臣所执[256]如是，朕何敢违！”赐帛遣之。相寿流涕而去。

【段旨】

以上为第六段，写西突厥和四夷归服唐王朝。

【注释】

㉃戊辰：十二月初二。㉄称臣于突厥：隋恭帝义宁元年（公元六一七年）六月，李渊在太原起兵后，为了集中兵力向长安进军，采取权宜之计，向突厥称臣。㉅单于：匈奴最高首领的称号。㉆稽颡：古时一种跪拜礼。屈膝下拜，以额触地，居丧答拜宾客时行之，表示极度的悲痛和感谢。㉇庶几：连词。表示在上述情况之下才能避免某种后果或实现某种希望。㉈壬午：十二月十六日。㉉昔人谓御戎无上策：此指新朝王莽时，大司马严尤的一番议论：“匈奴为害，所从来久，周、秦、汉征之，皆未有得上策者也。周得中策，汉得下策，秦无策焉。”事见《汉书·王莽传》。㉊癸未：十二月十七日。㉋逊位：退位。㉌乙酉：十二月十九日。㉍《论语》五句：此为曾子之言。意思是说自己有才能却向没有才能的人请教，自己知识多却向知识少的人请教；有学问就像没学问一样，知识充实就像空无所有一样。㉎内蕴：内藏。㉏神明：神一样的明智。㉐玄默：沉静寡言。㉑以蒙养正：《易》曰，“蒙以养正，圣功也”。意思是说能以愚蒙隐默自养正道，可成大功。㉒以明夷莅众：《易》曰：“明夷，君子以莅众，用晦而明”。意思是说，君子御众须用韬晦，政治才能大明。㉓陵：陵驾。㉔饰非：文饰错误。㉕庚寅：十二月二十四日。㉖丁未：闰十二月十一日。㉗诸谢：隋唐时居住在黔州（治所在今重庆彭水）西部核不当吗！体察其中的实情，绝不是出于私心。假如审查出失当的情况，那么他们对官员的考核就都不可信了，岂能再担当重任呢！况且权万纪近来常在公堂参与考核，当时他不曾有所驳正，等到自己不参加官员考核，这才开始述说别人考核不公。这正是想激起陛下的怒气，不是竭尽忠诚来为国效力啊。假使审查后情况属实，这不足以对朝廷有所助益，如果所谓不公纯属子虚乌有，那么就失去陛下任用大臣的本意。臣所珍视的是政治体制，不是胆敢出于私心庇护两位大臣。”太宗于是放下此事不再过问。

濮州刺史庞相寿因犯贪污罪而被解除职务，他上表陈述自己曾在秦王幕府中做事。太宗怜惜他，想允许他恢复旧职。魏徵劝谏说：“秦王身边的下属，在朝廷内外做官的很多，恐怕人人都依恃陛下的这份私人恩情而为非作歹，这样足够让那些品行忠善的人畏惧。”太宗欣然采纳他的意见，对庞相寿说：“我从前为秦王，乃是王府之主。现在身居帝位，乃是天下百姓的君主，不能只照顾旧人。大臣都这样坚持，朕哪里敢违背呢！”太宗赐给庞相寿丝帛遣送他回家。庞相寿流着泪离去。

的南蛮部族。因其首领姓谢而得名。㉔黔州：州名，治所在今重庆彭水。唐辖境相当于今重庆市彭水、黔江等县区地。㉕应州：州名，治所在今湖北随州。㉖庄州：州名，治所在今贵州贵阳南青岩附近。㉗诡异：奇异。边地少数民族服装随其风俗，在汉人眼中，不免视作诡异。㉘颜师古（公元五八一至六四五年）：唐著名训诂学家，字籀，京兆万年人。传见《旧唐书》卷七十三、《新唐书》卷一百九十八。㉙图写：图画。㉚王会图：《考异》曰：《实录》《新旧传》皆云“正会图”。〖按〗《汲冢周书》有《王会篇》，柳宗元《饶鼓歌》、吕述《黠戛斯朝贡图》皆作“王会”，今从之。㉛乙丑：闰十二月二十九日。㉜谢能羽：《旧唐书·牂柯传》《新唐书·两爨蛮传》，均作谢龙羽。㉝充州：州名，治所在今贵州石阡西南。㉞牂柯：唐时对牂柯地区少数民族的总称。其地约当今贵州东部、中南部。㉟牂州：州名，治所在今贵州瓮安东北草塘。㊱轨州：州名，治所在今四川阿坝附近。㊲地亘：土地相互连接。㊳姓别为部：依照姓氏分别部落。㊴礼：礼遇。㊵嵣、奉、岩、远：四州治所均在今四川松潘西北。㊶户部：官署名，朝廷中掌管全国土地、户籍、赋税、财政收支等事务的官署。即尚书省所辖六部之一。㊷掌内外官考：负责京官和外官的考核。唐代考课之法分九等，按所谓四善二十七定等级。四善为德义有闻、清慎明著、公平可称、恪勤匪懈。最，指本行业同类官中之最佳者。一最四善，为上上；一最三善，为上中；一最二善，为上下；无最而有二善，为中上；无最而有一善，为中中；职事粗理，善最不闻，为中下；爱憎任情，处断乖理，为下上；背公向私，职事废阙，为下中；居官谄诈，贪浊有状，为下下。㊸治书侍御史：御史台属官，掌管纠察百官。魏晋时始置，隶于御史中丞，隋与唐初治书侍御史兼中丞之任，到

唐高宗重又改为御史中丞。㉔权万纪：万年（今陕西西安）人，太宗时以刚直廉俭，自潮州刺史擢治书侍御史。传见《旧唐书》卷一百八十五、《新唐书》卷一百。㉕侯君集（？至公元六四三年）：豳州三水（今陕西旬邑）人，太宗时，历任右卫大将军、兵部尚书等职。传见《旧唐书》卷六十九、《新唐书》卷九十四。㉖推之：推究；调查。㉗素：

【原文】

四年（庚寅，公元六三〇年）

春，正月，李靖帅骁骑三千自马邑进屯恶阳岭[257]，夜，袭定襄[258]，破之。突厥颉利可汗不意靖猝至，大惊曰："唐不倾国[259]而来，靖何敢孤军至此！"其众一日数惊，乃徙牙[260]于碛口[261]。靖复遣谍离其心腹，颉利所亲康苏密以隋萧后[262]及炀帝之孙政道来降。乙亥[263]，至京师。先是，有降胡言"中国人或潜通书启[264]于萧后者"。至是，中书舍人杨文瓘请鞫[265]之。上曰："天下未定，突厥方强，愚民无知，或有斯事。今天下已安，既往之罪，何须问也！"

李世勣出云中[266]，与突厥战于白道[267]，大破之。

二月己亥[268]，上幸骊山温汤[269]。

甲辰[270]，李靖破突厥颉利可汗于阴山[271]。

先是，颉利既败，窜于铁山[272]，余众尚数万。遣执失思力入见，谢罪，请举国[273]内附，身自[274]入朝。上遣鸿胪卿唐俭等慰抚之，又诏李靖将兵迎颉利。颉利外为卑辞[275]，内实犹豫，欲俟草青马肥，亡[276]入漠北。靖引兵与李世勣会白道，相与谋曰："颉利虽败，其众犹盛，若走度碛北，保依九姓[277]，道阻且远，追之难及。今诏使[278]至彼，虏必自宽[279]，若选精骑一万，赍二十日粮往袭之，不战可擒矣。"以其谋告张公谨，公谨曰："诏书已许其降，使者在彼，奈何击之！"靖曰："此韩信所以破齐[280]也。唐俭辈何足惜！"遂勒兵夜发，世勣继之。军至阴山，遇突厥千余帐，俘以随军[281]。颉利见使者大喜，意自安。靖使武邑[282]苏定方帅二百骑为前锋，乘雾而行，去牙帐七里，虏乃觉之。颉

一向。㉘阿：迎合；偏袒。㉙恒：常。㉚身：指自己。六朝常有如此用法。㉛裨益：益处。㉜本虚：根本没有。㉝臣所爱者治体：我所关爱的是政治体制。㉞苟私：苟且私袒。㉟中外：指京城内外。㊱执：坚持。

【语译】

四年（庚寅，公元六三〇年）

春，正月，李靖率领三千骁勇骑兵从马邑出发，进驻恶阳岭，当夜，袭击定襄城，攻破了定襄城。突厥颉利可汗想不到李靖突然来到，大为吃惊地说："唐朝没有出动全国兵力前来进攻，李靖怎么敢孤军到达这里！"他的部众一天之内数次受惊，于是把可汗的牙帐迁到碛口。李靖又派间谍离间颉利可汗的心腹，颉利的亲信康苏密带着隋朝的萧皇后和炀帝之孙杨政道前来投降。初九日乙亥，一行人到达长安。在此之前，有投降的胡人说"中原有人暗中与萧皇后私通书信"。至此，中书舍人杨文瓘请求讯问萧皇后。太宗说："天下尚未安定，突厥正强盛，愚民无知，或许会有这种事。现在天下已经安定，既往的罪过，又何须追究呢！"

李世勣从云中出发，与突厥兵在白道交战，大败突厥。

二月初三日己亥，太宗驾临骊山温泉。

初八日甲辰，李靖在阴山大败颉利可汗。

在此之前，颉利战败后，逃窜到铁山，残余兵力尚有数万人。颉利派执失思力进京谒见太宗谢罪，请求全国归附内地，亲自进京朝见。太宗派鸿胪寺卿唐俭等人安抚慰问他，又下诏命李靖率兵迎接颉利。颉利外表言辞谦卑，内心实际上还在犹豫，想等到草长得青翠、马长得肥壮时，再逃回漠北。李靖率领兵马与李世勣在白道会合，相互谋划说："颉利虽然战败，他的兵马还很强盛，如果逃到沙漠以北，依靠九个部族，我们与他道路阻隔而且遥远，很难追上他们。现在皇帝派来的使节已到他们那里，突厥一定松懈，此时如果挑选精锐骑兵一万人，带着二十天的粮食前去袭击他们，不用作战就能生擒颉利。"二人把计谋告诉了张公谨，张公谨说："皇上的诏书已经答应他们投降，大唐的使者还在对方营中，怎么能袭击他们！"李靖说："这就是韩信打败齐国的办法。唐俭等人哪里值得怜惜！"于是部署军队夜间出发，李世勣随后出动。大军走到阴山，遇上了突厥一千多营帐，全部俘获他们并命令他们跟随在唐军后面。颉利见到大唐使者非常高兴，心情安定下来。李靖派武邑人苏定方带领二百名骑兵作为前锋，乘着大雾向前行军，走到离颉利牙帐只有七里的地

利乘千里马先走，靖军至，虏众遂溃，唐俭脱身得归。靖斩首万余级，俘男女十余万，获杂畜㉘³数十万，杀隋义成公主，擒其子叠罗施。颉利帅万余人欲度碛，李世勣军㉘⁴于碛口，颉利至，不得度，其大酋长皆帅众降，世勣虏五万余口而还，斥地㉘⁵自阴山北至大漠，露布㉘⁶以闻。

丙午㉘⁷，上还宫。

甲寅㉘⁸，以克突厥赦天下。

【段旨】

以上为第七段，写唐军大破东突厥，诛杀隋义成公主。

【注释】

㉗恶阳岭：地名，在今山西朔州市平鲁区西北。㉘定襄：郡名，治所在今内蒙古和林格尔西北土城子。㉙倾国：倾尽全国的兵力。㉖⁰牙：牙帐。可汗帐前置立牙旗，故所居帐幕谓之牙帐。这里指突厥王庭。㉖¹碛口：大沙漠之口。㉖²萧后：即隋炀帝萧皇后。唐高祖武德二年（公元六一九年），萧后与炀帝之孙杨政道逃入突厥。传见《隋书》卷三十六。㉖³乙亥：正月初九。㉖⁴潜通书启：暗中递送信札。㉖⁵鞫：审问。㉖⁶云中：郡名，治所在今山西大同。㉖⁷白道：地名，在今内蒙古呼和浩特西北。㉖⁸己亥：二月初三。㉖⁹幸骊

【原文】

以御史大夫温彦博为中书令，守㉘⁹侍中王珪为侍中；守户部尚书戴胄为户部尚书，参预朝政；太常少卿萧瑀为御史大夫，与宰臣参议朝政。

三月戊辰㉙⁰，以突厥夹毕特勒阿史那思摩为右武候大将军㉙¹。

四夷君长诣阙㉙²请上为天可汗㉙³，上曰："我为大唐天子，又下行可汗事乎！"群臣及四夷皆称万岁。是后以玺书㉙⁴赐西北君长，皆称天可汗。

庚午㉙⁵，突厥思结俟斤帅众四万来降。

方时，突厥兵才发觉。颉利骑着千里马先逃走，李靖大军赶到，突厥兵众便溃逃了，唐俭得以脱身返回。李靖斩杀突厥一万多人，俘虏男女十余万人，获得各种牲畜数十万头，杀死隋朝义成公主，生俘其子叠罗施。颉利率领一万多人想越过沙漠，李世勣屯兵碛口，颉利等人到达后，无法通过，他的大酋长全都率领部下投降，李世勣俘虏五万多人，率军返回，开拓的地域从阴山北到沙漠，把捷报上呈朝廷。

二月初十日丙午，太宗回到宫中。

十八日甲寅，因平定突厥宣布大赦天下。

山温汤：到骊山温泉（在今陕西西安市临潼区）。㉗⓪甲辰：二月初八。㉗①阴山：山名，即今内蒙古阴山山脉。㉗②铁山：古山名，在今内蒙古阴山北。㉗③举国：全国。㉗④身自：亲自。㉗⑤卑辞：卑逊的言辞。㉗⑥亡：逃跑。㉗⑦保依九姓：依靠九姓部落。《新唐书·回鹘传》有九姓：药罗葛、胡咄葛、啒罗勿、貊歌息讫、阿勿嘀、葛萨、斛唱素、药勿葛、奚邪勿。这是回纥后来强盛时征服的九姓。当时所谓九姓，即拔野古、延陀、回纥之属。㉗⑧诏使：宣布诏敕的使者。㉗⑨自宽：自然松懈。㉘⓪韩信所以破齐：据《史记·淮阴侯列传》，刘邦派使者郦食其诱降齐国，继而发兵向齐国急进，韩信乘其无备偷袭，一举灭亡了齐国。㉘①随军：跟随在军队后面。㉘②武邑：县名，县治在今河北武邑。㉘③杂畜：马、骆驼、牛、羊等。㉘④军：驻军。㉘⑤斥地：扩展地盘。㉘⑥露布：军中捷报。古代不封口的诏书或奏章，也称露布。㉘⑦丙午：二月初十。㉘⑧甲寅：二月十八日。

【语译】

任命御史大夫温彦博为中书令，代理侍中王珪为侍中；代理户部尚书戴胄为户部尚书，参与朝政；太常寺少卿萧瑀为御史大夫，与宰相共同参议朝政。

三月初三日戊辰，任命突厥夹毕特勤阿史那思摩为右武候大将军。

四方夷族的君主和酋长来到京城皇帝宫阙之下，请求太宗改称天可汗，太宗说："我身为大唐天子，还要做下属可汗的事吗！"文武群臣以及四方夷族酋长都欢呼万岁。此后向西北各族君长赐发加印皇帝玉玺的书信时，都称"天可汗"。

三月初五日庚午，突厥首领思结俟斤率领部众四万多人前来投降。

丙子[296]，以突利可汗为右卫大将军、北平郡王。

初，始毕可汗以启民[297]母弟苏尼失为沙钵罗设[298]，督部落五万家，牙直[299]灵州西北。及颉利政乱，苏尼失所部独不携贰[300]。突利之来奔也，颉利立之为小可汗。及颉利败走，往依之，将奔吐谷浑。大同道[301]行军总管任城王道宗引兵逼之，使苏尼失执送[302]颉利。颉利以数骑夜走，匿于荒谷。苏尼失惧，驰追获之。庚辰[303]，行军副总管张宝相帅众奄[304]至沙钵罗营，俘颉利送京师。苏尼失举众来降，漠南之地遂空[305]。

蔡成公杜如晦疾笃[306]，上遣太子问疾，又自临视之。甲申[307]，薨[308]。上每得佳物，辄思如晦，遣使赐其家。久之，语及如晦，必流涕，谓房玄龄曰："公与如晦同佐朕，今独见公，不见如晦矣！"

突厥颉利可汗至长安。夏，四月戊戌[309]，上御顺天楼[310]，盛陈文物[311]，引见颉利，数[312]之曰："汝藉[313]父兄之业，纵淫虐以取亡，罪一也。数与我盟而背之，二也。恃强好战，暴骨如莽[314]，三也。蹂[315]我稼穑[316]，掠我子女，四也。我宥[317]汝罪，存汝社稷，而迁延[318]不来，五也。然自便桥以来[319]，不复大入为寇，以是得不死耳。"颉利哭谢而退。诏馆于太仆[320]，厚廪食之[321]。

上皇[322]闻擒颉利，叹曰："汉高祖困白登[323]，不能报[324]，今我子能灭突厥，吾托付得人[325]，复何忧哉！"上皇召上与贵臣十余人及诸王、妃、主[326]置酒凌烟阁[327]，酒酣，上皇自弹琵琶[328]，上起舞，公卿迭起为寿[329]，逮[330]夜而罢。

突厥既亡，其部落或北附薛延陀，或西奔西域，其降唐者尚十万口，诏群臣议区处之宜[331]。朝士多言"北狄自古为中国患，今幸而破亡，宜悉徙之河南兖、豫之间[332]，分其种落，散居州县，教之耕织，可以化胡虏为农民，永空塞北[333]之地"。

中书侍郎颜师古以为："突厥、铁勒皆上古所不能臣[334]，陛下既得而臣之，请皆置之河北[335]，分立酋长，领其部落，则永永无患矣。"

十一日丙子，任命突利可汗为右卫大将军、北平郡王。

当初，始毕可汗重用启民可汗的同母弟苏尼失为沙钵罗设，统领部落五万户，牙帐设立在灵州的西北方。等到颉利掌权政局混乱，只有苏尼失所属部落未生背叛之心。突利可汗投奔大唐时，颉利可汗册立他为小可汗。等到颉利战败逃走，于是前往依附苏尼失，准备投奔吐谷浑。大同道行军总管任城王李道宗领兵进逼，让苏尼失抓住颉利送过来。颉利率领几名骑兵连夜逃跑，藏在荒野山谷中。苏尼失害怕了，驱马急忙追赶，抓获了颉利。三月十五日庚辰，行军副总管张宝相率兵突然来到沙钵罗的营帐，抓获颉利送到京城长安。苏尼失率领部众前来投降，漠南地域便空无一人。

蔡成公杜如晦病重，太宗派遣太子询问病情，又亲自前去探望。三月十九日甲申，杜如晦去世。太宗每次得到好器物，就想到杜如晦，派人将器物赏赐到他家里。很长时间，太宗提到杜如晦，必定流下眼泪，对房玄龄说："你与杜如晦一同辅佐朕，如今只见到你，见不到如晦了！"

突厥颉利可汗被押送到长安。夏，四月初三日戊戌，太宗登上顺天门城楼，大量陈列礼仪器物，接见颉利，太宗责备颉利说："你凭借父兄立下的功业，恣肆淫侈残虐，自取灭亡，这是第一条罪状。你多次与我朝订立盟约而又背叛，这是第二条罪状。你自恃强大而好战，原野暴露的白骨莽莽，这是第三条罪状。你践踏我大唐的庄稼，抢夺我大唐的子民百姓，这是第四条罪状。我宽宥你的罪过，保存你的社稷江山，而你却拖延不来朝见，这是第五条罪状。自从我与你在渭水便桥定盟以来，你不再大规模入境侵犯，因此你才得以不被处死。"颉利痛哭谢罪然后退下。太宗下诏让颉利在太仆寺居住，赐给丰厚的饮食。

太上皇李渊听说擒获颉利可汗，感叹说："汉高祖在白登山被匈奴围困，不能报仇，现在我的儿子能剿灭突厥，证明我所托付的人选正确，我还有什么忧虑呢！"太上皇召太宗与十几位显贵大臣，以及诸王、王妃、公主等，在凌烟阁摆下酒宴，酒喝得酣畅时，太上皇亲自弹奏琵琶，皇上翩翩起舞，公卿大臣更相起身祝寿，到了深夜才罢宴。

突厥灭亡后，它的部落或者向北依附薛延陀，或者向西逃往西域，其中投降唐朝的还有十万户，太宗下诏让群臣商议如何安置突厥人。朝廷里多数大臣说"北方的狄人自古就是中原的祸患，现在幸亏他们已经灭亡，应当全部迁徙到河南的兖州、豫州之间，分割他们的种族部落，让他们分散居住到各州县，教他们耕田织布，这样才可以教化胡族变成农民，让塞北地区永远空旷无人"。

中书侍郎颜师古认为："突厥、铁勒自上古以来中原朝廷就不能臣服他们，陛下既然已经臣服他们，请把他们安置在黄河以北地区，分别设立酋长，统领他们的部落，就永远没有祸患了。"

礼部侍郎李百药以为："突厥虽云一国，然其种类区分，各有酋帅。今宜因其离散，各即本部署[336]为君长，不相臣属。纵欲存立阿史那氏，唯可使臣[9]其本族而已。国分则弱而易制，势敌则难相吞灭，各自保全，必不能抗衡中国。仍请于定襄置都护府[337]，为其节度，此安边之长策也。"

夏州都督窦静以为："戎狄之性，有如禽兽，不可以刑法威[338]，不可以仁义教，况彼首丘[339]之情，未易忘也。置之中国，有损无益。恐一旦变生，犯我王略[340]。莫若因其破亡之余，施以望外[341]之恩，假之王侯之号，妻以宗室之女，分其土地，析[342]其部落，使其权弱势分，易为羁制[343]，可使常为藩臣，永保边塞。"

温彦博以为："徙于兖、豫之间，则乖违物性[344]，非所以存养之也。请准[345]汉建武故事，置降匈奴于塞下，全其部落，顺其土俗[346]，以实空虚之地，使为中国捍蔽[347]，策之善者也。"

魏徵以为："突厥世为寇盗，百姓之仇也。今幸而破亡，陛下以其降附，不忍尽杀，宜纵之使还故土，不可留之中国[348]。夫戎狄人面兽心，弱则请服，强则叛乱，固[349]其常性。今降者众近十万，数年之后，蕃息倍多[350]，必为腹心之疾，不可悔也。晋初诸胡与民杂居中国，郭钦、江统皆劝武帝驱出塞外以绝乱阶[351]，武帝不从。后二十余年，伊、洛[352]之间，遂为毡裘[353]之域，此前事之明鉴[354]也。"

彦博曰："王者之于万物，天覆地载[355]，靡有所遗[356]。今突厥穷来归我，奈何弃之而不受乎！孔子曰：'有教无类[357]。'若救其死亡，授以生业，教之礼义，数年之后，悉为吾民。选其酋长，使入宿卫，畏威怀德，何后患之有！"

上卒用彦博策，处突厥降众，东自幽州，西至灵州。分突利故所统之地[358]，置顺、祐、化、长[359]四州都督府。又分颉利之地为六州，左置定襄都督府，右置云中都督府，以统其众。

礼部侍郎李百药认为："突厥虽说是一个国家，但它分为不同的部族种类，各有酋长与统帅。现在应该利用他们的分离流散，分别在各个部落内任命君长，使各部互不统属。纵使想保存阿史那为可汗，只能让他臣有本部族而已。国家各部分散就会变得弱小而容易制服，各部族势力相当就难以相互吞灭，这样他们各自得以保全，就必定不能与中国相抗衡了。仍请在定襄设置都护府，对突厥各部进行控制，这才是安定边境的长久之策。"

夏州都督窦静认为："戎狄的本性，如同禽兽一般，不能用刑罚威慑，不能用仁义教化，况且他们留恋故土，也不容易忘却。将他们安置在中原，对大唐有害无益。恐怕一旦发生变故，就会侵害我大唐的王法。不如趁着他们战败亡国之际，给他们出乎意料的恩惠，册封给他们王侯称号，把皇家宗室之女嫁给他们为妻，划分他们的土地，拆散他们的部落，让他们权力削弱、势力分散，容易被我大唐控制，可以让他们长期作为朝廷的藩臣，永远保持边境安宁。"

温彦博认为："把突厥人迁徙到兖州、豫州之间，就违背突厥人的本性，这不是让他们得以生存养育的办法。请依照光武帝建武年间的旧例，把投降的匈奴人安置在塞外，保全他们的部落，顺应他们的风俗习惯，把他们充实到空无人烟的地区，让他们成为中原王朝的外围屏障，这样才是完善的策略。"

魏徵认为："突厥世代为寇盗，是中原百姓的仇人。如今有幸将他们灭亡，陛下因为他们投降归附，不忍心全部杀掉，应当释放他们回归故土，不能留在中原境内。戎狄各族人面兽心，衰弱的时候就请求归服，强盛起来就反叛朝廷，这本来就是他们的本性。现在投降的部众将近十万人，几年之后，繁衍生息就会成倍增多，必然成为中原的心腹大患，那时就无法后悔了。西晋初年各胡族与汉人杂居在中原地区，郭钦、江统都劝晋武帝把胡族驱赶到塞外，以杜绝叛乱产生的根源，晋武帝不听从这一建议。之后二十多年，伊水、洛水之间，便成为北方戎狄聚居的地区，这是前代事实留下的借鉴。"

温彦博说："称王天下的人对于万物，凡是上天所覆盖的，大地所承载的，没有一样可以遗漏。现在突厥走投无路而来归附我们，为什么要抛弃他们而不接纳呢！孔子说：'对所有的人都要进行教化，没有类别的区分。'如果从灭亡中拯救他们，送给他们生存的产业，以礼乐教化他们，经过数年之后，他们就会成为我朝的百姓。挑选他们的酋长，让他们入宫担任禁卫，他们就会畏惧朝廷的威严而感怀朝廷的恩惠，还会有什么后患呢！"

太宗最终采纳温彦博的策略，把投降归附的突厥民众安置到东起幽州、西至灵州的地区。把突利可汗原来统辖的地区，设置了顺州、祐州、化州、长州等四州都督府。又把颉利可汗统辖地区分别设置为六个州，在东面设置定襄都督府，西面设置云中都督府，用来统辖突厥的民众。

五月辛未㊱⓪，以突利为顺州都督，使帅其[10]部落之官。上戒之曰："尔祖启民挺身奔隋，隋立以为大可汗，奄有㊱①北荒㊱②，尔父始毕反为隋患㊱③。天道不容，故使尔今日乱亡如此。我所以不立尔为可汗者，惩启民前事故也。今命尔为都督，尔宜善守中[11]国法，勿相侵掠，非徒㊱④欲中国久安，亦使尔宗族永全㊱⑤也。"

壬申㊱⑥，以阿史那苏尼失为怀德郡王，阿史那思摩为怀化郡王。颉利之亡也，诸部落酋长皆弃颉利来降，独思摩随之，竟与颉利俱擒。上嘉其忠，拜右武候大将军，寻以为北开州都督，使统颉利旧众。

丁丑㊱⑦，以右武卫大将军史大奈为丰州㊱⑧都督，其余酋长至者皆拜将军中郎将，布列朝廷，五品已上百余人，殆与朝士㊱⑨相半，因而入居长安者近万家。

辛巳㊲⓪，诏："自今讼者，有经尚书省判不服，听㊲①于东宫上启㊲②，委太子裁决。若仍不服[12]，然后闻奏。"

丁亥㊲③，御史大夫萧瑀劾奏李靖破颉利牙帐，御军无法㊲④，突厥珍物，虏掠俱尽，请付法司推科㊲⑤。上特敕勿劾。及靖入见，上大加责让，靖顿首谢。久之，上乃曰："隋史万岁㊲⑥破达头可汗，有功不赏，以罪致戮。朕则不然，录公之功，赦公之罪。"加靖左光禄大夫㊲⑦，赐绢千匹，加真食邑㊲⑧通前㊲⑨五百户。未几，上谓靖曰："前有人谗公，今朕意已寤，公勿以为怀。"复赐绢二千匹。

【段旨】

以上为第八段，写唐太宗安置突厥降人，以郡县制度管理。褒奖功臣李靖，不录小过。

【注释】

㉘⑨守：摄理；摄代。品级较低的人出任较高的职位称为守某官。㉙⓪戊辰：三月初三。㉙①右武候大将军：官名，禁军的高级武官。㉙②阙：宫阙；宫门。㉙③天可汗：至尊的

五月初七日辛未，任命突利可汗为顺州都督，让他统领所属部落官员。太宗告诫他说：“你的祖父启民可汗挺身投奔隋朝，隋朝把他册立为大可汗，完全控制了北部的荒远地区，你的父亲始毕可汗反而成为隋的祸患。天道不容你们这样做，所以让你们今天败亡到如此境地。我之所以不册立你为可汗，就是有鉴于以前启民旧事。现在任命你为都督，你应当好好遵守大唐的法令，不要相互侵扰劫掠，不只是想让中原长治久安，也想让你的宗族永远得以保全。”

五月初八日壬申，任命阿史那苏尼失为怀德郡王，阿史那思摩为怀化郡王。颉利败亡时，各部族的酋长都抛弃颉利可汗前来投降，只有思摩跟随颉利，最后与颉利一同被俘。太宗赞赏他的忠诚，任命他为右武候大将军，不久又任命为北开州都督，让他统领颉利原来的部众。

五月十三日丁丑，任命右武卫大将军史大奈为丰州都督，其他来投奔唐朝的酋长都拜为将军中郎将，列身于朝廷官员之中，五品以上的有一百多人，几乎与朝廷原来的官员各占一半，因此迁居长安的接近一万家。

五月十七日辛巳，太宗下诏：“从今以后的诉讼，有经过尚书省判决而不服的，听凭到东宫向上禀报，交由太子裁决。如果仍旧不服，然后就上奏皇帝。”

五月二十三日丁亥，御史大夫萧瑀弹劾李靖大破颉利可汗牙帐时，治军没有法度，使得突厥可汗的珍奇宝物，全被抢掠一空，请交付司法部门推勘审理。太宗予以特赦不让弹劾。等到李靖进京拜见，太宗对他大加责备，李靖磕头谢罪。过了好一会儿，太宗才说：“隋朝史万岁打败达头可汗，有功劳不加赏赐，却因罪而被杀。朕就不这样，记录你的功劳，赦免你的罪过。”加封李靖左光禄大夫，赐给绢帛一千匹，增加了真食邑，加上以前的共有五百户。不久，太宗对李靖说：“以前有人说你的坏话，现今朕已醒悟，你不必记在心里。”又赐给绢帛二千匹。

可汗。“天”含有至尊之意。㉙㉔玺书：盖有皇帝大印的文书。㉙㉕庚午：三月初五。㉙㉖丙子：三月十一日。㉙㉗启民：即启民可汗（？至公元六〇九年），东突厥可汗，沙钵略可汗之子，颉利可汗之父。事迹见《旧唐书》卷一百九十四、《新唐书》卷二百十五《突厥传》。㉙㉘设：突厥、回纥典兵官衔。㉙㉙牙直：牙帐设在；牙帐设立。直，通“值”，设立。㉚⓪携贰：有二心；背叛。㉚①大同道：道名，治所在今内蒙古乌拉特后旗西北。㉚②执送：捉拿送去；拘捕送去。㉚③庚辰：三月十五日。㉚④奄：突然。㉚⑤遂空：于是空无一人。㉚⑥疾笃：病重。㉚⑦甲申：三月十九日。㉚⑧薨：死。古代称侯王死为“薨”。唐以后称二品以上的官死也叫“薨”。㉚⑨戊戌：四月初三。㉛⓪顺天楼：即长安太极宫顺天门（承

天门）楼。《唐六典》卷七："皇城南门，中曰承天门，隋开皇二年作，初曰广阳门，仁寿元年改曰昭阳门，武德元年改曰顺天门，神龙元年改曰承天门。若元正、冬至，大陈设燕会，赦过宥罪，除旧布新，受万国之朝贡，四夷之宾客，则御承天门以听政。"㉛文物：器物珍宝之类。㉜数：责备。㉝藉：凭借。㉞暴骨如莽：语出《左传》哀公元年。意谓暴露的骸骨极多。莽，草茂盛的样子。形容尸骨如同草生于旷野莽莽然。㉟蹂：蹂躏。㊱稼穑：泛指庄稼。㊲宥：宽容；饶恕。㊳迁延：拖延。㊴便桥以来：指武德九年（公元六二六年）八月，李世民与突厥颉利可汗在渭河便桥结盟以来。㊵诏馆于太仆：诏命颉利在太仆寺馆舍居住。太仆，官名，掌皇帝的舆马和马政。㊶厚廪食之：优厚供给膳食。㊷上皇：太上皇李渊。㊸汉高祖困白登：汉高祖七年（公元前二〇〇年），高祖刘邦亲率大军出击匈奴，至平城（今山西大同东北），被冒顿围于白登（山名，在平城东）七日。㊹不能报：不能报仇。㊺托付得人：所托为最适当的人。㊻妃、主：妃嫔、公主。㊼凌烟阁：绘有功臣图像的高阁。在长安太极宫东北隅，位于三清殿之侧。贞观十七年（公元六四三年）太宗为表彰功臣，使阎立本绘制长孙无忌等二十四人图像，挂于凌烟阁。㊽上皇自弹琵琶：北朝及隋唐时，甚为看重琵琶，大宴会上经常演奏，且往往由君王亲自弹奏。㊾迭起为寿：一次又一次起来举杯祝寿。为寿，即敬酒。㊿逮：及；至。[331]区处之宜：区分处置的适宜办法。[332]兖、豫之间：此处的兖、豫泛指九州。[333]塞北：长城以北。[334]上古所不能臣：上古以来所不能臣服。[335]河北：泛指黄河以北地区。[336]署：代理、暂任或试充官职。[337]都护府：官署名，唐代自太宗至武则天时，先后设置安西、安北、单于、安东、安南、北庭六个大都护府，管理辖境的边防、行政和各族事务。[338]以刑法威：用刑法威吓。[339]首丘：语出《楚辞·九章·哀郢》，"鸟飞反故乡兮，狐死必首丘"。首，头向着。丘，狐穴所在的土丘。传说狐死时，头犹向着巢穴。后因称人死后归葬故乡为"归正首丘"。也用为怀念故乡之意。[340]王略：王法。[341]望外：希望之外。[342]析：分。[343]羁制：束缚挟制。[344]物性：此处指人性。[345]准：依照。[346]土俗：本土风俗。[347]捍蔽：捍御遮蔽。[348]中国：中原。[349]固：本来。[350]蕃息倍多：滋生众多。[351]乱阶：祸乱的阶梯，即祸源。[352]伊、洛：指今河南伊河与洛河。[353]毡裘：戎狄所穿用的服具。因以指戎狄。[354]鉴：明镜；借鉴。[355]天覆地载：如天之覆，如

【原文】

林邑[380]献火珠[381]，有司以其表辞不顺[382]，请讨之，上曰："好战者亡，如[13]隋炀帝、颉利可汗，皆耳目所亲见也。小国胜之不武[383]，况未可必乎！语言之间，何足介意！"

地之载。㊱56 靡有所遗：无所遗留。㊱57 有教无类：孔子的教育主张。意即不分贵贱贤愚，也不分地区族类，都可作为教育对象进行教化。㊱58 故所统之地：原来统辖的地方。㊱59 顺、祐、化、长：皆州名。顺州，治所在今北京市顺义区。祐州，治所在今宁夏银川。化州，治所不详。长州，治所在今甘肃庆阳。㊱60 辛未：五月初七。㊱61 奄有：覆盖。㊱62 北荒：北方荒服之地。㊱63 尔父始毕反为隋患：你的父亲始毕可汗反而成为隋朝的外患。㊱64 非徒：非但。㊱65 永全：永远得以保全。㊱66 壬申：五月初八。㊱67 丁丑：五月十三日。㊱68 丰州：州名，治所在今内蒙古五原西南黄河北岸。㊱69 朝士：朝廷官员。㊱70 辛巳：五月十七日。㊱71 听：听凭。㊱72 上启：上书。㊱73 丁亥：五月二十三日。㊱74 御军无法：统御军队没有法度。㊱75 推科：推究、审查。㊱76 史万岁（？至公元六〇〇年）：隋代名将，京兆杜陵（今陕西西安东南）人，隋开皇末，突厥达头可汗入寇，史万岁率兵大破突厥。然而有功不赏。文帝听信谗言，以罪杀害。传见《隋书》卷五十三。㊱77 光禄大夫：官名，汉代掌议论及顾问应对。至隋为文散官。唐时光禄大夫为文散阶从二品。㊱78 真食邑：食邑，即采邑。亦名采地或封地。中国古代诸侯封赐所属卿、大夫作为世禄的田邑。因食其封邑的租税，故称食邑。此制盛行于周朝，以后历代在内容上多有变化。汉代说食封邑或食邑若干户。六朝时丧乱不断，食邑户数与实际相差很远，故后来在颁赐俸禄时，便以当时实得封户为准，采用真食邑或食实封两个名称。唐制，食实封者得真户，以丰饶之地、中等以上户给之。㊱79 通前：加上以前的总数。

【校记】

［9］臣：原作“存”。据章钰校，十二行本、乙十一行本、孔天胤本皆作“臣”，张瑛《通鉴校勘记》同，今据改。［10］其：原无此字。据章钰校，十二行本、乙十一行本、孔天胤本皆有此字，张敦仁《通鉴刊本识误》同，今据补。［11］中：据章钰校，十二行本、乙十一行本、孔天胤本皆无此字。［12］服：原作“伏”。据章钰校，十二行本、乙十一行本、孔天胤本皆作“服”，张敦仁《通鉴刊本识误》同，今据改。〖按〗“伏”“服”二字通。上文作“服”，此处应与上文同。

【语译】

林邑向太宗进献火珠，有关部门认为林邑奏表中的文辞不恭顺，请求讨伐林邑。太宗说：“好战的人会走向灭亡，如隋炀帝、颉利可汗，都是耳闻目见的先例。对一个小国，战胜它算不上威武，何况未必能取胜！上书的语言小有问题，何必介意呢！”

六月丁酉[384]，以阿史那苏尼失为北宁州[385]都督，以中郎将史善应为北抚州都督。壬寅[386]，以右骁卫将军康苏密为北安州都督。

乙卯[387]，发卒修洛阳宫，以备巡幸。给事中张玄素上书谏，以为："洛阳未有巡幸之期而预修宫室，非今日之急务。昔汉高祖纳娄敬之说，自洛阳迁长安[388]，岂非洛阳之地不及关中之形胜[389]邪！景帝用晁错之言而七国构祸[390]，陛下今处突厥于中国，突厥之亲，何如七国[391]？岂得不先为忧，而宫室可遽兴[392]，乘舆[393]可轻动哉！臣见隋氏初营宫室，近山无大木，皆致之远方，二千人曳一柱，以木为轮，则戛摩[394]火出，乃铸铁为毂[395]，行一二里，铁毂辄破，别使数百人赍[396]铁毂随而易之[397]，尽日[398]不过行二三十里，计一柱之费，已用数十万功[399]，则其余可知矣。陛下初平洛阳，凡隋氏宫室之宏侈[400]者，皆令毁之，曾未十年，复加营缮，何前日恶之而今日效之也！且以今日财力，何如隋世？陛下役疮痍之人[401]，袭[402]亡隋之弊，恐又甚于炀帝矣！"上谓玄素曰："卿谓我不如炀帝，何如桀、纣？"对曰："若此役不息，亦同归于乱耳！"上叹曰："吾思之不熟，乃至于是！"顾谓房玄龄曰："朕以洛阳土中[403]，朝贡道均[404]，意欲便民，故使营之。今玄素所言诚有理，宜即为之罢役。后日[405]或以事至洛阳，虽露居[406]亦无伤也。"仍赐玄素彩二百匹。

秋，七月甲子朔[407]，日有食之。

乙丑[408]，上问房玄龄、萧瑀曰："隋文帝何如主也？"对曰："文帝勤于为治，每临朝，或至日昃[409]，五品已上，引坐论事，卫士传餐而食[410]。虽性非仁厚，亦励精之主也。"上曰："公得其一，未知其二。文帝不明而喜察[411]，不明则照有不通[412]，喜察则多疑于物[413]，事皆自决，不任群臣。天下至广，一日万机[414]，虽复劳神苦形[415]，岂能一一中理[416]！群臣既知主意，唯取决受成[417]，虽有愆违[418]，莫敢谏争，此所以二世而亡也。朕则不然，择天下贤才，寘之百官[419]，使思天下之事，关[420]由宰相，审熟便安[421]，然后奏闻。有功则赏，有罪则刑，谁敢不竭心力以修职业[422]，何忧天下之不治乎！"因敕百司："自今诏敕行下有未便者，皆应执奏[423]，毋得阿从[424]，不尽己意[425]。"

六月初四日丁酉，任命阿史那苏尼失为北宁州都督，任命中郎将史善应为北抚州都督。初九日壬寅，任命右骁卫将军康苏密为北安州都督。

六月二十二日乙卯，朝廷征发士兵修筑洛阳宫殿，以备太宗巡幸时使用。给事中张玄素上书劝谏，认为："还没有定下巡幸洛阳的日期就预先修筑宫室，并非眼前的当务之急。以前汉高祖刘邦采纳娄敬的建议，从洛阳迁都到长安，难道不是因为洛阳地区不如关中地势优越吗！汉景帝采用晁错削藩的建议而使吴、楚七国发动叛乱，陛下现在把突厥安置在中原地区，突厥与我朝，与七国对汉朝相比谁更亲呢？怎能不先担忧此事，而马上兴建宫室，轻易出动皇帝御驾呢！臣看到隋朝当初营造宫室，近处山上没有粗大的树木，树木都从远方运来，二千人拉一根柱子，用木头作为轮子，就会摩擦起火，于是铸铁为车毂，走一二里路，铁毂就破损了，另外派几百人携带铁毂随时更换，一整天不过行走二三十里，总计一根柱子的花费，已经使用了几十万个工作日，那么其他的花费就可想而知了。陛下刚平定洛阳时，凡是看到隋朝宫殿规模宏大奢侈的，都下令毁掉，还不到十年时间，又重新加以营造修缮，为何以前厌恶而现在却要效仿呢！而且现在的财力，怎么能与隋代相比？陛下役使受伤的百姓，承袭隋朝灭亡的弊病，恐怕为祸之甚要超过隋炀帝了！"太宗对张玄素说："你说我不如隋炀帝，与桀、纣相比又怎么样？"回答说："如果这项劳役不停止，也要同样走向变乱罢了！"太宗感叹说："我考虑不成熟，以至于此！"回头对房玄龄说："朕以为洛阳地处天下正中，四方前来朝贡的路途相等，本意是方便百姓，所以派人营造。今日玄素所说的确有道理，应立即停止这项劳役。今后如有事去洛阳，即使露天而居也无妨。"于是赐给张玄素彩帛二百匹。

秋，七月初一日甲子，发生日食。

七月初二日乙丑，太宗问房玄龄、萧瑀说："隋文帝是怎样的君主？"回答说："隋文帝勤于治理国家，每次临朝听政，有时要到太阳偏西，五品以上的官员，召来坐着讨论政事，卫士给他们传送餐饭来吃。虽然他的性格不够仁厚，也是励精图治的君主。"太宗说："你们只知其一，未知其二。文帝眼光不明却喜欢细究，眼光不明的话，对事情就看不透彻，喜欢细究就会对事情多疑，事情都由自己裁决，而不能任用群臣。天下极为广大，一天的政务千头万绪，虽然精神劳累，人也辛苦，哪里能每件事都合乎道理！群臣既然知道皇帝的心意，就只听主上决定，接受主上命令，虽然出现差错，群臣也没有人敢来劝谏争论，这就是隋朝两代就灭亡的原因所在。朕就不是这样，选择天下的贤能人才，让他们担任文武百官，思考天下的政事，由宰相总管诸事，深思熟虑方便稳妥了，然后上奏给朕。有功就给予赏赐，有罪就处以刑罚，谁敢不尽心尽力来做好本职事务，哪里担心天下得不到治理呢！"于是敕令所有衙门："自今以后诏敕文书如有不当之处，都应提出意见向上禀奏，不得阿谀奉承，不完全说出自己的意见。"

癸酉㊸，以前太子少保㊼李纲为太子少师㊽，以兼御史大夫萧瑀为太子少傅。

李纲有足疾，上赐以步舆㊾，使之乘至阁下，数引入禁中，问以政事。每至东宫，太子亲拜之。太子每视事，上令纲与房玄龄、王珪[14]侍坐㊿。

先是，上命[15]萧瑀与宰相参议朝政，瑀气刚而辞辩431，房玄龄等皆不能抗432，上多不用其言。玄龄、魏徵、温彦博尝有微过，瑀劾奏之，上竟不问，瑀由此怏怏433自失434，遂罢御史大夫，为太子少傅，不复预闻朝政。

【段旨】

以上为第九段，写唐太宗罢东都营建，明察是非，用人不疑。

【注释】

380林邑：越南古国。又称占婆、占城。在今越南中南部。381献火珠：《旧唐书·南蛮林邑传》，“（贞观）四年，其王范头黎遣使献火珠，大如鸡卵，圆白皎洁，光照数尺，状如水精，正午向日，以艾蒸之，即火燃”。382表辞不顺：奏表的词语不恭敬。383小国胜之不武：战胜小国算不上威武。384丁酉：六月初四。385北宁州：北宁州及下述北抚州、北安州，均为临时设置，今地不详。386壬寅：六月初九。387乙卯：六月二十二日。388汉高祖纳娄敬之说二句：西汉初建都洛阳。高祖五年（公元前二〇二年），娄敬盛陈迁都长安之利，被高祖采纳，拜为郎中，号奉春君，赐姓刘氏。娄敬事详《史记》卷九十九、《汉书》卷四十三本传。389形胜：地势优越便利。390景帝用晁错之言而七国构祸：汉景帝前二年（公元前一五五年），御史大夫晁错屡次建言削藩，被景帝采纳并下削藩令。次年，吴王刘濞、楚王刘戊等举兵叛乱，史称“吴楚七国之乱”。晁错（公元前二〇〇至前一五四年），西汉政论家，颍川（今河南禹州）人。传见《汉书》卷四十八。391突厥之亲二句：意谓突厥与朝廷的亲密，如何比得上七国。392岂得不先为忧二句：意谓难道能不先有忧虑，反而急于兴建宫室。393乘舆：帝王乘坐的车子。此为帝王的代称。394戛摩：轻轻敲打摩擦。395毂：车轮的中心部分，有圆孔，可以插轴。396贲：抱着。397随而易七月初十日癸酉，任命前任太子少保李纲为太子少师，任命兼任御史大夫萧瑀为太子少傅。

李纲的脚有疾病，太宗赐给他一乘小轿代步，让他乘坐小轿来到宫内朝阁下面，多次召他进入宫内，向他询问政事。每次到东宫，太子亲自向他下拜。太子每次处理政事，太宗都令李纲与房玄龄、王珪一同陪坐。

此前，太宗命萧瑀与宰相参议朝政，萧瑀性情刚烈而能言善辩，房玄龄等人都不能与他抗衡，太宗大多不采用他的意见。房玄龄、魏徵、温彦博曾有小的过失，萧瑀上奏弹劾他们，太宗最终没有过问，萧瑀因此而怏怏不乐有所失望，于是免去御史大夫一职，改任太子少傅，不再参与朝政。

之：随时更换。㊳尽日：整日。㊴功：一人一日的计算单位。㊵宏侈：宏伟侈靡。㊶疮痍之人：受伤的人。㊷袭：因袭。㊸洛阳土中：洛阳居中国之中心。㊹朝贡道均：各地来朝贡的距离较平均。㊺后日：日后；往后。㊻露居：露天而居。㊼甲子朔：七月初一。㊽乙丑：七月初二。㊾日昃：日过午，太阳偏西。㊿传餐而食：传递食物就地食用。⑪不明而喜察：不贤明而喜欢苛察。⑫不明则照有不通：不精明则不通达。⑬物：人物。⑭万机：万种机务。⑮虽复劳神苦形：即使再劳神费力。⑯中理：合理。⑰受成：接受成命。⑱愆违：失误。⑲寘之百官：放置在百官的位子上。⑳关：禀告；报告。㉑审熟便安：深思熟虑，方便稳妥。㉒竭心力以修职业：竭尽心力以修治自己的职务。㉓执奏：执以上奏。㉔阿从：一味顺从。㉕不尽己意：意谓不把自己的想法全部说出来。㉖癸酉：七月初十。㉗少保：官名，为辅导太子的官。㉘少师：官名，与少傅、少保合称三孤或三少，均为辅导、教谕太子的官。㉙步舆：即步挽车，古代一种用人拉的车子。㉚侍坐：陪坐在旁边。㉛辞辩：辞令巧辩。㉜抗：抗御。㉝怏怏：不满意的样子。㉞自失：不快。

（注：以上注号原书为398—434。）

【校记】

［13］如：原无此字。据章钰校，十二行本、乙十一行本、孔天胤本皆有此字，今据补。［14］王珪：原无此二字。据章钰校，十二行本、乙十一行本皆有此二字，张敦仁《通鉴刊本识误》同，今据补。［15］上命：原无此二字。据章钰校，十二行本、乙十一行本皆有此二字，今据补。

【原文】

西突厥种落散在伊吾[435]，诏以凉州都督李大亮为西北道安抚大使[436]，于碛口[437]贮粮，来者赈给[438]，使者招慰[439]，相望于道[440]。大亮上言：“欲怀远者[441]，必先安近。中国如本根，四夷如枝叶，疲中国以奉[442]四夷，犹拔本根以益枝叶也。臣远考秦、汉，近观隋室，外事戎狄，皆致疲弊。今招致西突厥，但见劳费，未见其益。况河西州县[443]萧条，突厥微弱以来，始得耕获，今又供亿[444]此役，民将不堪，不若且罢招慰为便。伊吾之地，率皆沙碛，其人或自立君长，求称臣内属者，羁縻[445]受之，使居塞外，为中国藩蔽[446]，此乃施虚惠而收实利也。”上从之。

八月丙午[447]，诏以“常服未有差等，自今三品以上服紫，四品、五品服绯[448]，六品、七品服绿，八品服青[449]，妇人从其夫色”。

甲寅[450]，诏以兵部尚书李靖为右仆射。靖性沈厚，每与时宰[451]参议，恂恂[452]如[16]不能言。

突厥既亡，营州都督薛万淑遣契丹[453]酋长贪没折说谕东北诸夷，奚、霫、室韦[454]等十余部皆内附。万淑，万均之兄也。

戊午[455]，突厥欲谷设来降。欲谷设，突利之弟也。颉利败，欲谷设奔高昌[456]，闻突利为唐所礼，遂来降。

九月戊辰[457]，伊吾城主入朝。隋末，伊吾内属，置伊吾郡，隋乱，臣于突厥。颉利既灭，举其属七城来降，因以其地置西伊州[458]。

思结部落饥贫，朔州刺史新丰[459]张俭[460]招集之，其不来者，仍居碛北，亲属私相往还[461]，俭亦不禁。及俭徙胜州[462]都督，州司[463]奏思结将叛，诏俭往察之。俭单骑入其部落说谕[464]，徙之代州，即以俭检校[465]代州都督，思结卒无叛者。俭因劝之营田，岁大稔[466]。俭恐虏蓄积多，有异志，奏请和籴[467]，以充边储。部落喜，营田转力[468]，而边备实焉。

丙子[469]，开南蛮地，置费州、夷州[470]。

【语译】

西突厥的部族散居在伊吾地区，太宗下诏任命凉州都督李大亮为西北道安抚大使，在碛口存贮粮食，前来的人就赈发粮食，出使的人就招抚慰问，路上的人前后相望。李大亮上书说：“想要怀柔远方各族，一定要先安抚近处的人。中原地区如同大树的根本，四方各族如同大树的枝叶，让中原民众非常疲惫地来奉养四方的夷人，就好像拔掉大树的本根来使树上的枝叶受益。臣考察远在以前的秦代、汉代，又观察最近的隋朝，对外奉事戎狄，都使自己疲惫而产生弊病。如今为了招抚西突厥，只看到朝廷劳累而耗费财物，没看到有什么收益。更何况河西州县寥落，自从突厥衰微以来，才能够耕种稼穑，如今又贮粮供给来往之人，百姓将无法承受，不如暂且停止招抚慰问，这比较有利。伊吾地区大多是沙漠，当地人有的自立君长，如果对朝廷称臣归附，不妨接受，加以控制，让他们居住在塞外，作为中原的屏障，这才是施舍虚有的恩惠而得到实际的利益。”太宗听从了这一意见。

八月十四日丙午，太宗下诏认为“官员日常服装没有等级差别，今后三品以上官员服用紫色，四品、五品官员服用红色，六品、七品官员服用绿色，八品官员服用青色，官员夫人的服装与丈夫官服的颜色相同”。

八月二十二日甲寅，太宗下诏任命兵部尚书李靖为右仆射。李靖性情深沉忠厚，每次与宰相们议论政事，谦恭拘谨得像是不善言辞。

突厥既已灭亡，营州都督薛万淑派契丹首领贪没折劝说告谕东北各族归附，于是奚、霫、室韦等十几个部族都归附唐朝。薛万淑是薛万均的哥哥。

八月二十六日戊午，突厥人欲谷设前来投降。欲谷设是突利可汗的弟弟。颉利可汗战败后，欲谷设投奔高昌，听说突利受到唐朝的礼遇，于是前来投降。

九月初六日戊辰，伊吾城主入京朝见。隋朝末年，伊吾归附内地，隋朝设置了伊吾郡，隋末发生战乱，伊吾改而归附突厥。颉利既已灭亡，伊吾又率领属下的七座城前来投降，朝廷于是把他们的地区设置为西伊州。

思结部落饥饿贫穷，朔州刺史新丰人张俭召集他们，其中不应召而来的，仍然居住在大漠之北，他们的亲属私下相互往来，张俭也不禁止。等到张俭改任胜州都督后，朔州州官上奏称思结部落将要反叛，太宗下诏令张俭前往巡察。张俭一人单骑进入思结部落劝说晓谕，把他们迁居到代州，朝廷就任命张俭代理代州都督，思结最终也没有反叛。张俭于是劝他们开垦田地耕种，年底获得大丰收。张俭担心思结人的积蓄多了，就会有反叛之心，于是奏请由官府购买他们的粮食，以补充边防储粮。思结部族大为高兴，经营农业更加努力，而边防的储备于是得以充实。

九月十四日丙子，唐朝开辟南蛮地区，设立费州、夷州。

【段旨】

以上为第十段，写漠北、西域、南方蛮夷，均归服唐朝。

【注释】

㊽伊吾：地名，即今新疆哈密。㊾安抚大使：官名，隋代仁寿四年（公元六〇四年）设置安抚大使，由行军主帅兼任。唐代各州如遇水旱灾害，就派遣巡察、安抚或存抚等使节巡视抚恤；倘由节度使兼任，另有副使。㊿碛口：此碛口当在伊吾东。(438)来者赈给：前来的人就赈给。(439)使者招慰：出使的人就招抚慰劳。(440)相望于道：在道路之上前后相望，意即络绎不绝。(441)怀远者：安抚远方之人。(442)奉：供奉。(443)河西州县：指甘、凉、瓜、沙、肃等州。甘州治所在今甘肃张掖，凉州治所在今甘肃武威，瓜州治所在今甘肃瓜州县东南，沙州治所在今甘肃敦煌西，肃州治所在今甘肃酒泉。(444)供亿：供给。(445)羁縻：笼络。(446)藩蔽：藩篱屏障。(447)丙午：八月十四日。(448)绯：红色。(449)青：黑色。(450)甲寅：八月二十二日。(451)时宰：当时执政者。(452)恂恂：温恭的样子。(453)契丹：古

【原文】

己卯(471)，上幸陇州。

冬，十一月壬辰(472)，以右卫大将军侯君集为兵部尚书，参议朝政。

甲子(473)，车驾还京师。

上读《明堂针灸书》(474)，云“人五藏之系，咸附(475)于背”，戊寅(476)，诏自今毋得笞囚背(477)。

十二月甲辰(478)，上猎于鹿苑(479)。乙巳(480)，还宫。

甲寅(481)，高昌王麹文泰(482)入朝。西域诸国咸欲因文泰遣使入贡，上遣文泰之臣厌怛纥干往迎之。魏徵谏曰：“昔光武不听西域送侍子(483)，置都护，以为不以蛮夷劳中国。今天下初定，前者(484)文泰之来，所过[17]劳费已甚，今借使(485)十国入贡，其徒旅(486)不减(487)千人，边民荒耗(488)，将不胜其弊。若听(489)其商贾往来，与边民交市，则可矣。傥以宾客遇(490)之，非中国之利也。”时厌怛纥干已行，上遽(491)令止之。

族名，源于东胡。北魏以后在今辽河上游一带游牧。唐以其地设置松漠都督府，并任命契丹首领为都督。㊹室韦：古族名，北魏时始见于史书记载。分布在嫩江流域及黑龙江南北岸。唐时，室韦有二十多部落。㊺戊午：八月二十六日。㊻高昌：古城名，故址在今新疆吐鲁番东二十余公里哈拉和卓堡西南。㊼戊辰：九月初六。㊽西伊州：州名，治所在今新疆哈密。㊾新丰：县名，县治在今陕西西安市临潼区东北新丰镇。㊿张俭（公元五九三至六五三年）：高祖之从甥。贞观初，以功累迁朔州刺史。传见《旧唐书》卷八十三、《新唐书》卷一百十一。461私相往还：私自相互往来。462胜州：州名，治所在今内蒙古准格尔旗东北黄河南岸十二连城。463州司：州官。464说谕：劝说晓谕。465检校：摄代。466稔：丰熟。467和籴：和议价格而进行收买。468转力：反而更为用力。469丙子：九月十四日。470费州、夷州：皆为州名，费州治所即今贵州思南，夷州治所在今贵州凤冈。

【校记】

［16］如：据章钰校，十二行本、乙十一行本皆作“似”。

【语译】

九月十七日己卯，太宗巡幸陇州。

冬，十一月壬辰日，任命右卫大将军侯君集为兵部尚书，参议朝政。

初三日甲子，太宗的车驾回到京师长安。

太宗读《明堂针灸书》，书中说“人五脏的根系，都附着在后背”，十一月十七日戊寅，下诏从今以后不得鞭笞囚犯的后背。

十二月十四日甲辰，太宗在鹿苑围猎。十五日乙巳，返回宫中。

十二月二十四日甲寅，高昌王麴文泰入京朝见。西域各国都想通过麴文泰派使节入京朝贡，太宗派麴文泰手下的大臣厌怛纥干前往迎接他们。魏徵劝谏说：“从前汉光武帝不许西域送王子进京为侍子，设置都护府，认为不应以蛮夷之事使中原朝廷烦劳。如今天下刚刚平定，先前麴文泰来京朝见，所过之处烦劳耗费已经很多，如今假使有十国来进贡，使者及随从人数不少于一千人，边境民众荒废本业，耗费过大，由此带来的弊病将无法承受。如果允许商人相互往来，与边境的百姓互市贸易，这是可以的。如果以宾客之礼招待他们，对于中原就没有好处了。”当时厌怛纥干已经出发，太宗马上让他止步。

诸宰相侍宴，上谓王珪曰："卿识鉴[492]精通，复善谈论，玄龄以下，卿宜悉加品藻[493]，且自谓与数子何如[494]？"对曰："孜孜[495]奉国，知无不为，臣不如玄龄。才兼文武，出将入相[496]，臣不如李靖。敷奏[497]详明，出纳惟允[498]，臣不如温彦博。处繁治剧[499]，众务毕举，臣不如戴胄。耻君不及尧、舜[500]，以谏争为己任，臣不如魏徵。至于激浊扬清[501]，嫉恶好善，臣于数子，亦有微长[502]。"上深以为然，众亦服其确论[503]。

上之初即位也，尝与群臣语及教化[504]，上曰："今承大乱之后，恐斯民[505]未易化也。"魏徵对曰："不然。久安之民骄佚[506]，骄佚则难教，经乱之民愁苦，愁苦则易化。譬犹饥者易为食，渴者易为饮也。"上深然之。封德彝非之曰："三代以还[507]，人渐浇讹[508]，故秦任法律，汉杂霸道，盖欲化而不能，岂能之而不欲邪[509]！魏徵书生[510]，未识时务，若信其虚论[511]，必败国家。"徵曰："五帝、三王不易民[512]而化，昔黄帝征蚩尤，颛顼诛九黎，汤放桀，武王伐纣[513]，皆能身致太平，岂非承大乱之后邪！若谓古人淳朴[514]，渐至浇讹，则至于今日，当悉化为鬼魅[515]矣，人主安得而治之！"上卒从徵言。

元年[516]，关中饥，米斗直[517]绢一匹。二年，天下蝗。三年，大水。上勤而抚之，民虽东西就食，未尝嗟怨[518]。是岁[519]，天下大稔，流散者咸归乡里，米斗不过三四钱，终岁断死刑才二十九人。东至于海，南极五岭[520]，皆外户不闭[521]，行旅不赍粮，取给于道路焉[522]。

上谓长孙无忌曰："贞观之初，上书者皆云：'人主当独运威权，不可委之臣下。'又云：'宜震耀威武，征讨四夷。'唯魏徵劝朕'偃武修文[523]，中国既安，四夷自服'。朕用其言。今颉利成擒[524]，其酋长并带刀宿卫，部落皆袭衣冠[525]，徵之力也，但恨不使封德彝见之[526]耳。"徵再拜谢曰："突厥破灭，海内康宁，皆陛下威德，臣何力焉！"上曰："朕能任公，公能称所任，则其功岂独在朕乎！"

房玄龄奏"阅府库甲兵[527]，远胜隋世"。上曰："甲兵武备，诚不可阙[528]，然炀帝甲兵岂不足邪！卒亡天下。若公等尽力，使百姓乂安[529]，此乃朕之甲兵[530]也。"

诸位宰相陪同太宗饮宴，太宗对王珪说：“您见识高明，精通鉴别人才，又善于谈论，房玄龄以下的大臣，您应该全部加以品鉴，而且说明自己与他们相比如何。”王珪回答说：“对待国家孜孜不倦，知道的就全部做到，臣不如房玄龄。才能兼具文武，出则为将，入则为相，臣不如李靖。奏事详尽明白，传达诏令和接纳群臣奏疏妥帖无误，臣不如温彦博。能处理繁重复杂的政务，各种政务都兴办起来，臣不如戴胄。以君王不如尧、舜为耻，以劝谏争辩为己任，臣不如魏徵。至于荡涤污浊，提倡清廉，嫉恶好善，臣与他们几位相比，也有一点长处。”太宗认为说得非常对，大家也认可他的中肯评论。

太宗刚即位时，曾与群臣谈到教化问题，太宗说：“当今是遭受大乱之后，恐怕这些百姓不容易教化。”魏徵回答说：“不是这样。长久安定的百姓就会骄慢安逸，骄慢安逸就难以教化，经过动乱的百姓悲愁苦难，悲愁苦难就容易教化。好比饥饿的人容易给他吃东西，口渴的人容易给他饮水一样。”太宗深表赞同。封德彝非难说：“三代以来，人们逐渐变得刻薄奸诈，所以秦朝专门使用律令刑罚，汉代在王道之外混杂霸道，这大概是想教化百姓而做不到，难道是能教化而不想推行吗？魏徵是个书生，不识时务，如果听信他的空谈，必然败坏国家。”魏徵说：“五帝、三王不用改换民众而能实行教化，从前黄帝征伐蚩尤，颛顼诛灭九黎，商汤放逐夏桀，武王讨伐纣王，都能自身达到天下太平，难道不是承继天下大乱之后吗！如果说上古的百姓淳朴，后代的百姓逐渐变得刻薄奸诈，那么到了今天，就应当全都变为鬼魅了，君主哪里还能治理他们！”太宗最终听从了魏徵的意见。

贞观元年，关中发生饥荒，一斗米的价值与一匹绢相当。贞观二年，天下发生蝗灾。贞观三年，发生水灾。太宗勤奋治国，安抚天下，百姓虽然东逃西走谋食，也未曾嗟叹抱怨。这一年，天下庄稼大丰收，流散的人都返回故里，一斗米的价格不过三四钱，整年判处死刑的只有二十九个人。东到大海，南到五岭，外面的门都不关闭，行人旅客不用带粮食，在路上就能得到。

太宗对长孙无忌说：“贞观初年，上书的人都说：‘君王应当独自运用威严与权势，不能把大权交付臣下。’又说：‘应当宣扬威严和武力，讨伐四方的夷人。’只有魏徵规劝朕‘停止武备，修整文教，中原地区安定后，四方的夷人自然就会归服’。朕采纳他的意见。如今颉利被俘虏，他的酋长全都佩戴刀剑宿卫皇宫，各个部落都穿戴华夏服饰，这是魏徵的功劳，只是遗憾不能让封德彝看到这些了。”魏徵行再拜礼，谢恩说：“突厥灭亡，海内安康太平，都是陛下的威望和德化，臣有什么功劳呢！”太宗说：“朕能任用你，你能称职，那么功劳怎会是朕一个人的呢！”

房玄龄上奏说“检查朝廷府库里的铠甲兵器，远远超过隋朝”。太宗说：“铠甲兵器等装备，确实不可缺少，但隋炀帝的铠甲兵器难道不足吗！最终丢掉天下。如果你们尽心竭力，使百姓平安无事，这就是朕的铠甲兵器。”

上谓秘书监萧璟[531]曰："卿在隋世数见皇后乎？"对曰："彼儿女且不得见，臣何人，得见之！"魏徵曰："臣闻炀帝不信齐王，恒有中使[532]察之，闻其宴饮，则曰'彼营何事得遂而喜？'闻其忧悴，则曰'彼有他念故尔[533]'。父子之间且犹如是，况他人乎！"上笑曰："朕今视杨政道[534]，胜炀帝之于齐王远矣！"璟，瑀之兄也。

西突厥肆叶护可汗[535]既先可汗之子，为众所附，莫贺咄可汗所部酋长多归之。肆叶护引兵击莫贺咄，莫贺咄兵败，逃于金山[536]，为泥熟设所杀，诸部共推肆叶护为大可汗。

【段旨】

以上为第十一段，写唐太宗君臣论治，品藻自鉴，各安其位，各尽其力，天下大治，刑措不用。

【注释】

⑷⑺己卯：九月十七日。⑷⑺壬辰：当作壬戌，十一月初一。⑷⑺甲子：十一月初三。⑷⑺《明堂针灸书》：《新唐书·艺文志》有《黄帝明堂经》三卷、《明堂五脏图》一卷、《明堂偃侧人图》十三卷、《明堂孔穴图》五卷，均为针灸之书。⑷⑺附：附着。⑷⑺戊寅：十一月十七日。⑷⑺毋得笞囚背：不得杖笞囚徒的背部。⑷⑺甲辰：十二月十四日。⑷⑺鹿苑：县名，县治在今陕西高陵西南。⑷⑻乙巳：十二月十五日。⑷⑻甲寅：十二月二十四日。⑷⑻麹文泰：高昌国王。传见《旧唐书》卷一百九十八、《新唐书》卷二百二十一上。⑷⑻侍子：此指西域诸国遣子入朝侍奉天子者，具有人质性质。⑷⑻前者：以前。⑷⑻借使：假使。⑷⑻徒旅：随同的人。⑷⑻不减：不少于；不下。⑷⑻荒耗：荒废作业消耗财物。⑷⑻听：听任。⑷⑼遇：礼遇；待遇。⑷⑼遽：立即。⑷⑼识鉴：见识及鉴别能力。⑷⑼品藻：评论。⑷⑼自谓与数子何如：自己认为与诸位相比如何。⑷⑼孜孜：勤勉。⑷⑼出将入相：出则为将，统兵征讨，入则为相，以理国事。⑷⑼敷奏：陈述、奏闻。⑷⑼惟允：都很公允。⑷⑼处繁治剧：处理繁杂之事，治理紧急事务。⑸⑽耻君不及尧、舜：以辅佐君王不如尧、舜为耻。⑸⑽激浊扬清：语出《尸子》。原意是说急流荡去污浊，清水使之扬起。这里比喻除恶扬善。⑸⑽微长：略长；稍微好一些。⑸⑽确论：议论中肯。⑸⑽教化：教育感化。⑸⑽斯民：这些民众。⑸⑽骄佚：骄慢安逸。⑸⑽以还：以下；以来。⑸⑽浇讹：刻薄诡诈。⑸⑽岂能之而不欲邪：哪有能够教化而不愿教化的呢。⑸⑽书生：隋唐时视书生为死读经传、不通世务、空洞而不切实际之人，犹

太宗对秘书监萧璟说："卿在隋朝时，多次见过萧皇后吗？"萧璟回答说："她的子女都不能见她，臣是什么人，能见到她！"魏徵说："臣听说隋炀帝不信任齐王，总是有宦官在监视他，听说齐王举行宴会，就说'他做什么事成功了这么高兴？'听说齐王忧虑憔悴，就说'他有异志所以才这样'。父子之间尚且如此，何况对其他人呢！"太宗笑着说："朕如今对待杨政道，远远超过隋炀帝对待齐王了！"萧璟是萧瑀的哥哥。

西突厥肆叶护可汗是前任可汗的儿子，众人都来归附，莫贺咄可汗所属的部族酋长多来归附。肆叶护率兵进攻莫贺咄，莫贺咄战败，逃到金山，被泥熟设杀死，各部落共同推举肆叶护为大可汗。

今言"书呆子"。⑪虚论：空论。⑫易民：更换民众。⑬黄帝征蚩尤四句：谓神农氏世衰，蚩尤为暴虐，黄帝征之，擒杀蚩尤。少皞氏衰，九黎乱德，颛顼诛之。商汤放夏桀于南巢。武王杀商纣于牧野。⑭淳朴：淳厚朴实。⑮魅：传说中的鬼怪。⑯元年：指贞观元年，下文二年、三年，分别指贞观二年、三年。⑰直：同"值"。⑱未尝嗟怨：不曾有怨言。⑲是岁：这一年；今年。即贞观四年。⑳五岭：即越城、都庞、萌渚、骑田、大庾五岭的总称。在湘、赣与桂、粤等省交界处。㉑外户不闭：意为由于社会安定，不需防范盗贼，故不必关闭门户。户，本谓单扇的门，此泛指门。㉒行旅不赍粮二句：行人旅客不需携带粮食，在道路沿途可有旅舍取食。㉓偃武修文：停止武备，兴治文教。㉔成擒：被擒。㉕袭衣冠：穿戴华夏服饰。意为接受华夏文明。㉖恨不使封德彝见之：贞观元年（公元六二七年），太宗令封德彝举贤。德彝以"于今未有奇才"而久无所举。德彝死于贞观元年，故未见魏徵今日之建树。㉗甲兵：铠甲兵仗。㉘阙：无。㉙乂安：平安无事。㉚此乃朕之甲兵：百姓安宁，天下才能长治久安。而甲兵的作用，也正在此。故云"此乃朕之甲兵"。㉛萧璟：萧瑀兄，与隋炀帝萧后为同胞兄妹。传见《旧唐书》卷六十三、《新唐书》卷七十一。㉜中使：奉诏出使的宫内宦官。㉝彼有他念故尔：他有异志所以如此。㉞杨政道：隋炀帝之孙，为炀帝第二子齐王杨暕的遗腹子。曾与炀帝萧皇后一同逃入突厥，处罗可汗立为隋王。突厥灭，归于唐，授员外散骑侍郎。事迹见《旧唐书》卷一百九十四《突厥传》等。㉟肆叶护可汗：唐西突厥之主，统叶护之子。传见《旧唐书》卷一百九十九、《新唐书》卷二百十七。㊱金山：即阿尔泰山。突厥语"阿尔泰"意为"金"。

【校记】

［17］所过：原无此二字。据章钰校，十二行本、乙十一行本、孔天胤本皆有此二字，张敦仁《通鉴刊本识误》同，今据补。

【原文】

五年（辛卯，公元六三一年）

春，正月，诏僧、尼、道士致拜父母[537]。

癸酉[538]，上大猎于昆明池[539]，四夷君长咸从。甲戌[540]，宴高昌王文泰及群臣。丙子[541]，还宫，亲献禽于大安宫[542]。

癸未[543]，朝集使[544]赵郡王孝恭等上表，以四夷咸服，请封禅，上手诏不许。

有司上言皇太子当冠[545]，用二月吉，请追[546]兵备仪仗。上曰：“东作[547]方兴，宜改用十月。”少傅萧瑀奏：“据阴阳书[18]，不若二月。”上曰：“吉凶在人，若动依[548]阴阳，不顾礼义，吉可得乎！循正而行，自与吉会。农时最急，不可失也。”

二月甲辰[549]，诏：“诸州有京观[550]处，无问新旧，宜悉刬削[551]，加土为坟，掩蔽枯朽，勿令暴露。”

己酉[552]，封皇弟元裕为郐王，元名为谯王，灵夔为魏王，元祥为许王，元晓为密王。庚戌[553]，封皇子愔为梁王，恽为郯王，贞为汉王，治为晋王，慎为申王，嚣为江王，简为代王。

夏，四月壬辰[554]，代王简薨。

壬寅[555]，灵州斛薛[556]叛，任城王道宗等[19]追击，破之。

隋末，中国人多没[557]于突厥。及突厥降，上遣使以金帛赎之。五月乙丑[558]，有司奏，凡得[559]男女八万口。

六月甲寅[560]，太子少师新昌贞公李纲薨。初，周齐王宪女孀居[561]无子，纲赡恤[562]甚厚。纲薨，其女以父礼丧之。

秋，八月甲辰[563]，遣使诣高丽，收隋氏[564]战亡骸骨，葬而祭之。

河内[565]人李好德得心疾[566]，妄为妖言，诏按[567]其事。大理丞张蕴古奏：“好德被疾有征[568]，法不当坐。”治书侍御史权万纪[569]劾奏：“蕴古贯[570]在相州[571]，好德之兄厚德为其刺史，情在阿纵[572]，按事不实。”上怒，命斩之于市，既而悔之，因诏：“自今有死罪，虽令即决[573]，仍三覆奏[574]乃行刑。”

【语译】

五年（辛卯，公元六三一年）

春，正月，朝廷下诏命令和尚、尼姑、道士要向父母行礼叩拜。

正月十三日癸酉，太宗在昆明池大规模围猎，四方夷人的君长都跟随着。十四日甲戌，太宗宴请高昌王曲文泰及群臣。十六日丙子，太宗返回宫中，亲自到大安宫向太上皇献上野禽。

正月二十三日癸未，朝集使赵郡王李孝恭等人上表，认为四方夷族都已归服，请求举行封禅礼，太宗颁下亲笔诏书不允许。

有关部门上书说皇太子应当举行冠礼，选择二月的吉日，请求追加礼仪中的兵备仪仗。太宗说："二月春耕刚刚开始，应当改在十月。"太子少傅萧瑀上奏说："根据阴阳历书，不如选在二月。"太宗说："吉凶祸福在于人，如果动辄依靠阴阳历书，而不顾及礼义制度，吉祥能得到吗！遵循正理而行事，自然与吉祥相遇。农耕时机最为紧急，不能错失。"

二月十四日甲辰，太宗下诏："各州有埋葬死人而形成高大土丘的地方，不管是新建的还是旧有的，应当一律削平，加上土做成坟墓，掩盖枯骸朽骨，不要让尸体暴露在外。"

二月十九日己酉，太宗封皇弟李元裕为郐王，李元名为谯王，李灵夔为魏王，李元祥为许王，李元晓为密王。二十日庚戌，封皇子李愔为梁王，李恽为郯王，李贞为汉王，李治为晋王，李慎为申王，李嚣为江王，李简为代王。

夏，四月初三日壬辰，代王李简去世。

十三日壬寅，灵州斛薛部反叛，任城王李道宗等率兵追击，打败叛军。

隋朝末年，中原汉人多被劫掠到突厥。等到突厥投降，太宗派人用金银丝帛把他们赎回。五月初七日乙丑，有关部门上奏称，共赎回男女八万人。

六月二十六日甲寅，太子少师新昌贞公李纲去世。当初，北周齐王宇文宪的女儿寡居没有子女，李纲对她赡养抚恤甚多。李纲死后，齐王的女儿按照对待父亲的礼仪为李纲服丧。

秋，八月十七日甲辰，太宗派使臣到高丽，搜集隋朝阵亡将士的尸骨，埋葬后祭奠。

河内人李好德得了精神病，胡说妖言乱语，太宗下诏核查这一案件。大理丞张蕴古上奏说："李好德得了疾病是有证据的，依法不当治罪。"治书侍御史权万纪弹劾张蕴古说："张蕴古籍贯在相州，李好德的哥哥李厚德为相州刺史，他出于私情而放纵，处理案件不属实。"太宗大怒，下令把张蕴古在集市处斩，过后又后悔了，于是下诏说："今后有人犯了死罪，虽然下令立即处决，仍须复议三次才能行刑。"

权万纪与侍御史李仁发俱以告讦⑤有宠于上，由是诸大臣数被谴怒⑥。魏徵谏曰："万纪等小人，不识大体，以讦为直，以谗为忠。陛下非不知其无堪⑦，盖取其无所避忌，欲以警策⑧群臣耳。而万纪等挟恩依势，逞其奸谋，凡所弹射⑨，皆非有罪。陛下纵未能举善以厉俗⑩，奈何昵奸⑪以自损乎！"上默然，赐绢五百匹。久之，万纪等奸状自露，皆得罪。

九月，上修仁寿宫⑫，更命曰九成宫。又将修洛阳宫，民部尚书戴胄表谏⑬，以"乱离甫尔⑭，百姓凋弊⑮，帑藏⑯空虚，若营造不已，公私⑰劳费⑱，殆不能堪⑲"。上嘉之曰："戴胄于我非亲，但以忠直体国，知无不言，故以官爵酬之耳。"久之，竟命将作大匠窦琎修洛阳宫。琎凿池筑山，雕饰华靡。上怒[20]，遽命毁之，免琎官。

冬，十月丙午⑳，上逐兔于后苑㉑，左领军将军㉒执失思力谏曰："天命陛下为华夷父母，奈何自轻㉓！"上又将逐鹿，思力脱巾解带㉔，跪而固谏。上为之止。

【段旨】

以上为第十二段，写唐太宗之失：营建东都行宫，屡建屡停；听信谗言，枉杀张蕴古。

【注释】

537 致拜父母：向父母行跪拜礼。538 癸酉：正月十三。539 昆明池：池名，位于唐代都城长安城西南，在今陕西西安市长安区斗门街道一带。540 甲戌：正月十四日。541 丙子：正月十六日。542 大安宫：别宫名，高祖武德五年（公元六二二年）于长安城西侧建弘义宫，令秦王居之。贞观三年（公元六二九年），高祖从太极殿迁至弘义宫，更名为大安宫，取太上皇安居之意。太宗迁入太极殿。543 癸未：正月二十三日。544 朝集使：地方派往京师向中央报告郡政及岁计的使者。唐制，凡天下朝集使，皆以十月二十五日至京师，十一月一日，户部引见完毕，在尚书省与群官礼见，然后集于考堂，应考绩之事。545 皇太子当冠：皇太子当行加冠礼。冠，指行冠礼。古代男子成年时（二十岁）加冠的礼

权万纪与侍御史李仁发都因告发别人而得到太宗的宠信，因此诸位大臣多次受到太宗的谴责怒骂。魏徵劝谏说："权万纪等人是小人，不懂得治国的根本原则，把告发别人当作正直，把进谗言当作忠诚。陛下并非不知道他们不称职，只是赞许他们进言无所忌讳，想以此警告鞭策众臣罢了。但是权万纪等人挟皇帝的恩遇，依仗手中的权势，使他们的阴谋得逞，凡是他们弹劾攻击的人，都不是真有罪过。陛下即使不能选拔好人来激励风俗，怎么能亲信奸邪来贬损自己呢！"太宗默不作声，赐给魏徵绢帛五百匹。很久以后，权万纪等人的奸恶行径自我暴露，全都获罪。

九月，太宗命人修缮仁寿宫，改名为九成宫。又打算修缮洛阳宫，民部尚书戴胄上表劝谏，认为"动乱刚结束，百姓贫困劳弊，国家府库空虚，如果营造不止，官民辛苦劳累，耗费钱财，恐怕朝廷与百姓都不能承受"。太宗称赞他说："戴胄与我不是亲属，只是凭着忠诚正直体谅国家，知无不言，所以朕要以官爵酬谢他。"过了很久，太宗竟然命令将作大匠窦琎修筑洛阳宫。窦琎开凿池塘构筑假山，装饰都极为华贵奢靡。太宗很生气，迅即下令毁掉，罢免窦琎的官职。

冬，十月二十日丙午，太宗在后苑追猎兔子，左领军将军执失思力劝谏说："上天命令陛下做华人、夷人的父母，为什么要自我轻视呢！"太宗又要追逐野鹿，执失思力脱下头巾解下腰带，跪在地下极力劝谏。太宗只好为此而停止。

节。㊻追：追加；增加。㊼东作：谓农事。㊽动依：动不动就按照。㊾甲辰：二月十四日。㊿京观：为炫耀武功，聚集敌尸封土而成的高冢。(551)刬削：铲除、铲平，即削去地上的部分。(552)己酉：二月十九日。(553)庚戌：二月二十日。(554)壬辰：四月初三。(555)壬寅：四月十三日。(556)斛薛：突厥的一部，内附后安置于灵州。(557)没：被掳掠；沦没。(558)乙丑：五月初七。(559)凡得：共得到。(560)甲寅：六月二十六日。(561)孀居：寡居。(562)赡恤：赡养抚恤。(563)甲辰：八月十七日。(564)隋氏：隋朝。(565)河内：古县名，县治在今河南沁阳。(566)心疾：精神病。(567)按：考查；核实。(568)有征：有证据。(569)权万纪：万年（今陕西西安）人，太宗时以悻直廉约，自潮州刺史擢治书侍御史。传见《旧唐书》卷一百八十五、《新唐书》卷一百。(570)贯：乡籍；籍贯。(571)相州：州名，治所在今河南安阳。(572)阿纵：徇私、纵容。(573)即决：立即斩决。(574)三覆奏：三次审核上奏。(575)讦：揭发别人的隐私。(576)谴怒：谴责怒骂。(577)无堪：不堪其任；不称职。(578)警策：警惕鞭策。(579)弹射：弹劾；指摘。(580)厉俗：砥砺风俗。(581)昵奸：亲昵奸邪之人。(582)仁寿宫：隋离宫名，在今陕西麟游西。唐贞观五年，在原基础上重修，改名九成宫。(583)表谏：上表劝谏。(584)甫尔：刚刚如此。(585)凋弊：困苦、衰败。(586)帑藏：国库贮藏的钱财。(587)公私：指官民。(588)劳

费：辛劳耗费。[589]殆不能堪：几乎不能承担。[590]丙午：十月二十日。[591]后苑：唐长安苑城袤远，包括汉长安故城在其中，有唐三苑之称。长安有西内苑、东内苑、禁苑，均在都城之北。西内苑在宫城北；东内苑在大明宫东南隅；禁苑东至浐水，西包汉长安故城，北临渭水，南接都城。三苑周围筑有苑墙，苑中有殿亭楼阁、宫馆园池及花卉林木，是封建帝王与贵族游玩和打猎的风景园林区。[592]左领军将军：官名，唐初禁军有左右领军卫，各置领军将军二人，秩从三品，掌宫禁宿卫，分守皇城、京城苑城诸门，以及翊府、翊卫、外府射士的兵籍。[593]奈何自轻：为什么要自轻性命。意为不保重身体。轻，轻视、忽视。[594]脱巾解带：脱掉头巾，解去腰带。表示准备获罪。

【原文】

初，上令群臣议封建[595]。魏徵议以为："若封建诸侯，则卿大夫咸资俸禄，必致厚敛[596]。又，京畿[597]赋税不多，所资畿外[598]，若尽以封国邑[599]，经费顿阙。又，燕、秦、赵、代俱带[600]外夷，若有警急，追兵内地，难以奔赴。"礼部侍郎李百药以为："运祚修短[601]，定命自天[602]。尧、舜大圣，守之而不能固。汉、魏微贱，拒之而不能却[603]。今使勋戚子孙皆有民有社[604]，易世[605]之后，将骄淫自恣，攻战相残，害民尤深，不若守令[606]之迭居[607]也。"中书侍郎颜师古以为："不若分王诸[21]子，勿令过大，间以州县[608]，杂错而居，互相维持，使各守其境，协力同心，足扶京室[609]。为置官寮，皆省司选用[610]，法令之外，不得擅作威刑，朝贡礼仪，具为条式[611]。一定此制，万世无虞[612]。"十一月丙辰[613][22]，诏："皇家宗室及勋贤之臣，宜令作镇藩部[614]，贻厥子孙[615]，非有大故，毋或黜免。所司明为条例，定等级以闻。"

丁巳[616]，林邑献五色鹦鹉[617]，丁卯[618]，新罗[619]献美女二人，魏徵以为不宜受。上喜曰："林邑鹦鹉犹能自言苦寒，思归其国，况二女远别亲戚乎！"并鹦鹉，各付使者而归之。

倭国[620]遣使入贡，上遣新州[621]刺史高表仁持节[622]往抚之。表仁与

【校记】

[18]书：原无此字。据章钰校，十二行本、乙十一行本、孔天胤本皆有此字，今据补。[19]等：原无此字。据章钰校，十二行本、乙十一行本、孔天胤本皆有此字，今据补。[20]怒：原无此字。据章钰校，十二行本、乙十一行本、孔天胤本皆有此字，张敦仁《通鉴刊本识误》同，今据补。

【语译】

起初，太宗令大臣们讨论分封诸王之制。魏徵认为："如果分封诸王建立诸侯国，那么王国的卿大夫就要从封国获取俸禄生活，必然导致加重赋敛。另外，京城一带赋税不多，都靠京都以外地区的赋税，如果把京城附近地区都封侯立国，朝廷的经费马上就会短缺。另外，燕、秦、赵、代都与界外夷族相连，如果有烽警急事，紧急到内地调兵，难以赶到这些地区。"礼部侍郎李百药认为："一个王朝的国运长短，都由上天决定。尧、舜是大圣人，守护国运却不能牢固。汉、魏帝王出身微贱，拒绝国运却推辞不掉。如今让功臣外戚的子孙都有封国与社稷，换代之后，他们就会骄逸恣肆，相互攻伐残杀，为害百姓更为深重，不如州县守令轮流替换。"中书侍郎颜师古认为："不如分封诸位皇子，不让封国过大，用州县隔开封国，封国与州县错杂而居，分别维持封国与州县的管理，让他们各守疆域，同心协力，足以扶助京城的皇室。并且为封国设置官员属吏，都由朝廷省司选拔任用，在朝廷的法令之外，不许擅自作威行刑，朝贡礼仪，都制定出条例格式。一旦确定这种制度，千秋万代可无忧虑。"十一月初一日丙辰，太宗下诏："皇家宗室以及功勋贤明之臣，应让他们镇守藩国，并且传给他们的子孙，如果没有大的变故，不要有所废黜罢免。相关部门明确订立条例，定下等级，上报朝廷。"

十一月初二日丁巳，林邑国进献五色的鹦鹉，十二日丁卯，新罗国进献美女二人，魏徵认为不应接受。太宗高兴地说："林邑的鹦鹉还能自说这里太冷，想回到自己的国家，何况两个女子远别亲人呢！"把两个美女以及鹦鹉都交付进贡的使者，让他们带回去。

倭国派使节前来朝贡，太宗派新州刺史高表仁持节前往该国抚慰。高表仁与倭

其王争礼，不宣命[623]而还。

丙子[624]，上祀圜丘。

十二月，太仆寺丞李世南开党项之地十六州、四十七县。

上谓侍臣曰："朕以死刑至重[625]，故令三覆奏，盖欲思之详熟[626]故也。而有司须臾之间，三覆已讫。又，古刑人[627]，君为之彻乐[628]减膳。朕庭无常设之乐，然常为之不啖酒肉，但未有著令[629]。又，百司断狱，唯据律文，虽情在可矜[630]，而不敢违法，其间岂能尽无冤乎！"丁亥[631]，制："决死囚者，二日中五覆奏，下诸州[632]者三覆奏。行刑之日，尚食[633]勿进酒肉，内教坊[634]及太常[635]不举乐[636]。皆令门下覆视[637]。有据法当死而情可矜者，录状以闻。"由是全活[638]甚众。其五覆奏者，以决前一二日，至决日又三覆奏，唯犯恶逆[639]者一覆奏而已。

己亥[640]，朝集使利州都督武士彟[641]等复上表请封禅，不许。

壬寅[642]，上幸骊山[643]温汤[644]。戊申[645]，还宫。

上谓执政[646]曰："朕常恐因喜怒妄行赏罚，故欲公等极谏。公等亦宜受人谏，不可以己之所欲，恶人违之[647]。苟自不能受谏，安能谏人！"

康国[648]求内附。上曰："前代帝王，好招来绝域[649]，以求服远[650]之名，无益于用而糜弊[651]百姓。今康国内附，傥有急难，于义不得不救，师行万里，岂不疲劳！劳百姓以取虚名，朕不为也。"遂不受。

谓侍臣曰："治国如治病，病虽愈，犹[23]宜将护[652]，傥遽自放纵，病复作，则不可救矣。今中国幸安，四夷俱服，诚自古所希[653]。然朕日慎一日[654]，唯惧不终，故欲数闻卿辈谏争也。"魏徵曰："内外治安，臣不以为喜，唯喜陛下居安思危[655]耳。"

上尝与侍臣论狱[656]，魏徵曰："炀帝时尝有盗发，帝令于士澄捕之，少涉疑似[657]，皆拷讯[658]取服，凡二千余人，帝悉令斩之。大理丞张元济怪[659]其多，试寻其状[660]，内五人尝为盗，余皆平民，竟不敢执奏，尽杀之。"上曰："此岂唯炀帝无道，其臣亦不尽忠。君臣如此，何得不亡！

国国王为礼节发生争执，没有宣布王命就回来了。

十一月二十一日丙子，太宗在圜丘祭天。

十二月，太仆寺丞李世南开拓党项土地，设置了十六州、四十七县。

太宗对侍从大臣说："朕认为死刑至关重大，所以下令三次复议后再上奏，这是想思考得更为详细成熟。而有关部门却在片刻之间，三次复议就已完成。另外，古代处决犯人，君主要为此撤去音乐、减少膳食。朕的宫廷中没有常设的音乐，然而朕常常为此不吃酒肉，只是没有写入法令。另外，各部门断案判刑，只依据法令条文，虽然犯人值得哀矜，也不敢违法，这中间怎能完全没有冤枉呢！"十二月初二日丁亥，太宗颁下制书："判决死刑的犯人，两天之内要经过五次复议，下到各州执行的经过三次复议。行刑的当天，尚食局不得给皇上进献酒肉，宫中的内教坊及太常寺不得演奏音乐。这些规定都令门下省复核。有依法应当处死但案情可以怜悯的犯人，记下案情上报朝廷。"由此保全活命的人非常多。凡是要经五次复议的，在处决前的一两天，到处决当天又要三次复议后向上奏报，只有犯了恶逆罪行的，一次复议后上奏就行了。

十二月十四日己亥，朝集使利州都督武士彟等人又上表请求举行封禅礼，太宗不允许。

十七日壬寅，太宗临幸骊山温泉。二十三日戊申，回到宫中。

太宗对执政大臣说："朕常常担心因个人喜怒而随意赏罚，所以希望你们极力劝谏。你们也应当接受别人的劝谏，不可以凭着自己的欲望，而厌恶别人违背己意。如果自己不能接受劝谏，又怎能劝谏别人！"

康国要求归附朝廷。太宗说："前代的帝王，喜欢招徕遥远地域的国家，以求博得降服远方的盛名，这无益于实用而只会让百姓耗费、疲弊。如今康国要求归附，如果他们遇到危难，按照道义不能不去救援，朝廷军队行军万里，岂能不疲劳！让百姓疲劳来获取虚名，朕不会做的。"于是不接受康国的归附。

太宗曾对侍从大臣说："治理国家如同治病，病虽治愈了，还应当调养，倘若立即放纵自己，病会复发，那就不可救治了。如今中原有幸获得安定，四方夷人都已顺服，确实是自古以来所少有的。然而朕一日比一日谨慎，唯恐不能持续到最后，所以想多次听到你们的谏诤。"魏徵说："国家内外都得以安定，我并不觉得高兴，只高兴陛下能够居安思危而已。"

太宗曾和大臣们讨论刑狱问题，魏徵说："隋炀帝时曾有盗贼发生，炀帝令于士澄去抓捕盗贼，稍微涉及嫌疑，都拷打逼供让人服罪，总共二千余人，炀帝下令全部处斩。大理寺丞张元济疑惑罪犯过多，试着查考他们的罪状，其中五人曾经当过盗贼，其余都是平民百姓，张元济竟不敢据实上奏，全部斩杀了他们。"太宗说："这岂止是炀帝无道，大臣们也不能竭尽忠诚。君臣都是如此，国家怎能不灭亡！你们公等宜戒之。”

是岁，高州[661]总管冯盎入朝。未几，罗窦[662]诸洞獠反，敕盎帅部落二万，为诸军前锋。獠数万人，屯据险要，诸军不得进。盎持弩谓左右曰：“尽吾此矢[663]，足知胜负矣！”连发七矢，中七人，獠皆走，因纵兵乘之[664]，斩首千余级。上美[665]其功，前后赏赐不可胜数。盎所居地方二千里，奴婢万余人，珍货充积[666]。然为治勤明[667]，所部爱之。

新罗王真平卒，无嗣[668]，国人立其女善德为王。

【段旨】

以上为第十三段，写唐太宗君臣论羁縻四夷与刑狱，太宗不务虚名，重实效，戒妄杀，拒封禅。

【注释】

⑤95封建：一种政治制度，君主把土地分给宗室和功臣，让他们在所封土地上建国。我国周朝开始有这种制度，其后有些朝代也曾仿行。⑤96卿大夫咸资俸禄二句：卿大夫都取资俸禄，必然加重赋敛来供给他们。⑤97京畿：国都及其附近的地方。⑤98所资畿外：资取京畿以外的州县。⑤99若尽以封国邑：若以国邑尽封王公。邑，城市。⑥00俱带：都连接。⑥01运祚修短：世运长短。运祚，国运。⑥02定命自天：命运决定于上天。⑥03汉、魏微贱二句：汉、魏的开国者（指刘邦、曹操）出身微贱，拒绝国运也推辞不掉。⑥04有民有社：有人民有社稷。⑥05易世：易代，换代。指封者的父祖死后。⑥06守令：郡守、县令。⑥07迭居：更迭居位。⑥08间以州县：以州县进行间隔。⑥09足扶京室：足以扶助京城皇室。⑥10皆省司选用：皆由尚书省有关部门负责选用。⑥11具为条式：都定有条例格式。⑥12虞：忧虑。⑥13丙辰：十一月初一。⑥14藩部：藩卫冲要之地以及州郡。⑥15贻厥子孙：遗传给他的子孙。厥，他的。⑥16丁巳：十一月初二。⑥17五色鹦鹉：鹦鹉，能学人言的鸟。万震《南州志》曰：“鹦鹉有三种，一种白，一种青，一种五色。交州以南，诸国尽有之。白及五色者，性尤慧解。”⑥18丁卯：十一月十二日。⑥19新罗：在朝鲜半岛东南部，即今韩国境内。⑥20倭国：中国古代称日本为倭国。⑥21新州：州名，治所在今广东新兴。⑥22持节：唐制，州刺史加号持节，总管则加使持节。实际上已不手持旌节，朝廷只

应该引以为戒。”

这一年，高州总管冯盎来京朝见。没多久，罗窦各洞的獠民造反，太宗下令冯盎率领他的部落二万人，作为各路军队的前锋。獠民几万人，驻守在险要之地，各路军队不能推进。冯盎手持弓弩对身边的人说：“把我这些箭全部射完，足以知道胜负了！”连发七箭，射中七人，獠民都逃跑，于是纵兵乘胜追击，斩首千余人。太宗赞美他的功劳，前后赏赐的物品多得不可计算。冯盎占据的地方纵横二千里，奴婢一万多人，珍奇宝物堆满仓库，然而治理地方勤勉清明，部下都爱戴他。

新罗国王真平去世，没有子嗣，国人拥立他的女儿善德为王。

颁给铜鱼符。㉓宣命：宣布君主的诏谕。㉔丙子：十一月二十一日。㉕以死刑至重：认为死刑在刑法中最严厉。㉖详熟：详尽纯熟。㉗古刑人：古代处人死刑。㉘彻乐：撤掉奏乐。㉙未有著令：没有著明于法令之中。㉚矜：怜悯；同情。㉛丁亥：十二月初二。㉜下诸州：文书下到各州。㉝尚食：指尚食局。官署名，属殿中监，有奉御直长，掌御膳。㉞内教坊：唐宫中所置教授乐舞的机构。㉟太常：即太常寺。为九寺之一，长官称太常寺卿，下设有太乐署、鼓吹署，掌礼乐社稷、宗庙礼仪，兼掌选试博士，历代相沿，其职权则专为司祭礼乐之官。㊱不举乐：不进行音乐活动。㊲令门下覆视：令门下省官员复核。㊳全活：保全生命。㊴犯恶逆：胡注，隋立十恶之科，四曰恶逆，谓殴及谋杀祖父母、父母，杀伯叔父母、姑、兄、子、外祖父母、夫、夫之祖父母、父母者。唐代沿用。㊵己亥：十二月十四日。㊶武士彟（公元五七七至六三五年）：字信，武则天父，并州文水（今山西文水县东）人。传见《旧唐书》卷五十八、《新唐书》卷二百六。㊷壬寅：十二月十七日。㊸骊山：山名，在今陕西西安市临潼区东南。㊹温汤：温泉。㊺戊申：十二月二十三日。㊻执政：掌握国家政事的大臣。㊼恶人违之：厌恶别人违背自己的意见。㊽康国：西域国名，在今乌兹别克斯坦撒马尔罕一带。唐时地属安西都护府所辖。㊾绝域：绝远地域的国家。㊿服远：降服远国。51靡弊：靡费困弊。52将护：调养护理。53希：稀少。54日慎一日：一天比一天谨慎。55居安思危：居于安定之境能想到可能发生的危机。56论狱：讨论狱政。57疑似：怀疑或可能。58拷讯：拷打逼讯。59怪：奇怪。60寻其状：察寻其情状。61高州：州名，治所在今广东高州东北。62罗窦：即窦州，治所在信义县（今广东信宜西南镇隆）。取州界有罗窦洞为名。63尽吾此矢：射完我这些箭。64纵兵乘之：乘势进兵追击。65美：称赞。66珍货充积：珍奇宝物堆积。67为治勤明：治理政事勤劳明睿。68嗣：子孙；后代。此处指儿子。

【校记】

［21］诸：据章钰校，十二行本、乙十一行本皆作“宗”，张敦仁《通鉴刊本识误》同。［22］丙辰：原无此二字。据章钰校，十二行本、乙十一行本、孔天胤本皆有此二字，张敦仁《通鉴刊本识误》、张瑛《通鉴校勘记》同，今据补。［23］犹：据章钰校，十二行本、乙十一行本皆作“尤”，张敦仁《通鉴刊本识误》同。

【研析】

本卷研析圣明天子唐太宗在贞观初期励精图治之时的微小过失，即任用权万纪监视大臣，并枉杀大理丞张蕴古事件，这是专制政体下独裁君主的典型心理。

贞观初，房玄龄、杜如晦二相尽心辅政，时称贤相。史载房、杜二人处理国家政务非常明达精通，昼夜为国事操劳，唯恐一件事情处理不到位，执法宽平，对别人不求全责备。对于选拔士人，唯恐遗漏了人才。侍中王珪，亦贞观名臣，正直敢言，史载王珪分辨清浊以激励称扬，嫉丑恶而喜好善良，房玄龄、温彦博等人都赶不上。贞观三年（公元六二九年），房玄龄、王珪主持朝廷内外官的考核，治书侍御史权万纪上奏说房玄龄、王珪考核不公平，唐太宗命侯君集审查。魏徵劝谏说：“房玄龄、王珪是朝廷大臣，一向忠诚正直，受到陛下的信用，即使有个别官员考核不当，也只是工作失误，绝不会有私心。权万纪一直参与考核，没有提出异议。如今权万纪没有参加考核，就提出指控，实在可疑。权万纪的目的就是要挑起事端，激怒陛下，不是尽忠效国。如果审核结果，有几个不公平，于国家大政无补；如果审核结果，是子虚乌有，岂不是有损陛下圣明。臣考虑的是国家大政根本，并不是私下替房玄龄、王珪两人说情。”唐太宗于是搁置不问。

河内人李好德有精神病，说了昏话，唐太宗下令按妖言惑众论罪。大理丞张蕴古上奏，说李好德有精神病，不应承担刑事责任。权万纪上奏说：“张蕴古籍贯在相州，李好德的哥哥李厚德任相州刺史，张蕴古是徇私枉法。”唐太宗大怒，立即将张蕴古问斩。事后十分后悔，于是下诏说：“从今以后凡是死罪，在执行前要进行三次审核。”权万纪与另一个侍御史李仁发，以打小报告揭发大臣隐私著称，朝中大臣很多遭到唐太宗的斥责。魏徵劝谏说：“权万纪这等小人，以揭发他人隐私为正直，以打小报告为效忠，陛下明知权万纪的指控大多不实，只不过这等小人没有避忌，像条疯狗，陛下利用他的这个特性来警惕大臣，却不知道权万纪趁机弄权，徇私舞弊，把无罪说成有罪，这个风气不可助长，陛下怎么可以亲近小人、损害圣明呢！”唐太宗哑口无言。过了好长的时间，权万纪的奸谋败露，才受到了惩罚。

唐太宗是一个圣明天子，房玄龄、王珪是秦王府中旧人，正直无私，君臣和洽，却仍有猜忌之心，任用小人监视，听信小报告。张蕴古原是幽州记室，入直中书省上奏《大宝箴》，是唐太宗亲自发现提拔任大理丞的人才，由于权万纪的一个小报告就丢了人头。伴君如伴虎，这个故事是一个生动的例证。

从唐太宗的猜忌可以看出，专制政体异化人性。个人集权，总担心旁落，于是豢养一批特务来做耳目，特务遭人唾弃，只有依赖君主，君主欣赏特务的疯狗本性和孤立于人，认为只有这样，特务小人才死心塌地效忠主子，而这些特务小人也狗仗人势，为所欲为，不仅有亏圣明天子，更是误了多少军国大事。明代特务政治达到登峰造极，以致崇祯皇帝杀了袁崇焕，自毁长城，亡身而亡国，实在可悲。

卷第一百九十四　唐纪十

起玄黓执徐（壬辰，公元六三二年），尽强圉作噩（丁酉，公元六三七年）四月，凡五年有奇。

【题解】

本卷记事起公元六三二年，迄公元六三七年四月，凡五年又四个月，当贞观六年至十一年。这一时期是贞观之治大见成效的时期，唐太宗君臣和谐，亲如一体，时常欢宴议政。唐太宗以隋炀帝亡国为鉴，鼓励臣下进言，虚怀纳谏，魏徵等大臣无不尽言。长孙皇后仁孝俭约，以身作则恪守仪则，辅助唐太宗纳谏，护佑魏徵等大臣，是唐太宗的贤内助。此时期，天下太平，吐谷浑被征服，外无强敌，内无寇警，文治蒸蒸，唐太宗完成了一系列制度的建设，完善了官僚建制系统，建立了府兵制，完成了刑律和礼仪的制定。这一时期影响唐太宗的有两件大事，一是唐高祖崩殂，二是长孙皇后仙逝。特别是贤内助长孙皇后之死，给予唐太宗重大打击，思念不已，令人为之动容。

【原文】

太宗文武大圣大广孝皇帝上之下

贞观六年（壬辰，公元六三二年）

春，正月乙卯朔[①]，日有食之。

癸酉[②]，静州[③]獠反，将军李子和讨平之。

文武官复请封禅[④]，上曰："卿辈皆以封禅为帝王盛事，朕意不然。若天下乂安[⑤]，家给人足[⑥]，虽不封禅，庸何伤乎[⑦]！昔秦始皇封禅[⑧]，而汉文帝不封禅，后世岂以文帝之贤不及始皇邪！且事天扫地而祭[⑨]，何必登泰山[⑩]之巅，封数尺之土，然后可以展[⑪]其诚敬乎！"群臣犹请之不已，上亦欲从之，魏徵独以为不可。上曰："公不欲朕封禅者，以功未高邪？"曰："高矣！""德未厚邪？"曰："厚矣！""中国未安邪？"曰："安矣！""四夷未服邪？"曰："服矣！""年谷未丰邪？"曰：

【语译】

太宗文武大圣大广孝皇帝上之下

贞观六年（壬辰，公元六三二年）

春，正月初一日乙卯，发生日食。

十九日癸酉，静州獠民叛乱，将军李子和率兵征讨，平定了他们。

文武百官又请求举行封禅典礼，太宗说："你们这些人都认为登泰山封禅是帝王的盛举，朕不这样认为。如果天下太平安定，百姓家家饱暖，人人富足，即使不进行封禅，又有什么伤害呢！从前秦始皇举行封禅典礼，而汉文帝不封禅，后代难道会以为汉文帝的贤德不如秦始皇吗！况且侍奉上天可以在京城南郊清扫土地进行祭祀，何必要登上泰山的顶峰，封筑几尺的泥土，然后才能向上天展示君主的诚心和敬意呢！"群臣还是不断地请求封禅，太宗也想听从朝臣的意见，唯独魏徵认为不可封禅。太宗说："你不想让朕去泰山封禅，是认为朕的功劳不够高吗？"魏徵回答说："够高了！""朕的德行不深厚吗？"回答说："够深厚了！""中原地区没有安定吗？"回答说："已经安定了！""四方夷族没有归服吗？"回答说："已经归服了！""年

“丰矣！”“符瑞[12]未至邪？”曰：“至矣！”“然则何为不可封禅？”对曰：“陛下虽有此六者，然承隋末大乱之后，户口未复[13]，仓廪[14]尚虚。而车驾东巡，千乘[15]万骑，其供顿劳费[16]，未易任[17]也。且陛下封禅，则万国咸[18]集，远夷[19]君长，皆当扈从[20]。今自伊、洛[21]以东至于海、岱[22]，烟火尚希[23]，灌莽[24]极目，此乃引戎狄[25]入腹中[26]，示之以虚弱也。况赏赉[27]不赀[28]，未厌[29]远人之望，给复[30]连年，不偿[31]百姓之劳。崇虚名而受实害，陛下将焉[32]用[33]之！”会[34]河南、北[35]数州大水，事遂寝[36]。

上将幸[37]九成宫[38]，通直散骑常侍[39]姚思廉谏。上曰：“朕有气疾[40]，暑辄顿剧[41]，往避之耳。”赐思廉绢五十匹。

监察御史[42]马周[43]上疏，以为：“东宫[44]在宫城之中，而大安宫乃在宫城之西，制度比于宸居[45]，尚为卑小，于四方观听，有所不足。宜增修高大，以称中外之望[46]。又，太上皇[47]春秋[48]已高，陛下宜朝夕视膳。今九成宫去京师三百余里，太上皇或时思念陛下，陛下何以赴之[49]？又，车驾此行，欲以避暑。太上皇尚留暑中[50]，而陛下独居凉处，温凊之礼[51]，窃所未安[52]。今行计[53]已成，不可复止，愿速示返期[54]，以解众惑。又，王长通、白明达皆乐工[55]，韦槃提、斛斯正止能调马[56]，纵使技能出众，正可赉之金帛，岂得超授官爵，鸣玉曳履[57]，与士君子[58]比肩[59]而立，同坐而食，臣窃耻之[60]。”上深纳之。

上以新令无三师官[61]，二月丙戌[62]，诏特置之。

三月戊辰[63]，上幸九成宫。

庚午[64]，吐谷浑[65]寇兰州[66]，州兵击走之。

长乐公主[67]将出降[68]，上以公主皇后所生，特爱之，敕有司资送[69]倍于永嘉长公主[70]。魏徵谏曰：“昔汉明帝欲封皇子[71]，曰：‘我子岂得与先帝子比！’皆令半楚、淮阳。今资送公主，倍于长主，得无

年的庄稼没有丰收吗?”回答说:“已经丰收了!”“符瑞没有出现吗?”回答说:“已经出现了!”“那么为何不可以去泰山封禅?”回答说:“陛下虽然有这六个理由,然而我朝承继隋朝末年的大乱之后,国家的人口没有恢复,府库粮仓还很空虚。而陛下的车驾到东方巡行,会有千辆车舆万名骑兵跟随前行,他们的供应劳顿以及人力物力的耗费,是民众不容易承受担当的。而且陛下前往泰山进行封禅典礼,那么天下各国的君主全都前来会集,远方夷族君长都应当扈从陛下前往。现在从伊水、洛水以东直到海州、泰山,人烟还非常稀少,满眼望去都是灌木草莽丛生,陛下让四方戎狄酋长随行前去,是把他们引入中国腹地,向他们显示中国还很虚弱。何况陛下给他们的赏赐无法估量,如果不够丰厚,就未必会满足远方君主的愿望,连年免除百姓的赋役,也不能补偿百姓的劳苦。这是崇尚虚名而使百姓实际受害,陛下哪里会采用这种建议呢!”恰巧此时黄河南北地区几个州县发生水灾,于是封禅之事就搁置下来。

太宗将要临幸九成宫,通直散骑常侍姚思廉劝谏,太宗说:“朕有气喘病,一到暑天就突然加重,前往九成宫躲避暑热而已。”赏赐给姚思廉五十匹绢帛。

监察御史马周上奏,认为:“陛下所住的东宫在宫城之中,而太上皇所住的大安宫在宫城之西,宫殿的制度规模与陛下居住的宫殿相比,尚且低矮窄小,这在天下四方的人们看起来,还有所不足。应当修缮,增高扩大,以符合中外人士的愿望。另外,太上皇年事已高,陛下应当朝夕侍奉进膳。如今九成宫距离京城有三百余里,太上皇有时或许想念陛下,陛下怎能及时赶回来?另外,此次车驾出行,想去九成宫避暑。太上皇还留在暑热之中,而陛下独自住在凉爽之处,这对于子女照顾父母的生活必须做到冬天温暖而夏天清凉的礼制,臣私下认为是不够妥当的。如今陛下前往九成宫的行期已定,不能再次中止,希望尽快明示回京的日期,以解除众人的疑惑。此外,王长通、白明达都是乐工,韦槃提、斛斯正只能调息马匹,纵使他们技能出众,只可以赏赐他们金银丝帛,怎么能破格授予官爵,让他们佩着玉饰穿着官靴,与朝廷官员并肩而立、同座而食,臣私下认为这是耻辱。”太宗深为赞同马周的劝谏。

太宗认为新法令中没有太师、太傅、太保三师官,二月初二日丙戌,下诏特设三师官。

三月十五日戊辰,太宗临幸九成宫。

十七日庚午,吐谷浑进犯兰州,州内士兵将他们击退。

长乐公主将要出嫁长孙冲,太宗认为公主是皇后亲生之女,特别疼爱她,敕令有关部门给她的嫁妆比皇姑永嘉长公主的多一倍。魏徵劝谏说:“过去汉明帝想要分封皇子,说:‘我的儿子怎么能和先帝之子相比!’下令把分封给皇子的封地只为先帝之子楚王、淮阳王的一半。如今送公主出嫁,准备嫁妆比长公主多一倍,岂不是和

异于明帝之意乎⑫！”上然其言，入告皇后。后叹曰：“妾亟⑬闻陛下称重⑭魏徵，不知其故。今观其引礼义以抑人主⑮之情，乃知真社稷⑯之臣也。妾与陛下结发⑰为夫妇，曲承恩礼⑱，每言必先候⑲颜色，不敢轻犯威严，况以人臣之疏远，乃能抗言⑳如是，陛下不可不从也[1]。”因请遣中使㉑赍㉒钱四百缗㉓、绢四百匹㉔以赐徵，且语之曰：“闻公正直，乃今㉕见之，故以相赏。公宜常秉㉖此心，勿转移㉗也。”上尝㉘罢朝，怒曰：“会须㉙杀此田舍翁㉚。”后问为谁，上曰：“魏徵每廷㉛辱我。”后退，具朝服㉜立于庭。上惊问其故，后曰：“妾闻主明臣直㉝，今魏徵直，由陛下之明故也，妾敢不贺㉞！”上乃悦。

【段旨】

以上为第一段，写长孙皇后贤淑，辅助唐太宗纳谏。

【注释】

①乙卯朔：正月初一。②癸酉：正月十九日。③静州：郡名，治所在今广西昭平。④封禅：战国时齐鲁有些儒士认为五岳中泰山最高，帝王应到泰山祭祀，登泰山筑坛祭天曰“封”，在山南梁父山上辟基祭地曰“禅”。⑤乂安：平安。⑥家给人足：谓家家饱暖，人人富足。⑦庸何伤乎：又有什么损伤呢。庸，岂。⑧秦始皇封禅：秦始皇二十八年（公元前二一九年），始皇东巡，封禅泰山，立石颂德。⑨且事天扫地而祭：况且侍奉上天要清理土地而祭祀天地。且，连词，况且。⑩泰山：为五岳之一，亦名岱山、岱宗、岱岳、东岳。在今山东泰安北。⑪展：展示，陈示。⑫符瑞：符命祥瑞。⑬未复：没有恢复。⑭仓廪：粮仓。⑮千乘：千辆车舆。⑯供顿劳费：供给东巡时的劳力费用。⑰未易任：不容易承受负担。任，负担。⑱咸：全，都。⑲夷：我国古代称东方的民族，此处泛指边地的少数民族。⑳扈从：随从天子车驾。㉑伊、洛：伊，指伊河。洛，指洛河。均在今河南西部。伊河在河南洛阳市偃师区附近注入洛河。㉒海、岱：海，州名，治所在今江苏连云港市西南海州镇。岱，泰山的别名。㉓烟火尚希：即人烟尚且稀少。㉔灌莽：草木丛生。灌，木丛生。莽，草深茂。㉕戎狄：皆古代边地民族名。在西曰戎，在北曰狄。㉖入腹中：谓进入中华内地。㉗赉：赏赐。㉘不赀：无法估量，犹无

汉明帝的用意不同吗!”太宗赞同他的话，回到宫中告诉皇后。皇后感叹地说：“妾屡次听陛下称赞魏徵，不知道其中的缘故。如今看到他引用礼义规制来抑制君王的私情，才知道他是真正为国着想的大臣。妾与陛下结发成为夫妻，承受陛下的恩宠礼遇，每次说话一定要先观察陛下的脸色，不敢轻易冒犯陛下的威严，何况作为人臣，与陛下就更为疏远，还能如此直言劝谏，陛下不能不听从他的建议。”于是请求派中使带着四百缗钱、四百匹绢赏赐给魏徵，并对他说：“听说您为人正直，竟于今天亲眼看到，因此给予赏赐。希望您一直保持这种忠心，不要改变。”太宗曾罢朝回到内宫，愤怒地说：“我有机会一定要杀了这个乡下老头子。”皇后问为谁而发怒，太宗说：“魏徵常在朝堂上羞辱我。”皇后退下，穿上朝服站在庭院内。太宗惊奇地问其中的原因，皇后说：“我听说君主开明，臣下就会正直，如今魏徵正直敢言，是陛下开明的缘故，妾怎敢不祝贺呢!”太宗于是高兴了。

限。赀，计算、估量。㉙未厌：未必能满足。㉚给复：蠲免百姓赋役。㉛不偿：不能抵偿。㉜焉：疑问代词，怎么；哪里。㉝用：采纳。㉞会：副词，正好；恰巧。㉟河南、北：指黄河以南以北地区。河，古代“四渎”之一，又称大河，即今黄河。㊱遂寝：于是停止。㊲幸：特指皇帝到某处去。㊳九成宫：宫殿名，即隋朝的仁寿宫，在今陕西麟游西。㊴通直散骑常侍：侍从谏议官。三国时魏国设置散骑常侍。晋太始年间，称为通直散骑常侍。《唐六典》及《旧唐书·职官志》，均未载通直散骑常侍之官。㊵气疾：气喘病。㊶暑辄顿剧：暑天一热就突然加剧。辄，立即、就。顿，突然。㊷监察御史：官名，为御史台各类御史的一种。据《旧唐书·职官志》，御史台设御史大夫、御史中丞、侍御史、殿中侍御史、监察御史。监察御史，正八品上，品秩低而权限广，掌分察巡按郡县、屯田、铸钱等事，并监察百官的礼仪。㊸马周（公元六〇一至六四八年）：字宾王，博州茌平（今属山东）人，唐初大臣，官至中书令。传见《旧唐书》卷七十四、《新唐书》卷九十八。㊹东宫：因大安宫在西，遂谓帝所居为东宫。㊺宸居：帝王住的地方；宫殿。㊻以称中外之望：以符合中外人士的愿望。称，符合。㊼太上皇：皇帝父亲之称。初为追尊死者之号，后来尊称生者，且有传位于太子而自称为太上皇者。㊽春秋：年龄。㊾何以赴之：为什么要前往那里。㊿暑中：暑热之中。51温凊之礼：谓做人子之礼。指冬天为双亲送去温暖，夏天为双亲送去清凉。凊，清爽、清凉。52窃所未安：私下感到不安。53行计：出行的计划。54速示返期：尽快说明返宫的日期。55乐工：乐师。56调马：调习马匹。57鸣玉曳履：鸣玉佩，曳文履，皆为达官之服饰。58士君子：

此指朝廷官员。⑲比肩：并肩。⑳臣窃耻之：臣私下引以为耻辱。㉑三师官：唐以太师、太傅、太保为三师，正一品，天子所师法，无所总职。㉒丙戌：二月初二。㉓戊辰：三月十五日。㉔庚午：三月十七日。㉕吐谷浑：亦作吐浑。古族名，原为鲜卑的一支，游牧在今辽宁锦州西北。西晋末年，西迁今甘肃、青海间。㉖兰州：郡名，治所在今甘肃兰州。㉗长乐公主：太宗女，皇后所生，下嫁长孙冲。㉘出降：即下嫁。㉙敕有司资送：下令有关部门资给馈送。㉚永嘉长公主：高祖女，下嫁窦奉节，又嫁贺兰僧伽。唐制，皇姑为大长公主，正一品；姐为长公主，女为公主，皆视一品。㉛汉明帝欲封皇子：东汉明帝永平十五年（公元七二年），明帝封皇子，亲定其封域，仅为先帝子楚王、淮阳王的一半。㉜得无异于明帝之意乎：岂不是与明帝的想法不同吗。㉝亟：屡次。㉞称重：称赞器重。㉟人主：人君；天子。㊱社稷：社，土神。稷，谷神。为天

【原文】

夏，四月辛卯[95]，襄州[96]都督[97]邹襄公张公谨[98]卒。明日，上出次[99]发哀。有司奏，辰日忌哭[100]。上曰："君之于臣，犹父子也，情发于衷，安[101]避辰日！"遂哭之。

六月己亥[102]，金州[103]刺史[104]酆悼王元亨[105]薨[106]。辛亥[107]，江王嚣[108]薨。

秋，七月丙辰[109]，焉耆[110]王突骑支遣使入贡。初，焉耆入中国由碛路[111]，隋末闭塞，道由高昌[112]。突骑支请复开碛路以便往来，上许之。由是高昌恨之，遣兵袭焉耆，大掠而去。

辛未[113]，宴三品已上于丹霄殿[114]。上从容言曰："中外乂安，皆公卿之力。然隋炀帝威加夷、夏，颉利跨有北荒[115]，统叶护[116]雄据西域[117]，今皆覆亡，此乃朕与公等所亲见，勿矜[118]强盛以自满也。"

西突厥肆叶护可汗[119]发兵击薛延陀[120]，为薛延陀所败。

肆叶护性猜狠信谗[121]，有乙利可汗[122]，功最多，肆叶护以非其族类[123]，诛灭之，由是诸部皆不自保。肆叶护又忌莫贺设之子泥孰[124]，阴欲图之，泥孰奔焉耆。设卑达官与弩失毕[125]二部攻之，肆叶护轻骑奔康居[126]，寻卒。国人迎泥孰于焉耆而立之，是为咄陆可汗，遣使内

子诸侯所祭，故通常用作国家的代称。⑰ 结发：指结婚。古代成婚之夕，男左女右共髻束发。⑱ 曲承恩礼：承受恩宠礼遇。⑲ 候：观望。⑳ 抗言：直言。㉑ 中使：天子私使。㉒ 赍：送物给人。㉓ 缗：成串的铜钱。古代一千文为一缗。㉔ 匹：量词，计算布和绸缎的长度单位。㉕ 乃今：竟于今。㉖ 秉：秉持。㉗ 转移：改变。㉘ 尝：曾经。㉙ 会须：有机会一定要。会，机会。须，必须。㉚ 田舍翁：犹田夫、老农。㉛ 每廷：经常在朝廷。㉜ 具朝服：穿着皇后在受册、助祭、朝会大典时的服装。古时称袆衣。㉝ 主明臣直：谓人主英明朝臣才敢直谏。㉞ 敢不贺：岂敢不祝贺。

【校记】

［1］也：原无此字。据章钰校，十二行本、乙十一行本皆有此字，今据补。

【语译】

夏，四月初八日辛卯，襄州都督邹襄公张公谨去世。第二天，太宗要到丧所为他致哀。有关部门上奏称，这一天是辰日，忌讳哭泣。太宗说："君主对于臣子，如同父子一般，哀痛之情出自内心，哪里要避讳辰日！"于是为张公谨哭丧。

六月十七日己亥，金州刺史酆悼王李元亨去世。二十九日辛亥，江王李嚣去世。

秋，七月初四日丙辰，焉耆王突骑支派遣使节进京朝贡。起初，焉耆来中原要经由沙漠之路，隋朝末年封闭边境关塞，就改道经由高昌。突骑支请求再次开辟沙漠故道以便往来，太宗允许了这一请求。因此高昌国怀恨在心，派兵袭击焉耆，大肆掠夺后离去。

七月十九日辛未，太宗在丹霄殿宴请三品以上官员。太宗从容地说："中外安定，都是公卿的功劳。然而隋炀帝的威严遍布夷族和华夏，突厥的颉利可汗统治地区横跨北方荒漠之地，统叶护称雄据有西域地区，如今他们全都灭亡，这是朕与诸位爱卿亲眼所见，希望你们不要矜夸强盛而骄傲自满。"

西突厥肆叶护可汗派兵袭击薛延陀，被薛延陀击败。

肆叶护可汗性情猜疑狠毒而又听信谗言，他手下有个乙利可汗，功劳最多，肆叶护认为乙利与他并非同族，将乙利诛杀，因此各部落都无法保护自身的安全。肆叶护又猜忌莫贺设的儿子泥孰，想要暗中除掉他，泥孰逃奔焉耆。西突厥的设卑达官和弩失毕两部进攻肆叶护，肆叶护率领轻骑兵逃奔康居，不久死去。西突厥人前往焉耆迎立泥孰为可汗，这就是咄陆可汗，他派遣使节到唐朝请求归附。丁酉日，附[127]。丁酉[128]，遣鸿胪少卿[129]刘善因立咄陆为奚利邲咄陆可汗。

闰月乙卯[130]，上宴近臣于丹霄殿。长孙无忌曰："王珪[131]、魏徵，昔为仇雠[132]，不谓[133]今日得同此[2]宴。"上曰："徵、珪尽心所事，故我用之。然徵每谏，我不从，我与之言辄不应[134]，何也？"魏徵对曰："臣以事为不可[135]，故谏。若[3]陛下不从而臣应之，则事遂施行，故不敢应。"上曰："且应而复谏，庸[136]何伤？"对曰："昔舜戒群臣：'尔无面从，退有后言[137]。'臣心知其非而口应陛下，乃面从也，岂稷[138]、契[139]事舜之意邪！"上大笑曰："人言魏徵举止疏慢[140]，我视之更觉妩媚[141]，正为此耳！"徵起，拜谢曰："陛下开臣使言[142]，故臣得尽其愚。若陛下拒而不受，臣何敢数犯颜色[143]乎！"

戊辰[144]，秘书少监[145]虞世南上《圣德论》，上赐手诏[146]，称："卿论太高，朕何敢拟上古[147]，但比近世差胜[148]耳。然卿适睹[149]其始，未知其终。若朕能慎终如始，则此论可传，如或不然，恐徒使后世笑卿也。"

九月己酉[150]，幸庆善宫[151]，上生时故宅也，因与贵臣[4]宴，赋诗。起居郎[152]清平[153]吕才[154]被之管弦[155]，命曰《功成庆善乐》，使童子八佾[156]为《九功》之舞[157]，大宴会，与《破陈舞》[158]偕奏于庭。

同州[159]刺史尉迟敬德预[160]宴，有班在其上者，敬德怒曰："汝何功，坐我上！"任城王道宗[161]次其下[162]，谕解[163]之。敬德拳殴道宗，目几眇[164]。上不怿[165]而罢，谓敬德曰："朕见汉高祖诛灭功臣，意常尤[166]之，故欲与卿等共保富贵，令子孙不绝。然卿居官数犯法，乃知韩、彭[167]葅醢[168]，非高祖之罪也。国家纲纪[169]，唯赏与罚，非分之恩，不可数得。勉自修饬[170][5]，无贻[171]后悔。"敬德由是始惧而自戢[172]。

冬，十月乙卯[173]，车驾还京师。帝[174]侍上皇[175]宴于大安宫[176]，帝与皇后更献[177]饮膳及服御[178]之物，夜久乃罢。帝亲为上皇捧舆[179]至殿门，上皇不许，命太子代之[180]。

突厥颉利可汗郁郁不得意，数与家人相对悲泣，容貌羸惫[181]，上见而怜之。以虢州[182]地多麋鹿，可以游猎，乃以颉利为虢州刺史。颉利辞，不愿往。癸未[183]，复以为右卫大将军[184]。

唐朝廷派遣鸿胪寺少卿刘善因册立咄陆为奚利邲咄陆可汗。

闰八月初四日乙卯，太宗在丹霄殿宴请亲近大臣。长孙无忌说："王珪、魏徵，以前都是陛下的仇敌，不料今日一起在此饮宴。"太宗说："魏徵、王珪对他们所侍奉的君主能尽心竭力，所以我重用他们。然而魏徵每次进谏，我不听从他的意见，我与他讲话他总是不回应，为什么呢?"魏徵回答说："臣认为事情不可行，所以进谏。如果陛下不听从进谏而我应答，那么事情就会得以实施，所以我不敢应答。"太宗说："暂且应答而后再次进谏，又有什么伤害呢?"魏徵回答说："过去舜帝告诫群臣：'你们不要当面顺从，退朝之后又有非议。'臣内心知道不对而嘴上答应陛下，这就是当面顺从，这难道是稷、契侍奉舜帝的意思吗!"太宗大笑说："人们说魏徵的行为举止粗疏傲慢，我看他更觉得可爱，正是因为如此呀!"魏徵起身拜谢说："陛下启发臣，让臣开言进谏，所以臣能够竭尽愚见。如果陛下拒谏而不采纳，臣又怎么敢屡次犯颜直谏呢!"

闰八月十七日戊辰，秘书少监虞世南进呈《圣德论》，太宗赐给他亲笔诏书，说道："卿的评价太高了，朕怎么敢与上古的圣贤帝王相比，只是稍稍胜过近世帝王而已。然而卿只看到事情的开始，不知道事情的终结。如果朕能做到最终也谨慎得像开始一般，那么这篇高论可以流传后世，如果不是这样，恐怕只会使后世之人讥笑你了。"

九月二十九日己酉，太宗临幸庆善宫，这是太宗出生时的旧宅，于是和高官显贵进行宴饮，席上赋诗。起居郎清平人吕才把诗谱成曲子用管弦乐器演奏，命名为《功成庆善乐》，命童子六十四人排成八行八列跳《九功舞》，大规模酒宴之时，与《秦王破陈舞》一同在宫廷中演奏。

同州刺史尉迟敬德参加宴会，看到有人班次席位在他之上，他大怒说："你有什么功劳，坐在我的上席!"任城王李道宗的座次在他之下，劝解敬德。尉迟敬德挥拳殴打李道宗，李道宗眼睛几乎失明。太宗非常不高兴，于是罢宴，对尉迟敬德说："朕见汉高祖诛杀功臣，内心常常责怪他，所以想和你们共同保有荣华富贵，让子子孙孙永不断绝。然而你为官屡次犯法，我才知道韩信、彭越被剁成肉酱，并非高祖的罪过。国家的纲纪法令，只有赏赐与惩罚，非分的恩宠，不能屡次得到。你努力修治整饬，不要留下后悔。"尉迟敬德因此才知道恐惧而能自我收敛。

冬，十月初五日乙卯，太宗的车驾回到京城。太宗在大安宫陪侍太上皇宴饮，太宗与皇后轮流进献酒菜饮食和衣服器物，入夜很深才罢席。太宗亲自为太上皇扶轿子到寝殿门前，太上皇不允许，让太子代替。

突厥颉利可汗心情郁闷不得志，多次与家人面对面悲伤哭泣，面容瘦弱疲惫，太宗看到后非常可怜他。因为虢州地界有很多麋鹿，可以游玩打猎，太宗就任命颉利为虢州刺史。颉利推辞，不愿前往。癸未日，又任命他为右卫大将军。

十一月辛巳[185]，契苾酋长何力[186]帅部落六千余家诣[187]沙州[188]降，诏处之于甘、凉[189]之间，以何力为左领军将军[190]。

【段旨】

以上为第二段，写太宗君臣欢宴，不忘议政，以及太宗善谕功臣，善待降人颉利可汗。

【注释】

⑮ 辛卯：四月初八。⑯ 襄州：郡名，治所在今湖北襄阳。⑰ 都督：官名，地方军政长官。唐初在各州按等级分别设置大、中、下都督府，各设都督。⑱ 张公谨（？至公元六三二年）：字弘慎，繁水（今河南南乐西北）人。传见《旧唐书》卷六十八、《新唐书》卷八十九。⑲ 出次：到丧所。⑳ 辰日忌哭：《旧唐书·张公谨传》，“有司奏言：‘准阴阳书，日子在辰，不可哭泣。又为流俗所忌’”。说明阴阳书及流俗，皆忌讳辰日哭泣。㉑ 安：怎么；哪里。㉒ 己亥：六月十七日。㉓ 金州：郡名，治所在今陕西安康。㉔ 刺史：官名，为一州的行政长官。㉕ 元亨：李元亨（？至公元六三二年），高祖子，字德良，一名孝才。传见《旧唐书》卷六十四、《新唐书》卷七十九。㉖ 薨：古代称侯王或大官死曰薨。㉗ 辛亥：六月二十九日。㉘ 江王嚣（？至公元六三二年）：太宗第十一子。传见《旧唐书》卷七十六。㉙ 丙辰：七月初四。㉚ 焉耆：西域国名，都城在今新疆焉耆西南。㉛ 碛路：沙漠道路。碛，沙漠、沙堆。㉜ 高昌：古国名，都城故址在今新疆吐鲁番东二十余公里。㉝ 辛未：七月十九日。㉞ 丹霄殿：宫殿名。㉟ 北荒：北方荒漠之地。㊱ 统叶护（？至公元六二八年）：西突厥可汗。公元六一八至六二八年为可汗。勇猛多智，称霸西域。传见《旧唐书》卷一百九十四、《新唐书》卷二百十五。㊲ 西域：西汉以后对玉门关（今甘肃敦煌西北）以西地区的总称。㊳ 矜：矜夸；夸耀。㊴ 肆叶护可汗：西突厥可汗，统叶护之子。㊵ 薛延陀：民族名，铁勒诸部之一，由薛部与延陀部合并而成。初属于突厥。贞观初年助唐灭突厥，后发生内乱，为唐所破。㊶ 猜狠信谗：猜疑狠戾，听信谗言。㊷ 乙利可汗：西突厥小可汗。㊸ 非其族类：不是同族的人。㊹ 泥孰（？至公元六三四年）：即西突厥咄陆可汗，亦称大渡可汗。父为莫贺设。武德中与秦王李世民结盟为兄弟，贞观初册授咄陆可汗。传见《旧唐书》卷一百九十四下。㊺ 设卑达官与弩失毕：皆为突厥诸部之一。㊻ 康居：西域城国。其地约在今巴尔喀什湖与咸海之间。㊼ 内附：归附唐朝。㊽ 丁酉：七月无此日。似应作癸酉，七月二十

十一月初二日辛巳，契苾酋长何力率领本部六千多家前往沙州投降唐朝，太宗下诏把他们安置在甘州、凉州之间，任命何力为左领军将军。

一日。⑫⑨鸿胪少卿：官名，鸿胪寺的副长官，辅佐鸿胪卿掌宾客及凶仪之事。⑬⓪乙卯：闰八月初四。⑬①王珪（公元五七一至六三九年）：字叔玠，郿县（今陕西眉县）人，太宗时为谏议大夫，官终礼部尚书。传见《旧唐书》卷七十、《新唐书》卷九十八。⑬②雠：同“仇”，仇敌。⑬③不谓：不料。⑬④辄不应：常常不答应。辄，总是。⑬⑤以事为不可：认为事情不可使。⑬⑥庸：副词，难道。⑬⑦尔无面从二句：你们不可以当面顺从，背后却有非议之言。⑬⑧稷：即后稷。周的始祖。传说中，他曾在尧舜时代做农官，教民耕种。⑬⑨契：商的始祖。他曾被舜任命为司徒，掌管教化。⑭⓪疏慢：疏简傲慢。⑭①妩媚：美好可爱。⑭②开臣使言：开导臣，让臣进言。⑭③颜色：面容；脸色。⑭④戊辰：闰八月十七日。⑭⑤秘书少监：官名，秘书省的次官。⑭⑥手诏：皇帝亲手书写的诏令。⑭⑦何敢拟上古：哪里敢比拟上古的君王。⑭⑧差胜：稍稍胜过。⑭⑨适睹：恰好看见。⑮⓪己酉：九月二十九日。⑮①庆善宫：在陕西武功。武德元年（公元六一八年），高祖李渊以武功旧第设置庆善宫，后废为慈德寺。⑮②起居郎：官名，唐于门下省和中书省分别设置起居郎和起居舍人，分掌侍从皇帝，记录言行之事。⑮③清平：县名，县治在今山东临清东南。⑮④吕才（公元六〇〇至六六五年）：唐初哲学家，博州清平（今山东临清东南）人，精通阴阳、方技、舆地、历史诸书，尤长于音乐。官至太常博士。传见《旧唐书》卷七十九、《新唐书》卷一百七。⑮⑤被之管弦：依诗制成乐谱，用管弦演奏。⑮⑥佾：古时乐舞的行列。一行八人叫一佾。⑮⑦《九功》之舞：唐贞观时的舞名，以童子六十四人，戴进德冠，紫袴褶，长袖，漆髻，屣履而舞，号《九功舞》。⑮⑧《破陈舞》：唐初的军中乐舞。原名《秦王破陈乐》，其后发展为歌舞大曲。陈，通“阵”。⑮⑨同州：郡名，治所在今陕西大荔。⑯⓪预：参加。⑯①道宗：即李道宗（公元六〇〇至六五三年），字承范，唐宗室。传见《旧唐书》卷六十、《新唐书》卷七十八。⑯②次其下：座位在其下。⑯③谕解：晓谕劝解。⑯④眇：一只眼瞎曰眇。⑯⑤怿：喜悦；高兴。⑯⑥尤：指责；归罪。⑯⑦韩、彭：指韩信与彭越。韩信（？至公元前一九六年），汉初诸侯王，淮阴（今江苏淮安市淮阴区）人，因助汉高祖刘邦建立汉朝之功，封楚王。后有人告他谋反，被吕后所杀。彭越（？至公元前一九六年），汉初诸侯王，昌邑（今山东金乡西北）人，因助汉高祖建国有功，封梁王。后因被告发谋反，为刘邦所杀。太宗引韩、彭事例以警戒敬德。⑯⑧葅醢：古时的一种酷刑，把人剁成肉酱。⑯⑨纲纪：社会的秩序和国家的法纪。⑰⓪修饬：修治整饬。⑰①贻：

遗留。⑰自戢：自我收敛。戢，收敛。⑰乙卯：十月初五。⑰帝：指太宗。⑰上皇：太上皇，指高祖李渊。⑰大安宫：宫殿名，为宫城的西宫。⑰更献：轮流进献。⑰服御：服饰器物。⑰捧舆：扶车。捧，扶。舆，人抬的轿子。⑱太子代之：太子李承乾代替太宗为高祖扶着轿子。⑱羸惫：瘦弱疲惫。⑱虢州：郡名，治所在今河南灵宝。⑱癸未：十月无此日，似应作癸酉，十月二十三日。⑱右卫大将军：官名，禁军的高级武官。⑱辛巳：十一月初二。⑱契苾酋长何力：契苾何力（？至公元六七七年），唐朝将军，铁勒族人。贞观六年（公元六三二年），与母率部众投唐，后多立战功。传见《旧唐书》卷一百九、《新唐书》卷一百十。⑱诣：到；去。⑱沙州：郡名，治所在今甘肃敦煌西。⑱诏处之于甘、凉：诏命安置在甘州、凉州之间。甘州，治所在今甘肃张掖。凉州，

【原文】

庚寅⑲，以左光禄大夫⑲陈叔达为礼部尚书⑲。帝谓叔达曰："卿武德中有谠言⑲，故以此官相报。"对曰："臣见隋室父子相残，以取乱亡，当日之言，非为陛下，乃社稷之计耳⑲。"

十二月癸丑⑲，帝与侍臣论安危之本。中书令⑲温彦博曰："伏愿⑲陛下常如贞观初则善矣。"帝曰："朕比来⑲怠于为政乎？"魏徵曰："贞观之初，陛下志在节俭，求谏不倦。比来营缮微多，谏者颇有忤旨⑳，此其所以异耳。"帝拊掌⑳大笑曰："诚有是事⑳。"

辛未⑳，帝亲录系囚⑳，见应死者，闵⑳之，纵⑳使归家，期以来秋来就死⑳。仍敕天下死囚，皆纵遣，使至期来诣京师。

是岁，党项等[6]羌⑳前后内属⑳者三十万口。

公卿以下请封禅者前后[7]相属㉑，上谕以"旧有气疾，恐登高增剧，公等勿复言"。

上谓侍臣曰："朕比来决事㉑或㉑不能皆如律令，公辈㉑以为事小，不复执奏㉑。夫事无不由小而致大，此乃危亡之端也。昔关龙逄忠谏而死，朕每痛㉑之。炀帝骄暴而亡，公辈所亲见也。公辈常宜为朕思炀帝之亡，朕常为公辈念关龙逄之死，何患君臣不相保㉑乎！"

治所在今甘肃武威。⑲⓪ 左领军将军：唐代左右领军卫，为禁卫军之一。设置上将军、大将军、将军等官。

【校记】

［2］同此：原作“此同”。据章钰校，十二行本、乙十一行本皆作“同此”，今从改。［3］若：原无此字。据章钰校，十二行本、乙十一行本皆有此字，今据补。［4］臣：原作“人”。据章钰校，十二行本、乙十一行本皆作“臣”，今从改。［5］饬：原作“饰”。据章钰校，十二行本、乙十一行本皆作“饬”，今从改。

【语译】

十一月十一日庚寅，朝廷任命左光禄大夫陈叔达为礼部尚书。太宗对陈叔达说：“卿在武德年间曾有直言劝谏太上皇，所以用此官来报答你。”叔达回答说：“臣当时看见隋朝皇帝父子相互残杀，建议起兵夺取政治混乱将要灭亡的隋朝，当时的话，不是为陛下考虑的，是为社稷考虑的方案而已。”

十二月初四日癸丑，太宗与侍从大臣讨论社稷安危的根本所在。中书令温彦博说：“臣希望陛下能常如贞观初年那样就好了。”太宗问：“朕近来为政治国有所懈怠吗？”魏徵说：“在贞观初年，陛下的志向在于节俭，要求大臣进谏而不知疲倦。近来营建修缮宫殿之事稍微多了，进谏的人多有触犯陛下的意旨，这就是所以与当年不同的原因。”太宗拍掌大笑说：“确有此事。”

十二月二十二日辛未，太宗亲自审查监狱里囚犯的罪行，看到有应当判处死刑的人，就怜悯他们，释放他们回家，约定明年秋季回来执行死刑。于是发布诏书，敕令天下的死刑犯人，都释放回家，让他们到期限再来京城。

这一年，党项等羌前后有三十万人来内地归附大唐。

公卿以下的大臣请求举行封禅典礼的前后接连不断，太宗告谕他们“朕以前就有气喘病，恐怕登高会加剧病情，你们不要再提此事”。

太宗对侍从大臣说：“朕近来裁决政事有时不能全都符合法律政令，你们认为事情不大，不再坚持奏谏。事情无不从小到大，这就是国家危亡的开端。从前关龙逄忠诚进谏而死，朕常常为此痛惜。隋炀帝因为骄奢暴虐而亡国，这是你们亲眼所见。你们应当经常为朕思考炀帝之亡，朕经常为你们念及关龙逄之死，还担心君臣不能相互保全吗！”

上谓魏徵曰："为官择人，不可造次[217]。用一君子，则君子皆至，用一小人，则小人竞进[218]矣。"对曰："然。天下未定，则专取其才，不考其行。丧乱既平，则非才行[219]兼备不可用也。"

【段旨】

以上为第三段，写太宗时时以隋炀帝亡国为鉴，鼓励臣下进谏，以及亲贤远佞的用人原则。

【注释】

⑲庚寅：十一月十一日。⑲左光禄大夫：官名，唐代文职阶官称号，从二品。⑲礼部尚书：唐代尚书省所属的六部之一礼部的长官，掌礼仪、祭享、贡举等事。⑲卿武德中有谠言：指武德九年（公元六二六年）李建成、李元吉与后宫日夜谮诉李世民于高祖，高祖将要怪罪李世民，陈叔达力谏高祖曰："秦王（世民）有大功于天下，不可黜也。"高祖听从劝谏，未加罪于世民。谠言，直言。⑲乃社稷之计耳：这是在为江山社稷考虑罢了。⑲癸丑：十二月初四。⑲中书令：官名，唐代三省之一中书省的长官。与门下省、尚书省的长官同为宰相。⑲伏愿：下对上（多用于对皇帝）陈述自己意见时所用

【原文】

七年（癸巳，公元六三三年）

春，正月，更名《破陈乐》曰《七德舞》。

癸巳[220]，宴三品已上及州牧[221]、蛮夷酋长[222]于玄武门，奏《七德》《九功》[223]之舞。太常卿[224]萧瑀上言："《七德舞》形容圣功[225]，有所未尽，请写[226]刘武周、薛仁果、窦建德、王世充等[227]擒获之状。"上曰："彼皆一时英雄，今朝廷之臣往往尝北面事之[228]，若睹其故主[229]屈辱之

太宗对魏徵说："为了官职而选拔人才，不可轻率。任用一个君子，其他君子就全都到来，任用一个小人，其他小人就会争相进身。"魏徵回答说："是这样。天下没有平定时，就专门用他的才能，不考察他的品行。丧乱平定之后，如果不是才能品行兼备就不能任用。"

的敬辞。⑲比来：近来。⑳忤旨：违反抵触皇帝的意旨。㉑拊掌：击掌。㉒诚有是事：确实有这种事。㉓辛未：十二月二十二日。㉔亲录系囚：亲自审查囚犯的罪状。㉕闵：通"悯"，可怜。㉖纵：放。㉗期以来秋来就死：约定以明年秋季前来服死刑。㉘党项等羌：党项羌为羌人的一支，南北朝时分布在今青海东南部河曲和四川松潘以西山谷地带。唐前期，吐蕃征服青藏高原诸部族，大部分党项羌人被迫迁徙到甘肃、宁夏、陕北一带。㉙内属：来内地归附唐朝。㉚相属：连续不断。㉛决事：断事。㉜或：有时。㉝公辈：你们。公，对人的尊称。㉞执奏：坚持奏谏。㉟痛：痛惜。㊱相保：相互保全。㊲造次：鲁莽；轻率。㊳竞进：争相进身。㊴才行：才能与品行。行，行为、品行。

【校记】

［6］等：原无此字。据章钰校，十二行本、乙十一行本皆有此字，今据补。［7］前后：据章钰校，十二行本、乙十一行本皆作"首尾"。

【语译】

七年（癸巳，公元六三三年）

春，正月，把《秦王破陈乐》改名为《七德舞》。

十五日癸巳，太宗在玄武门宴请三品以上官员、各州州牧、蛮夷酋长，演奏《七德舞》《九功舞》。太常寺卿萧瑀说："《七德舞》形容皇上的武功，还有未能尽意的，请求描写刘武周、薛仁果、窦建德、王世充等人被擒获的场面。"太宗说："他们都是一时的英雄豪杰，如今朝廷的大臣往往都曾北面称臣侍奉他们，如果看到旧主

状，能不伤其心乎！”珪谢[230]曰：“此非臣愚虑所及。”魏徵欲上偃武修文[231]，每侍宴，见《七德舞》辄俯首[232]不视，见《九功舞》则谛观[233]之。

三月戊子[234]，侍中[235]王珪坐[236]漏泄禁中语，左迁[237]同州刺史。庚寅[238]，以秘书监[239]魏徵为侍中。

直[240]太史[241]雍人李淳风[242]奏灵台候仪制度[243]疏略，但有赤道[244]，请更造浑天黄道仪[245]，许之。癸巳[246]，成而奏之。

夏，五月癸未[247]，上幸九成宫。

雅州[248]道行军总管[249]张士贵击反獠[250]，破之。

秋，八月乙丑[251]，左屯卫大将军谯敬公周范卒。上行幸[252]，常令范与房玄龄居守[253]。范为人忠笃严正[254]，疾甚，不肯出外[255]，竟终于内省[256]，与玄龄相抱而诀[257]曰：“所恨不获再奉圣颜[258]！”

辛未[259]，以张士贵为龚州[260]道行军总管，使击反獠。

九月，山东[261]、河南[262]四十余州水[263]，遣使赈之。

去岁所纵天下死囚凡三百九十人，无人督帅[264]，皆如期自诣朝堂，无一人亡匿[265]者，上皆赦[266]之。

冬，十月庚申[267]，上还京师。

十一月壬辰[268]，以开府仪同三司长孙无忌为司空[269]。无忌固辞，曰：“臣忝预外戚[270]，恐天下谓陛下为私。”上不许，曰：“吾为官择人，惟才是与。苟或不才，虽亲不用，襄邑王神符是也。如其有才，虽仇不弃，魏徵等是也。今日所[8]举，非私亲也。”

十二月甲寅[271]，上幸芙蓉园[272]。丙辰[273]，校猎[274]少陵原[275]。戊午[276]，还宫，从上皇置酒故汉未央宫[277]。上皇命突厥颉利可汗起舞，又命南蛮[278]酋长冯智戴[279]咏诗，既而笑曰：“胡、越一家[280]，自古未有也。”帝奉觞上寿[281]曰：“今四夷入臣[282]，皆陛下教诲，非臣智力所及。昔汉高祖亦从太上皇置酒此宫，妄自矜大[283]，臣所不取也。”上皇大悦，殿上[284]皆呼万岁。

帝谓左庶子[285]于志宁[286]、右庶子杜正伦曰：“朕年十八，犹在民间，民之疾苦情伪[287]，无不知之。及居大位，区处[288]世务，犹有差失。况

受到屈辱的样子，能不刺伤他们的心吗！”萧瑀谢罪说：“这不是臣的愚见所能考虑到的。”魏徵想要太宗停止武备而加强文教，每次侍从太宗参加宴会，看到《七德舞》上演就低头不看，看到《九功舞》就仔细观看。

三月十一日戊子，侍中王珪因为泄漏朝廷机密之言，降职为同州刺史。十三日庚寅，任命秘书监魏徵为侍中。

当直太史雍县人李淳风上奏说灵台观天候望的仪器制度过于粗疏简略，只能测出赤道，请求另造浑天黄道仪，得到太宗准许。三月十六日癸巳，制成黄道仪后向朝廷奏呈。

夏，五月初七日癸未，太宗幸临九成宫。

雅州道行军总管张士贵率兵进攻反叛的獠民，打败了他们。

秋，八月二十日乙丑，左屯卫大将军谯敬公周范去世。太宗出外巡幸时，常常命周范与房玄龄一道留守京城。周范为人忠诚笃实，严肃正直，病势很重，还不肯离开皇宫，最后竟然病死在宫内办公的官署。临死前与房玄龄相抱诀别，说：“我遗恨的是不能再侍奉皇上了！”

八月二十六日辛未，朝廷任命张士贵为龚州道行军总管，让他进攻反叛的獠人。

九月，崤山以东、黄河以南四十多个州发生水灾，太宗派使臣前往赈灾。

去年释放回家的死囚犯共三百九十人，没有人督促率领，都按照期限返回朝堂，没有一人逃亡隐匿，太宗全部赦免了他们。

冬，十月十六日庚申，太宗回到京师长安。

十一月十八日壬辰，朝廷任命开府仪同三司长孙无忌为司空。长孙无忌坚决推辞，说：“我辱列于外戚之中，恐怕天下人说陛下任官出于私情。”太宗不允许，说：“我依据官职所需选拔人才，唯才是举。如果没有才能，虽然是亲属也不任用，如襄邑王李神符就是这种情况。如果有才能，虽是仇人也不遗弃，如魏徵等人就是这种人。今日推举你担任司空，并非出于亲戚私情。”

十二月十一日甲寅，太宗巡幸芙蓉园。十三日丙辰，到少陵原进行围猎。十五日戊午，回到宫中，在先前汉代未央宫陪从太上皇举行宴会。太上皇命令突厥颉利可汗离席起身舞蹈，又命南蛮酋长冯智戴吟咏赋诗，之后笑着说：“胡人、越人成为一家，自古以来没有这样的事。”太宗捧着酒杯向太上皇祝贺，说：“如今四方夷族入唐臣服，都是陛下教诲的结果，并非臣的智力所能做到。从前汉高祖也曾在此宫中为太上皇摆酒庆贺，妄自尊大，臣不学他的做法。”太上皇大为喜悦，殿堂上众臣都高呼万岁。

太宗对左庶子于志宁、右庶子杜正伦说：“朕十八岁的时候，还在民间生活，百姓疾苦与民情真伪，没有不知道的。等到登上皇位，处理日常政务，还有差错失误。

太子生长深宫，百姓艰难，耳目所未涉，能无骄逸乎！卿等不可不极谏[289]。”太子好嬉戏，颇亏礼法，志宁与右庶子孔颖达[290]数直谏。上闻而嘉之，各赐金一斤、帛[291]五百匹。

工部尚书[292]段纶[293]奏征巧工杨思齐，上令试之。纶使先造傀儡[294]。上曰：“得巧工庶供国事[295]，卿令先造戏具，岂百工相戒无作淫巧之意邪[296]！”乃削纶阶[297]。

嘉、陵州[298]獠反，命邗江府[299]统军牛进达击破之。

上问魏徵曰：“群臣上书可采[300]，及召对多失次[301]，何也？”对曰：“臣观百司[302]奏事，常[9]数日思之。及至上前，三分不能道一[303]。况谏者拂意触忌[304]，非陛下借之辞色[305]，岂敢尽其情哉！”上由是接群臣辞色愈温[306]，尝曰：“炀帝多猜忌，临朝对群臣多不语。朕则不然，与群臣相亲如一体耳。”

【段旨】

以上为第四段，写唐太宗治国治家，十分注意亲善形象，尊礼太上皇，严教太子，愿与群臣亲如一体。

【注释】

[220]癸巳：正月十五日。[221]州牧：官名，西汉成帝时，改刺史为州牧，后废置不常。唐代唯京师或陪都的地方最高长官以亲王充任者，尚称为牧或州牧。[222]酋长：蛮夷的渠帅。[223]《九功》：唐贞观时的乐舞名，以童子六十四人，戴进德冠，紫袴褶，长袖，漆髻，屣履而舞，号《九功舞》。[224]太常卿：官名，太常寺的长官，掌礼乐社稷、宗庙礼仪，兼掌选试博士。历代相沿，其职权专为司祭礼乐之官。[225]圣功：指太宗之功。[226]写：描写；反映。[227]刘武周、薛仁果、窦建德、王世充等：皆为隋末唐初割据首领，均被太宗率军击灭。[228]尝北面事之：曾经北面称臣侍奉他们。[229]故主：旧日的主人。[230]谢：谢罪。[231]欲上偃武修文：希望皇上停止武备，提倡文教。偃，停止。[232]俯首：低下头。[233]谛观：仔细观看。谛，详细、仔细。[234]戊子：三月十一日。[235]侍中：官名，唐代

何况太子生长在深宫，百姓生活的艰难困苦，太子的耳目从不曾接触，能没有骄纵吗！你们不能不极言直谏。”太子喜好嬉戏玩耍，很不合乎礼法，于志宁与右庶子孔颖达多次直言劝谏。太宗听到后赞扬他们，各赐黄金一斤、绢帛五百匹。

工部尚书段纶上奏请求征召巧匠杨思齐进宫，太宗命他试制器物。段纶让杨思齐先造一个木偶。太宗说：“得到能工巧匠是希望供国家建造之用，你让他先造嬉戏的玩具，这难道是各种工匠相互告诫不做淫巧之器的本意吗！”于是降低段纶的官阶。

嘉州、陵州的獠民造反，朝廷命令邗江府统军牛进达打败他们。

太宗问魏徵说：“各位大臣上书有可取之处，等到召见时当面对答却多语无伦次，是什么原因？”魏徵回答说：“我观察各部百官上奏言事，常常思考数天。等到了陛下面前，有三分意思却不能讲出一分。何况当面进谏的大臣，违背陛下的旨意，触犯朝廷忌讳，如果陛下不给予他们和悦的脸色和言辞，他们怎么敢尽情说出自己的想法呢！”太宗从此接见群臣时言语脸色更加温和，曾经说：“隋炀帝对人多有猜忌，每次临朝对群臣经常不说话。朕就不这样，与大臣们相互亲近如同一人。”

三省之一门下省的长官，总判门下省事。为宰相之职。㉓坐：犯罪；被判有罪。㉓左迁：降职。㉓庚寅：三月十三日。㉓秘书监：官名，秘书省之长官，掌图书著作等事。㉔直：特指在殿堂中值班，侍奉君主。㉔太史：官名，掌管天文历法。㉔李淳风（公元六〇二至六七〇年）：岐州雍县（今陕西宝鸡市凤翔区）人，唐初天文学家。传见《旧唐书》卷七十九、《新唐书》卷二百四。㉔候仪制度：候望的仪器制度。㉔但有赤道：只能测出赤道。㉔浑天黄道仪：表示天象的仪器。据《旧唐书·李淳风传》载，浑天黄道仪于贞观七年（公元六三三年）造成。其制以铜为之，表里三重，下据准基，状如十字，末树鳌足，以张四表。㉔癸巳：三月十六日。㉔癸未：五月初七。㉔雅州：郡名，治所在今四川雅安西。㉔行军总管：官名，出征时的军队主帅。㉕獠：生活在南方的一些少数民族。㉕乙丑：八月二十日。㉕行幸：出行。㉕居守：居中留守。㉕忠笃严正：忠诚笃实，严肃正直。㉕出外：指离开宫省回家。㉕终于内省：死于宫内台省。㉕诀：诀别。㉕不获再奉圣颜：不能再侍奉天子。㉕辛未：八月二十六日。㉖龚州：州名，治所在今广西平南县。㉖山东：古地区名，通称崤山以东为山东，与当时所谓关东含义相同。一般专指黄河流域。㉖河南：古地区名，指黄河以南。㉖水：发生水灾。㉖督帅：督促率领。㉖亡匿：逃亡、隐匿。㉖赦：赦免。㉖庚申：十月十六日。㉖壬辰：十一月十八

日。㉖⑨司空：官名，为三公之一。㉗⓪忝预外戚：谓辱列外戚之中。忝，谦辞，表示有辱他人，自己有愧。㉗①甲寅：十二月十一日。㉗②芙蓉园：唐代长安城风景区，位于都城东南隅，在曲江池之东。本名曲江园，隋时为离宫，文帝厌恶其名，以其有池盛植芙蓉，改名芙蓉园。园内青林重复，绿水弥漫，景致优美。㉗③丙辰：十二月十三日。㉗④校猎：用木栅栏阻拦猎取野兽。㉗⑤少陵原：位于长安城东南，为浐、浐两河之间的高地。㉗⑥戊午：十二月十五日。㉗⑦未央宫：在长安宫城北禁苑之西。㉗⑧南蛮：古代对南方少数民族的称呼。㉗⑨冯智戴：冯盎之子。事迹见《旧唐书》卷一百九、《新唐书》卷一百十《冯盎传》。㉘⓪胡、越一家：胡谓颉利，越谓冯智戴。谓胡越诸族成为一家之人。㉘①奉觞上寿：捧着酒杯敬酒祝贺。觞，古代的酒器。上寿，即敬酒。㉘②四夷入臣：四方少数民族入唐臣服。㉘③汉高祖亦从太上皇置酒此宫二句：据《汉书·高祖纪下》云，九年冬十月，未央宫置酒。上奉玉卮为太上皇寿，曰："始大人常以臣亡赖，不能治产业，不如仲力。今某之业所就孰与仲多？"汉高祖妄自矜大即指此。㉘④殿上：谓宫殿上的群臣。㉘⑤庶子：官名，太子属官，汉以后为太子侍从官。唐以后于太子官属中设左右春坊，分置左右庶子掌其事。㉘⑥于志宁（公元五八八至六六五年）：唐初大臣，字仲谧，京兆高陵（今陕西西安市高陵区）人。传见《旧唐书》卷七十八、《新唐书》卷一百四。㉘⑦情伪：事情的真假。㉘⑧区处：处理。㉘⑨极谏：极言直谏；深切地进行劝谏。㉙⓪孔颖达（公元五七四至六四八年）：唐代著名经学家，字冲远，冀州衡水（今属河北）人，历任国子博士、司

【原文】

八年（甲午，公元六三四年）

春，正月癸未[307]，突厥颉利可汗卒，命国人从其俗，焚尸葬之。

辛丑[308]，行军总管[309]张士贵讨东、西王洞反獠[310]，平之。

上欲分遣大臣为诸道黜陟大使[311]，未得其人，李靖荐魏徵。上曰："徵箴规[312]朕失，不可一日离左右。"乃命靖与太常卿萧瑀等凡十三人[313]分行天下，"察长吏[314]贤不肖[315]，问民间疾苦，礼高年[316]，赈穷乏，褒善良[10]，起淹滞[317][11]，俾[318]使者所至，如朕亲睹"。

三月庚辰[319]，上幸九成宫。

夏，五月辛未朔[320]，日有食之。

业等。主编《五经正义》。传见《旧唐书》卷七十三、《新唐书》卷一百九十八。㉑ 帛：丝织品的总称。㉒ 工部尚书：唐代尚书省下属六部之一工部的长官，主管工程、屯田、水利、交通等政令。㉓ 段纶：唐高祖高密公主再嫁之夫，隋兵部尚书段文振之子。唐初，拜工部尚书、杞国公。事迹见《新唐书》卷二百二十二下《南蛮传》。㉔ 傀儡：木偶。㉕ 庶供国事：希望供国家建造之用。庶，副词，表示可能或期望。㉖ 岂百工相戒无作淫巧之意邪：这难道是百工相诫不作淫巧之器的本意吗。淫巧，过于奇巧而无益的。《礼记·月令》云："毋或作为淫巧，以荡上心。"㉗ 削纶阶：唐制，工部尚书，正三品。削段纶阶，则使其不得立于三品班中。㉘ 嘉、陵州：据《旧唐书·地理志四》，剑南道嘉州，隋属眉山郡，武德元年（公元六一八年）改为嘉州，治所在今四川乐山市。陵州，隋属隆山郡，武德元年改为陵州，治所在今四川仁寿东。㉙ 邗江府：唐扬州有邗江府兵。㉚ 上书可采：上书言事，意见有可采纳者。㉛ 失次：谓语无伦次。㉜ 百司：诸执事者，即百官。㉝ 三分不能道一：有三分意思不能说出一分。㉞ 拂意触忌：拂逆皇帝之意，触犯忌讳。㉟ 借之辞色：给予他们和悦的脸色和言辞。㊱ 温：温和。

【校记】

［8］所：据章钰校，十二行本、乙十一行本皆作"之"。［9］事，常：原二字误倒为"常事"。据章钰校，孔天胤本不误，今据以校正。

【语译】

八年（甲午，公元六三四年）

春，正月初十日癸未，突厥颉利可汗去世，太宗诏令突厥国人按照他们的民族风俗，焚尸后埋葬。

二十八日辛丑，行军总管张士贵讨伐东王洞、西王洞的反叛獠民，平定了他们。

太宗想要分别派遣大臣担任诸道的黜陟大使，没有找到合适人选，李靖推荐魏徵。太宗说："魏徵针砭规劝朕的过失，一天也不能离开朕的身边。"于是诏令李靖与太常卿萧瑀等十三人，分别巡行全国各地，"考察地方长官是贤明还是不贤明，询问民间疾苦，礼遇高寿的老人，赈济穷困，褒奖善良，起用仕途停滞的人，要让使者所到之处，如同朕亲自前往"。

三月初八日庚辰，太宗临幸九成宫。

夏，五月初一日辛未，发生日食。

初，吐谷浑可汗伏允遣使入贡未返，大掠鄯州[321]而去。上遣使让[322]之，征伏允入朝。称疾不至，仍为其子尊王求婚。上许之，令其亲迎，尊王又不至，乃绝昏，伏允又[12]遣兵寇兰、廓[323]二州。伏允年老，信其臣天柱王之谋，数犯边。又执唐使者赵德楷，上遣使谕之，十返[324]。又引其使者，临轩[325]亲谕[326]以祸福[327]，伏允终无悛[328]心。六月，遣左骁卫大将军[329]段志玄[330]为西海[331]道行军总管，左骁卫将军樊兴[332]为赤水[333]道行军总管，将边兵及契苾、党项之众以击之。

秋，七月，山东、河南、淮、海[334]之间大水。

上屡请上皇避暑九成宫[335]。上皇以隋文帝终于彼[336]，恶之。冬，十月，营大明宫[337]，以为上皇清暑[338]之所。未成而上皇寝疾[339]，不果居[340]。

辛丑[341]，段志玄击吐谷浑，破之，追奔八百余里，去[342]青海[343]三十余里，吐谷浑驱牧马而遁。

甲子[344]，上还京师。

右仆射李靖以疾逊[345]位，许之。

十一月辛未[346]，以靖为特进[347]，封爵如故，禄赐、吏卒并依旧给，俟疾小瘳[348]，每三两日至门下、中书[349]平章政事[350]。

甲申[351]，吐蕃[352]赞普弃宗弄赞遣使入贡，仍请昏。吐蕃在吐谷浑西南，近世浸强[353]，蚕食他国，土宇[354]广大，胜兵[355]数十万，然未尝通中国。其王称赞普，俗不言姓，王族皆曰论，宦族[356]皆曰尚。弃宗弄赞有勇略，四邻畏之，上遣使者冯德遐往慰抚之。

丁亥[357]，吐谷浑寇[358]凉州[359]。己丑[360]，下诏大举讨吐谷浑。上欲得李靖为将，为其老，重劳之[361]。靖闻之，请行，上大悦。十二月辛丑[362]，以靖为西海道行军大总管，节度[363]诸军。兵部尚书侯君集[364]为积石[365]道、刑部尚书[366]任城王道宗为鄯善[367]道、凉州都督李大亮[368]为且末[369]道、岷州[370]都督李道彦为赤水道、利州刺史高甑生为盐泽[371]道行军总管，并突厥、契苾之众击吐谷浑。

当初，吐谷浑可汗伏允派使节到唐朝进贡，未返回国，在鄯州大肆抢掠后离去。太宗派使臣斥责他们，征召伏允前来朝见。伏允称言有病不来，仍然为他的儿子尊王向朝廷求婚。太宗答应了他，让尊王亲自来迎亲，尊王又不来，于是断绝婚姻，伏允又派兵侵犯兰州、廓州。伏允年老，听信他的大臣天柱王的计谋，多次侵犯唐朝边境。又抓住朝廷派来的使臣赵德楷，太宗派使节进行告谕，前后十次往返。太宗又引见吐谷浑使者，在宫内殿前亲自晓谕利害，伏允最终没有悔改之心。六月，朝廷派遣左骁卫大将军段志玄为西海道行军总管，左骁卫将军樊兴为赤水道行军总管，统率边境驻军及契苾、党项的军队进攻吐谷浑。

秋，七月，崤山以东、黄河以南、淮河至东海之间的地区发生水灾。

太宗多次请太上皇到九成宫避暑。太上皇因为隋文帝死在那里，心中厌恶此地。冬，十月，营造大明宫，作为太上皇避暑的住所。未等修成，太上皇卧病在床，最终也未能住成。

十月初二日辛丑，段志玄攻击吐谷浑，打败了它，追击败兵八百多里，离青海湖三十多里，吐谷浑人驱赶牧马逃走。

十月二十五日甲子，太宗返回京城长安。

右仆射李靖因患病请求退职，太宗答应了。

十一月初三日辛未，加封李靖为特进，原有的封爵照旧保留，俸禄赏赐、所属官吏都按原样加以保留，等到他病情稍有好转，每两三天到门下省和中书省参与办理政事。

十一月十六日甲申，吐蕃赞普弃宗弄赞派使臣进献贡品，同时请求通婚。吐蕃在吐谷浑西南，近年来国力逐渐强盛，侵吞蚕食其他小国，疆域广大，拥有强兵几十万，然而未曾与大唐来往交结。他们的国王称为赞普，风俗习惯不称姓，王族都叫作论，官僚之家都称为尚。弃宗弄赞有勇气和谋略，四方邻国都畏惧他。太宗派使者冯德遐前往吐蕃安抚慰问。

十一月十九日丁亥，吐谷浑侵犯凉州。二十一日己丑，太宗下诏发兵大举讨伐吐谷浑。太宗想让李靖作为统率出征，但因为他已经年老，难以劳驾他。李靖听说后，请求出征，太宗大为喜悦。十二月初三日辛丑，任命李靖为西海道行军大总管，节制调度各路军队。任命兵部尚书侯君集为积石道行军总管、刑部尚书任城王李道宗为鄯善道行军总管、凉州都督李大亮为且末道行军总管、岷州都督李道彦为赤水道行军总管、利州刺史高甑生为盐泽道行军总管，合并突厥、契苾的部众攻打吐谷浑。

【段旨】

以上为第五段，写太宗派钦差专使巡视天下，察吏治，问民疾苦。发大兵征讨吐谷浑。

【注释】

㉚⑦癸未：正月初十。㉚⑧辛丑：正月二十八日。㉚⑨行军总管：军事长官。唐初出征时的军队主帅。㉛⓪东、西王洞反獠：在东、西王洞（今广西平南县）造反的獠族。㉛①黜陟大使：官名，皇帝特派的临时使节，负责巡视各地，调查官吏的行为以施赏罚，并询访地方情况。㉛②箴规：规谏劝诫。㉛③十三人：《旧唐书·太宗纪》载，十三人的姓名为李靖、萧瑀、杨恭仁、王珪、韦挺、皇甫无逸、李袭誉、张亮、李大亮、窦诞、杜正伦、刘德威、赵弘智。㉛④长吏：地位较高的州县官吏。㉛⑤贤不肖：贤明、不贤明。㉛⑥礼高年：礼遇老者。㉛⑦起淹滞：起用在仕途淹留停滞的人。㉛⑧俾：使。㉛⑨庚辰：三月初八。㉜⓪辛未朔：五月初一。㉜①鄯州：郡名，治所在今青海海东市乐都区。㉜②让：责备；责怪。㉜③兰、廓：兰州，治所在今甘肃兰州。廓州，治所在今青海贵德。㉜④十返：十次往返。㉜⑤临轩：皇帝在殿前平台上接见臣属。㉜⑥谕：晓谕；告诉。㉜⑦祸福：利害。㉜⑧悛：悔改。㉜⑨左骁卫大将军：骁卫，禁军名称之一，分设左、右，置有上将军、大将军、将军。㉝⓪段志玄（公元五九七至六四二年）：齐州临淄（今山东淄博市临淄区）人，唐初将领。传见《旧唐书》卷六十八、《新唐书》卷八十九。㉝①西海：郡名，隋朝设置。管辖青海东境，治所在青海湖西岸的伏俟城。㉝②樊兴：安陆（今属湖北）人，唐初将领。传见《旧唐书》卷五十七、《新唐书》卷八十八。㉝③赤水：地名，在今青海兴海县东南黄河西岸。㉝④淮、海：淮水以迄东海。㉝⑤九成宫：唐离宫名，位于今陕西麟游西五里天台山。前为隋朝的仁寿宫，隋末废弃，唐初复置，更名九成宫。㉝⑥隋文帝终于彼：仁寿四年（公元六〇四年），隋文帝在仁寿宫被太子杨广杀害。㉝⑦大明宫：唐宫名，为唐

【原文】

帝聘隋通事舍人[372]郑仁基女为充华[373]，诏已行，册使[374]将发。魏徵闻其尝许嫁[375]士人陆爽，遽[376]上表谏。帝闻之，大惊，手诏深自克责[377]，命停册使。房玄龄等奏称："许嫁陆氏，无显状[378]，大礼[379]既行，

都长安第二大宫殿区。因其位于郭城外东北的龙首原上，故称东内，或称北内。㊳㊳ 清暑：避暑。㊳㊴ 寝疾：卧病。㊳㊵ 不果居：没有去居住。果，成为事实。㊳㊶ 辛丑：十月初二。㊳㊷ 去：相距；离。㊳㊸ 青海：即今青海青海湖。㊳㊹ 甲子：十月二十五日。㊳㊺ 逊：让；退让。㊳㊻ 辛未：十一月初三。㊳㊼ 特进：官名，西汉末始设特进，以授列侯中功德突出、在朝廷中有特殊地位者，位在三公之下。东汉至南北朝成为加官，无实职。唐改为文散官的第二阶，相当于正二品。㊳㊽ 瘳：病愈。㊳㊾ 门下、中书：指门下省与中书省。唐代宰相的总办公处称政事堂。唐初设在门下省，后因中书令权重，至武后时迁政事堂于中书省。开元时改称中书门下。㉟⓪ 平章政事：意即协商处理政务。平章事之名始于此。㉟① 甲申：十一月十六日。㉟② 吐蕃：中国古代藏族政权名，公元七至九世纪时在青藏高原建立。赞普为其君长。㉟③ 浸强：渐强。㉟④ 土宇：国土。㉟⑤ 胜兵：强兵。㉟⑥ 官族：仕宦之家。㉟⑦ 丁亥：十一月十九日。㉟⑧ 寇：骚扰；侵犯。㉟⑨ 凉州：郡名，治所在今甘肃武威。㊱⓪ 己丑：十一月二十一日。㊱① 重劳之：因其年老，难以劳驾。重，难。㊱② 辛丑：十二月初三。㊱③ 节度：节制调度。㊱④ 侯君集（？至公元六四三年）：唐初大将，豳州三水（今陕西旬邑）人。传见《旧唐书》卷六十九、《新唐书》卷九十四。㊱⑤ 积石：山名，即今青海东南部积石山脉。㊱⑥ 刑部尚书：官名，尚书省所属六部之一刑部的长官，主管法律、刑狱等事务。㊱⑦ 鄯善：郡名，治所在今新疆若羌。㊱⑧ 李大亮（公元五八六至六四四年）：泾阳（今属陕西）人，唐初大臣。传见《旧唐书》卷六十二、《新唐书》卷九十九。㊱⑨ 且末：郡名，治所在今新疆且末。㊲⓪ 岷州：治所在今甘肃岷县。㊲① 盐泽：泽名，即今新疆罗布泊。

【校记】

［10］褒善良：原无此三字。据章钰校，十二行本、乙十一行本皆有此三字，张瑛《通鉴校勘记》同，今据补。［11］淹滞：原作“久淹”。据章钰校，孔天胤本作“淹滞”，张瑛《通鉴校勘记》、熊罗宿《胡刻资治通鉴校字记》同，今从改。十二行本、乙十一行本作“滞淹”。［12］又：据章钰校，十二行本、乙十一行本皆作“复”。

【语译】

太宗聘娶隋朝通事舍人郑仁基之女为充华，诏令已经发出，进行册封的使者将要出发。魏徵听说她曾经许婚嫁给士人陆爽，急忙上表劝谏。太宗听说此事，大为惊讶，亲手书写诏令深加自责，命令册封使停止出发。房玄龄等人上奏说：“许婚嫁给陆氏，没有明显的真实情况，册封大礼既然已经施行，不能中止。”陆爽也上表说

不可中止。”爽亦表言初无[380]婚姻之议。帝谓徵曰：“群臣或容希合[381]，爽亦自陈，何也？”对曰：“彼以为陛下[13]外虽舍之，或阴[382]加罪谴，故不得不然。”帝笑曰：“外人[383]意或当如是，朕之言未能使人必信如此邪[384]！”

中牟[385]丞[386]皇甫德参上言：“修洛阳宫，劳人；收地租，厚敛；俗好高髻，盖宫中所化[387]。”上怒，谓房玄龄等曰：“德参欲国家不役一人，不收斗租[388]，宫人皆无发，乃可[389]其意邪！”欲治其谤讪[390]之罪。魏徵谏曰：“贾谊[391]当汉文帝时上书[392]，云‘可为痛哭者一，可为流涕者二’。自古上书不激切[393]，不能动人主[394]之心，所谓狂夫之言，圣人择焉[395]，唯陛下裁察[396]。”上曰：“朕罪斯人[397]，则谁敢复言。”乃赐绢二十匹。他日，徵奏言：“陛下近日不好直言，虽勉强含容[398]，非曩时[399]之豁如[400]。”上乃更加优赐，拜监察御史。

中书舍人[401]高季辅[402]上言：“外官卑品[403]，犹未得禄，饥寒切身[404]，难保清白。今仓廪浸实，宜量加优给[405]；然后可责[406]以不贪，严设科禁[407]。又，密王元晓[408]等皆陛下之弟，比[409]见帝子拜诸叔，叔皆答拜，紊乱昭穆[410]，宜训之以礼。”书奏，上善之。

西突厥咄陆可汗卒，其弟同娥设立，是为沙钵罗咥利失可汗。

【段旨】

以上为第六段，写魏徵、房玄龄、高季辅直谏太宗抑制私欲，不娶已聘之女，不嗔怒，以礼训皇子，太宗皆纳之。

【注释】

㊲通事舍人：官名，隶四方馆，又属中书省，掌通奏、引纳、辞见、承旨、宣劳，皆以善辞令者为之。唐置八人，秩为从六品。㊳充华：女官名，晋置，九嫔之一。唐六宫之职无此官。㊴册使：册封使者。㊵许嫁：允许、答应嫁给。㊶遽：急速。㊷克责：深加

当初没有与郑氏女结为婚姻的意向。太宗对魏徵说："诸位大臣或许是希望迎合旨意，但陆爽本人也如此自陈，是什么原因呢？"魏徵回答说："他认为陛下表面虽放弃不聘，或许暗中又要加罪于他，所以不得不这样说。"太宗笑着说："别人的想法或许是这样，但朕的话竟然如此不能使人相信吗！"

中牟县丞皇甫德参上书说："修筑洛阳宫殿，使百姓疲劳；收取地租，过重聚敛；民间风俗，女人喜好把头发扎成高髻，这是受宫中妃嫔习俗的影响。"太宗很生气，对房玄龄等人说："德参想让朝廷不役使一个人，不收一斗地租，宫中女人都不留头发，这样才合乎他的心意吗！"想要以诽谤罪处治他。魏徵劝谏说："贾谊在汉文帝时上书，说'可令人痛哭的事情有一件，可令人流泪的事情有两件'。自古以来的上书，如果言辞不激烈深切，就不能打动君王的心，这就是所谓的狂夫之言，圣人要加以选择。此事只在于陛下的明察裁断。"太宗说："朕对这个人治罪，那么谁还敢再说话。"于是赐给皇甫德参二十匹绢。有一天，魏徵上奏说："陛下近来不喜欢直切之言，虽然对直言勉强能加以包含容忍，但已不能像以前那么豁然了。"太宗于是对皇甫德参另加优厚赏赐，任命他为监察御史。

中书舍人高季辅上书说："京城之外的地方官员品阶低微的，还没有得到俸禄，饥寒逼人，难以保证为官清白。如今国库逐渐充实，应当酌量给予优厚俸禄；然后可以要求他们不贪，严格制定规章和禁令。此外，密王李元晓等人都是陛下的弟弟，近来看到皇子参拜诸位皇叔，皇叔都要回拜答谢，乱了辈分，应当以礼仪制度训导他们。"上书呈给太宗，太宗认为此言很好。

西突厥咄陆可汗去世，他的弟弟同娥设立为可汗，这就是沙钵罗咥利失可汗。

责备。㊳㊆ 无显状：没有明显的真实情况。㊳㊇ 大礼：即册封郑仁基女为充华。㊳㊈ 初无：当初没有；本来没有。㊳㊉ 或容希合：或许希望迎合旨意。㊳㊁ 阴：暗中；暗地里。㊳㊂ 外人：别人。㊳㊃ 朕之言未能使人必信如此邪：我的话竟然如此不能使人相信吗。㊳㊄ 中牟：县名，县治在今河南中牟西。㊳㊅ 丞：官名，多作为佐官之称。此处为县令之佐贰。㊳㊆ 俗好高髻二句：《后汉书·马廖传》，"长安语曰：'城中好高髻，四方高一尺。'"社会风俗喜好梳高髻，大概为宫中装束所习染。㊳㊇ 斗租：古言斗粟、斗租，皆含少意。㊳㊈ 可：合宜；适合。㊴㊉ 讪：诽谤。㊴㊀ 贾谊（公元前二〇〇至前一六八年）：西汉政论家、文学家，洛阳（今河南洛阳）人，有抱负而志意不得。传见《史记》卷八十四、《汉书》卷四十八。㊴㊁ 上书：贾谊上书事，指西汉文帝六年（公元前一七四年），贾谊在向文帝上书时，

有“可为痛哭者一，可为流涕者二”等语，极言事势之弊，以期引起文帝的重视。㊽激切：激烈深切。㊾人主：人君；天子。㊿狂夫之言二句：上书言事者自谦之词。意为我的话如狂人乱语，请君择善采纳。396裁察：裁断明察。397斯人：这样的人。398含容：包含容忍。399曩时：以往；过去。400豁如：豁然；豁达宽容。401中书舍人：官名，中书省的属官，掌撰拟诏旨。402高季辅（公元五九五至六五三年）：名冯，字季辅，蓨（今河北景县）人，随李密降唐。历任监察御史、中书舍人、吏部尚书、侍中等。传见《旧唐书》卷七十八、《新唐书》卷一百四。403外官卑品：京外之官品秩低下者。404饥寒切身：

【原文】

九年（乙未，公元六三五年）

春，正月，党项先内属[411]者皆叛归吐谷浑。

三月庚辰[412]，洮州[413]羌叛入吐谷浑，杀刺史孔长秀。

壬午[414][14]，赦天下。

乙酉[415]，盐泽道行军总管高甑生击叛羌，破之。

庚寅[416]，诏民赀分三等[417]，未尽其详[418]，宜分九等。

上谓魏徵曰：“齐后主[419]、周天元[420]皆重敛百姓，厚自奉养，力竭而亡。譬如馋人[421]自啖其肉，肉尽而毙，何其愚也！然二主孰为优劣？”对曰：“齐后主懦弱，政出多门[422]，周天元骄暴，威福[423]在己，虽同为亡国，齐主尤劣也。”

夏，闰四月癸酉[424]，任城王道宗败吐谷浑于库山。吐谷浑可汗伏允悉烧野草，轻兵走入碛[425]。诸将以为马无草，疲瘦，未可深入。侯君集曰：“不然。向[426]者段志玄军还，才及鄯州，虏已至其城下[427]。盖虏犹完实[428]，众为之用故也。今一败之后，鼠逃鸟散[429]，斥候[430]亦绝，君臣携离[431]，父子相失，取之易于拾芥[432]，此而不乘，后必悔之。”李靖从之。中分[433]其军为两道：靖与薛万均[434]、李大亮由北道，君集与任城王道宗由南道。戊子[435]，靖部将薛孤儿败吐谷浑于曼头山，斩其名王，饥寒逼人。㊺㊄ 宜量加优给：应酌情从优给予俸禄。㊺㊅ 责：要求。㊺㊆ 科禁：依科条禁止之教令，即法度。㊺㊇ 元晓：高祖第二十一子。㊺㊈ 比：近来。㊷⑩ 昭穆：古代宗法制度，宗庙次序，始祖庙居中，以下递为昭穆，左为昭，右为穆。

【校记】

［13］为陛下：据章钰校，此三字十二行本、乙十一行本作“陛下为”。

【语译】

九年（乙未，公元六三五年）

春，正月，先前归附唐朝的党项部族全都反叛投奔吐谷浑。

三月十四日庚辰，洮州羌人反叛，逃进吐谷浑地区，杀死洮州刺史孔长秀。

十六日壬午，全国实行大赦。

十九日乙酉，盐泽道行军总管高甑生进攻叛乱的羌人，打败了他们。

二十四日庚寅，太宗下诏说把百姓的财产分为三等，没有完全详尽，应当分为九等。

太宗对魏徵说：“齐后主、周天元都过重地搜刮百姓，全都用来供养自己，直到民力衰竭而亡国。好比嘴馋的人自己吃自己身上的肉，肉吃光了就毙命了，多么愚蠢啊！然而这二位君主相比，谁优谁劣呢？”魏徵回答说：“齐后主性格懦弱，国家的政令由多人掌管，周天元骄横暴虐，施威赐福全在自己，二人虽然同是亡国，相比之下齐后主尤为劣等。”

夏，闰四月初八日癸酉，任城王李道宗在库山打败吐谷浑。吐谷浑可汗伏允把野草全部烧光，率轻骑兵逃入大沙漠。唐朝众将认为马没有草可吃，疲劳瘦弱，不可以深入追击。侯君集说：“不是这样。从前段志玄军队撤回时，才到达鄯州，敌人已经到了鄯州城下。大概因为当时敌人还完好而强大，各部族都为他效力。如今敌军在战败之后，如同鼠逃鸟散，他们侦察敌情的士兵也完全绝迹，君臣离心背叛，父子相互失散，现在消灭他们如同拾起草芥，此时若不乘胜追击，以后必定后悔。”李靖听从了他的意见。把军队分为两路：李靖与薛万均、李大亮从北路进军，侯君集与任城王李道宗从南路进军。二十三日戊子，李靖的将领薛孤儿在曼头山大败吐

大获杂畜，以充军食。癸巳[436]，靖等败吐谷浑于牛心堆[437]，又败诸赤水源[438]。侯君集、任城王道宗引兵行无人之境二千余里，盛夏降霜。经破逻真谷[439]，其地无水，人龁[440]冰，马啖[441]雪。五月，追及伏允于乌海[442]，与战，大破之，获其名王。薛万均、薛万彻[443]又败天柱王于赤海[444]。

太上皇[15]自去秋得风疾，庚子[445]，崩于垂拱殿[446]。甲辰[447]，群臣请上准[448]遗诰[449]视军国大事，上不许。乙巳[450]，诏太子承乾于东宫平决庶政。

赤水之战，薛万均、薛万彻轻骑先进，为吐谷浑所围，兄弟皆中枪，失马步斗[451]，从骑死者什六七[452]。左领军将军[453]契苾何力将数百骑救之，竭力奋击，所向披靡，万均、万彻由是得免。李大亮败吐谷浑于蜀浑山[454]，获其名王二十人。将军执失思力[455]败吐谷浑于居茹川。李靖督诸军经积石山[456]河源至且末[457]，穷其西境。闻伏允在突伦川[458]，将奔于阗[459]，契苾何力欲追袭之。薛万均惩[460]其前败，固言不可。何力曰："虏非有城郭[461]，随水草迁徙。若不因其聚居袭取之，一朝云散[462]，岂得复倾[463]其巢穴邪！"自选骁骑千余，直趣突伦川，万均乃引兵从之。碛中乏水，将士刺马血饮之。袭破伏允牙帐[464]，斩首数千级，获杂畜二十余万，伏允脱身走，俘其妻子。侯君集等进逾星宿川[465]，至柏海[466]，还与李靖军合。

大宁王顺，隋氏之甥、伏允之嫡子[467]也，为侍子[468][16]于隋，久不得归，伏允立他子[17]为太子，及归，意常怏怏[469]。会李靖破其国，国人穷蹙[470]，怨天柱王。顺因众心，斩天柱王，举国[471]请降。伏允帅千余骑逃碛中，十余日，众散稍尽[472]，为左右所杀，国人立顺为可汗。壬子[473]，李靖奏平吐谷浑。乙卯[474]，诏复其国，以慕容顺为西平郡王、趉故吕[18]乌甘豆可汗。上虑顺未能服其众，仍命李大亮将精兵数千为其声援。

谷浑，斩杀他们的著名首领，俘获大批牲畜，用作军队的食物。二十八日癸巳，李靖等人在牛心堆打败吐谷浑，又在赤水源再次打败他们。侯君集、任城王李道宗率军在没有人烟的地域行军二千余里，盛夏降霜。经过破逻真谷，其地没有水，人吃冰，马吃雪。五月，在乌海追上伏允，与他交战，大败伏允，俘获他们的著名首领。薛万均、薛万彻又在赤海击败天柱王。

太上皇李渊从去年秋天中风，五月初六日庚子，在垂拱殿驾崩。初十日甲辰，群臣请求皇上遵照太上皇的遗诰治理军国大政，太宗没有同意。十一日乙巳，太宗下诏命太子李承乾在东宫处理日常政务。

赤水战役，薛万均、薛万彻率领轻骑兵首先进军，被吐谷浑包围，兄弟二人都被枪刺中，失去战马，徒步搏斗，随从的骑兵死伤十分之六七。左领军将军契苾何力率领数百名骑兵前去救援，竭尽全力拼杀，所向披靡，薛万均、薛万彻因此得以身免。李大亮在蜀浑山打败吐谷浑，俘获敌人著名首领二十人。将军执失思力在居茹川打败吐谷浑。李靖督率各路军队经过积石山的黄河河源处到达且末，一路追到吐谷浑的西部边境。听说伏允在突伦川，将要逃往于阗，契苾何力想要追赶袭击。薛万均鉴于前次的失败，坚持说不可追击。契苾何力说:“敌人不修建城郭定居，而是跟着水草不断迁移游牧。如果不趁他们聚居一起时袭击消灭他们，有朝一日他们如云一样分散各方，怎能再捣毁他们的老巢呢!”于是亲自挑选骁勇骑兵一千多人，直奔突伦川，薛万均于是率军相随。沙漠中缺水，将士们刺伤马喝马血。唐军袭破伏允牙帐，斩首数千级，获得各类牲畜二十多万头，伏允脱身逃走，唐军俘获了他的妻子儿女，侯君集等人进军越过星宿川，到达柏海，返回与李靖的部队会合。

大宁王慕容顺，是隋炀帝的外甥、伏允的嫡子，在隋朝作为侍子侍奉隋炀帝，很久不能返回吐谷浑，伏允另立一子为太子，等到慕容顺返回吐谷浑，心情经常闷闷不乐。正赶上李靖攻破吐谷浑，国人困窘，都怨恨天柱王。慕容顺于是利用民心，杀了天柱王，率领全国请求投降。伏允率领一千多骑兵逃往沙漠之中，十多天后，随从的骑兵渐渐消失殆尽，伏允被跟随左右的随从杀死，吐谷浑人拥立慕容顺为可汗。五月十八日壬子，李靖上奏平定了吐谷浑。二十一日乙卯，太宗下诏恢复吐谷浑的国家，任命慕容顺为西平郡王、趉故吕乌甘豆可汗。太宗担忧慕容顺不能让他的部众完全服从，仍令李大亮率领精兵数千人作为慕容顺的声援。

【段旨】

以上为第七段，写太上皇李渊崩殂。唐军大破吐谷浑。

【注释】

[411] 内属：归附唐朝。[412] 庚辰：三月十四日。[413] 洮州：郡名，治所在今甘肃临潭西。[414] 壬午：三月十六日。[415] 乙酉：三月十九日。[416] 庚寅：三月二十四日。[417] 民赀分三等：武德六年（公元六二三年）曾下令，天下户按其资产多少，定为三等。[418] 未尽其详：没有完全详尽。[419] 齐后主：北齐后主高纬（公元五五六至五七七年）。公元五六五至五七七年在位。纪见《北齐书》卷八。[420] 周天元：北周宣帝宇文赟（公元五六〇至五八〇年）。公元五七八至五七九年在位。纪见《周书》卷七。[421] 馋人：贪食者。[422] 政出多门：政令出自多途、多人。指政权由许多人掌管。[423] 威福：施威赐福。[424] 癸酉：闰四月初八。[425] 碛：沙漠。[426] 向：从前；旧时。[427] 至其城下：谓至鄯州城下。[428] 完实：完好充实。[429] 鼠逃鸟散：像老鼠一样逃窜，像飞鸟一样四散。[430] 斥候：侦察敌情的士兵。[431] 携离：叛离。[432] 拾芥：拾取草芥。比喻容易获取。[433] 中分：平分。[434] 薛万均：雍州咸阳（今属陕西）人，唐初大将。传见《旧唐书》卷六十九、《新唐书》卷九十四。[435] 戊子：闰四月二十三日。[436] 癸巳：闰四月二十八日。[437] 牛心堆：山名，在今青海西宁西南。[438] 赤水源：旧县名，在今青海南境。吐谷浑筑赤水城，隋置赤水县。太宗讨吐谷浑，分军出赤水道，即此。[439] 破逻真谷：地名，在今青海都兰东南一带。[440] 龁：咬。[441] 啖：吃。[442] 乌海：在青海东境。《隋书·地理志》："河源郡有乌海，在汉哭山西。"[443] 薛万彻（？至公元六五二年）：薛万均之弟。传见《旧唐书》卷六十九、《新唐书》卷九十四。[444] 赤海：即赤水深广处。[445] 庚子：五月初六。[446] 垂拱殿：即大安宫的垂拱前殿。[447] 甲辰：五月初十。[448] 准：依照。[449] 遗诰：太上皇去世前所下的诏诰。[450] 乙巳：五月十一日。[451] 失马步斗：失去战马，徒步作战。[452] 什六七：十分之六七。[453] 左领军将军：禁军官名，唐采用前朝领军之名设置领军卫，分左、右，各以大将军一人统之，将军二人为副，掌宿卫宫廷。[454] 蜀浑山：山名，在今青海东北境。[455] 执失思力：原突厥

【原文】

六月己丑[475]，群臣复请听政，上许之，其细务仍委太子，太子颇能听断[476]。是后上每出行幸，常令居守监国[477]。

秋，七月庚子[478]，盐泽[479]道行军副总管刘德敏击叛羌，破之。

丁巳[480]，诏："山陵[481]依汉长陵[482]故事，务存[483]隆厚。"期限既促，

酋长。贞观中入朝，娶高祖女九江公主。后为归州刺史。事迹见《旧唐书》卷一百九十四《突厥传》、《新唐书》卷一百十《执失思力传》。㊻积石山：山名，即今青海东南部积石山脉。㊼且末：地名，在今新疆且末附近。㊽突伦川：《考异》曰，“《吐谷浑传》云：‘伏允西走图伦碛。’盖即突伦川”。即今新疆塔克拉玛干沙漠。㊾于阗：西域城国，国都在西域，即今新疆和田境。㊿惩：惩戒。㊀城郭：旧时在都邑四周筑有墙垣，一般有两重，里面的称城，外面的称郭。㊁一朝云散：比喻一旦如云一样分散。㊂岂得复倾：哪能再倾覆。㊃牙帐：将帅建牙旗于军帐之前，故称牙帐。㊄星宿川：即今青海黄河上源星宿海。㊅柏海：即今青海黄河上源鄂陵湖、札陵湖。㊆嫡子：旧指正妻所生的儿子；也指正妻所生的长子。㊇侍子：古代诸侯或属国之王遣子入侍天子之称。㊈及归二句：唐高祖武德二年，大宁王慕容顺归吐谷浑。怏怏，不平貌。㊉穷蹙：穷，困窘。蹙，紧迫、急促。⑰举国：全国。⑱稍尽：渐尽。⑲壬子：五月十八日。⑳乙卯：五月二十一日。

【校记】

［14］壬午：原作“壬辰”。〖按〗两《唐书·太宗纪》贞观九年，俱作“三月壬午，大赦”，严衍《通鉴补》改作“壬午”，当是，今据改正。下文记事为乙酉，三月十九日，壬午在乙酉之前，从时间顺序上看是正确的。如果作“壬辰”，则为三月二十六日，时序出现错乱。［15］太上皇：据章钰校，十二行本、乙十一行本、孔天胤本皆无“太”字。［16］侍子：原误作“侍中”。据章钰校，十二行本、乙十一行本皆作“侍子”，张敦仁《通鉴刊本识误》、张瑛《通鉴校勘记》同，今据校正。《旧唐书·吐谷浑传》作“侍子”，尚不误。［17］他子：原误作“侍子”。据章钰校，十二行本、乙十一行本皆作“他子”，张敦仁《通鉴刊本识误》、张瑛《通鉴校勘记》同，今据校正。［18］故吕：严衍《通鉴补》改作“胡吕”。

【语译】

六月二十五日己丑，群臣再次请求太宗临朝听政，太宗答应了，但琐细政务仍委托太子处理，太子颇能听政裁断。此后太宗每次出外巡幸，经常命令太子留守京城监理国事。

秋，七月初七日庚子，盐泽道行军副总管刘德敏进攻反叛的羌人，打败了他们。

七月二十四日丁巳，太宗下诏：“太上皇的陵墓依照汉高祖长陵旧制，务必确保陵墓高大和坚厚。”修建陵墓的期限已经很紧迫了，工程不能如期完成。秘书监虞世

功不能及。秘书监虞世南上疏，以为：“圣人薄葬其亲，非不孝也，深思远虑，以厚葬适足为亲之累[484]，故不为耳。昔张释之[485]有[19]言：‘使[486]其中有可欲，虽锢南山犹有隙[487]。’刘向[488]言：‘死者无终极，而国家有废兴[489]，释之之言，为无穷计[490]也。’其言深切，诚合至理。伏惟[491]陛下圣德度[492]越唐、虞[493]，而厚葬其亲乃以秦、汉为法，臣窃为陛下不取[494]。虽复不藏金玉，后世但见丘垄[495]如此其大，安知其中[20]无金玉邪！且今释服已依霸陵[496]，而丘垄之制独依长陵，恐非所宜。伏愿依《白虎通》[497]为三仞[498]之坟，器物制度，率皆节损[499]，仍刻石立之陵旁，别书一通[500]，藏之宗庙，用为子孙永久之法。”疏奏，不报[501]。世南复上疏，以为：“汉天子即位即营山陵，远者五十余年。今以数月之间为数十年之功，恐于人力有所不逮[502]。”上乃以世南疏授有司[503]，令详处其宜[504]。房玄龄等议，以为：“汉长陵高九丈，原陵[505]高六丈，今九丈则太崇[506]，三仞则太卑[507]，请依原陵之制。”从之。

辛亥[508]，诏：“国初草创，宗庙之制未备，今将迁祔[509]，宜令礼官详议。”谏议大夫[510]朱子奢请立三昭三穆[511]而虚太祖之位。于是增修太庙[512]，祔弘农府君[513]及高祖并旧神主四为六室。房玄龄等议以凉武昭王[514]为始祖。左庶子于志宁议以为武昭王非王业所因[515]，不可为始祖，上从之。

党项寇叠州[516]。

李靖之击吐谷浑也，厚赂党项，使为乡导。党项酋长拓跋赤辞来，谓诸将曰：“隋人无信，喜暴掠[517]我。今诸军苟无异心，我请供其资粮。如或不然，我将据险以塞[518]诸军之道。”诸将与之盟而遣之。赤水道行军总管李道彦行至阔水[519]，见赤辞无备，袭之，获牛羊数千头。于是群羌怨怒，屯野狐峡[520]，道彦不得进。赤辞击之，道彦大败，死者数万，退保松州[521]。左骁卫将军樊兴逗遛[522]失军期，士卒失亡多。乙卯[523]，道彦、兴皆坐减死徙边[524]。

上遣使劳[525]诸将于大斗拔谷[526]，薛万均排毁[527]契苾何力，自称己功。何力不胜[528]忿[529]，拔刀起，欲杀万均，诸将救止之。上闻之，以

南上疏认为:“圣人对他的亲属进行薄葬,并非不孝顺,而是经过深思熟虑,认为厚葬反而成为亲人的拖累,所以圣人不这样做。往昔张释之曾说过:‘假使陵墓中有让人很想得到的东西,即使封住南山,也还是有可以取物的缝隙。’汉代刘向说:‘人死后的日子无穷无尽,而国家有兴亡,张释之的话,是为国家做长久打算。’他们的话非常深刻,的确符合至理。臣希望陛下的圣德超过唐尧、虞舜,而厚葬亲人却是以秦、汉为榜样,臣私下认为陛下不会采取这种做法。虽然不在陵墓中埋藏金玉,后代的人只看见陵墓丘垄如此高大,怎么知道其中没有金玉呢?况且如今陛下服丧的天数已经依照为汉文帝服丧的规制,三十七天守孝期满,脱下丧服,可是陵墓规制却要依照汉高祖的长陵,恐怕并不适宜。臣希望陛下根据《白虎通》,为太上皇建造三仞高的陵墓,陵墓中使用的器物规制,全都有所节省,仍然雕刻石碑立在陵墓旁边,另外将碑文书写一卷,收藏在宗庙内,用作后代子孙永久遵守的制度。”上疏奏上以后,太宗没有回复。虞世南再次上疏,认为:“汉朝天子即位后就营造陵墓,时间长的达五十多年。现在用几个月的时间来完成几十年的工程,恐怕在人力上有做不到的地方。”太宗于是把虞世南的奏疏交给有关部门,命令他们详细商议,妥善处理。房玄龄等人商议,认为:“汉高祖的长陵高九丈,汉光武帝的原陵高六丈,现在九丈陵墓就太高了,三仞又太低矮,请求依照原陵六丈的规制。”太宗听从了这一意见。

七月十八日辛亥,太宗下诏:“开国之初,制度草创,宗庙之制尚未完备,如今要将太上皇的神主迁入宗庙,应当令礼部官员详细商议。”谏议大夫朱子奢请求在宗庙中设立三昭三穆而空出太祖的神位。于是对太庙进行增修,加上远祖弘农府君李重耳和高祖以及原来的四位神主而成为六位神主之室。房玄龄等人商议以凉武昭王李暠为始祖。左庶子于志宁认为国家基业不是奠基于武昭王,不能作为始祖,太宗听从了这一意见。

党项族进犯叠州。

李靖进攻吐谷浑时,曾对党项重金贿赂,让他们作为唐军向导。党项酋长拓跋赤辞来到军中,对诸位将领说:“隋朝人不讲信用,喜欢残暴地劫掠我们。如果唐朝各路兵马没有害我之心,我们供给他们粮草物资。如果不是这样,我们将要占据险要之地堵塞他们进军的道路。”诸位将领与他订立盟约,然后送他回去。赤水道行军总管李道彦行军到达阔水,看到拓跋赤辞没有防备,偷袭了他,俘获几千头牛羊。于是各部羌人都怨恨愤怒,驻扎在野狐峡,李道彦无法前进。拓跋赤辞袭击李道彦,李道彦大败,士兵死了数万人,撤退到松州进行防守。左骁卫将军樊兴因为逗留不前耽误了进军期限,士兵逃亡失散很多。七月二十二日乙卯,李道彦、樊兴都被定罪,由死刑降一等,流放到边远地区。

太宗派使节在大斗拔谷慰劳诸位将领,薛万均排挤并诋毁契苾何力,自夸作战有功。契苾何力忍不住愤怒,拔刀而起,要杀掉薛万均,众将救下薛万均,制止住

让[530]何力，何力具言其状[531]。上怒，欲解万均官以授何力。何力固辞，曰："陛下以臣之故解万均官，群胡[532]无知，以陛下为重胡轻汉，转相诬告[533]，驰竞[534]必多。且使胡人谓诸将皆如万均，将有轻汉之心。"上善之而止。寻令宿卫北门[535]，检校屯营[536]事，尚宗女临洮县主[537]。

岷州都督、盐泽道行军总管高甑生[538]后军期[539]，李靖按之[540]。甑生恨靖，诬告靖谋反。按验无状[541]，八月庚辰[542]，甑生坐[543]减死徙边。或言："甑生，秦府功臣，宽其罪。"上曰："甑生违李靖节度，又诬其反，此而可宽，法将安施[544]！且国家自起晋阳，功臣多矣。若甑生获免，则人人犯法，安可复禁乎！我于旧勋，未尝忘也，为此不敢赦耳[545]。"李靖自是阖门[546]杜绝宾客，虽亲戚不得妄见[547]也。

上欲自诣园陵[548]，群臣以上哀毁羸瘠[549]，固谏[550]而止。

冬，十月乙亥[551]，处月初遣使入贡。处月、处密，皆西突厥之别部也。

庚寅[552]，葬太武皇帝于献陵，庙号高祖，以穆皇后祔葬[553]，加号太穆皇后。

十一月庚戌[554]，诏议于太原立高祖庙。秘书监颜师古议以为"寝庙[555]应在京师，汉世郡国立庙非礼"。乃止。

戊午[556]，以光禄大夫萧瑀为特进[557]，复令参预政事。上曰："武德六年以后，高祖有废立之心而未定，我不为兄弟所容，实有功高不赏[558]之惧。斯人[559]也，不可以利诱，不可以死胁[560]，真社稷臣也。"因赐瑀诗曰："疾风知劲草，板荡[561]识诚臣。"又谓瑀曰："卿之忠直，古人不过，然善恶太明，亦有时而失[562]。"瑀再拜谢。魏徵曰："瑀违众孤立，唯陛下知其忠劲，向[563]不遇圣明[564]，求免难矣[565]！"

特进李靖上书，请依遗诰御常服[566]，临正殿，弗许。

吐谷浑甘豆可汗久质中国[567]，国人不附[568]，竟为其下所杀，子燕王诺曷钵立。诺曷钵幼，大臣争权，国中大乱。十二月，诏兵部尚书侯君集等将兵援之。先遣使者谕解[569]，有不奉诏者，随宜[570]讨之。

契苾何力。太宗听说后，责怪契苾何力，契苾何力详细说明情况。太宗很生气，要解除薛万均的官职而授给契苾何力。契苾何力坚决推辞，说："陛下由于我的缘故而解除薛万均的官职，那些胡族官员不知详情，认为陛下重视胡族而轻视汉人，这样转相诬告，奔走争功的必定很多。而且使胡人认为将领都同薛万均一样，他们将有轻视汉人的想法。"太宗认为他说得好，没解除薛万均的官职。不久太宗让契苾何力守卫北门，检校屯营事务，又将宗室之女临洮县主嫁给他。

岷州都督、盐泽道行军总管高甑生延误作战日期，李靖追究他。高甑生怨恨李靖，诬告李靖谋反。审查验实之后没有证据，八月十七日庚辰，高甑生被判有罪，由死刑减一等，流放到边远地区。有人说："高甑生是当年秦王府的功臣，应该宽宥他的罪过。"太宗说："高甑生违反李靖的部署，又诬告李靖谋反，这种事都可以宽恕，那么法律将如何执行！况且朝廷当年从晋阳起兵，功臣很多。如果高甑生获得赦免，那么人人都会犯法，又怎能禁止呢！朕对功臣故旧，未曾忘记，因此才不敢宽赦他。"李靖从此关门谢绝宾客来访，即使是亲戚也不能随便见面。

太宗想亲自前去太上皇的陵园，大臣们认为太宗过于哀伤悲痛而使身体瘦弱，坚决谏阻，太宗这才作罢。

冬，十月十二日乙亥，处月第一次派遣使节入京进献贡品。处月、处密，都是西突厥的别部。

十月二十七日庚寅，安葬太武皇帝李渊于献陵，庙号高祖，把穆皇后附葬在献陵中，加封谥号为太穆皇后。

十一月十八日庚戌，太宗下诏令群臣商议在太原设立高祖庙，秘书监颜师古提议认为"寝庙应设在京城，汉代在各郡国设立宗庙不合乎礼制"。于是停止在太原建立宗庙。

十一月二十六日戊午，加封光禄大夫萧瑀为特进，又命他参与朝廷政事。太宗说："武德六年以后，高祖有废立太子的想法但主意未定，当时朕不被兄弟容纳，确实有功高而没有得到赏赐的忧虑。萧瑀这个人，不能用利益引诱他，不能用死亡威胁他，真是社稷的功臣。"于是赐给萧瑀一首诗，诗中说："疾风知劲草，板荡识诚臣。"又对萧瑀说："你的忠诚正直，古人也超不过你，然而是非善恶的态度过于分明，也有时不免过分。"萧瑀多次下拜谢恩。魏徵说："萧瑀违背众人而受到孤立，唯有陛下了解他的忠诚和坚劲，如果不是遇到圣明天子，要想免祸都很难！"

特进李靖上书，请求太宗依照太上皇的遗诏穿着平时的吉服，登上正殿听政，太宗不答应。

吐谷浑甘豆可汗因为长时间在中原做人质，因此国内的人们并不服从他，竟然被他的手下杀死，他的儿子燕王诺曷钵继立为可汗。诺曷钵年幼，大臣们争权夺势，国内发生混乱。十二月，太宗诏令兵部尚书侯君集等人率军救援。先派出使者进行宣谕劝解，如有不听从诏令的，根据情形方便进行讨伐。

【段旨】

以上为第八段，写太宗依汉光武帝原陵规制葬高祖，既非厚葬，亦非薄葬，以及处置唐军征伐吐谷浑善后事宜。

【注释】

㊼⑤己丑：六月二十五日。㊼⑥听断：听事而进行决断。㊼⑦监国：君主外出时，太子留守代管国事。㊼⑧庚子：七月初七。㊼⑨盐泽：古湖泊名，即今新疆罗布泊。㊽⓪丁巳：七月二十四日。㊽①山陵：帝王的坟墓。㊽②长陵：汉高祖陵。胡三省注引皇甫谧曰："长陵东西广百二十步，高十三丈。"㊽③存：从。㊽④以厚葬适足为亲之累：认为厚葬正足以成为亲人的拖累。㊽⑤张释之：西汉初年法律学家，字季，南阳堵阳（今河南方城）人，文帝时官至廷尉。景帝即位，出任淮南相。传见《汉书》卷五十。㊽⑥使：假使。㊽⑦虽锢南山犹有隙：虽然封藏于南山隧中，犹有可以取物的空隙。㊽⑧刘向（约公元前七七至前六年）：西汉经学家、目录学家、文学家，本名更生，字子政，沛（今江苏沛县）人。传见《汉书》卷三十六。㊽⑨死者无终极二句：死者死后的日子无穷无尽，而国家将不免灭亡。㊾⓪为无穷计：为长远打算。㊾①伏惟：旧时常用为下对上有所陈述时的表敬之辞。㊾②度：通"渡"，过、越过。㊾③唐、虞：即唐尧、虞舜，传说时代的帝号。尧禅位舜，舜禅位禹，禹建立夏朝。㊾④臣窃为陛下不取：臣私下认为陛下不会采取。㊾⑤丘垄：坟墓。㊾⑥今释服已依霸陵：即臣下释服依照汉文帝遗诏用三十六日。释服，守孝期满，除去丧服。霸陵，西汉文帝刘恒陵墓。其地本属战国秦置芷阳县，汉文帝九年（公元前一七一年）于此筑霸陵，并改县名，县治在今陕西西安东北。文帝卒后葬此。㊾⑦《白虎通》：即《白虎通义》，东汉班固等编撰，记录章帝建初四年（公元七九年）在白虎观经学辩论的结果。㊾⑧仞：长度单位。古代以七尺或八尺为一仞。㊾⑨节损：节约减损。⑤⓪⓪一通：一卷。⑤⓪①不报：不回复。⑤⓪②逮：及；达到。⑤⓪③有司：古代设官分职，各有专司，因称官吏为"有司"。⑤⓪④详处其宜：详加研究，妥善处理。⑤⓪⑤原陵：东汉光武帝刘秀墓。在今河南洛阳东。⑤⓪⑥崇：高。⑤⓪⑦卑：低。⑤⓪⑧辛亥：七月十八日。⑤⓪⑨祔：祭名。依丧礼，祔祭在虞祭、卒哭祭之后，立主祔祭于祖庙，并排列昭穆之位。祔祭之后，主返于寝，大祥乃迁于庙。⑤①⓪谏议大夫：官名，隶门下省，掌侍从规谏，凡四人。⑤①①三昭三穆：据古代宗法制度，宗庙次序，始祖庙居中，以下父子（祖、父）递为昭穆，左为昭，右为穆。三昭三穆，谓天子七庙，太祖庙居中，二、四、六世居左，曰昭，三、五、七世居右，曰穆。⑤①②太庙：天子的祖庙。⑤①③弘农府君：李唐的祖先，讳重耳。仕魏为弘农太

守。府君，旧时子孙对其先世的敬称。⑤14 凉武昭王：高祖李渊的七代祖凉王李暠，谥武昭。⑤15 因：依；藉。⑤16 叠州：州名，治所在今甘肃迭部。⑤17 暴掠：残暴劫掠。⑤18 塞：堵塞。⑤19 阔水：地名，在党项羁縻阔州界。阔州，治所在阔源县（今四川松潘北）。⑤20 野狐峡：岷江峡谷，在松潘境内。⑤21 松州：州名，治所在今四川松潘。⑤22 逗遛：迟留不进。⑤23 乙卯：七月二十二日。⑤24 坐减死徙边：坐罪减死一等，贬徙边地。⑤25 劳：犒劳。⑤26 大斗拔谷：地名，即今甘肃民乐东南甘、青二省交界处扁都口隘路。⑤27 排毁：排挤、诋毁。⑤28 不胜：忍不住。⑤29 忿：愤怒。⑤30 让：责备；责怪。⑤31 具言其状：详细说明赤水之战，拔万均兄弟于围中，及见排毁的情况。⑤32 群胡：诸蕃。⑤33 转相诬告：辗转相互诬告。⑤34 驰竞：奔走相争。⑤35 北门：即玄武门。⑤36 屯营：《唐会要》载，于玄武门设置左右屯营，以诸卫将军领之，其兵名曰飞骑。⑤37 尚宗女临洮县主：尚，娶公主为妻曰尚。宗女，宗室女。临洮，县名，即今甘肃岷县。县主，《唐六典》卷二："王之女封县主，视正二品。"⑤38 高甑生：岷州都督，受李靖节制。⑤39 后军期：迟晚误期。⑤40 李靖按之：《旧唐书·李靖传》作"靖簿责之"。⑤41 按验无状：考察验证无谋反的情状。按，考察。⑤42 庚辰：八月十七日。⑤43 坐：获罪；被判有罪。⑤44 安施：怎么施行。⑤45 为此不敢赦耳：唯其不忘旧勋，故不敢赦，以免其干犯科禁。⑤46 阖门：闭门。阖，关闭。⑤47 妄见：随便见面。⑤48 园陵：谓献陵，即唐高祖李渊陵墓。在今陕西三原。⑤49 哀毁羸瘠：悲哀损身，身体瘦弱。羸，瘦弱。⑤50 固谏：坚决劝谏。⑤51 乙亥：十月十二日。⑤52 庚寅：十月二十七日。⑤53 穆皇后祔葬：太穆皇后窦氏，初葬寿安陵，今祔献陵。⑤54 庚戌：十一月十八日。⑤55 寝庙：古代的宗庙有庙和寝两部分，合称寝庙。郑玄注："凡庙，前曰庙，后曰寝。"⑤56 戊午：十一月二十六日。⑤57 特进：官名，隋唐为文散官的第二阶，相当正二品。⑤58 功高不赏：功高而得不到赏赐。⑤59 斯人：此人，指萧瑀。⑤60 以死胁：以死威胁。⑤61 板荡："板"与"荡"并《诗经·大雅》篇名，后沿用为乱世的代称。⑤62 善恶太明二句：善恶之念，太为分明，亦有时而不免过分。⑤63 向：假设语，假使、如果。⑤64 圣明：圣明之主。⑤65 求免难矣：希望免祸很难啊。⑤66 御常服：谓着用通常的吉服。⑤67 久质中国：作为人质久留中国。质，人质。⑤68 不附：不服从。⑤69 谕解：晓谕解劝。⑤70 随宜：视情形方便。

【校记】

［19］有：据章钰校，十二行本、乙十一行本、孔天胤本皆无此字。［20］其中：原无此二字。据章钰校，十二行本、乙十一行本皆有此二字，今据补。

【原文】

十年（丙申，公元六三六年）

春，正月甲午[571]，上始亲听政。

辛丑[572]，以突厥拓设阿史那社尔[573]为左骁卫大将军。社尔，处罗可汗之子也，年十一，以智略闻[574]。可汗以为拓设，建牙[575]于碛北，与欲谷设分统敕勒诸部。居官十年，未尝有所赋敛，诸设[576]或鄙[577]其不能为富贵，社尔曰："部落苟丰，于我足矣。"诸设惭服。及薛延陀叛，攻破欲谷设，社尔兵亦败，将其余众走保[578]西陲。颉利可汗既亡，西突厥亦乱，咄陆可汗兄弟争国。社尔诈往降之，引兵袭破西突厥，取其地几半[579]，有众十余万，自称答[21]布可汗。社尔乃谓诸部曰："首为乱破我国者，薛延陀也，我当为先可汗[580]报仇击灭之。"诸部皆谏曰："新得西方，宜且留镇抚。今遽舍之远去，西突厥必来取其故地。"社尔不从，击薛延陀于碛北，连兵[581]百余日。会咥利失可汗立[582]，社尔之众苦于久役，多弃社尔逃归[583]。薛延陀纵兵击之，社尔大败，走保高昌，其旧兵在者才万余家；又畏西突厥之逼，遂帅众来降。敕处其部落[584]于灵州[585]之北，留社尔于长安，尚皇妹南阳长公主[586]，典屯兵于苑内[587]。

【段旨】

以上为第九段，写突厥拓设社尔部归附唐朝。

【注释】

[571]甲午：正月初三。[572]辛丑：正月初十。[573]阿史那社尔（？至公元六五五年）：东突厥处罗可汗次子。曾乘西突厥内讧，袭取其地之半，自号都布可汗，贞观十年（公元六三六年）率众归唐。传见《旧唐书》卷一百九、《新唐书》卷一百十。[574]以智略闻：以

【语译】

十年（丙申，公元六三六年）

春，正月初三日甲午，太宗开始亲自处理朝政。

正月初十日辛丑，太宗任命突厥拓设阿史那社尔为左骁卫大将军。社尔，是处罗可汗的儿子，年仅十一岁，以才智谋略闻名。处罗可汗任命社尔为拓设，在漠北建立牙帐，与欲谷设分别统辖敕勒各部。担任拓设十年，不曾征税聚敛，其他拓设有的鄙视他不能使自己富贵，社尔说："部落如果丰足了，我就满足了。"这些拓设都惭愧而心服。等到薛延陀叛乱，打败欲谷设，社尔的军队也战败，他率领余部逃到西部边境进行防守。颉利可汗灭亡后，西突厥也发生混乱，咄陆可汗兄弟争位。社尔假装前往投降，领兵打败西突厥，占领了他们一半的土地，拥有兵力十多万，自称答布可汗。社尔于是对各部落说："首先造成我国混乱灭亡的是薛延陀，我应当为先可汗报仇，消灭他们。"各部落都劝阻说："我们刚刚得到西方土地，应当暂且留守安抚。如今突然舍掉这里远去进攻薛延陀，西突厥必然要来夺取他们的故地。"社尔不听大家的意见，在漠北攻打薛延陀部，接连用兵一百多天。正赶上咥利失可汗即位，社尔的部众因为苦于长久外出作战，大多抛弃社尔逃回。薛延陀派兵攻击，社尔大败，逃到高昌进行防守，他旧有部属现存者只有一万多家；又畏惧西突厥的进逼，于是率领部众投降唐朝。太宗下令把他的部落安排在灵州的北面，把社尔留在长安，娶皇妹南阳长公主为妻，在皇苑内典领禁军。

才智谋略闻名。㊵建牙：建立牙帐。㊶诸设：指诸位典兵者。"设"为突厥、回纥典兵者的官衔。㊷鄙：看不起；鄙视。㊸走保：逃奔以防守。㊹几半：将近一半。㊺先可汗：即其父处罗可汗。㊻连兵：接连用兵。㊼咥利失可汗立：贞观八年西突厥咄陆可汗卒，其弟同娥设立，是为沙钵罗咥利失可汗。㊽逃归：逃归咥利失。㊾敕处其部落：敕命安置其部落。㊿灵州：州名，治所在今宁夏灵武西南，辖境相当于今宁夏中卫、中宁以北地区。586南阳长公主：新、旧《唐书》皆作衡阳公主。587苑内：禁苑内。

【校记】

［21］答：严衍《通鉴补》改作"都"。

【原文】

癸丑[588]，徙[589]赵王元景为荆王，鲁王元昌为汉王，郑王元礼为徐王，徐王元嘉为韩王，荆王元则为彭王，滕王元懿为郑王，吴王元轨为霍王，豳王元凤为虢王，陈王元庆为道王，魏王灵夔为燕王[590]，蜀王恪为吴王[591]，越王泰为魏王，燕王祐为齐王，梁王愔为蜀王，郯王恽为蒋王，汉王贞为越王，申王慎为纪王。

二月乙丑[592]，以元景为荆州[593]都督，元昌为梁州[594]都督，元礼为徐州[595]都督，元嘉为潞州[596]都督，元则为遂州[597]都督，灵夔为幽州都督，恪为潭州[598]都督，泰为相州[599]都督，祐为齐州[600]都督，愔为益州都督，恽为安州都督，贞为扬州[601]都督。泰不之官[602]，以金紫光禄大夫张亮为长史[22]行都督事[603]。上以泰好文学[604]，礼接士大夫，特命于其府别置[605]文学馆，听自引召[606]学士。

三月丁酉[607]，吐谷浑王诺曷钵遣使请颁历，行年号[608]，遣子弟入侍，并从之。丁未[609]，以诺曷钵为河源[610]郡王、乌地也拔勤豆可汗。

癸丑[611]，诸王之藩[612]，上与之别曰："兄弟之情，岂不欲常共处邪！但以天下之重[613]，不得不尔。诸子尚可复有，兄弟不可复得。"因流涕呜咽不能止。

夏，六月壬申[614]，以温彦博为右仆射，太常卿[615]杨师道[616]为侍中。

侍中魏徵屡以目疾[617]求为散官[618]。上不得已，以徵为特进，仍知门下事[619]，朝章国典，参议[620]得失，徒流以上罪[621]，详事闻奏[622]，其禄赐及[23]吏卒并同职事[623]。

长孙皇后性仁孝俭素，好读书，常与上从容商略[624]古事，因而献替[625]，裨益弘多[626]。上或以非罪谴怒宫人[627]，后亦阳怒，请自推鞫[628]，因命囚系[629]。俟上怒息，徐为申理[630]。由是宫壸[631]之中，刑无枉滥。豫章公主[632]早丧其母，后收养之，慈爱逾于所生。妃嫔以下有疾，后亲抚视[633]，辍己之药膳以资之，宫中无不爱戴。训诸子常以谦俭为先[634]，太子乳母遂安夫人[635]尝白后，以东宫器用[636]少，请奏益之[637]，后不许，曰："为太子，患在德不立，名不扬，何患无器用邪！"

【语译】

正月二十二日癸丑，把赵王李元景迁为荆王，鲁王李元昌迁为汉王，郑王李元礼迁为徐王，徐王李元嘉迁为韩王，荆王李元则迁为彭王，滕王李元懿迁为郑王，吴王李元轨迁为霍王，豳王李元凤迁为虢王，陈王李元庆迁为道王，魏王李灵夔迁为燕王，蜀王李恪迁为吴王，越王李泰迁为魏王，燕王李祐迁为齐王，梁王李愔迁为蜀王，郯王李恽迁为蒋王，汉王李贞迁为越王，申王李慎迁为纪王。

二月初四日乙丑，太宗任命李元景为荆州都督，李元昌为梁州都督，李元礼为徐州都督，李元嘉为潞州都督，李元则为遂州都督，李灵夔为幽州都督，李恪为潭州都督，李泰为相州都督，李祐为齐州都督，李愔为益州都督，李恽为安州都督，李贞为扬州都督。李泰不到官上任，任命金紫光禄大夫张亮为相州府长史代行都督职责。太宗认为李泰喜好文学，以礼节对待士大夫，特命他在魏王府另设文学馆，允许他自行引见召集学士。

三月初七日丁酉，吐谷浑王诺曷钵派使者前来请求颁发唐朝的历法和年号，并派王族子弟来长安做人质侍奉太宗，太宗答应了这些请求。十七日丁未，册封诺曷钵为河源郡王、乌地也拔勤豆可汗。

三月二十三日癸丑，各位亲王前往藩地，太宗与他们告别说："我们是兄弟情谊，难道不想经常一起相处吗？只是因为托付天下的重任，不得不这样。各个儿子没有了还可以再有，兄弟就不能再得到了。"于是众人痛哭流涕不止。

夏，六月十四日壬申，任命温彦博为尚书右仆射，太常卿杨师道为侍中。

侍中魏徵屡次因为眼病请求担任散官。太宗不得已，以魏徵为特进，仍然参与门下省的政事，朝廷的规章、国家的典制，都要他参与商议其中的得失，流放、徒刑以上的罪刑，也让他详察上书奏议，他的俸禄和赏赐，以及下属的吏卒等，都与在职时相同。

长孙皇后性情仁义孝敬，节俭朴素，喜好读书，经常在闲暇时和太宗讨论古代政事，因此对太宗提供各种取舍建议，对太宗有许多帮助。太宗有时愤怒地谴责宫人，皇后也假装生气，请求亲自审讯，于是命人把宫女捆绑关押起来。等到太宗怒气平息，才慢慢申述处理。因此皇宫之中，刑罚没有冤枉和滥用。豫章公主早年丧母，皇后收养了她，对她的慈爱胜过亲生的女儿。自妃嫔以下有人生病，皇后亲自抚慰探视，并停止自己服用的药物和饮食来资助生病的人，宫中没有人不爱戴皇后的。皇后教育各位皇子常常以谦虚节俭为先。太子乳母遂安夫人曾对皇后说，东宫的器物用具太少，请求皇后奏请增加，皇后不答应，说："身为太子，所担心的是品德没有建立起来，声名不能传扬，哪里要担心没有器物用具呢！"

上得疾，累年[638]不愈，后侍奉昼夜不离侧。常系毒药于衣带，曰：“若有不讳[639]，义不独生。”后素有气疾，前年从上幸九成宫，柴绍等中夕告变[640]，上擐甲[641]出阁问状，后扶疾[642]以从。左右止之，后曰：“上既震惊，吾何心自安！”由是疾遂甚。太子言于后曰：“医药备尽而疾不瘳[643]，请奏赦罪人及度人入道[644]，庶获冥福[645]。”后曰：“死生有命，非智力所移[646]。若为善有福，则吾不为恶，如其不然，妄求何益！赦者国之大事，不可数下[647]。道、释异端之教[648]，蠹国[649]病民，皆上素所不为，奈何以吾一妇人使上为所不为乎！必行汝言，吾不如速死！”太子不敢奏，私以语房玄龄。玄龄白上，上哀之，欲为之赦[650]，后固止之。

及疾笃[651]，与上诀。时房玄龄以谴归第[652]，后言于帝[24]曰：“玄龄事陛下久，小心慎密，奇谋秘计，未尝宣泄[653]，苟无大故[654]，愿勿弃之。妾之本宗，因缘[655]葭莩[656]以致禄位[657]，既非德举[658]，易致颠危[659]，欲使其子孙保全，慎勿处之权要[660]，但以外戚奉朝请[661]足矣。妾生无益于人，不可以死害人，愿勿以丘垄[662]劳费天下，但因山[663]为坟，器用瓦木而已。仍愿陛下亲君子，远小人，纳忠谏，屏谗慝[664]，省作役，止游畋[665]，妾虽没于九泉[666]，诚无所恨。儿女辈不必令来，见其悲哀，徒乱人意。”因取衣中毒药以示上曰：“妾于陛下不豫[667]之日，誓以死从乘舆[668]，不能当吕后之地耳[669]。”己卯[670]，崩于立政殿[671]。

后尝采[672]自古妇人得失事为《女则》三十卷[673]，又尝著论驳汉明德马后[674]以不能抑退外亲，使当朝贵盛[675]，徒戒其车如流水马如龙，是开其祸败之源而防其末流[676]也。及崩，宫司[677]并《女则》奏之。上览之悲恸，以示近臣曰：“皇后此书，足以垂范[678]百世。朕非不知天命[679]而为无益之悲，但入宫不复闻规谏之言，失一良佐[680]，故不能忘怀耳！”乃召房玄龄，使复其位。

秋，八月丙子[681]，上谓群臣曰：“朕开直言之路，以利国也。而比来上封事者多讦人细事[682]，自今复有为是者，朕当以谗人罪之。”

冬，十一月庚午[683]，葬文德皇后于昭陵[684]。将军段志玄、宇文士及

太宗得了病，多年不能治愈，皇后侍候照顾他昼夜不离身边。经常把毒药系在衣带上，说：“皇上如有不测，按道义我不能一个人活下去。”皇后一向患有气喘病，前一年跟从太宗巡幸九成宫，柴绍等人深夜禀报有人谋反，太宗身穿铠甲走出宫阁询问情况，皇后抱病相随。左右的人阻止皇后，皇后说：“皇上已然震惊，我的心情怎能安定！”由此病情加重。太子对皇后说：“医药用尽而病没有治愈，奏请皇上大赦犯人，并剃度俗人出家，也许可以获得阴间的福祉。”皇后说：“死生有命，并非人的智力所能改变。如果行善积德而获得福祉，那么我并未做过恶事，如果不是这样，妄求冥福又有什么好处呢！大赦是国家的大事，不能屡次大赦。道教、佛教都是异端的宗教，祸国殃民，都是皇上平素所不做的事，为何因为我一个妇人就让皇上去做他不想做的事呢！如果一定要照你的话去做，我还不如快快死去！”太子不敢上奏，私下告诉房玄龄。房玄龄告诉了太宗，太宗感到很悲哀，想为皇后的病大赦天下，皇后坚决制止。

等到皇后病重，与太宗诀别。当时房玄龄已被罢免回家赋闲，皇后对太宗说：“玄龄侍奉陛下已经很久，做事小心谨慎，奇谋秘计不曾向外泄露，如果没有大的过错，希望陛下不要抛弃他。我的娘家本宗，由于我是皇后的缘故而得到禄位，既然不是因为德行而被举荐，容易遇到颠覆倾败的危险，我想让他们的子孙得以保全，希望陛下不要把他们安置在权要位置，只让他们以外戚身份定期朝见皇上就足够了。我活着的时候对别人没有帮助，不能因为死了再来害人，希望陛下不要为我修建陵墓而浪费民力财力，只要依山做坟，坟中器物只要用瓦木之类就可以了。仍然希望陛下亲近君子，远离小人，采纳忠言直谏，摒弃谗恶之言，减少工程劳役，停止游猎，我即使在九泉之下，也没有遗憾了。不要让儿女们前来探视，看见他们悲哀，只会搅乱心意。”于是取出衣带上的毒药给太宗看，说：“我在陛下生病之日，发誓以死来追随陛下，不能处于吕后的地步。”六月二十一日己卯，皇后在立政殿驾崩。

皇后曾经搜集上古以来妇人处世得失的事例编集成《女则》三十卷，又曾著述文章批驳汉代明德马皇后不能抑制外戚势力，使外戚在当朝获得显贵权势，而只是告诫他们不要车如流水马如龙，这是开启祸乱败亡的源头而只防范次要的枝节小事。等皇后驾崩后，官司官员向太宗奏上《女则》一书。太宗看后十分悲痛，拿给身边近臣看，说：“皇后这本书，足以流传百世，作为典范。朕并非不知天命而因为皇后去世来作无益的悲伤，只是回到宫中再也听不到规谏之言了，失去一位贤良的辅佐，所以不能忘怀呀！”于是召回房玄龄，让他官复原职。

秋，八月十九日丙子，太宗对大臣们说：“朕广开直言进谏之路，以便有利于国家。然而近来上书奏事的大多攻讦别人的隐私小事，从今以后还有人这样做，朕当以诬告别人之罪处治他。”

冬，十一月庚午日，把文德皇后安葬在昭陵。将军段志玄、宇文士及分别统率

分统士众出肃章门[685]。帝夜使宫官[686]至二人所，士及开营内[687]之，志玄闭门不纳，曰："军门不可夜开。"使者曰："此有手敕[688]。"志玄曰："夜中不辩[689]真伪。"竟留使者至明。帝闻而叹曰："真将军也！"

帝复为文刻之石[690]，称"皇后节俭，遗言薄葬，以为'盗贼之心，止求珍货[691]，既无珍货，复何所求！'朕之本志，亦复如此。王者以天下为家，何必物在陵中，乃为己有。今因九嵕山[692]为陵，凿石之工才百余人，数十日而毕。不藏金玉，人马器皿，皆用土木，形具[693]而已，庶几奸盗息心，存没无累[694]，当使百世子孙奉以为法[695]"。

上念后不已，于苑中作层观[696]以望昭陵，尝引魏徵同登，使视之。徵熟视之，曰："臣昏眊[697]，不能见。"上指示之。徵曰："臣以为陛下望献陵[698]，若昭陵，则臣固见之矣。"上泣，为之毁观[699]。

【段旨】

以上为第十段，写唐宗室诸王各就位封国，以及长孙皇后仁孝节俭，规劝太宗，护佑大臣事迹。长孙皇后崩，太宗思念不已。

【注释】

⑸⑻癸丑：一月二十二日。⑸⑼徙：迁调。⑸⑽魏王灵夔为燕王：自魏王灵夔以上诸王皆为太宗弟。⑸⑾蜀王恪为吴王：自蜀王恪以下诸王皆为太宗子。⑸⑿乙丑：二月初四。⑸⒀荆州：州名，治所在今湖北江陵。⑸⒁梁州：州名，治所在今陕西汉中。⑸⒂徐州：州名，治所在今江苏徐州。⑸⒃潞州：州名，治所在今山西长治。⑸⒄遂州：州名，治所在今四川遂宁。⑸⒅潭州：州名，治所在今湖南长沙。⑸⒆相州：州名，治所在今河南安阳。⑹⓪齐州：州名，治所在今山东济南。⑹⑴扬州：州名，治所在今江苏扬州。⑹⑵不之官：不到官上任。⑹⑶行都督事：代理都督处理事务。⑹⑷好文学：喜好文学。⑹⑸别置：另外设置。⑹⑹听自引召：允许他自己招引。⑹⑺丁酉：三月初七。⑹⑻请颁历二句：请颁唐所行之历法及年号，亦即奉唐之正朔。⑹⑼丁未：三月十七日。⑹⑽河源：郡名，治所在赤水城（今青

士兵从肃章门出城护送灵车。太宗夜里派两名宫中官员去二人军营，宇文士及开门把宦官放进军营，段志玄关闭营门不接纳，说："军门不可在夜间打开。"使者说："这里有皇上的亲笔敕书。"段志玄说："夜里辨不清真假。"竟让宦官在军营门外等到天亮。太宗听说后感叹说："这才是真正的将军啊！"

太宗又撰写祭文刻在石碑上，说"皇后节俭，遗嘱进行薄葬，认为'盗墓贼的想法，只是想在墓中找到珍宝财货，墓中既然没有珍宝财货，他们还能求得什么！'朕的本意，也是如此。君王以天下为家，何必把宝物放在陵墓中，才算属于自己所有。如今利用九嵕山的山势作为陵墓，凿石的工匠只有一百多人，几十天就完工。陵墓中不藏金银玉器，随葬的人马、器皿，都用泥土和木料做成，只是具备形状而已，这样差不多可以使盗墓贼打消盗墓的念头，生者死者都没有拖累，应当让以后百代子孙奉作陵墓的规则"。

太宗对皇后怀念不已，在皇宫后苑中建立观望的多层楼台，站在上面远望昭陵，太宗曾带着魏徵一同登上观望楼台，让他观望。魏徵仔细观望，说："我老眼昏花，不能望见。"太宗指给他看。魏徵说："臣以为陛下观望献陵，如果是昭陵，我本来就看见了。"太宗悲泣，为此拆毁了观望楼台。

海兴海县东南）。⑪ 癸丑：三月二十三日。⑫ 之藩：前往藩地。⑬ 天下之重：天下托付之重。⑭ 壬申：六月十四日。⑮ 太常卿：太常寺卿一人，为太常寺长官，正三品，掌邦国礼乐、郊庙社稷之事。⑯ 杨师道（？至公元六四七年）：字景猷，弘农华阴（今陕西华阴东南）人，尚桂阳公主，官至中书令。传见《旧唐书》卷六十二、《新唐书》卷一百。⑰ 目疾：眼病。⑱ 散官：与职事官相对，是有官名而无实际职事的官。⑲ 仍知门下事：虽不居侍中之职，犹令知门下省事。⑳ 参议：参与议论。㉑ 徒流以上罪：流放、徒刑以上的罪刑。指死刑。㉒ 详事闻奏：详细情形向皇上奏闻。㉓ 其禄赐及吏卒并同职事：其待遇，如俸禄、赏赐、吏卒皆与职事官同。㉔ 商略：商讨；商榷。㉕ 献替：义同取舍弃纳。㉖ 裨益弘多：裨补增益很多。㉗ 宫人：官名，掌王六寝之修缮、扫除等事。又指宫女。㉘ 推鞫：推按审讯。㉙ 囚系：囚而系之。㉚ 申理：申述辨理。㉛ 宫壸：壸，宫里的路。合言之即宫闱。㉜ 豫章公主：太宗女，下嫁唐义识。㉝ 抚视：抚慰探视。㉞ 谦俭为先：谦虚节俭为首要。㉟ 太子乳母遂安夫人：唐制，太子乳母封郡夫人。遂安，郡名，治所在今浙江淳安。㊱ 器用：谓使用的器物。㊲ 请奏益之：请求上奏增加。㊳ 累年：积年。㊴ 若有不讳：谓不可讳言之事，即指死。㊵ 中夕告变：在

夜半时报告有人叛变。(641)擐甲：穿甲。(642)扶疾：带着病。(643)医药备尽而疾不瘳：医药已用尽而疾病不愈。(644)度人入道：度人离俗而入道释。(645)庶获冥福：也许可获得阴福。(646)所移：所能转移、改变。(647)数下：屡下；屡次下令施行。(648)异端之教：邪异宗教。(649)蠹国：害国。(650)欲为之赦：要为她举行大赦。(651)疾笃：病重。(652)以谴归第：因受谴责归返宅第。(653)宣泄：泄漏。(654)大故：大事故，亦即重大过错。(655)因缘：依靠；凭借。(656)葭莩：苇子里的薄膜，比喻关系疏远的亲戚。(657)禄位：俸禄爵位。(658)德举：以德行荐举。(659)颠危：颠覆倾危。(660)权要：权势机要之地。(661)奉朝请：贵族官僚定期朝见皇帝的称谓。古代以春季的朝见为朝，秋季的朝见为请。(662)丘垄：坟墓。(663)因山：依凭山势。(664)屏谗慝：摒弃奸邪之言。(665)止游畋：停止游猎。(666)九泉：指人死后埋葬的地方。(667)不豫：旧以称帝王有病。(668)誓以死从乘舆：发誓以死随从帝王于地下。乘舆，帝王乘坐的车子。此为帝王的代称。(669)不能当吕后之地耳：不能处于吕后的地步。吕后事见《史记》卷九《吕太后本纪》、《汉书》卷三《高后纪》。(670)己卯：六月二十一日。(671)立政殿：宫殿名，唐长安太极宫便殿之一，位于两仪殿与万春殿东侧立政门内。(672)采：搜集采择。(673)为《女则》三十卷：《旧唐书·文德皇后传》作十卷，《新唐书》同传作十篇，又《艺文志》二：长孙皇后《女则要录》十卷。三十卷当改作十卷为是。(674)明德马后（？至公元七九年）：东汉明帝皇后。永平三年（公元六〇年）立为皇后，建初四年（公元七九年）卒。传见《后汉书》卷十。(675)贵盛：尊贵而显赫。(676)防其末流：只注意次要的枝

【原文】

十二月戊寅[700]，朱俱波、甘棠[701]遣使入贡。朱俱波在葱岭[702]之北，去瓜州[703]二[25]千八百里，甘棠在大海南。上曰："中国既安，四夷自服。然朕不能无惧，昔秦始皇威振胡、越，二世而亡，唯诸公匡其不逮耳[704]。"

魏王泰有宠于上。或言三品以上多轻魏王，上怒，引三品以上，作色让之[705]曰："隋文帝时，一品以下皆为诸王所颠踬[706]，彼岂非天子儿邪！朕但不听诸子纵横[707]耳，闻三品以上皆轻之，我若纵之[708]，岂不能折辱公辈乎！"房玄龄等皆惶惧流汗拜谢，魏徵独正色[709]曰："臣窃计[710]当今群臣，必无敢轻魏王者。在礼[711]，臣、子一也[712]。《春秋》，王人虽微，序于诸侯之上[713]。三品以上皆公卿，陛下所尊礼[714]。若纪纲大

节问题。⑥⑦⑦宫司：掌管后宫之事的官员。⑥⑦⑧垂范：流传下来作为典范。⑥⑦⑨天命：上天所假与的寿命；自然之寿。⑥⑧⓪良佐：贤良的辅佐。⑥⑧①丙子：八月十九日。⑥⑧②讦人细事：攻讦他人细微之事。指揭发别人的隐私。⑥⑧③庚午：十一月无此日。似应作庚戌，十一月二十四日。⑥⑧④昭陵：太宗陵墓。在今陕西礼泉东北九嵕山。⑥⑧⑤肃章门：唐长安太极宫内宫门之一。位于太极殿后朱明门以西，南直安仁门，入此门即为内朝。⑥⑧⑥宫官：宫禁内的官员。指宦官。⑥⑧⑦内：通“纳”。⑥⑧⑧手敕：皇帝的手令。⑥⑧⑨辩：通“辨”。⑥⑨⓪帝复为文刻之石：皇帝又撰文刻于石碑。⑥⑨①珍货：珍宝财货。⑥⑨②九嵕山：在今陕西礼泉东北，为昭陵所在。⑥⑨③形具：具备形状。⑥⑨④存没无累：生者死者皆可无牵累。⑥⑨⑤奉以为法：奉为规则。⑥⑨⑥层观：专供观望的楼台。层，谓多层。观，指高观。⑥⑨⑦眊：目不明之貌。⑥⑨⑧献陵：唐高祖李渊陵墓。在今陕西三原东北。⑥⑨⑨为之毁观：因此毁弃高观，以示不溺恋夫妻私情。

【校记】

［22］为长史：原无此三字。据章钰校，十二行本、乙十一行本皆有此三字，今据补。［23］及：原无此字。据章钰校，十二行本、乙十一行本皆有此字，今据补。［24］帝：据章钰校，十二行本、乙十一行本皆作“上”。

【语译】

十二月二十二日戊寅，朱俱波、甘棠派使者入京进献贡品。朱俱波在葱岭以北，离瓜州二千八百里，甘棠在大海以南。太宗说：“中国既已安定，四方夷族自然归服。但是朕不能没有恐惧，从前秦始皇威震胡人和百越，到二世就亡了国，希望诸位公卿匡正朕没有做到的地方。”

魏王李泰深得太宗的宠爱。有人说三品以上官员大多轻视魏王，太宗大怒，召见三品以上官员，变了脸色责备他们说：“隋文帝时，一品以下官员都受到诸王的折辱，他们难道不是天子的儿子吗！朕只是不想听任皇子们横行妄为，听说三品以上的大臣都轻视他们，我如果放纵他们，难道他们就不能羞辱你们吗！”房玄龄等人都恐慌得汗流满面，磕头谢罪，唯有魏徵正颜厉色地说：“臣私自推测当今的大臣们，必定无人敢轻视魏王。依照礼仪，大臣与皇子地位都是一样的。《春秋》说：周王室的人虽然地位低微，位序也在诸侯之上。三品以上都是公卿大臣，是陛下所要尊崇

坏，固所不论[715]，圣明在上，魏王必无顿辱[716]群臣之理。隋文帝骄其诸子，使多行无礼，卒皆夷灭[717]，又足法乎[718]！”上悦曰：“理到[719]之语，不得不服。朕以私爱忘公义，向者之忿，自谓不疑，及闻徵言，方知理屈，人主发言何得容易乎[720]！”

上曰：“法令不可数变，数变则烦[721]，官长不能尽记，又前后差违，吏得以为奸[722]。自今变法，皆宜详慎而行之[723]。”

治书侍御史权万纪上言：“宣、饶[724]二州银大发采之，岁可得数百万缗。”上曰：“朕贵为天子，所乏者非财也，但恨无嘉言可以利民耳。与其多得数百万缗，何如得一贤才！卿未尝进一贤，退一不肖[725]，而专言税银[726]之利。昔尧、舜抵璧[727]于山，投珠[728]于谷，汉之桓、灵乃聚钱为私藏[729]，卿欲以桓、灵俟我[730]邪！”是日，黜万纪，使还家。

是岁，更命[731]统军为折冲都尉[732]，别将[733]为果毅都尉[734]。凡十道，置府六百三十四，而关内二百六十一，皆隶诸卫[735]及东宫六率[736]。凡上府兵千二百人，中府千人，下府八百人。三百人为团，团有校尉；五十人为队，队有正；十人为火，火有长。每人兵甲粮装各有数，皆自备，输之库，有征行则给之。年二十为兵，六十而免。其能骑射者为越骑[737]，其余为步兵。每岁季冬[738]，折冲都尉帅其属教战，当给马者官予其直[739]市之。凡当宿卫者番上[740]，兵部以远近给番[741]，远疏近数[742]，皆一月而更[743]。

【段旨】

以上为第十一段，写太宗纳谏而抑制诸侯王尊礼大臣，以及实施府兵制。

【注释】

⑩戊寅：十二月二十二日。⑩朱俱波、甘棠：均为国名，二国皆在西域。朱俱波又名朱俱槃，汉为子合国，在葱岭北三百里。甘棠为昆仑人所建。⑩葱岭：即今帕米尔高

礼遇的。假如朝廷纲纪已经败坏，固然不必再讨论这些，圣明的皇帝在上，魏王必定不会有羞辱大臣的道理。隋文帝骄纵他的儿子，让他们多行无礼之事，最后宗室完全被人诛灭，这又值得效法吗！”太宗高兴地说：“道理说到位的话，不能不折服。朕因为私情偏爱而忘记了朝廷公义，先前的恼怒，自认为没有问题，等听到魏徵的话，才知道理屈，作为君主讲话怎能随便呢！”

太宗说：“法令不可屡次变更，屡次改变就会使法令烦苛，官员不能记全，又会前后矛盾，属吏就可以乘机干坏事。今后变更法令，都应详细谨慎考虑后再实施。”

治书侍御史权万纪上书说：“宣州、饶州发现大量白银，开采这些白银，每年可以得到数百万缗。”太宗说：“朕贵为天子，所缺乏的不是金银财物，只是遗憾没有好的言论可以利民。与其多得数百万缗银子，哪里比得上得到一位贤才！你未曾推荐一位贤才，斥退一个不贤的庸人，而专门来说征收税银的好处。从前尧、舜在山中击碎玉璧，把宝珠投到深谷，汉代的桓帝、灵帝却聚敛钱财作为个人私藏，你想让桓帝、灵帝等着我吗！”这一天，罢免权万纪，让他回家赋闲。

这一年，唐朝把统军改名为折冲都尉，把统军别将改名为果毅都尉。全国共划分为十道，在各地设置六百三十四个都尉府，其中关内有二百六十一个，都隶属于诸卫和东宫的六率。凡是上等的都尉府有兵一千二百人，中等的都尉府有兵一千人，下等的都尉府有兵八百人。每三百人为一团，每团设一校尉。每五十人为一队，每队设一队正。每十人为一火，每火设一火长。每个士兵的兵器盔甲粮食装备都有一定数量，都由自己备齐，放在库中保存，出征作战就发给每个士兵。年龄二十岁为国家当兵，六十岁就可免除兵役。其中能骑马射箭的人编为越骑，其余的人为步兵。每年冬季最后一个月，折冲都尉统率部属教习作战，应该配给马匹的，由官府给钱自己到市中购买。凡是担当皇宫宿卫的则轮流前来值勤，兵部根据距离远近编排值班情况，路远的轮值次数少，路近的轮值次数多，都是值勤一个月之后进行轮换。

原与喀喇昆仑山脉的总称。⑰③瓜州：州名，治所在今甘肃瓜州东南。⑰④唯诸公匡其不逮耳：希望诸公匡正我做不到的地方。⑰⑤作色让之：变了脸色责备他们。⑰⑥颠踬：困顿折辱。⑰⑦诸子纵横：谓诸子横行妄为。⑰⑧纵之：纵容之。⑰⑨正色：正颜厉色。⑰⑩窃计：私自推测。⑰⑪在礼：在礼仪上；依礼而言。⑰⑫臣、子一也：谓天子之臣与天子之子，其地位相等。⑰⑬王人虽微二句：帝王的臣子虽本身地位低下，但他所代表的身份却在诸侯之上。王人，王臣。⑰⑭尊礼：尊重礼遇。⑰⑮固所不论：固然不用讨论。⑰⑯顿辱：困顿折

辱。⑰ 卒皆夷灭：最终都遭到诛杀灭亡。⑱ 又足法乎：又值得效法吗。⑲ 理到：道理说到位。⑳ 人主发言何得容易乎：人主说话怎能随便呢。㉑ 烦：烦扰。㉒ 吏得以为奸：属吏就能乘机玩法作奸。㉓ 详慎而行之：详细谨慎考虑后再施行。㉔ 宣、饶：州名。宣州治所在今安徽宣城，饶州治所在今江西鄱阳。㉕ 进一贤二句：推荐一位贤人，斥退一个不贤之人。㉖ 税银：征收银税。㉗ 抵璧：击碎璧玉。㉘ 投珠：丢弃珠宝。谓圣人为杜绝淫邪之欲，而捐弃金银珠宝。㉙ 桓、灵乃聚钱为私藏：指东汉末年，桓帝、灵帝公开卖官鬻爵，聚钱作为私藏之事。㉚ 俟我：待我。㉛ 更命：改命。㉜ 折冲都尉：军职名，唐府兵制的军府称折冲府，其主官为折冲都尉，掌府兵的操演、调度和宿卫京师等事务，必要时领兵戍边或作战。㉝ 别将：副将。㉞ 果毅都尉：折冲府的副职称左、右果毅都

【原文】

十一年（丁酉，公元六三七年）

春，正月，徙[744]郐王元裕为邓王，谯王元名为舒王。

辛卯[745]，以吴王恪为安州都督，晋王治为并州都督，纪王慎为秦州都督。将之官[746]，上赐书戒敕曰："吾欲遗汝珍玩[747]，恐益骄奢[748]，不如得此一言[749]耳。"

上作飞山宫[750]。庚子[751]，特进魏徵上疏，以为："炀帝恃其富强，不虞后患，穷奢极欲，使百姓困穷，以至身死人手[752]，社稷为墟[753]。陛下拨乱返正，宜思隋之所以失，我之所以得，撤其峻宇[754]，安于卑宫。若因基而增广[755]，袭旧而加饰[756]，此则以乱易乱，殃咎[757]必至，难得易失[758]，可不念哉！"

房玄龄等先受诏定律令，以为："旧法，兄弟异居，荫不相及[759]，而谋反连坐皆死[760]，祖孙有荫，而止应配流[761]。据礼论情，深为未惬[762]。今定律，祖孙与兄弟缘坐者俱配役[763]。"从之。自是比古死刑[764]，除其太半[765]，天下称赖[766]焉。玄龄等定律五百条，立刑名二十等[767]，比隋律减大辟[768]九十二条，减流入徒者[769]七十一条，凡削烦去蠹[770]，变重为轻者[771]，不可胜纪。又定令[772]一千五百九十余条。武德旧制，释奠于

尉，各一人。㉟诸卫：指十二卫，即左右卫、左右武卫、左右武候、左右监门、左右领军、左右率府。㊱东宫六率：左右卫率、左右宗卫率、左右监门率。㊲越骑：谓劲勇能超越的骑兵。㊳季冬：十二月。㊴予其直：谓给予其马的价值。直，通“值”。㊵番上：轮班值勤。唐代府兵定期轮流到京师担任宿卫，每次服役期限一般为一个月。㊶以远近给番：根据距离京师远近编排值班情况。㊷远疏近数：远方者每次轮值次数少，近处轮值次数多。㊸皆一月而更：宿卫者皆为期一月，然后更换。

【校记】

［25］二：据章钰校，十二行本、乙十一行本皆作“三”。

【语译】

十一年（丁酉，公元六三七年）

春，正月，把郐王李元裕迁为邓王，谯王李元名迁为舒王。

初五日辛卯，任命吴王李恪为安州都督，晋王李治为并州都督，纪王李慎为秦州都督。诸王将要赴任时，太宗赐给亲手书信诫敕他们，说：“我想送给你们珍宝玩物，恐怕你们会更加骄傲奢侈，不如得到这一句话。”

太宗命人营造飞山宫。正月十四日庚子，特进魏徵上疏，认为：“隋炀帝依仗国家富强，不考虑后患，穷奢极欲，使老百姓穷困至极，以至身死于他人之手，社稷江山变为废墟。陛下拨乱反正，应当深思隋朝灭亡和我朝之所以得天下的原因，撤毁高大的殿宇，安居在低矮的宫殿中。假如利用旧地基再增高扩大，承袭旧的宫殿再加装饰，这就是以乱易乱，祸害必将到来，江山难得而易失，怎可不念念在心啊！”

房玄龄等人先前受诏修订法律，认为：“旧有的法律，兄弟分居之后，不能靠先人庇荫循例得到官爵，但因谋反获罪时兄弟分居也要连坐处死，祖孙之间有荫庇关系，犯罪连坐时只处以发配流放。依据礼仪制度来考虑人情关系，深感处理不当。现今修订法律，祖孙与兄弟株连犯罪时同处远地戍边。”太宗同意了。自此与古时死刑相比，已减除大半，全国百姓对此都加以称赞。房玄龄等人修订法律五百条，确立刑名为二十个等级，与隋朝法律相比减少大辟九十二条，减除流放而变为徒刑者七十一条，凡是删去烦琐，减掉弊刑，改重刑为轻刑的，具体条数无法计算。又制定法令一千五百九十多条。按照武德年间的旧制度，在太学举行释奠礼，以周公为

太学，以周公为先圣，孔子配飨[773]。玄龄等建议停祭周公，以孔子为先圣，颜回配飨。又删武德以来敕格[774]，定留[775]七百条，至是颁行之。又定枷、杻、钳、镣[776]、杖、笞，皆有长短广狭之制。

自张蕴古之死[777]，法官以出罪为戒[778]，时有失入者[779]，又不加罪[780]。上尝问大理卿[781]刘德威[782]曰："近日刑网稍密[783]，何也？"对曰："此在主上，不在群臣。人主好宽则宽，好急[784]则急。律文：失入减三等[785]，失出[786]减五等。今失入无辜[787]，失出更获大罪[788]，是以吏各自免[789]，竞就深文[790]，非有教使之然[791]，畏罪故耳[792]。陛下傥一断以律[793]，则此风立变矣。"上悦，从之。由是断狱平允[794]。

【段旨】

以上为第十二段，写太宗制定刑律，敕刑部依法判案。

【注释】

㉔徙：迁调。㉕辛卯：正月初五。㉖将之官：将前往任职。㉗欲遗汝珍玩：想赠送你们珍宝玩物。遗，给予、赠送。㉘恐益骄奢：恐怕你们更加骄傲奢侈。㉙不如得此一言：此一言，《通鉴》并未言明。查《旧唐书·吴王恪传》，太宗曾有一番诫勉之词，其中云"以义制事，以礼制心"，"外为君臣之忠，内有父子之孝"，"诫此一言，以为庭训"等。㉚上作飞山宫：太宗营建飞山宫。飞山宫，宫殿名，在东都洛阳。㉛庚子：正月十四日。㉜身死人手：身死于他人之手。㉝社稷为墟：国家变成废墟。㉞峻宇：高峻的宫宇。㉟因基而增广：在原基址上又扩大。㊱袭旧而加饰：沿袭旧的宫殿而加以装饰。㊲殃咎：祸患。㊳难得易失：谓天下难得，而失则甚易。㊴荫不相及：不能依赖先人庇荫循例得到官爵。荫，余荫、庇荫。㊵而谋反连坐皆死：但因谋反而牵连坐罪，皆处死刑。㊶止应配流：只应流放到远方。配流，发配流徙。㊷深为未惬：深感处理不适当。惬，合适、适当。㊸祖孙与兄弟缘坐者俱配役：祖孙与兄弟因牵连坐罪的，同处流放远地戍边。㊹自是比古死刑：从此与古时的死刑相比。㊺太半：大半。㊻称赖：称赞；叫好。㊼立刑名二十等：据《旧唐书·刑法志》，有笞、杖、徒、流、死五刑。笞刑

先圣，孔子作为陪同祭享。房玄龄等人建议停止祭祀周公，改以孔子为先圣，颜回作为陪同祭享。又删减了武德年间的敕书法令，确定保留下来七百条，到此时将这些法律法令颁行天下，又定出枷、杻、钳、锞、杖、笞等刑具，都有长短宽窄的规制。

自从张蕴古死后，法官都拿重罪轻判作为警戒，当时有的不当入罪而误判，官员也没有被朝廷治罪。太宗曾问大理寺卿刘德威："近来判刑的法网逐渐严密，是什么原因？"刘德威回答说："这里原因在于皇上，不在大臣。君主喜欢宽大，大臣判刑就会宽松；君主喜好从严，大臣判刑就会从重。法律条文规定：无罪错判人入狱的降官阶三等，有罪错放了犯人的则要降官阶五等。如今错判了人没有罪过，错放了人却要获得大罪，所以官员们各自寻求免于获罪，于是竞相用重法为犯人定罪，不是有教令让他们这么做，而是害怕自己被朝廷定为有罪罢了。陛下倘若要求官员一律按法律规定来判案，这种风气就会立刻改变。"太宗很高兴，听从了这一意见。因此断案平允公正。

五条，杖刑五条，徒刑五条，流刑三条，死刑二条，大凡二十等。⑱大辟：死刑。⑲减流入徒者：减除流放而变为徒刑者。⑳去蠹：去掉害民之刑。㉑变重为轻者：变重刑为轻刑的。㉒定令：制定律令。㉓配飨：亦作配享。祔祭，古代专指帝王宗庙及孔子庙的祔祀。飨，通"享"，鬼神享用祭品。㉔敕格：敕，指皇帝的命令或诏书。格，指法律条文。㉕定留：确定保留。㉖枷、杻、钳、锞：皆为刑具。枷，是一种用木板制成的套在犯人脖子上的刑具。杻，即手铐。钳，用铁圈束颈叫钳。锞，同"锁"。㉗张蕴古之死：贞观五年（公元六三一年）张蕴古秉公奏事，被人诬陷。太宗斩而悔之。㉘以出罪为戒：拿重罪轻判作警戒。㉙有失入者：谓不应当判罪而误判者。㉚又不加罪：对误判的法官又不治罪。㉛大理卿：官名，掌管刑狱的大理寺长官。㉜刘德威（公元五八二至六五二年）：唐初大臣，徐州彭城（今江苏徐州）人。传见《旧唐书》卷七十七、《新唐书》卷一百六。㉝稍密：逐渐严密。㉞好急：喜好严急。㉟失入减三等：将无罪的人误判有罪，法官被惩罚，降三级。失，误判。入，指判无罪的人入罪。㊱失出：将有罪的人误判为无罪释放。出，指将罪人开释。㊲失入无辜：错判了人而法官没有罪过。㊳失出更获大罪：错放了人法官要获得大罪。㊴吏各自免：官吏各自寻求免于罪。㊵竞就深文：谓竞相用重法为犯人定罪。文指文法。㊶非有教使之然：并非有教令使他们这样。㊷畏罪故耳：原因是怕自己招致罪过罢了。㊸一断以律：完全依据法律判刑。㊹由是断狱平允：因此法官判案公平允当。

【原文】

上以汉世豫作山陵[795]，免子孙苍猝劳费[796]，又志在俭葬，恐子孙从俗奢靡。二月丁巳[797]，自为终制[798]，因山为陵，容棺而已。

甲子[799]，上行幸洛阳宫。

上至显仁宫[800]，官吏以缺储偫[801]，有被谴者。魏徵谏曰："陛下以储偫谴官吏，臣恐承风相扇[802]，异日[803]民不聊生，殆非行幸之本意也。昔炀帝讽[804]郡县献食，视其丰俭以为赏罚[805]，故海内叛之。此陛下所亲见，奈何欲效之乎！"上惊[806]曰："非公不闻此言[807]。"因谓长孙无忌等曰："朕昔过此，买饭而食，僦舍[808]而宿，今供顿[809]如此，岂得犹[26]嫌不足乎！"

三月丙戌朔[810]，日有食之。

庚子[811]，上宴洛阳宫西苑[812]，泛[813]积翠池，顾谓侍臣曰："炀帝作此宫苑[814]，结怨于民，今悉为我有，正由宇文述[815]、虞世基[816]、裴蕴[817]之徒内为谄谀[818]，外蔽聪明[819]故也，可不戒哉！"

房玄龄、魏徵上所定新礼一百三十八篇，丙午[820]，诏行之。

以礼部尚书王珪为魏王泰师[821]。上谓泰曰："汝事[822]珪当如事我。"泰见珪，辄先拜，珪亦以师道自居[823]。珪子敬直尚南平公主[824]。先是，公主下嫁，皆不以妇礼事舅姑。珪曰："今主上钦明[825]，动循礼法[826]，吾受公主谒见，岂为身荣[827]，所以成国家之美耳[828]。"乃与其妻就席坐[829]，令公主执笲行盥馈之礼[830]。是后公主始行妇礼，自珪始。

群臣复请封禅[831]，上使秘书监颜师古等议其礼[832]，房玄龄裁定[833]之。

夏，四月己卯[834]，魏徵上疏，以为："人主善始者多[835]，克终者寡[836]，岂取之易而守之难乎[837]？盖以殷忧[838]则竭诚以尽下[839]，安逸则骄恣[840]而轻物[841]。尽下则胡、越同心，轻物则六亲离德，虽震之以

【语译】

太宗效仿汉代皇帝继位之后就预先为自己修筑陵墓，免得子孙修陵时间仓促，烦劳百姓，耗费财力，又立志要实行薄葬，担心子孙随从时俗追求奢靡。二月初二日丁巳，太宗亲自制定临终的仪制，规定要利用山势修建陵墓，地宫仅能容下棺木即可。

二月初九日甲子，太宗巡幸洛阳宫。

太宗到达显仁宫，当地官员因缺乏物品储备，有人受到降职处分。魏徵劝谏说："陛下因为储备物资的事就把官吏降职，臣怕人们继承这种风气，相互影响，来日就会弄得民不聊生，这恐怕不是陛下巡幸各地的本意。从前隋炀帝巡幸时，暗示各地官员向他进献食品，根据地方官员进献食品的丰盛还是节俭而对官员进行赏罚，所以天下人都叛离了他。这是陛下亲眼所见，为何又想效法他呢！"太宗吃惊地说："不是你，我就听不到这种话。"于是对长孙无忌等人说："朕从前经过这里，买饭来吃，租房来住，如今供应安顿得这样好，怎能还嫌不充足呢！"

三月初一日丙戌，发生日食。

三月十五日庚子，太宗在洛阳宫西苑设宴，泛舟积翠池，回头对侍从大臣说："隋炀帝修筑宫殿苑囿，与百姓结下仇怨，如今全都归我所有，正是因为宇文述、虞世基、裴蕴之流在朝内献媚逢迎，在朝外遮蔽了君主耳目视听，能不引以为戒吗！"

房玄龄、魏徵上奏所定《新礼》一百三十八篇，三月二十一日丙午，太宗下诏颁行《新礼》。

太宗任命礼部尚书王珪为魏王李泰的老师。太宗对李泰说："你侍奉王珪应当像侍奉我一样。"李泰见到王珪，总是先行拜见礼，王珪也以老师的规矩自居。王珪之子王敬直娶了南平公主为妻。在此之前，公主们下嫁，都不以媳妇之礼侍奉公婆。王珪说："如今皇上圣明，言行举止动不动遵循礼法，我接受公主的谒见，岂是为了自身的荣耀，乃是为了成就皇帝的美名罢了。"于是和妻子就席而坐，让公主拿着盛枣栗的竹器，施行媳妇侍奉公婆的盥馈之礼。从此以后下嫁的皇家公主对公婆行媳妇之礼，是从王珪开始。

众位大臣又请求太宗登泰山进行封禅，太宗让秘书监颜师古等人讨论相关的礼仪，由房玄龄加以裁定。

夏，四月二十五日己卯，魏徵上奏，认为："君主治国开端良好的多，能好到最终的少，难道是取天下容易而守成难吗？大概因为即位时忧患深重，就竭心尽力来对待臣下和百姓，变得安逸了就骄傲恣肆，对待臣下轻薄怠慢。君主尽心对待臣下，就连胡人、越人也会与君主同心协力，如果君主轻慢待人，就连亲属也会与他离心离德，即使以君主的权威盛怒来震慑天下人，臣民也都是对君主外表顺从而内心不威怒[842]，亦皆貌从而心不服故也。人主诚能见可欲则思知足[843]，将兴缮[844]则思知止，处高危则思谦降[845]，临满盈则思挹损[846]，遇逸乐则思撙节[847]，在宴安[848]则思后患，防壅蔽则思延纳[849]，疾谗邪[850]则思正己[851]，行爵赏则思因喜而僭[852]，施刑罚则思因怒而滥[853]，兼是十思[854]，而选贤任能，固[855]可以无为而治，又何必劳神苦体以代百司之任哉！”

【段旨】

以上为第十三段，写太宗完成唐礼仪的制定，魏徵上《十思疏》。

【注释】

(795)汉世豫作山陵：汉制，皇帝登极后，即开始筑陵，直至其死而止。豫，通“预”，预先、事前。(796)苍猝劳费：仓促间烦劳百姓，耗费财力。(797)丁巳：二月初二。(798)自为终制：自作临终的仪制。(799)甲子：二月初九。(800)显仁宫：宫殿名，在今河南宜阳。(801)以缺储偫：因为缺乏储存物品。偫，储物以待用。(802)承风相扇：承袭风气，互相影响。(803)异日：来日；他日。(804)讽：讽示；暗示。(805)视其丰俭以为赏罚：依其献食的丰盛与节俭作为赏罚的标准。(806)上惊：指太宗闻言惊变，时时以隋炀帝亡国为借鉴。(807)非公不闻此言：不是你，我就听不到这话。(808)僦舍：租赁房舍。僦，租赁。(809)供顿：供应安顿。(810)丙戌朔：三月初一。(811)庚子：三月十五日。(812)洛阳宫西苑：据胡注，洛阳西苑，北距北邙，西至孝水，南带洛水支渠，谷、洛二水会于其间。苑墙周长达一百二十六里。(813)泛：泛舟；乘舟漂浮游荡。(814)炀帝作此宫苑：炀帝大业元年（公元六〇五年）五月，修筑西苑，周二百里。其内为海，周十余里。为蓬莱、方丈、瀛洲诸山，高出水百余尺，台观殿阁，罗络山上，向背如神。堂殿楼观，穷极华丽。(815)宇文述：胡三省注，“‘述’恐当作‘恺’”。宇文恺（公元五五五至六一二年），字安乐，朔方夏州（治今陕西靖边东北白城子）人，多技艺，有巧思，隋朝工部尚书。传见《隋书》卷六十八。(816)虞世基（？至公元六一八年）：字茂世，会稽余姚（今属浙江）人，隋朝大臣。传见《隋书》卷六十七。(817)裴蕴（？至公元六一八年）：河东闻喜（今山西闻喜）人，隋朝大臣。传见《隋书》卷六十七。(818)谄谀：献媚逢迎。(819)聪明：指耳目。(820)丙午：三月二十一日。(821)王珪为魏王泰师：唐初，因魏晋之制，诸王置师一人。开元改曰傅。(822)事：侍奉。(823)以师道自居：以老师的原则自处。(824)南平公主：太宗女。(825)钦明：圣明；通明。(826)动循礼法：一举一动皆依礼法。(827)岂为身荣：岂是为了自身的荣耀。(828)所以成国家之美耳：是为了服。君主如果见到了想要的东西就想到知足，将要兴建修缮宫殿就考虑停止，身处高位而有危险就思考要谦卑，处于心满意足时就思考收敛克制，遇到安逸享乐时就想到节制，身在欢乐平安时就想到后患，防止耳目闭塞就延贤纳谏，痛恨谗言邪恶就思考端正言行，颁行爵赏时就思考是否由于自己高兴而逾越规制，施行刑罚时就思考是否由于自己恼怒而滥施刑罚，君主兼有这十种思考，而选择贤才，任用能人，必定可以做到无为而治了，又何必让自己劳心费神辛苦身体来代行百官的职责呢！”

成就皇帝的美名罢了。㉙就席坐：坐于席上。㉚令公主执笄行盥馈之礼：命公主持笄（竹器）盛枣栗修拜公婆，再用盘水洗手馈送特豚之礼。笄，盛物的竹器。盥，洗。㉛复请封禅：五年，诸州朝集使请封禅，六年，文武官再请封禅，今从臣复请。㉜议其礼：商议封禅的礼仪。㉝裁定：裁断而决定。㉞己卯：四月二十五日。㉟善始者多：有良好开端者多。㊱克终者寡：能好到终底者少。克，能。㊲岂取之易而守之难乎：难道是取得天下容易而守住天下困难吗。㊳殷忧：盛忧；忧患深。㊴尽下：尽心对待臣下和百姓。㊵骄恣：骄傲恣肆。㊶轻物：轻薄待人。㊷震之以威怒：用威势发怒来震慑他们。㊸见可欲则思知足：看见想要的东西时，就要想到知足。㊹将兴缮：将要兴建修缮。㊺处高危则思谦降：自己居高位有危险时，就要想到谦卑待人。㊻临满盈则思挹损：处于心满意足时就要想到自我收敛克制。挹损，抑损。㊼遇逸乐则思撙节：遇到安逸享乐时就要想到有所节制。撙，节省。㊽在宴安：身处安乐。㊾防壅蔽则思延纳：防止耳目被蒙蔽，就要想到延贤纳谏。㊿疾谗邪：憎恶谗言邪恶。851正己：端正自己的言行。852因喜而僭：因一时高兴而逾越规制。853因怒而滥：因恼怒而滥施刑罚。854兼是十思：兼有以上这十思。855固：必定。

【校记】

［26］犹：原无此字。据章钰校，十二行本、乙十一行本皆有此字，今据补。

【研析】

本卷研析，评价唐高祖李渊。

唐高祖李渊因好色而昏庸，因猜忌李世民功高震主而袒护太子李建成、齐王李元吉谋害秦王李世民的种种行迹，最终酿成玄武门之变，自己被逼下台，成了开国之君中的太上皇，在中国封建社会的历代王朝中是仅有的，可以说是李渊的晚年悲剧。但是终其一生的业绩，李渊仍是一位雄略的开国君主，是隋唐之际的一位英雄人物。

李渊字叔德，祖籍河北，出身世族赵郡李氏，入关中后改为陇西郡望，家狄道（今甘肃临洮），自称是西凉武昭王李暠的七世孙。李渊祖父李虎为北魏八柱国之一，入周封唐国公。李渊既出身世族，又是隋室皇亲，隋文帝的独孤皇后是李渊的姨母，故备受隋皇室亲爱。李渊七岁袭封唐国公，年少神勇，及长入仕，初为荥阳、楼烦二郡守，历官谯、陇、岐三州刺史，征入朝为殿内少监，大业九年（公元六一三年）迁卫尉少卿。辽东役起，李渊督运于怀远镇。大业十二年，隋炀帝命李渊为太原留守，防御北边突厥犯边。

促成太原起兵，李世民和晋阳令刘文静是主谋，但李渊亦早有异志。唐高祖武德二年（公元六一九年），宇文士及降唐，李渊与裴寂谈起宇文士及时说，早在六七年前，督怀远镇时，两人就密议时事，宇文士及当年就归心于李渊，裴寂等人在晋阳议论起兵，已在宇文士及之后。李渊起兵之初，打出“志在尊隋”的旗号以靖乱。当李渊进入关中，攻克长安后，李渊迎立隋代王杨侑即帝位，杨侑年十三，改元义宁，是为恭帝。这一举措，赢得大批拥隋吏民支持李渊。当时李密领导的瓦岗军势力最强，为了防止李密入关，并引向李密与东都王世充决战，李渊卑辞下书与李密，尊奉李密为盟主，自称“老夫知命，复封于唐足矣”。李密果然自骄，沾沾自喜，而不知已堕入李渊谋略中。

李渊即位建唐以后，全国形势依然严峻。李渊为统一事业做了奠基。首先，稳定关中局势。李渊入关之初，就对关中士庶以礼相待，招揽了大批治国人才，又一一废除隋炀帝的行宫园池苑囿，令民耕种，释放大批官女回家。武德元年，诏告义师所行之处，给复三年。武德四年、七年和九年，三次大赦天下。平反隋炀帝冤杀的隋朝的将相大臣，有原太常卿高颎、上柱国贺若弼、司隶大夫薛道衡、刑部尚书宇文弼、左翊卫将军董纯、右骁卫大将李金才等。给这些人追加谥号，对受迫害官吏的子孙、牵连被流放者，一律放还回家，此举大得人心。

太子李建成与秦王李世民的矛盾日益激烈，但李渊把握了大局，放手让李世民招纳文武，信赖李世民统军讨灭群雄。对外，李渊注意调整同周边少数民族的关系。武德二年七月，西突厥统叶护可汗、高昌王麹伯雅遣使前来朝贡；武德六年八月，吐谷浑内附；武德七年正月，封高丽王高建武为辽东郡王，百济王扶余璋为带方王，新罗王金真平为乐浪郡王。唐与周边各少数民族的关系有了改善。

李渊为了稳定社会秩序，在统一战争的过程中就着手进行一些律令的修订和实施。武德元年五月，李渊命相国府长史裴寂等修律令，六月，诏废隋《大业律令》，颁新律。九月，李渊亲自察看囚徒罪行资料，不实者多所赦免。十一月，“诏颁五十三条格，以约法缓刑 ”。贞观初断狱，以减缓刑罚为主要特征。房玄龄最后完成《唐律》五百条，这些应是李渊打下的基础。

李渊还采取多种措施恢复和发展社会经济。武德元年九月，诏置社仓和常平监，在丰年储粮，灾年赈济，防止人民流离。武德四年，废五铢钱，铸行开元通宝，便利商品经济发展。武德七年，颁行均田制，稳定农民耕作。武德九年，颁诏整顿寺观，钦定每州寺观只保留一所，对不堪供养的僧、尼、道士等，一律罢遣，各还乡里，以增加劳动力。

玄武门事变之后，李渊立即让出政权，此后亦不问政事，消除政治上的干扰，这也是李渊的一大贡献。

作为一代开国之主，李渊不能与汉高祖、光武帝并论，但他为贞观之治奠基，仍不失为一个有为之君。

卷第一百九十五　唐纪十一

起强圉作噩（丁酉，公元六三七年）五月，尽上章困敦（庚子，公元六四〇年），凡三年有奇。

【题解】

本卷记事起公元六三七年五月，迄公元六四〇年，凡三年又八个月，当唐太宗贞观十一年到十四年，是贞观之治的中后期，唐朝太平景象达于极盛。公元六四〇年，唐灭高昌置西州，西域纳入中国版图，唐代疆域东极于海，西至焉耆，南尽林邑，北抵大漠，东西九千五百一十里，南北一万九百一十里。武功极盛，文治兴隆。唐代各种制度健全，新修《氏族志》以抑制士族，抬高皇室地位。倡导儒学，修撰《五经正义》，唐太宗征天下名儒为学官，多次亲临国子监听讲，高丽、百济、新罗、高昌、吐蕃等国士子到长安求学，唐朝太学成了世界著名大学。这一时期，政治稳定，国家无大事，君臣仍孜孜以求，时时讨论得天下不易，守成更难，励精图治。唐太宗始有骄矜之色，纳谏不如贞观之初，魏徵等大臣时时敲警钟，故本卷内容多载唐太宗纳谏政事，如停止恢复封建制的世袭刺史、宽宥功臣等。

【原文】

太宗文武大圣大广孝皇帝中之上

贞观十一年（丁酉，公元六三七年）

五月壬申[①]，魏徵上疏，以为："陛下欲善之志不及于昔时，闻过必改少亏于曩日[②]，谴罚积多，威怒微厉。乃知贵不期骄，富不期侈[③]，非虚言也。且以隋之府库、仓廪、户口、甲兵之盛，考之今日，安得拟伦[④]！然隋以富强动之而危，我以寡弱静之而安，安危之理，皎然[⑤]在目。昔隋之未乱也，自谓必无乱，其未亡也，自谓必无亡。故赋役无穷，征伐不息，以至祸将及身而尚未之寤也。夫鉴[⑥]形莫如止水，鉴败莫如亡国。伏愿取鉴于隋，去奢从约[⑦]，亲忠远佞，以当今之无事，行畴昔[⑧]之恭俭，则尽善尽美，固无得而称焉。夫取之实

【语译】

太宗文武大圣大广孝皇帝中之上

贞观十一年（丁酉，公元六三七年）

五月壬申日，魏徵上奏疏，认为：“陛下想求善的志向比不上往昔，闻过必改的精神也不如从前，对大臣的谴责惩罚渐多，发威愤怒也比过去稍微严厉。由此可知，位高权重时而期望他不骄横，钱财富裕时而期望他不奢侈，这并非虚妄之言。而且以隋朝府库、仓廪、户口、甲兵的充实强盛，来与今天相比，哪里能比得上呢！然而隋朝自恃富强而征伐兴作以至于国家危亡，我朝因为人口少、财富不足、兵力不强而采取安抚的方针使得天下安定，安定与危亡之理清晰在目。从前隋朝未发生变乱时，自己认为必然不会发生动乱，隋朝尚未灭亡时，自己认为必然不会灭亡。所以征派赋税劳役无穷无尽，向外出兵征伐永不停息，以至于祸乱将要降临自身尚未醒悟。观察自己的形象，没有比静止的水更清晰的；借鉴失败，没有比灭亡的国家更直接的。臣希望陛下能够借鉴隋朝覆亡的教训，去掉奢侈，奉行俭约，亲近忠臣，远离佞臣，在当今平静无事的时候，继续奉行从前的恭敬节俭，做到尽善尽美，让

难，守之甚易，陛下能得其所难，岂不能保其所易乎！”

六月，右仆射虞恭公温彦博薨⑨。彦博久掌机务，知无不为。上谓侍臣曰：“彦博以忧国之故，精神耗竭。我见其不逮⑩，已二年矣，恨不纵其安逸，竟夭天年⑪。”

丁巳⑫，上幸明德宫⑬。

己未⑭，诏荆州都督荆王元景⑮等二十一王所任刺史，咸令子孙世袭。戊辰⑯，又以功臣长孙无忌等十四人为刺史，亦令世袭，非有大故，无得黜免。

己巳⑰，徙许王元祥⑱为江王。

秋，七月癸未⑲，大雨，谷、洛溢入洛阳宫⑳，坏官寺民居，溺死者六千余人。

魏徵上疏，以为：“文子㉑曰：‘同言㉒而信㉓，信在言前；同令㉔而行，诚在令外。’自王道休明㉕，十有余年，然而德化未洽者，由待下之情未尽诚信故也。今立政致治，必委之君子，事有得失，或访之小人。其待君子也敬而疏㉖，其[1]遇小人也轻而狎㉗，狎则言无不尽㉘，疏则情不上通。夫中智㉙之人，岂无小慧！然才非经国㉚，虑不及远，虽竭力尽诚，犹未免有败，况内怀奸宄㉛，其祸岂不深乎！夫虽君子不能无小过，苟不害于正道，斯可略㉜矣。既谓之君子而复疑其不信，何异立直木而疑其影之曲乎！陛下诚能慎选君子，以礼信用之，何忧不治！不然，危亡之期，未可保也。”上赐手诏褒美曰：“昔晋武帝㉝平吴之后，志意骄怠，何曾㉞位极台司㉟，不能直谏，乃私语子孙，自矜明智，此不忠之大者也。得公之谏，朕知过矣，当置之几案以比弦韦㊱。”

乙未㊲，车驾还洛阳，诏：“洛阳宫为水所毁者，少加修缮，才令可居。自外众材，给城中坏庐舍者。令百官各上封事，极言朕过。”壬寅㊳，废明德宫及飞山宫㊴之玄圃院，给遭水者。

八月甲子㊵，上谓侍臣曰：“上封事者皆言朕游猎太频，今天下无

人无法用言语来称赞。取得天下实在艰难，而守住天下就很容易，陛下能够做到很难的事情，难道不能守住较为容易的事情吗！”

六月，尚书右仆射虞恭公温彦博去世。温彦博长期执掌朝中的机要政务，尽职尽责。太宗对侍从大臣说：“彦博因为忧国忧民的缘故，精神耗尽衰竭。朕看到他精神体力不能支撑，已经有两年了，现在只恨自己没有让他退休享受安逸清闲，竟至让他没有享尽天年而去世。”

六月初四日丁巳，太宗巡幸明德宫。

六月初六日己未，太宗诏令荆州都督荆王李元景等二十一位亲王所担任的刺史职务，都由他们的子孙世袭。十五日戊辰，又任命功臣长孙无忌等十四人为刺史，也令他们的子孙世袭，如果没有大的变故，不得罢黜免职。

六月十六日己巳，将许王李元祥迁为江王。

秋，七月初一日癸未，天降大雨，谷河、洛河河水暴涨，漫溢出河道流入洛阳宫中，冲毁了官家的署衙与百姓的房屋，淹死六千多人。

魏徵上疏认为：“文子说：‘同样的言语而能被人相信，这种信任是在言语之前；同样的政令而能被人执行，因为诚信在命令之外。’自从大唐以王道治国而政治美好英明，已有十多年了，然而以德教化的成效还没有遍布天下，这是因为君王对待臣下还没有完全诚信。如今确立国家制度达到大治，一定要把国事委任给君子，但有些政事有得有失，有时却会去咨询小人。君主对待君子尊敬而疏远，对待小人轻佻而过分亲密，与人过分亲密就会什么话都说，对人尊敬而疏远就会使下情不能上达君主。那些智力中等的人，难道就没有小聪明吗！然而这种才能不是治国的才能，思考问题不能长远，即使能竭尽力量和诚意，还难免有失败，何况内心怀有奸诈邪恶，所造成的灾祸哪能不深重呢！虽然君子不可能没有小过失，但如果不损害正道，这就可以忽略不计。既然称他们为君子而又怀疑不信任他们，这与竖立直木而又怀疑它影子弯曲有什么不同！陛下真能谨慎地选择君子，按照礼节对他们加以信任和使用，哪里还要担心天下不能大治呢！如果不是这样，国家危亡的日子，不能保证不到来了。”太宗赐给魏徵亲笔诏书褒奖说：“以前晋武帝平定东吴之后，内心骄傲懈怠，何曾位于三公的高位，不能犯颜直谏，而是私下说给子孙，自矜明智，这是最大的不忠。如今能得到你的谏言，朕知道自己的过失了，应当把你的进谏放在桌案上，好比佩戴着韦和弦用来自警。”

七月十三日乙未，太宗的车驾返回洛阳，下诏说：“洛阳宫被水毁坏的部分，稍加修缮，只要能够居住就可以了。此外的众多建筑材料，拿给城中屋舍塌坏的人家。命令文武百官各自上书，极力批评朕的过失。”二十日壬寅，废除明德宫以及飞山宫的玄圃院，赐给城中遭受水灾的人。

八月十二日甲子，太宗对侍从大臣说：“上书的人都说朕游猎太频繁，如今天下

事，武备不可忘，朕时与左右猎于后苑，无一事烦民，夫亦何伤！”魏徵曰：“先王惟恐不闻其过。陛下既使之上封事，止得恣其陈述。苟其言可取，固有益于国，若其无取，亦无所损。”上曰：“公言是也。”皆劳㊶而遣之。

【段旨】

以上为第一段，写魏徵进言唐太宗，以隋为鉴，居安思危，亲贤远佞，待下以诚。

【注释】

①壬申：五月无壬申，疑为“壬辰”（八日）或“壬寅”（十八日）、“壬子”（二十八日）之误。②曩日：过去；以前。③贵不期骄二句：因富贵而骄奢自至。期，约会、邀合。④拟伦：同类之间的比较。⑤皎然：明白、清楚状。⑥鉴：照；审察。鉴原指青铜制作的大盆，用以盛水照影。又，春秋以后的铜镜亦称鉴。⑦约：简要；节俭。⑧畴昔：日前；往昔。⑨薨：唐代称二品以上官员之死。⑩不逮：不及；不到。⑪天年：指人的自然年寿。⑫丁巳：六月四日。⑬明德宫：在东都洛阳苑内西南，隋称显仁宫，唐又称昭仁宫。⑭己未：六月六日。⑮元景：李元景（？至公元六五三年），唐高祖第六子。初封赵王，后徙封荆王。高宗永徽四年（公元六五三年），因房遗爱（玄龄子）谋反事件株连，赐死。传见《旧唐书》卷六十四、《新唐书》卷七十九。⑯戊辰：六月十五日。⑰己巳：六月十六日。⑱元祥：李元祥（？至公元六八〇年），唐高祖第二十子。初封许王，后徙江王。以性情贪鄙为时人所不齿。传见《旧唐书》卷六十四、《新唐

【原文】

侍御史马周上疏，以为：“三代㊷及汉，历年多者八百㊸，少者不减四百，良以恩结人心，人不能忘故也。自是以降，多者六十年，少者才二十余年，皆无恩于人，本根不固故也。陛下当隆禹、汤、文、

无事，练武备战不能忘，朕时常与左右大臣在后苑射猎，没有一事烦劳百姓，这又有什么害处呢!”魏徵说:“先王唯恐听不到自己的过错。陛下既然让大臣们上书奏事，就应该听任他们陈述意见。如果他们的话可取，固然会有益于国家，假如没有可取之处，对于国家也没有损害。”太宗说:“你的话说得对。”于是慰劳他们然后送回家。

书》卷七十九。⑲癸未：七月一日。⑳洛阳宫：隋唐东都洛阳宫城。隋称紫微城，贞观六年（公元六三二年）号为洛阳宫。㉑文子：姓辛，名钘，一名计然，老子弟子，与孔子为同时代的人。著有《通玄真经》十二篇。㉒同言：同出之言；同一言语。㉓信：不欺；信用。㉔令：命令；政令。㉕王道休明：王道，君王治天下的正道。休明，美好清明。㉖敬而疏：尊敬而疏远。㉗轻而狎：轻佻而过分亲密。㉘言无不尽：指什么话都能说，失了分寸。㉙中智：具有中等智慧的人。㉚经国：治理国家。㉛奸宄：犯法作乱。㉜可略：可以略而不计较。㉝晋武帝：即晋朝建立者司马炎（公元二三六至二九〇年），字安世。公元二六六至二九〇年在位。传见《晋书》卷三。㉞何曾（公元一九九至二七九年）：西晋大臣，字颖考，阳夏（今河南太康）人，官至丞相、太傅。传见《晋书》卷三十三。㉟台司：指位居宰相或三公。㊱弦韦：比喻缓急。弦，弓弦，喻急。韦，柔皮，喻缓。㊲乙未：七月十三日。㊳壬寅：七月二十日。㊴飞山宫：在东都苑西北隅有高山宫，疑飞山宫即高山宫。㊵甲子：八月十二日。㊶劳：慰劳。

【校记】

［1］其：原无此字。据章钰校，孔天胤本有此字，张敦仁《通鉴刊本识误》同，今据补。

【语译】

侍御史马周上疏，认为:“夏商周三代以及汉代，一个朝代的年数多的达八百年，少的也不少于四百年，这实在是因为帝王都以恩惠团结人心，人们不能忘怀。汉代以后，王朝的年数多的六十年，少的才有二十多年，都是因为对百姓没有恩惠，根基不牢固。陛下应当发扬禹、汤、文、武的帝业，为子孙确立千秋万代的根基，

武㊹之业，为子孙立万代之基，岂得但持当年而已！今之户口不及隋之什一，而给役者兄去弟还，道路相继。陛下虽加恩诏，使之裁损，然营缮不休，民安得息！故有司徒行文书，曾㊺无事实。昔汉之文、景㊻，恭俭养民，武帝承其丰富之资，故能穷奢极欲而不至于乱。向使高祖之后即传武帝，汉室安得久存乎！又，京师及四方所造乘舆㊼器用及诸王、妃、主㊽服饰，议者皆不以为俭。夫昧爽[2]丕显㊾，后世犹怠。陛下少居民间，知民疾苦，尚复如此，况皇太子生长深宫，不更㊿外事，万岁之后，固圣虑所当忧也。臣观自古以来，百姓愁怨，聚为盗贼，其国未有不亡者。人主虽欲追改，不能复全。故当修于可修51之时，不可悔之于已[3]失之后也。盖幽、厉52尝笑桀、纣53矣，炀帝亦笑周、齐54矣，不可使后之笑今如今之笑炀帝也。贞观之初，天下饥歉，斗米直55匹绢，而百姓不怨者，知陛下忧念不忘故也。今比年丰穰56，匹绢得粟十余斛，而百姓怨咨57者，知陛下不复念之，多营不急之务故也。自古以来，国之兴亡，不以畜积多少，在于百姓苦乐。且以近事验之，隋贮洛口仓而李密因之58，东都积布帛而世充资之，西京府库亦为国家之用，至今未尽。夫畜积固不可无，要当人有余力，然后收之，不可强敛以资寇敌也。夫俭以息人59，陛下已于贞观之初亲所履行，在于今日为之，固不难也。陛下必欲为久长之谋，不必远求上古，但如贞观之初，则天下幸甚。陛下宠遇诸王，颇有过厚者，万代之后，不可不深思也。且[4]魏武帝60爱陈思王61，及文帝即世，囚禁诸王，但无缧绁62耳。然则武帝爱之，适所以苦之也。又，百姓所以治安，唯在刺史县令，苟选用得人，则陛下可以端拱无为63。今朝廷唯重内官64而轻州县之选，刺史多用武人，或京官不称职始补外任。边远之处，用人更轻。所以百姓未安，殆由于此。”疏奏，上称善久之，谓侍臣曰：“刺史朕当自选，县令宜诏京官五品[5]已上，各举一人。”

岂能只想维持自己在位的年代呢！如今全国户口不到隋朝的十分之一，而为国家服劳役的则是兄长前去，弟弟回来，服役的人在路上连续不断。陛下虽然下了对百姓施加恩惠的诏令，让劳役有所减少，但是营建修缮的工程没有休止，老百姓哪能休息呢！所以主管部门徒自发布文书，不曾有实际收效。从前汉代的文帝、景帝，谦恭节俭以养护百姓，武帝继承了丰富的资产，所以能够穷奢极欲而不至于天下大乱。假使汉高祖之后就传位给武帝，汉朝哪能长久存在！另外，京都长安以及四方各地制造的皇帝乘舆器物以及各亲王、妃嫔、公主的服饰，议论的人们都认为不节俭。前代君王黎明起床办理政务以求国家富强，后世子孙还会懈怠。陛下年轻时生活在民间，深知百姓的疾苦，今天尚且如此，何况皇太子生长在深宫，没有经历过民间的事情，陛下万岁之后，本来就是陛下圣思所应担忧的。臣观察，自古以来百姓愁苦怨恨，聚集起来成为盗贼，国家没有不灭亡的。君主虽然想追悔改正，也不能完全恢复安定。所以应当在可以修整国事的时候进行修整，不可到国家失去安定之后再后悔。当年周幽王、周厉王曾讥笑夏桀、殷纣，隋炀帝也曾讥笑北周、北齐两朝，不可让后代讥笑当今的王朝和皇帝，就像我们现在讥笑隋炀帝一样。贞观初年，全国歉收，发生饥荒，一斗米的价钱值一匹绢，而老百姓没有怨言，这是因为百姓知道陛下担忧挂念他们。如今连年丰收，一匹绢可以换粟米十余斛，然而老百姓却怨恨嗟叹，这是百姓知道陛下不再顾念他们，过多营建并不急迫的工程。自古以来，国家的兴亡，不在于积蓄多少，而在于百姓是愁苦还是安乐。暂且用近代政事加以验证，隋朝把粮食贮存在洛口仓中而李密加以利用，隋朝东都积存布帛而资助了王世充，西京府库也为我朝所用，至今还没有用完。积蓄储备固然不能没有，但是要让百姓留有余力，然后征收赋税，不可强行征收用来帮助叛乱的敌人。君主节俭以使百姓得到休息，陛下已经在贞观初年亲身践行，到了今日再这样做，固然不是难事。陛下一定想要长治久安的谋略，不必远求上古时代，只要像贞观初年那样，天下就非常幸运了。陛下宠爱厚待各位亲王，颇有过分优厚，但陛下在万年以后，就不能不做深远考虑。从前魏武帝曹操宠爱陈思王曹植，等到魏文帝曹丕即位，就囚禁了诸王，只是没有戴上刑具下狱罢了。这样看来魏武帝宠爱诸王，恰好让他们日后吃苦。另外，百姓所以能够安定，只在于刺史和县令，如果选拔和任用的都是合适的人选，陛下就可以端坐拱手，无为而治。如今朝廷只注重中央官吏的选拔任用而轻视州县官员的选拔，刺史大多任用武人，或者是京官不称职才补选地方官。边远地区，任用官员就更加看轻。百姓所以不能安定，大概就是这个缘故。”奏疏上呈后，太宗称赞了很久，对侍从的大臣说：“刺史应当由朕亲自选拔，县令应诏令五品以上京官，每人举荐一人。”

【段旨】

以上为第二段，写马周进言太宗，认为民是国之根本，要节俭以养民，任用官吏要慎选以爱民。

【注释】

㊷三代：指夏、商、周三个朝代。㊸历年多者八百：周朝自约公元前十一世纪武王灭商，至公元前二五六年赧王亡国，历年八百。㊹禹、汤、文、武：即夏禹、商汤、周文王、周武王。㊺曾：乃。㊻文、景：即西汉文帝刘恒和景帝刘启。㊼乘舆：供天子、诸侯所用的车舆。㊽主：即公主。㊾昧爽丕显：谓先王黎明即起，思大明其德，坐以待旦而行之。昧爽，天将亮未亮时。丕显，大明。㊿不更：没有经历过。更，经过。51修：整治。52幽、厉：即西周幽王姬宫涅和周厉王姬胡。53桀、纣：即夏代亡国之君桀（名

【原文】

冬，十月癸丑[65]，诏勋戚亡者皆陪葬山陵。

上猎于洛阳苑[66]，有群豕突出林中。上引弓四发，殪四豕。有豕突前，及马镫[67]，民部尚书唐俭投马搏之，上拔剑斩豕，顾笑曰："天策长史[68]不见上将击贼邪，何惧之甚！"对曰："汉高祖以马上得之，不以马上治之。陛下以神武定四方，岂复逞雄心于一兽！"上悦，为之罢猎，寻加光禄大夫。

安州都督吴王恪[69]数出畋猎，颇损居人，侍御史柳范[70]奏弹之。丁丑[71]，恪坐免官，削户三百。上曰："长史权万纪事吾儿，不能匡正，罪当死。"柳范曰："房玄龄事陛下，犹不能止畋猎，岂得独罪万纪！"上大怒，拂衣[72]而入。久之，独引范谓曰："何面折[73]我？"对曰："陛下仁明，臣不敢不尽愚直[74]。"上悦。

十一月辛卯[75]，上幸怀州。丙午[76]，还洛阳宫。

故荆州都督武士彟女[77]，年十四，上闻其美，召入后宫，为才人。

履癸）和商朝末代国君纣王。⑭周、齐：北周（公元五五七至五八一年）和北齐（公元五五〇至五七七年）。⑮直：通“值”。⑯丰穰：五谷丰登。⑰怨咨：怨恨嗟叹。⑱因之：因袭使用。⑲息人：与民休息。人，民。⑳魏武帝：即三国时的政治家曹操（公元一五五至二二〇年）。传见《三国志》卷一。㉑陈思王：即曹操第三子、杰出诗人曹植。著有《曹子建集》。传见《三国志》卷十九。㉒缧绁：以绳索拘执犯人，引申为下狱。㉓端拱无为：指帝王无为而治。端拱，端坐拱手。㉔内官：指京官。

【校记】

［2］爽：据章钰校，十二行本、乙十一行本皆作“旦”。［3］已：据章钰校，十二行本、乙十一行本皆作“既”。［4］且：严衍《通鉴补》改作“昔”，于义较长。［5］五品：原无此二字。据章钰校，十二行本、乙十一行本皆有此二字，张敦仁《通鉴刊本识误》同，今据补。

【语译】

冬，十月初二日癸丑，诏令功勋皇戚死后都陪葬在皇帝的陵墓中。

太宗在洛阳苑中狩猎，有一群野猪冲出林中。太宗拉弓发出四箭，射死四头。有一头野猪冲到太宗的马前，将要扑到马镫上，民部尚书唐俭下马与野猪搏斗，太宗拔出佩剑砍死野猪，回头对唐俭笑着说：“天策长史没有看见朕将要击杀盗贼吗，为何怕得如此厉害！”唐俭回答说：“汉高祖从马上得到天下，却不从马上治理天下。陛下凭借神威圣武平定四方，怎能又对一头野兽再逞雄心呢！”太宗高兴，为此停止围猎，不久加封唐俭为光禄大夫。

安州都督吴王李恪多次出外畋猎，对当地居民造成不少损害，侍御史柳范上书弹劾他。十月二十六日丁丑，李恪因此被罢免官职，削减封邑三百户。太宗说：“长史权万纪侍奉我的儿子，不能匡正他的过失，论罪应当处死。”柳范说：“房玄龄侍奉陛下，还不能阻止陛下狩猎，怎能只治权万纪的罪呢！”太宗大为愤怒，拂袖起身进入内宫。很久以后，太宗单独召见柳范，对他说：“你为什么当面顶撞朕？”回答说：“陛下仁德明智，臣不敢不竭尽愚忠进行直谏。”太宗于是高兴。

十一月十一日辛卯，太宗巡幸怀州。二十六日丙午，回到洛阳宫。

已故荆州都督武士彟的女儿，年方十四岁，太宗听说她很美，召入后宫，封为才人。

【段旨】

以上为第三段，写柳范谏太宗畋猎。

【注释】

⑥⑤癸丑：十月二日。⑥⑥洛阳苑：即东都苑，以其地处洛阳城西，又称西苑。苑周长二百余里。⑥⑦马镫：骑马时用以踏脚的装置。⑥⑧天策长史：武德中太宗开天策上将府，唐俭曾任天策府长史。⑥⑨吴王恪：太宗第三子李恪（？至公元六五三年）。贞观十年

【原文】

十二年（戊戌，公元六三八年）

春，正月乙未[78]，礼部尚书王珪奏："三品已上遇亲王于路皆降乘[79]，非礼。"上曰："卿辈苟自崇贵，轻我诸子。"特进魏徵曰："诸王位次三公，今三品皆九卿八座[80]，为王降乘，诚非所宜当。"上曰："人生寿夭难期，万一太子不幸，安知诸王他日不为公辈之主！何得轻之！"对曰："自周以来，皆子孙相继，不立兄弟，所以绝庶孽之窥窬[81]，塞祸乱之源本，此为国者所深戒也。"上乃从珪奏。

吏部尚书高士廉、黄门侍郎韦挺、礼部侍郎令狐德棻[82]、中书侍郎岑文本撰氏族志成，上之。先是，山东人士崔、卢、李、郑诸族[83]好自矜地望[84]，虽累叶陵夷[85]，苟他族欲与为昏[86]姻，必多责财币，或舍其乡里而妄称名族，或兄弟齐列而更以妻族相陵[87]。上恶之，命士廉等遍责天下谱谍[88]，质[89]诸史籍，考其真伪，辩其昭穆，第其甲乙[90]，褒进忠贤，贬退奸逆，分为九等。士廉等以黄门侍郎崔民幹[91]为第一。上曰："汉高祖与萧、曹、樊、灌[92]，皆起闾阎布衣，卿辈至今推仰，以为英贤，岂在世禄乎！高氏[93]偏据山东，梁、陈[94]僻在江南，虽有人物，盖何足言！况其子孙才行衰薄，官爵陵替[95]，而犹卬然[96]以门地

（公元六三六年），由蜀王徙封吴王，后为长孙无忌陷害被诛。传见《旧唐书》卷七十六、《新唐书》卷八十。⑦⓪柳范：蒲州解县（今山西运城西南解州镇）人，高宗时，官至尚书右丞、扬州大都府长史。传见《旧唐书》卷七十八、《新唐书》卷一百十二。⑦①丁丑：十月二十六日。⑦②拂衣：抖动衣服，表示愤怒。⑦③面折：当面指责人的过失。⑦④愚直：极尽忠直。古语有之："君仁则臣直"，"君明则臣直"。言"愚直"，则谓"君仁"与"君明"，故太宗悦之。⑦⑤辛卯：十一月十一日。⑦⑥丙午：十一月二十六日。⑦⑦武士彟女：此女即为唐女皇武则天。

【语译】

十二年（戊戌，公元六三八年）

春，正月十五日乙未，礼部尚书王珪上奏说："三品以上官员在路上遇见亲王都要下车，不符合礼仪。"太宗说："你们随意自视尊贵，轻视我的诸位儿子。"特进魏徵说："诸王地位在三公之下，如今三品以上大臣都是九卿八座，路遇亲王下车，实在不应当这样。"太宗说："人生寿命长短难以预料，万一太子遇到不幸，怎么知道诸王有一天不会成为你们的君主呢！怎么能轻视他们！"回答说："自周代以来，皇位都是子孙相继，不立兄弟继位，这是为了断绝庶子觊觎皇位的野心，堵塞国家发生祸乱的本源，这是治国者应当深以为戒的。"太宗于是听从了王珪的启奏。

吏部尚书高士廉、黄门侍郎韦挺、礼部侍郎令狐德棻、中书侍郎岑文本完成《氏族志》编撰，上奏给太宗。在这以前，崤山以东人士崔、卢、李、郑等家族喜欢自我夸耀家族名望，虽然家族世代败落，但是如果其他家族想与他们通婚，他们必定多求取财物，有人就放弃原籍而冒称名门望族，还有兄弟地位并列却靠妻族来相互欺凌的。太宗厌恶这种风气，就命高士廉等人普查天下家族谱牒，用史籍加以考证核实，考查各家族的真伪，分清他们的昭穆次序，排定士族的等级，褒奖提拔忠诚贤明的家族，贬抑斥退奸邪反逆的家族，分出九等。高士廉等人把黄门侍郎崔民幹列为第一等。太宗说："汉高祖与萧何、曹参、樊哙、灌婴等人，都是崛起于街巷中的平民百姓，你们至今对他们推崇景仰，认为是英豪贤才，难道他们有世卿世禄的地位吗！高氏偏据崤山以东，梁、陈二朝僻居在江南，虽然也有杰出人物，但又何足称道！况且他们的子孙才气和品行都已衰弱微少，官爵也都丧失，可是还昂

自负，贩鬻松檟[97]，依托富贵，弃廉忘耻，不知世人何为贵之！今三品以上，或以德行，或以勋劳，或以文学，致位贵显。彼衰世旧门，诚何足慕！而求与为昏，虽多输金帛，犹为彼所偃蹇[98]，我不知其解何也！今欲厘正讹谬，舍名取实，而卿曹犹以崔民幹为第一，是轻我官爵而徇流俗之情也。”乃更命刊定，专以今朝品秩为高下。于是以皇族为首，外戚次之，降崔民幹为第三，凡二百九十三姓，千六百五十一家，颁于天下。

【段旨】

以上为第四段，写太宗重修《氏族志》，以官门品第为高下，于是皇族第一，外戚第二，以官本门抑制士族。

【注释】

⑱ 乙未：一月十五日。⑲ 降乘：由所乘车马上下来。⑳ 九卿八座：九卿分别为太常、光禄、卫尉、宗正、太仆、大理、鸿胪、司农、太府九寺长官；八座指尚书令、仆射、五曹（部）或六曹尚书。㉛ 庶孽之窥窬：庶孽，指庶出，即妾媵之子。窥窬，非分觊觎，窥伺可乘之隙。㉜ 令狐德棻（公元五八三至六六六年）：唐初史学家，宜州华原（今陕西铜川市耀州区）人。主编《周书》《太宗实录》《高宗实录》等书，为《艺文类聚》编撰人之一。传见《旧唐书》卷七十三、《新唐书》卷一百二。㉝ 崔、卢、李、郑诸族：魏晋迄隋唐的郡望，即清河郡（治今河北清河县）崔氏、范阳郡（今北京市）卢

【原文】

二月乙卯[99]，车驾西还。癸亥[100]，幸河北[101]，观砥柱[102]。

甲子[103]，巫州獠[104]反，夔州[105]都督齐善行败之，俘男女三千余口。乙丑[106]，上祀禹庙[107]。丁卯[108]，至柳谷[109]，观盐池[110]。庚午[111]，至蒲

首挺胸以门第族望自负，贩卖祖墓阴魂，依靠富贵人家维生，抛弃廉洁，忘记羞耻，不知道世人为何还认为他们家族尊贵！如今三品以上的公卿大臣，有的靠德行，有的靠功勋，有的靠文学才能，获得了显贵的地位。那些衰世的旧门第，有什么让人羡慕！却去向他们央求通婚，即使多送金银财物，还是被他们傲慢轻视，朕不知对此应如何解释！如今想要辨别纠正错误，舍弃虚名，获得实情，而你们还把崔民幹列为第一等，这是轻视大唐的官爵而依循流俗的观念。”于是又下令重新修订，只根据当朝官爵的等级区分姓氏的高低。于是就以皇族李姓为第一位，外戚的姓氏为次一等，把崔民幹降为第三等，共有二百九十三个姓，一千六百五十一家，向全国颁布。

氏、赵郡（治今河北赵县）李氏、荥阳郡（治今河南郑州市惠济区，后移至今河南荥阳）郑氏等世代贵显的高门望族。⑭地望：即郡望，指魏晋以后的诸郡士族门阀。⑮累叶陵夷：世代衰败。累叶，积代、叠世。陵夷，衰颓、败落。⑯昏：同“婚”。⑰陵：欺侮；凌辱。⑱谱谍：记述氏族世系的书籍。⑲质：证；质疑。⑳第其甲乙：排列士族的等级。㉑崔民幹：因避太宗讳又曰“崔幹”。事迹见《旧唐书》卷六十、六十五、《新唐书》卷七十二下、七十八、九十五。㉒汉高祖与萧、曹、樊、灌：西汉创业君臣。汉高祖，即刘邦，公元前二〇二至前一九五年在位。萧，即萧何（？至公元前一九三年）。曹，即曹参（？至公元前一九〇年）。樊，即樊哙（？至公元前一八九年）。灌，即灌婴（？至公元前一七六年）。萧何等于汉初先后拜相，均为平民出身。㉓高氏：北齐皇室。㉔梁、陈：南北朝时梁朝（公元五〇二至五五七年）和陈朝（公元五五七至五八九年）。㉕陵替：衰落不振。㉖卬然：气概轩昂；举首向上。卬，通“昂”。㉗松檟：墓地代称。㉘偃蹇：傲慢。

【语译】

二月初五日乙卯，太宗的车驾从洛阳向西返回长安。十三日癸亥，临幸河北县，观看了黄河中的砥柱山。

二月十四日甲子，巫州的獠民造反，夔州都督齐善行打败他们，俘虏男女三千多人。

二月十五日乙丑，太宗祭祀禹庙。十七日丁卯，到达柳谷，观看盐池。二十日

州，刺史赵元楷⑫课父老服黄纱单衣迎车驾，盛饰廨舍楼观，又饲羊百余头、鱼数百头以馈贵戚。上数之曰："朕巡省河、洛，凡有所须，皆资库物，卿所为乃亡隋之弊俗也。"甲戌⑬，幸长春宫⑭。

戊寅⑮，诏曰："隋故鹰击郎将尧君素，虽桀犬吠尧⑯，有乖倒戈之志，而疾风劲草，实表岁寒之心，可赠蒲州刺史，仍访其子孙以闻。"

闰月庚辰朔⑰，日有食之。

丁未⑱，车驾至京师。

三月辛亥⑲，著作佐郎邓世隆⑳表请集上文章。上曰："朕之辞令，有益于民者，史皆书之，足为不朽。若其[6]无益，集之何用！梁武帝父子、陈后主、隋炀帝皆有文集行于世㉑，何救于亡！为人主患无德政，文章何为！"遂不许。

丙子㉒，以皇孙生，宴五品以上于东宫。上曰："贞观之前，从朕经营天下，玄龄之功也。贞观以来，绳愆纠缪㉓，魏徵之功也。"皆赐之佩刀。上谓徵曰："朕政事何如往年？"对曰："威德所加，比贞观之初则远矣，人悦服则不逮㉔也。"上曰："远方畏威慕德，故来服，若其不逮，何以致之？"对曰："陛下往以未治为忧，故德义日新，今以既治为安，故不逮。"上曰："今所为，犹往年也，何以异？"对曰："陛下贞观之初，恐人不谏，常导之使言，中间悦而从之。今则不然，虽勉从之，犹有难色，所以异也。"上曰："其事可闻欤？"对曰："陛下昔欲杀元律师，孙伏伽以为法不当死，陛下赐以兰陵公主㉕园，直百万。或云'赏太厚'，陛下云：'朕即位以来，未有谏者，故赏之。'此导之使言也。司户柳雄妄诉隋资㉖，陛下欲诛之，纳戴胄之谏而止，是悦而从之也。近皇甫德参上书谏修洛阳宫，陛下恚㉗之，虽以臣言而罢，勉从之也。"上曰："非公不能及此。人苦不自知耳。"

庚午，到达蒲州，刺史赵元楷命令当地父老身穿黄纱单衣迎接太宗的车驾，豪华装饰官舍楼台庙观，又养了一百多只羊、数百条鱼献给贵族外戚。太宗责备他说：“朕巡行黄河、洛水一带，凡是所需物品，都从朝廷府库中支取，你的这些做法乃是已灭亡了的隋朝的坏习气。”二十四日甲戌，巡幸长春宫。

二月二十八日戊寅，太宗下诏说：“隋朝已故鹰击郎将尧君素，虽然如同夏桀的狗对着尧吠叫一样，违背唐军希望他临阵倒戈的要求，但是他像疾风知劲草一样，确实表明了岁寒不变节的心情，可以追赠给他蒲州刺史，仍要寻访他的子孙上奏朝廷。”

闰二月初一日庚辰，发生日食。

二十八日丁未，太宗的车驾回到京都长安。

三月初二日辛亥，著作佐郎邓世隆上表请求搜集太宗撰写的文章。太宗说：“朕的言辞诏令，对百姓有益的，史官都记录下来，足以永垂不朽。如果对百姓没有益处，搜集它又有什么用！梁武帝萧衍父子、陈后主、隋炀帝都有文集流传世间，哪能挽救他们的灭亡！作为君主忧虑的是没有德政，文章有什么用！”于是没有答应搜集。

三月二十七日丙子，因为皇孙降生，在东宫宴请五品以上官员。太宗说：“贞观以前，跟随朕经营治理天下，是房玄龄的功劳。贞观以来，纠正朕的过失和错误，是魏徵的功劳。”对二人都赐给佩刀。太宗对魏徵说：“朕治理国政与往年相比如何？”魏徵回答说：“威望和仁德施加到的地方，比贞观初年更远了，但人们对陛下的心悦诚服不如当初了。”太宗说：“远方各族畏惧皇威羡慕圣德，所以前来归服，如果不如以前，是怎么招致他们的？”回答说：“陛下过去以天下未能大治为忧虑，所以德义每天都在进步，如今认为天下大治而内心安定，所以就不如以前了。”太宗说：“如今所做的，还是和往年一样，有什么不同呢？”回答说：“陛下在贞观初年，唯恐大臣不进谏，常常引导他们说话，听到进谏就高兴地听从。如今却不是这样，虽然勉强听从，却面有难色，这就是与以前的不同。”太宗说：“这种事情可以说给我听吗？”回答说：“陛下以前想杀掉元律师，孙伏伽认为按照法律不应处死，陛下赐给他兰陵公主的花园，价值一百万。有人说‘赏赐太厚了’，陛下说：‘朕继位以来，未有进谏的人，所以赏赐他。’这是引导大臣进言。司户柳雄谎称隋朝授有官资，陛下想要杀他，又采纳戴胄的进谏而作罢，这是喜悦而听从。近年皇甫德参上书劝谏陛下不要修缮洛阳宫，陛下对他心中愤恨不平，虽然因为臣的进言而作罢，但只是勉强听从。”太宗说：“除了你没人能说出这种道理。人苦于不能自己了解自己。”

【段旨】

以上为第五段，写贞观后期，太宗骄矜治绩，纳谏不如贞观初。

【注释】

⑲乙卯：二月五日。⑳癸亥：二月十三日。⑪河北：县名，县治在今山西平陆西南。⑫砥柱：即砥柱山。在今河南三门峡市陕州区东北黄河中。⑬甲子：二月十四日。⑭巫州獠：巫州（治今湖南洪江市西南黔城）獠民。⑮夔州：州名，治所在今重庆奉节东白帝城。⑯乙丑：二月十五日。⑰禹庙：即大禹神庙。在砥柱山上。⑱丁卯：二月十七日。⑲柳谷：在今山西夏县北五里中条山中。⑩盐池：即今山西运城南解池。⑪庚午：二月二十日。⑫赵元楷：隋末唐初佞臣。事迹见《旧唐书》卷六十二《李纲传》，以及《新唐书》卷九十五《窦威传》附《窦静传》、卷九十九《李纲传》。⑬甲戌：二月二十四日。⑭长春宫：北周武帝设置，在今陕西大荔朝邑镇西北。⑮戊寅：二

【原文】

夏，五月壬申[128]，弘文馆学士永兴文懿公虞世南卒，上哭之恸。世南外和柔而内忠直，上尝称世南有五绝：一德行，二忠直，三博学，四文辞，五书翰。

秋，七月癸酉[129]，以吏部尚书高士廉为右仆射。

乙亥[130]，吐蕃寇弘州[131]。

八月，霸州山獠[132]反，烧杀刺史向邵陵及吏民百余家。

初，上遣使者冯德遐[133]抚慰吐蕃。吐蕃闻突厥、吐谷浑皆尚公主，遣使随德遐入朝，多赍金宝，奉表求婚，上未之许。使者还，言于赞普弃宗弄赞[134]曰："臣初至唐，唐待我甚厚，许尚公主。会吐谷浑王入朝，相离间，唐礼遂衰，亦不许昏。"弄赞遂发兵击吐谷浑。吐谷浑不能支，遁于青海之北，民畜多为吐蕃所掠。

吐蕃进破党项、白兰[135]诸羌，帅众二十余万屯松州西境，遣使贡金帛，云来迎公主。寻进攻松州，败都督韩威[136]，羌酋阎州[137]刺史别丛

月二十八日。⑯桀犬吠尧：夏桀的狗对着尧吠叫。比喻不问善恶，只知效忠主子。⑰庚辰朔：闰二月一日。⑱丁未：闰二月二十八日。⑲辛亥：三月二日。⑳邓世隆：自号隐玄先生，相州（今河南安阳）人，官至著作郎。撰有《东都记》三十卷。传见《旧唐书》卷七十三、《新唐书》卷一百二。㉑梁武帝父子句：据两《唐书·经籍志》载：梁武帝父子等有《梁武帝集》十卷、《文选》三十卷（梁武帝长子萧统，即昭明太子编）、《昭明太子集》二十卷、《陈后主集》五十卷、《隋炀帝》三十卷。㉒丙子：三月二十七日。㉓绳愆纠缪：改正过失和纠正错误。㉔不逮：不及；不如。㉕兰陵公主：太宗女。传见《新唐书》卷八十三。㉖隋资：隋朝所授官资。㉗恚：愤恨；心不平。

【校记】

［6］其：原作“为”。据章钰校，十二行本、乙十一行本皆作“其”，张瑛《通鉴校勘记》同，今从改。

【语译】

夏，五月二十五日壬申，弘文馆学士永兴文懿公虞世南去世，太宗哭得十分悲恸。虞世南外表温和柔顺且内心忠诚正直，太宗曾称赞世南有五绝：一是德行，二是忠直，三是博学，四是文章，五是书法。

秋，七月二十七日癸酉，任命吏部尚书高士廉为尚书右仆射。

二十九日乙亥，吐蕃侵犯弘州。

八月，霸州獠民反叛，烧死刺史向邵陵以及官吏百姓一百多家。

起初，太宗派遣使者冯德遐安抚慰问吐蕃。吐蕃听说突厥、吐谷浑都曾娶唐朝公主为妻，就派使节随着冯德遐进京朝见，带着大量金银财宝，上表请求通婚，太宗没有答应。使者回到吐蕃，对吐蕃赞普弃宗弄赞说：“臣刚到大唐，大唐招待我非常优厚，答应下嫁公主。正好赶上吐谷浑国王进京朝见，离间我们与大唐的关系，唐朝对待我们的礼遇逐渐变轻，也不答应通婚了。”弃宗弄赞于是发兵攻打吐谷浑。吐谷浑抵抗不住，逃到青海湖北面，百姓和牲畜多被吐蕃掠走。

吐蕃进军打败党项、白兰等羌族，率兵二十多万驻扎在松州西部边境，派使节进献金银绸缎，声称前来迎娶公主。不久又进攻松州，打败都督韩威，羌族首领阎

卧施[138]、诸州刺史把利步利[139]并以州叛归之。连兵不息，其大臣谏不听而自缢者凡八辈。壬寅[140]，以吏部尚书侯君集为当弥道行军大总管，甲辰[141]，以右领军大将军执失思力为白兰道、左武卫将军牛进达[142]为阔水道、左领军将军刘简[143][7]为洮河道行军总管，督步骑五万击之。

吐蕃攻城十余日，进达为先锋，九月辛亥[144]，掩[145]其不备，败吐蕃于松州城下，斩首千余级。弄赞惧，引兵退，遣使谢罪，因复请婚，上许之。

甲寅[146]，上问侍臣："帝王[8]创业与守成孰难？"房玄龄曰："草昧[147]之初，与群雄并起角力而后臣之，创业难矣！"魏徵曰："自古帝王，莫不得之于艰难，失之于安逸，守成难矣！"上曰："玄龄与吾共取天下，出百死得一生，故知创业之难。徵与吾共安天下，常恐骄奢生于富贵，祸乱生于所忽，故知守成之难。然创业之难，既已往矣，守成之难，方当与诸公慎之。"玄龄等拜曰："陛下及此言，四海之福也。"

初，突厥颉利既亡，北方空虚，薛延陀真珠可汗帅其部落建庭于都尉犍山[148]北、独逻水[149]南，胜兵二十万，立其二子拔酌、颉利苾[150]主南、北部。上以其强盛，恐后难制，癸亥[151]，拜其二子皆为小可汗，各赐鼓纛，外示优崇，实分其势。

冬，十月乙亥[152]，巴州獠[153]反。

己卯[154]，畋于始平[155]。乙未[156]，还京师。

钧州獠[157]反，遣桂州都督张宝德[158]讨平之。

十一月丁未[159]，初置左、右屯营飞骑[160]于玄武门，以诸将军领之。又简飞骑才力骁健善骑射者，号百骑，衣五色袍，乘骏马，以虎皮为鞯[161]，凡游幸则从焉。

己巳[162]，明州獠[163]反，遣交州都督李道彦讨平之。

十二月辛巳[164]，右武候将军[9]上官怀仁[165]击反獠于壁州[166]，大破之，虏男女万余口。

是岁，以给事中马周为中书舍人。周有机辩，中书侍郎岑文本常称："马君论事，援引事类，扬榷[167]古今，举要删烦，会文切理，一字不可增，亦不可减，听之靡靡[168]，令人忘倦。"

州刺史别丛卧施、诺州刺史把利步利率全州反叛，投降吐蕃。吐蕃连年用兵不止，该国的大臣劝谏赞普，赞普不听从，因而自缢死去的总共有八个人。八月二十七日壬寅，任命吏部尚书侯君集为当弥道行军大总管，二十九日甲辰，任命右领军大将军执失思力为白兰道行军总管、左武卫将军牛进达为阔水道行军总管、左领军将军刘简为洮河道行军总管，统率步兵、骑兵共五万人攻打吐蕃。

吐蕃进攻松州城十多天，牛进达担任唐军先锋，九月初六日辛亥，乘吐蕃军没有防备突然袭击，在松州城下打败吐蕃军队，斩首一千多人。弃宗弄赞害怕了，率兵撤退，派使者到长安谢罪，于是又请求通婚，太宗应允了这一请求。

九月初九日甲寅，太宗问侍从大臣："帝王创业与守成哪个更难?"房玄龄说："开创帝业之初，与各路豪雄一同起兵角逐争斗而后臣服他们，还是创业艰难!"魏徵说："自古以来的帝王，莫不是从艰难中取得天下，又在安逸中失去天下，守成更难!"太宗说："房玄龄与我共同取得天下，经过上百次生死考验，最后获得生存，所以懂得创业的艰难。魏徵与我共同安定天下，常常担心骄傲和奢侈从富贵中产生，祸乱从疏忽中产生，所以懂得守成的艰难。然而创业的艰难，已经成为往事，守成的艰难，正应当与诸位公卿谨慎对待。"房玄龄等人下拜说："陛下说出这样的话，是四海百姓的福气。"

起初，突厥颉利可汗灭亡以后，北方地区空无人烟，薛延陀真珠可汗率领他的部落在都尉犍山北麓、独逻水南岸建立王庭，兵马二十万，立他的两个儿子拔酌、颉利苾分别统领南部、北部。太宗因为他们逐渐强盛，担心以后难以制服，九月十八日癸亥，封真珠可汗的两个儿子为小可汗，分别赐给鼓和大旗，表面上显示对他们的优遇，实际上分化他们的势力。

冬，十月初一日乙亥，巴州獠民反叛。

初五日己卯，太宗在始平围猎。二十一日乙未，回到长安。

钧州獠民反叛，朝廷派桂州都督张宝德讨伐平定他们。

十一月初三日丁未，开始在玄武门设置左、右屯营飞骑，由诸位将军统领。又挑选飞骑中身体骁健敏捷、善于骑马射箭的，号称百骑，身穿五色战袍，乘坐骏马，用虎皮做马鞍和垫布，凡是太宗出外巡幸就随从着。

二十五日己巳，明州獠民反叛，朝廷派交州都督李道彦讨伐平定了他们。

十二月初七日辛巳，右武候将军上官怀仁在壁州攻击反叛的獠民，大败獠民，俘获其男女一万多人。

这一年，任命给事中马周为中书舍人。马周机敏善辩，中书侍郎岑文本常常说："马君议论事情，引用各种事类，评论古今的事例，能举出要点删去烦琐，既有文采又能切中事理，一个字不能再增加，一个字也不能再减少，能让人听得入迷，令人忘记疲倦。"

霍王元轨好读书，恭谨自守，举措不妄。为徐州刺史，与处士刘玄平⑯为布衣交⑰。人问玄平王所长，玄平曰："无长。"问者怪之。玄平曰："夫人有所短乃见所长，至于霍王，无所短，吾何以称其长哉！"

初，西突厥咥利失可汗⑰分其国为十部，每部有酋长一人，仍各赐一箭，谓之十箭。又分左、右厢，左厢号五咄陆⑰，置五大啜⑰，居碎叶⑰以东，右厢号五弩失毕⑰，置五大俟斤，居碎叶以西，通谓之十姓。咥利失失众心，为其臣统吐屯所袭。咥利失兵败，与其弟步利设⑰走保焉耆。统吐屯等将立欲谷设⑰为大可汗，会统吐屯为人所杀，欲谷设兵亦败，咥利失复得故地。至是，西部竟立欲谷设为乙毗咄陆可汗。乙毗咄陆既立，与咥利失大战，杀伤甚众，因中分其地，自伊列水以西属乙毗咄陆[10]，以东属咥利失⑰。

处月、处密⑰与高昌共攻拔焉耆五城，掠男女一千五百人，焚其庐舍而去。

【段旨】

以上为第六段，写贞观中后期，唐周边各少数民族，西疆吐蕃、北方薛延陀、西北西突厥、西南僚人，仍时叛时服。

【注释】

⑫壬申：五月二十五日。⑫癸酉：七月二十七日。⑬乙亥：七月二十九日。⑬弘州：疑为"松州"（治今四川松潘）之误。⑬霸州山獠：部落名，分布于霸州（治今重庆市巴南区东北）山地的僚族部落。⑬冯德遐：入蕃唐使。事迹见《旧唐书》卷一百九十六上《吐蕃传上》、《新唐书》卷二百十六上《吐蕃传上》。⑬弃宗弄赞：即松赞干布（约公元六一七至六五〇年），吐蕃赞普（国王）和民族英雄。在位期间，统一西藏诸部，定都拉萨，创立吐蕃奴隶制政权的一整套典章制度，并尚唐文成公主，大力发展唐蕃之间的经济文化交流。⑬白兰：羌族部落名，分布于今青海南部和川西地区。⑬韩威：唐初边将，累擢松州都督、伊州刺史。事迹见《旧唐书》卷一百九十六上《吐蕃传上》、《新唐书》卷一百十《阿史那社尔传》。⑬阎州：疑为"阔州"（治今四川松潘北黄胜关北）

霍王李元轨喜欢读书，谦恭谨慎，坚持操守，言行举止都不狂妄。担任徐州刺史时，与处士刘玄平成为布衣之交。人们问刘玄平霍王有什么长处，刘玄平说："没有长处。"问的人觉得很奇怪。刘玄平说："人有短处才能看到他的长处，至于霍王，没有短处，我怎么能说出他的长处呢！"

起初，西突厥咥利失可汗把他的国土分为十部，每部设立一个酋长，仍旧分别赐给一支箭，称为十箭。又分为左、右厢，左厢号称五咄陆，设置五大屈律啜，居住在碎叶以东地区，右厢号称五弩失毕，设立五大俟斤，居住在碎叶以西地区，合起来统称为十姓。咥利失失去民心，被他的臣下统吐屯袭击。咥利失兵败后，与他的弟弟步利设退守焉耆。统吐屯等人想要拥立欲谷设为大可汗，正好赶上统吐屯被人杀死，欲谷设的军队也被打败，咥利失收复原有的土地。到这时，西部终于拥立欲谷设为乙毗咄陆可汗。乙毗咄陆即位之后，与咥利失大战，杀伤甚多，于是把他的地盘从中间分成两块，自伊列水以西属于乙毗咄陆，以东属于咥利失。

处月、处密与高昌一同攻下焉耆五座城池，掠走男女一千五百人，烧毁了他们的房屋后离去。

之误。⑬⑧别丛卧施：党项羌部酋长。⑬⑨把利步利：党项羌部酋长，世袭诺州（隶松州都督府）刺史。⑭⓪壬寅：八月二十七日。⑭①甲辰：八月二十九日。⑭②牛进达：唐初大将，官至左武卫大将军，封琅邪郡公。事迹见《旧唐书》卷六十八《秦叔宝传》、《新唐书》卷一百九十一《忠义传上》等。⑭③左领军将军刘简：字文郁，青州北海（今山东潍坊）人，封平原郡公。贞观末年，因谋反腰斩。传见《旧唐书》卷六十九、《新唐书》卷九十四。据刘简两《唐书》本传，简以功迁丰州刺史，征为右领军将军。⑭④辛亥：九月六日。⑭⑤掩：突然袭击。⑭⑥甲寅：九月九日。⑭⑦草昧：蒙昧；原始未开化状态。⑭⑧都尉揵山：山名，亦称郁督军山、于都斤山、乌德犍山。即今蒙古境内杭爱山。⑭⑨独逻水：亦称独洛河、独乐河、毒乐河。即今蒙古境内土拉河。⑮⓪拔酌颉利苾：拔酌或作拔灼，薛延陀真珠可汗少子，贞观十九年（公元六四五年），杀长兄颉利苾（突利失可汗），自立为颉利俱利薛沙多弥可汗，不久，为回纥所杀。⑮①癸亥：九月十八日。⑮②乙亥：十月一日。⑮③巴州獠：部落名，分布于巴州（治今四川巴中）山地的僚部。⑮④己卯：十月五日。⑮⑤始平：县名，县治在今陕西兴平。⑮⑥乙未：十月二十一日。⑮⑦钧州獠：部落名，分布于钧州（今地不详，或疑"钦州"之误）的獠部。⑮⑧张宝德：唐初边将。事迹见《新唐书》卷二《太宗纪》、卷二百二十二下《南蛮传下》。⑮⑨丁未：十一月三日。⑯⓪飞骑：禁兵的一种。选富户中身强力壮、弓马娴熟者充任，隶于诸卫将军，用以守卫宫

城北门。⑯鞯：马鞍垫子。⑯己巳：十一月二十五日。⑯明州獠：部落名，分布于明州（今贵州望谟、贞丰、册亨、罗甸等县地带。治所不详）的僚部。⑯辛巳：十二月七日。⑯上官怀仁：唐初将领。事迹见《旧唐书》卷三、一百九十三，《新唐书》卷二《太宗纪》、卷二百二十二下《南蛮传下》。⑯壁州：州名，治所在今四川通江县。⑯扬榷：扼要论述。⑯靡靡：神情专注；入迷。⑯刘玄平：事迹见《旧唐书》卷六十四《李元轨传》、《新唐书》卷七十九《李元轨传》。⑰布衣交：贫贱之交。⑰咥利失可汗：即沙钵罗咥利失可汗，姓阿史那，名同娥设，公元六三四至六三九年在位。事迹见《旧唐书》卷一百九十四下《突厥传下》、《新唐书》卷二百十五下《突厥传下》。⑰五咄陆：由西突厥处木昆等五姓部落组成。⑰啜：即屈律啜，突厥第二等官号。据《新唐书·突厥传上》："大臣曰吐护、曰屈律啜、曰阿波、曰俟利发、曰吐屯、曰俟斤、曰阎洪达、曰颉利发、曰达干，凡二十八等。"⑰碎叶：城名、水名，城址在今吉尔吉斯斯坦北部托克马克附近。碎叶水即今中亚楚河。⑰五弩失毕：由西突厥阿悉结等五姓部落组成。⑰步利

【原文】

十三年（己亥，公元六三九年）

春，正月乙巳[180]，车驾谒献陵[181]。丁未[182]，还宫。

戊午[183]，加左仆射房玄龄太子少师[184]。玄龄自以居端揆十五年，男遗爱[185]尚上女高阳公主，女为韩王[186]妃，深畏满盈，上表请解机务，上不许。玄龄固请不已，诏断表[187]，乃就职。太子欲拜玄龄，设仪卫待之。玄龄不敢谒见而归，时人美其有让[188]。玄龄以度支[189]系天下利害，尝有阙，求其人未得，乃自领之。

礼部尚书永宁懿公王珪薨。珪性宽裕，自奉养甚薄。于令，三品已上皆立家庙[190]。珪通贵已久，独祭于寝，为法司所劾。上不问，命有司为之立庙以愧之。

二月庚辰[191]，以光禄大夫尉迟敬德为鄜州都督。

上尝谓敬德曰："人或言卿反，何也？"对曰："臣反是实。臣从陛下征伐四方，身经百战，今之存者，皆锋镝[192]之余也。天下已定，乃

设：步利为名，姓阿史那。设，或作“察”“杀”，突厥、回纥典兵官衔。⑰欲谷设：即西突厥乙毗咄阿可汗。公元六三八至六四二年在位。⑱自伊列水以西属乙毗咄陆二句：此处有误，据沙畹《西突厥史料》等考订正相反，自伊列水（今伊犁河）以东属乙毗咄陆，以西属咥利失。⑲处月、处密：西突厥二别部。处月部分布于今新疆乌鲁木齐东北，处密部分布于乌鲁木齐西北。

【校记】

［7］刘简：严衍《通鉴补》改作“刘兰”。［8］帝王：原无此二字。据章钰校，十二行本、乙十一行本皆有此二字，今据补。［9］右武候将军：原作“左武候将军”。据章钰校，十二行本、乙十一行本“左”字皆作“右”，与《旧唐书·太宗纪下》及《新唐书·太宗纪》《南蛮传下》相合，今据改。［10］乙毗咄陆：原脱“毗”字。据章钰校，十二行本、乙十一行本皆有“毗”字，张敦仁《通鉴刊本识误》同，今据补。

【语译】

十三年（己亥，公元六三九年）

春，正月初一日乙巳，太宗乘车驾拜谒高祖的献陵。初三日丁未，回到宫中。

正月十四日戊午，加封左仆射房玄龄为太子少师。房玄龄认为自己担任尚书省长官已有十五年，儿子房遗爱娶了太宗之女高阳公主，女儿是高祖之子韩王李元嘉的妃子，他深为惧怕富贵满盈，于是上表请求解除机要的职务，太宗不允许。房玄龄坚决地一再请求，太宗下诏不准他再次上表，房玄龄只好就职。太子想向房玄龄行弟子的拜见礼，并设置了仪卫等房玄龄前来。房玄龄不敢谒见太子就返回家中，时人赞美他有谦让的品德。房玄龄认为度支郎中一职关系到国家财政的利害，曾有空缺，未能找到合适的人选，于是自己兼领这一官职。

礼部尚书、永宁懿公王珪去世。王珪性情宽容大方，自身的奉养却很节俭。按照唐代的制度，三品以上的大臣都可建立家庙。王珪跻身显贵已有很长时间，只在家中的内室祭祀祖先，受到有关司法部门的弹劾。太宗不予过问，命令有关部门为他建立家庙来让他羞愧。

二月初七日庚辰，任命光禄大夫尉迟敬德为鄜州都督。

太宗曾对尉迟敬德说：“有人说你谋反，为什么？”尉迟敬德回答说：“我谋反这件事属实。我跟随陛下征伐四方，身经百战，如今留下来的人，都是刀锋箭头之下

更疑臣反乎！”因解衣投地，出其瘢痍。上为之流涕，曰：“卿复服，朕不疑卿，故语卿，何更恨邪！”

上又尝谓敬德曰：“朕欲以女妻卿，何如？”敬德叩头谢曰：“臣妻虽鄙陋，相与共贫贱久矣。臣虽不学，闻古人富不易妻，此非臣所愿[11]也。”上乃止。

戊戌⑲³，尚书奏：“近世掖庭⑲⁴之选，或微贱之族⑲⁵，礼训蔑闻⑲⁶，或刑戮之家⑲⁷，忧怨所积。请自今后宫及东宫内职有阙，皆选良家有才行者充，以礼聘纳，其没官口⑲⁸及素微贱之人，皆不得补用。”上从之。

上既诏宗室群臣袭封刺史，左庶子于志宁以为古今事殊，恐非久安之道，上疏争之。侍御史马周亦上疏，以为：“尧、舜之父，犹有朱、均⑲⁹之子。傥有孩童嗣职，万一骄愚，兆庶被其殃，而国家受其败。正⑳⁰欲绝之也，则子文⑳¹之治犹在；正欲留之也，而栾黡⑳²之恶已彰。与其毒害于见存之百姓，则宁使割恩于已亡之一臣，明矣。然则向所谓爱之者，乃适所以伤之也。臣谓宜赋以茅土⑳³，畴⑳⁴其户邑，必有材行，随器授官，使其人得奉大恩而子孙终其福禄。”

会司空、赵州刺史长孙无忌等皆不愿之国，上表固让，称：“承恩以来，形影相吊⑳⁵，若履春冰⑳⁶，宗族忧虞，如置汤火。缅惟三代封建，盖由力不能制，因而利之，礼乐节文，多非己出。两汉罢侯置守⑳⁷，蠲除⑳⁸曩弊，深协事宜。今因臣等复有变更，恐紊圣朝纲纪，且后世愚幼不肖之嗣，或抵冒邦宪⑳⁹，自取诛夷，更因延世之赏㉑⁰，致成剿绝之祸，良可哀愍。愿停涣汗之旨㉑¹，赐其性命之恩。”无忌又因子妇长乐公主㉑²固请于上，且言“臣披荆棘㉑³事陛下，今海内宁一㉑⁴，奈何弃之外州，与迁徙何异！”上曰：“割地以封功臣，古今通义，意欲公之后嗣，辅朕子孙，共传永久。而公等乃复发言怨望，朕岂强公等以茅土邪！”庚子㉑⁵，诏停世封刺史。

剩余下来的。现在天下已经安定，就来怀疑臣要谋反吗！”于是脱下衣服扔在地上，露出身上的伤疤。太宗为此流下眼泪，说：“你还是穿上衣服，朕不怀疑你，所以才跟你说，为何要愤恨呢！”

太宗又曾对尉迟敬德说：“朕想把女儿嫁给你为妻，怎么样？”尉迟敬德磕头辞谢说：“臣的妻子虽然粗鄙浅陋，但我们一同过贫贱生活很久了。臣虽然没有学问，听说古人富贵之后不换妻子，娶公主不是臣所希望的。”太宗于是作罢。

二月二十五日戊戌，尚书省奏称：“近来掖庭女官的选拔，有的出身于地位微贱的家族，没有听说过宫中的礼仪训条，有的出自受过刑罚诛戮的家族，对朝廷积有怨恨。请求从今日起，后宫及东宫的女官若有空缺，都挑选良好人家中有才能和品行的女子加以补充，按照礼仪进行聘纳，那些因为有罪而被官府抄没以及家族一向低微贫贱的人，都不能补充任用。”太宗同意了这个请求。

太宗已诏令宗室与大臣的子孙可以承袭刺史的官职，左庶子于志宁认为古今政事不同，恐怕并非长治久安之策，上疏谏诤。侍御史马周也上奏，认为：“尧、舜作为父亲，还有丹朱、商均这样不肖的儿子。倘若有孩童承袭父亲的官职，万一长大骄横愚钝，百姓们就会遭殃，国家也会受到破坏。此时如果不想让他承袭父职，就会考虑到他祖先的功劳尚在，就像楚人思念子文治国有功而让其子承袭封地一样；如果想保留他的承袭，可是他的罪恶已像晋国栾氏的后人栾黡一样彰显。与其让他承袭官职毒害当时的百姓，不如对已死大臣割舍皇恩，怎样做更有利于国家是非常明显的。这样看来以前所谓的爱护他们，其实正是害了他们。臣认为应该让他们在封地中获得赋税，享受民户的奉纳，如果确实有才能品行的，就根据才能大小授予官职，让他们得以尊奉皇恩而子孙永享福禄。”

正好赶上司空、赵州刺史长孙无忌等人都不愿意前往封国，上表执意辞让，称：“受到恩遇以来，臣孤立无援，凄凉一身，就像踩在春天的薄冰上一样，全宗族的人都担忧恐惧，就像置身在水火之中。缅怀追思夏、商、周三代实行封土建国的制度，是由于天子力量不能控制整个天下，因此封土建国就有利，而礼乐的仪式制度，大多并非诸侯自己决定。到了两汉，废除了诸侯国而设置郡守县令，废除从前的弊病，深为合乎事理。如今因为我们这些人又有改变，恐怕会扰乱圣朝的政治纲纪，而且后代愚幼无知的不肖子孙，有人会触犯国家法令，自取灭亡，更会因为享受了延续不断的世卿世禄的赏赐，导致最后被剿灭的灾祸，实在值得可怜悲伤。愿陛下停止已经发出难以收回的圣旨，赐给他们保全性命的皇恩。”长孙无忌又让他的儿媳长乐公主极力请求太宗，而且说“臣披荆斩棘侍奉陛下，如今海内安宁统一，为何把我们抛弃在京外州郡，这与降级左迁有什么不同！”太宗说：“分割土地封给有功大臣，是古今的通义，想让你们的后代，辅佐朕的子孙，共同流传延续直到久远。可是你们却又上书表示怨恨，朕难道是用封地强逼你们吗！”二月二十七日庚子，下诏停止世袭刺史。

【段旨】

以上为第七段，写唐太宗欲行封建，世袭刺史，因大臣谏诤而收回成命。

【注释】

⑱乙巳：一月一日。⑱献陵：唐高祖李渊陵寝。在今陕西三原城南二十五公里处的土原上。⑱丁未：正月三日。⑱戊午：一月十四日。⑱太子少师：官名，掌辅导皇太子，从一品阶。与太子少傅、少保合称东宫三少。三少多为大臣虚衔、荣典。⑱遗爱：玄龄次子房遗爱，因与高阳公主等谋反，于永徽三年（公元六五二年）赐死。公主同遗爱传见《旧唐书》卷六十六、《新唐书》卷八十三、九十六。⑱韩王：即李渊第十一子李元嘉。传见《旧唐书》卷六十四，《新唐书》卷七十九。⑱断表：即敕断让官表章。⑱让：谦让；退让。⑱度支：即度支郎中，掌天下租赋、财政支度大权。⑲家庙：唐制，三品以上官得立家庙，以祭祀三代祖先。平民则祭于内寝。⑲庚辰：二月七日。⑲锋镝：锋，刀口。镝，箭头。⑲戊戌：二月二十五日。⑲掖庭：皇宫中宫嫔所居地方。⑲微贱之族：下层小民或从事贱业的家族。此指唐妃嫔之选多由侍儿和歌舞者以进。⑲蔑闻：不知道；没有听说过。⑲刑戮之家：指受过肉刑或已处死刑的人的家

【原文】

高昌王麹文泰[216]多遏绝西域朝贡，伊吾[217]先臣西突厥，既而内属，文泰与西突厥共击之。上下书切责，征其大臣阿史那矩[218]，欲与议事，文泰不遣，遣其长史麹雍来谢罪。颉利之亡也，中国人[219]在突厥者或奔高昌，诏文泰归之，文泰蔽匿不遣。又与西突厥共击破焉耆，焉耆诉之。上遣虞部郎中[220]李道裕[221]往问状，且谓其使者曰："高昌数年以来，朝贡脱略，无藩臣礼，所置官号，皆准天朝[222]，筑城掘沟，预备攻讨。我使者至彼，文泰语之云：'鹰飞于天，雉伏于蒿，猫游于堂，鼠噍[223]于穴，各得其所，岂不能自生邪！'又遣使谓薛延陀曰：'既为可汗，则与天子匹敌，何为拜其使者！'事人无礼，又间[224]邻国，为恶不诛，善何以劝[225]！明年当发兵击汝。"三月，薛延陀可汗遣使上言："奴受恩思报，请发所部为军导以击高昌。"上遣民部尚书唐俭、右领军大将军执失思力赍缯帛赐薛延陀，与谋进取。

属。⑲没官口：指因家人犯罪而被株连没入掖庭为官奴婢的人。⑲朱、均：朱，即尧子丹朱。均，即舜子商均。朱、均不肖，故尧、舜禅位他人。⑳正：假使；即使。㉑子文：春秋时楚国令尹。在其当政期间，国力强盛，曾率军灭弦国、攻随国。至其孙克黄，因有过，楚王欲停绝其封袭，既而王思子文之治，又恢复了克黄的官封。㉒栾黡：晋大夫武子之子，为政骄纵，但父德影响犹在，故得不绝封，至其子盈而被逐。㉓茅土：帝王分封诸侯时，把祭坛上的泥土授以被封之人，作为分得土地的象征。因此，称分诸侯为授茅土。㉔畴：通"酬"。㉕形影相吊：谓孤立无援，凄然一身。㉖若履春冰：像踩踏春天的薄冰。比喻恐惧危险之极。㉗罢侯置守：指废除诸侯分封，推行集权中央的郡县制。㉘蠲除：免除。㉙邦宪：国家法令。㉚延世之赏：指世卿世禄。㉛涣汗之旨：指圣旨既发，只有推行，如人身汗出，不可复收。㉜长乐公主：太宗爱女，长孙皇后所出，下嫁长孙无忌之子长孙冲。传见《新唐书》卷八十三。㉝披荆棘：即披荆斩棘。比喻创业艰苦。㉞海内宁一：国家安定统一。㉟庚子：二月二十七日。

【校记】

［11］非臣所愿：原作"臣非所愿"。据章钰校，十二行本、乙十一行本、孔天胤本皆作"非臣所愿"，张敦仁《通鉴刊本识误》同，今据改。

【语译】

高昌王麹文泰多次拦截阻止西域诸国向唐朝进贡，伊吾以前向西突厥称臣，之后又归附唐朝，麹文泰与西突厥一同讨伐伊吾。太宗颁下诏书责备他，又征召他的大臣阿史那矩，想和他商议有关事务，麹文泰不派他前来，而派他的长史麹雍前来谢罪。颉利可汗灭亡后，流落在突厥的中原人有的投奔到高昌，太宗下诏让麹文泰放他们返回中原，麹文泰把他们藏起来不送回。他又与西突厥一同打败了焉耆，焉耆向唐朝控诉高昌。太宗派虞部郎中李道裕前去询问情况，并且对高昌的使者说："高昌这几年以来，对大唐的朝贡有所减少和忽略，没有藩臣的礼节，所设置的官职名号，都仿效大唐天朝，修建城墙深挖壕沟，预先防备进攻和讨伐。我朝派去的使者到了那里，麹文泰对他说：'老鹰在天上飞翔，野鸡伏在蒿草丛中，猫在厅堂里游玩，老鼠在洞穴中嚼食，它们各得其所，难道不能各自为生吗！'又派使者对薛延陀说：'你既然身为可汗，就可以与天子匹敌了，为何对唐的使者下拜！'侍奉人却无礼，又离间邻国，作恶却不诛杀他，这样行善的人怎能得到劝勉！明年当要发兵讨伐你们。"三月，薛延陀可汗派使者对唐朝说："我受到皇恩想要回报，请求征发我所属的军队作为先导去进攻高昌。"太宗派民部尚书唐俭、右领军大将军执失思力带着丝绸赐给薛延陀，与他谋划攻取高昌。

夏，四月戊寅[226]，上幸九成宫[227]。

初，突厥突利可汗之弟结社率[228]从突利入朝，历位中郎将。居家无赖，怨突利斥之，乃诬告其谋反。上由是薄之，久不进秩[229]。结社率阴结故部落，得四十余人，谋因晋王[230]治四鼓出宫，开门辟仗[231]，驰入宫门，直指御帐，可有大功。甲申[232]，拥突利之子贺逻鹘[233]夜伏于宫外，会大风，晋王未出，结社率恐晓，遂犯行宫，逾四重幕，弓矢乱发，卫士死者数十人。折冲[234]孙武开等帅众奋击，久之，乃退，驰入御厩，盗马二十余匹，北走[235]度渭，欲奔其部落，追获斩之。原贺逻鹘，投于岭表[236]。

庚寅[237]，遣武候将军上官怀仁击巴、壁、洋、集四州[238]反獠，平之，虏男女六千余口。

五月，旱。甲寅[239]，诏五品以上上封事。魏徵上疏，以为："陛下志业，比贞观之初，渐不克终[240]者凡十条。"其间一条以为："顷年[241]以来，轻用民力。乃云：'百姓无事则骄逸，劳役则易使。'自古未有因百姓逸[242]而败、劳而安者也，此恐非兴邦之至言。"上深加奖叹，云："已列诸屏障，朝夕瞻仰，并录付史官。"仍赐徵黄金十斤，厩马二匹。

六月，渝州[243]人侯弘仁自牂柯开道，经西赵[244]，出邕州[245]，以通交、桂，蛮、俚[246]降者二万八千余户。

丙申[247]，立皇弟元婴[248]为滕王。

自结社率之反，言事者多云突厥留河南[249]不便，秋，七月庚戌[250]，诏右武候大将军、化州都督、怀化郡王李思摩为乙弥泥孰俟利苾可汗，赐之鼓纛，突厥及胡在诸州安置者并令渡河[251]，还其旧部，俾世作藩屏，长保边塞。突厥咸惮薛延陀，不肯出塞[252]。上遣司农卿郭嗣本[253]赐薛延陀玺书[254]，言"颉利既败，其部落咸来归化，我略[255]其旧过，嘉其后善，待其达官皆如吾百寮[256]、部落皆如吾百姓。中国贵尚礼义，不灭人国，前破突厥，止为颉利一人为百姓害，实不贪其土地，利其人畜，恒欲更立可汗，故置所降部落于河南，任其畜牧。今户口蕃滋[257]，吾心甚喜。既许立之，不可失信。秋中将遣突厥渡河，复其故国。尔薛

夏，四月初五日戊寅，太宗巡幸九成宫。

起初，突厥突利可汗的弟弟结社率跟随突利入京朝见，在唐朝历任中郎将。在家中没有依靠，就怨恨突利排斥他，于是诬告突利谋反。太宗因此薄待结社率，很久没有晋升他的官阶。结社率暗中纠结原来的部落，收罗了四十多人，谋划利用晋王李治四更出宫，打开宫门排列仪仗队的时候，乘马冲进宫门，直接冲向皇帝的御帐，可以建立夺位的大功。四月十一日甲申，结社率等人簇拥突利之子贺逻鹘夜间潜伏在宫门外，正好刮起大风，晋王没有出宫，结社率担心天亮了，于是进犯太宗的行宫，穿过四层幕帐，弓箭乱射，宫廷卫士死了几十人。折冲都尉孙武开等人率领众卫士奋勇搏击，战斗了很久，结社率才退兵，驰马冲入御马厩中，盗走御马二十多匹，败北逃走并渡过渭水，想逃回他的部落，唐兵追击俘获并且斩杀了他们。太宗原谅了贺逻鹘，把他流放到岭南。

四月十七日庚寅，派遣武候将军上官怀仁进攻巴州、壁州、洋州、集州的反叛獠民，平定了他们，俘虏男女六千多人。

五月，发生旱灾。十二日甲寅，太宗下诏命令五品以上官员密封上奏。魏徵上疏，认为："陛下的志向与帝业，与贞观初年相比，逐渐不能善终的事情总共有十条。"其中的一条认为："近年来，轻易动用民力。并说：'百姓无事可做就会变得骄纵安逸，让他们服劳役就容易使唤。'自古以来没有因百姓安逸而国家败亡、因百姓劳苦而天下安定的，这恐怕不是振兴国家的至理名言。"太宗深加赞赏感叹，说："已将你的奏疏列在屏风上，早晚瞻仰观看，并抄录下来交付史官。"又赐给魏徵黄金十斤，御马二匹。

六月，渝州人侯弘仁从牂柯开通道路，经过西赵，到达邕州，用来沟通交州、桂州，蛮族、俚族向他降服的有二万八千多户。

六月二十五日丙申，太宗册立皇弟李元婴为滕王。

自从结社率反叛后，上书言事的大臣大多认为把突厥人留在黄河以南不方便，秋，七月初九日庚戌，诏令右武候大将军、化州都督、怀化郡王李思摩为乙弥泥孰俟利苾可汗，赐给他大鼓和大旗，对于突厥以及安置在各州的胡人，都命令他们渡过黄河，回到他们原来的部落，使他们世代作为唐朝的外围屏障，长久地保卫边塞。突厥人都惧怕薛延陀，不肯出塞。太宗派司农卿郭嗣本赐给薛延陀玺书，说"颉利可汗已经败亡，他的部落都来归附大唐，朕不计较他们从前的过失，嘉奖他们后来的善行，对待他们的官员就像对待朕自己的百官，对待他们的部族就像对待朕的百姓。中原王朝崇尚礼义，不灭绝他人的国家，先前打败突厥，只是因为颉利可汗一人是百姓的祸害，实在不是贪图他的土地，不把夺取他们的人口和牲畜作为利益，一直都想重立可汗，所以把投降的突厥部落安置在黄河以南一带，任由他们从事畜牧。如今他们的人口增长很快，朕内心非常高兴。既然已答应另立可汗，就不能失信。秋季将要派遣突厥渡过黄河，恢复他们的故国。你薛延陀受到册封在前，突厥

延陀受册[258]在前，突厥受册在后，后者为小，前者为大。尔在碛[259]北，突厥在碛南，各守土疆，镇抚部落。其逾分故相抄掠，我则发兵，各问其罪”。薛延陀奉诏，于是遣思摩帅所部建牙于河北。上御齐政殿[260]饯之，思摩涕泣，奉觞[261]上寿曰："奴等破亡之余，分为灰壤，陛下存其骸骨，复立为可汗，愿万世子孙恒事陛下。"又遣礼部尚书赵郡王孝恭等赍册书就其种落，筑坛于河上而立之。上谓侍臣曰："中国，根干也，四夷，枝叶也，割根干以奉枝叶，木安得滋荣！朕不用魏徵言，几致狼狈[262]。"又以左屯卫将军阿史那忠[263]为左贤王，左武卫将军阿史那泥熟[264][12]为右贤王。忠，苏尼失之子也，上遇之甚厚，妻以宗女。及出塞，怀慕中国，见使者必泣涕请入侍，诏许之。

【段旨】

以上为第八段，写内附突厥人结社率反于长安，太宗遣送内附突厥部落还归旧境。

【注释】

㉖ 麹文泰（？至公元六四〇年）：高昌国王。贞观四年（公元六三〇年）入朝，与唐建立臣隶关系。后妄自尊大，遏绝丝绸之路，遂招致唐军讨伐，文泰惊惧发病死。事迹见《旧唐书》卷一百九十八、《新唐书》卷二百二十一上《高昌传》。㉗ 伊吾：原隋郡名，治所在今新疆哈密西四堡。唐为伊州。㉘ 阿史那矩：突厥人，高昌国大臣。阿史那，姓。矩，名。㉙ 中国人：此谓流落蕃区的中原汉人。㉚ 虞部郎中：官名，工部掌京城绿化、苑囿及百官、蕃客的菜蔬、薪炭、供顿等事的官员。㉛ 李道裕：雍州泾阳（今属陕西）人，后官至大理卿。传见《旧唐书》卷六十三、《新唐书》卷九十九。㉜ 天朝：指唐朝廷。㉝ 噍：鸣叫声，或咬、嚼。㉞ 间：离间；挑拨。㉟ 劝：倡导。㊱ 戊寅：四月五日。㊲ 九成宫：本隋仁寿宫，宫址在今陕西麟游西。㊳ 结社率（？至公元六三九年）：姓阿史那氏。事迹见《旧唐书》卷一百九十四上、《新唐书》卷二百十五上《突厥传上》。㊴ 秩：俸禄、职位或品级。㊵ 晋王：即后来的唐高宗李治，公元六四九至六八三年在位。㊶ 辟仗：卫士在驾前攘辟左右行人，这种为天子"陈兵清道"事宜称辟仗。㊷ 甲申：四月十一日。㊸ 贺逻鹘：事迹见《旧唐书》卷一百九十四上、《新唐书》卷二百十

受到册封在后，在后的为小，在前的为大。你们在沙漠以北，突厥在沙漠以南，各自守卫疆土，镇抚部落。其中如有越过疆界相互劫掠，我大唐就要发兵，分别责问他的罪行”。薛延陀接受诏令，于是太宗派思摩率领所辖部落在黄河以北建立牙帐。太宗亲临齐政殿为他们饯行，思摩泪流满面，捧着酒杯为太宗祝寿说：“我等是亡国剩余之人，已经分散成为灰土，陛下保全了我们的生命，又立为可汗，希望万代的子孙永远侍奉陛下。”太宗又派礼部尚书赵郡王李孝恭等人携带册封文书到他们的部落，在黄河边筑立祭坛而册立他。太宗对侍从大臣说：“中原王朝，是大树的树根树干，四方民族，乃是大树的枝叶，割断树根树干来奉养枝叶，树木怎能生长繁荣呢！朕不采纳魏徵的谏言，差点陷入狼狈境地。”又任命左屯卫将军阿史那忠为左贤王，左武卫将军阿史那泥熟为右贤王。阿史那忠是苏尼失的儿子，太宗待他非常优厚，把宗室之女许配给他。等到出塞，阿史那忠仍然怀恋仰慕中原朝廷，见到来使必定流泪请求入京侍奉，太宗下诏答应了他的请求。

五上《突厥传上》。㉞ 折冲：官名，即折冲都尉。㉟ 北走：败走。非谓向北逃走，从下文“渡渭”可知。渭水（即今渭河）在九成宫南。㊱ 岭表：地区名，即岭南。㊲ 庚寅：四月十七日。㊳ 巴、壁、洋、集四州：州名，巴州治所在今四川巴中，壁州治所在今四川通江，洋州治所在今陕西西乡，集州治所在今四川南江。㊴ 甲寅：五月十二日。㊵ 克终：全终；贯彻到最后。㊶ 顷年：近年。㊷ 逸：安闲。㊸ 渝州：州名，治所在今重庆市。㊹ 西赵：民族名，即西赵蛮，由其首领姓赵得名。分布于今贵州东部，贞观二十一年以其地置明州（今贵州贞丰、册亨、罗甸一带）。㊺ 邕州：州名，治所在今广西南宁南。㊻ 俚：民族名，亦作“里”，今黎族等先民。分布于今广东西南、广西东南、海南地区。㊼ 丙申：六月二十五日。㊽ 元婴：唐高祖第二十一子李元婴（？至公元六八四年）。传见《旧唐书》卷六十四、《新唐书》卷七十九。㊾ 河南：黄河之南，指今内蒙古河套地区。㊿ 庚戌：七月九日。251 河：即黄河。252 塞：塞外；塞北。指长城以北，今内蒙古中部和西部等地区。253 郭嗣本：事迹见《旧唐书》卷一百九十四上、《新唐书》卷二百十五上《突厥传上》。254 玺书：皇帝诏书。255 略：不计；原谅。256 寮：通“僚”。257 蕃滋：繁衍滋生。258 册：帝王封赠臣下的诏书。259 碛：沙漠。此指蒙古高原大沙漠。260 齐政殿：宫殿名，时太宗幸九成宫，齐政殿当在九成宫内。261 觞：盛满酒的杯。262 狼狈：窘迫状。263 阿史那忠（公元六一一至六七五年）：东突厥贵族，尚宗室女定襄县主，累擢诸卫大将军，封薛国公，陪葬昭陵。传见《旧唐书》卷一百九、《新唐书》卷一百十。264 阿史那泥熟：据《十七史商榷·阿史那忠》等，忠与泥熟本为一人。《通鉴》误。

【校记】

［12］阿史那泥熟："史"字原作"失"。据章钰校，十二行本、乙十一行本皆作"史"，张瑛《通鉴校勘记》同，今从改。

【原文】

八月辛未朔㉖⑤，日有食之。

诏以"身体发肤，不敢毁伤。比来诉讼者或自毁耳目，自今有犯，先笞四十，然后依法"。

冬，十月甲申[266]，车驾还京师。

十一月辛亥[267]，以侍中杨师道为中书令。

戊辰[268]，尚书左丞刘洎[269]为黄门侍郎、参知政事。

上犹冀高昌王文泰悔过，复下玺书，示以祸福，征之入朝，文泰竟称疾不至。十二月壬申[270]，遣交河行军大总管、吏部尚书侯君集，副总管兼左屯卫大将军薛万均等将兵击之。

乙亥[271]，立皇子福[272]为赵王。

己丑[273]，吐谷浑王诺曷钵来朝，以宗女为弘化公主[274]，妻之。

壬辰[275]，上畋于咸阳[276]。癸巳[277]，还宫。

太子承乾颇以游畋废学，右庶子张玄素谏，不听。

是岁天下州府凡三百五十八，县一千五百一十一[278]。

太史令傅奕精究术数[279]之书，而终不之信[280]，遇病，不呼医饵药。有僧自西域来，善咒术[281]，能令人立死，复咒之使苏。上择飞骑中壮者试之，皆如其言。以告奕，奕曰："此邪术也。臣闻邪不干正，请使咒臣，必不能行。"上命僧咒奕。奕初无所觉，须臾，僧忽僵仆[282]，若为物所击，遂不复苏。又有婆罗门[283]僧，言得佛齿，所击前无坚物。长安士女辐凑[284]如市。奕时卧疾，谓其子曰："吾闻有金刚石[285]者[13]，性至坚，物莫能伤，唯羚羊角能破之，汝往试焉。"其子往见佛齿，出

【语译】

八月初一日辛未，发生日食。

太宗下诏说“人的身体发肤，是父母给予的，不敢有丝毫损伤。近来上诉告状的有人损毁自己的耳目，从今往后再有这样的，先鞭笞四十，然后再依法处理”。

冬，十月十五日甲申，太宗的车驾回到长安。

十一月十三日辛亥，任命侍中杨师道为中书令。

三十日戊辰，任命尚书左丞刘洎为黄门侍郎、参知政事。

太宗还希望高昌王麴文泰能够悔过，又颁下玺书，向他晓谕祸福利害，征召他入朝，麴文泰竟然称病不来朝见。十二月初四日壬申，派交河行军大总管、吏部尚书侯君集，行军副总管兼左屯卫大将军薛万均等人领兵进攻高昌。

十二月初七日乙亥，立皇子李福为赵王。

二十一日己丑，吐谷浑国王诺曷钵来京朝见，太宗册封宗室之女为弘化公主，嫁给他为妻。

二十四日壬辰，太宗到咸阳狩猎。二十五日癸巳，回到宫中。

太子李承乾常游猎而荒废学业，右庶子张玄素劝谏，他不听从。

这一年，全国有三百五十八个州府，一千五百一十一个县。

太史令傅奕精心研究术数的书籍，但最终也不相信术数，自己生了病，不叫医生不吃药。有个僧人从西域来，擅长诅咒之术，能让人立刻死去，又能念咒让他苏醒。太宗挑选飞骑卫队中的强壮士兵让他试验，都像他说的一样。太宗将此事告诉傅奕，傅奕说：“这是妖邪之术。臣听说邪不压正，请让他对我念咒语，必然不能灵验。”太宗命僧人对傅奕念咒语。傅奕起初没有感觉，不一会儿，僧人忽然身体僵挺倒地，好像是被什么东西击倒，于是不再苏醒。又有一个印度僧人，自称得到了佛牙，用它击打东西都无坚不摧。长安城内男男女女聚集前来观看，如同市场一样热闹。傅奕当时卧床养病，对他儿子说：“我听说有金刚石，质地极为坚硬，什么物体都不能损伤它，只有羚羊角能击破它，你前去试一试。”傅奕之子前去观看佛牙，拿

角叩之，应手而碎，观者乃止。奕临终，戒其子无得学佛书，时年八十五。又集魏、晋以来驳佛教者为《高识传》十卷，行于世。

西突厥咥利失可汗之臣俟利发㉘⁶与乙毗咄陆可汗通谋作乱，咥利失穷蹙，逃奔钹汗㉘⁷而死。弩失毕部落迎其弟子薄布特勒㉘⁸立之，是为乙毗沙钵罗叶护可汗。沙钵罗叶护既立，建庭于虽合水㉘⁹北，谓之南庭，自龟兹、鄯善、且末、吐火罗、焉耆、石、史、何、穆、康㉙⁰等国皆附之。咄陆建庭[14]于镞曷山㉙¹西，谓之北庭，自厥越失㉙²、拔悉弥㉙³、驳马㉙⁴、结骨㉙⁵、火燖㉙⁶、触水昆㉙⁷[15]等国皆附之，以伊列水㉙⁸为境。

【段旨】

以上为第九段，写太史令傅奕排佛，唐调整与西北各少数民族的关系，恩威并施，兵伐高昌。

【注释】

㉖⁵辛未朔：八月一日。㉖⁶甲申：十月十五日。㉖⁷辛亥：十一月十三日。㉖⁸戊辰：十一月三十日。㉖⁹刘洎（？至公元六四五年）：荆州江陵（今湖北江陵）人，唐初大臣，太宗时为相，贞观十九年（公元六四五年），被人诬陷，赐死。传见《旧唐书》卷七十四、《新唐书》卷九十九。㉗⁰壬申：十二月四日。㉗¹乙亥：十二月七日。㉗²福：太宗第十三子李福。传见《旧唐书》卷七十六、《新唐书》卷八十。㉗³己丑：十二月二十一日。㉗⁴弘化公主（公元六二三至六九八年）：唐和蕃公主，宗室女。武则天时，赐姓武，改封西平大长公主。事迹见《旧唐书》卷一百九十八《吐谷浑传》、《新唐书》卷二百二十一上《吐谷浑传》。㉗⁵壬辰：十二月二十四日。㉗⁶咸阳：县名，县治在今陕西咸阳东北。㉗⁷癸巳：十二月二十五日。㉗⁸县一千五百一十一：据《新唐书》卷三十七《地理志一》，县数为一千五百五十一。㉗⁹术数：以方术迷信（如占星、卜筮等）来预测人的祸福吉凶。㉘⁰不之信：不信之；对之不相信。㉘¹咒术：诅咒之术。㉘²僵仆：仆倒而死。㉘³婆罗门：印度古称。㉘⁴辐凑：本指车辐凑集于毂上，引申为人或物的集聚。㉘⁵金刚石：矿物名，作研磨和切割材料用，或加工为钻石，用为装饰品。㉘⁶俟利发：本为突厥第四等

出羚羊角叩打，佛牙应声破碎，观看的人于是散去。傅奕临死前，告诫他的儿子不要学习佛教书，死时八十五岁。他又搜集魏晋以来驳斥佛教的言论编为《高识传》十卷，流传于世。

西突厥咥利失可汗的大臣俟利发与乙毗咄陆可汗密谋叛乱，咥利失困窘，逃奔钹汗之后死去。弩失毕部落迎接他弟弟的儿子薄布特勒立为可汗，这就是乙毗沙钵罗叶护可汗。沙钵罗叶护即位后，在虽合水北岸建立牙帐，称之为南庭，龟兹、鄯善、且末、吐火罗、焉耆、石国、史国、何国、穆国、康国等都归附他。咄陆在镞曷山西麓建立牙帐，称为北庭，厥越失、拔悉弥、驳马、结骨、火焊、触水昆等国都依附他，双方以伊列水为边界。

官称，此以官名为人名。俟利发为世袭吐屯（第五等官称）的西突厥部酋。《新唐书·西突厥传》作"俟列发"。㉘⑦钹汗：中亚国名，又称"钹汗那""破洛那""大宛"。在今中亚费尔干纳盆地。㉘⑧薄布特勒：《旧唐书·突厥传》作"薄布特勤"，《新唐书·突厥传》作"毕贺咄叶护"。㉘⑨虽合水：即碎叶水（今中亚楚河）。㉙⓪鄯善、且末、吐火罗句：鄯善，在今新疆若羌。且末，在今新疆且末西南。吐火罗，在今阿富汗北。石国，在今中亚塔什干。史国，在今中亚撒马尔罕东南。何国，在今中亚撒马尔罕西北。穆国，在今中亚查尔朱。康国，在今中亚撒马尔罕一带。㉙①镞曷山：其地不详，或谓今中亚吉尔吉斯山。㉙②厥越失：中亚民族名，分布地不详。㉙③拔悉弥：又作"拔悉蜜""弊剌"。铁勒诸部之一，分布于今新疆吉木萨尔北，后部分迁于今鄂尔浑河流域。㉙④驳马：铁勒诸部之一，分布于今俄罗斯叶尼塞河至勒拿河一带。㉙⑤结骨：又称"坚昆""黠戛斯"等，铁勒诸部之一。分布于今叶尼塞河上游地带。㉙⑥火焊：又称"货利习弥""过利"，分布于今阿姆河北。㉙⑦触水昆：又称"处木昆"，西突厥五咄陆部之一，分布于今新疆塔尔巴哈台一带。㉙⑧伊列水：即今伊犁河。

【校记】

［13］者：原无此字。据章钰校，十二行本、乙十一行本皆有此字，今据补。［14］庭：原作"牙"。据章钰校，十二行本、乙十一行本皆作"庭"，今从改。〖按〗作"庭"，与上文"建庭于虽合水北"一致。［15］触水昆：据《通典》卷一百九十九、《寰宇记》卷一百九十七，当作"触木昆"。

【原文】

十四年（庚子，公元六四〇年）

春，正月甲寅㉙，上幸魏王泰第，赦雍州长安系囚大辟㉚以下，免延康里㉛今年租赋，赐泰府僚属及同里老人有差。

二月丁丑㉜，上幸国子监，观释奠㉝，命祭酒孔颖达㉞讲《孝经》㉟，赐祭酒以下至诸生高第帛有差。是时上大征天下名儒为学官㊱，数幸国子监，使之讲论，学生能明一大经㊲已上，皆得补官。增筑学舍千二百间，增学生满二[16]千二百六十员。自屯营飞骑，亦给博士，使授以经，有能通经者，听得贡举㊳。于是四方学者云集京师，乃至高丽、百济、新罗、高昌、吐蕃㊴诸酋长亦遣子弟请入国学，升讲筵㊵者至八千余人。上以师说多门，章句繁杂，命孔颖达与诸儒撰定"五经"㊶疏，谓之《正义》，令学者习之。

壬午㊷，上行幸骊山温汤㊸。辛卯㊹，还宫。

乙未㊺，诏求近世名儒梁皇甫侃、褚仲都，周熊安生、沈重，陈沈文阿、周弘正、张讥，隋何妥、刘炫㊻等子孙以闻，当加引擢。

【段旨】

以上为第十段，写唐太宗兴儒学，诏孔颖达等编定《五经正义》，至今行于世。

【注释】

㉙甲寅：一月十六日。㉚大辟：死刑。㉛延康里：长安里坊名，在今西安边家村一带。㉜丁丑：二月十日。㉝释奠：古代学校陈设酒食祭奠孔子的典礼。㉞孔颖达（公元五七四至六四八年）：唐初经学家，字冲远，冀州衡水（今河北衡水市）人，历任国子博士、国子司业。主编《五经正义》《孝经义疏》等。传见《旧唐书》卷七十三、《新唐书》卷一百九十八。㉟《孝经》：共十八章，孔门后学所撰。该书论述封建孝道，宣传宗法伦理思想，为儒家经典之一。㊱学官：主管学校的官员和官学教师的统称，如国子祭酒、

【语译】

十四年（庚子，公元六四〇年）

春，正月十六日甲寅，太宗临幸魏王李泰的府第，大赦雍州、长安斩刑以下的囚犯，免除延康里今年的租赋，赏赐魏王府的僚属以及延康里老人物品，各有差等。

二月初十日丁丑，太宗临幸国子监，观看释奠之礼，命国子监祭酒孔颖达讲解《孝经》，赏赐祭酒以下直至成绩优异的诸生分别不等的绢帛。此时太宗大量征召全国名儒担任学官，让他们讲论儒家经典，学生能够通晓一部以上大型经典的，都可以补为官员。又扩建学生馆舍一千二百间，增招学生满额为二千二百六十人。屯驻的飞骑卫士也派去博士，让他们传授经典，如果能通晓儒家经典的，听任卫士参加贡举考试。于是四方的学者云集到长安，甚至高丽、百济、新罗、高昌、吐蕃等国的酋长也派子弟请求进入国子监学习，升到讲堂听讲学习的多达八千多人。因为经师解经出自多种师门，章句注释过于烦琐杂乱，太宗就命孔颖达与诸位儒生共同写定“五经”注疏，称之为《正义》，让学者们研习。

二月十五日壬午，太宗巡幸骊山温汤。二十四日辛卯，回到宫中。

二十八日乙未，太宗下诏访求近世名儒梁朝的皇甫侃、褚仲都，北周的熊安生、沈重，陈朝的沈文阿、周弘正、张讥，隋朝的何妥、刘炫等人的后代，上报给朝廷，应当加以提拔任用。

博士、助教等。㉝⑦大经：唐取士以《礼记》《春秋左传》为大经。㉝⑧贡举：指官吏向天子推荐人才，亦指科举。㉝⑨高丽、百济句：国名，高丽辖境相当于今鸭绿江及大同江流域，国都平壤。百济辖境相当于今朝鲜半岛西南部。新罗管辖今朝鲜半岛东南部，后又灭高丽、百济，统一半岛大部。吐蕃，今藏族先民于公元七至九世纪在青藏高原建立的政权。⑶⑩讲筵：讲席。⑶⑪“五经”：儒家《诗经》《尚书》《礼记》《易经》《春秋》五部经典的总称。⑶⑫壬午：二月十五日。⑶⑬骊山温汤：今陕西西安市临潼区华清池。⑶⑭辛卯：二月二十四日。⑶⑮乙未：二月二十八日。⑶⑯皇甫侃、褚仲都四句：皇甫侃，传见《梁书》卷四十八、《南史》卷七十一。褚仲都，事迹见《南史》卷七十四《褚脩传》等。熊安生、沈重，传见《周书》卷四十五、《北史》卷八十二。沈文阿，传见《梁书》卷四十八、《陈书》卷三十三、《南史》卷七十一。周弘正，传见《陈书》卷二十四、《南史》卷三十四。张讥，传见《陈书》卷三十三、《南史》卷七十一。何妥、刘炫，传见《隋书》卷七十五、《北史》卷八十二。

【校记】

［16］二：据章钰校，十二行本、乙十一行本皆作“三”。

【原文】

三月，窦州道行军总管党仁弘[317]击罗窦反獠[318]，破之，俘七千余口。

辛丑[319]，流鬼国[320]遣使入贡。去京师万五千里，滨于北海，南邻靺鞨，未尝通中国，重三译[321]而来。上以其使者佘志[322]为骑都尉[323]。

丙辰[324]，置宁朔大使以护突厥。

夏，五月壬寅[325]，徙燕王灵夔[326]为鲁王。

上将幸洛阳，命将作大匠阎立德[327]行清暑之地。秋，八月庚午[328]，作襄城宫[329]于汝州西山。立德，立本[330]之兄也。

高昌王文泰闻唐兵起，谓其国人曰：“唐去我七千里，沙碛居其二千里，地无水草，寒风如刀，热风如烧，安能致大军乎！往吾入朝，见秦、陇之北，城邑萧条，非复有隋之比。今来伐我，发兵多则粮运不给，三万已下，吾力能制之。当以逸待劳，坐收其弊。若顿兵城下，不过二十日，食尽必走，然后从而虏之，何足忧也！”及闻唐兵临碛口[331]，忧惧不知所为，发疾卒，子智盛[332]立。

军至柳谷[333]，诇[334]者言文泰刻日将葬，国人咸集于彼，诸将请袭之。侯君集曰：“不可。天子以高昌无礼，故使吾讨之。今袭人于墟墓之间，非问罪之师也。”于是鼓行而进，至田城[335]，谕之，不下，诘朝[336]攻之，及午[337]而克，虏男女七千余口。以中郎将辛獠儿[338]为前锋，夜趋其都城。高昌逆战而败，大军继至，抵其城下。

智盛致书于君集曰：“得罪于天子者，先王也，天罚所加，身已物故[339]。智盛袭位未几，惟尚书怜察。”君集报曰：“苟能悔过，当束手军门。”智盛犹不出。君集命填堑攻之，飞石雨下，城中人皆室处。

【语译】

三月，窦州道行军总管党仁弘进攻罗窦的反叛獠民，将他们击败，俘虏七千多人。

初四日辛丑，流鬼国派使节进京朝贡。该地离长安一万五千里，濒临北海，南邻靺鞨，以前未曾与中原有过来往，通过多次辗转翻译而来到唐朝。太宗任命该国使者余志为骑都尉。

十九日丙辰，设置宁朔大使以保护突厥。

夏，五月初六日壬寅，把燕王李灵夔改封为鲁王。

太宗将要临幸洛阳，命令将作大匠阎立德巡视清静的避暑之地。秋，八月初五日庚午，在汝州的西山修建襄城宫。阎立德是阎立本的哥哥。

高昌王麹文泰听说唐军前来讨伐，对他的国人说："唐朝距离我们有七千里，中间有二千里沙漠，地上没有水草，寒风刮起来如同刀割，热风如同火烧，怎能让大部队来到我们这里！以前我去唐朝，看见秦、陇的北面，城镇萧条，不再可与隋朝相比。如今唐军前来讨伐，出兵多粮草就供应不上，如果是三万以下，我们的力量就能制服他们。我们应当以逸待劳，坐收他们大军疲弊的好处。如果他们屯兵城下，不过二十天，粮食吃完就必然要撤退，然后我们就可以出兵俘虏他们，有什么值得忧虑呢！"等到听说唐军兵临碛口，他又恐惧得不知如何是好，最后发病而死。他的儿子智盛即位。

唐军到达柳谷，侦探说麹文泰近日就要下葬，高昌国人都聚集在墓地，唐军各位将领请求袭击他们。侯君集说："不能这样。天子认为高昌无礼，所以派我们来讨伐。如今在墓地上袭击他们，这不是讨伐罪行的正义之师。"于是击鼓行军，前进到田城，宣讲朝廷的旨意，高昌人不投降，于是第二天清晨进攻他们，到了中午就攻克城池，俘虏男女七千多人。又任命中郎将辛獠儿为前锋，夜里直逼高昌的都城。高昌人来迎战而大败，唐朝大军随后赶到，直抵城下。

麹智盛给侯君集写信说："得罪唐天子的人，是我们的先王，上天对他进行惩罚，他本人已经去世。智盛即位时间不久，请尚书怜悯体察。"侯君集回信说："如果能悔改过错，应当捆起双手来我营门投降。"麹智盛还是不出来。侯君集下令填埋沟壕攻城，城上飞石如雨点一样落下，城中人都躲在房屋中。唐军又建造巢车，高达

又为巢车[340]，高十丈，俯瞰城中。有行人及飞石所中，皆唱言之。先是，文泰与西突厥可汗相结，约有急相助。可汗遣其叶护[341]屯可汗浮图城[342]，为文泰声援。及君集至，可汗惧而西走千余里，叶护以城降。智盛穷蹙，癸酉[343]，开门出降。君集分兵略地，下其二十二城，户八千四十六，口一万七千七百，地东西八百里、南北五百里。

上欲以高昌为州县，魏徵谏曰："陛下初即位，文泰夫妇首来朝，其后稍骄倨，故王诛加之。罪止文泰可矣，宜抚其百姓，存其社稷，复立其子，则威德被于遐荒[344]，四夷皆悦服矣。今若利其土地以为州县，则常须千余人镇守，数年一易，往来死者什有三四，供办衣资，违离亲戚，十年之后，陇右[345]虚耗[346]矣。陛下终不得高昌撮粟尺帛以佐中国，所谓散有用以事无用，臣未见其可。"上不从。九月，以其地为西州[347]，以可汗浮图城为庭州，各置属县。乙卯[348]，置安西都护府于交河城[349]，留兵镇之。

君集虏高昌王智盛及其群臣豪杰而还。于是唐地东极于海，西至焉耆，南尽林邑[350]，北抵大漠[351]，皆为州县，凡东西九千五百一十里，南北一万九百一十八里。

侯君集之讨高昌也，遣使约焉耆与之合势。焉耆喜，听命。及高昌破，焉耆王诣军门谒见君集，且言焉耆三城先为高昌所夺，君集奏并高昌所掠焉耆民悉归之。

【段旨】

以上为第十一段，写高昌平服，设置郡县，西域纳入唐版图，设置安西都护府，唐疆域达于极盛。

十丈，可以俯瞰城内。城内有行人出现以及飞石击中目标，巢车上的人都大声报告。在此之前，麴文泰与西突厥可汗相互勾结，约定出现紧急战况时就相互救援。西突厥可汗派他的叶护官驻守可汗浮图城，作为麴文泰的声援。等侯君集率大军到来，西突厥可汗害怕了，向西逃跑一千多里，叶护官率城投降唐军。麴智盛穷困急迫，八月初八日癸酉，开门出城投降。侯君集分兵占领各地，攻下高昌的城池二十二座，俘获八千四十六户、一万七千七百人，占地东西八百里、南北五百里。

太宗想把高昌置为州县，魏徵劝谏说："陛下刚即位时，麴文泰夫妇首先来朝拜，此后稍微骄傲自大，所以帝王对他进行诛伐。只对麴文泰一人问罪就可以了，应当安抚他的百姓，保存高昌的社稷，重新立他的儿子为可汗，这样大唐的威望与德行就能传播到荒远之地，四方民族都会心悦诚服。如今要是贪图他们的土地而置为州县，就需要有一千多人常年镇守，几年轮换一批，来往途中死掉十分之三四，还要供应置办衣服与物资，士兵们远离亲人，十年以后，陇右地区就会消耗空虚。陛下最终不能得到高昌的一撮粮食、一尺布匹来佐助中原，正是所谓分散有用的资财而用在无用之地，臣看不到有可行之处。"太宗不听从他的意见。九月，把高昌地区置为西州，把可汗浮图城改为庭州，并分别设置所统辖的县。二十一日乙卯，在交河城设立安西都护府，留下部队镇守。

侯君集俘虏了高昌王麴智盛和他的大臣以及地方豪杰返回朝廷。此时唐朝的疆域东到大海，西至焉耆，南达林邑，北抵大沙漠，都设立了州县，总共东西宽九千五百一十里，南北长一万九百一十八里。

侯君集征讨高昌时，曾派出使节邀约焉耆与唐军合围高昌。焉耆王非常高兴，愿意听命。等到高昌灭亡后，焉耆王到唐军营地拜见侯君集，而且说焉耆三座城先前被高昌夺去，侯君集禀报朝廷，将三座城池连同高昌掠夺的焉耆百姓全部归还焉耆。

【注释】

㉛⑦党仁弘：关中羌豪，唐朝功臣。官至广州都督，封常山郡公。事迹见《新唐书》卷二《太宗纪》、卷五十《兵志》、卷二百二十二下《南蛮传下》。⑱罗窦反獠：罗窦僚，即罗窦洞僚，分布于窦州（治今广东高州西北）山地。⑲辛丑：三月四日。⑳流鬼国：在北海（今鄂霍次克海）以北。㉑重三译：辗转翻译。三，表示多次或多数。㉒佘志：事迹见《册府元龟·外臣部·鞮译》等。㉓骑都尉：勋官名，视从五品。㉔丙辰：三月十九日。㉕壬寅：五月初六。㉖灵夔：唐高祖第十九子李灵夔。传见《旧唐书》卷六十四、《新唐书》卷七十九。㉗阎立德（？至公元六五六年）：名让，字立德，雍州

万年（今陕西西安）人，杰出工程家，多次主持离宫、船舰、桥梁营造。官至工部尚书、摄司空，封大安县公。传见《旧唐书》卷七十七、《新唐书》卷一百。[328]庚午：八月五日。[329]襄城宫：又名清暑宫，为太宗行宫。在今河南汝州鸣皋山南。[330]立本：阎立本（约公元六〇一至六七三年），雍州万年（今陕西西安）人，唐杰出画家，高宗时宰相。传见新、旧《唐书·阎立德传》附传。[331]碛口：河西走廊戈壁的西口，在吐鲁番东。[332]智盛：高昌王麹文泰嗣子麹智盛，降唐后拜左卫将军，封金城郡公。事迹见《旧唐书》卷一百九十八、《新唐书》卷二百二十一上《高昌传》。[333]柳谷：即柳谷渡。故址在今新疆吐鲁番北约一百公里处。[334]诇：侦察。[335]田城：即高昌田地郡，治所在今新疆鄯善西南鲁克沁。[336]诘朝：早晨。[337]午：十一时至十三时。[338]辛獠儿：原为梁师都部

【原文】

冬，十月甲戌[352]，荆王元景等复表请封禅[353]，上不许。

初，陈仓[354]折冲都尉鲁宁坐事系狱，自恃高班[355]，慢骂陈仓尉尉氏刘仁轨[356]，仁轨杖杀之，州司以闻。上怒，命斩之，怒[17]犹不解，曰："何物县尉，敢杀吾折冲！"命追至长安面诘之。仁轨曰："鲁宁对臣百姓辱臣如此，臣实忿而杀之。"辞色自若。魏徵侍侧，曰："陛下知隋之所以亡乎？"上曰："何也？"征曰："隋末，百姓强而陵官吏，如鲁宁之比是也。"上悦，擢仁轨为栎阳丞[357]。

上将幸同州校猎[358]，仁轨上言："今秋大稔[359]，民收获者什才一二，使之供承猎事，治道葺桥，动费一二万功，实妨农事。愿少留銮舆[360]旬日，俟其毕务，则公私俱济。"上赐玺书嘉纳之。寻迁新安[361]令。闰月乙未[362]，行幸同州。庚戌[363]，还宫。

丙辰[364]，吐蕃赞普遣其相禄东赞[365]献金五千两及珍玩数百以请昏，上许以文成公主[366]妻之。

十一月甲子朔[367]，冬至，上祀南郊。时《戊寅历》[368]以癸亥为朔[369]，宣义郎[370]李淳风[371]表称："古历分日起于子半[372]，今岁甲子朔旦冬至，而故太史令傅仁均减余稍多，子初[373]为朔，遂差三刻，用乖天正[374]，请更

将，降唐后官至中郎将等职。事迹见《旧唐书》卷五十六《梁师都传》，《新唐书》卷八十七《梁师都传》、卷二百二十一上《高昌传》。㊴ 物故：故；亡故。㊵ 巢车：古代军中用以瞭望敌情的兵车。因车高似巢而得名。㊶ 叶护：突厥二十八等官级之首。㊷ 可汗浮图城：古城名，因突厥可汗曾于此建立浮图（即佛塔）而得名。故址在今新疆吉木萨尔北破城子。㊸ 癸酉：八月八日。㊹ 遐荒：指边远地区。㊺ 陇右：地区名，泛指陇山以西地区。㊻ 虚耗：消耗一空。㊼ 西州：州名，治所在今新疆吐鲁番高昌废址。㊽ 乙卯：九月二十一日。㊾ 交河城：在今新疆吐鲁番西北雅尔湖村附近。高昌国交河郡治和唐交河县治所在。㊿ 林邑：国名、隋郡名，林邑国在今越南中南部。隋林邑郡治所在今越南广南维川县南茶桥。(351) 大漠：今蒙古高原大沙漠。

【语译】

冬，十月初十日甲戌，荆王李元景等人又上表请求封禅，太宗没有同意。

当初，陈仓折冲都尉鲁宁因事获罪入狱，自恃官职等级高，谩骂陈仓尉尉氏人刘仁轨，刘仁轨用监杖把鲁宁打死，州官上报了朝廷。太宗很生气，诏令把刘仁轨斩首，但怒气还是没有消除，说："是个什么样的县尉，胆敢杀死我的折冲都尉！"命令把刘仁轨押到长安当面质问。刘仁轨说："鲁宁当着陈仓百姓的面羞辱臣，臣实在愤恨就杀了他。"回答时神色自若。魏徵正侍从太宗身旁，说："陛下知道隋朝灭亡的原因吗？"太宗问："什么原因？"魏徵说："隋朝末年，百姓强硬，敢于欺凌官吏，如同鲁宁这样的就是。"太宗很高兴，提拔刘仁轨为栎阳县丞。

太宗将要去同州围猎，刘仁轨上书说："今年秋天大丰收，百姓收割庄稼才十分之一二，让他们供奉陛下狩猎之事，修路修桥，耗费一两万人工，实在妨碍农事。希望陛下的车驾稍微停留十天半月，等到百姓收割完毕，对公家私人之事都有好处。"太宗赐给玺书对他进行嘉奖并采纳他的意见。不久，提升他为新安县令。闰十月初二日乙未，太宗出行巡幸同州。十七日庚戌，返回宫中。

闰十月二十三日丙辰，吐蕃赞普派他的丞相禄东赞向唐朝进献五千两黄金以及几百种珍贵宝器以请求通婚，太宗答应把文成公主下嫁给他为妻。

十一月初一日甲子，这一天冬至，太宗在京城南郊祭天。当时的《戊寅历》以癸亥日为十一月的初一日，宣义郎李淳风上表说："古代历法把两天的分界线定在子时的一半，今年十一月初一日甲子的子时的一半算作冬至，而前太史令傅仁均减除的时刻稍微多了一点，从子时的初刻就算为初一日，这样就与实际的初一日时差三刻，违背了天时历法的计算起点时刻，请求重新计算考定。"众人议论认为傅仁均计

加考定。”众议以仁均定朔微差，淳风推校精密，请如淳风议，从之。

丁卯[375]，礼官奏请加高祖[376]父母服齐衰[377]五月，嫡子妇服期，嫂、叔、弟妻、夫兄、舅皆服小功[378]，从之。

丙子[379]，百官复表请封禅，诏许之。更命诸儒详定仪注[380]，以太常卿韦挺等为封禅使。

司门员外郎[381]韦元方给给使[382]过所[383]稽缓[384]，给使奏之。上怒，出元方为华阴令。魏徵谏曰：“帝王震怒，不可妄发。前为给使，遂夜出敕书，事如军机，谁不惊骇！况宦者之徒，古来难养，轻为言语，易生患害，独行远使，深非事宜，渐不可长，所宜深慎。”上纳其言。

尚书左丞[385]韦悰[386]句司农木橦[387]价贵于民间，奏其隐没。上召大理卿孙伏伽书司农罪。伏伽曰：“司农无罪。”上怪问其故，对曰：“只为官橦贵，所以私橦贱。向使官橦贱，私橦无由贱矣。但见司农识大体，不知其过也。”上悟，屡称其善，顾谓韦悰曰：“卿识用不逮伏伽远矣。”

十二月丁酉[388]，侯君集献俘于观德殿[389]。行饮至礼，大酺三日。寻以智盛为左武卫将军、金城郡公。上得高昌乐工，以付太常，增九部乐为十部[390]。

君集之破高昌也，私取其珍宝。将士知之，竞为盗窃，君集不能禁，为有司所劾，诏下君集等狱。中书侍郎岑文本上疏，以为：“高昌昏迷，陛下命君集等讨而克之，不逾旬日，并付大理。虽君集等自挂网罗，恐海内之人疑陛下唯录其过而遗其功也。臣闻命将出师，主于克敌，苟能克敌，虽贪可赏，若其败绩，虽廉可诛。是以汉之李广利[391]、陈汤[392]，晋之王濬[393]，隋之韩擒虎[394]，皆负罪谴，人主以其有功，咸受封赏。由是观之，将帅之臣，廉慎者寡，贪求者众。是以黄石公[395]《军势》曰：‘使智，使勇，使贪，使愚，故智者乐立其功，勇者好行其志，贪者急趋其利，愚者不计其死。’伏愿录其微劳，忘其大过，使君集重升朝列，复备驱驰。虽非清贞之臣，犹得贪愚之将，斯

算的初一日时刻稍有误差，李淳风推算校定的时刻较为精密，请求遵照李淳风的意见，太宗听从了众人的建议。

十一月初四日丁卯，礼官上奏请求增加为高祖父母穿着齐衰丧服的时间为五个月，为嫡子的媳妇服丧时间为一年，为嫂、叔、弟妻、夫兄、舅的服丧时间都为小功五个月，太宗听从了这一建议。

十一月十三日丙子，文武百官又上表请求行封禅礼，太宗下诏同意了。又诏命众位儒师详细商定封禅的礼仪，任命太常寺卿韦挺等人为封禅使。

司门员外郎韦元方向给使宦官发放过关凭证拖延迟缓，给使官上奏了此事。太宗很生气，把韦元方降职为华阴令。魏徵劝谏说："帝王震怒，不可随便发作。前几天为了给使官之事，连夜发出敕书，事情紧急得如同军机大事，谁能不惊骇？何况宦官之流，自古以来难以豢养，往往随意说话，容易产生祸害，单独出行到远方办事，非常不合时宜，此风不可增长，应当深为慎重。"太宗听从了他的意见。

尚书左丞韦悰核查司农卿出售木头的价格比民间还贵，上奏太宗说司农卿隐瞒贪污。太宗召见大理寺卿孙伏伽书写司农卿的罪状。孙伏伽说："司农卿没有罪。"太宗觉得奇怪而问他原因，孙伏伽回答说："只因为官府的木材贵，所以私人的木材才能卖得贱。如果官府的木材卖得贱，私人的木材就无法再贱了。我只看到司农卿识大体，不知道他有什么过错。"太宗于是醒悟，多次称赞孙伏伽的善言，并对韦悰说："卿的见识比不上孙伏伽。"

十二月初五日丁酉，侯君集在观德殿献上高昌的俘虏。为此举行庆功宴，大吃大喝了三天。不久就任命麹智盛为左武卫将军、金城郡公。太宗得到高昌的乐工，把他们交给太常寺，并把九部乐增加为十部乐。

侯君集攻破高昌时，私自拿了高昌国王的珍宝。将士知道此事，就竞相偷盗当地的珍宝，侯君集不能禁止，被有关部门弹劾，太宗下诏把侯君集等人关进狱中。中书侍郎岑文本上奏，认为："高昌王昏庸愚蠢，陛下命侯君集等人讨伐并攻克了他们，没有超过十天，就一并交付大理寺审查。即使侯君集等人自己犯了法，也怕天下的人怀疑陛下只知记录他们的过失而忘了他们的功劳。臣听说将领受命出征，主要是去攻克敌人，如果能战胜敌人，即使贪污也可以封赏，如果战败了，即使清廉也可以诛杀。所以汉代的李广利、陈汤，晋代的王濬，隋朝的韩擒虎，身上都背负着罪行，但君主因为他们有功，全都受到了封官赏赐。由此看来，将帅武臣廉洁谨慎的少，贪婪求财的多。所以黄石公《军势》里说：'君主要会用大臣的智慧、勇猛、贪婪和愚钝，所以有智慧的人就会乐于立功，勇猛的人就乐于实现自己的志向，贪婪的人就会急着奔向利益，愚钝的人就会不考虑自己的生死。'希望陛下记住他们的小功，忘记他们的大过，让侯君集重新进入朝臣的行列，再次准备供陛下驱使。虽然不是清廉贞洁的大臣，还算得到贪婪愚钝的将领，这样陛下虽未严格执法，但君

则陛下虽屈法而德弥显，君集等虽蒙宥而过更彰矣！”上乃释之。

又有告薛万均私通高昌妇女者，万均不服，内出高昌妇女付大理，与万均对辩。魏徵谏曰：“臣闻‘君使臣以礼，臣事君以忠’。今遣大将军与亡国妇女对辩帷箔之私[396]，实则所得者轻，虚则所失者重。昔秦穆饮盗马之士[397]，楚庄赦绝缨之罪[398]，况陛下道高尧、舜，而曾[399]二君之不逮乎！”上遽释之。

侯君集马病蚛[400]颡，行军总管赵元楷亲以指霑其脓而齅[401]之。御史劾奏其谄，左迁栝州[402]刺史。

高昌之平也，诸将皆即受赏，行军总管阿史那社尔以无敕旨，独不受。及别敕既下，乃受之，所取唯老弱故弊而已。上嘉其廉慎，以高昌所得宝刀及杂彩千段赐之。

【段旨】

以上为第十二段，写太宗宽宥功臣小过，不忘其功。

【注释】

㊽甲戌：十月十日。㊾封禅：帝王易姓而起，改制应天，天下太平，始行封禅。封，于泰山上封土为坛以祭天。禅，于梁甫除地以祭地。封禅是帝王祭祀天地的隆重大典。㊿陈仓：县名，县治在今陕西宝鸡。[355]高班：府兵制下的折冲府长官为折冲都尉，上府正四品上，下府正五品下，较之九品县尉，品位要高，故曰“高班”。[356]刘仁轨（公元六〇二至六八五年）：高宗时宰相，汴州尉氏（今属河南）人。传见《旧唐书》卷八十三、《新唐书》卷一百八。[357]栎阳丞：栎阳，县名，县治在今陕西西安市临潼区东北栎阳镇。丞，县丞，县令、长佐官，掌司法裁判。[358]校猎：用木栏遮阻，猎取禽兽。[359]稔：庄稼成熟。[360]銮舆：皇帝车驾。此为帝王代称。[361]新安：县名，县治在今河南新安。[362]乙未：闰十月二日。[363]庚戌：闰十月十七日。[364]丙辰：闰十月二十三日。[365]禄东赞（？至公元六六七年）：藏文称“噶东赞宇松”，吐蕃权臣。事迹见《旧唐书》卷一百九十六上、《新唐书》卷二百十六上《吐蕃传上》。[366]文成公主（？至公元六八〇年）：太宗所养宗女，贞观十五年（公元六四一年）入蕃嫁松赞干布，曾为汉藏文化交流做出过

主的仁德更加彰显，侯君集等人虽然受到宽宥而他们的过失也更为明显了！”太宗于是释放了侯君集等人。

又有人上告薛万均与高昌妇女私通，薛万均不服，于是找出高昌妇女交付大理寺，与薛万均当面对质。魏徵劝谏说：“我听说‘君主以礼节来驱使大臣，大臣以忠诚来侍奉君主’。如今让大将军与亡国的妇女对质帷幕后的男女私情，情况属实则所得很轻，如果不属实则所失甚重。从前秦穆公给盗马的野人喝酒，楚庄王赦免在酒宴中调戏宫姬而被扯断帽缨的大臣，何况陛下的道德比尧、舜还高，却还比不上秦穆公、楚庄王两位国君吗！”太宗马上释放了薛万均。

侯君集乘坐的马被虫子咬伤了前额，行军总管赵元楷亲自用手指沾了伤口的脓来闻。御史上奏弹劾赵元楷谄媚，赵元楷降职为括州刺史。

高昌平定后，各位将领都当即受到赏赐，行军总管阿史那社尔认为没有敕旨，唯独不接受赏赐。等到另有敕文颁布，这才接受赏赐，领取的只是一些老弱的人口和残旧的物品。太宗嘉奖他的廉正谨慎，把在高昌获得的宝刀以及各色彩绸一千段赏赐给他。

重大贡献。㉟⑦甲子朔：十一月一日。㊳⑧戊寅历：又称《戊寅元历》，由太史令傅仁均主持制定。自武德二年（公元六一九年）起，施行了近半个世纪。369以癸亥为朔：以癸亥（十月三十日）为十一月一日。370宣义郎：从七品下文散官。371李淳风：唐初天文学家，岐州雍县（今陕西宝鸡市凤翔区）人，官至太史令。撰述甚多，如撰《麟德历》取代《戊寅历》，又撰《典章文物志》《乙巳占》《秘阁录》等十余部。传见《旧唐书》卷七十九、《新唐书》卷二百四。372子半：子时之半；夜间十二时。373子初：夜间十一时一刻。374天正：谓十一月，或指天体的正常运转。375丁卯：十一月四日。376高祖：胡三省注，“按《新志》，‘高祖’作‘曾祖’”。当是。377齐衰：丧服名，为五服之一。以粗麻布为制服，因服缉边，故称“齐衰”。378小功：丧服名，五服之一。服以较细的麻布制作，服期五个月。379丙子：十一月十三日。380仪注：礼节。381司门员外郎：刑部属官，掌门关出入之籍，如发放出入关塞的“过所”“行牒”等。382给使：指供天子差使的宫闱局宦官。383过所：过关塞的凭证，亦称“传”，相当于今天的通行证。384稽缓：拖延。385尚书左丞：官名，尚书省仆射下设左、右丞，左丞领吏、户、礼三部，右丞领兵、刑、工三部。386韦悰：事迹见《新唐书》卷七十四上《宰相世系四上》、卷一百三《孙伏伽传》。387句司农木橦：橦，柴方三尺五寸为一橦。句，同“勾”，谓勾当、处理。388丁酉：十二月五日。389观德殿：宫殿名，在长安宫城宜春门北。390十部：指十部乐。唐初

宫廷宴乐。一、宴乐伎；二、清乐伎；三、西凉伎；四、天竺伎；五、高丽伎；六、龟兹伎；七、安国伎；八、疏勒伎；九、高昌伎；十、康国伎。[391]李广利（？至公元前八八年）：汉武帝时大将，曾远征大宛和讨击匈奴。[392]陈汤：西汉元帝时边将，因攻杀匈奴郅支单于，封关内侯。[393]王濬（公元二〇六至二八六年）：西晋大将，曾受命出兵灭吴。[394]韩擒虎（公元五三八至五九二年）：隋大将，以灭陈功，进位上柱国。[395]黄石公：秦末人。传说张良曾求教于他，被授以《太公兵法》。有《黄石公三略》三卷流传于世。[396]帷箔之私：隐喻男女关系。帷，幔。箔，通“薄”，帘。帷箔为障隔内外的用品。[397]秦穆饮盗马之士：秦穆公的马为人盗食，穆公非惟不治罪，反赐以酒，后来这些盗

【原文】

癸卯[403]，上猎于樊川[404]。乙巳[405]，还宫。

魏徵上疏，以为：“在朝群臣，当枢机[406]之寄者，任之虽重，信之未笃[407]，是以人或自疑，心怀苟且。陛下宽于大事，急于小罪，临时责怒，未免爱憎。夫委大臣以大体，责小臣以小事，为治之道也。今委之以职，则重大臣而轻小臣，至于有事，则信小臣而疑大臣。信其所轻，疑其所重，将求致治，其可得乎！若任以大官，求其细过，刀笔之吏[408]，顺旨承[18]风，舞文弄法，曲成其罪。自陈也，则以为心不伏辜[409]；不言也，则以为所犯皆实。进退惟谷[410]，莫能自明，则苟求免祸，矫伪成俗矣。”上纳之。

上谓侍臣曰：“朕虽平定天下，其守之甚难。”魏徵对曰：“臣闻战胜易，守胜难。陛下之及此言，宗庙社稷之福也。”

上闻右庶子[411]张玄素在东宫数谏争，擢为银青光禄大夫[412]，行左庶子[413]。太子尝于宫中击鼓，玄素叩阁[414]切谏，太子出其鼓，对玄素毁之。太子久不出见官属，玄素谏曰：“朝廷选俊贤以辅至德[415]，今动经时月，不见宫臣，将何以裨益万一！且宫中唯有妇人，不知有能如樊姬[416]者乎？”太子不听。

玄素少为刑部令史[417]，上尝对朝臣问之曰：“卿在隋何官？”对曰：“县尉。”又问：“未为尉时何官？”对曰：“流外[418]。”又问：“何曹？”玄

马人为报答不治罪之恩，救穆公于晋军重围之中。㊳㊳㊳楚庄赦绝缨之罪：据《韩诗外传》卷七，楚庄王在一次宴饮群臣时，有一位将军乘蜡烛骤灭之际，暗中牵王后衣服，王后“绝其冠缨”（即扯下调戏她的人的帽带），要庄王查办。庄王则令大家全扯去冠缨，以此使“绝缨之罪”无从追究，后来楚庄王得到这位将军的死力回报。㊳㊳㊳曾：乃；则。㊵㊵㊵蚺：被虫咬。㊶㊶㊶鼻：同“嗅”。㊷㊷㊷栝州：州名，又作括州，治所在今浙江丽水市东南。

【校记】

［17］怒：原无此字。据章钰校，十二行本、乙十一行本皆有此字，今据补。

【语译】

十二月十一日癸卯，太宗在樊川狩猎。十三日乙巳，返回宫中。

魏徵上疏，认为：“在朝的众多大臣中，担当枢密机要事务的官员，虽然被委以重任，但陛下对他们的信任还不够笃厚，所以有人自我猜疑，内心怀着苟且心理。陛下对大事能做到宽容，对小的过失却急于惩治，当时就加以斥责，爱憎未免过于分明。君主把大事委托给大臣，要求小臣办好小事，这是为政之道。如今委任官职，就重视大臣而轻视小臣，到了有事之时，就信任小臣而怀疑大臣。信任自己轻视的小臣，怀疑自己重视的大臣，这样可以求得国家大治吗！如果委任给他们大的职位，却在小的过失上苛求他们，那些刀笔小吏就会顺承陛下的心意，舞文弄法，罗织出大臣的罪状。这时大臣自己陈述辩解，就会被认为内心不服罪；如果不加以辩解，就会被认为所犯的罪行属实。进退两难，不能为自己辩解清楚，于是他们就会苟且希求免除灾祸，使得矫饰虚伪成为风气了。”太宗采纳了他的劝谏。

太宗对侍从大臣说：“朕虽然平定了天下，但守住天下就更难。”魏徵回答说：“我听说战而取胜容易，守住胜利困难。陛下能说出这种话来，是宗庙社稷的福气。”

太宗听说右庶子张玄素在东宫多次劝谏太子，就提升他担任银青光禄大夫，兼任左庶子。太子曾在宫中击鼓，张玄素敲门直切劝谏，太子拿出鼓来，当着张玄素的面把鼓毁掉。太子很久不出来会见下属官吏，张玄素劝谏说：“朝廷遴选优秀贤能的人才来辅佐殿下，如今动辄长达数月，不见宫中的大臣，将怎样让他们对殿下有所裨益呢！而且宫中只有女人，不知有没有像楚庄王的樊姬那样贤惠的人呢？”太子不听从他的谏言。

张玄素年轻时当过刑部令史，太宗曾当着朝臣的面问他：“你在隋朝时当什么官？”张玄素回答说：“县尉。”又问：“未当县尉时又做什么官？”回答说：“是未入九

素耻之，出阁殆不能步，色如死灰。谏议大夫褚遂良[419]上疏，以为："君能礼其臣，乃能尽其力。玄素虽出寒微，陛下重其才，擢至三品，翼赞皇储，岂可复对群臣穷其门户！弃宿昔之恩，成一朝之耻，使之郁结于怀，何以责其伏节死义乎！"上曰："朕亦悔此问，卿疏深会我心。"遂良，亮之子也。孙伏伽与玄素在隋皆为令史，伏伽或于广坐自陈往事，一无所隐。

戴州刺史贾崇以所部有犯十恶[420]者，御史劾之。上曰："昔唐、虞大圣，贵为天子，不能化其子，况崇为刺史，独能使其民比屋为善乎！若坐是贬黜，则州县互相掩蔽，纵舍罪人。自今诸州有犯十恶者，勿劾刺史，但令明加纠察，如法施罪，庶以肃清奸恶耳。"

上自临治兵，以部陈不整，命大将军张士贵杖中郎将等，怒其杖轻，下士贵吏。魏徵谏曰："将军之职，为国爪牙，使之执杖，已非后法[421]，况以杖轻下吏乎！"上亟释之。

言事者多请上亲览表奏，以防壅蔽[422]。上以问魏徵，对曰："斯人[423]不知大体。必使陛下一一亲之，岂惟朝堂，州县之事亦当亲之矣。"

【段旨】

以上为第十三段，写魏徵进言太宗，要时时警惕，懂得守天下比得天下更难，戒骄戒躁。褚遂良进言人君要尊礼大臣，不言其隐。太宗称善。

【注释】

⑩癸卯：十二月十一日。⑩樊川：地名，在今陕西西安市长安区东南。⑩乙巳：十二月十三日。⑩枢机：朝廷重要的职位和机构，如三省及其长官（即宰相）。⑩笃：深厚。⑩刀笔之吏：办理文书的小官吏。⑩辜：罪。⑩进退惟谷：进退两难。惟，通"维"。⑪右庶子：官名，太子侍从官的一种。唐于太子宫署中置左右春坊，右庶子为右春坊长官。⑫银青光禄大夫：散官名，从三品，文散官。⑬行左庶子：兼代左春坊长

品的流外官。”又问：“是哪一部曹的小吏？”张玄素感到耻辱，从殿堂里出来后几乎不能走路，面如死灰。谏议大夫褚遂良上疏，认为：“君主能以礼节对待臣下，臣下才能竭尽心力效忠。张玄素虽然出身寒微，但陛下重视他的才能，把他提升到三品官，辅佐太子，怎么可以又当着大臣的面穷究他的出身呢！这就是抛弃了往日的恩宠，造成一朝的羞耻，让羞耻郁积在他的心中，又怎能要求他为气节和忠义去效死呢！”太宗说：“朕也后悔问了这些话，卿的奏疏与我的想法深相契合。”褚遂良是褚亮之子。孙伏伽与张玄素在隋朝都当过低级的令史官，不过孙伏伽有时在稠人广众之下陈述往事，丝毫没有隐讳。

戴州刺史贾崇的下属中有人犯了十恶不赦之罪，御史弹劾他。太宗说：“以前唐尧、虞舜都是大圣之王，虽然贵为天子，还不能教化自己的儿子，何况贾崇只是一个刺史，只有他能让下属的百姓家家户户都行善吗！如果因为这事而贬官罢黜，那么州县官就会相互掩盖，放过罪人。从今以后各州有犯十恶罪行的，不要弹劾刺史，只命令他们要明加纠察，依法治罪，这样才可以肃清奸邪和罪恶。”

太宗亲自到军队训练士兵，看到队列阵形不整齐，命大将军张士贵杖打中郎将等人，因为杖打得太轻而发怒，把张士贵送交官吏问罪。魏徵劝谏说：“将军这一官职，是国家武将，让他执杖打人，已经不足为后世所效法，何况因为杖打得轻就送交官吏治罪呢！”太宗急忙放了张士贵。

上书言事的人大多请求太宗亲自阅览表章，以防止被人蒙蔽。太宗就此事询问魏徵，魏徵回答说：“这些人不懂得治国的大体。一定要陛下一一亲自过目，那么岂止是朝堂上的奏章，就连各州县的事也应当亲自过问了。”

官。大官兼管小官的事，称行某官。⑭叩阁：敲阁门。阁，侧门或闺中小门。⑮至德：道德之最。此指太子。⑯樊姬：楚庄王的贤姬、内助，曾襄赞庄王称霸。⑰令史：官名，三省六部低级吏员之称。⑱流外：隋代自九品至一品官，称为流内，不入九品者称流外。⑲褚遂良（公元五九六至六五八年）：太宗晚年、高宗初年时宰相，封河南郡公，字登善，钱塘（今浙江杭州）人，唐初四大书法家之一。传见《旧唐书》卷八十、《新唐书》卷一百五。⑳十恶：自隋始，将“谋反”“谋大逆”“谋叛”“谋恶逆”“不道”“大不敬”“不孝”“不睦”“不义”“内乱”十种重大罪名以“十恶”列入法典，规定十恶不赦。㉑后法：后世之法，或贻法于后世。㉒壅蔽：隔绝；蒙蔽。㉓斯人：此人。

【校记】

［18］承：原作“成”。据章钰校，十二行本、乙十一行本皆作“承”，张敦仁《通鉴刊本识误》同，今据改。

【研析】

本卷研析太宗的纳谏。人君纳谏，就是鼓励臣下给自己提意见，自己要有耐心和倾听不同意见的雅量，同时要有识见，能判断是非，择善而从，如果自己错了，要勇于改正。在历代封建帝王中，太宗是最善于纳谏的人，其原因是太宗善于总结，能以小喻大。他对大臣萧瑀说：“我少年时就喜爱弓箭，得了十几张好弓，认为是天下最好的弓。近来给良工一看，良工说：‘这都不是好弓，因为木心不直，脉理不正，弓尽管很硬，可以射远，却发箭不直。’我才知道，过去没有懂透弓的原理。朕用弓箭定天下，却还不能真正懂得弓箭，何况天下事，朕怎能都知道呢？”太宗懂得天下之智，不是一个人能专有，他明白自己并非全知全能，于是要求大臣进言谏诤，指陈自己的过失。魏徵曾言：“兼听则明，偏听则暗。”太宗十分赞赏，于是告诫群臣说：“中书、门下是政府的机要，如果诏书敕令有不便施行的，应该提出异议。而今中书、门下只是顺从，不见反对，如果只是发布文书，那么谁都会做，何必要选拔贤才呢？”按照议事制度，凡军国大事，中书省各官员都要用本人名义提出主张，各抒己见，共同签字署名，称为五花判事。其程序，由中书省长官中书侍郎、中书令审核，再由门下省的给事中、黄门侍郎驳正，最后奏请皇帝裁决。太宗申明制度，令各级官员负责实行，因此贞观时期军国大事很少有失误的。魏徵是贞观时期最重要的谏臣，也是太宗最敬畏的诤臣。贞观十七年（公元六四三年），魏徵死，太宗大哭，说：“人用铜作镜，可以正衣冠；用史作镜，可以见兴亡；用人作镜，可以知得失。现今魏徵死了，朕失一镜矣。”这表明太宗是多么看重直言敢谏的诤臣。

纳谏与用人是圣明帝王的治国根本，也是太宗取得政治成就、得天下和造就贞观之治的两个主要原因。《唐纪九》研析了太宗的用人，本卷研析太宗的纳谏，用以观看太宗的圣明风采。随着贞观治世的到来，太宗也逐渐滋生了骄矜之色，贞观中期以后不如贞观之初。本卷所载为贞观中期，贞观十一年至十四年，是太宗君臣谈论纳谏故事最多的一个时期，魏徵时时给太宗敲警钟，充分体现了贞观时期唐代君臣居安思危的政治意识。

卷第一百九十六　唐纪十二

起重光赤奋若（辛丑，公元六四一年），尽昭阳单阏（癸卯，公元六四三年）三月，凡二年有奇。

【题解】

本卷记事起公元六四一年，迄公元六四三年三月，凡两年又三个月，当唐太宗贞观十五年至十七年。此时期，唐太宗对外奉行羁縻政策，尽力避免战争，而不回避战争。薛延陀犯边，唐太宗坚决打击，而后和亲，特别是文成公主入藏和亲，写下汉藏和谐光辉的一章。唐太宗命太常博士吕才整理阴阳数术，批驳禄命禁忌，表现唐初文化建设欣欣向荣。谏臣诤臣魏徵之死，唐太宗慨叹“朕亡一镜矣”。此时唐太宗已恶闻直言。魏徵死后，唐太宗步入了他的晚年。由于太子李承乾不成才，唐太宗偏爱魏王李泰，恩宠逾制，开启了李泰的夺嫡野心。唐太宗第五子齐王李祐谋反，被废为庶人。李祐的蠢动，唤起太子李承乾的冒险，而策谋政变，玄武门的阴影在唐太宗当世笼罩政坛。

【原文】

太宗文武大圣大广孝皇帝中之中

贞观十五年（辛丑，公元六四一年）

春，正月甲戌[①]，以吐蕃禄东赞为右卫大将军。上嘉禄东赞善应对，以琅邪公主[②]外孙段氏妻之，辞曰：“臣国中自有妇，父母所聘，不可弃也。且赞普未得谒公主，陪臣何敢先娶！”上益贤之。然欲抚以厚恩，竟不从其志。

丁丑[③]，命礼部尚书江夏王道宗[④]持节送文成公主于吐蕃。赞普大喜，见道宗，尽子婿礼。慕中国衣服、仪卫之美，为公主别筑城郭宫室[⑤]而处之，自服纨绮以见公主。其国人皆以赭[⑥]涂面，公主恶之，赞普下令禁之，亦渐革其猜暴之性，遣子弟入国学，受《诗》《书》[⑦]。

【语译】

太宗文武大圣大广孝皇帝中之中

贞观十五年（辛丑，公元六四一年）

春，正月十二日甲戌，任命吐蕃禄东赞为右卫大将军。太宗赞赏禄东赞善于应酬回答，要把琅邪公主的外孙女段氏嫁给他为妻，禄东赞推辞说："臣在本国中自有妻子，是父母为我聘娶，不能休弃。而且我们的赞普还未见到大唐的公主，陪臣怎敢先娶呢！"太宗更加认为他贤明。太宗想用优厚的恩遇抚慰他，但是禄东赞最终没有依从太宗的意旨。

正月十五日丁丑，太宗令礼部尚书江夏王李道宗持节护送文成公主到吐蕃。吐蕃赞普非常高兴，接见李道宗，尽到了女婿的礼节。他羡慕唐朝的服饰和仪仗的美观，为文成公主另外修建了城郭和宫室，让她居住，自己穿着丝绸衣服来见文成公主。吐蕃国人都以红土涂面，文成公主不喜欢这种风俗，赞普于是下令禁止涂面，还逐渐改变他们猜忌粗暴的性格，派贵族子弟到长安进入国子监，受学《诗经》《尚书》。

乙亥⑧，突厥俟利苾可汗[1]始帅部落济河，建牙于故定襄城⑨，有户三万，胜兵四万，马九万匹，仍奏言："臣非分蒙恩，为部落之长，愿子子孙孙为国家一犬，守吠北门。若薛延陀侵逼，请徙[2]家属入长城。"诏许之。

上将幸洛阳，命皇太子监国，留右仆射高士廉辅之。辛巳⑩，行及温汤⑪。卫士崔卿、刁文懿惮于行役，冀上惊而止，乃夜射行宫，矢及寝庭者五，皆以大逆⑫论。

三月戊辰⑬，幸襄城宫，地既烦热，复多毒蛇。庚午⑭，罢襄城宫，分赐百姓，免阎立德官。

【段旨】

以上为第一段，写唐文成公主入藏，唐与吐蕃和亲。唐在定襄城地区安置内属的突厥人。

【注释】

①甲戌：一月十二日。②琅邪公主：《旧唐书·吐蕃传》作"琅邪长公主"。既为长公主，当系唐高祖女。事迹见《旧唐书》卷一百九十六上、《新唐书》卷二百十六上《吐蕃传上》。③丁丑：一月十五日。④道宗：唐宗室大臣李道宗（公元六〇〇至六五三年）。在唐初的征讨中，道宗屡建战功，为宗室诸王的佼佼者。传见《旧唐书》卷六

【原文】

夏，四月辛卯朔⑮，诏以来年二月有事于泰山⑯。

上以近世阴阳杂书，讹伪尤多，命太常博士吕才⑰与诸术士刊定可行者，凡四十七卷。己酉⑱，书成，上之。才皆为之叙，质以经史。其叙《宅经》，以为："近世巫觋⑲妄分五姓⑳，如张、王为商㉑，武、

正月十三日乙亥，突厥俟利苾可汗开始率部落渡过黄河，在旧有的定襄城建立牙帐，共有三万户，作战士兵四万人，战马九万匹，于是向太宗上奏说："我超过了应有的本分而享受陛下的皇恩，作为部落的首领，希望子子孙孙作为朝廷的一只狗，看守国家的北大门。假如薛延陀侵犯逼近，请求迁徙我们的家属进入长城以内。"太宗下诏同意了。

太宗将要巡幸洛阳，命皇太子留京监理国事，并留下尚书右仆射高士廉辅佐太子。正月十九日辛巳，太宗来到温泉。卫士崔卿、刁文懿惧怕随从辛苦，希望太宗受到惊吓而停止巡行，于是在夜里向行宫射箭，有五支箭射到太宗的寝宫庭院，二人都按大逆罪被判处死刑。

三月初七日戊辰，太宗巡幸襄城宫，当地天气燥热，又多有毒蛇。初九日庚午，废除襄城宫，把宫殿分别赐给当地百姓，罢免了阎立德的官职。

十、《新唐书》卷七十八。⑤为公主别筑城郭宫室：今西藏拉萨布达拉宫的最早宫室，即为文成公主而建。⑥赭：红土；赤褐色。⑦《诗》《书》：即儒家经典《诗经》《尚书》。⑧乙亥：一月十三日。⑨故定襄城：今内蒙古和林格尔西北土城子。⑩辛巳：一月十九日。⑪温汤：即今陕西西安市临潼区华清池。⑫大逆：即"谋大逆"，"十恶"第二条。⑬戊辰：三月七日。⑭庚午：三月九日。

【校记】

［1］俟利苾可汗：原误作"侯利苾可汗"，下文"侯"字作"俟"，当是，据改。［2］徙：原作"从"。据章钰校，十二行本、乙十一行本皆作"徙"，今据改。

【语译】

夏，四月初一日辛卯，太宗下诏宣布明年二月在泰山举行封禅礼。

太宗认为近代以来阴阳方术方面的杂书，讹误特别多，诏命太常博士吕才与各位术士修订可以实行的，共有四十七卷。四月十九日己酉，书稿完成，进呈太宗。吕才为这些书作叙，用经史典籍进行考证。他为《宅经》作叙，认为："近代巫觋胡乱把姓氏分为五类，譬如张、王两姓属于音律中的商，武、庚二姓属于羽，

庾为羽，似取谐韵。至于以柳为宫，以赵为角，又复不类㉒。或同出一姓，分属宫商，或复姓数字，莫辨徵羽。此则事不稽古㉓，义理乖僻者也。”叙《禄命》，以为：“禄命㉔之书，多言或中，人乃信之。然长平坑卒㉕，未闻共犯三刑㉖，南阳贵士㉗，何必俱当六合㉘！今亦有同年同禄而贵贱悬殊，共命共胎而寿夭更异。按鲁庄公㉙法㉚应贫贱，又尪弱㉛短陋，惟得长寿。秦始皇法无官爵，纵得禄，少奴婢，为人无始有终。汉武帝、后魏孝文帝皆法无官爵。宋武帝㉜禄与命并当空亡㉝，唯宜长子，虽有次子，法当早夭。此皆禄命不验之著明者也。”其叙《葬》，以为：“《孝经》云‘卜其宅兆㉞而安厝㉟之’，盖以窀穸㊱既终，永安体魄，而朝市迁变，泉石交侵，不可前知，故谋之龟筮㊲。近岁或选年月，或相墓田，以为一事失所，祸及死生。按《礼》㊳：天子、诸侯、大夫葬皆有月数，是古人不择年月也。《春秋》㊴：‘九月丁巳，葬定公㊵，雨，不克葬㊶。戊午，日下昃㊷，乃克葬。’是不择日也。郑葬简公㊸，司墓之室当路，毁之则朝而窆㊹，不毁则日中而窆，子产㊺不毁，是不择时也。古之葬者皆于国都之北，兆域有常处，是不择地也。今葬书以为子孙富贵、贫贱、寿夭，皆因卜葬所致。夫子文为令尹而三已㊻，柳下惠㊼为士师而三黜，计其丘陇，未尝改移。而野俗无识，妖巫妄言，遂于擗踊㊽之际，择葬地以[3]希官爵，荼毒㊾之秋，选葬时以[4]规财利。或云辰日㊿不可哭泣，遂莞尔(51)而对吊客；或云同属(52)忌于临圹(53)，遂吉服(54)不送其亲。伤教败礼，莫斯为甚！”术士(55)皆恶其言，而识者皆[5]以为确论。

【段旨】

以上为第二段，写太常博士吕才奉诏整理阴阳数术之书，作序批判禄命天定、吉凶禁忌等迷信妄说，为有识之士所肯定。

这似乎是根据谐韵。至于把柳姓分属为宫，把赵姓分属为角，又是不伦不类的。有的虽然同是出于一姓，却分属宫商二调，有的是二字以上的复姓，却不能分辨是属于徵还是属于羽。这些都是没有考查古代的事例，在义理上是错误的。”他为《禄命》作叙，认为：“讲论福禄命运的书，说多了有时能说中，人们于是就相信它。但是战国时期长平之战被活埋的四十多万士兵，没有听说这些士兵都犯了三刑相克，汉光武帝时南阳人士有很多人富贵，这些人哪里一定都是六合吉日！现在也有同一年月时辰出生的人，但他们的命运却是贵贱相差悬殊，也有同胞胎兄弟却寿命有长有短。又如鲁庄公根据禄命书的说法，本来应该贫贱，瘦弱粗陋，可是他偏偏长寿。秦始皇按禄命书不应该有官爵，纵使得到官职，奴婢也很少，他的为人应当无始有终。汉武帝、北魏孝文帝按照禄命书都没有官爵。南朝宋武帝应当无禄无命，只应当有长子，即使有次子，按禄命书应当夭亡。这些都是禄命书说得不准的明显证据。”他为《葬》书作叙，认为：“《孝经》说‘占卜阴宅墓地来安葬他’，这是因为墓穴是一个人最终之地，身体和灵魂要永远安息，而人间城邑集市会有变化，再加上泉水与岩石对墓地的交相侵蚀，都无法预先知道，所以要用龟筮占卜进行谋划。近年来有的挑选年月，有的看墓地，认为一件事安排不当，灾祸殃及死人与活人。根据《周礼》：天子、诸侯与大夫的丧葬都规定月数，这说明古人丧葬不选择年月。根据《春秋》：‘九月初九日丁巳，安葬鲁定公，天下雨，未能安葬。初十日戊午，太阳西斜，才安葬完毕。’这说明下葬不选择日期。郑国安葬简公，守墓人的房子正好对着大路，拆毁它要在早晨安葬，不拆它就要在中午安葬，子产决定不拆毁它，这是下葬不选择时辰。古人埋葬人的墓地都在国都北面，墓区有固定的地方，这说明下葬不另选地方。如今的丧葬书认为子孙的富贵、贫贱、寿夭，都是因为占卜安葬所造成的。楚国的子文做令尹有三次被罢免，鲁国的柳下惠做士师有三次被免职，料想他们的墓地，也没有更改迁移。而乡野的俗人没有知识，妖妄的巫师胡言乱语，于是有人在丧失亲人的极度悲哀之中，选择葬地以求后人能得官爵，在家族遭到不幸的时候，选择安葬的时辰以求今后能获得财物和利益。有人说辰日不能哭泣，于是笑着面对吊唁的客人；有人说相同属相的人忌讳为人送葬，于是身穿吉服不为亲人送葬。伤害教化败坏礼俗，没有比这更严重的了！”术士们都憎恶吕才的言论，但有识之士都认为这是确切可靠的言论。

【注释】

⑮辛卯朔：四月一日。⑯有事于泰山：指泰山封禅之事。⑰吕才（约公元六〇〇至六六五年）：唐初哲学家，博州清平（治今山东临清东）人，精通天文、历史、音律等。官至太常博士、太常丞。传见《旧唐书》卷七十九、《新唐书》卷一百七。⑱己酉：四月十九日。⑲巫觋：女巫为巫，男巫为觋。⑳五姓：取姓氏及天下万物以谐韵分别配属宫、商、角、徵、羽五音，谓之“五姓”。㉑商：五音之一。五音即宫、商、角、徵、羽五声音阶。㉒不类：非同类；不伦不类。㉓稽古：考古。㉔禄命：旧指人生富贵贫贱、盛衰兴废皆由天定。㉕长平坑卒：战国后期，秦、赵于长平（今山西高平西北）大战，赵国四十万士卒为秦国所俘坑杀。㉖三刑：指十二时辰的刑杀。星相家认为巳、酉、丑三个时辰，刑杀在西方；寅、午、戌三个时辰，刑杀在南方；亥、卯、未三个时辰，刑杀在东方；申、子、辰三个时辰，刑杀在北方。㉗南阳贵士：指后汉光武帝刘秀及其佐命功臣邓禹等，均为南阳人。㉘六合：星命家术语，指子与丑合、寅与亥合、卯与戌合、辰与酉合、巳与申合、午与未合。㉙鲁庄公：春秋鲁国国君姬同，在位三十二年。㉚法：程序；准则。㉛尪弱：瘦弱。㉜宋武帝：南朝宋的建立者刘裕（公元三六三至四二二年），字德舆，彭城（今江苏徐州）人。事见《宋书》卷一、二、三，《南史》

【原文】

丁巳[56]，果毅都尉[57]席君买[58]帅精骑百二十袭击吐谷浑丞相宣王，破之，斩其兄弟三人。初，丞相宣王专国政，阴谋袭弘化公主，劫其王诺曷钵奔吐蕃。诺曷钵闻之，轻骑奔鄯善城[59]，其臣威信王[60]以兵迎之，故君买为之讨诛宣王。国人犹惊扰，遣户部尚书唐俭等慰抚之。

五月壬申[61]，并州父老诣阙请上封泰山毕，还幸晋阳，上许之。

丙子[62]，百济来告其王扶余璋[63]之丧，遣使册命其嗣子义慈。

己酉[64]，有星孛[65]于太微[66]。太史令薛颐[67]上言，未可东封。辛亥[68]，起居郎褚遂良亦言之；丙辰[69]，诏罢封禅。

太子詹事于志宁遭母丧，寻起复[70]就职。太子治宫室，妨农功，又好郑、卫之乐[71]。志宁谏，不听。又宠昵宦官，常在左右。志宁上

卷一。㉝空亡：空无；什么都没有。此指禄命书推算出宋武帝既无禄，也无命。㉞宅兆：宅，墓穴。兆，墓地。㉟安厝：安葬。㊱窀穸：墓穴。㊲龟筮：卜巫者用龟和蓍占卜吉凶。㊳《礼》：即《礼经》，儒家经典之一。㊴《春秋》：春秋时鲁国的史书。系我国现存最早的编年体史书，也是儒家经典之一。㊵定公：即春秋鲁国君姬宋，公元前五〇九至前四九五年在位。㊶不克葬：不能完成葬事。㊷日下昃：太阳偏西。㊸简公：即春秋郑国君姬嘉，公元前五六五至前五五五年在位。㊹窆：落葬。㊺子产：即公孙成子（？至公元前五二二年）。或公孙侨。字子产，一字子美，春秋时郑国政治家。㊻三已：三次被免职。㊼柳下惠：即展禽。春秋时鲁国大夫。展禽封地为"柳下"，谥号"惠"，故后人以"柳下惠"称之。曾做士师（掌管刑狱的官）而"三黜"（即三次革职）。㊽擗捅：当作"擗踊"，捶胸顿足。㊾荼毒：苦痛。荼，苦菜。毒，毒草。㊿辰日：好时日。51莞尔：微笑的样子。52同属：与死者同一属相。53圹：墓穴。54吉服：礼服；官服。55术士：指占卜星相操迷信职业的人。

【校记】

［3］以：据章钰校，十二行本、乙十一行本皆作"而"。［4］以：据章钰校，十二行本、乙十一行本皆作"而"。［5］皆：据章钰校，十二行本、乙十一行本皆无此字。

【语译】

四月二十七日丁巳，果毅都尉席君买率领精锐骑兵一百二十人袭击吐谷浑的丞相宣王，打败了他，斩杀了他们兄弟三人。在这之前，丞相宣王一人专断吐谷浑的国政，密谋袭击唐朝下嫁吐谷浑的弘化公主，劫持国王诺曷钵投奔吐蕃。诺曷钵得知消息，率领轻骑兵奔赴鄯善城，他的大臣威信王领兵迎接，所以席君买就为诺曷钵讨伐诛杀宣王。吐谷浑国人还在惊扰之中，太宗派户部尚书唐俭前往安抚他们。

五月十二日壬申，并州父老来到皇宫门前请求太宗在泰山封禅之后，回来巡幸晋阳，太宗答应了他们的请求。

十六日丙子，百济派人来禀报他们的国王扶余璋的丧讯，太宗派使节册封他的儿子义慈继位。

六月十九日己酉，太微垣天区出现彗星。太史令薛颐上言，不可东往泰山封禅。二十一日辛亥，起居郎褚遂良也这样说。二十六日丙辰，太宗下诏停止封禅。

太子詹事于志宁遇到母丧而离职，不久重新应召任职。当时太子修筑宫室，妨碍农业生产，又爱好淫靡的郑、卫之音。于志宁劝谏，太子不听。又宠幸亲近宦官，

书，以为："自易牙[72]以来，宦官覆亡国家者非一。今殿下亲宠此属，使陵易衣冠[73]，不可长也。"太子役使司驭[74]等，半岁不许分番[75]，又私引突厥达哥友[76]入宫。志宁上书切谏，太子大怒，遣刺客张思政、纥干承基[77]杀之。二人入其第，见志宁寝处苫块[78]，竟不忍杀而止。

西突厥沙钵罗叶护可汗数遣使入贡。秋，七月甲戌[79]，命左领军将军张大师[80]持节即其所号立为可汗，赐以鼓纛[81]。上又命使者多赍金帛，历诸国市良马。魏徵谏曰："可汗位未定而先市马，彼必以为陛下志在市马，以立可汗为名耳。使可汗得立，荷德必浅，若不得立，为怨实深。诸国闻之，亦轻中国。市或不得，得亦非美。苟能使彼安宁，则诸国之马，不求自至矣。"上欣然止之。

乙毗咄陆可汗与沙钵罗叶护互相攻，乙毗咄陆浸强大，西域诸国多附之。未几，乙毗咄陆使石国吐屯击沙钵罗叶护，擒之以归，杀之。

丙子[82]，上指殿屋谓侍臣曰："治天下如建此屋，营构既成，勿数改移。苟易一榱[83]，正一瓦，践履动摇，必有所损。若慕奇功，变法度，不恒其德，劳扰实多。"

上遣职方郎中[84]陈大德[85]使高丽。八月己亥[86]，自高丽还。大德初入其境，欲知山川风俗，所至城邑，以绫绮遗其守者，曰："吾雅好山水，此有胜处，吾欲观之。"守者喜，导之游历，无所不至，往往见中国人，自云："家在某郡，隋末从军，没于高丽，高丽妻以游女[87]，与高丽错居，殆[88]将半矣。"因问亲戚存没，大德绐[89]之曰："皆无恙。"咸涕泣相告。数日后，隋人望之而哭者遍于郊野。大德言于上曰："其国闻高昌亡，大惧，馆候[90]之勤，加于常数。"上曰："高丽本四郡[91]地耳，吾发卒数万攻辽东[92]，彼必倾国救之，别遣舟师出东莱[93]，自海道趋平壤，水陆合势，取之不难。但山东州县凋瘵[94]未复，吾不欲劳之耳。"

让他们经常在自己身边。于志宁上书，认为："自从齐国的易牙以来，宦官使朝廷灭亡的事例不止一件。如今殿下亲近宠信这种人，让他们欺凌衣冠士族，这种风气不可增长。"太子役使驭马官等人，半年不许他们轮流值班，又私自让突厥人达哥友进入东宫。于志宁上书痛切劝谏，太子大为震怒，派刺客张思政、纥干承基二人去杀于志宁。二人进入于志宁的宅第，见于志宁躺在苫席上，头枕着土块，最终不忍心杀他而作罢。

西突厥沙钵罗叶护可汗多次派使节入京进贡。秋，七月十五日甲戌，太宗命令左领军将军张大师持旌节就他已有的称号立为可汗，赐给大鼓和大旗。太宗又诏令使者多带金银丝帛，在经过的各国购买好马。魏徵劝谏说："可汗的王位还未稳定就先在路上买马，他们必定会认为陛下志在买马，把册立可汗作为借口。如果可汗得以册立，他们感受的恩德必定浅薄，如果可汗立不成，他们的怨恨必定很深。各国听说此事，也会轻视中原王朝。马或许买不成，买到也并非好事。如果能使他们安定，那么各国的好马，不用买也自动会有人送来。"太宗欣然停止买马。

乙毗咄陆可汗与沙钵罗叶护相互攻打，乙毗咄陆日渐强大，西域各国大都依附他。不久，乙毗咄陆让石国的吐屯袭击沙钵罗叶护，把他擒获带回来，杀死了他。

七月十七日丙子，太宗指着殿宇对侍从的大臣说："治理天下如同建造这些房屋，营造建成之后，不要多次改变移动。假如换一根椽子，摆正一块瓦片，踏踩房顶使整个房屋摇动，对房屋必然会有所损害。如果羡慕建立奇功，改变法度，不持久坚守道德，造成的劳扰实在太多。"

太宗派职方郎中陈大德出使高丽。八月初十日己亥，从高丽返回长安。陈大德刚刚进入高丽境内时，想了解高丽的山川名胜与民间风俗，在所经过的城镇，都把绫罗绸缎送给守城的官员，说："我一向喜爱山水，此地如有名胜，我想去看看。"守城的官员十分高兴，带着他游历，无处不去，往往能看到中原人，他们自己说："家在某郡，隋末从军东征，滞留在高丽，高丽人把无家的女子给自己为妻，与高丽人杂错居处，几乎占了人口的一半。"于是询问中原亲属的生死情况，陈大德骗他们说："都安好无恙。"他们都哭着相互转告。几天后，隋朝人来看望陈大德，对着他哭泣的人遍布城郊野外。陈大德回来后对太宗说："高丽人听说高昌已经灭亡，大为恐惧，把我安排在馆舍，问候侍奉，超过正常的次数。"太宗说："高丽本来是汉武帝设立四个郡的地方，我们征发数万人进攻辽东，高丽必然出动全国兵力前来救援，我们另外派出水军从东莱出动，经海路直趋平壤，水陆合力，攻下高丽并不困难。只是山东的州县还很凋敝，没有恢复，朕不想烦劳他们罢了。"

【段旨】

以上为第三段，写东西突厥归一，内附唐室，东方高丽亦示好于唐。太宗以建屋为喻，强调创业之主的成法，子孙不得更改。

【注释】

㊺丁巳：四月二十七日。㊼果毅都尉：武官名，折冲府长官折冲都尉之副。㊽席君买：席君买与下文宣王事迹并见《新唐书》卷二百二十一上《吐谷浑传》。㊾鄯善城：今新疆若羌。《新唐书·吐谷浑传》"鄯善城"作"鄯城"（今青海西宁）。㊿威信王：事迹见《新唐书》卷二百二十一上《吐谷浑传》。(61)壬申：五月十二日。(62)丙子：五月十六日。(63)扶余璋：扶余，复姓。扶余璋与其子义慈事迹并见《旧唐书》卷一百九十九上、《新唐书》卷二百二十《百济传》。(64)己酉：六月十九日。(65)孛：彗星的别称。(66)太微：即太微垣天区，为三垣之一。三垣，指我国古代把环绕北极和接近头顶上空的恒星群分成紫微垣、太微垣和天市垣三个区。(67)薛颐：唐初天文学家，道士出身。传见《旧唐书》卷一百九十一、《新唐书》卷二百四。(68)辛亥：六月二十一日。(69)丙辰：六月二十六日。(70)起复：又称"夺情"，指官员为父母守丧尚未期满而应召任职。(71)郑、卫之

【原文】

乙巳[95]，上谓侍臣曰："朕有二喜一惧。比年丰稔，长安斗粟直三四钱，一喜也。北虏[96]久服，边鄙无虞[97]，二喜也。治安则骄侈易生，骄侈则危亡立至，此一惧也。"

冬，十月辛卯[98]，上校猎伊阙[99]。壬辰[100]，幸嵩阳[101]。辛丑[102]，还宫。

并州大都督长史李世勣在州十六年，令行禁止，民夷怀服。上曰："隋炀帝劳百姓，筑长城以备突厥，卒无所益。朕唯置李世勣于晋阳而边尘不惊[103]，其为长城，岂不壮哉！"十一月庚申[104]，以世勣为兵部尚书。

壬申[105]，车驾西归长安。

薛延陀真珠可汗闻上将东封，谓其下曰："天子封泰山，士马皆

乐：春秋战国时期郑、卫两国的民间音乐。与儒家倡导的雅乐截然不同，被孔子斥之为“淫”，后来成为靡靡之乐的代称。⑫ 易牙：春秋时齐桓公的宠臣，名巫，官为雍人（主烹割之官）亦称雍巫。⑬ 衣冠：世族；士绅。⑭ 司驭：疑为太仆寺厩牧署属吏翼驭，掌调马、执御事。⑮ 番：更代。⑯ 达哥友：据两《唐书·于志宁传》，“友”作“支”。⑰ 张思政、纥干承基：事迹并见《旧唐书》卷七十六、《新唐书》卷八十《李承乾传》。纥干，蕃人之姓。⑱ 苫块：“寝苫枕块”的省称。古礼，居亲丧时，以苫（即草垫）为席，块（土块）为枕。⑲ 甲戌：七月十五日。⑳ 张大师：唐初名将张俭兄，雍州新丰（治今陕西西安市临潼区东北）人，以军功官至太仆卿、华州刺史，封武功县男。传见《旧唐书》卷八十三、《新唐书》卷一百十一。㉑ 纛：大旗。㉒ 丙子：七月十七日。㉓ 椽：屋椽、屋桷（方椽）的总称。㉔ 职方郎中：官名，兵部职方司长官，掌天下疆域图籍之事。㉕ 陈大德：事迹见《新唐书》卷二百二十《高丽传》。㉖ 己亥：八月十日。㉗ 游女：流离失所的女子。㉘ 殆：大概；恐怕。㉙ 绐：骗哄。㉚ 馆候：安排在馆舍而加以侍奉。㉛ 四郡：汉武帝时，曾于辽东等地置临屯、真番、乐浪、玄菟四郡。㉜ 辽东：郡名，治所在今辽宁新民东北。㉝ 东莱：地区名，指今山东莱阳等县以东地区。㉞ 凋瘵：疲敝，疾苦。

【语译】

八月十六日乙巳，太宗对侍从大臣说：“朕有二喜一惧。连年丰收，长安城一斗粟仅值三四钱，这是一喜。北方部族久已归服，边境没有忧虑，这是二喜。政治安定了就容易滋生骄奢淫逸，骄奢淫逸了危亡就会立刻到来，这是一惧。”

冬，十月初三日辛卯，太宗在伊阙狩猎。初四日壬辰，巡幸嵩阳县。十三日辛丑，回到宫中。

并州大都督府长史李世勣在并州任职十六年，发出命令就能得以执行，发出禁令就能让人停止，汉民和夷人都对他怀恩和服从。太宗说：“隋炀帝劳苦百姓，修筑长城来防备突厥进攻，最终没有益处。朕只是把李世勣放在晋阳就让边境没有惊扰，他作为长城，难道不是更雄壮吗！”十一月初三日庚申，任命李世勣为兵部尚书。

十一月十五日壬申，太宗车驾西行返回长安。

薛延陀真珠可汗听说太宗将要东去泰山封禅，对他的下属说：“天子去泰山封

从，边境必虚。我以此时取思摩，如拉朽[106]耳。”乃命其子大度设[107]发同罗[108]、仆骨、回纥、靺鞨、霫等兵合二十万，度漠南，屯白道川[109]，据善阳岭[110]以击突厥。俟利苾可汗不能御，帅部落入长城，保朔州，遣使告急。

癸酉[111]，上命营州都督张俭[112]帅所部骑兵及奚、霫、契丹压其东境；以兵部尚书李世勣为朔州道行军总管，将兵六万，骑千二百，屯羽方[113]；右卫大将军李大亮为灵州道行军总管，将兵四万，骑五千，屯灵武[114]；右屯卫大将军张士贵将兵一万七千，为庆州道行军总管，出云中；凉州都督李袭誉[115]为凉州道行军总管，出其西。

诸将辞行，上戒之曰：“薛延陀负其强盛，逾漠而南，行数千里，马已疲瘦。凡用兵之道，见利速进，不利速退。薛延陀不能掩思摩不备急击之，思摩入长城，又不速退。吾已敕思摩烧薙[116]秋草，彼粮糗[117]日尽，野无所获。顷侦者来，云其马啮[118]林木枝皮略尽。卿等当与思摩共为掎角，不须速战，俟其将退，一时奋击，破之必矣。”

十二月戊子[119]，车驾至京师。

己亥[120]，薛延陀遣使入见，请与突厥和亲。甲辰[121]，李世勣败薛延陀于诸真水[122]。初，薛延陀击西突厥沙钵罗及阿史那社尔，皆以步战[123]取胜。及将入寇，乃大教步战，使五人为伍，一人执马，四人前战，战胜则授以马追奔。于是大度设将三万骑逼长城，欲击突厥，而思摩已走，知不可得，遣人登城骂之。会李世勣引唐兵至，尘埃涨天，大度设惧，将其众自赤柯泺[124]北走。世勣选麾下及突厥精骑六千自直道邀之，逾白道川，追及于青山[125]。大度设走累日[126]，至诸真水，勒兵还战，陈亘十里。突厥先与之战，不胜，还走。大度设乘胜追之，遇唐兵。薛延陀万矢俱发，唐马多死。世勣命士卒皆下马，执长矟[127]，直前冲之。薛延陀众溃，副总管薛万彻以数千骑收其执马者。薛延陀失马，不知所为。唐兵纵击，斩首三千余级，捕虏五万余人。大度设脱身走，万彻追之不及。其众至漠北，值大雪，人畜冻死者什八九。

禅，士兵人马都要跟随前往，边境必然空虚。我乘此时攻取思摩，如同摧枯拉朽。”于是命令他的儿子大度设征发同罗、仆骨、回纥、靺鞨、霫等部族的兵马，合计二十万人，越过漠南，屯扎在白道川，占据善阳岭来攻击突厥。俟利苾可汗不能抵抗，率领部落进入长城，据守朔州，遣使告急。

十一月十六日癸酉，太宗命令营州都督张俭率领所辖骑兵以及奚、霫、契丹进逼薛延陀的东部边境；任命兵部尚书李世勣为朔州道行军总管，率军六万，骑兵一千二百人，屯扎在羽方；任命右卫大将军李大亮为灵州道行军总管，率军四万，骑兵五千，屯扎在灵武；任命右屯卫大将军张士贵率军一万七千人，为庆州道行军总管，从云中出兵；任命凉州都督李袭誉为凉州道行军总管，向薛延陀西部出兵。

各位将领向太宗辞行，太宗告诫他们说：“薛延陀仗着他们强盛，越过沙漠南下，行进几千里，马匹已经疲乏瘦弱。凡是用兵的原则，看到有利就迅速推进，看到不利就迅速撤退。薛延陀不能对思摩攻其不备，紧急进攻，思摩进入长城，薛延陀又不迅速撤退。朕已敕令思摩割掉烧毁秋草，对方粮草很快吃光，在野地中也毫无所获。最近侦探来报，说他们的马快把树林中的树皮枝叶啃吃光了。你们应当与思摩合兵构成犄角之势，不需要速战，等到敌人将要撤退时，同时奋勇出击，一定能打败他们。”

十二月初一日戊子，太宗车驾到了长安。

十二月十二日己亥，薛延陀派使节入京朝见太宗，请求与突厥和亲。十七日甲辰，李世勣在诺真水打败薛延陀。起初，薛延陀攻打西突厥的沙钵罗以及阿史那社尔，都用步战取胜。等到将要进攻思摩时，才让士兵大练步战，让五个人为一伍，其中一个人牵马，另外四个人向前作战，打胜了，就给他马，追击逃兵。在这时大度设率三万骑兵进逼长城，想要攻击突厥，而思摩已经撤走，大度设知道得不到什么，只得派人登上城墙谩骂思摩。正好这时李世勣带领唐军赶到，尘土满天，大度设很害怕，率领他的部队从赤柯泺向北逃去。李世勣挑选部下及突厥精锐骑兵六千人从直路上前去拦截大度设，越过白道川，在青山追上敌军。大度设逃奔已有数天，到达诺真水，部署军队回头作战，战阵列绵延十里。突厥兵先与他们交战，没有取胜，逃了回来。大度设乘胜追击他们，遇上唐朝的军队。薛延陀的部队万箭齐发，唐军的战马多被射死。李世勣命令士兵全都下马，手执长矛，直接向前冲击。薛延陀的军队溃败，唐军副总管薛万彻用数千骑兵收捕敌军牵马的士兵。薛延陀的部队丧失战马，不知道该怎么办。唐朝士兵放手出击，斩首三千多人，俘虏五万多人。大度设脱身逃走，薛万彻没有追上。薛延陀的部队到达大漠以北，遇上大雪，人和马匹冻死了十分之八九。

李世勣还军定襄[128]，突厥思结[129]部居五台者叛走，州兵追之。会世勣军还，夹击，悉诛之。

丙子[6]，薛延陀使者辞还，上谓之曰："吾约汝与突厥以大漠为界，有相侵者，我则讨之。汝自恃其强，逾漠攻突厥。李世勣所将才数千骑耳，汝已狼狈如此。归语可汗，凡举措利害，可善择其宜。"

【段旨】

以上为第四段，写唐军大破薛延陀。

【注释】

⑮乙巳：八月十六日。⑯北虏：谓东突厥及铁勒薛延陀等。⑰虞：忧虑。⑱辛卯：十月三日。⑲伊阙：又名阙口、龙门。在今河南洛阳南。⑳壬辰：十月四日。㉑嵩阳：县名，县治在今河南登封。㉒辛丑：十月十三日。㉓边尘不惊：谓边境安宁，没有战事惊扰。㉔庚申：十一月三日。㉕壬申：十一月十五日。㉖拉朽：形容极容易摧毁。朽，朽木。㉗大度设：即薛延陀可汗嫡子利咥拔灼。后杀其庶兄曳莽，自立为颉利俱利失薛沙多弥可汗。事迹见《旧唐书》卷一百九十九下、《新唐书》卷二百十七下《薛延陀传》。㉘同罗：铁勒诸部之一，分布于图拉河北。㉙白道川：在今内蒙古呼和浩特西北，为河套东北地区通往阴山以北的主要通道。㉚善阳岭：山名，在今山西朔州北。㉛癸酉：十一月十六日。㉜张俭（公元五九三至六五三年）：唐初大将，雍州新丰（治今陕西西安市临潼区东北）人，累任边州都督，封皖成郡公。传见《旧唐书》卷八十三、

【原文】

上问魏徵："比来朝臣何殊不论事？"对曰："陛下虚心采纳，必有言者。凡臣徇国者寡，爱身者多。彼畏罪，故不言耳。"上曰："然。

李世勣回师定襄，居住在五台县的突厥思结部叛变逃走，当地的州兵追捕他们。适逢李世勣的部队撤回，与州兵两相夹击，把他们全部杀掉了。

丙子日，薛延陀的使者向太宗辞行，太宗对他说："我约定你们与突厥以大沙漠为界，如有互相侵犯的，我就讨伐违约者。你们仗恃自己强大，越过沙漠攻击突厥。李世勣率领的才只有几千骑兵，你们就已如此狼狈。回去告诉你的可汗，凡是行动举措，利害关系，应该好好选择其中适宜的。"

《新唐书》卷一百十一。⑬ 羽方：《册府元龟》卷一百二十五、《新唐书》卷二百十七下作"朔州"（治今山西朔州西南）。⑭ 灵武：县名，县治在今宁夏永宁西南。⑮ 李袭誉：唐初边将，字茂实，金州安康（今陕西安康）人，官至凉州都督，封安康郡公。才兼文武，撰《五经妙言》五十卷、《江东记》三十卷、《忠孝图》二十卷。传见《旧唐书》卷五十九、《新唐书》卷九十一。⑯ 薙：除草。⑰ 糗：炒熟米麦粉，俗称干粮。⑱ 啮：用牙啃或咬。⑲ 戊子：十二月一日。⑳ 己亥：十二月十二日。㉑ 甲辰：十二月十七日。㉒ 诺真水：今内蒙古艾不盖河。㉓ 步战：徒步作战。㉔ 赤柯泺：沼泽名，在今山西大同西北。㉕ 青山：山名，即今内蒙古呼和浩特北大青山。㉖ 累日：整天。㉗ 长矟：兵器名，长矛，即槊。㉘ 定襄：县名，县治在今山西定襄。㉙ 思结：铁勒诸部之一。因曾为东突厥所役属，故又称突厥思结部。其主要分布地在今蒙古杭爱山东南一带，并有部分人徙居五台县境（今山西五台）。武周时，居漠北者多徙入今甘肃张掖、武威地区。

【校记】

[6] 丙子：严衍《通鉴补》改"子"作"午"。〖按〗是年十二月无"丙子"，当作"丙午"。丙午，十二月十九日。

【语译】

太宗询问魏徵："近来朝廷大臣们为什么不上书议论朝政？"魏徵回答说："陛下虚心采纳大臣的进谏，就一定会有人上书言事。凡是大臣能为国家献身的少，爱惜自身的多。他们害怕获罪，所以不上书言事。"太宗说："是这样。大臣们议论国事而

人臣关说忤旨，动及刑诛，与夫蹈汤火冒白刃者亦何异哉！是以禹拜昌言[130]，良为此也。"

房玄龄、高士廉遇少府少监[131]窦德素[132]于路，问："北门[133]近何营缮？"德素奏之。上怒，让玄龄等曰："君但知南牙[134]政事，北门小营缮，何预君事！"玄龄等拜谢。魏徵进曰："臣不知陛下何以责玄龄等，而玄龄等亦何所谢！玄龄等为陛下股肱耳目，于中外事岂有不应知者！使所营为是，当助陛下成之，为非，当请陛下罢之。问于有司，理则宜然。不知何罪而责，亦何罪而谢也！"上甚愧之。

上尝临朝谓侍臣曰："朕为人主，常兼将相之事。"给事中张行成[135]退而上书，以为："禹不矜伐[136]，而天下莫与之争。陛下拨乱反正，群臣诚不足望清光[137]，然不必临朝言之。以万乘之尊，乃与群臣校功争能，臣窃为陛下不取。"上甚善之。

【段旨】

以上为第五段，写魏徵规谏唐太宗恶闻谏言。

【注释】

[130]禹拜昌言：出自《尚书·大禹谟》。昌言，直言无所顾忌。[131]少府少监：官名，少

【原文】

十六年（壬寅，公元六四二年）

春，正月乙丑[138]，魏王泰上《括地志》[139]。泰好学，司马苏勖[140]说泰，以古之贤王皆招士著书，故泰奏请修之。于是大开馆舍，广延时

忤怒帝王的意旨，帝王动辄对他们处以刑罚，这与赴汤蹈火面对锋利的兵器又有什么区别呢！所以大禹对向他直言之人行礼，正是为此。”

房玄龄、高士廉在路上遇见少府少监窦德素，问他：“北门近来在修建什么？”窦德素把此事上奏给太宗。太宗很生气，责备房玄龄等人说：“你只执掌南面衙门里的政事，北门的小小修建，和你们的事有什么相干！”房玄龄等人下拜谢罪。魏徵进谏说：“臣不知道陛下为什么要责备房玄龄等人，而房玄龄等人又谢什么罪！房玄龄等人是陛下的股肱耳目大臣，对宫廷内外的事怎么有不应知道的！如果北门的修建是对的，就应当帮助陛下玉成其事，如果修建是不对的，他们就应当请求陛下停止修建。他们询问有关部门，是理所当然的。不知犯了什么罪过而责怪他们，又有什么罪要来谢罪！”唐太宗十分羞愧。

唐太宗曾在上朝时对侍从的大臣说：“朕作为万民的君主，经常兼管将和相的事。”给事中张行成退朝后向唐太宗上书，认为：“大禹本人不自我夸耀，而天下没有人和他相争。陛下拨乱反正，群臣实在不足以仰望陛下的清高风采，然而陛下不必在上朝时来说此事。以天子之尊，却与群臣比功争能，臣私意认为是不可取的。”唐太宗认为他说得非常好。

府监之副，掌少府监百工技巧等事。⑬² 窦德素：唐高祖皇后窦氏族孙，京兆始平（今陕西兴平）人，官至南康郡太守。⑬³ 北门：即宫城北门玄武门。⑬⁴ 南牙：又作“南衙”，即宫城内南端的中央官署。⑬⁵ 张行成（公元五八七至六五三年）：贞观末至永徽初年宰相。传见《旧唐书》卷七十八、《新唐书》卷一百四。⑬⁶ 矜伐：居功夸耀。⑬⁷ 清光：风采清雅。

【语译】

十六年（壬寅，公元六四二年）

春，正月初九日乙丑，魏王李泰进呈《括地志》一书。李泰爱好学问，司马苏勖劝说李泰，认为古代贤能的君王都招引学者来著书立说，所以李泰奏请修撰《括地志》。于是设置很大的馆舍，广泛延请当时的优秀人才，人才聚集，门庭若市。李

俊，人物辐凑，门庭如市。泰月给逾于太子，谏议大夫褚遂良上疏，以为："圣人制礼，尊嫡卑庶，世子用物不会⑭，与王者共之。庶子虽爱，不得逾嫡，所以塞嫌疑之渐，除祸乱之源也。若当亲者疏，当尊者卑，则佞巧之奸，乘机而动矣。昔汉窦太后宠梁孝王，卒以忧死⑭，宣帝宠淮阳宪王，亦几至于败⑭。今魏王新出阁，宜示以礼则，训以谦俭，乃为良器，此所谓'圣人之教不肃而成⑭'者也。"上从之。

上又令泰徙居武德殿。魏徵上书[7]，以为："陛下爱魏王，常欲使之安全，宜每抑其骄奢，不处嫌疑之地⑭。今移居此殿，乃在东宫之西，海陵⑭昔尝居之，时人不以为可。虽时异事异，然亦恐魏王之心不敢安息也。"上曰："几致此误。"遽遣泰归第。

辛未⑭，徙死罪者实西州，其犯流徒则充戍⑭，各以罪轻重为年限。

敕天下括浮游无籍者，限来年末附⑭毕。

以兼中书侍郎岑文本为中书侍郎，专知机密⑮。

夏，四月壬子⑮，上谓谏议大夫褚遂良曰："卿犹知起居注⑮，所书可得观乎？"对曰："史官书人君言动，备记善恶，庶几⑮人君不敢为非，未闻自取而观之也！"上曰："朕有不善，卿亦记之邪？"对曰："臣职当载笔，不敢不记。"黄门侍郎刘洎曰："借使遂良不记，天下亦皆记之。"上曰："诚然。"

六月庚寅⑮，诏息隐王⑮可追复皇太子，海陵剌王元吉追封巢王，谥并依旧。

甲辰⑮，诏自今皇太子出用库物，所司勿为限制。于是太子发取无度，左庶子张玄素上书，以为："周武帝平定山东，隋文帝混一江南，勤俭爱民，皆为令主⑮。有子不肖⑮，卒亡宗祀。圣上以殿下亲则父子，事兼家国，所应用物不为节限，恩旨未逾六旬，用物已过七万，骄奢之极，孰云过此！况宫臣正士，未尝在侧，群邪淫巧，昵近深宫。在外瞻仰，已有此失，居中隐密，宁可⑮胜计！苦药利病，苦言利行，伏惟居安思危，日慎一日。"太子恶其书，令户奴⑯伺玄素早朝，密以

泰每月的供给超过了太子，谏议大夫褚遂良上奏，认为："圣人制定礼仪，是为了以嫡长子为尊而以庶子为卑，供给太子的物品不用统计，与君王一同使用所需的物品。君王虽然喜欢庶子，也不得超过嫡长子，这是为了杜绝嫌疑的产生，消除祸乱的根源。如果应当亲近的人反而疏远，应当尊贵的人反而卑贱，那些佞巧的奸人，就会乘机而动了。从前西汉窦太后宠爱梁孝王，最终忧虑而死，汉宣帝宠爱淮阳宪王，也几乎导致败亡。如今魏王刚刚外出担任藩王，应该向他显示礼仪规矩，用谦虚节俭来教育他，才能使他成为良才，这就是所谓的'圣人的教导不必严急就自然形成'。"太宗听从了褚遂良的意见。

太宗又让李泰迁居到武德殿。魏徵上奏，认为："陛下喜欢魏王，常常想让他安全，就应当经常抑制他的骄奢习气，不要处于有嫌疑的地方。如今移居到武德殿，是在东宫的西面，海陵王李元吉过去曾在此居住，时人认为不是可住之处。虽然时间不同事情也有不同，然而也担心魏王住在此宫会内心不敢安宁。"太宗说："差一点造成失误。"立刻让李泰返回自己的宅第。

正月十五日辛未，唐朝把死罪犯人迁移到西州以充实该地，那些犯了流放罪的犯人则充军戍边，各自根据他们的罪行轻重划定戍边的年限。

敕令全国检查核对无户籍的游民，限定在下一年年底全部都要编入户籍。

太宗任命兼中书侍郎岑文本为中书侍郎，专门执掌朝廷机密事务。

夏，四月二十七日壬子，太宗对谏议大夫褚遂良说："你还兼管起居注的事务，起居注所载朕可以观看吗？"回答说："史官记载君主的言谈和行动，详记善恶，希望君主不敢做坏事，没有听说君主自己可以拿来观看的！"太宗说："朕有不善的事，你也记载了吗？"回答说："臣的职责在于秉笔直书，不敢不记。"黄门侍郎刘洎说："假使褚遂良不加记载，天下人也都会记载下来。"太宗说："的确是这样。"

六月初六日庚寅，太宗诏令息隐王李建成可以追认恢复皇太子身份，海陵剌王李元吉追封为巢王，谥号一并照旧。

六月二十日甲辰，太宗诏令从今以后皇太子领出使用库府内的器物，各有关部门不要加以限制。于是太子领取物品没有限度，左庶子张玄素上书，认为："周武帝平定关东，隋文帝统一江南，勤俭爱民，都成为一代善主。但他们的儿子不成器，最终使社稷灭亡。圣上认为与殿下在亲缘关系上是父子，在事情的处理上兼具了家和国的两重关系，所以才让殿下使用的器物不受节度限制，圣旨下达还未超过六十天，使用的器物已经超过七万，骄奢到了极点，谁能比这更骄奢！况且东宫属臣中的正直之士，都没有在殿下身旁，那群邪恶淫巧的小人，在深宫之中受到亲近。在宫外仰视，就已经看到了这种缺失，处在深宫之中的隐秘之事，哪里能够计算过来！苦口的药对治病有利，难听的话有利于品行，殿下应当考虑居安思危，一日比一日谨慎小心。"太子讨厌张玄素的上书，让守门的奴仆窥伺张玄素清早上朝，暗中用大

大马棰⑯击之，几毙。

秋，七月戊午[8]，以长孙无忌为司徒，房玄龄为司空。

庚申⑯，制："自今有自伤残者，据法加罪，仍从赋役。"隋末赋役重数，人往往自折支体，谓之"福手""福足"，至是遗风犹存，故禁之。

特进魏徵有疾，上手诏问之，且言："不见数日，朕过多矣。今欲自往，恐益为劳。若有闻见，可封状进来。"徵上言："比者⑯弟子陵师⑯，奴婢忽主⑯，下多轻上，皆有为而然，渐不可长⑯。"又言："陛下临朝，常以至公为言，退而行之，未免私僻⑯。或畏人知，横加威怒，欲盖弥彰，竟有何益！"徵宅无堂⑯，上命辍小殿之材以构之，五日而成，仍赐以素屏风、素褥、几杖⑯等以遂其所尚。徵上表谢，上手诏称："处卿至此，盖为黎元⑰与国家，岂为一人？何事过谢！"

八月丁酉⑰，上曰："当今国家何事最急？"谏议大夫褚遂良曰："今四方无虞，唯太子、诸王宜有定分⑰最急。"上曰："此言是也。"时太子承乾失德，魏王泰有宠，群臣日有疑议。上闻而恶之，谓侍臣曰："方今群臣，忠直无逾魏徵，我遣傅太子，用绝天下之疑。"九月丁巳⑰，以魏徵为太子太师⑰。徵疾少[9]愈，诣朝堂表辞。上手诏谕以："周幽、晋献⑰，废嫡立庶，危国亡家。汉高祖几废太子，赖四皓⑰然后安。我今赖公，即其义也。知公疾病，可卧护之。"徵乃受诏。

【段旨】

以上为第六段，写魏王李泰编纂《括地志》以取声誉，而太子李承乾骄奢失德，陵暴老师。

【注释】

⑬⑧乙丑：一月九日。⑬⑨《括地志》：唐初地理著作，五百五十卷，魏王李泰撰，实

马鞭击打他，张玄素差一点死去。

秋，七月初五日戊午，任命长孙无忌为司徒，房玄龄为司空。

初七日庚申，太宗颁下制令：“从今以后有人自残身体，依据法律加重罪行，仍要纳赋服役。”隋朝末年赋役繁重，人们往往自己折断肢体，称之为“福手”“福足”，到这时这种前朝遗留的风气尚存，所以加以禁止。

特进魏徵患病，太宗亲笔书写诏书探问病情，并且说：“几天不见，朕的过失多起来了。如今想亲往探望，恐怕给你更添烦扰。你如果有所闻见，可以加上密封上呈进来。”魏徵上书说：“近来弟子欺侮老师，奴婢轻视主人，在下的人大多轻视在上的人，都是有原因才这样做的，此风不可长。”又说：“陛下临朝听政，通常言语公正，但退朝后的行为，却未免偏私不正。有时害怕别人知道，横施威怒，欲盖弥彰，最终有什么好处！”魏徵的宅第没有厅堂，太宗命令把停建皇宫小殿的材料拿去给他建造厅堂，五天就建成了，还赐给没有花纹雕饰的屏风和素色的褥子、几案、手杖等，以适应他所崇尚的俭朴习惯。魏徵上表谢恩，太宗亲笔书写诏文说：“这样对待你，是为了黎民百姓与国家，岂是为朕一个人？何必过于谢恩！”

八月十四日丁酉，太宗说：“如今国家什么事情最为急迫？”谏议大夫褚遂良说：“如今四方安定没有忧患，只有太子、诸王应有一定的名分最为紧要。”唐太宗说：“这话说得对。”当时太子李承乾欠缺德行，魏王李泰得到宠爱，群臣每天都有疑议。太宗听说后十分厌恶，对侍从的大臣说：“如今的大臣们，忠诚正直没人超过魏徵，我派他去当太子的师傅，以此杜绝天下人的疑虑。”九月初四日丁巳，任命魏徵为太子太师。魏徵的病情稍有好转，来到朝堂上表推辞。太宗亲笔书写诏令进行晓谕说：“周幽王、晋献公，废除嫡长子册立庶子，使国家危亡。汉高祖几乎废掉太子，靠商山四位老人然后才得以安定。朕如今依靠你，就是出于这个道理。朕知道你有病，可以躺在床上佐护太子。”魏徵于是接受诏令。

出于萧德言等之手。书已散佚，今仅存数卷辑本。⑭⓪ 苏勖：字慎行，雍州武功（今陕西武功）人，原为秦王府十八学士之一，尚高祖女南昌公主，拜驸马都尉，官至太子左庶子。事迹见《旧唐书》卷八十八、《新唐书》卷一百二十五《苏瓌传》附《苏幹传》。⑭① 会：总计；岁计。⑭② 昔汉窦太后宠梁孝王二句：窦太后为西汉文帝皇后，景帝即位，尊为太后。其少子梁孝王刘武，因太后宠爱，景帝被迫赐予天子旌旗，出入“拟于天子”。武由是觊觎帝位并派人刺杀朝中大臣，帝“由此怨望于梁王”，武终以忧死。事

见《汉书》卷四十七《文三王传》等。⑭③宣帝宠淮阳宪王二句：宣帝，即公元前七四至前四九年在位的西汉宣帝刘询（公元前九二至前四九年）。淮阳宪王刘钦，为宣帝次子，“聪达有材，帝甚爱之”。钦遂自命不凡，于元帝刘奭（公元前四九至前三三年在位）时谋反，几至身败名裂。事见《汉书》卷八十《宣元六王传》等。⑭④圣人之教不肃而成：《孝经》载孔子之言。肃，严急。⑭⑤嫌疑之地：诸侯王不应入居皇宫，违礼过制，将使自己遭嫌疑。⑭⑥海陵：李元吉被追封为海陵王。⑭⑦辛未：一月十五日。⑭⑧充戍：充军戍守。⑭⑨附：谓附籍为国家编户。⑮⓪专知机密：中书省设侍郎二人，为中书令之副，时独用岑文本，故称“专知机密”。⑮①壬子：四月二十七日。⑮②知起居注：知，兼官。起居注，帝王的言行记录。⑮③庶几：希望。⑮④庚寅：六月六日。⑮⑤息隐王：即李建成。他被追封为息王，谥号“隐”。⑮⑥甲辰：六月二十日。⑮⑦令主：好皇帝。令，美、善。⑮⑧有子不肖：此指北周武帝子宣帝宇文赟和隋文帝子炀帝杨广。⑮⑨宁可：不可；不能。⑯⓪户奴：官奴，掌守门户。⑯①马棰：马鞭。⑯②庚申：七月七日。⑯③比者：近来。⑯④陵师：冒犯老师。陵，通“凌”。⑯⑤忽主：轻视主人。⑯⑥渐不可长：不良风气不可逐渐增长。⑯⑦私

【原文】

癸亥[177]，薛延陀真珠可汗遣其叔父沙钵罗泥熟俟斤来请昏，献马三千、貂皮三万八千、马脑镜一。

癸酉[178]，以凉州都督郭孝恪行安西都护、西州刺史。高昌旧民与镇兵[179]及谪徙[180]者杂居西州，孝恪推诚抚御，咸得其欢心。

西突厥乙毗咄陆可汗既杀沙钵罗叶护，并其众，又击吐火罗，灭之。自恃强大，遂骄倨，拘留唐使者，侵暴西域。遣兵寇伊州，郭孝恪将轻骑二千自乌骨[181]邀击，败之。乙毗咄陆又遣处月、处密二部围天山[182]，孝恪击走之，乘胜进拔处月俟斤所居城，追奔至遏索山[183]，降处密之众而归。

初，高昌既平，岁发兵千余人戍守其地。褚遂良上疏，以为：“圣王为治，先华夏而后夷狄。陛下兴兵取高昌，数郡萧然[184]，累年不复[185]。岁调千余人屯戍[186]，远去乡里，破产办装[187]。又谪徙罪人，皆无赖子弟，适足骚扰边鄙，岂能有益行陈！所遣多复逃亡，徒烦追捕。

僻：自私偏执。⑯堂：正屋；前厅。⑯几杖：老人用物。几，小桌，用于卧时凭倚。杖，手杖，用以行走时支撑身体。⑰黎元：黎民百姓。⑰丁酉：八月十四日。⑰定分：指名位的等级规格要有一定的标准。⑰丁巳：九月四日。⑰太子太师：官名，从一品，掌辅导皇太子。⑰周幽、晋献：周幽，即西周幽王，幽王废太子而立褒姒之子，为犬戎所杀。晋献，即春秋晋国献公，献公废世子而立骊姬之子，晋国大乱。⑰四皓：即秦末汉初隐于商山的东园公、角里先生、绮里季、夏黄公四位八十余岁老人，时称“商山四皓”。因太子同四皓交游，汉高祖遂以为太子众望所归，改变了另立太子的初衷。

【校记】

［7］书：据章钰校，十二行本、乙十一行本皆作“疏”。［8］戊午：原误作“戊子”。据章钰校，十二行本、乙十一行本皆作“戊午”，今据改。〖按〗是年七月无“戊子”，有“戊午”。戊午，七月初五。［9］少：据章钰校，十二行本、乙十一行本皆作“小”。

【语译】

九月初十日癸亥，薛延陀真珠可汗派他的叔父沙钵罗泥熟俟斤前来唐朝请求通婚，献上三千匹马、三万八千张貂皮、一面玛瑙镜子。

九月二十日癸酉，唐朝廷任命凉州都督郭孝恪为安西都护、西州刺史。高昌旧时的民众与军镇的士兵以及迁徙流放的犯人混杂居住在西州，郭孝恪诚心诚意抚慰治理，都得到了他们的欢心。

西突厥乙毗咄陆可汗杀死沙钵罗叶护以后，吞并了他的部众，又攻击吐火罗，灭掉了它。仗恃着自己强大，便骄横无礼，拘留唐朝的使者，侵害西域地区。他派兵进犯伊州，郭孝恪率二千轻骑兵从乌骨拦击，打败了敌军。乙毗咄陆又派处月、处密二个部族围困天山，郭孝恪打跑了他们，乘胜进军，攻克处月俟斤居住的城镇，追击逃军到达遏索山，降伏了处密的部众后返回。

起初，平定高昌以后，每年征发一千多名士卒在当地戍守。褚遂良上疏，认为：“圣王治理天下，把华夏放在首位，四方夷狄放在后面。陛下出动军队获取了高昌，当地的几个郡一片萧条，多年不能恢复。每年征调一千多人屯田戍守，士卒远离乡土，破费家产来置备自己的行装。又把犯人流放到此地，这些人都是无赖之徒，正好让他们骚扰边境，岂能对部队作战有益！派去的这些人又大多逃亡，让官府徒劳

加以道涂所经，沙碛千里，冬风如割，夏风如焚，行人往来，遇之多死。设使张掖[188]、酒泉[189]有烽燧[190]之警，陛下岂得高昌一夫斗粟之用，终当发陇右诸州兵食以赴之耳。然则河西[191]者，中国之心腹，高昌者，他人之手足，奈何糜弊本根[192]以事无用之土乎！且陛下得突厥、吐谷浑，皆不有其地，为之立君长以抚之，高昌独不得与为比乎！叛而执之，服而封之，刑莫威焉，德莫厚焉。愿更择高昌子弟可立者使君其国，子子孙孙，负荷大恩，永为唐室藩辅，内安外宁，不亦善乎！”上弗听。及西突厥入寇，上悔之，曰：“魏徵、褚遂良劝我复立高昌，吾不用其言，今方自咎耳。”

乙毗咄陆西击康居[193]，道过米国[194]，破之，虏获甚多，不分与其下。其将泥熟啜[195]辄夺取之，乙毗咄陆怒，斩泥熟啜以徇，众皆愤怨。泥熟啜部将胡禄屋[196]袭击之，乙毗咄陆众散，走保白水胡城[197]。于是弩失毕[198]诸部及乙毗咄陆所部屋利啜等遣使诣阙，请废乙毗咄陆，更立可汗。上遣使赍玺书，立莫贺咄[199]之子为乙毗射匮可汗[200]。乙毗射匮既立，悉礼遣乙毗咄陆所留唐使者，帅所[10]部击乙毗咄陆于白水胡城。乙毗咄陆出兵击之，乙毗射匮大败。乙毗咄陆遣使招其故部落，故部落皆曰：“使我千人战死，一人独存，亦不汝从！”乙毗咄陆自知不为众所附，乃西奔吐火罗。

冬，十月丙申[201]，殿中监郢纵公宇文士及卒。上尝止树下，爱之，士及从而誉之不已。上正色曰：“魏徵常劝我远佞人，我不知佞人为谁，意疑是汝，今果不谬！”士及叩头谢。

上谓侍臣曰：“薛延陀屈[11]强[202]漠北，今御之止有二策，苟非发兵殄灭之，则与之婚姻以抚之耳，二者何从？”房玄龄对曰：“中国新定，兵凶战危，臣以为和亲便。”上曰：“然。朕为民父母，苟可利之，何爱一女！”

先是，左领军将军契苾何力母姑臧夫人[203]及弟贺兰州都督沙门[204]皆在凉州，上遣何力归觐，且抚其部落。时薛延陀方强，契苾部落皆欲归之，何力大惊曰：“主上厚恩如是，奈何遽为叛逆？”其徒

地追捕。再加上一路上经过的地区，沙漠千里，冬季风吹如刀割，夏季风吹如火烧，行人来往，遇到这种情况大多死掉。假使张掖、酒泉有烽火报警，陛下难道还能得到高昌一个士兵一斗粮食的帮助吗？最终还是要征发陇右各州兵马粮草奔赴边境。这样看来，陇右的河西地区是中国的心腹之地，高昌地区不过是他人的手脚，为什么要让心腹之地受到损伤而用在无用的土地上呢！而且陛下得到了突厥、吐谷浑，都没有占有他们的土地，为他们重立君主来安抚他们，唯独高昌不能与突厥、吐谷浑相比拟吗！他们如果对朝廷叛变，就派兵抓获他们，他们如果对朝廷表示顺服，就封给他们官职，这样做才能使朝廷的刑罚无比威严、恩德无比优厚。希望陛下重新选择高昌王的子弟中可以立为可汗的，让他君临高昌国，让他的子子孙孙，蒙受陛下的浩大皇恩，永远作为大唐皇室的藩国屏障，使国家内外安宁，不也是很好吗！”太宗不听从他的意见。等到西突厥入境侵犯，太宗后悔了，说：“魏徵、褚遂良都劝朕重新扶立高昌国王，朕不采纳他们的建议，如今正是咎由自取而已！”

乙毗咄陆西进攻打康居国，途经米国，攻破该国，俘获很多，却不分给他的下属。他的部将泥熟啜就自己抢夺俘虏，乙毗咄陆很生气，将泥熟啜斩首示众，大家都愤恨怨怒。泥熟啜的部将胡禄屋袭击乙毗咄陆，乙毗咄陆的部下散去，他逃到白水胡城进行防守。在这时，弩失毕各部以及乙毗咄陆的部下屋利啜等人派使节来到长安，请求废掉乙毗咄陆，另立可汗。太宗派使节带着玺书，立莫贺咄的儿子为乙毗射匮可汗。乙毗射匮即位为可汗之后，把乙毗咄陆拘留的唐朝使者全部按礼节遣送回国，率领所辖部队进攻乙毗咄陆的白水胡城。乙毗咄陆出兵迎击，乙毗射匮大败。乙毗咄陆派人招募他的原有部落，这些部落都说：“即使我们一千人战死，只有一个人生存下来，也不跟从你！”乙毗咄陆自己知道不被大家所服从，就向西投奔吐火罗。

冬，十月十四日丙申，殿中监郢纵公宇文士及去世。太宗曾经停在一棵树下，喜欢这棵树，宇文士及跟在身边对这棵树赞誉不止。太宗脸色严肃地说：“魏徵常劝朕远离谗佞之人，朕不知道佞人是谁，心里怀疑是你，今天果然不错！”宇文士及磕头谢罪。

太宗对侍从大臣说：“薛延陀在漠北强盛称雄，如今控制它只有两个办法，如果不是发兵消灭它，就要和它通婚以安抚它，这两个办法应该用哪一个？”房玄龄回答说：“中国刚刚安定，出兵凶多吉少，征战就有危险，我认为采取和亲的方法更为便利。”太宗说：“是这样。朕为天下百姓的父母，如果对他们有利，哪里会爱惜一个女儿！”

在此之前，左领军将军契苾何力的母亲姑臧夫人及他的弟弟贺兰州都督沙门都住在凉州，太宗派契苾何力回去省亲，并且安抚他的部落。当时薛延陀正势力强大，契苾部落都想归附薛延陀，契苾何力大为惊讶，说：“天子对待我们有这样厚重的恩

曰："夫人、都督先已诣彼，若之何不往?"何力曰："沙门孝于亲，我忠于君，必不汝从。"其徒执之诣薛延陀，置真珠[205]牙帐前。何力箕踞，拔佩刀东向大呼曰："岂有唐烈士而受屈虏庭，天地日月，愿知我心!"因割左耳以誓。真珠欲杀之，其妻谏而止。

上闻契苾叛，曰："必非何力之意。"左右曰："戎狄气类相亲，何力入薛延陀，如鱼趋水耳。"上曰："不然。何力心如铁石，必不叛我。"会有使者自薛延陀来，具言其状，上为之下泣[12]，谓左右曰："何力果如何?"即命兵部侍郎崔敦礼[206]持节谕薛延陀，以新兴公主[207]妻之，以求何力。何力由是得还，拜右骁卫大将军[208]。

十一月丙辰[209]，上校猎于武功。

丁巳[210]，营州都督张俭奏高丽东部大人泉盖苏文[211]弑其王武[212]。盖苏文凶暴多不法，其王及大臣议诛之。盖苏文密知之，悉集部兵若校阅者，并盛陈酒馔于城南，召诸大臣共临视，勒兵尽杀之，死者百余人。因驰入宫，手弑其王，断为数段，弃沟中。立王弟子藏[213]为王，自为莫离支，其官如中国吏部兼兵部尚书也。于是号令远近，专制国事。盖苏文状貌雄伟，意气豪逸，身佩五刀，左右莫敢仰视。每上下马，常令贵人、武将伏地而履之。出行必整队伍，前导者长呼，则人皆奔迸，不避坑谷，路绝行者，国人甚苦之。

壬戌[214]，上校猎于岐阳[215]，因幸庆善宫[216]，召武功故老宴赐，极欢而罢。庚午[217]，还京师。

壬申[218]，上曰："朕为兆民之主，皆欲使之富贵。若教以礼义，使之少敬长，妇敬夫，则皆贵矣。轻徭薄敛，使之各治生业，则皆富矣。若家给人足，朕虽不听管弦[219]，乐在其中矣。"

【段旨】

以上为第七段，写唐与薛延陀和亲。

德，为什么这么快就做叛逆之事?”契苾部落的人说:“老夫人、都督在此之前都已去见过薛延陀，我们怎么能不前往?”契苾何力说:“沙门是孝敬老夫人，而我要忠于皇上，一定不会听从你们。”部落的人把契苾何力捆绑起来前往薛延陀，把他放在真珠可汗的牙帐前面。契苾何力坐在地上伸出双腿，拔出佩刀朝着东方大声呼喊说:“哪里有大唐的忠烈之士能在虏人帐庭受这种侮辱，天地日月，请知道我的心意!”于是割掉左耳向天地发誓。真珠可汗想杀死他，他的妻子劝说后才作罢。

太宗听说契苾何力叛逃，说:“肯定不是何力的本意。”身边的人说:“戎狄之人相互亲近，何力进入薛延陀，就像鱼跑到水里一样。”太宗说:“不是这样。何力心如铁石，一定不会背叛我。”适逢使者从薛延陀回来，详细讲述了实际情况，太宗为契苾何力落下眼泪，对身边的人说:“何力果真这样?”当即命令兵部侍郎崔敦礼持旌节晓谕薛延陀，把新兴公主嫁给真珠可汗为妻，要求送回契苾何力。何力因此得以回到朝中，官拜右骁卫大将军。

十一月初四日丙辰，太宗在武功打猎。

十一月初五日丁巳，营州都督张俭上奏说高丽的东部大人泉盖苏文杀死高丽王高武。盖苏文凶残暴虐，多为不法之事，高丽王和大臣们商议要把他处死。盖苏文暗中得知消息，召集他的全部兵马，好像在检阅部队，并在城南摆出盛大的酒菜，召集诸位大臣亲往观看部队的检阅，部署手下士兵全部杀掉了他们，死了一百多人。接着驰马入宫，亲手杀死他的国王，砍成几截，抛弃沟中。立高丽王弟弟的儿子高藏为王，自己为莫离支，这个官职如同中国的吏部兼兵部尚书。于是向远近地区发号施令，独自掌管了高丽的国政。盖苏文体貌雄伟，气概豪爽，身上佩带五把刀，身边的人都不敢抬头看他。每次上马下马，常常命令贵族、武将伏在地下，他踩着上下马。出行时一定要整饬队伍，在前面开路的拉长声音呼喊，路上的人们都急忙奔窜，也不避开坑洼，道路上断绝行人，高丽国的百姓对他的统治叫苦连天。

十一月初十日壬戌，太宗在岐阳打猎，接着临幸庆善宫，召集武功县故老赏赐酒宴，尽兴而罢。十八日庚午，返回长安。

十一月二十日壬申，太宗说:“朕为万民之主，想让百姓们全都富贵。如果教给他们礼义，让他们年少的孝敬年长的，妻子尊敬丈夫，那就都尊贵了。轻徭薄赋，让他们各自治理产业，那就都富足了。如果家给人足，朕即使不听音乐，也乐在其中了。”

【注释】

⑰癸亥：九月十日。⑱癸酉：九月二十日。⑲镇兵：军镇之兵。⑳谪徙：获罪流放边地。㉑乌骨：民族名，疑即“乌护”，分布于西州北的回纥的一支。㉒天山：县名，县治在今新疆吐鲁番西南。㉓遏索山：在今乌鲁木齐西南。㉔萧然：萧条，指经济残破。㉕不复：不能恢复旧貌。㉖屯戍：屯田戍守。㉗办装：治理戎装，备办军需物资。㉘张掖：郡治名，即今甘肃张掖，为唐初甘州治所。㉙酒泉：县名，县治即今甘肃酒泉。㉚烽燧：古代边防报警的两种信号，烽指夜间烽火台上的燃火，燧指白昼烽火台上的积薪燃烧时的浓烟。㉛河西：地区名，指今甘、青二省黄河以西地区，即河西走廊和湟水流域一带。㉜糜弊本根：损坏根基。此处指损坏为中国心腹之地的河西地区。㉝康居：在今乌兹别克斯坦撒马尔罕一带。永徽中，于其国萨末鞬城（即今撒马尔罕城）置康居都督府。㉞米国：国名，又作“弥末”“弭秣贺”。在今乌兹别克斯坦撒马尔罕东南朱马巴扎尔。㉟泥熟啜：西突厥阿悉结部酋。㊱胡禄屋：西突厥五咄陆胡禄屋部酋。㊲白水胡城：在今哈萨克斯坦奇姆肯特东。㊳弩失毕：即居碎叶（今楚河）以西的西突厥十姓中五弩失毕部落。㊴莫贺咄：即杀统叶护可汗自立的莫贺咄侯屈利俟毗可汗，公元六二八至六三〇年在位。㊵乙毗射匮可汗：公元六四二至六五一年在位。㊶丙申：十月十四日。㊷屈强：倔强。屈，通“倔”。㊸姑臧夫人：铁勒契苾部女酋长，贞观六年（公元六三二年）率部内附，封姑臧夫

【原文】

亳州[220]刺史裴行庄奏请伐高丽，上曰：“高丽王武职贡不绝，为贼臣所弑，朕哀之甚深，固不忘也。但因丧乘乱而取之，虽得之不贵。且山东凋弊，吾未忍言用兵也。”

高祖之入关也，隋武勇郎将冯翊党仁弘将兵二千余人归高祖于蒲阪[221]，从平京城[222]，寻除陕州总管。大军东讨[223]，仁弘转饷[224]不绝，历南宁、戎、广州[225]都督。仁弘有材略，所至著声迹，上甚器之。然性贪，罢广州，为人所讼，赃百余万，罪当死。上谓侍臣曰：“吾昨见大理五奏[226]诛仁弘，哀其白首就戮，方晡食[227]，遂命撤案。然为之求生理，终不可得。今欲曲法[228]就公等乞之。”十二月壬午朔[229]，上复召五品已上集太极殿前，谓曰：“法者，人君所受于天，不可以私而失信。今朕私党仁弘而欲赦之，是乱其法，上负于天。欲席藁[230]于南郊[231]，日一进蔬

人。㉔沙门：姑臧夫人次子，拜羁縻州贺兰州（侨治今甘肃武威）都督。姑臧夫人及子沙门事迹并见两《唐书·契苾何力传》。㉕真珠：薛延陀真珠毗伽可汗的简称。名夷男。公元六二九至六四五年在位。㉖崔敦礼（公元五九六至六五六年）：唐初大臣，雍州咸阳（今陕西咸阳）人，高宗永徽四年（公元六五三年）至显庆元年（公元六五六年）为宰相。传见《旧唐书》卷八十一、《新唐书》卷一百六。㉗新兴公主：唐太宗女。初，许嫁真珠可汗，后太宗毁婚，嫁公主于长孙曦。传见《新唐书》卷八十三。㉘右骁卫大将军：唐十六卫大将军之一，正三品，掌宫禁宿卫。㉙丙辰：十一月四日。㉚丁巳：十一月五日。㉛泉盖苏文：高丽权臣。泉，姓。盖苏文，名。又名盖金。高丽分其国为桂娄、绝奴、顺奴、灌奴、涓奴五部。顺奴又称东部，或号左部，盖苏文袭位为东部大人。㉜武：即高丽国王高武。㉝藏：即高丽国王高藏，公元六四二至六六八年在位。㉞壬戌：十一月十日。㉟岐阳：县名，县治在今陕西岐山县东北岐阳村。㊱庆善宫：武德六年（公元六二三年）以武功宫改名。在今陕西武功普集镇西渭河北岸。㊲庚午：十一月十八日。㊳壬申：十一月二十日。㊴管弦：即管乐（铜、竹管状乐器）和弦乐（琴瑟等），泛指音乐。

【校记】

［10］所：据章钰校，十二行本、乙十一行本皆作“诸”。［11］屈：据章钰校，孔天胤本作“崛”。［12］下泣：据章钰校，孔天胤本作“泣下”。

【语译】

亳州刺史裴行庄上奏请求讨伐高丽，太宗说：“高丽国王高武每年贡赋不断，被贼臣所杀，朕深为哀痛，实在不能忘怀。利用他们丧失国王，乘乱攻取，即使得胜也不足为贵。况且山东地区民生凋敝，朕不忍心提用兵的事。”

当年高祖李渊进入关中地区时，隋朝武勇郎将冯翊人党仁弘率部下二千多人在蒲阪归附高祖，跟随平定京城，不久拜官陕州总管。唐朝大军东进讨伐王世充时，党仁弘不断转运粮饷，历任南宁州、戎州、广州都督。党仁弘有才识韬略，所到之处都有良好的声誉，太宗十分器重他。然而他性情贪婪，被罢免了广州都督，被人控告，贪赃一百多万，论罪当死。太宗对侍从的大臣说：“朕昨天看见大理寺五次上奏请求诛杀党仁弘，朕哀怜他白首就戮，我正吃晚饭，就命令把饭桌子撤掉。然而为他求条活下来的理由，最终也找不到。如今想枉法向你们请求免他一死。”十二月初一日壬午，太宗又召见五品以上官员集中到太极殿前，对他们说：“法律，君王承受于上天，不可因为私情而失去信用。如今朕出于私心偏袒党仁弘，想要赦免他，这是扰乱了法律，上负于天。朕想去南郊坐在席子上，每日只进一次素食，用三天

食，以谢罪于天三日。”房玄龄等皆曰：“生杀之柄，人主所得专也，何至自贬责如此！”上不许，群臣顿首固请于庭，自旦至日昃。上乃降手诏，自称：“朕有三罪：知人不明，一也；以私乱法，二也；善善未赏，恶恶未诛，三也。以公等固谏，且依来请。”于是黜仁弘为庶人，徙钦州。

癸卯㉜，上幸骊山温汤。甲辰㉝，猎于骊山。上登山，见围㉞有断处，顾谓左右曰：“吾见其不整而不刑㉟，则堕㊱军法，刑之，则是吾登高临下以求人之过也。”乃托㊲以道险，引辔㊳入谷以避之。乙巳㊴，还宫。

刑部以“反逆缘坐㊵律兄弟没官㊶为轻，请改从死”。敕八座议之。议者皆以为“秦、汉、魏、晋之法，反者皆夷三族㊷，今宜如刑部请为是”。给事中崔仁师㊸驳曰：“古者父子兄弟罪不相及，奈何以亡秦酷法变隆周中典㊹！且诛其父子，足累其心，此而不顾，何爱兄弟！”上从之。

上问侍臣曰：“自古或君乱而臣治，或君治而臣乱，二者孰愈㊺？”魏徵对曰：“君治则善恶赏罚当，臣安得而乱之！苟为不治，纵暴愎谏㊻，虽有良臣，将安所施！”上曰：“齐文宣㊼得杨遵彦㊽，非君乱而臣治乎？”对曰：“彼才能救亡耳，乌足㊾为治哉！”

【段旨】

以上为第八段，写唐太宗护佑功臣，减轻夷三族之罪。

【注释】

⑳亳州：州名，治所在今安徽亳州。㉑蒲阪：隋废县名，县治在今山西永济西南蒲州镇东。㉒京城：即隋唐国都长安。㉓东讨：谓讨伐王世充等。㉔转饷：转运军饷等军用物资。㉕南宁、戎、广州：皆为州名。南宁州，治所在今云南曲靖西。戎州，治所在今四川宜宾。广州，治所在今广东广州。㉖五奏：贞观五年制令，死罪囚，三日五覆奏，以防止冤滥杀人。㉗晡食：晚饭。㉘曲法：枉法；不合理执法。㉙壬午朔：十二月一日。㉚席藁：坐卧藁上，自等于罪人，古人以此表示自罚。藁，用禾秆编织的席。㉛南郊：天坛所在。㉜癸卯：十二月二十二日。㉝甲辰：十二月二十三日。㉞围：围墙。㉟不刑：不以刑

时间向上天谢罪。”房玄龄等人都说：“生杀的大权，是皇帝一个人的专权，何至于这样自我贬责呢！”太宗不答应，群臣在殿庭内磕头坚持请求，从早晨直到下午。太宗这才降下诏书，说：“朕有三条罪：识别人才而不能明察，是第一罪；因为私情而扰乱法律，是第二罪；喜欢善人而未给予赏赐，讨厌恶人而未加诛罚，是第三罪。因为你们执意苦谏，暂且依从你们的请求。”于是把党仁弘废黜为平民，流放到钦州。

十二月二十二日癸卯，太宗幸临骊山温泉。二十三日甲辰，在骊山打猎。太宗登上骊山，看见围墙有断绝处，回头对身边的人说：“我看见围墙没有整治好而不加以惩罚，那就是败坏军纪，如果惩罚有关人员，就是我登高临下来寻找别人的过失。”于是推托道路险恶，牵马进入山谷以避开断墙。二十四日乙巳，返回宫中。

刑部认为反叛等大罪依连坐法令，兄弟没官为奴，这种处罚太轻，请求改为一并处死。太宗敕令尚书仆射以及六部尚书讨论此事。议者都认为“秦、汉、魏、晋的法律，谋反罪都要夷灭三族，如今应当批准刑部的请求为是”。给事中崔仁师反驳说：“古时候父子兄弟犯罪不相牵连，为什么要用亡秦的严刑酷法来改变强盛兴隆的周朝的常行法典呢！而且诛杀了他的父子，已经足以让他心怀重负，这一点都不顾及，又哪里能爱惜他的兄弟呢！”太宗听从了他的意见。

太宗询问侍从大臣说：“自古以来有时是君主昏愦乱政而臣下能治理国政，有时是君主能治理国政而臣下昏庸乱国，二者谁对国家的危害更为严重呢？”魏徵回答说：“君主能治理国政，就会善恶赏罚妥当，臣下怎能扰乱国政！如果君主不能治理国政，放纵暴虐而又刚愎自用，虽然有贤良的大臣，又怎能让他有所作为！”太宗说：“北齐文宣帝得到了杨遵彦，不是君主乱国而大臣能治国吗？”回答说：“他只能挽救国家的灭亡罢了，哪里能足以治理好国政呢！”

法制裁。㉓⑥堕：毁坏。㉓⑦托：借口；托词。㉓⑧辔：驾驭牲口的缰绳。㉓⑨乙巳：十二月二十四日。㉔⓪缘坐：因受人连累，虽无辜仍被治罪。㉔①没官：刑罚之一。即罚作官奴。㉔②夷三族：诛灭三族。三族谓父族、母族、妻族，或谓父、子、孙三族，或父母、兄弟、妻子三族。㉔③崔仁师：唐初大臣，定州安喜（县治在今河北定州东南）人，累官民部、刑部、中书侍郎、简州刺史。永徽初卒。传见《旧唐书》卷七十四、《新唐书》卷九十九。㉔④中典：常行之法。㉔⑤愈：胜过。㉔⑥愎谏：刚愎自用，听不得批评意见。㉔⑦齐文宣：即北齐文宣帝高洋（公元五二九至五五九年）。北齐的建立者。公元五五〇至五五九年在位。高洋虽昏狂淫乱，但能任用杨遵彦（即杨愔）等汉族官僚，改定律令，严禁贪污，并出击柔然、契丹和攻取梁地，因而国势强盛。齐文宣帝传见《北齐书》卷四十三、《北史》卷七。㉔⑧杨遵彦：传见《北齐书》卷三十四、《北史》卷四十一。㉔⑨乌足：何足。

【原文】

十七年（癸卯，公元六四三年）

春，正月丙寅㉕⓪，上谓群臣曰："闻外间士人[13]以太子有足疾，魏王颖悟，多从游幸，遽生异议，徼幸之徒㉕①，已有附会者。太子虽病足，不废步履。且礼，嫡子死，立嫡孙。太子男已五岁，朕终不以孽代宗㉕②，启窥窬㉕③之源也。"

郑文贞公魏徵寝疾㉕④，上遣使者问讯，赐以药饵，相望于道。又遣中郎将李安俨㉕⑤宿其第，动静以闻。上复与太子同至其第，指衡山公主㉕⑥欲以妻其子叔玉㉕⑦。戊辰㉕⑧，徵薨，命百官九品以上皆赴丧，给羽葆鼓吹㉕⑨，陪葬昭陵。其妻裴氏曰："徵平生俭素，今葬以一品羽仪㉖⓪，非亡者之志。"悉辞不受，以布车载柩㉖①而葬。上登苑西楼㉖②，望哭尽哀。上自制碑文，并为书石㉖③。上思徵不已，谓侍臣曰："人以铜为镜，可以正衣冠；以古为镜，可以见兴替㉖④；以人为镜，可以知得失。魏徵没，朕亡一镜矣！"

【段旨】

以上为第九段，写魏徵之死，唐太宗慨叹"朕亡一镜矣"。

【注释】

㉕⓪丙寅：一月十五日。㉕①徼幸之徒：投机钻营者。㉕②以孽代宗：孽，庶子。宗，嫡子。㉕③窥窬：窥伺可乘之隙。㉕④寝疾：卧病。㉕⑤李安俨：太子李承乾党徒，后谋反被诛。事迹见《旧唐书》卷七十六、《新唐书》卷八十《李承乾传》。㉕⑥衡山公主：太宗女。初，许嫁魏叔玉，魏徵卒后，太宗手诏停婚。㉕⑦叔玉：魏叔玉，魏徵长子。袭爵

【语译】

十七年（癸卯，公元六四三年）

春，正月十五日丙寅，太宗对大臣们说："听说外面士大夫传言太子有脚病，魏王李泰聪明，多次跟随朕游幸，很快生出异议，希望从中获得好处的人，已有人附和李泰。太子虽然脚有病，但不妨碍行走。而且《礼记》说：嫡长子死，就立嫡长孙。太子的儿子已经五岁，朕终究不会用庶子取代嫡长子，开启让人觊觎皇位的根源。"

郑文贞公魏徵卧病不起，太宗派使者前去问讯，赐给他药饵，使者在道路上前后相望。又派中郎将李安俨住在魏徵的宅中，一有动静便立即报告。太宗又和太子一同到魏徵的宅第，指着衡山公主，要把她嫁给魏徵的儿子魏叔玉。正月十七日戊辰，魏徵去世，太宗命九品以上的官员都去奔丧，赐给手持羽葆的仪仗队和吹鼓手，陪葬在昭陵。魏徵的妻子裴氏说："魏徵平生节俭朴素，如今用一品官的规格埋葬他，并不是死者的愿望。"全都推辞不受，使用布罩着车子载着棺材安葬。太宗登上禁苑的西楼，望着魏徵灵车痛哭，极为悲哀。太宗亲自撰写碑文，并且书写在墓碑上。太宗思念魏徵不止，对侍从的大臣说："人们用铜作为镜子，可以照着自己整理衣帽；把历史作为镜子，可以观察到历代王朝的兴衰隆替；把人作为镜子，可以知道自己行为的得失。魏徵没世，朕失去了一面镜子！"

国公，官至光禄少卿。传见《旧唐书》卷七十一、《新唐书》卷九十七。㉘戊辰：一月十七日。㉙羽葆鼓吹：羽盖和鼓吹乐队。羽葆，用鸟羽装饰的车盖。鼓吹，用鼓、钲、箫、笳等乐器合奏的乐队。只有规格极高的葬礼才可使用羽葆鼓吹，如魏徵妻云此为"一品羽仪"。㉚羽仪：用鸟羽装饰的仪仗。㉛布车载柩：张布幔的普通灵车。㉜西楼：在长安禁苑内。㉝书石：太宗将御制碑文亲自书写到魏徵神道碑上，以备工匠雕刻。㉞兴替：兴废。

【校记】

［13］人：据章钰校，十二行本、乙十一行本皆作"民"。

【原文】

鄠尉游文芝告代州都督刘兰成[265]谋反。戊申[266]，兰成坐腰斩[267]。右武候将军丘行恭探兰成心肝食之。上闻而让之曰："兰成谋反，国有常刑，何至如此！若以为忠孝，则太子诸王先食之矣，岂至卿邪！"行恭惭而拜谢。

二月壬午[268]，上问谏议大夫褚遂良曰："舜造漆器，谏者十余人，此何足谏？"对曰："奢侈者，危亡之本，漆器不已，将以金玉为之。忠臣爱君，必防其渐[269]，若祸乱已成，无所复谏矣。"上曰："然。朕有过，卿亦当谏其渐。朕见前世帝王拒谏者，多云'业已为之'，或云'业已许之'，终不为改。如此，欲无危亡得乎！"

时皇子为都督、刺史者多幼稚，遂良上疏，以为："汉宣帝云：'与我共治天下者，其惟良二千石[270]乎！'今皇子幼稚，未知从政，不若且留京师，教以经术[271]，俟其长而遣之。"上以为然。

壬辰[272]，以太子詹事张亮为洛州都督。侯君集自以有功而下吏，怨望有异志[273]。亮出为洛州，君集激之曰："何人相排[274]？"亮曰："非公而谁！"君集曰："我平一国来，逢嗔[275]如屋大，安能仰排！"因攘袂[276]曰："郁郁殊不聊生[277]，公能反乎？与公反！"亮密以闻。上曰："卿与君集皆功臣，语时旁无他人。若下吏，君集必不服。如此，事未可知[278]，卿且勿言。"待君集如故。

鄜州[279]都督尉迟敬德表乞骸骨[280]。乙巳[281]，以敬德为开府仪同三司[282]，五日一参[283]。

丁未[284]，上曰："人主惟有一心，而攻之者甚众。或以勇力，或以辩口，或以谄谀，或以奸诈，或以嗜欲，辐凑[285]攻之，各求自售[286]，以取宠禄。人主少懈[287]而受其一，则危亡随之，此其所以难也。"

戊申[288]，上命图画功臣赵公长孙无忌、赵郡元王孝恭、莱成公杜如晦、郑文贞公魏徵、梁公房玄龄、申公高士廉、鄂公尉迟敬德、卫公李靖、宋公萧瑀、褒忠壮公段志玄、夔公刘弘基、蒋忠公屈突通、郧节公殷开山、谯襄公柴绍[289]、邳襄公长孙顺德、郧公张亮、陈公侯君

【语译】

鄠县县尉游文芝上告代州都督刘兰成谋反。正月十七日戊辰，刘兰成获罪腰斩。右武候将军丘行恭掏出刘兰成心肝吃掉。太宗听说后责备他说："兰成谋反，国家有规定的刑罚，怎么做事能到这一步！如果认为这就是忠孝，那么太子和诸亲王先来吃掉，哪能轮到你呢！"丘行恭惭愧，磕头谢罪。

二月初二日壬午，太宗问谏议大夫褚遂良："舜帝制造漆器，谏阻的有十多个人，这事哪里值得劝谏？"回答说："奢侈，是国家危亡的根源，漆器也不能满足愿望，将用金玉做器皿。忠臣爱护君主，一定要防微杜渐，如果祸乱已经形成，就用不着再来劝谏了。"太宗说："是这样。朕如果有过失，你也应当在它刚刚开始时进行劝谏。朕看前代帝王拒绝劝谏的，大多说'已经做了'，或者说'已经答应了'，最终不为之改悔。这样做，想要国家没有危亡，能做到吗！"

当时皇子担任都督、刺史的，大多数年纪幼小，褚遂良上书，认为："汉宣帝说：'与我共同治理天下的，就是那些优秀的二千石郡守啊！'如今皇子年幼，不知道如何从政，不如暂且把他们留在长安，用儒家经书教育他们，等他们长大了再把他们派往各地。"太宗表示赞同。

二月十二日壬辰，任命太子詹事张亮为洛州都督。侯君集自以为有功而被关押到衙门问罪，内心怨恨而有异图。张亮外任洛州，侯君集刺激他说："什么人排挤你？"张亮说："不是你又是谁呢！"侯君集说："我平定一国后归来，就碰上陛下大加责怒，怎么还能排挤你呢！"因而挽起袖子说："郁闷得无法活下去了，你能造反吗？我与你一同造反！"张亮密报给太宗。太宗说："你与侯君集都是朝廷的功臣，说话时身旁没有别人。如果把他交给狱吏，君集必定不服。这样一来，事情怎么样就不知道了，你暂且不要说出去。"太宗仍像以前那样对待侯君集。

鄜州都督尉迟敬德上表请求告老还乡。二月二十五日乙巳，朝廷任命尉迟敬德为开府仪同三司，五天上朝参拜一次。

二月二十七日丁未，太宗说："君主只有一颗心，而攻击这颗心的人很多。有的使用勇力，有的使用善辩的口才，有的使用阿谀逢迎，有的使用奸诈手段，有的使用嗜好欲望，各种各样的人凑集起来攻击君主之心，各自希望自己那一套得逞，以求获得恩宠和官禄。君主稍有松懈就会接受其中的一种，而危亡就会随之而来，这就是当君主之所以困难的缘故。"

二月二十八日戊申，太宗命令为功臣赵公长孙无忌、赵郡元王李孝恭、莱成公杜如晦、郑文贞公魏徵、梁公房玄龄、申公高士廉、鄂公尉迟敬德、卫公李靖、宋公萧瑀、褒忠壮公段志玄、夔公刘弘基、蒋忠公屈突通、郧节公殷开山、谯襄公柴绍、邳襄公长孙顺德、郧公张亮、陈公侯君集、郯襄公张公谨、卢公程知节、永兴

集、郯襄公张公谨、卢公程知节、永兴文懿公虞世南、渝[14]襄公刘政会、莒公唐俭、英公李世勣、胡壮公秦叔宝等于凌烟阁㉚。

【段旨】

以上为第十段，写唐太宗图画二十四功臣于凌烟阁。

【注释】

㉖⁵刘兰成（？至公元六四三年）：唐初将领。传见《旧唐书》卷六十九、《新唐书》卷九十四。传作"刘兰"，字文郁，青州北海（今山东潍坊）人，官至丰州刺史、夏州都督，封平原郡公。㉖⁶戊申：一月无戊申，两《唐书·太宗纪》作"戊辰"（一月十七日）。㉖⁷腰斩：死刑之一种，自腰际斩为两段。㉖⁸壬午：二月二日。㉖⁹渐：发展；累积。㉗⁰二千石：汉太守代称。因郡守俸禄为二千石（即月俸一百二十斛），故有此称。㉗¹经术：儒家经学。㉗²壬辰：二月十二日。㉗³异志：谋叛的意图。㉗⁴排：排

【原文】

齐州㉙¹都督齐王祐㉙²性轻躁，其舅尚乘直长㉙³阴弘智说之曰："王兄弟既多，陛下千秋万岁后，宜得壮士以自卫。"祐以为然。弘智因荐妻兄燕弘信㉙⁴，祐悦之，厚赐金玉[15]，使阴募死士㉙⁵。

上选刚直之士以辅诸王，为长史、司马，诸王有过以闻。祐昵近群小，好畋猎，长史权万纪骤谏，不听。壮士昝君謩、梁猛彪得幸于祐，万纪皆劾逐之。祐潜召还，宠之逾厚。上数以书切责祐，万纪恐并获罪，谓祐曰："王审能自新，万纪请入朝言之。"乃条祐过失，迫令表首㉙⁶，祐惧而从之。万纪至京师，言祐必能悛改。上甚喜，勉万纪，而数祐前过，以敕书戒之。祐闻之，大怒曰："长史卖㉙⁷我！劝我而自

文懿公虞世南、渝襄公刘政会、莒公唐俭、英公李世勣、胡壮公秦叔宝等人在凌烟阁画像。

斥。㉗逢嗔：侯君集伐高昌贪黩，遭唐太宗怒责。嗔，怒。㉗攘袂：捋袖伸臂，表示愤怒。攘，捋。袂，衣袖。㉗郁郁殊不聊生：忧郁很难生活下去。郁郁，忧伤沉闷。殊，很；极。聊，聊赖；生活和精神的寄托。㉗事未可知：无法定案。㉗鄜州：治所在今陕西延安。㉘表乞骸骨：谓敬德上表请归长安。㉘乙巳：二月二十五日。㉘开府仪同三司：官名，唐代文散官第一阶（即从一品）。㉘参：入朝参拜天子。㉘丁未：二月二十七日。㉘辐凑：本意为车辐凑集于毂上，比喻由四面八方而至。㉘自售：本意为把自己当商品卖出，此谓向天子邀宠得逞。㉘懈：懈怠；松弛。㉘戊申：二月二十八日。㉘柴绍：胡三省注，"当作'许绍'"。㉙凌烟阁：在唐长安宫城三清殿侧。

【校记】

［14］渝：严衍《通鉴补》改作"郇"。

【语译】

齐州都督齐王李祐性情轻狂急躁，他的舅舅尚乘直长阴弘智劝他说："大王的兄弟既然很多，陛下千秋万岁之后，您应当招募壮士来自卫。"李祐以为说得对。阴弘智于是荐举妻子的哥哥燕弘信，李祐很喜欢他，赏赐很多金玉，让他暗中招募敢死之士。

太宗挑选刚强正直的人来辅佐各位亲王，担任亲王的长史和司马，各位亲王有了过失就禀报太宗。李祐亲近一群小人，喜好打猎，长史权万纪急忙劝谏，李祐不听。壮士昝君謩、梁猛彪得到李祐的宠幸，权万纪弹劾他们，把他们全部赶走。李祐又暗中召回，恩宠更加优厚。太宗多次写信责备李祐，权万纪害怕与李祐一同获罪，便对李祐说："亲王如果确实能悔过自新，我请求到朝廷加以说明。"于是条陈李祐的过失，逼迫他上表自首，李祐很害怕，就听从了。权万纪到达长安，对太宗说李祐肯定能改过。太宗非常高兴，勉励权万纪，而数落李祐以前的过失，用敕书告诫他。李祐听说此事，大怒，说："权长史出卖我！劝我悔改却作为自己的功劳，我

以为功，必杀之。”上以校尉京兆韦文振[298]谨直，用为祐府典军[299]，文振数谏，祐亦恶之。

万纪性褊[300]，专以刻急拘持祐，城门外不听出，悉解纵鹰犬，斥君謩、猛彪不得见祐。会万纪宅中有块[301]夜落，万纪以为君謩、猛彪谋杀己，悉收系，发驿以闻[302]，并劾与祐同为非者数十人。上遣刑部尚书刘德威往按[303]之，事颇有验[304]，诏祐与万纪俱入朝。祐既积忿，遂与燕弘信兄弘亮等谋杀万纪。万纪奉诏先行，祐遣弘亮等二十余骑追射杀之。祐党共逼韦文振欲与同谋，文振不从，驰走数里，追及杀之。寮属股栗[305]，稽首[306]伏地，莫敢仰视。祐因私署上柱国、开府[307]等官，开库物行赏，驱民入城，缮甲兵楼堞[308]，置拓东王、拓西王等官。吏民弃妻子夜缒[309]出亡者相继，祐不能禁。三月丙辰[310]，诏兵部尚书李世勣等发怀、洛、汴、宋、潞、滑、济、郓、海九州兵讨之。上赐祐手敕曰：“吾常戒汝勿近小人，正为此耳。”

祐召燕弘亮等五人宿于卧内，余党分统士众，巡城自守。祐每夜与弘亮等对妃宴饮，以为得志，戏笑之际，语及官军，弘亮等曰：“王不须忧，弘亮等右手持酒卮[311]，左手为王挥刀拂之。”祐喜，以为信然。传檄诸县，皆莫肯从。时李世勣兵未至，而青、淄[312]等数州兵已集其境。齐府兵曹杜行敏[313]等阴谋执祐，祐左右及吏民非同谋者无不响应。庚申[314]夜，四面鼓噪[315]，声闻数十里。祐党有居外者，众皆攒[316]刃杀之。祐问何声，左右绐云：“英公[317]统飞骑已登城矣！”行敏分兵凿垣[318]而入。祐与弘亮等被甲执兵入室，闭扉[319]拒战。行敏等千余人围之，自旦至日中，不克。行敏谓祐曰：“王昔为帝子，今乃国贼，不速降，立为煨烬[320]矣！”因命积薪欲焚之。祐自牖[321]间谓行敏曰：“即启扉，独虑燕弘亮兄弟死耳。”行敏曰：“必相全。”祐等乃出。或抉[322]弘亮目，投睛于地，余皆檛[323]折其股而杀之。执祐出牙前示吏民，还，锁之于东厢。齐州悉平。乙丑[324]，敕李世勣等罢兵。祐至京师，赐死于内侍省[325]，同党诛者四十四人，余皆不问。

一定要杀死他。”太宗认为校尉京兆人韦文振谨慎正直，任命他为齐王李祐王府的典军，韦文振多次劝谏，李祐也讨厌他。

权万纪性情褊狭，专以严刻急迫拘束限制李祐，不让他出城门外，将鹰犬等全都放掉，斥责昝君謩、梁猛彪，不让他们见李祐。正好此时权万纪的宅中夜里落下土块，权万纪认为是昝君謩、梁猛彪谋杀自己，就把他们收押系狱，急发驿传文书上报太宗，并弹劾和李祐一同为非作歹的几十人。太宗派刑部尚书刘德威前往审查，权万纪上告的事多有验证，太宗下诏令李祐与权万纪一同入朝。李祐对权万纪已经积恨在心，便和燕弘信的哥哥燕弘亮等密谋杀死权万纪。权万纪遵奉诏令先行一步，李祐派燕弘亮等二十多人乘马追赶，射杀了权万纪。李祐的同党一起逼迫韦文振要他与他们合谋，韦文振不听从，骑马逃奔了几里，也被追上杀死。其他的僚属怕得两腿发抖，伏地磕头，不敢抬头仰视。李祐于是私自加官为上柱国、开府等官职，打开府库行赏，驱赶民众进城，修缮兵器和城楼、女墙，设置拓东王、拓西王等官职。官吏和民众抛下妻子儿女相继在夜间从城墙上垂下绳索外逃，李祐禁止不了。三月初六日丙辰，太宗诏令兵部尚书李世勣等人调发怀州、洛州、汴州、宋州、潞州、滑州、济州、郓州、海州九州军队讨伐李祐。太宗赐给李祐亲笔敕文说：“我经常告诫你不要亲近小人，正是为此。”

李祐召燕弘亮等五人住在卧室内，其余同党分别统领士兵，巡城自守。李祐每天夜里与燕弘亮等人对着妃子宴会饮酒，以为实现了心愿，戏谑谈笑之际，说到官府军队，燕弘亮等人说：“大王不必忧虑，弘亮等人右手端着酒杯，左手为王挥刀击退他们。”李祐非常高兴，以为真能这样。又传送檄文到所属各县，各县都不肯听从。当时李世勣的兵马还未到达，而青州、淄州等几州的部队已聚集在齐州境内。齐王府的兵曹杜行敏等人暗中谋划逮捕李祐，李祐身边的人及官吏百姓中不是李祐同谋的人都无不响应。三月初十日庚申夜里，四面击鼓呼叫，声音在数十里外都能听到。李祐同伙有居住在外面的，大家一齐用刀杀死他们。李祐问是什么声音，身边的人欺骗他说：“英公李世勣统率飞骑兵已经登上城墙了！”杜行敏分兵凿开城墙进入城内。李祐与燕弘亮等人披上甲胄手执兵器进入室内，关上门进行抵抗。杜行敏等一千多人包围他们，从早晨到中午，不能攻下。杜行敏对李祐说：“大王从前是皇帝的儿子，如今乃是国家的敌人，如不立即投降，立刻就被烧成灰烬了！”于是命人堆积柴草想要焚烧李祐藏身的房子。李祐从窗户里对杜行敏说：“我立刻开门，只是担心燕弘亮兄弟会死。”杜行敏说：“一定保全他们的性命。”李祐等人于是出来。有人挖出燕弘亮的眼睛，扔在地上，其余的人都被打折四肢后杀死。把李祐捆绑起来带到王府前示众，押回后，关押在东厢房。齐州全部平定。十五日乙丑，太宗敕令李世勣等人收兵。李祐被押解到长安，赐死在内侍省，同党被诛的有四十四人，其余的人都不追究。

祐之初反也，齐州人罗石头面数其罪，援枪前，欲刺之，为燕弘亮所杀。祐引骑击高村，村人高君状遥责祐曰："主上提三尺剑取天下，亿兆[326]蒙德，仰之如天。王忽驱城中数百人欲为逆乱以犯君父，无异一手摇泰山，何不自量之甚也！"祐纵击，虏之，惭不能杀。敕赠石头亳州刺史。以君状为榆社[327]令，以杜行敏为巴州刺史，封南阳郡公，其同谋执祐者官赏有差[328]。

上检祐家文疏，得记室[329]郑城孙处约[330]谏书，嗟赏之，累迁中书舍人。庚午[331]，赠权万纪齐州都督，赐爵武都郡公，谥曰敬，韦文振左武卫将军，赐爵襄阳县公。

初，太子承乾喜声色及畋猎，所为奢靡。畏上知之，对宫臣常论忠孝，或至于涕泣。退归宫中，则与群小相亵狎。宫臣有欲谏者，太子先揣知其意，辄迎拜，敛容危坐[332]，引咎自责，言辞辩给，宫臣拜答不暇。宫省秘密，外人莫知，故时论初皆称贤。

【段旨】

以上为第十一段，写唐太宗第五子齐王祐谋反被赐死，废为庶人。

【注释】

[291]齐州：州名，治所在今山东济南。[292]齐王祐（？至公元六四三年）：太宗第五子，因谋反被贬为庶人并赐死。传见《旧唐书》卷七十六、《新唐书》卷八十。[293]尚乘直长：官名，殿中省尚乘局官长，掌天子内外闲厩之马。[294]燕弘信：李祐死党。弘信与阴弘智事迹见《旧唐书》卷七十六、《新唐书》卷八十《李祐传》。[295]死士：敢死之徒。[296]表首：上表自首。[297]卖：出卖。[298]韦文振（？至公元六四三年）：后为李祐杀害。赠左武卫将军、襄阳县公。事迹见《旧唐书》卷三《太宗纪下》、《新唐书》卷一百《权万纪传》。[299]典军：亲王府武官，常统校尉以下守卫陪从事宜，正五品上。[300]褊：狭隘。[301]块：土块或石块。[302]发驿以闻：通过驿传上报朝廷。[303]按：审查。[304]验：凭证。[305]股栗：两腿发抖，恐惧状。[306]稽首：磕头至地。[307]开府：官名，即开府仪同三司。[308]缮甲兵楼堞：缮治兵器和城楼、女墙。堞，又称女墙，即城上矮墙，为城守建

李祐当初谋反时，齐州人罗石头当面数落他的罪行，手持长枪上前，想要刺杀李祐，被燕弘亮所杀。李祐带领骑兵攻击高村，村民高君状在远处责备他说：“当今皇上手提三尺剑取得江山，百姓蒙受恩德，仰望皇上如同上天。你忽然驱使城内数百人想要作乱以冒犯皇上和父亲，无异于用一只手摇撼泰山，为什么不自量力到了这种程度啊!”李祐纵马攻击，把他擒获，终因惭愧而没有杀他。太宗敕令追赠罗石头为亳州刺史。又任命高君状为榆社县令，杜行敏为巴州刺史，封为南阳郡公，与杜行敏同谋抓住李祐的人都予以封官或赏赐，各有不同等级。

太宗检查李祐家里的文章奏疏，得到记室郏城人孙处约的谏书，为之嗟叹赞赏，累迁为中书舍人。三月二十日庚午，追赠权万纪为齐州都督，赐给爵位为武都郡公，谥号为敬，追赠韦文振为左武卫将军，赐给爵位为襄阳县公。

当初，太子李承乾喜欢声色打猎，所作所为奢侈淫靡。他害怕被太宗知道，就对王宫中的臣僚经常谈论忠孝，有时甚至流泪。退回东宫，就与一群小人戏耍狎玩。宫中的大臣有人想要劝谏，太子事先揣摩出他的意思，总是主动迎上前去下拜，面色严肃，正襟危坐，引咎自责，言辞敏捷善辩，进谏的大臣忙着拜答，无暇劝谏。皇宫内部的秘密，外面人无法得知，所以当时的舆论一开始都称太子贤明。

筑。⑨ 缒：自高处系在绳上放下去。⑩ 丙辰：三月六日。⑪ 卮：盛酒器的一种。⑫ 青、淄：皆为州名，青州治所在今山东青州，淄州治所在今山东淄博市淄川区。⑬ 杜行敏：京兆万年（今陕西西安）人，初为齐王府兵曹参军（掌武官簿籍等事）。以平乱等功官至荆、盖二州都督府长史，封南阳郡公。事迹见《旧唐书》卷一百四十七《杜佑传》、《新唐书》卷八十《李祐传》等。⑭ 庚申：三月十日。⑮ 鼓噪：击鼓呐喊。⑯ 攒：聚集。⑰ 英公：即李世勣，其爵为英国公。⑱ 垣：墙。⑲ 扉：门。⑳ 煨烬：被烧后所余灰烬。㉑ 牖：窗。㉒ 抉：挖出。㉓ 檛：原指马鞭子，此谓抽打。㉔ 乙丑：三月十五日。㉕ 内侍省：官署名，其官长如监、少监、内侍、内常侍等，自唐以后，专由太监充任，掌宫内侍奉，出入宫掖，宣传诏命。㉖ 亿兆：百姓；民众。㉗ 榆社：县名，县治在今山西榆社。㉘ 差：等级。㉙ 记室：即记室参军，掌秘书事。㉚ 孙处约：又名道茂，汝州郏城（今河南郏县）人，高宗麟德元年（公元六六四年）拜相，《太宗实录》的修撰人之一。传见《旧唐书》卷八十一、《新唐书》卷一百六。㉛ 庚午：三月二十日。㉜ 危坐：端坐。

【校记】

［15］玉：据章钰校，十二行本作“帛”。

【原文】

太子作八尺铜炉[333]、六隔[334]大鼎，募亡奴[335]盗民间马牛，亲临烹煮，与所幸厮役[336]共食之。又好效突厥语及其服饰，选左右貌类突厥者五人为一落[337]，辫发羊裘[338]而牧羊，作五狼头纛[339]及幡旗，设穹庐[340]，太子自处其中，敛羊而烹之，抽佩刀割肉相啖[341]。又尝谓左右曰："我试作可汗死，汝曹效其丧仪。"因僵卧于地，众悉号哭，跨马环走，临其身，剺面[342]。良久，太子欻[343]起，曰："一朝有天下，当帅数万骑猎于金城[344]西，然后解发为突厥，委身思摩，若当一设[345]，不居人后矣。"

左庶子于志宁、右庶子孔颖达数谏太子，上嘉之，赐二人金帛，以风[346]励太子，仍迁志宁为詹事。志宁与左庶子张玄素数上书切谏，太子阴使人杀之，不果。

汉王元昌[347]所为多不法，上数谴责之，由是怨望。太子与之亲善，朝夕同游戏，分左右为二队，太子与元昌各统其一，被毡甲，操竹矟[348]，布陈大呼交战，击刺流血，以为娱乐。有不用命者，披树檛之[349]，至有死者。且曰："使我今日作天子，明日于苑中置万人营，与汉王分将，观其战斗，岂不乐哉！"又曰："我为天子，极情纵欲，有谏者辄杀之。不过杀数百人，众自定矣。"

魏王泰多艺能，有宠于上。见太子有足疾，潜有夺嫡[350]之志，折节下士[351]以求声誉。上命黄门侍郎韦挺摄[352]泰府事，后命工部尚书杜楚客[353]代之，二人俱为泰要结朝士。楚客或怀金以赂权贵，因说以魏王聪明，宜为上嗣。文武之臣，各有附托，潜为朋党。太子畏其逼，遣人诈为泰府典签[354]上封事，其中皆言泰罪恶，敕捕之，不获[355]。

太子私幸太常乐童[356]称心，与同卧起。道士秦英、韦灵符挟左道[357]，得幸太子。上闻之，大怒，悉收称心等杀之，连坐死者数人，诮让[358]太子甚至。太子意泰告之，怨怒愈甚。思念称心不已，于宫中构室，立其像，朝夕奠祭，徘徊流涕。又于苑中作冢[359]，私赠官树碑。上意浸不怿[360]，太子亦知之，称疾不朝谒者动涉数月。阴养刺客纥干承基[361]等及壮士百余人，谋杀魏王泰。

【语译】

太子制作八尺高的铜炉和六隔大鼎，招募逃亡的官奴偷盗民间的牛马，亲自到场烹煮，与宠幸的仆人一同吃肉。又喜欢学说突厥语和穿突厥人的服饰，挑选身边容貌类似突厥人的人，五人为一落，梳上辫子，穿上羊皮衣来牧羊，制作五个狼头大旗和幡旗，设置毡帐，太子自己身处其中，逮住羊烹煮，抽出佩刀割下羊肉相互吃肉。又曾对身边的人说："我试着装可汗死了，你们模仿他们的丧礼。"于是僵卧在地上，大家都号啕大哭，骑马围绕着他奔跑，又靠近他，用刀划脸。过了很久，太子突然坐起，说："一旦有了天下，当亲率数万骑兵在金城西面狩猎，然后披散头发做突厥人，投靠到思摩手下，如果我担任一设，不会落在别人后面了。"

左庶子于志宁、右庶子孔颖达多次劝谏太子，太宗赞许他们，赐给二人金银财物，让他们讽谕激励太子，并且迁任于志宁为太子詹事。于志宁与左庶子张玄素多次上书直谏，太子暗中派人杀害他们，没有成功。

汉王李元昌所作所为大多不合法，太宗多次批评他，李元昌从此心中怨恨。太子和他亲密友善，朝夕一起游玩，把身边的人分为二队，太子与李元昌各统领一队，身披毛毡甲胄，手执竹制长矛，布阵大呼，双方交战，互相击刺流血，以此作为娱乐。有不听从命令的，把手足绑在树上抽打，甚至有人被打死。太子还说："假使我今天做天子，明天就在禁苑中设置万人军营，与汉王分别统领，观看他们战斗厮杀，岂不欢乐！"又说："我做天子，任情纵欲，有劝谏的一律杀掉。也不过杀几百人，大家自然安静了。"

魏王李泰多才多艺，得到太宗宠爱。他看见太子有脚病，暗中有夺嫡自立的意图，于是谦卑地礼贤下士来求得声誉。太宗让黄门侍郎韦挺兼管魏王府中事务，后来又命工部尚书杜楚客代替他，二人都为李泰联系和交结朝中的大臣。杜楚客有时怀揣黄金来贿赂权贵，趁机说魏王聪明贤能，应当立为皇上的继承人。文武大臣，各有所托，暗中结为朋党。太子害怕李泰威胁自己的地位，派人假装为魏王府的典签密封上书言事，其中全都说李泰的罪过，太宗下令逮捕这些上书的人，没有抓到。

太子私下宠幸太常寺的乐童称心，与他同吃同住。道士秦英、韦灵符因为有妖法道术，得到太子的宠幸。太宗听说此事，大怒，将称心等人全部逮捕杀掉，有几人连坐处死，太宗对太子的斥责到了极点。太子认为是魏王李泰告发的，怨恨更深。又思念称心不已，在东宫中建造了一个房间，立了称心的画像，早晚祭奠，徘徊哭泣。又在宫苑内修了一座坟，私下对称心赠官立碑。太宗心中越加不快乐，太子也知道，动辄几个月称病不去朝见。他暗中豢养刺客纥干承基等人及一百多名壮士，谋划杀掉魏王李泰。

吏部尚书侯君集之婿贺兰楚石㊲为东宫千牛㊳，太子知君集怨望，数令楚石引君集入东宫，问以自安之术。君集以太子暗劣㊴，欲乘衅㊵图之，因劝之反。举手谓太子曰："此好手，当为殿下用之。"又曰："魏王为上所爱，恐殿下有庶人勇㊶之祸。若有敕召，宜密为之备。"太子大然㊷之。太子厚赂君集及左屯卫中郎将顿丘李安俨㊸，使诇㊹上意，动静相语。安俨先事隐太子，隐太子败，安俨为之力战，上以为忠，故亲任之，使典宿卫㊺。安俨深自托于太子。

汉王元昌亦劝太子反，且曰："比见上侧有美人，善弹琵琶㊻，事成，愿以垂赐。"太子许之。洋州刺史开化公赵节，慈景㊼之子也，母曰长广公主，驸马都尉杜荷㊽，如晦之子也，尚城阳公主㊾，皆为太子所亲昵，预其反谋。凡同谋者皆割臂，以帛拭血，烧灰和酒饮之，誓同生死，潜谋引兵入西宫。杜荷谓太子曰："天文有变，当速发以应之。殿下但称暴疾危笃，主上必亲临视，因兹可以得志。"太子闻齐王祐反于齐州，谓纥干承基等曰："我宫西墙，去大内㊿正可二十步耳，与卿为大事，岂比齐王乎！"会治祐反事，连承基，承基坐系大理狱，当死。

【段旨】

以上为第十二段，写太子李承乾既不成器，又遭魏王李泰争太子位之逼，勾结汉王李元昌图谋不轨。

【注释】

㉝炉：铜炉。㉞六隔：有六条空足的鼎。隔，通"鬲"。鼎空足称鬲。㉟亡奴：亡命在逃的官奴。㊱厮役：执贱役供使唤的人。㊲落：即帐落，突厥等西北少数民族的帐落相当于内地汉族的一户。㊳辫发羊裘：辫发，西北少数民族的发式。羊裘，羊皮衣。㊴狼头纛：绣有狼头的大旗。突厥以狼为图腾。㊵穹庐：游牧民族居住的毡帐。㊶啖：吃。㊷剺面：割面。突厥、回纥等民族风俗，用剺面流血来表示忠诚信义，或表示对刚死去的君亲的哀悼。㊸欻：忽然。㊹金城：郡名，治所在今甘肃兰州。疑"金城"为"金河"（县名，县治在今内蒙古和林格尔西北土城子）之误。㊺一设：或称

吏部尚书侯君集的女婿贺兰楚石担任东宫府的千牛，太子知道侯君集怨恨太宗，多次让贺兰楚石带引侯君集进入东宫，向他询问自我保全的策略。侯君集认为太子愚昧恶劣，想乘机利用他，于是劝太子谋反。他举起手来对太子说："这一双好手，当为殿下使用。"又说："魏王被皇上宠爱，恐怕殿下会有隋朝太子杨勇被免为平民的灾祸。如有敕令宣召进宫，应当秘密做好准备。"太子大为赞同这个建议。他用重金贿赂侯君集以及左屯卫中郎将顿丘人李安俨，让他们探听太宗的想法，一有动静就告诉他。李安俨先前侍奉隐太子李建成，李建成败亡后，李安俨为李建成奋力作战，太宗认为他忠诚，所以亲近任用他，让他负责警卫皇宫。李安俨也把自己的前途完全依附在太子身上。

汉王李元昌也劝太子谋反，并且说："近来看见皇上身旁有一个美人，善于弹奏琵琶，事情成功了，希望把这个美人赐给我。"太子答应了。洋州刺史开化公赵节是赵慈景的儿子，母亲是高祖的女儿长广公主，驸马都尉杜荷是杜如晦的儿子，娶城阳公主为妻，都被太子所亲近，参与了太子的谋反。凡是参与同谋的人都割了手臂，用帛擦拭血迹，烧灰混在酒中喝掉，发誓生死与共，暗中谋划率领士兵进入西宫。杜荷对太子说："天象有变化，应当迅即发兵以应天象。殿下只需声称暴病危重，皇上必然会亲自来探视，乘此机会可以实现大志。"太子听说齐王李祐在齐州谋反，对纥干承基等人说："我住的东宫西墙，离皇上住的大内正好二十步左右，与你们谋划大事，岂是齐王所能比的！"适逢太宗处置李祐谋反的事，牵连到纥干承基，纥干承基获罪而被关押在大理寺牢狱中，论罪当死。

一箭，突厥某一方面军的典兵官。㊻风：通"讽"，劝告。㊼元昌：李元昌（？至公元六四三年），李渊第七子。传见《旧唐书》卷六十四、《新唐书》卷七十九。㊽竹矟：竹制长矛。㊾披树檛之：将手足绑于树上鞭打。㊿夺嫡：庶出者夺取嫡子承袭地位。(351)折节下士：屈己退让于士人。(352)摄：代理；兼管。(353)杜楚客：宰相杜如晦之弟，京兆杜陵（今陕西西安东南）人。传见《旧唐书》卷六十六、《新唐书》卷九十六。(354)典签：亲王府官，掌宣传教命。(355)不获：没有抓到。(356)太常乐童：隶籍太常寺的执乐童子。(357)左道：旁门邪道。(358)诮让：责问；批评。(359)冢：坟墓。(360)浸不怿：愈加不高兴。浸，渐渐、愈益。怿，喜悦、高兴。(361)纥干承基：原参与太子谋反事。后来告密，反戈一击，被太宗免死，授以祐川府折冲都尉，封平棘县公。纥干，吐蕃人复姓。(362)贺兰楚石：事迹见《旧唐书》卷六十九、《新唐书》卷九十四《侯君集传》。贺兰，复姓。(363)千牛：东宫左右内率府侍从武官。(364)暗劣：愚昧不明，品行恶劣。(365)衅：间隙；事端。(366)庶人勇：即隋废太子杨勇，被文帝黜为庶人。(367)大然：深表同意。(368)李安俨：魏州顿丘（今

河南浚县北）人。事迹见《旧唐书》卷七十六、《新唐书》卷八十《李承乾传》。㊱诇：侦察。㊲宿卫：警卫宫禁。㊳琵琶：拨弦乐器。源出胡族，流行于秦汉至今。隋唐时，形制多种，统称胡琴。㊴慈景：赵慈景（？至公元六一八年），陇西（治今甘肃陇西县东南）人，尚李渊女长广公主。官至兵部侍郎、华州刺史，封开化郡公。慈景卒，公主更嫁杨师道。公主传及慈景事迹见《新唐书》卷八十三《诸帝公主传》等。其子赵节（？至公元六四三年），以参与太子谋反罪伏诛。事迹见《旧唐书》卷六十二《杨恭仁传》附《杨师道传》、卷七十六《李承乾传》，以及《新唐书》卷八十《李承乾传》、卷一百《杨恭仁传》附《杨师道传》。㊵杜荷（？至公元六四三年）：杜如晦次子，谋反伏诛。事迹见《旧唐书》卷六十六、《新唐书》卷九十六《杜如晦传》。㊶城阳公主：太宗女。下嫁杜荷，荷诛，又嫁薛瓘。传见《新唐书》卷八十三。㊷大内：指太宗所居西宫。

【研析】

本卷研析文成公主入藏和亲，带来汉藏文化交流，推动汉藏团结，留下千秋佳话。文成公主是中国古代最伟大的女性之一。

和亲是古代的一种外交形式。中国和亲外交始于汉，盛于唐。汉朝王昭君出塞，唐朝文成公主入藏，是两个朝代和亲外交的典范。王昭君和文成公主对历史发展做出了重大贡献，都是值得纪念的历史人物。

唐太宗对周边民族实行征抚相济的策略，对于犯边的强敌，坚决打击，对于归服的各民族平等相待，对上层首脑封以高官，对投唐的部众妥善安置。贞观三年（公元六二九年）十一月，李靖、李世勣征东突厥，俘颉利可汗，统一了大漠南北。贞观八年，李靖平服吐谷浑。贞观十三年，侯君集平定西突厥所控制的高昌割据政权。贞观十八年，平焉耆。贞观二十三年，平龟兹，基本完成了对西域的统一，重新打通丝绸之路，对东西方文化交流有重大的意义。

四夷归附，唐太宗和亲安抚，和亲即为重大的安边措施。唐太宗先后以皇妹南阳长公主妻突厥处罗可汗，以弘化公主妻吐谷浑诺曷钵可汗，以文成公主妻吐蕃赞普松赞干布。此外，还以宗室女嫁给唐中央供职的少数民族降唐将领。两国亲善，通过联姻这一特殊的政治行动，消除民族隔阂，加强经济文化交流，在历史上起了进步作用。尤其是文成公主进藏，被传为千古佳话。

松赞干布，两《唐书·吐蕃传》作“弃宗弄赞”“弃苏农”，号弗夜氏。公元六二九至六五〇年在位。松赞干布十一岁时，吐蕃贵族毒死他的父亲郎日论赞，发动叛乱。年轻的松赞干布经受了严酷的考验，他深入部落了解民情，团结中小贵族和自由民，征集了一万多名勇敢的青年，组成新军，亲自进行训练并带领出征，经过三年多的艰苦战争，平息了叛乱，统一了吐蕃王朝。松赞干布向往中原汉族文化，多次派使臣向唐朝求亲。贞观十四年，唐太宗同意了吐蕃求婚，于贞观十五年正月，派文成公主入藏，令礼部尚书江夏郡王李道宗为主婚大使，持节送公主入藏。松赞干布率领部众亲迎于河源。松赞干布见了唐使李道宗，执子婿之礼甚恭。松赞干布表示对大唐和文成公主的敬重，特为公主修建新王宫，这就是矗立于拉萨红山之巅的布达拉宫。这座雄伟的宫殿作为汉藏友谊的象征，在二十世纪九十年代经过重新修缮，又恢复了昔日灿烂明丽、金碧辉煌的风采。

文成公主入藏，携带了许多耐寒抗旱的谷物种子，以及大量的工艺品、金银、绸帛、珍宝、书籍，还有几个高超工匠，传播了汉文化。松赞干布更在政治制度上仿唐朝官制，改革了吐蕃的制度，在兵制上也仿照唐朝的府兵制，削去贵族、部落酋长拥兵的权力，有效地控制了全藏军队。经济、文化也都吸收唐朝的体制进行有效的改革。松赞干布还派遣大批贵族子弟到长安学习《诗经》《尚书》等儒家经典，唐诗、中医、建筑艺术传到吐蕃。文成公主和松赞干布携手推动了汉藏两族人民的友好往来和文化交流，也赢得了汉藏两族人民的爱戴和敬仰。唐朝在唐太宗昭陵之前刻松赞干布的石像，列于玄阙之下。藏族人民在亚隆琼保松赞干布陵侧，为文成公主修建了巨大的陵墓，用以纪念这位献身于汉藏团结的伟大女性。

卷第一百九十七　唐纪十三

起昭阳单阏（癸卯，公元六四三年）四月，尽旃蒙大荒落（乙巳，公元六四五年）五月，凡二年有奇。

【题解】

本卷记事起公元六四三年四月，迄公元六四五年五月，凡两年又两个月，当贞观十七年至十九年。此时期最大事件有两桩。第一件是废立太子。继唐太宗第五子李祐谋反之后，太子李承乾图谋不轨而被废，事涉汉王李元昌。李元昌是唐太宗之弟，被诛，争太子位的魏王李泰被贬黜。唐太宗晚年遭受三个不才儿子和一个弟弟的困扰，精神受到沉重打击。晚年，唐太宗易于发怒，虽仍有纳谏意识，但行动上却已恶闻直言，喜欢顺耳之言，以致听信谗言猜疑已去世的魏徵。第二件是唐太宗违众兵伐高丽。唐太宗忧心太子李治懦弱，想在有生之年抚定四夷，这也是兵伐高丽的一个原因。唐太宗不歧视周边民族，叛者伐之，擒焉耆王，顺者安之，抚突厥降人，这些仍表现了唐太宗的圣明。兵伐高丽，所用兵以招为主，不强征兵役，这是唐太宗比隋炀帝高明的地方，志存安天下，而不是黩武。

【原文】

太宗文武大圣大广孝皇帝中之下

贞观十七年（癸卯，公元六四三年）

夏，四月庚辰朔[①]，承基上变，告太子谋反。敕长孙无忌、房玄龄、萧瑀、李世勣与大理、中书、门下参鞫[②]之，反形已具。上谓侍臣："将何以处承乾？"群臣莫敢对，通事舍人来济[③]进曰："陛下不失为慈父，太子得尽天年，则善矣！"上从之。济，护儿之子也。

乙酉[④]，诏废太子承乾为庶人，幽于右领军府[⑤]。上欲免汉王元昌死，群臣固争，乃赐自尽于家，而宥其母、妻、子。侯君集、李安俨、赵节、杜荷等皆伏诛。左庶子张玄素、右庶子赵弘智[⑥]、令狐德棻等以不能谏争，皆坐免为庶人。余当连坐者，悉赦之。詹事于志宁以数谏，独蒙劳勉。以纥干承基为祐川府[⑦]折冲都尉，爵平棘县公。

【语译】

太宗文武大圣大广孝皇帝中之下

贞观十七年（癸卯，公元六四三年）

夏，四月初一日庚辰，纥干承基上奏发生变故，举报太子李承乾谋反。太宗敕令长孙无忌、房玄龄、萧瑀、李世勣与大理寺、中书省、门下省参与审问，谋反的情形都已审理清楚。太宗对侍从的大臣说："将如何处置承乾？"各位大臣没有人敢应答，通事舍人来济进言说："陛下不失为慈父，让太子得享天年，这就好了！"太宗听从了他的意见。来济是来护儿的儿子。

四月初六日乙酉，太宗下诏废黜太子李承乾为平民，将其幽禁在右领军府。太宗想免除汉王李元昌的死罪，群臣强烈争辩，于是赐李元昌在家中自尽，宽宥了他的母亲、妻子、儿女。侯君集、李安俨、赵节、杜荷等人全被斩首。左庶子张玄素、右庶子赵弘智、令狐德棻等人因为不能劝谏太子，都获罪免为平民。其余应当连坐的，全部赦免。詹事于志宁因为多次劝谏，独自受到嘉奖勉励。任命纥干承基为祐川府折冲都尉，封爵平棘县公。

侯君集被收[⑧]，贺兰楚石复诣阙告其事。上引君集谓曰："朕不欲令刀笔吏辱公，故自鞫公耳。"君集初不承[⑨]，引楚石具陈始末，又以所与承乾往来启[⑩]示之，君集辞穷，乃服。上谓侍臣曰："君集有功，欲乞其生，可乎?"群臣以为不可。上乃谓君集曰："与公长诀[⑪]矣!"因泣下。君集亦自投于地，遂斩之于市。君集临刑，谓监刑将军曰："君集蹉跌[⑫]至此！然事陛下于藩邸[⑬]，击取二国，乞全一子以奉祭祀。"上乃原其妻及子，徙岭南。籍没其家，得二美人，自幼饮人乳而不食。

初，上使李靖教君集兵法，君集言于上曰："李靖将反矣!"上问其故，对曰："靖独教臣以其粗而匿其精，以是知之。"上以问靖，靖对曰："此乃君集欲反耳。今诸夏[⑭]已定，臣之所教，足以制四夷，而君集固求尽臣之术，非反而何?"江夏王道宗尝从容言于上曰："君集志大而智小，自负微功，耻在房玄龄、李靖之下，虽为吏部尚书，未满其志，以臣观之，必将为乱。"上曰："君集材器，亦何施不可！朕岂惜重位，但次第未至耳，岂可亿度[⑮]，妄生猜贰[⑯]邪!"及君集反诛，上乃谢[⑰]道宗曰："果如卿言。"

李安俨父年九十余，上愍[⑱]之，赐奴婢以养之。

【段旨】

以上为第一段，写太子李承乾谋反被废。

【注释】

①庚辰朔：四月一日。②参鞫：参与审讯。唐制，凡国家大狱，由三司详决，即由给事中、中书舍人与御史参鞫。而太宗令三省与大理参鞫，表明朝廷对此案异常重视。③来济（公元六一〇至六六二年）：隋左翊卫大将军、荣国公来护儿之子，扬州江都（今江苏扬州）人，唐初进士及第，永徽四年（公元六五三年）为中书侍郎，同中

侯君集被收押时，贺兰楚石又前往皇宫门前告发他谋反的事。太宗把侯君集带进宫中对他说："朕不想让那些刀笔吏羞辱你，所以亲自审问你。"侯君集起初不承认，太宗叫来贺兰楚石详细陈述事情的始末，又拿出与李承乾来往的书信出示给他，侯君集理屈词穷，于是承认了罪行。太宗对侍从的大臣说："侯君集有功，想让他活下来，可以吗？"群臣认为不可。太宗便对侯君集说："与你永别了！"于是流下了眼泪。侯君集也自己仆倒在地，于是在集市中把他斩首。侯君集临刑前，对监刑的将军说："君集失足落到这一步！然而陛下在秦王府时我就侍奉陛下，攻取了吐谷浑、高昌二国，请求保全一个儿子，奉事家族的祭祀。"太宗便宽宥了他的妻子和儿子，把他们迁徙到岭南。抄没了他的家产，得到两个美女，从小喝人奶，不吃食物。

起初，太宗让李靖教给侯君集兵法，侯君集对太宗说："李靖即将造反了！"太宗问他原因，他回答说："李靖只教给我兵法中的粗浅内容，而隐匿兵法的精华，因此知道他要谋反。"太宗就此询问李靖，李靖回答说："这乃是君集想要造反罢了。如今中原已经平定，我所教的兵法，足以制服四方夷人，而君集执意要求全部掌握我的兵法，不是谋反又是什么？"江夏王李道宗曾经在闲谈时对太宗说："侯君集志向大而智略太小，自负微功，耻于位居房玄龄、李靖之下，虽然担任吏部尚书，还不能满足他的愿望，据臣的观察，他一定会叛乱。"太宗说："侯君集的才干，去做什么不行呢！朕岂是爱惜高位，只是按顺序还没有到他而已，怎可以随意臆想，乱生猜疑之心呢！"等到侯君集因谋反受诛，太宗便向李道宗道歉说："果然如你所说。"

李安俨的父亲年高九十多岁，太宗怜悯他，赐给奴婢来养护他。

书门下三品（即宰相）。撰有文集三十卷。传见《旧唐书》卷八十、《新唐书》卷一百五。④乙酉：四月六日。⑤右领军府：官署名，即中央十二卫领府之一，掌领军府和宫掖禁备。⑥赵弘智：唐初大臣，河南新安人，累官黄门侍郎、国子祭酒。传见《旧唐书》卷一百八十八、《新唐书》卷一百六。⑦祐川府：军府名，在今甘肃岷县。⑧收：逮捕；拘押。⑨承：承认。⑩启：书信。⑪长诀：永别。⑫蹉跌：跌跤；失误。⑬事陛下于藩邸：李世民为亲王时，引君集入幕府，曾多次从世民征讨，并预谋玄武门之变。⑭诸夏：古代中国的别称。⑮亿度：预料、揣度。亿，通"臆"。⑯猜贰：猜疑且怀二心。⑰谢：道歉。⑱愍：哀怜。

【原文】

太子承乾既获罪，魏王泰日入侍奉，上面许立为太子，岑文本、刘洎亦劝之，长孙无忌固请立晋王治[19]。上谓侍臣曰："昨青雀[20]投我怀云：'臣今日始得为陛下子，乃更生之日也。臣有一子，臣死之日，当为陛下杀之，传位晋王。'人谁不爱其子，朕见其如此，甚怜之。"谏议大夫褚遂良曰："陛下言大失，愿审思，勿误也！安有陛下万岁后，魏王据天下，肯杀其爱子，传位晋王者乎！陛下日者既立承乾为太子，复宠魏王，礼秩[21]过于承乾，以成今日之祸。前事不远，足以为鉴。陛下今立魏王，愿先措置晋王，始得安全耳。"上流涕曰："我不能尔。"因起，入宫。魏王泰恐上立晋王治，谓之曰："汝与元昌善，元昌今败，得无忧乎？"治由是忧形于色。上怪，屡问其故，治乃以状告。上怃然[22]，始悔立泰之言矣。上面责承乾，承乾曰："臣为太子，复何所求！但为泰所图[23]，时与朝臣谋自安之术，不逞之人[24]遂教臣为不轨耳。今若泰为太子，所谓落其度[25]内。"

承乾既废，上御两仪殿[26]，群臣俱出，独留长孙无忌、房玄龄、李世勣、褚遂良，谓曰："我三子一弟[27]，所为如是，我心诚无聊赖[28]！"因自投于床[29]，无忌等争前扶抱。上又抽佩刀欲自刺，遂良夺刀以授晋王治。无忌等请上所欲，上曰："我欲立晋王。"无忌曰："谨奉诏，有异议者，臣请斩之！"上谓治曰："汝舅许汝矣，宜拜谢。"治因拜之。上谓无忌等曰："公等已同我意，未知外议何如？"对曰："晋王仁孝，天下属心[30]久矣，乞陛下试召问百官，有不同者，臣负陛下万死。"上乃御太极殿[31]，召文武六品以上，谓曰："承乾悖逆[32]，泰亦凶险[33]，皆不可立。朕欲选诸子为嗣，谁可者？卿辈明言之。"众皆欢呼曰："晋王仁孝，当为嗣。"上悦。是日，泰从百余骑至永安门[34]。敕门司[35]尽辟[36]其骑，引泰入肃章门[37]，幽于北苑[38]。

丙戌[39]，诏立晋王治为皇太子，御承天门楼，赦天下，酺[40]三日。上谓侍臣曰："我若立泰，则是太子之位可经营而得。自今太子失道，

【语译】

太子李承乾获罪之后，魏王李泰每天进宫侍奉太宗，太宗当面许诺立他为太子，岑文本、刘洎也这样劝说太宗，长孙无忌执意请求立晋王李治。太宗对侍从的大臣说："昨天青雀扑到我怀里说：'臣今天才得以成为陛下的儿子，这是我重生的日子。臣有一个儿子，臣死之日，当为陛下杀死他，传位给晋王。'人谁不爱怜自己的儿子，朕见他这个样子，十分怜悯他。"谏议大夫褚遂良说："陛下说的有重大失误，希望深思熟虑，不要失误！哪里有陛下万岁之后，魏王占有了天下，肯杀掉自己的爱子，传位给晋王的呢！陛下从前已经立李承乾为太子，又宠爱魏王，礼节待遇超过了李承乾，以致造成了今日的灾祸。之前的事刚过去不久，足以作为今日的借鉴。陛下如今立魏王为太子，希望先安置好晋王，这样才能得以安全。"太宗流着眼泪说："朕不能这么做。"于是起身，进入宫中。魏王李泰担心太宗立晋王李治为太子，对李治说："你与李元昌友善，李元昌现在失败了，你能够不担忧吗?"李治因此面色忧愁。太宗感到奇怪，多次问他原因，李治便把情况告诉了太宗。太宗怅然若失，开始后悔所说立李泰为太子的话。太宗曾当面指责李承乾，李承乾说："我身为太子，还要求什么呢！只是被李泰算计，时常与朝廷大臣谋求自安的办法，那些不逞之徒就趁机教唆我干不轨之事。如今若是立李泰为太子，就是所谓落到他的圈套里了。"

李承乾被废黜后，太宗驾临两仪殿，群臣都退了出去，只留下长孙无忌、房玄龄、李世勣、褚遂良，太宗对他们说："我三个儿子、一个弟弟，所作所为是这个样子，我的心里实在是无所寄托!"于是自投于床，长孙无忌等人争着上前扶抱。太宗又抽出佩刀想自杀，褚遂良夺下刀交给晋王李治。长孙无忌等人请求太宗说出有什么想法，太宗说："我想立晋王为太子。"长孙无忌说："谨奉诏令，有异议者，我请求把他斩首!"太宗对李治说："你舅父许诺你为太子，你应当拜谢。"李治于是拜谢长孙无忌。太宗对长孙无忌等人说："你们已经与我的意见一致了，不知外朝议论如何?"回答说："晋王仁德孝敬，天下久已归心，望陛下召见文武百官试探询问，如有不同意的，就是臣等有负于陛下，罪该万死。"太宗便亲临太极殿，召见六品以上文武大臣，对他们说："李承乾悖逆，李泰也凶狠险恶，都不能立为太子。朕想从诸位皇子中选择继位人，谁可以呢？你们明白地讲出来。"大家都欢呼说："晋王仁德孝敬，应当为继位的太子。"太宗十分高兴。这一天，李泰身后跟随一百多骑兵来到永安门。太宗敕令守门官员把李泰的骑兵全部撤掉，把李泰带进肃章门，幽禁在北苑。

四月初七日丙戌，太宗下诏立晋王李治为皇太子，太宗亲临承天门城楼，大赦天下，聚众饮宴三天。太宗对侍从的大臣说："我如果立李泰为太子，那就说明太子之位可以通过苦心经营而得到。从今往后，太子道德品行不好，藩王窥伺太子之位

藩王窥伺者，皆两弃之，传诸子孙，永为后法。且泰立则[1]承乾与治皆不全，治立则承乾与泰皆无恙矣。”

臣光曰：“唐太宗不以天下大器私其所爱，以杜祸乱之原，可谓能远谋矣！”

【段旨】

以上为第二段，写唐太宗不私其所爱，囚禁争位的魏王李泰，册立晋王李治为太子。

【注释】

⑲晋王治：即后来的唐高宗李治，字为善，太宗第九子，长孙皇后生，舅长孙无忌。事见《旧唐书》卷四、卷五与《新唐书》卷三《高宗纪》。⑳青雀：魏王李泰乳名。㉑礼秩：礼节待遇。㉒怃然：怅然若失。㉓图：谋取。㉔不逞之人：不得志或作奸犯法图谋不轨者。㉕度：算计；圈套。㉖两仪殿：宫殿名，在太极宫（即西内）正殿之后。贞观五年（公元六三一年），改隋中华殿为两仪殿，为内朝所在，平时视朝听政于此。唐中叶后，帝后丧亦多殡于此殿。㉗三子一弟：三子，谓齐王李祐、太子李承乾、魏王李泰。

【原文】

丁亥㊶，以中书令杨师道为吏部尚书。初，长广公主适㊷赵慈景，生节。慈景死㊸，更适师道。师道与长孙无忌等共鞫承乾狱，阴为赵节道地㊹，由是获谴。上至公主所，公主以首击地，泣谢子罪。上亦拜泣曰：“赏不避仇雠，罚不阿亲戚。此天下至公之道，不敢违也，以是负姊。”

的，两种人都要抛弃，这个规定传给子孙后代，永远作为后代的法则。况且李泰立为太子，那么李承乾和李治都不能保全生命，李治立为太子，那么李承乾与李泰都会安然无恙。”

司马光说：“太宗并不把天下的大位给予自己所喜爱的人，以此杜绝祸乱的根源，可以说是能深谋远虑了！”

一弟，指汉王李元昌。㉘聊赖：寄托；依赖。㉙床：坐榻；胡床。可倚可卧。㉚属心：属意归心。㉛太极殿：唐宫殿名，即太极宫正殿，中朝所在，朔望视朝于此。㉜悖逆：狂悖忤逆。一般指臣子对君亲的严重冒犯行为。㉝凶险：谓行为凶狠险恶。㉞永安门：太极宫南面三门之一，在南城正门承天门之西。㉟门司：门下省有城门郎四人，执掌京城、皇城宫殿诸门启闭，下置门仆八百人，亲司诸门启闭之事。此门司当即此类下级厮役。㊱辟：禁止；摒去。㊲肃章门：在西京太极宫（即西内）正殿西北，为进入内宫的两门之一。㊳北苑：太极宫之北的禁苑。㊴丙戌：四月七日。㊵酺：特指命令所允许的聚众宴饮。

【校记】

[1]则：原无此字。据章钰校，十二行本、乙十一行本、孔天胤本皆有此字，张敦仁《通鉴刊本识误》同，今据补。

【语译】

四月初八日丁亥，任命中书令杨师道为吏部尚书。起初，长广公主嫁给赵慈景，生下赵节。赵慈景死后，长广公主改嫁杨师道。杨师道与长孙无忌等人共同审讯李承乾的案子，暗中为赵节疏通，由此遭到谴责。太宗到公主的住处，公主以头碰地，哭着为儿子谢罪。太宗也下拜并哭泣说：“赏赐不回避仇敌，惩罚不袒护亲戚。这是天下至公的道理，不敢违背，因此有负于姐姐。”

己丑[45]，诏以长孙无忌为太子太师，房玄龄为太傅，萧瑀为太保[46]，李世勣为詹事，瑀、世勣并同中书门下三品[47]。同中书门下三品自此始。又以左卫大将军李大亮领右卫率，前詹事于志宁、中书侍郎马周为左庶子，吏部侍郎苏勖、中书舍人高季辅为右庶子，刑部侍郎张行成为少詹事[48]，谏议大夫褚遂良为宾客[49]。

李世勣尝得暴疾，方[50]云须灰可疗。上自翦[51]须[52]，为之和药。世勣顿首出血泣谢。上曰："为社稷，非为卿也，何谢之有！"世勣尝侍宴，上从容谓曰："朕求群臣可托幼孤者，无以逾公。公往不负李密，岂负朕哉！"世勣流涕辞谢，啮[53]指出血，因饮沈醉，上解御服以覆之。

癸巳[54]，诏解魏王泰雍州牧[55]、相州都督、左武候大将军，降爵为东莱郡王。泰府僚属为泰所亲狎[56]者，皆迁岭表。以杜楚客兄如晦有功，免死，废为庶人。给事中崔仁师尝密请立魏王泰为太子，左迁鸿胪少卿[57]。

庚子[58]，定太子见三师仪：迎于殿门[59]外，先拜，三师答拜，每门让于三师。三师坐，太子乃坐。其与三师书，前后称名、"惶恐"[60]。

五月癸酉[61]，太子上表，以"承乾、泰衣服不过随身，饮食不能适口，幽忧可愍，乞敕有司，优加供给"。上从之。

黄门侍郎刘洎上言，以"太子宜勤学问，亲师友。今入侍宫闱，动逾旬朔[62]，师保[63]以下，接对甚希[64]。伏愿[65]少抑下流之爱[66]，弘远大之规，则海内幸甚！"上乃命洎与岑文本、褚遂良、马周更日[67]诣东宫，与太子游处[68]谈论。

六月己卯朔[69]，日有食之。

丁亥[70]，太常丞[71]邓素使高丽还，请于怀远镇[72]增戍兵以逼高丽。上曰："'远人不服，则修文德以来之[73]'，未闻一二百戍兵能威绝域[74]者也！"

丁酉[75]，右仆射高士廉逊位，许之，其开府仪同三司、勋封[76]如故，仍同门下中书三品，知政事[77]。

闰月辛亥[78]，上谓侍臣曰："朕自立太子，遇物则诲之，见其饭，

四月初十日己丑，太宗下诏任命长孙无忌为太子太师，房玄龄为太子太傅，萧瑀为太子太保，李世勣为太子詹事，萧瑀、李世勣均为同中书门下三品。同中书门下三品始于此。又任命左卫大将军李大亮兼领东宫右卫率，前任太子詹事于志宁、中书侍郎马周为东宫左庶子，吏部侍郎苏勖、中书舍人高季辅为东宫右庶子，刑部侍郎张行成为东宫少詹事，谏议大夫褚遂良为太子宾客。

李世勣曾得暴病，药方说胡须灰可治疗此病。太宗亲自剪下胡须，为他配药。李世勣磕头出血哭着拜谢。太宗说："这是为了国家社稷，不是为了你，有什么可谢的!"李世勣曾经陪侍太宗宴饮，太宗闲谈时对他说："朕想在群臣中寻找可以托付幼孤的人，没有人能超过你。你往年不辜负李密，怎会辜负朕!"李世勣流着泪推辞拜谢，咬指出血，于是饮酒大醉，太宗解下皇袍给他披上。

四月十四日癸巳，太宗下诏解除魏王李泰雍州牧、相州都督、左武候大将军的官职，把爵位降为东莱郡王。被李泰所亲近的泰王府的僚属，都迁徙岭南。杜楚客因为哥哥杜如晦有功，免去死罪，废为平民。给事中崔仁师曾秘密请求立魏王李泰为太子，被降职为鸿胪寺少卿。

四月二十一日庚子，规定太子拜见三师太师、太傅、太保的礼仪：在殿门外迎接，太子先拜，三师答拜，每道门让三师先行。三师落座，太子才坐下。太子给三师的书信，前自称名，后署"惶恐"。

五月二十五日癸酉，太子上表，认为"李承乾与李泰的衣服不过随身的几件，饮食不能适合口味，幽禁之中忧愁可怜，请敕令有关官署，从优加以供应"。太宗听从了太子的建议。

黄门侍郎刘洎进言，以为"太子应当勤奋学习，亲近师友。如今太子进入宫中侍奉皇上，动辄超过十天半个月，太师太保以下的官员，与太子接触和答问次数很少。希望陛下稍微抑制对子孙的溺爱，弘扬久远宏大的规制，海内的百姓就非常幸运了!"于是太宗命令刘洎与岑文本、褚遂良、马周每天轮流到东宫，与太子交游相处，谈论学问。

六月初一日己卯，发生日食。

六月初九日丁亥，太常寺丞邓素出使高丽回到朝廷，请求太宗在怀远镇增加戍边兵力，借以威逼高丽。太宗说："'远方的人不服从，就施行文德，让他们自动前来'，没听说一二百个戍守士兵就能威逼绝远之地的!"

六月十九日丁酉，尚书右仆射高士廉退职，太宗同意了，他的开府仪同三司、勋级和爵封依旧，仍然担任同门下中书三品，参知政事。

闰六月初四日辛亥，太宗对侍从的大臣说："朕自从立了太子，遇到物品就教诲

则曰：‘汝知稼穑之艰难，则常有斯饭矣。’见其乘马，则曰：‘汝知其劳逸，不竭其力，则常得乘之矣。’见其乘舟，则曰：‘水所以载舟，亦所以覆舟。民犹水也，君犹舟也。’见其息于木下，则曰：‘木从绳[79]则正，后[80]从谏则圣。’”

丁巳[81]，诏太子知[82]左、右屯营[83]兵马事，其大将军以下并受处分[84]。

【段旨】

以上为第三段，写唐太宗尽心教诲新立太子李治。

【注释】

㊶丁亥：四月八日。㊷适：出嫁。㊸慈景死：武德元年，赵慈景被尧君素所杀。㊹道地：代人事先疏通，以留余地。㊺己丑：四月十日。㊻长孙无忌为太子太师三句：太子太师、太傅、太保，即东宫三师，为辅导太子之官，并从一品。㊼同中书门下三品：官名，唐宰相的称呼。以他官任宰相者，则加以“同中书门下三品”，以表示同于中书令和侍中。中书令为中书省长官，侍中为门下省长官，二者均为宰相，并都是三品官。㊽少詹事：官名，太子詹事府长官詹事的副职，正四品上。㊾宾客：官名，东宫置太子宾客四人，正三品，掌侍从规谏等事。㊿方：处方；验方。(51)翦：同“剪”。(52)须：胡须。(53)啮：用牙齿啃或咬。(54)癸巳：四月十四日。(55)牧：官名，州长称牧。(56)狎：亲

【原文】

薛延陀真珠可汗使其侄突利设[85]来纳币[86]，献马五万匹，牛、骆驼万头，羊十万口。庚申[87]，突利设献馔[88]。上御相思殿[89]，大飨群臣，设十部乐。突利设再拜上寿，赐赉甚厚。

契苾何力上言：“薛延陀不可与昏。”上曰：“吾已许之矣，岂可为

他，看见他吃饭，就说：'你知道耕稼的艰难，才能常有这些饭了。'看见他骑马，就说：'你知道马要有劳有逸，不耗尽马的气力，就能经常骑乘它了。'看见他乘坐舟船，就说：'水能够承载舟船，也能够让舟船翻覆。百姓好比水，君主好比舟船。'看见他在树下休息，就说：'木头按照墨线来加工就会笔直，君主能听从劝谏就会圣明。'"

闰六月初十日丁巳，太宗下诏让太子参知左、右屯营的兵马事务，屯营大将军以下都受太子的指挥。

近。㊼鸿胪少卿：官名，鸿胪寺长官鸿胪卿之副。㊽庚子：四月二十一日。㊾殿门：谓东宫殿门。㊿前后称名、"惶恐"：书信格式的一种。抬头自称名，后署"惶恐"，适用于晚辈对尊长。㉛癸酉：五月二十五日。㉜旬朔：十天或一个月。㉝师保：指太师、太傅、太保、少师、少傅、少保；或指教导贵族子弟之官。㉞希："稀"的本字。稀疏；罕见。㉟伏愿：下对上陈述愿望的表敬之词。伏，敬辞。㊱下流之爱：溺爱；庸俗低级之爱。㊲更日：按日变换；每天轮流。㊳游处：交游相处。㊴己卯朔：六月一日。㊵丁亥：六月九日。㊶太常丞：官名，太常寺卿属官，从五品下，掌判寺内日常事务。㊷怀远镇：军镇名，在今辽宁沈阳市辽中区附近。㊸远人不服二句：孔子之言，见《论语·季氏》。远人，外族。来，使其前来。㊹绝域：绝远地域。㊺丁酉：六月十九日。㊻勋封：勋级和爵封。㊼知政事：官称，即参知政事，唐初用来称呼宰相。㊽辛亥：闰六月四日。㊾绳：绳墨，木匠用以取直的工具。㊿后：君主。㉛丁巳：闰六月十日。㉜知：主持。㉝左、右屯营：唐初禁军名，贞观十二年（公元六三八年），置于京师玄武门，由诸卫将军统领，其兵士称飞骑。㉞处分：处置；节制。

【语译】

薛延陀真珠可汗派他的侄子突利设前来送聘礼，献马五万匹，牛、骆驼一万头，羊十万只。闰六月十三日庚申，突利设献上食物。太宗亲临相思殿，大宴群臣，演奏十部乐。突利设两次下拜向太宗祝寿，太宗赏赐突利设极为丰厚的物品。

契苾何力上书说："不可与薛延陀通婚。"太宗说："我已经答应他们了，怎么可

天子而食言乎!”何力对曰:“臣非欲陛下遽[90]绝之也，愿且迁延[91]其事。臣闻古有亲迎之礼，若敕夷男使亲迎，虽不至京师，亦应至灵州。彼必不敢来，则绝之有名矣。夷男性刚戾[92]，既不成昏，其下复携贰[93]，不过一二年必病死。二子争立，则可以坐制[94]之矣。”上从之，乃征真珠可汗使亲迎，仍发诏将幸灵州与之会。真珠大喜，欲诣灵州，其臣谏曰:“脱[95]为所留，悔之无及。”真珠曰:“吾闻唐天子有圣德，我得身往见之，死无所恨，且漠北必当有主。我行决矣，勿复多言。”上发使三道，受其所献杂畜。薛延陀先无库厩[96]，真珠调敛[97]诸部，往返万里，道涉沙碛，无水草，耗死将半，失期不至。议者或以为“聘财未备而与为昏，将使戎狄轻中国”，上乃下诏绝其昏，停幸灵州，追还三使。

褚遂良上疏，以为“薛延陀本一俟斤[98]，陛下荡平沙塞，万里萧条，余寇奔波，须有酋长，玺书鼓纛[99]，立为可汗。比者[100]复降鸿私[101]，许其姻媾，西告吐蕃，北谕思摩，中国童幼，靡不[102]知之。御幸北门，受其献食，群臣四夷，宴乐终日。咸言陛下欲安百姓，不爱一女，凡在含生[103]，孰[104]不怀德。今一朝生进退之意，有改悔之心，臣为国家惜兹声听[105]。所顾[106]甚少，所失殊多。嫌隙既生，必构边患。彼国蓄见欺之怒，此民怀负约之惭，恐非所以服远人，训戎士也。陛下君临天下十有七载，以仁恩结庶类[107]，以信义抚戎夷，莫不欣然，负之无力[108]，何惜不使有始有卒[109]乎！夫龙沙[110]以北，部落无算，中国诛之，终不能尽。当怀之以德，使为恶者在夷不在华，失信者在彼不在此，则尧、舜、禹、汤不及陛下远矣!”上不听。

是时，群臣多言:“国家既许其昏，受其聘币，不可失信戎狄，更生边患。”上曰:“卿曹皆知古而不知今。昔汉初匈奴强，中国弱，故饰子女、捐金絮以饵[111]之，得事之宜[112]。今中国强，戎狄弱，以我徒兵[113]一千，可击胡骑[114]数万。薛延陀所以匍匐稽颡[115]，惟我所欲，不敢骄慢者，以新为君长，杂姓[116]非其种族，欲假[117]中国之势以威服之耳。彼同罗、仆骨、回纥等十余部，兵各数万，并力攻之，立可破灭，所

以作为天子而自食其言呢!”何力回答说:“我不是想让陛下立刻回绝他们,是希望暂且延缓此事。我听说古代有迎亲礼仪,假如陛下敕令夷男,让他前来迎亲,即使不到长安,也要到灵州。他必定不敢前来,那么回绝他就有理由了。夷男性情刚烈暴戾,既然不能成婚,他的部下又心怀二意,不出一二年,他必定病死。他的两个儿子争立为王,那么,陛下可以坐着不动制服他们了。”太宗听从了他的意见,于是征召真珠可汗让他前来迎亲,还发布诏书说将要亲临灵州与他相见。真珠大为高兴,想要前去灵州。他的大臣劝谏说:“倘若被扣留,后悔就来不及了。”真珠说:“我听说大唐的天子有圣德,我得亲自前往见他,死了也没有遗憾。而且漠北必然会有人做君主,我决定要出行了,不要再多说了。”太宗派出三道使节,接受了薛延陀献上的各类牲畜。薛延陀先前没有库房和马厩,真珠可汗调集各部落的牲畜,往返万里,途经沙漠,没有水草,牲畜损耗死亡将近一半,错过了迎亲期限,没有到达灵州。议政的大臣有人认为“聘礼未能齐备而与他通婚,将会使戎狄轻视中国”,太宗于是下诏拒绝与薛延陀通婚,停止巡幸灵州,追回三道使节。

褚遂良上疏,认为“薛延陀本是一个俟斤,陛下当年荡平沙漠,万里萧条,突厥余部到处奔走,需要有一个酋长,于是赐给他玺书和大鼓大旗,立为可汗。近来陛下又降下大恩,应允与他们通婚,西面通知了吐蕃,北面通知了思摩,中国儿童幼子,没有人不知道此事。陛下亲临北门,接受他们敬献的食物,群臣与四夷使者,整日宴饮庆贺。人们都说陛下想要安抚百姓,不怜惜自己的女儿,凡是有生命的,谁不感恩戴德。如今一朝之间出现退意,有了后悔而改变的想法,我为国家怜惜原有的良好声誉。这种做法所得甚少,所失殊多。与薛延陀产生嫌隙之后,必然会构成边境的灾患。薛延陀蓄积了被欺辱的怒气,这些百姓也怀有背约的羞愧,恐怕不是用来绥服远方、训教士兵的好办法。陛下君临天下十七年了,依赖仁德恩惠与百姓相连,利用诚信礼义安抚戎夷,天下百姓莫不欣然高兴。背约于突厥,也没有功效,不让它有始有终多么可惜啊!龙沙以北,部落多得无法计算,朝廷诛讨他们,终究不能全部消灭。应当用仁德怀柔他们,让为恶的事在夷人方面而不在华夏方面,让失信的事在对方而不在我方,那么尧、舜、禹、汤就远远不如陛下了!”太宗没有听从他的建议。

在这时,大臣们大都说:“国家既然答应与他们通婚,接受了人家的聘礼,不能失信戎狄,再生边患。”太宗说:“你们这等人都是知古而不知今。从前汉代初年匈奴强大,中原势弱,所以打扮好女子、送上金银布帛作为诱饵,这合乎时宜。如今中原强大,戎狄衰弱,用我一千步兵,可以攻击蕃胡数万骑兵。薛延陀之所以匍匐叩首,满足我们的所有要求,不敢稍有傲慢,是因为他刚刚成为君长,杂姓部落不是他的同一种族,想借中国的势力来威慑制服他们。其中的同罗、仆骨、回纥等十多个部族,各有兵力几万人,如果合力攻打薛延陀,可以立即把他消灭,他们所以不

以不敢发者，畏中国所立故也。今以女妻之，彼自恃大国之婿，杂姓谁敢不服！戎狄人面兽心，一旦微不得意，必反噬⑱为害。今吾绝其昏，杀⑲其礼，杂姓知我弃之，不日将瓜剖⑳之矣，卿曹第㉑志㉒之！”

臣光曰：“孔子称去食、去兵，不可去信㉓。唐太宗审知㉔薛延陀不可妻，则初勿许其昏可也。既许之矣，乃复恃强弃信而绝之，虽灭薛延陀，犹可羞也。王者发言出令，可不慎哉！”

【段旨】

以上为第四段，写唐太宗负约薛延陀，悔婚绝和亲。

【注释】

⑧⑤突利设：薛延陀求婚使者，其在本藩任典兵官。事见《新唐书》卷二百十七下《回鹘传下》附《薛延陀传》。⑧⑥纳币：古代婚礼“六礼”之第四种，亦称纳征。即男家派使者送聘礼给女家以订婚。币，帛，亦泛指礼物。⑧⑦庚申：闰六月十三日。⑧⑧馔：食物。⑧⑨相思殿：宫殿名，在太极宫玄武门内。⑨⓪遽：急；突然。⑨①迁延：拖延；延缓。⑨②刚戾：刚烈暴戾。⑨③携贰：叛离；心怀二意。⑨④坐制：无须动干戈，稳坐而制服之。⑨⑤脱：同“倘”。倘若，倘或。⑨⑥库厩：库房和马厩。⑨⑦调敛：征调聚敛。⑨⑧俟斤：突厥大臣共二十八等，其中有叶护、屈律啜、阿波、俟利发、吐屯、俟斤等。⑨⑨玺书鼓纛：玺书，盖皇帝印的册封诏书。鼓纛，天子仪仗所用的大鼓大旗。⑩⓪比者：近

【原文】

上曰：“盖苏文弑其君而专国政，诚不可忍。以今日兵力，取之不难，但不欲劳百姓，吾欲且使契丹、靺鞨扰之，何如？”长孙无忌曰：“盖苏文自知罪大，畏大国之讨，必严设守备。陛下少[2]为之隐忍，彼得以自安，必更骄惰，愈肆其恶，然后讨之未晚也。”上曰：

敢起兵，原因在于畏惧可汗是中国所立。如今把宗室的女子嫁给他，他自恃是大国的女婿，杂姓部族谁敢不服！戎狄是人面兽心，一旦稍不满意，必会反咬对方造成祸害。现在我拒绝他的婚姻，降低对他的礼遇，杂姓部族得知我们抛弃了他，不用很久就会四分五裂了，你们只要记住此话！”

司马光说：“孔子说可以去掉粮食，去掉军备，不可去掉信用。太宗清楚地知道不可嫁女于薛延陀为妻，当初不要许诺婚姻是可以了。既然答应了薛延陀，又依仗强势违背诚信拒绝他，即使灭掉了薛延陀，也足可羞愧。君王出言发令，能不慎重吗！”

来。⑩鸿私：鸿大之恩。指皇恩。私，恩情。⑩靡不：无不。⑩含生：亦称“含类”，泛指一切有生命者。⑩孰：谁。⑩声听：声誉。⑩顾：顾及；得到。⑩庶类：黎民百姓。⑩莫不欣然二句：胡三省注，“此二语考之《旧书·褚遂良传》亦是如此，然其意义难于强解。或曰‘力’当作‘益’，言负延陀之约为无益也”。〖按〗力，当释为功，功效。意谓天下百姓无人不欣然高兴，背约于突厥，也无功效可言。⑩卒：终。⑩龙沙：地区名，意谓处于沙碛地带的龙城。在今蒙古鄂尔浑河西侧和硕柴达木湖附近。原为西汉匈奴祭天、大会诸部处。⑪饵：诱饵。⑪得事之宜：与事体相合；合乎时宜。宜，相称。⑪徒兵：步兵。⑪胡骑：蕃胡骑兵。⑪匍匐稽颡：趴在地上磕头。颡，额。⑪杂姓：以姓氏为部称的诸色蕃人。⑪假：借。⑪噬：咬。⑪杀：减；降。⑫瓜剖：瓜分。⑫第：但；只。⑫志：记。⑫孔子称去食去兵二句：语见《论语·颜渊》。食，粮食。兵，军备。信，信用。⑫审知：明悉；详知。

【语译】

太宗说：“盖苏文弑杀他的国王而专擅国政，实在是不能容忍。以我们今日的兵力，攻取他并不难，只是不想辛劳百姓，我想暂且让契丹、靺鞨骚扰他，怎么样？”长孙无忌说：“盖苏文自己知道罪行严重，害怕大国的讨伐，必然要严加防备。陛下稍稍对他容忍一下，他能够自我稳定下来，必然会更加骄横懈怠，愈益放纵他的恶行，然后讨伐他，也不晚啊。”太宗说：“很好！”闰六月二十一日戊辰，太宗颁布诏

“善!”戊辰[125]，诏以高丽王藏[126]为上柱国、辽东郡王、高丽王，遣使持节[127]册命。

丙子[128]，徙东莱王泰为顺阳王。

初，太子承乾失德，上密谓中书侍郎兼左庶子杜正伦曰：“吾儿足疾乃可耳，但疏远贤良，狎昵[129]群小，卿可察之。果不可教示，当来告我。”正伦屡谏，不听，乃以上语告之，太子抗表以闻[130]。上责正伦漏泄，对曰：“臣以此恐之，冀其迁善[131]耳。”上怒，出正伦为谷州[132]刺史。及承乾败，秋，七月辛卯[133]，复左迁正伦为交州都督。初，魏徵尝荐正伦及侯君集有宰相材，请以君集为仆射，且曰：“国家安不忘危，不可无大将，诸卫兵马宜委君集专知[134]。”上以君集好夸诞[135]，不用。及正伦以罪黜，君集谋反诛，上始疑徵阿党[136]。又有言徵自录前后谏辞以示起居郎褚遂良者，上愈不悦，乃罢叔玉尚主，而踣所撰碑[137]。

初，上谓监修国史[138]房玄龄曰：“前世史官所记，皆不令人主见之，何也?”对曰：“史官不虚美，不隐恶。若人主见之必怒，故不敢献也。”上曰：“朕之为心，异于前世。帝王欲自观国史，知前日之恶，为后来之戒，公可撰次以闻。”谏议大夫朱子奢[139]上言：“陛下圣德在躬[140]，举无过事，史官所述，义归尽善。陛下独览《起居》[141]，于事无失。若以此法传示子孙，窃恐曾、玄[142]之后或非上智[143]，饰非护短[144]，史官必不免刑诛。如此，则莫不希风顺旨[145]，全身远害，悠悠千载，何所信乎！所以前代不观，盖为此也。”上不从。玄龄乃与给事中许敬宗等删为高祖、今上实录，癸巳[146]，书成，上之。上见书六月四日事，语多微隐，谓玄龄曰：“昔[3]周公诛管、蔡以安周[147]，季友[148]鸩叔牙以存鲁，朕之所为，亦类是耳，史官何讳焉!”即命削去浮词，直书其事。

令封高丽王高藏为上柱国、辽东郡王、高丽王，派使者携带旌节前往册封。

闰六月二十九日丙子，徙封东莱王李泰为顺阳王。

起初，太子李承乾丧失德行，太宗秘密地对中书侍郎兼左庶子杜正伦说："我儿子虽有脚病，还是可以当太子，只是他疏远贤良，亲昵群小，你可以观察他。如果真的不可教诲，应当来告诉我。"杜正伦多次劝谏李承乾，都不听从，杜正伦就把太宗的话告诉了他，太子直言上表奏闻。太宗责怪杜正伦泄露秘密，杜正伦回答说："我用陛下的话吓唬他，希望他改恶从善。"太宗大怒，把杜正伦调出京城外任为谷州刺史。等到李承乾谋反事败，秋，七月十四日辛卯，又把杜正伦降职为交州都督。当初，魏徵曾经推荐杜正伦与侯君集，说他们有宰相的才能，请求任命侯君集为仆射，而且说："国家安定时不能忘记危亡，不可以没有大将，各卫兵马应该委任侯君集专门指挥。"太宗认为侯君集喜欢说大话，没有任用他。等到杜正伦因罪贬职，侯君集参与谋反被处死，太宗开始怀疑魏徵结党营私。又有人上书说魏徵自己抄录前后进谏之辞给起居郎褚遂良看，太宗愈益不高兴，于是停止了魏徵儿子魏叔玉娶公主一事，并拆毁为魏徵撰写的碑石。

起初，太宗对以宰相身份监修国史的房玄龄说："前代史官所记的内容，都不让君主看见，这是为什么？"回答说："史官不虚加赞美，不隐瞒罪恶。如果君主看见了必然会动怒，所以不敢呈献。"太宗说："朕的心怀，不同于前代君主。帝王想亲自观览当朝国史，知道以前的过失，作为后来的借鉴，你可撰写后向朕报告。"谏议大夫朱子奢进言说："陛下圣德在身，行动没有过失，史官所记述的，按照道理应该写得尽善尽美。陛下单独阅览《起居注》，对于史官记事无所损失。如果把这个做法传示给子孙后代，臣担心陛下的曾孙、玄孙之后或许不是上智之人，饰非护短，史官必定不免刑杀。这样的话，史官没有人不迎合君主的旨意，保全自身，远离祸患，悠悠千载，史书还有什么可相信呢！所以前代君主不观看国史，就是因为这个缘故。"太宗没有听从。房玄龄就与给事中许敬宗等人删改写成高祖和太宗的《实录》，七月十六日癸巳，书写成，呈给太宗。太宗见到书中武德九年六月四日玄武门之变的事，词语多有微言和隐讳，就对房玄龄说："过去周公诛灭管叔、蔡叔以安定周朝，季友毒死叔牙以保存鲁国，朕的所作所为，也与此类似而已，史官何必隐讳呢！"立即命令删去浮泛之辞，直书其事。

【段旨】

以上为第五段，写唐太宗信谗言疑魏徵，又违制看史臣所修当代实录。

【注释】

⑫⑤ 戊辰：闰六月二十一日。⑫⑥ 高丽王藏：原高丽王高建武弟大阳之子。盖苏文弑建武，立藏为王。公元六四二至六六八年在位。⑫⑦ 节：符节。使者持之，以为凭证。⑫⑧ 丙子：闰六月二十九日。⑫⑨ 狎昵：亲昵；亲近。⑬⓪ 抗表以闻：谓臣子冒犯皇帝威严上表直言。⑬① 冀其迁善：希望他知过变好。⑬② 谷州：州名，治所在今河南宜阳西。⑬③ 辛卯：七月十四日。⑬④ 专知：独立主持。⑬⑤ 夸诞：夸大虚妄；说大话。⑬⑥ 阿党：阿私；偏袒一方。⑬⑦ 罢叔玉尚主二句：魏徵病危，太宗与太子同至魏徵宅第，指衡山公主欲以妻徵子叔玉。徵卒，太宗为徵自制碑文，并为书石。踣，倒。⑬⑧ 监修国史：贞观三年（公元六二九年），以宰相监修国史，自此历代由著作郎掌修国史的制度罢除。监，督察。⑬⑨ 朱子奢：唐初经学家，苏州吴县（今江苏苏州）人，少习《春秋左氏传》。官至谏议大夫、弘

【原文】

八月庚戌[149]，以洛州都督张亮为刑部尚书，参预朝政，以左卫大将军、太子右卫率[150]李大亮为工部尚书。大亮身居三职，宿卫两宫，恭俭忠谨，每宿直[151]，必坐寐达旦。房玄龄甚重之，每称大亮有王陵、周勃[152]之节，可当大位。

初，大亮为庞玉[153]兵曹，为李密所获，同辈皆死，贼帅张弼[154]见而释之，遂与定交[155]。及大亮贵，求弼，欲报其德。弼时为将作丞[156]，自匿不言。大亮遇诸途而识之，持弼而泣，多推家赀以遗弼，弼拒不受。大亮言于上，乞悉以其官爵授弼，上为之擢弼为中郎将。时人皆贤大亮不负恩，而多[157]弼之不伐[158]也。

九月庚辰[159]，新罗遣使言百济攻取其国四十余城，复与高丽连兵，谋绝新罗入朝之路，乞兵救援。上命司农丞[160]相里玄奖[161]赍玺书赐高丽曰："新罗委质国家[162]，朝贡不乏，尔与百济各宜戢兵[163]。若更攻之，明年发兵击尔国矣。"

癸未[164]，徙承乾于黔州。甲午[165]，徙顺阳王泰于均州[166]。上曰："父子之情，出于自然。朕今与泰生离，亦何心自处！然朕为天下主，但

文馆学士、国子司业。传见《旧唐书》卷一百八十九上、《新唐书》卷一百九十八。⑭在躬：在身。⑭起居：即《起居注》，记载帝王日常起居言行。⑭曾、玄：曾孙、玄孙。⑭上智：上等智慧之人。犹言明君。⑭饰非护短：掩饰过错，维护缺陷。⑭希风顺旨：即“希旨”，迎合上意。⑭癸巳：七月十六日。⑭周公诛管、蔡以安周：西周初年，周公摄政，管叔、蔡叔挟武庚叛，周公诛之以安周室。事见《史记·管蔡世家》。⑭季友：春秋鲁桓公子、庄公弟。庄公卒，季友毒死其兄叔牙，立姬般为鲁国国君，由是扭转了鲁国政局混乱的局面。事见《史记·鲁周公世家》。

【校记】

［2］少：据章钰校，十二行本、乙十一行本、孔天胤本皆作“姑”。［3］昔：原无此字。据章钰校，十二行本、乙十一行本、孔天胤本皆有此字，今据补。

【语译】

八月初三日庚戌，朝廷任命洛州都督张亮为刑部尚书，参与朝政，任命左卫大将军、太子右卫率李大亮为工部尚书。李大亮身居三职，宿卫皇宫和太子东宫，谦恭俭朴，忠诚谨慎，每次当值宿卫，必定坐着假寐直到天亮。房玄龄非常器重他，常常称李大亮有王陵、周勃的气节，可以担当重大的职位。

起初，李大亮担任庞玉的兵曹，被李密抓获，同事都被处死，敌人的将领张弼看到李大亮就把他释放了，两个人于是定下交情。等到李大亮显贵，寻找张弼，想报答他的恩德。张弼当时担任将作丞，自己隐匿不说。李大亮在道上遇见张弼认出他来，抓着张弼哭泣，拿出很多家产送给张弼，张弼拒不接受。李大亮把此事向太宗说了，请求把自己的官职爵位全部授给张弼，太宗为此把张弼提拔为中郎将。当时的人都称赞李大亮贤良不负旧恩，而赞扬张弼不居功炫耀。

九月初四日庚辰，新罗派使节来说百济攻取新罗国的四十多座城池，又与高丽国联合出兵，图谋断绝新罗前来大唐朝见的通道，请求派兵救援。太宗命令司农寺丞相里玄奖携带皇帝玺书赐给高丽说：“新罗归顺大唐，朝贡没有缺少，你们与百济都应当各自收兵。如果再去攻打新罗，明年大唐就要发兵攻伐你们国家了。”

九月初七日癸未，朝廷把李承乾流徙黔州。十八日甲午，把顺阳王李泰流徙均州。太宗说：“父子之情，出自人的自然心情。朕如今与李泰生而离别，还有什么心情自处！然而朕为天下人的君主，只要让百姓生活安宁，私人的感情也可以割舍

使百姓安宁，私情亦可割耳。”又以泰所上表示近臣曰：“泰诚为俊才，朕心念之，卿曹所知。但以社稷之故，不得不断之以义。使之居外者，亦所以两全之耳。”

先是，诸州长官或上佐[167]岁首亲奉贡物入京师，谓之朝集使[168]，亦谓之考使[169]，京师无邸[170]，率僦屋与商贾杂居，上始命有司为之作邸。

冬，十一月己卯[171]，上祀圜丘[172]。

初，上与隐太子、巢剌王有隙，密明公赠司空封德彝阴持两端[173]。杨文幹之乱，上皇欲废隐太子而立上，德彝固谏而止。其事甚秘，上不之知[174]，薨后乃知之。壬辰[175]，治书侍御史唐临[176]始追劾其事，请黜官夺爵，上命百官议之。尚书唐俭等议：“德彝罪暴身后，恩结生前，所历众官，不可追夺，请降赠改谥。”诏黜其赠官，改谥曰缪[177]，削所食实封[178]。

敕选良家女以实东宫。癸巳[179]，太子遣左庶子于志宁辞之。上曰：“吾不欲使子孙生于微贱耳，今既致辞，当从其意。”上疑太子仁弱，密谓长孙无忌曰：“公劝我立雉奴[180]，雉奴懦[181]，恐不能守社稷，奈何？吴王恪英果类[182]我，我欲立之，何如[183]？”无忌固争，以为不可。上曰：“公以恪非己之甥[184]邪？”无忌曰：“太子仁厚，真守文[185]良主。储副[186]至重，岂可数易！愿陛下熟思之。”上乃止。十二月壬子[187]，上谓吴王恪曰：“父子虽至亲，及其有罪，则天下之法不可私也。汉已立昭帝[188]，燕王旦[189]不服，阴图不轨，霍光[190]折简[191]诛之。为人臣子，不可不戒！”

庚申[192]，车驾幸骊山温汤。庚午[193]，还宫。

啊。”又把李泰过去呈上的表章出示给近身大臣，说道：“李泰实在是出众的人才，朕心里思念他，你们也知道。但是为了社稷江山，不得不根据道义与他断绝亲情。让他居住在外地，也是两全之策。”

此前，各州的长官和高级佐僚年初亲自携带贡品进京，称之为朝集使，也称为考使，他们在京城没有邸舍，大都租房子与商人混杂居住，此时太宗开始命令有关部门为他们修建邸舍。

冬，十一月初三日己卯，太宗到圜丘祭天。

当初，太宗与隐太子李建成、巢剌王李元吉有矛盾，密明公赠司空封德彝暗中对两方采取骑墙态度。杨文幹叛乱后，太上皇李渊想废掉隐太子李建成而立太宗为太子，封德彝执意劝阻，太上皇废止了这一决定。这件事非常隐秘，太宗不知道，封德彝死后才知道。十一月十六日壬辰，治书侍御史唐临开始追究弹劾其事，请求贬黜封德彝的官职，削除爵位，太宗命令文武百官商议此事。尚书唐俭等人建议说：“封德彝的罪行暴露在身死之后，与皇上的恩情是在生前形成的，所历众多官职，不可追削，请求降低所赠的官职，改变谥号。”太宗下诏免除对封德彝所赠的官职，改谥号为缪，取消所享有的食邑和实封的户口数。

太宗敕令遴选良家女子来充实东宫。十一月十七日癸巳，太子李治派左庶子于志宁推辞。太宗说：“我不想让子孙出生于微贱的家族，如今既然致书推辞，应当遵从他的本意。”太宗怀疑太子李治过于仁慈软弱，秘密地对长孙无忌说：“你劝我立雉奴为太子，雉奴懦弱，恐怕不能守护国家社稷，怎么办？吴王李恪英武果断很像我，我想立他为太子，怎么样？”长孙无忌坚决争辩，以为不可以这样做。太宗说：“因为李恪不是你的外甥吗？”长孙无忌说：“太子仁德厚道，真是守成的优秀君主。太子皇储的人选至关重要，怎么可以多次更改！希望陛下深思熟虑这件事。”太宗这才作罢。十二月初六日壬子，太宗对吴王李恪说：“父子之间虽然是至亲，等儿子犯了罪，那么天下的法律是不能照顾私人感情的。汉朝昭帝已立，燕王刘旦不服，暗中图谋造反，霍光就用一封书信诛杀了他。作为别人的臣下，不能不引以为戒！”

十二月十四日庚申，太宗车驾巡幸骊山温泉。二十四日庚午，返回宫中。

【段旨】

以上为第六段，写唐太宗立储事件之余波，欲更易太子立李恪，长孙无忌力挺李治为太子。

【注释】

⑭⑨ 庚戌：八月三日。⑮⓪ 太子右卫率：官名，太子右卫率府长官，掌兵仗、仪卫。⑮① 宿直：宿卫当值。⑮② 王陵、周勃：汉初大臣，皆为沛县（今江苏沛县）人，均官至右丞相。王陵传见《史记》卷五十六、《汉书》卷四十。周勃传见《史记》卷五十七、《汉书》卷四十。⑮③ 庞玉：京兆泾阳（今陕西泾阳）人，隋末唐初将领。隋封韩国公，入唐，累任诸卫大将军，为武德功臣。事迹见《隋书》卷六十三《卫玄传》、《旧唐书》卷六十二《李大亮传》、《新唐书》卷一百九十三《庞坚传》等。⑮④ 张弼：隋末为李密部将，降唐后，官至代州都督。事迹见《旧唐书》卷六十二、《新唐书》卷九十九《李大亮传》。⑮⑤ 定交：即订交，确定非同寻常关系。⑮⑥ 将作丞：官名，将作监属官，从六品下，掌日常监务。⑮⑦ 多：称赞。⑮⑧ 不伐：不夸功。⑮⑨ 庚辰：九月四日。⑯⓪ 司农丞：司农卿佐官，掌司农寺日常公务。⑯① 相里玄奖：相里，复姓。玄奖，名。玄奖事迹见《旧唐书》卷一百九十九上、《新唐书》卷三百二十《高丽传》。⑯② 委质国家：遣派质子入京，以取信朝廷。此指新罗与唐建立臣隶关系。⑯③ 戢兵：收兵息战。⑯④ 癸未：九月七日。⑯⑤ 甲午：九月十八日。⑯⑥ 均州：州名，治所在今湖北丹江口市。⑯⑦ 上佐：高级辅佐官吏。⑯⑧ 朝集使：朝集使制度始于隋朝而盛行于唐代。地方汉蕃官长（都督、刺史及上佐）定期或不定期入朝述职并觐见天子，朝集于京师，这些人称朝集使。⑯⑨ 考使：因

【原文】

十八年（甲辰，公元六四四年）

春，正月乙未[194]，车驾幸钟官城[195]。庚子[196]，幸鄠县。壬寅[197]，幸骊山温汤。

相里玄奖至平壤，莫离支已将兵击新罗，破其两城，高丽王使召之，乃还。玄奖谕使勿攻新罗，莫离支曰：“昔隋人入寇[198]，新罗乘衅侵我地五百里，自非归我侵地，恐兵未能已。”玄奖曰：“既往之事，焉可追论！至于辽东诸城，本皆中国郡县，中国尚且不言，高丽岂得必求故地！”莫离支竟不从。

二月乙巳朔[199]，玄奖还，具言其状。上曰：“盖苏文弑其君，贼[200]其大臣，残虐其民，今又违我诏命，侵暴邻国，不可以不讨。”

朝集使负有接受考核政绩的义务，故又称考使。⑰邸：官员办事或居住的处所。⑰己卯：十一月三日。⑰圜丘：即天坛。古时用以祭天的建筑物。唐圜丘在今陕西西安南郊陕西师大南操场东。⑰阴持两端：暗地里持两可态度。⑰不之知：即“不知之”。⑰壬辰：十一月十六日。⑰唐临：唐初大臣，京兆长安（今陕西西安）人，高宗时，历官御史大夫及刑、兵、度支、吏部尚书，终潮州刺史。为官宽恕，为时所称。传见《旧唐书》卷八十五、《新唐书》卷一百十三。⑰缪：名不副实。⑰实封：实有封户。唐代封户率多虚名，只有称“食实封”者才有“真户”，才能收取本封邑的租赋。⑰癸巳：十一月十七日。⑱雉奴：太子李治乳名。⑱懦：软弱。⑱类：像；似。⑱何如：如何；怎么样。⑱恪非己之甥：恪母杨氏，隋炀帝女，故李恪不是长孙无忌的亲外甥。⑱守文：遵守成法。⑱储副：即太子。⑱壬子：十二月六日。⑱昭帝：西汉皇帝刘弗陵（公元前九四至前七四年）。公元前八七至前七四年在位。⑱燕王旦：汉武帝第四子。传见《汉书》卷六十三。⑲霍光（？至公元前六八年）：西汉大臣，字子孟，河东平阳（今山西临汾西南）人，霍去病异母弟。累官大司马大将军，封博陆侯。传见《汉书》卷六十八。⑲折简：亦作“折柬”。本指写信，引申为书信。燕王刘旦谋反，昭帝使使者赐燕王玺书，斥责他与异姓大臣谋害社稷，有悖逆之心。燕王得书自杀。此处所说霍光折简当指昭帝所下玺书。当时昭帝年幼，权在霍光，下玺书当系霍光所为。⑲庚申：十二月十四日。⑲庚午：十二月二十四日。

【语译】

十八年（甲辰，公元六四四年）

春，正月二十日乙未，太宗车驾行幸钟官城。二十五日庚子，临幸鄠县。二十七日壬寅，临幸骊山温泉。

相里玄奖到达平壤，莫离支已经率领军队进攻新罗，攻破两城，高丽王派人召他回来，莫离支于是回师。相里玄奖传达皇上旨意，要他们不要攻打新罗，莫离支说：“以前隋朝人侵入我国，新罗乘机侵占我国土地五百里，如果他们不归还我国被侵占的土地，恐怕战争不能停止。”相里玄奖说：“既往之事，哪里可以追究呢！至于辽东各城，本来都是中原帝国的郡县，中原帝国尚且没有说话，高丽怎能一定要求取故地！”莫离支最终没有听从相里玄奖的告谕。

二月初一日乙巳，相里玄奖返回京城，详细禀报出使高丽的情况。太宗说：“盖苏文弑杀其君，贼害高丽大臣，残虐他的百姓，如今又违抗我的诏令，侵暴邻国，

谏议大夫褚遂良曰："陛下指麾则中原清晏，顾眄[201]则四夷詟服，威望大矣！今乃渡海远征小夷，若指期克捷，犹可也。万一蹉跌[202]，伤威损望，更兴忿兵，则安危难测矣！"李世勣曰："间者[203]薛延陀入寇，陛下欲发兵穷讨，魏徵谏而止，使至今为患。向用陛下之策，北鄙安矣。"上曰："然。此诚征之失，朕寻悔之而不欲言，恐塞良谋故也。"

上欲自征高丽，褚遂良上疏，以为："天下譬犹一身，两京，心腹也；州县，四支[204]也；四夷，身外之物也。高丽罪大，诚当致讨，但命二三猛将将四五万众，仗陛下威灵，取之如反掌耳。今太子新立，年尚幼稚，自余藩屏[205]，陛下所知。一旦弃金汤[206]之全，逾辽海[207]之险，以天下之君，轻行远举，皆愚臣之所甚忧也。"上不听。时群臣多谏征高丽者，上曰："八尧、九舜[208]，不能冬种，野夫[209]、童子，春种而生，得时故也。夫天有其时，人有其功。盖苏文陵上虐下，民延颈待救，此正高丽可亡之时也。议者纷纭，但不见此耳。"

己酉[210]，上幸灵口[211]。乙卯[212]，还宫。

三月辛卯[213]，以左卫将军薛万彻守[214]右卫大将军。上尝谓侍臣曰："于今名将，惟世勣、道宗、万彻三人而已。世勣、道宗不能大胜，亦不大败，万彻非大胜则大败。"

【段旨】

以上为第七段，写唐太宗伐高丽，大臣多不从。

【注释】

⑲④乙未：一月二十日。⑲⑤钟官城：又名灌钟城。汉置，唐时故城犹存。在今陕西西安市鄠邑区东北。⑲⑥庚子：一月二十五日。⑲⑦壬寅：一月二十七日。⑲⑧昔隋人入寇：谓炀帝征讨高丽。⑲⑨乙巳朔：二月一日。⑳⓪贼：杀害。⑳①眄：斜视。⑳②蹉跌：失足跌

不能不讨伐他。”谏议大夫褚遂良说：“陛下大旗一挥就使中原清静安宁，四周环顾就使四方夷族归服，威望是很大的了！如今渡海远征小小的高丽，如果在指定日期内能取得胜利，还是可以的。万一遭遇挫折，就损伤了自己的威望，再引起愤怒的乱兵，国家的安危就难以预测了！”李世勣说：“近来薛延陀入侵，陛下想发兵深加讨伐，魏徵劝谏后作罢，使他们直到今日仍为祸患。过去如果采用陛下的策略，北方边境已经安定了。”太宗说：“是这样。这确实是魏徵的过失，朕不久就后悔了，但不想说出来，原因在于害怕堵塞了大臣进献良策。”

太宗想亲自征伐高丽，褚遂良上疏，认为：“天下就如同人的整个身体，长安、洛阳，就像人的心脏；各州县，就像人的四肢；四方夷族，是身外之物。高丽罪大恶极，实在应当讨伐，只须命令两三个猛将，率领四五万部众，仰仗陛下的威灵，攻取高丽易如反掌。如今太子刚刚封立，年龄还很幼小，其他的藩王，陛下也都了解。一旦抛弃了固若金汤的安全之地，越过辽海的危险地带，作为天下的君主，轻率出兵远行，都是愚臣所深为忧虑的。”太宗不听他的谏议。当时群臣多有谏阻太宗征伐高丽的，太宗说：“八个尧帝、九个舜帝，不能在冬季种粮，乡村野夫、少年儿童，在春季播种就能生长，这是因为利用了合适的时令。天有它的时令，人有他的事功。盖苏文凌上虐下，高丽百姓都翘首企盼救援，这正是可以灭亡高丽之时。议政大臣意见纷纭，只是没有看到这个道理而已。”

二月初五日己酉，太宗巡幸灵口。十一日乙卯，返回宫中。

三月十七日辛卯，任命左卫将军薛万彻暂时代理右卫大将军。太宗曾对侍从大臣说：“当今的著名将领，只有李世勣、李道宗、薛万彻三人而已。李世勣、李道宗不能取得大胜，也不会大败，薛万彻不是大胜就是大败。”

倒。⑳间者：近来。㉔支：通“肢”。㉕藩屏：藩篱屏障。此借指捍卫中央王室的四方诸侯。㉖金汤：金城汤池。比喻城池坚不可摧。㉗辽海：地区名，泛指今辽河流域以东至海滨地区。㉘八尧、九舜：八个尧，九个舜，极言先王圣人之多。㉙野夫：山野之人；粗野之人。㉚己酉：二月五日。㉛灵口：亦作“零口”。今陕西西安市临潼区零口镇。㉜乙卯：二月十一日。㉝辛卯：三月十七日。㉞守：摄，暂时署理职务。唐代以低官任职高官称守某官。

【原文】

夏，四月，上御两仪殿，皇太子侍。上谓群臣曰："太子性行，外人亦闻之乎？"司徒无忌曰："太子虽不出宫门，天下无不钦仰圣德。"上曰："吾如治年时，颇不能循常度。治自幼宽厚，谚曰'生子如[4]狼，犹恐如羊'，冀其稍壮，自不同耳。"无忌对曰："陛下神武，乃拨乱㉑⑤之才，太子仁恕㉑⑥，实守文之德，趣尚㉑⑦虽异，各当其分，此乃皇天所以祚㉑⑧大唐而福苍生㉑⑨者也。"

辛亥㉒⓪，上幸九成宫。壬子㉒①，至太平宫㉒②，谓侍臣曰："人臣顺旨者多，犯颜则少。今朕欲自闻其失，诸公其直言无隐。"长孙无忌等皆曰："陛下无失。"刘洎曰："顷有上书不称旨者，陛下皆面加穷诘㉒③，无不惭惧而退，恐非所以广言路。"马周曰："陛下比来赏罚，微以喜怒有所高下，此外不见其失。"上皆纳之。

上好文学而辩敏㉒④，群臣言事者，上引古今以折㉒⑤之，多不能对。刘洎上书谏曰："帝王之与凡庶㉒⑥，圣哲之与庸愚，上下相悬，拟伦斯绝㉒⑦。是知以至愚而对至圣㉒⑧，以极卑而对至尊，徒思自强，不可得也。陛下降恩旨，假慈颜，凝旒㉒⑨以听其言，虚襟㉓⓪以纳其说，犹恐群下未敢对扬㉓①。况动神机，纵天辩，饰辞㉓②以折其理，引古以排其议，欲令凡庶何阶应答！且多记则损心，多语则损气，心气内损，形神外劳，初虽不觉，后必为累㉓③，须为社稷自爱，岂为性好㉓④自伤乎！至如秦政㉓⑤强辩，失人心于自矜㉓⑥，魏文㉓⑦宏才，亏众望于虚说。此材辩之累，较然可知矣。"上飞白㉓⑧答之，曰："非虑无以临下，非言无以述虑，比有谈论，遂致烦多，轻物骄人，恐由兹道。形神心气，非此为劳。今闻谠言㉓⑨，虚怀以改。"

己未㉔⓪，至显仁宫㉔①。

上将征高丽，秋，七月辛卯㉔②，敕将作大匠[5]阎立德等诣洪、饶、江三州㉔③，造船四百艘以载军粮。甲午㉔④，下诏遣营州都督张俭等帅幽、营二都督兵及契丹、奚、靺鞨先击辽东以观其势。以太常卿韦挺为馈

【语译】

夏，四月，太宗亲临两仪殿，皇太子侍侧。太宗对诸位大臣说："太子的性情，外面的人也听说过吗？"司徒长孙无忌说："太子虽然不出皇宫大门，天下的人无不敬仰他的德行。"太宗说："我像李治这个年龄时，颇不能遵循常规。李治自幼宽容厚道，古谚说'生子如狼，犹恐如羊'，希望他稍微长大之后，自然有所不同。"长孙无忌回答说："陛下神明英武，乃是拨乱反正之才，太子仁恕，实是守成之德，志趣风格虽然不同，各自适应自己的时代，这乃是皇天所以佑护大唐而又降福万民的安排。"

四月初八日辛亥，太宗巡幸九成宫。初九日壬子，到达太平宫，对侍从大臣说："人臣顺旨意的居多，犯颜直谏的就很少。如今朕想听自己的过失，你们要直言不讳。"长孙无忌等人都说："陛下没有过失。"刘洎说："最近有上书不符合陛下圣意的人，陛下都当面加以追问，上书的人无不惭愧恐惧而退，恐怕这不是广开言路的办法。"马周说："陛下近来赏罚，稍微有些因为个人的喜怒而有所偏差，此外没有见到别的过失。"太宗都接受了这些建议。

太宗喜欢文学，而且机敏善辩，群臣上书言事，太宗引征古今加以驳难，臣下大多不能回答。刘洎上书劝谏说："帝王与平民，圣哲与庸人愚夫，上下相差悬殊，远非同类可比。由此可知，以最愚昧的臣民来面对最圣明的君主，以最卑贱的下属面对最尊贵的帝王，会徒劳地妄想自己比帝王强，是做不到的。陛下降下恩旨，赐以慈祥的脸色，安静地倾听臣下的劝谏之言，虚怀若谷来采纳臣下的意见，都还担心臣下们不敢应对。何况陛下运用了如神一样的心机，发挥了上天特赐的巧辩，修饰辞藻来批驳臣下的道理，引征古事来批评臣下的建议，这让凡夫百姓如何能够应答呢！而且博闻强记就会损伤心腹，过多说话就会损伤精气，心腹精气在内受到损伤，身体和精神在外出现疲劳，起初虽然不会察觉，以后必然为其所害，望陛下为了国家而自爱，岂能为了性情所好而自伤身心呢！至于像秦始皇那样能言善辩，由于自我矜夸而失去了民心，像魏文帝那样宏才大略，由于自我的空虚言论而辜负了众人的期望，这都是负才善辩之害，是明显可以知道的。"太宗书写飞白书回答他，说："没有思考就无法统率臣下，没有言辞就无法表述思考，近来对于国事有所论议，结果导致话语繁多，对他人的轻视和骄傲，恐怕是由此导致的。至于身体、精神、心腹、精气，不是由此而劳累的。如今听到你的直言谠议，虚心听取，加以改正。"

四月十六日己未，太宗到达显仁宫。

太宗将要征伐高丽，秋，七月二十日辛卯，敕令将作大匠阎立德等人前往洪州、饶州、江州三地，建造舟船四百艘用来载运军粮。二十三日甲午，太宗下诏派营州都督张俭等人率领幽州、营州两个都督府的士兵以及契丹、奚、靺鞨族的士兵先行攻打辽东，借以观察高丽的形势。任命太常寺卿韦挺为馈运使，任命民部侍郎崔仁

运使[245]，以民部侍郎崔仁师副之，自河北诸州皆受挺节度，听以便宜从事。又命太仆少卿萧锐[246]运河南诸州粮入海。锐，瑀之子也。

八月壬子[247]，上谓司徒无忌等曰："人苦不自知其过，卿可为朕明言之。"对曰："陛下武功文德，臣等将顺之不暇[248]，又何过之可言！"上曰："朕问公以己过，公等乃曲相谀悦[249]，朕欲面举公等得失以相戒而改之，何如？"皆拜谢。上曰："长孙无忌善避嫌疑，应物敏速，决断事理，古人不过，而总兵攻战[250]，非其所长。高士廉涉猎古今，心术明达[251]，临难不改节，当官无朋党，所乏者骨鲠规谏耳。唐俭言辞辩捷，善和解人，事朕三十年，遂无言及于献替[252]。杨师道性行纯和，自无愆违[253]，而情实怯懦，缓急[254]不可得力。岑文本性质敦厚，文章华赡[255]，而持论恒据经远[256]，自当不负于物[257]。刘洎性最坚贞，有利益，然其意尚然诺[258]，私于朋友。马周见事敏速，性甚贞正[259]，论量人物，直道而言，朕比任使，多能称意。褚遂良学问稍长，性亦坚正，每写忠诚，亲附于朕，譬如飞鸟依人，人自怜之。"

甲子[260]，上还京师。

丁卯[261]，以散骑常侍[262]刘洎为侍中，行[263]中书侍郎岑文本为中书令，太子左庶子中书侍郎马周守中书令。

文本既拜，还家，有忧色。母问其故，文本曰："非勋非旧[264]，滥荷宠荣，位高责重，所以忧惧。"亲宾有来贺者，文本曰："今受吊[265]，不受贺也。"

文本弟文昭[266]为校书郎[267]，喜宾客。上闻之不悦，尝从容谓文本曰："卿弟过尔交结，恐为卿累。朕欲出为外官[268]，何如？"文本泣曰："臣弟少孤，老母特所钟爱，未尝信宿[269]离左右。今若出外，母必愁悴，傥无此弟，亦无老母矣！"因歔欷[270]呜咽，上愍其意而止。惟召文昭严戒之，亦卒无过。

九月，以谏议大夫褚遂良为黄门侍郎，参预朝政。

师为馈运副使，河北各州都受韦挺的节制，允许他根据情况所宜进行处置。又命令太仆寺少卿萧锐运送河南各州粮草入海。萧锐是萧瑀的儿子。

八月十一日壬子，太宗对司徒长孙无忌等人说："人们苦于不知道自己的过错，你可以为朕明白地说出来。"长孙无忌回答说："陛下的文德武功，臣等顺应执行都还无暇应接，又有什么过错可以说出来！"太宗说："朕向你们询问自己的过失，你们却曲意逢迎，取悦于我，朕想当面列举你们的得失以互相鉴戒改正，怎么样？"大臣们都下拜称谢。太宗说："长孙无忌善于躲避嫌疑，对事情的回应敏捷迅速，对于事理的决断，古人也超不过，然而统军作战，不是他所擅长的。高士廉涉猎古今，心术光明通达，面临危难气节不改，为官不结朋党，所缺乏的是骨鲠强谏而已。唐俭言辞敏捷，善于调解人际关系，侍奉朕三十年，从没有过献替可否。杨师道性情品行淳正和洽，自身没有过错，但是性格实际上怯懦，紧急之事得不到他的鼎力相助。岑文本的性格质朴敦厚，文章华美富赡，然而持论常常规划长远之事，自然不切实用。刘洎性格最为坚定贞正，对于国家自有利益，然而他内心崇尚言诺，用私情对待朋友。马周观察事情敏捷迅速，性情非常纯真正直，品评人物，直抒胸臆，朕近来委任他做事，多能符合我的心意。褚遂良学问稍微优于他人，性格也坚定正直，每每倾注他的忠诚，亲近并依附于朕，如同飞鸟依人，人们自然会爱怜他。"

八月二十三日甲子，太宗返回京城。

八月二十六日丁卯，任命散骑常侍刘洎为侍中，兼中书侍郎岑文本为中书令，太子左庶子中书侍郎马周代理中书令。

岑文本官拜中书令后，回到家中，面有忧色。母亲问他原因，岑文本说："我不是勋臣，也不是旧属，滥受恩宠和荣贵，职位高责任重，所以内心忧惧。"亲属宾客中有人前来祝贺，岑文本说："现今接受吊唁，不接受祝贺。"

岑文本的弟弟岑文昭为校书郎，喜欢结交宾客。太宗听说后不高兴，曾经闲谈时对岑文本说："卿的弟弟越过你交结宾客，恐怕成为你的牵累。朕想把他调离做地方官，怎么样？"岑文本哭泣着说："臣的弟弟年少时成为孤儿，老母亲特别钟爱他，从未超过两个晚上让他离开自己的身边。现今如果出任外官，母亲必然忧愁憔悴，身边倘如没有这个弟弟，也会没有老母亲了！"于是抽泣叹气，太宗怜悯他的孝心而打消了原来的想法，只是召见了岑文昭，严加训诫，岑文昭最终也没有过失。

九月，任命谏议大夫褚遂良为黄门侍郎，参与朝政。

【段旨】

以上为第八段，写唐太宗晚年，虽纳谏有失，而识才任人得其物情，圣明依旧。

【注释】

㉑⑤拨乱：拨正乱世；拨乱反正。㉑⑥仁恕：仁德宽恕。㉑⑦趣尚：志趣和风格。㉑⑧祚：赐福；保佑。㉑⑨苍生：百姓。㉒⓪辛亥：四月八日。㉒①壬子：四月九日。㉒②太平宫：原为隋行宫，在今陕西西安市鄠邑区东南沣河西岸。㉒③穷诘：追问到底。㉒④辩敏：机敏善辩。㉒⑤折：折服。㉒⑥凡庶：一般人；普通人。㉒⑦拟伦斯绝：远非同类可比。㉒⑧至圣：旧指道德和智能最高的人。㉒⑨凝旒：冕旒处于静止状态，极言全神贯注。旒，冠冕前后悬垂的玉串。㉓⓪虚襟：襟怀宽大；虚心。㉓①扬：扬言，此指发表建议。㉓②饰辞：托词掩饰。㉓③累：带累；受害。㉓④性好：性之所好。㉓⑤秦政：即秦始皇嬴政（公元前二五九至前二一〇年），公元前二四七至前二一〇年在位。㉓⑥自矜：骄夸自负。㉓⑦魏文：即曹操次子魏文帝曹丕（公元一八七至二二六年），公元二二〇至二二六年在位。㉓⑧飞白：即飞白书。此种书法运笔独特，笔画中丝丝露白，如枯笔写成。太宗颇善此道。㉓⑨谠言：正直的言论。㉔⓪己未：四月十六日。㉔①显仁宫：胡三省注，“是时幸九成宫，为避暑也。至八月甲子，始自九成宫还京师。显仁宫在河南寿安县，幸东都则为中顿，幸九成宫非其所经之路。岐州郿县有隋安仁宫，‘显’恐当作‘安’”。安仁宫在今陕西眉县东渭河北岸。㉔②辛卯：七月二十日。㉔③洪、饶、江三州：洪州治所在今江西南昌，饶州治所在今江西鄱阳，江州治所在今江西九江。㉔④甲午：七月二十三日。㉔⑤馈运使：官名，战时临时设置的负责督运军资的长官。㉔⑥萧锐：宰相萧瑀嗣子。尚太宗女襄城公主，历太

【原文】

焉耆贰于西突厥，西突厥大臣屈利啜[271]为其弟娶焉耆王女，由是朝贡多阙；安西都护郭孝恪请讨之。诏以孝恪为西州道行军总管，帅步骑三千出银山道[272]以击之。会焉耆王弟颉鼻兄弟[273]三人至西州，孝恪以颉鼻弟栗婆准为乡导。焉耆城四面皆水，恃险而不设备。孝恪倍道兼行，夜，至城下，命将士浮水而渡。比晓，登城，执其王突骑支[274]，获首虏七千级，留栗婆准摄国事而还。孝恪去三日，屈利啜引兵救焉耆，不及，执栗婆准，以劲骑五千，追孝恪至银山。孝恪还击，破之，追奔数十里。

辛卯[275]，上谓侍臣曰：“孝恪近奏称八月十一日往击焉耆，二十日

常卿、汾州刺史。传见《旧唐书》卷六十三、《新唐书》卷一百一。㉔⑦壬子：八月十一日。㉔⑧不暇：无空闲时间；时间不够用。㉔⑨曲相谀悦：阿谀奉承以取悦于人。㉕⓪总兵攻战：领兵打仗。㉕①明达：光明通达，洞晓事理。㉕②献替："献替可否"的略语。㉕③愆违：过错。㉕④缓急：情势紧急。㉕⑤华赡：文辞富丽。㉕⑥经远：远大之经略。㉕⑦物：人或事。㉕⑧然诺：诺言；许诺。㉕⑨贞正：纯贞正直。㉖⓪甲子：八月二十三日。㉖①丁卯：八月二十六日。㉖②散骑常侍：官名，分隶门下、中书二省。在门下省者称左散骑常侍，在中书省者称右散骑常侍。多为将相大臣兼官，侍皇帝左右，规谏天子过失，以备顾问。㉖③行：大官兼代小官事称行某官。㉖④非勋非旧：既非勋臣，又非旧属。㉖⑤吊：吊丧。㉖⑥文昭：岑文昭。事见《旧唐书》卷七十、《新唐书》卷一百二《岑文本传》。㉖⑦校书郎：官名，秘书省及弘文馆负责校勘书籍之官。㉖⑧外官：地方官。㉖⑨信宿：连宿两夜。㉗⓪歔欷：叹息；抽泣声。

【校记】

［4］子如：原无此二字。章钰校云："乙十一行本'生'下有'子如'二字，与'狼'字挤刊。"今据补。［5］匠：原作"监"。据章钰校，十二行本、乙十一行本皆作"匠"，今据改。《旧唐书》卷七十七、《新唐书》卷一百载，阎立德贞观初为将作少匠，高祖李渊崩，以营建山陵功擢为将作大匠，后以事免官，贞观十三年复为将作大匠。

【语译】

焉耆国对唐朝怀有二心而与西突厥交好，西突厥的大臣屈利啜为自己的弟弟娶了焉耆王的女儿为妻，从此焉耆对唐朝的贡赋多有欠缺，安西都护郭孝恪请求讨伐它。太宗颁下诏书任命郭孝恪为西州道行军总管，统率三千步兵、骑兵从银山道出兵进攻焉耆。适逢焉耆王的弟弟颉鼻兄弟三人到达西州，郭孝恪让颉鼻的弟弟栗婆准做向导。焉耆城四面都是河水，仗恃险阻而不加防备。郭孝恪兼程行进，夜晚到达城下，命令将士泅水渡河。等到拂晓时，登上城墙，俘获焉耆王突骑支，斩首俘获七千人，留下栗婆准代理国政，自己率军返回。郭孝恪离开三天，屈利啜带兵救援焉耆，没有来得及救出突骑支，抓捕了栗婆准，率领五千强劲骑兵，追赶郭孝恪来到银山。郭孝恪回击，打败了屈利啜，追击逃兵数十里。

九月二十一日辛卯，太宗对侍从大臣说："郭孝恪近日上奏称八月十一日前往攻

应至，必以二十二日破之，朕计其道里，使者今日至矣。”言未毕，驿骑至。

西突厥处那啜[276]使其吐屯[277]摄[278]焉耆，遣使入贡。上数之曰：“我发兵击得焉耆，汝何人而据之！”吐屯惧，返其国。焉耆立栗婆准从父兄薛婆阿那支[279]为王，仍附于处那啜。

乙未[280]，鸿胪[281]奏高丽莫离支贡白金。褚遂良曰：“莫离支弑其君，九夷[282]所不容，今将讨之而纳其金，此郜鼎[283]之类也，臣谓不可受。”上从之。上谓高丽使者曰：“汝曹皆事高武，有官爵。莫离支弑逆，汝曹不能复仇，今更为之游说以欺大国，罪孰大焉！”悉以属大理[284]。

冬十月辛丑朔[285]，日有食之。

甲寅[286]，车驾行幸洛阳，以房玄龄留守京师，右卫大将军、工部尚书李大亮副之。

郭孝恪锁焉耆王突骑支及其妻子诣行在，敕宥之。丁巳[287]，上谓太子曰：“焉耆王不求贤辅，不用忠谋，自取灭亡，系颈束手，漂摇万里。人以此思惧，则惧可知矣。”

己巳[288]，畋于渑池之天池[289]。十一月壬申[290]，至洛阳。

【段旨】

以上为第九段，写唐安西都护征讨焉耆。

【注释】

㉗① 屈利啜：西突厥重臣。事见《旧唐书》卷一百九十八、《新唐书》卷二百二十一上《焉耆传》。㉗② 银山道：为唐安西都护府属地。银山，沙碛名，在今新疆托克逊西南库米什。㉗③ 颉鼻兄弟：焉耆叶护。事见《旧唐书》卷一百九十八、《新唐书》卷二百二十一上《焉耆传》。㉗④ 突骑支：焉耆王，龙姓。被俘后献于朝廷，留居京师，高宗初年，拜左卫大将军，遣归复位。事见《册府元龟》卷九百六十六《外臣部·继袭一》、《新唐

打焉耆，二十日应该到达，必定在二十二日攻破焉耆，朕计算路程，使者今日会到来。”话没说完，驿站快骑就到了。

西突厥处那啜让他的吐屯摄理焉耆的国政，派遣使者入朝进贡。太宗责备他说：“我发兵攻占了焉耆，你们是何人却来占据其国!”吐屯害怕，返回突厥。焉耆拥立栗婆准的堂兄薛婆阿那支为国王，仍然依附于处那啜。

九月二十五日乙未，鸿胪寺奏言高丽国莫离支进贡白金。褚遂良说：“莫离支弑杀他的国王，是东方九夷所不能容忍的，现在即将讨伐他，反而收取他的白金，这就如同鲁桓公向宋国索取郜鼎一样，臣认为不能接受。”太宗听从了他的意见。太宗对高丽的使者说：“你们都侍奉国王高武，有官爵。莫离支弑君为逆，你们不能报仇，如今又为他进行游说来欺骗我们大国，有比这更大的罪恶吗!”把使者全部交付大理寺。

冬，十月初一日辛丑，发生日食。

十月十四日甲寅，太宗行幸洛阳，命令房玄龄留守京师，右卫大将军、工部尚书李大亮为房玄龄的副手。

郭孝恪押送焉耆王突骑支及其妻子儿女到了太宗的住处，太宗敕令宽宥了他们。十月十七日丁巳，太宗对太子李治说：“焉耆王不去寻求贤臣辅政，不任用忠良谋划国事，自取灭亡，脖子上系着绳索，双手被捆起来，漂泊到万里之外。人们由此思索而畏惧，也就知道什么是畏惧了。”

十月二十九日己巳，太宗在渑池县的天池打猎。十一月初二日壬申，到达洛阳行宫。

书》卷二百二十一上《焉耆传》。㉗⑤辛卯：九月二十一日。㉗⑥处那啜：西突厥部酋。㉗⑦吐屯：突厥可汗之下设官二十八等，吐屯为第四等，级别较高。㉗⑧摄：即摄王，代理国王。㉗⑨薛婆阿那支：号瞎干，后被唐大将阿史那社尔擒斩。事见《旧唐书》卷一百九十八、《新唐书》卷二百二十一上《焉耆传》。㉘⓪乙未：九月二十五日。㉘①鸿胪：即鸿胪寺。㉘②九夷：古东夷诸族。据《后汉书·东夷列传》，东方有九夷，曰畎夷、于夷、方夷、黄夷、白夷、赤夷、玄夷、风夷、阳夷。㉘③郜鼎：春秋时郜国（都城在今山东成武东南）所铸大鼎，被齐桓公夺取后献于太庙。这是一种非礼行为。㉘④大理：即中央司法机关大理寺。㉘⑤辛丑朔：十月一日。㉘⑥甲寅：十月十四日。㉘⑦丁巳：十月十七日。㉘⑧己巳：十月二十九日。㉘⑨天池：湖名，在今河南渑池县熊耳山际。㉙⓪壬申：十一月二日。

【原文】

前宜州刺史郑元璹[291]，已致仕，上以其尝从隋炀帝伐高丽，召诣行在问之，对曰："辽东道远，粮运艰阻。东夷善守城，攻之不可猝下。"上曰："今日非隋之比，公但听之。"

张俭等值辽水[292]涨，久不得济[293]。上以为畏懦，召俭诣洛阳。至，具陈山川险易，水草美恶，上悦。

上闻洺州刺史程名振[294]善用兵，召问方略[295]，嘉其才敏，劳勉之，曰："卿有将相之器，朕方将任使。"名振失不拜谢，上试责怒，以观其所为，曰："山东鄙夫[296]，得一刺史，以为富贵极邪！敢于天子之侧，言语粗疏，又复不拜！"名振谢曰："疏野之臣，未尝亲奉圣问，适方心思所对，故忘拜耳。"举止自若，应对愈明辩。上乃叹曰："房玄龄处朕左右二十余年，每见朕谴责余人，颜色无主[297]。名振平生未尝见朕，朕一旦责之，曾无震慑，辞理不失，真奇士也！"即日拜右骁卫将军。

甲午[298]，以刑部尚书张亮为平壤[299]道行军大总管[300]，帅江、淮、岭、峡[301]兵四万，长安、洛阳募士三千，战舰五百艘，自莱州[302]泛海趋平壤，又以太子詹事、左卫率李世勣为辽东道行军大总管，帅步骑六万及兰、河二州[303]降胡[304]趣辽东，两军合势并进。庚子[305]，诸军大集于幽州，遣行军总管姜行本[306]、少府少监[307]丘行淹[308]先督众工造梯冲于安萝山。时远近勇士应募及献攻城器械者不可胜数，上皆亲加损益[309]，取其便易。又手诏谕天下，以"高丽盖苏文弑主虐民，情何可忍！今欲巡幸幽、蓟，问罪辽、碣[310]，所过营顿，无为劳费"。且言："昔隋炀帝残暴其下，高丽王仁爱其民，以思乱之军击安和之众，故不能成功。今略言必胜之道有五：一曰以大击小，二曰以顺讨逆，三曰以治乘乱，四曰以逸待[6]劳，五曰以悦当怨，何忧不克！布告元元[311]，勿为疑惧！"于是凡顿舍供费之具，减者太半。

十二月辛丑[312]，武阳懿公李大亮卒于长安，遗表请罢高丽之师。家

【语译】

前宜州刺史郑元璹已经退休，太宗因为他曾随从隋炀帝讨伐高丽，把他召到行宫询问讨伐高丽之事，郑元璹回答说："辽东的路途遥远，运粮艰难险阻。高丽人善于守城，攻城不能很快攻下。"太宗说："今日已非隋朝可比，你只管等着听消息吧。"

张俭等率领的部队遇上辽河水涨，很久不能渡河。太宗认为他们畏缩懦弱，把张俭召到洛阳。张俭到了洛阳，详细说明了当地山川形势和各处险易，水草好坏，太宗听了很高兴。

太宗听说洺州刺史程名振善于用兵打仗，召见他询问作战的方略，赞扬他才思敏捷，慰问勉励他，说："你有将相的才器，朕将要对你有所任用。"程名振失礼，不跪拜谢恩，太宗试探着怒斥他，来观察他会怎么做。太宗说："山东村野之人，得到一个刺史职位，自认为富贵达到极点了！竟敢在天子身边，言语粗疏，又不下拜！"程名振谢罪说："我是粗疏草野之臣，未曾亲身承受皇上的垂问，刚才心里想着如何回答，所以忘了下拜。"他的举止自若，回答更为明晰。太宗于是感叹说："房玄龄在朕身边二十多年，每次看见朕斥责其他人，脸色惶恐无主。程名振平生未曾见朕，朕责怪他，不曾震惊害怕，言辞和道理都没有差错，真是一位奇士！"当天拜官为右骁卫将军。

十一月二十四日甲午，任命刑部尚书张亮为平壤道行军大总管，率领江、淮、岭、峡各地士兵四万人，在长安、洛阳招募士兵三千人，战舰五百艘，从莱州渡海奔赴平壤，又任命太子詹事、左卫率李世勣为辽东道行军大总管，率领步兵、骑兵六万人以及兰州、河州投降的胡族士兵进军辽东，两军合势一起前进。三十日庚子，各路军队在幽州大规模会合，太宗派行军总管姜行本、少府少监丘行淹先行在安萝山监督众多工匠制造云梯和冲城器械。当时远近应募勇士和献出各种攻城器械的人不计其数，太宗都亲自加以增减损益，取用其中方便简易的器械。又发下亲笔诏书告谕天下，认为"高丽盖苏文弑杀君王，虐害百姓，于情哪里可以忍受！如今朕要巡幸幽州、蓟州，到辽东、碣石兴师问罪，所经之地的部队的驻扎安顿，不要劳费当地百姓"。并且说："从前隋炀帝残暴地对待下面的百姓，高丽王仁爱自己的民众，以人心乱的军队去进攻安定和洽的军众，所以不能建功。现在朕大略说明必胜之道，有五条：一是以大击小，二是以顺讨逆，三是用天下大治来乘机利用敌人的动乱，四是以逸待劳，五是用百姓的心悦诚服去对抗敌人内部的怨恨，何愁不能取胜！以此布告黎民百姓，不要产生疑惧！"于是，凡是用于军队顿驻所供应的各种物资，减少了一大半。

十二月初一日辛丑，武阳懿公李大亮在长安去世，遗表请求罢除进攻高丽的

余米五斛，布三十匹。亲戚早孤为大亮所养，丧之如父者十有五人。

壬寅[313]，故太子承乾卒于黔州，上为之废朝，葬以国公[314]礼。

甲寅[315]，诏诸军及新罗、百济、奚、契丹分道击高丽。

初，上遣突厥俟利苾可汗北渡河。薛延陀真珠可汗恐其部落翻动[316]，意甚恶之，豫蓄[317]轻骑于漠北，欲击之。上遣使戒敕，无得相攻。真珠可汗对曰："至尊有命，安敢不从！然突厥翻覆难期，当其未破之时，岁犯中国，杀人以千万计。臣以为至尊[318]克之，当翦[319]为奴婢，以赐中国之人，乃反养之如子，其恩德至[320]矣，而结社率竟反。此属兽心，安可以人理待也！臣荷恩深厚，请为至尊诛之。"自是数相攻。

俟利苾之北渡也，有众十万，胜兵四万人。俟利苾不能抚御，众不惬服[321]。戊午[322]，悉弃俟利苾南渡河，请处于胜、夏之间[323]，上许之。群臣皆以为："陛下方远征辽左[324]，而置突厥于河南，距京师不远，岂得不为后虑！愿留镇洛阳，遣诸将东征。"上曰："夷狄亦人耳，其情与中夏[325]不殊[326]。人主患[327]德泽[328]不加，不必猜忌异类[329]。盖德泽洽[330]，则四夷可使如一家，猜忌多，则骨肉不免为仇敌。炀帝无道，失人已久，辽东之役，人皆断手足以避征役，玄感[331]以运卒反于黎阳，非戎狄为患也。朕今征高丽，皆取愿行者，募十得百，募百得千，其不得从军者，皆愤叹郁邑[332]，岂比隋之行怨民哉！突厥贫弱，吾收而养之，计其感恩，入于骨髓，岂肯为患！且彼与薛延陀嗜欲略同[333]，彼不北走薛延陀而南归我，其情可见矣。"顾谓褚遂良曰："尔知起居，为我志之：自今十五年，保无突厥之患。"俟利苾既失众，轻骑入朝，上以为右武卫将军。

军队。他家中剩余五斛米，三十匹布。亲属中早年丧父的孤儿，被李大亮收养，为大亮服丧就像自己的父亲一样的有十五人。

十二月初二日壬寅，前太子李承乾死于黔州，太宗因他的死停止上朝，以国公的礼仪安葬。

十二月十四日甲寅，太宗下诏命令各路军队以及新罗、百济、奚、契丹分路攻打高丽。

起初，太宗派遣突厥俟利苾可汗北渡黄河。薛延陀真珠可汗担心他的部落动荡，心里极为不满，预先在漠北聚集了轻骑兵，想袭击俟利苾。太宗派遣使者诫敕双方，不得相互攻击。真珠可汗回答说："天子有命令，哪里敢不遵从！然而突厥人反复无常难以预料，在他们未败之时，年年侵犯中国，杀人以千万计。臣认为天子打败了他们，应当剪灭他们，作为奴隶，赏赐给中国的百姓，却如同抚养儿子一样抚养他们，对他们恩德至高，然而结社率竟然反叛。这等兽心之人，怎能用人的道理对待他们呢！臣蒙恩深厚，请求为天子诛灭他们。"从此频繁相攻。

俟利苾北渡黄河后，拥有人口十万，可以作战的士兵四万人。俟利苾不能安抚驾驭，大家都不乐意服从。十二月十八日戊午，大家都离弃俟利苾南渡黄河，请求居住在胜州、夏州之间地带，太宗答应了他们。群臣都认为："陛下正在远征辽东，又把突厥人安置在河南，离京师不远，怎么能不构成以后的忧虑！希望陛下留下来镇守洛阳，派遣各位将领东征高丽。"太宗说："夷狄也是人，他们的性情与中原华夏人没有差异。作为君主所担忧的是自己的恩德没有施及百姓，不必猜忌"异族"。如果君主的恩德润泽天下，那么四方的夷族就可以让他们与华夏人如同一家，如果君主猜忌多，就连亲骨肉也不免成为仇敌。隋炀帝无道，失去民心已久，辽东之役，百姓们都断掉手足来逃避兵役，杨玄感率领运送粮食的士卒在黎阳造反，并非夷狄为患。朕现今征伐高丽，都是取用愿意从军打仗的，招募十名就得到一百人，招募百名就得到一千人，那些不能从军的人，全都愤然叹息，心中忧郁，怎么能与隋朝东征时调发怨愤的百姓相比类！突厥贫弱，我大唐接收并养护他们，估计他们的感恩戴德之情，深入骨髓，怎么会成为祸患呢！而且他们突厥人与薛延陀的欲望爱好大略相同，他们不向北投奔薛延陀而南下归顺我们，其中情形是可以想见的。"太宗回头对褚遂良说："你掌管起居注，为我记下这些话：从今往后十五年，保证没有突厥之患。"俟利苾已经失去部众，轻骑入朝，太宗任命他为右武卫将军。

【段旨】

以上为第十段，写唐太宗大举兵伐高丽，同时安抚归降的突厥之众。

【注释】

㉙郑元璹（？至公元六四六年）：隋末唐初大臣，荥阳开封（今河南开封）人，在隋任右武候将军，曾从炀帝征讨高丽。入唐官至左武候大将军，封沛国公。传见《旧唐书》卷六十二、《新唐书》卷一百。㉒辽水：今辽河。㉓济：渡，过河。㉔程名振：唐初名将，洺州平恩（今河北曲周东南）人，早年参加窦建德军，降唐后累擢营州都督等职。事见《旧唐书》卷八十三、《新唐书》卷一百十一《程务挺传》。㉕方略：计策；谋略。㉖鄙夫：村野之人；庸俗鄙陋之人。㉗颜色无主：因受惊脸色骤变。㉘甲午：十一月二十四日。㉙平壤：高丽国都。即今朝鲜平壤。㉚行军大总管：战时某一方面军的统帅或领军大将。㉛江、淮、岭、峡：地区名。江，江州，治所在今江西九江市。淮，今江苏南部长江支流秦淮河流域。岭，五岭地区，今湘、赣与桂、粤等省交界处。峡，长江三峡地区，或指峡州，治所在今湖北宜昌。胡三省注认为峡指峡中诸州，包括夔、硖、归三州之地。㉜莱州：州名，治所在今山东莱州。㉝兰、河二州：兰州治所在今甘肃皋兰，河州治所在今甘肃临夏。㉞降胡：唐西北边地归降蕃人之总称。㉟庚子：十一月三十日。㊱姜行本（？至公元六四五年）：唐初大将，名確，字行本，秦州上邽（今甘肃天水）人，累擢将作大匠、左屯卫将军等职，封金城郡公。行本工于营建，尤善兵械制造。传见《旧唐书》卷五十九、《新唐书》卷九十一。㊲少府少监：官名，天子私府少

【原文】

十九年（乙巳，公元六四五年）

春，正月，韦挺坐不先行视漕渠[334]，运米六百余艘至卢思台[335]侧，浅塞不能进，械送洛阳。丁酉[336]，除名[337]，以将作少监[338]李道裕[339]代之，崔仁师亦坐免官。

沧州刺史席辩坐赃污，二月庚子[340]，诏朝集使临观而戮之。

庚戌[341]，上自将诸军发洛阳，以特进萧瑀为洛阳宫留守。乙卯[342]，诏："朕发定州后，宜令皇太子监国[343]。"开府仪同三司致仕尉迟敬德上言："陛下亲征辽东，太子在定州，长安、洛阳心腹空虚，恐有玄感之变。且边隅小夷，不足以勤万乘[344]，愿遣偏师[345]征之，指期可殄[346]。"上不从。以敬德为左一马军总管，使从行。

府监长官之副，掌皇室手工业制造。㉘丘行淹：唐初大将丘和少子。《旧唐书》卷五十九《丘行恭传》作“丘行掩”，《新唐书》卷八十三《襄城公主传》作“丘行淹”。㉙损益：增减。㉚碣：即碣石山。在今辽宁绥中县东南姜女坟。㉛元元：黎民百姓。㉜辛丑：十二月一日。㉝壬寅：十二月二日。㉞国公：爵位名，原为五等爵中的最高一级。在隋唐九等爵中为第三级。㉟甲寅：十二月十四日。㊱翻动：闹事；反叛。㊲蓄：储备。㊳至尊：指代皇帝。㊴翦：同“剪”。㊵至：最；极。㊶惬服：满意。㊷戊午：十二月十八日。㊸胜、夏之间：谓胜州（治所在今内蒙古准格尔旗东北黄河南岸十二连城）、夏州（治所在今内蒙古乌审旗南白城子）间的广大地带。㊹辽左：即辽东。㊺中夏：中原。㊻不殊：没有两样。㊼患：忧虑。㊽德泽：恩惠。㊾异类：“异族”。㊿洽：浸润。(331)玄感：即隋叛将杨玄感（？至公元六一三年），弘农华阴（今陕西华阴）人，权臣杨素子。历任郢州刺史、礼部尚书，袭封楚国公。大业九年（公元六一三年）反于黎阳，不久兵败自杀。传见《隋书》卷七十。(332)郁邑：苦闷。邑，通“悒”。(333)嗜欲略同：爱好基本相同。

【校记】

[6]待：据章钰校，十二行本、乙十一行本皆作“敌”。

【语译】

十九年（乙巳，公元六四五年）

春，正月，韦挺犯罪，他不先去察看漕渠，运送粮米的六百多艘船只在卢思台旁边，水浅，船只阻塞不能前进，把他戴上刑具押送洛阳。二十八日丁酉，取消韦挺做官的名籍，任命将作少监李道裕代替他，崔仁师也坐罪免官。

沧州刺史席辩犯贪污罪，二月初二日庚子，太宗下诏命令朝集使现场观看处死席辩。

二月十二日庚戌，太宗亲自统率各军从洛阳出发，任命特进萧瑀为洛阳宫留守。十七日乙卯，太宗下诏：“朕从定州发兵后，应该让皇太子监理国政。”开府仪同三司致仕尉迟敬德进言说：“陛下亲征辽东，太子在定州，心腹之地长安、洛阳空虚，恐怕有像杨玄感那样的变乱。况且边陲的小国高丽，不值得惊动皇上，希望陛下派一支部队征伐，指期可灭。”太宗不听从。任命尉迟敬德为左一马军总管，让他随行出征。

丁巳[347]，诏谥殷太师比干[348]曰忠烈，所司封其墓，春秋祠以少牢[349]，给随近五户供洒扫。

上之发京师也，命房玄龄得以便宜从事，不复奏请。或诣留台[350]称有密，玄龄问密谋所在，对曰："公则是也。"玄龄驿送行在。上闻留守有表送告密人，怒[7]，使人持长刀于前而后见之，问告者为谁，曰："房玄龄。"上曰："果然。"叱令腰斩。玺书让玄龄以"不能自信，更有如是者，可专决之"。

癸亥[351]，上至邺[352]，自为文祭魏太祖[353]，曰："临危制变，料敌设奇，一将之智有余，万乘之才不足。"

是月，李世勣军至幽州。

三月丁丑[354]，车驾至定州。丁亥[355]，上谓侍臣曰："辽东本中国之地，隋氏四出师而不能得。朕今东征，欲为中国报子弟之仇，高丽雪君父之耻耳。且方隅[356]大定，惟此未平。故及朕之未老，用士大夫余力以取之。朕自发洛阳，唯啖[357]肉饭，虽春蔬亦不之进，惧其烦扰故也。"上见病卒，召至御榻[358]前存慰，付州县疗之，士卒莫不感悦。有不预征名[359]，自愿以私装从军，动以千计，皆曰："不求县官[360]勋赏，惟愿效死[361]辽东。"上不许。

上将发，太子悲泣数日。上曰："今留汝镇守，辅以俊贤，欲使天下识汝风采。夫为国之要，在于进贤退不肖[362]，赏善罚恶，至公无私，汝当努力行此，悲泣何为！"命开府仪同三司高士廉摄太子太傅，与刘洎、马周、少詹事[363]张行成、右庶子高季辅同掌机务[364]，辅太子。长孙无忌、岑文本与吏部尚书杨师道从行。壬辰[365]，车驾发定州，亲佩弓矢，手结雨衣于鞍后。命长孙无忌摄侍中，杨师道摄中书令。

二月十九日丁巳，太宗下诏追谥殷商太师比干为忠烈，让有关部门为比干的坟墓培土封墓，春秋两季用少牢猪羊两牲祭祀，提供附近五户人家为比干墓洒扫。

太宗离开京城时，命令房玄龄根据具体情况临机处理政务，不再向皇帝上奏请示。有人到房玄龄留守的官衙声称有人进行密谋，房玄龄问密谋的人在哪里，回答说："你就是。"房玄龄把告密人通过驿站传送到太宗行宫。太宗听说留守有表章送来告密的人，很生气，让人手持长刀立于帐前，然后见告密人，问告密人告的是谁，回答说："房玄龄。"太宗说："果然不出所料。"喝令把告密人腰斩，以玺书责备房玄龄说"不能自信，再有如同这样的人，你可以独自决断"。

二月二十五日癸亥，太宗到达邺县，亲自撰文祭奠魏太祖，文章说："面临危机处置事变，料度敌情设置奇兵，作为一位将领的智慧有余，作为帝王的才能则不足。"

这个月，李世勣的部队到达幽州。

三月初九日丁丑，太宗到达定州。十九日丁亥，太宗对侍从大臣说："辽东本来是中原王朝的土地，隋朝四次出兵都不能获取。朕今日东征，想为中国子弟兵报仇，为高丽雪君王被杀的耻辱。而且四方大定，只有此处没有平定。所以乘朕没有衰老，利用士大夫们的余力来获取此地。朕自从洛阳出发以来，只吃肉食，就连春天的蔬菜也不吃，这是担心烦扰百姓的缘故。"太宗看见患病的士兵，叫到御榻前加以慰问，交给州县进行治疗，士兵们莫不感动喜悦。有人没有加到东征士兵的名籍之中，自愿用私人的装备随从军队，动辄千计，都说："我们不要求皇上的勋爵赏赐，只愿献身辽东。"太宗不同意他们的要求。

太宗即将出发，太子李治悲泣了好几天。太宗说："如今留下你镇守京城，让俊才贤人辅佐你，想让天下认识你的风采。治理国家的关键，在于进用贤人，斥退无能小人，赏善罚恶，大公无私，对这些你应当努力施行，悲伤哭泣干什么！"命开府仪同三司高士廉兼任太子太傅，与刘洎、马周、少詹事张行成、右庶子高季辅共同执掌枢机要务，辅佐太子。长孙无忌、岑文本与吏部尚书杨师道随从太宗出行。三月二十四日壬辰，太宗从定州出发，亲自佩戴弓箭，在马鞍后亲手系好雨衣。命令长孙无忌摄行侍中，杨师道摄行中书令。

【段旨】

以上为第十一段，写唐太宗亲征高丽，令太子李治监国。

【注释】

㉞漕渠：由人工开凿或疏浚用以通漕运的河流。此指曹操征乌桓所开泉州渠。㉟卢思台：在今北京市卢沟桥西北。㊱丁酉：一月二十八日。㊲除名：除去名籍，取消原有的做官资格。㊳将作少监：官名，将作监长官将作大匠之副，掌土木工程营建等事。㊴李道裕：唐初大臣李大亮侄，雍州泾阳（今陕西泾阳）人，永徽中，官至大理卿。传见《旧唐书》卷六十二、《新唐书》卷九十九。㊵庚子：二月二日。㊶庚戌：二月十二日。㊷乙卯：二月十七日。㊸监国：天子外出，太子留守京师并监理国事。㊹万乘：本指兵车万辆，后代指天子。周制，只有天子可拥有兵车万乘，后世遂称天子为"万乘之尊"。㊺偏师：一支部队。一般为非主力军。㊻殄：灭绝。㊼丁巳：二月十九日。㊽比干：殷纣王叔父，因屡次劝谏纣王，被剖心而死。事见《史记·殷本纪》。㊾少牢：古称

【原文】

李世勣军发柳城[366]，多张形势，若出怀远镇[367]者，而潜师北趣甬道[368]，出高丽不意。夏，四月戊戌朔[369]，世勣自通定[370]济辽水，至玄菟[371]。高丽大骇[372]，城邑皆闭门自守。壬寅[373]，辽东道副大总管江夏王道宗将兵数千至新城[374]，折冲都尉曹三良引十余骑直压城门，城中惊扰，无敢出者。营州都督张俭将胡兵[375]为前锋，进渡辽水，趋建安城[376]，破高丽兵，斩首数千级。

太子引高士廉同榻视事，又令更为士廉设案，士廉固辞。

丁未[377]，车驾发幽州。上悉以军中资粮、器械、簿书委岑文本，文本夙夜勤力，躬自料配，筹[378]、笔不去手，精神耗竭，言辞举措，颇异平日。上见而忧之，谓左右曰："文本与我同行，恐不与我同返。"是日，遇暴疾而薨。其夕，上闻严鼓[379]声，曰："文本殒没，所不忍闻，命撤之。"时右庶子许敬宗在定州，与高士廉等同知机要。文本薨，上召敬宗，以本官检校中书侍郎。

壬子[380]，李世勣、江夏王道宗攻高丽盖牟城[381]。丁巳[382]，车驾至北平。癸亥[383]，李世勣等拔盖牟城，获二万余口，粮十余万石。

祭祀用的豕、羊两牲。㊿留台：官名，即留守。351癸亥：二月二十五日。352邺：县名，县治在今河北临漳西南邺镇。353魏太祖：即三国时的政治家、军事家、诗人曹操（公元一五五至二二〇年）。子曹丕称帝，追尊为魏武帝，庙号太祖。354丁丑：三月九日。355丁亥：三月十九日。356方隅：四方；边疆。357啖：吃。358御榻：皇帝卧榻。榻，床。359不预征名：不属于征发对象，未预于征辽军之名籍。360县官：天子。361效死：效力而死。362不肖：不贤。363少詹事：官名，东宫詹事府长官太子詹事之副，正四品上，掌东宫内外众务。364机务：军国机密大事。365壬辰：三月二十四日。

【校记】

［7］怒：此字上原有“上”字。据章钰校，十二行本、乙十一行本皆无“上”字，今据删。

【语译】

李世勣的部队从柳城出发，大张声势，好像要从怀远镇出兵，而暗中出兵北趋甬道，出乎高丽的意料。夏，四月初一日戊戌，李世勣从通定渡过辽水，到达玄菟。高丽大惊，城邑都闭门自守。初五日壬寅，辽东道副大总管江夏王李道宗率军数千人到达新城，折冲都尉曹三良带领十多个骑兵直接压向城门，城中惊扰，没有人敢出城。营州都督张俭率领胡族士兵为前锋，进兵渡过辽水，奔赴建安城，打败高丽兵，斩获数千首级。

太子李治请高士廉同榻理政，又令另为高士廉设置几案，高士廉坚决推辞。

四月初十日丁未，太宗从幽州出发。太宗把军中的所有物资粮草、器械、文书簿录委派给岑文本管理，岑文本早晚勤奋努力，亲自料理调配，筹具、笔墨不离手，心力耗竭，言谈举止，颇与往日不同。太宗看见后为他担忧，对身边的人说：“文本与我同行，恐怕不能与我一同返回。”当天，岑文本暴病去世。这天夜里，太宗听到急促的鼓声，说：“文本去世，这是我不忍心听见的，命人取消。”当时右庶子许敬宗在定州，与高士廉等人共同掌管枢机要务。岑文本死后，太宗召来许敬宗，以本官检校中书侍郎。

四月十五日壬子，李世勣、江夏王李道宗攻打高丽盖牟城。二十日丁巳，太宗到达北平城。二十六日癸亥，李世勣等人攻下盖牟城，获得二万多人，粮食十多万石。

张亮帅舟师自东莱[384]渡海，袭卑沙城[385]。其城四面悬绝，惟西门可上。程名振引兵夜至，副总管王文度[386]先登，五月己巳[387]，拔之，获男女八千口。分遣总管丘孝忠[388]等曜兵于鸭绿水[389]。

李世勣进至辽东城[390]下。庚午[391]，车驾至辽泽[392]，泥淖二百余里，人马不可通，将作大匠阎立德布土作桥，军不留行。壬申[393]，渡泽东。乙亥[394]，高丽步骑四万救辽东，江夏王道宗将四千骑逆击之。军中皆以为众寡悬绝，不若深沟高垒以俟车驾之至。道宗曰："贼恃众，有轻我心，远来疲顿，击之必败。且吾属为前军，当清道以待乘舆，乃更以贼遗君父乎[395]！"李世勣以为然。果毅都尉马文举曰："不遇勍敌[396]，何以显壮士！"策马趋敌，所向皆靡[397]，众心稍安。既合战，行军总管张君乂[398]退走，唐兵不利。道宗收散卒，登高而望，见高丽陈乱，与骁骑数十冲之，左右出入，李世勣引兵助之，高丽大败，斩首千余级。

丁丑[399]，车驾度辽水，撤桥，以坚士卒之心。军于马首山[400]。劳赐江夏王道宗，超拜马文举中郎将，斩张君乂。上自将数百骑至辽东城下，见士卒负土填堑，上分其尤重者，于马上持之，从官争负土致城下。李世勣攻辽东城，昼夜不息。旬有二日[401]，上引精兵会之，围其城数百重，鼓噪声震天地。甲申[402]，南风急，上遣锐卒登冲竿[403]之末，爇[404]其西南楼，火延烧城中，因麾将士登城，高丽力战不能敌，遂克之，所杀万余人，得胜兵万余人，男女四万口，以其城为辽州。

乙未[405]，进军白岩城[406]。丙申[407]，右卫大将军李思摩中弩矢，上亲为之吮血。将士闻之，莫不感动。乌骨城[408]遣兵万余为白岩声援，将军契苾何力以劲骑八百击之。何力挺身陷陈，槊中其腰，尚辇奉御[409]薛万备[410]单骑往救之，拔何力于万众之中而还。何力气益愤，束疮而战，从骑奋击，遂破高丽兵，追奔数十里，斩首千余级，会暝[411]而罢。万备，万彻之弟也。

张亮率领水军从东莱渡海，袭击卑沙城。此城四面悬崖，与外界隔绝，只有西门可以上去。程名振率领士兵夜间到达，副总管王文度首先登上城墙，五月初二日己巳，攻取卑沙城，俘获男女八千人。太宗分别派遣总管丘孝忠等人在鸭绿江炫耀兵力。

李世勣的部队进军到辽东城下。五月初三日庚午，太宗到达辽泽，泥淖二百余里，人马不能通过，将作大匠阎立德布土架桥，军队继续前进并未停留。初五日壬申，渡过辽泽东进。初八日乙亥，高丽的步兵、骑兵四万人救援辽东，江夏王李道宗率领四千骑兵迎击高丽兵。军中都认为敌我众寡悬殊，不如深沟高垒，等待太宗到来。李道宗说："敌人仗着人马众多，有轻我之心，他们远道而来，疲惫困顿，进攻他们，他们必败。况且我们是前锋部队，应当扫清道路，以待皇上车驾的到来，怎能再把敌人留给皇上呢！"李世勣认为说得对。果毅都尉马文举说："不遇上强劲的敌人，如何能显示壮士的本色！"他便驱马冲向敌军，所向披靡，大家心里稍稍安定下来。双方军队已经交战，行军总管张君乂后退，唐兵不利。李道宗收罗溃散的士兵，登高观望，看见高丽军的阵形混乱，就与几十名骁勇骑兵冲击敌阵，左右出入，李世勣领兵援助李道宗，大败高丽兵，斩杀一千多人。

五月初十日丁丑，太宗渡过辽水，撤去桥梁，借此来坚定士兵们的信心。驻军在马首山。太宗慰劳赏赐江夏王李道宗，越级提拔马文举为中郎将，处斩张君乂。太宗亲率数百骑兵到达辽东城下，看见士兵背土填沟，太宗从负载最重的人身上分出一些土，在马上拿着，随从的官员争着背土送到城下。李世勣的部队攻打辽东城，昼夜不停。过了十二天，太宗带领精兵与李世勣会合，把辽东城包围了数百层，擂鼓呐喊的声音震天动地。十七日甲申，南风刮得很急，太宗派精锐士兵登上冲城长竿的顶端，放火烧辽东城的西南角楼，火势蔓延烧到城内，于是指挥将士们登上城墙，高丽兵奋力作战不能抵御，唐军便攻克了辽东城，杀死一万多人，获取能作战的高丽兵一万多人，男女百姓四万多人，把此城设置为辽州。

五月二十八日乙未，唐军进军白岩城。二十九日丙申，右卫大将军李思摩中箭，太宗亲自为他吸出瘀血。将士们听说后，没有不感动的。乌骨城派一万多名士兵作为白岩城的声援，将军契苾何力派八百名强劲骑兵攻击乌骨城的部队。契苾何力挺身陷阵，长矛刺中了他的腰部，尚辇奉御薛万备单枪匹马前去救援，在万人丛中救出何力后返回。契苾何力的气势愈为激愤，包扎了伤口又去拼杀，跟从的骑兵奋勇出击，于是打败了高丽兵，追击逃兵几十里，杀死一千多人，赶上天黑才收兵。薛万备是薛万彻的弟弟。

【段旨】

以上为第十二段，写征东唐军，初战告捷，攻破辽东城。

【注释】

㊱柳城：县名，县治在今辽宁朝阳。㊲怀远镇：在今辽宁沈阳市辽中区附近。㊳甬道：两旁有墙的通道。此处甬道为隋炀帝征高丽时建。㊴戊戌朔：四月一日。㊵通定：城镇名，在今辽宁新民西北辽河西岸。㊶玄菟：郡名，治所原在今朝鲜咸宁南道咸兴，后两迁至今辽宁沈阳东。㊷大骇：大惊。㊸壬寅：四月五日。㊹新城：今辽宁抚顺。㊺胡兵：此当为营州都督所押领的靺鞨、奚等东胡兵。㊻建安城：在今辽宁盖州市东北青石关。㊼丁未：四月十日。㊽筹：用以记数和计算的竹制用具。㊾严鼓：急促鼓声；疾击之鼓。㊿壬子：四月十五日。(381)盖牟城：在今辽宁抚顺北郊。(382)丁巳：四月二十日。(383)癸亥：四月二十六日。(384)东莱：州名，治所在今山东莱州。(385)卑沙城：又作"卑奢城"。在今辽宁锦州东大黑山。(386)王文度：唐初大将，曾参加征讨西突厥、高丽、百济等重大军事活动。官至熊津都督，驻守百济。事见《旧唐书》卷八十三《苏定方传》、卷八十四《刘仁轨传》、卷一百九十九上《高丽传》,《新唐书》卷一百八《刘仁轨传》、卷一百十一《苏定方传》、卷二百十五下《突厥传下》、卷二百二十《高丽传》。(387)己巳：五月二日。(388)丘孝忠：丘和子。官至卫尉卿、广州都督，封安南公。事见《元和姓纂》卷五《十八尤》。(389)鸭绿水：今中朝界河鸭绿江。(390)辽东城：隋辽东郡治所，在今辽宁辽阳老城区。(391)庚午：五月三日。(392)辽泽：即辽河。(393)壬申：五月五日。(394)乙亥：五月八日。(395)以贼遗君父乎：东汉耿弇有此语。耿弇与张步战于临淄，部将陈俊劝耿弇闭营休整，等待光武帝救援，耿弇不听，曰："乘舆且到，臣子当击牛酾酒以待百官，反欲以贼虏遗君父邪?"(396)勍敌：强敌。勍，通"劲"。(397)靡：倒下；溃败。(398)张君乂（？至公元六四五年）：唐初将领。事见《旧唐书》卷九十二《魏元忠传》,《新唐书》卷二《太宗纪》、卷七十八《李道宗传》、卷二百二十《高丽传》。(399)丁丑：五月十日。(400)马首山：即今辽宁辽阳西南首山，又称手山。(401)旬有二日：一旬（十天）又两天，即十二日。(402)甲申：五月十七日。(403)冲竿：攻城登城工具。(404)爇：点燃。(405)乙未：五月二十八日。(406)白岩城：又作白崖城。即今辽宁辽阳东燕州城。(407)丙申：五月二十九日。(408)乌骨城：在今辽宁凤城东南凤凰山上。(409)尚辇奉御：官名，殿中省尚辇局长官，掌朝会、祭祀时的舆辇、伞扇陈设。(410)薛万备：唐初将领，京兆咸阳（今陕西咸阳）人，官至左卫将军。传见《旧唐书》卷九十四。(411)暝：日暮；夜晚。

【研析】

本卷研析唐太宗废立太子事件。

唐太宗共有十四个儿子，他最喜欢的有两个，一是魏王李泰，二是吴王李恪。长孙皇后是唐太宗嫡妻，生有三个儿子，即太子李承乾、魏王李泰、晋王李治。吴王李恪是杨妃所生，是庶子，排行第三。魏王李泰排行第四，晋王李治排行第九。李恪是李泰、李治的兄长。

李承乾是唐太宗嫡长子，因生于承乾殿而得名。唐太宗即位，李承乾就被立为皇太子，时年八岁。李承乾聪明能干，唐太宗十分喜欢，每次行幸，常令太子监国，可是年长成人后，李承乾沉迷于声色逸乐，亲昵群小，慢待师尊，唐太宗担心不能做继承人，转而亲近魏王李泰，待遇过于太子，煽起了魏王李泰的夺嫡野心。双方明争暗斗，愈演愈烈。唐太宗的态度暧昧不明，太子深感大祸临头，于是铤而走险，筹划发动宫廷政变，武力夺权。事情败露，李承乾被废为庶人，党羽大臣侯君集、汉王李元昌皆伏诛。由于李承乾与李泰的矛盾激化，已到水火不容的地步，如果李泰继位，李承乾性命难保。当年玄武门之变，不仅太子李建成丧命，李建成的儿子也一一问斩。唐太宗想起这一幕就心惊胆战，眼看悲剧就要降临到自己的儿子们身上，他受不了了。唐太宗与褚遂良谈起来就涕泪交流。来济对唐太宗说："陛下不失为慈父，太子得尽天年，则善矣！"出于无奈，唐太宗只好对李承乾和李泰采取两弃的态度，李承乾被废为庶人，李泰被贬出京，改封为顺阳王，徙居均州的郧乡县。

谁来做太子呢？又有两个人选难住了唐太宗。唐太宗第二子李宽早死，第三子吴王李恪最年长，唐太宗认为他长得像自己，英武有才能，想立为太子。可是李恪为庶出，唐太宗还有一个嫡子李治，是第九子，十分仁孝，但性格懦弱，唐太宗担心他守不住家业。可是唐太宗对长孙皇后思念不已，感情上割不断。在李恪与李治二子之间选一，唐太宗拿不定主意，他找来长孙无忌商量，希望长孙无忌不要有私心，明白地对长孙无忌说："李恪不是你的亲外甥，希望你不要偏心。"唐太宗是多么希望长孙无忌支持李恪，这样政权就可以平稳过渡。长孙无忌恰恰有忌，他猜忌李恪的贤能，喜欢自己亲外甥李治的懦弱，正好大权独揽。长孙无忌不支持李恪，唐太宗只好违心立李治。唐太宗对臣下说："泰立，承乾、晋王皆不存；晋王立，泰共承乾可无恙也。"(《旧唐书·太宗诸子传》)

唐太宗废立太子，笼罩了玄武门之变的阴影，武力政变夺权，留下了一个坏榜样，唐太宗得了现世报。长孙皇后识大体，是唐太宗的贤内助，可惜没有教育好太子。唐太宗违背封建等级制度，宠爱魏王李泰逾制，诱发了他的夺嫡之心，不是一个好父亲。既然认为李恪"类我"，唐太宗就应乾纲独断，立李恪为太子，不应与长孙无忌商量。长孙无忌妒能，与李恪结下恩怨，在高宗即位后借房遗爱谋反案，无辜株连李恪而杀之，到头来长孙无忌却被自己一手扶持的亲外甥皇帝李治逼杀。因此《旧唐书·太宗诸子传》史臣评论说："太宗诸子，吴王恪、濮王泰最贤，皆以才高辩悟，为长孙无忌忌嫉，离间父子，遽为豺狼，而无忌破家，非阴祸之报欤?"报应之说，无可为证，但权谋巧诈，祸人者必遭人祸，这是必然的规律。长孙无忌的下场也是咎由自取。